Répertoire International des Sources Musicales

RÉPERTOIRE INTERNATIONAL
DES SOURCES MUSICALES

Publié par la Société Internationale de
Musicologie et l'Association Internationale des
Bibliothèques Musicales

INTERNATIONALES
QUELLENLEXIKON DER MUSIK

Herausgegeben von der
Internationalen Gesellschaft für Musikwissenschaft und der
Internationalen Vereinigung der Musikbibliotheken

INTERNATIONAL INVENTORY
OF MUSICAL SOURCES

Published by the International
Musicological Society and the International
Association of Music Libraries

A/I/3

EINZELDRUCKE
VOR 1800

REDAKTION
KARLHEINZ SCHLAGER

BAND 3
FAA – GYROWETZ

BÄRENREITER KASSEL BASEL TOURS LONDON

1972

Ouvrage préparé avec l'aide de l'UNESCO,
de la Ford Foundation,
de la Stiftung Volkswagenwerk,
et sous les auspices du Conseil International de la Philosophie
et des Sciences Humaines

Im Bärenreiter-Verlag erscheinen alle Teile und Bände des RISM,
die den alphabetischen Autorenkatalog umfassen.

Im G. Henle Verlag erscheinen alle Teile und Bände des RISM,
die geschlossene Quellengruppen umfassen.

INHALT · CONTENTS
TABLE DES MATIÈRES

Bibliothekssigel 9*

Verzeichnis der Abkürzungen 51*

Verzeichnis der in Band 3 enthaltenen Autoren 53*

Einzeldrucke vor 1800: Faa – Gyrowetz 1–435

BIBLIOTHEKSSIGEL

A – ÖSTERREICH

A	Admont, Benediktinerstift
BRa	Bregenz, Vorarlberger Landesarchiv
Ee	Eisenstadt, Esterházy-Archiv
Eh	— Haydn-Museum
F	Fiecht, Benediktinerordensstift St. Georgenberg
FRE	Fresach, Evangelisches Diözesanmuseum
FRI	Friesach, Stadtmuseum
Gd	Graz, Bibliothek des Bischöflichen Seckauer Ordinariats (Diözese Graz-Seckau)
Gk	— Akademie für Musik und Darstellende Kunst und Landesmusikschule (ehem. Steiermärkisches Landeskonservatorium)
Gl	— Steiermärkische Landesbibliothek (am Joanneum)
Gmi	— Musikwissenschaftliches Institut der Universität
Gu	— Universitätsbibliothek
GÖ	Göttweig, Benediktinerstift Göttweig, Musikarchiv
GÜ	Güssing, Franziskaner-Kloster
H	Herzogenburg, Chorherrenstift Herzogenburg, Bibliothek und Musikarchiv
HE	Heiligenkreuz, Zisterzienserstift
Imf	Innsbruck, Museum Ferdinandeum (ehem. Tiroler Landesmuseum Ferdinandeum)
Imi	— Musikwissenschaftliches Institut der Universität Innsbruck
Iu	— Universitätsbibliothek
Iw	— Prämonstratenser-Chorherrenstift Wilten, Archiv und Bibliothek
KN	Klosterneuburg, Augustiner-Chorherrenstift
KR	Kremsmünster, Benediktiner-Stift Kremsmünster, Regenterei oder Musikarchiv
L	Lilienfeld, Zisterzienser-Stift, Musikarchiv und Bibliothek
LA	Lambach, Benediktiner-Stift Lambach
LEx	Leoben, Pfarrbibliothek St. Xaver
LIm	Linz, Oberösterreichisches Landesmuseum (ehem. Museum Francisco-Carolinum
LIs	— Bundesstaatliche Studienbibliothek
M	Melk an der Donau, Benediktiner-Stift Melk
MB	Michaelbeuren, Benediktiner-Abtei Michaelbeuren, Bibliothek und Musikarchiv
MÖ	Mödling, Pfarrkirche St. Othmar, Bibliothek
MZ	Mariazell, Benediktiner-Priorat, Bibliothek und Archiv
N	Neuberg, Pfarrarchiv
R	Rein, Zisterzienserstift, Bibliothek
Sca	Salzburg, Salzburger Museum Carolino Augusteum, Bibliothek
Scroll	— Privatbibliothek Prof. Dr. Gerhard Croll
Sd	— Dom-Musikarchiv

Sk	— Kapitelbibliothek
Sm	— Mozarteum (Internationale Stiftung Mozarteum & Akademie für Musik und Darstellende Kunst Mozarteum), Bibliotheca Mozartiana
Smoroda	— Privatbibliothek Derra de Moroda
Smi	— Musikwissenschaftliches Institut der Universität Salzburg
Sn	— Nonnberg (Benediktiner-Frauenstift)
Ssp	— St. Peter (Erzstift oder Benediktiner-Erzabtei), Musikarchiv
SCH	Schlägl, Prämonstratenser-Stift Schlägl
SE	Seckau, Benediktiner-Abtei
SEI	Seitenstetten, Stift
SF	St. Florian, Augustiner-Chorherrenstift
SH	Solbad Hall, Franziskaner-Kloster Solbad Hall in Tirol, Archiv und Bibliothek
SL	St. Lambrecht, Benediktiner-Abtei
SP	St. Pölten, Diözesanarchiv
ST	Stams, Zisterzienserstift
TU	Tulln, Katholisches Pfarramt Tulln (Pfarrkirche St. Stephan)
Wdo	Wien, Zentralarchiv des Deutschen Ordens
Wdtö	— Gesellschaft zur Herausgabe von Denkmälern der Tonkunst in Österreich
Wgm	— Gesellschaft der Musikfreunde in Wien
Wh	— Pfarrarchiv Hernals
Whb	— Hauptverband des österreichischen Buchhandels, Archiv
Wk	— Pfarramt St. Karl, (Karlskirche, Pfarrkirche St. Karl Borromäus)
Wkann	— Sammlung Prof. Hans Kann
Wkh	— Kirche am Hof
Wl	— Archiv für Niederösterreich (Landesarchiv)
Wm	— Minoritenkonvent, Klosterbibliothek und Archiv
Wmg	— Pfarre, Maria am Gestade
Wmi	— Musikwissenschaftliches Institut der Universität
Wmk	— Akademie für Musik und Darstellende Kunst
Wn	— Österreichische Nationalbibliothek (ehem. K. K. Hofbibliothek), Musiksammlung
Wögm	— Österreichische Gesellschaft für Musik
Wp	— Musikarchiv, Piaristenkirche Maria Treu
Wph	— Wiener Philharmoniker, Archiv & Bibliothek
Ws	— Schottenstift (Benediktiner-Abtei Unserer Lieben Frau zu den Schotten)
Wsp	— St. Peter, Musikarchiv
Wst	— Stadtbibliothek, Musiksammlung
Wu	— Universitätsbibliothek
Ww	— Pfarrarchiv Währing
Wweinmann	— Privatbibliothek Dr. Alexander Weinmann
Wwessely	— Privatbibliothek Prof. Dr. Othmar Wessely
WIL	Wilhering, Zisterzienserstift, Bibliothek und Musikarchiv
Z	Zwettl, Zisterzienser-Stift, Bibliothek und Musikarchiv

B – BELGIQUE/BELGIE

Aa	Antwerpen (Anvers), Stadsarchief
Aac	— Archief en Museum voor het Vlaamse Culturleven
Ac	— Koninklijk Vlaams Muziekconservatorium (ehem. Vlaamsche Muziekschool)

10*

Ak	— O. L. Vrouw-Kathedraal, Archief
Amp	— Museum Plantijn-Moretus
Apersoons	— Privatbibliothek Guido Persoons
As	— Stadsbibliotheek
Asa	— Kerkebestuur St. – Andries, Archief
Asj	— Collegiale en Parochiale Kerk Sint-Jacob, Bibliotheek & Archief
Averwilt	— Privatbibliothek F. Verwilt
Ba	Bruxelles (Brussel), Archives de la Ville
Bc	— Conservatoire Royal de Musique, Bibliothèque
Bcdm	— CeBeDeM (Centre Belge de Documentation Musicale)
Br	— Bibliothèque Royale Albert 1ᵉʳ
BRc	Brugge (Bruges), Stedelijk Muziekconservatorium, Bibliotheek
D	Diest, St. Sulpitiuskerk, Archief
Gar	Gent (Gand), Stadsarchief
Gc	— Koninklijk Muziekconservatorium, Bibliotheek
Geb	— St. Baafsarchief mit Bibliotheek Van Damme
Gu	— Rijksuniversiteit, Centrale Bibliotheek
K	Kortrÿk, St. Martinskerk
Lc	Liège (Luik), Conservatoire Royal de Musique, Bibliothèque
Lu	— Université de Liège, Bibliothèque
LIc	Lier (Lierre), Bibliothèque du Conservatoire
LIg	— St. Gummaruskerk, Archief
LV	Leuven (Louvain), Dominikanenklooster, Bibliotheek
M	Mons (Bergen), Conservatoire Royal de Musique, Bibliothèque
MA	Morlanwelz-Mariemont, Musée de Mariemont, Bibliothèque
MEa	Mechelen (Malines), Archief en Stadsbibliotheek
MEs	— Stedelijke Openbare Bibliotheek
Tc	Tournai (Doornik), Chapitre de la Cathédrale, Archives
Tv	— Bibliothèque de la Ville
Z	Zoutleeuw, St. Leonarduskerk, Archief
ZI	Zienen, St. Germanuskerk

BR – BRASIL

Rem	Rio de Janeiro, Escola Nacional de Música da Universidade do Brasil
Rn	— Biblioteca Nacional

C – CANADA

E	Edmonton (Alberta), University of Alberta
Fc	Fredericton (New Brunswick), Christ Church Cathedral
Ku	Kingston (Ontario), Queens University, Douglas Library
Lu	London (Ontario), University of Western Ontario, Lawson Memorial Library
Mc	Montreal (Québec), Conservatoire de Musique et d'Art Dramatique
Mfisher	— Sidney T. Fisher, private collection
Mm	— McGill University, Faculty & Conservatorium of Music Library (Redpath Library)
On	Ottawa (Ontario), National Library of Canada
Qul	Québec (Québec), Université Laval
Qc	— Cathédrale de la Sainte-Trinité
SAu	Sackville (New Brunswick), Mount Allison University Library

SJm	Saint John (New Brunswick), New Brunswick Museum Library
Tb	Toronto (Ontario), Canadian Broadcasting Corporation (ehem. Canadian Radio Broadcasting Commission), Music Library
Tm	— Royal Ontario Museum Library
Tolnick	— Harvey J. Olnick, private collection
Tp	— Toronto Public Library, Music Branch
Tu	— University of Toronto, Faculty of Music (ehem. Royal Conservatory of Music) Library
Vmclean	Vancouver (British Columbia), Hugh J. McLean, private collection
Vu	— University of British Columbia Library, Fine Arts Division
W	Winnipeg (Manitoba), University of Manitoba

CH – SCHWEIZ (CONFÉDÉRATION HELVÉTIQUE / SUISSE)

A	Aarau, Aargauische Kantonsbibliothek
AR	Arenenberg, Schloßbibliothek
AShoboken	Ascona, Privatbibliothek Dr.h.c. Anthony van Hoboken
Bchristen	Basel, Privatbibliothek Werner Christen
Bm	— Musikakademie der Stadt Basel, Bibliothek
Bmi	— Bibliothek des Musikwissenschaftlichen Instituts (ehem. Musikwissenschaftliches Seminar) der Universität Basel
Bu	— Öffentliche Bibliothek der Universität Basel, Musiksammlung
BA	Baden, Historisches Museum (Landvogtei-Schloß)
BEk	Bern, Konservatorium (ehem. Berner Musikschule), Bibliothek
BEl	— Schweizerische Landesbibliothek (Bibliothèque Nationale Suisse)
BEms	— Musikwissenschaftliches Seminar der Universität Bern
BEo	— Kirchenmusikalische Bibliothek (Bibliothek des Organistenverbandes)
BEsu(b)	— Stadt- und Universitätsbibliothek (und Burgerbibliothek)
BI	Biel (Bienne), Stadtbibliothek Biel (Bibliothèque de Bienne)
BU	Burgdorf, Stadtbibliothek
C	Chur, Kantonsbibliothek Graubünden
Ca	— Staatsarchiv
D	Disentis, Stift Disentis, Musikbibliothek
DE	Delémont, Musée Jurassien
E	Einsiedeln, Kloster Einsiedeln, Musikbibliothek
EN	Engelberg, Stift Engelberg, Musikbibliothek
Fcu	Fribourg (Freiburg), Bibliothèque cantonale et universitaire (mit: Séminaire de Musicologie de l'Université de Fribourg)
Ff	— Franziskaner-Kloster
Fk	— Kapuziner-Kloster
Fsn	— Kapitel St. Nikolaus, Kapitelbibliothek
FF	Frauenfeld, Thurgauische Kantonsbibliothek
Gamoudruz	Genève (Genf), Collection M. Emile Amoudruz
Gc	— Bibliothèque du Conservatoire de Musique
Gpu	— Bibliothèque publique et universitaire de Genève
GLtschudi	Glarus, Privatbibliothek Aegidius Tschudi
Ls	Luzern, Stiftsarchiv St. Leodegar
Lz	— Zentralbibliothek (früher Kantonsbibliothek und Bürgerbibliothek)
LAc	Lausanne, Bibliothèque du Conservatoire de Musique (übernommen nach LAcu)
LAcu	— Bibliothèque cantonale et universitaire

LI	Liestal, Kantonsbibliothek
LU	Lugano, Biblioteca cantonale
Mbernegg	Maienfeld, Privatbibliothek Sprecher von Bernegg
MO	Morges, Bibliothèque de la Ville
MÜ	Müstair, Frauenkloster St. Johann
N	Neuchâtel (Neuenburg) Bibliothèque publique de la Ville de Neuchâtel
P	Porrentruy, Bibliothèque générale de l'école cantonale
R	Rheinfelden, Bibliothek des ehemaligen Chorherrenstiftes zu St. Martin
S	Sion (Sitten), Bibliothèque cantonale du Valais (Walliser Kantonsbibliothek)
Sa	— Staatsarchiv
Sk	— Kathedrale Sitten (Kapitelarchiv)
SA	Sarnen, Bibliothek des Benediktiner-Kollegiums
SAf	— Frauenkloster St. Andreas
SAM	Samedan, Biblioteca Fundaziun Planta
SCH	Schwyz, Kantonsbibliothek
SGa	St. Gallen, Staatsarchiv und Kantonsbibliothek
SGs	— Stiftsbibliothek
SGv	— Stadtbibliothek (Vadiana)
SH	Schaffhausen, Stadtbibliothek (früher: Ministerialbibliothek)
SM	St. Maurice, Bibliothèque de l'Abbaye
SO	Solothurn, Zentralbibliothek, Musiksammlung
TH	Thun, Stadtbibliothek
W	Winterthur, Stadtbibliothek
Wpeer	— Privatbibliothek Peer
Zjacobi	Zürich, Privatbibliothek Dr. Erwin R. Jacobi
Zk	— Konservatorium und Musikhochschule, Bibliothek
Zma	— Schweizerisches Musik-Archiv (früher: Zentralarchiv Schweizerischer Tonkunst)
Zms	— Bibliothek des Musikwissenschaftlichen Seminars der Universität
Zp	— Pestalozzianum
Zz	— Zentralbibliothek, Kantons-, Stadt- und Universitätsbibliothek
Zcherbuliez	Zürich-Witikon, Privatbibliothek H. Cherbuliez
ZG	Zug, Stadtbibliothek
ZO	Zofingen, Stadtbibliothek
ZU	Zuoz, Gemeindearchiv

CO – COLOMBIA

B	Bogotà, Musikarchiv der Kathedrale

CS – ČSSR (CZECHOSLOVAKIA)

Bm	Brno, Moravské múzeum-hud. hist. odděleni
Bu	— Státní vědecká knihovna Universitní knihovna
BA	Bakov nad Jizerou (pobočka Stát. archívu v Mladé Boleslavi)
BEL	Bělá pod Bezdězem, Městské múzeum
BER	Beroun, Okresný archív
BRa	Bratislava, Okresný Archív

BRe	— Evanjelícka a. v. cirkevná knižnica
BRhs	— Knižnica hudobného seminára Filozofickej fakulty univerzity Komenského
BRnm	— Slovenské národné múzeum, hudobné oddělenie (mit den Beständen aus Kežmarok und Svedlár)
BRsa	— Státný slovensky ústredný archív
BRu	— Universitní knihovna
BSk	Banská Štiavnica, farský rím.-kat. kostol, archív chóru
CH	Cheb, Okresný archív
CHOd	Choceň, Děkanský úřad
CHOm	— Městské múzeum
H	Hronov, Múzeum Aloise Jiráska
HK	Hradec Králové, Státní vědecká knihovna
J	Jur pri Bratislave, Okresný archív, Bratislava-vidiek
JIa	Jindřichův Hradec, Státní archív (Kolovratská sbírka)
JIm	— Městské múzeum
K	Český Krumlov, póbočka Stát. archívu Třeboň Hudební sbírka Schwarzenberg-Oettingen Svozy
KL	Klatovy, Okresný archív
KO	Košice, Městský archív
KOL	Kolín, Děkanský chrám
KRa	Kroměříž, Zámecký hudební archív
KRm	— Umělecko-historické múzeum
KRA	Králíky, Děkanský úřad
KRE	Kremnica, Městský archív
KU	Kutná Hora, Okresný vlastivědné múzeum
KVd	Karlovy Vary, Děkanský úřad
KVso	— Karlovarský symfonický orchestr
L	Levoča, Rímsko-katolícky farský kostol
LIa	Česká Lípa, Okresný archív
LIT	Litoměřice, pracoviště Stát. archívu Žitenice Loretánská sbírka
LO	Loukov, Farní úřad
Mms	Martin, Matica slovenská, Literárny archív
Mnm	— Slovenské národné múzeum, archív
MB	Mladá Boleslav, Okresný archív
ME	Mělník, Okresný vlastivědné múzeum
MH	Mnichovo Hradiště, Okresný múzeum
N	Nítra, Státní archív
ND	Nové Dvory, Farní úřad
NM	Nové Mesto nad Váhom, Rimsko-katolícky farský kostol
OLa	Olomouc, Státní archív – Arcibiskupská sbírka
OLu	— Státní vědecká knihovna – Universitní knihovna
OP	Opava, Slezské múzeum
OS	Ostrava, Československý rozhlas – hudební archív
Pak	Praha, Kancelář presidenta republiky Archív metropolitní kapituly
Pdobrovského	— Nostická knihovna, nyni knihovna J. Dobrovského
Ph	— Československá církev Holešovice
Pis	— Českosl. hud. informační středisko
Pk	— Archív Státní konservatore v Praze
Pnm	— Národní múzeum – hud. oddělení
Pp	— Archív pražského hradu
Pr	— Československý rozhlas – hudebni archív Různá provenience
Pra	— Rodinný archív Karla Kovařovice
Psj	— Sv. Jakub – Minoritsky klášter

Pu	— Státní knihovna ČSR – Universitní knihovna Různá provenience
PLa	Plzeň, Městský archív
PLm	— Západočeské múzeum
PLA	Plasy, Okresný archív
POa	Poděbrady, pobočka Stát. archívu Nymburk
POm	— Helichovo múzeum
PR	Příbram, Okresný múzeum
PRE	Prešov, Rímsko-katolícky farský kostol
RA	Rakovník, Státní archív
RO	Rokycany, Okresný múzeum
ROZ	Rožnava, Biskupský archív
RY	Rychnov N. Kn., Múzeum Orlicka
Sk	Spišská Kapitula, Katedrálny rímsko-katolícky kostol-Knižnica Spišskej Kapituly
SNV	Spišská Nová Ves, Rimsko-katolícky farský kostol
SO	Sokolov, Státní archív
TR	Trnava, Dóm sv. Mikuláša
TRE	Třebǒn, Statní archív
TU	Turnov, Okresný múzeum
VE	Velenice, Farní úřad
VM	Vysoké Mýto, Okresný múzeum
ZA	Zámrsk, Státní archív

D-brd – BUNDESREPUBLIK DEUTSCHLAND

Ahk	Augsburg, Heilig-Kreuz-Kirche, Dominikanerkloster, Bibliothek
As	— Staats- und Stadtbücherei (ehem. Kreis- und Stadtbibliothek
AAd	Aachen, Bischöfliche Diözesanbibliothek
AAg	— Kaiser Karl-Gymnasium, Lehrerbibliothek
AAm	— Münsterarchiv (Domarchiv, Stiftsarchiv)
AAst	— Stadtbibliothek
AB	Amorbach, Fürstlich Leiningische Bibliothek
AD	Adolfseck bei Fulda, Schloß Fasanerie, Bibliothek der Kurhessischen Hausstiftung
AM	Amberg (Bayern), Staatliche Provinzialbibliothek
AN	Ansbach, Regierungsbibliothek (ehem. Kgl. Schloßbibliothek)
AÖ	Altötting, Kapuziner-Kloster St. Konrad (ehem. Kloster St. Anna), Bibliothek
ASh	Aschaffenburg, Hofbibliothek
ASm	— Stadtbücherei (Städtische Musikschulbibliothek)
ASsb	— Stiftsbibliothek (ehem. Stiftsarchivbibliothek)
B	Berlin, Staatsbibliothek (Stiftung Preußischer Kulturbesitz)
Ba	— Amerika-Gedenkbibliothek (Berliner Zentralbibliothek)
Bch	— Musikbücherei Charlottenburg
Bhbk	— Staatliche Hochschule für Bildende Kunst, Bibliothek
Bhm	— Staatliche Hochschule für Musik und Darstellende Kunst (ehem. Kgl. Akademische Hochschule für Musik)
Bim	— Staatliches Institut für Musikforschung (Stiftung Preußischer Kulturbesitz), Bibliothek
Bk	— Staatliche Museen Preußischer Kulturbesitz, Kunstbibliothek
Blk	— Bezirks-Lehrerbibliothek Kreuzberg
Bmi	— Musikwissenschaftliches Institut der Freien Universität, Bibliothek

Bp	— Pädagogisches Zentrum (ehem. Pädagogische Arbeitsstelle Berlin; Hauptstelle für Erziehungs- und Schulwesen), Bibliothek
Bst	— Stadtbücherei, Hauptstelle Berlin-Wilmersdorf
Btu	— Universitätsbibliothek der Technischen Universität
Btum	— Lehrstuhl für Musikgeschichte der Technischen Universität Berlin
Bu	— Universitätsbibliothek der Freien Universität
BAa	Bamberg, Staatsarchiv
BAf	— Franziskaner-Kloster
BAs	— Staatsbibliothek (ehem. Kgl. Bibliothek, Staatliche Bibliothek)
BAR	Bartenstein, Fürst zu Hohenlohe-Bartensteinsches Archiv
BB	Benediktbeuern, Pfarrkirche, Bibliothek
BDBs	Baden-Baden, Südwestfunk, Notenarchiv
BDH	Bad Homburg v. d. Höhe, Stadtbibliothek
BDRp	Bad Rappenau, Pfarrbibliothek
BE	Berleburg, Fürstlich Sayn-Wittgenstein-Berleburgsche Bibliothek
BEU	Beuron, Bibliothek der Benediktiner-Erzabtei
BEV	Bevensen, Superintendantur, Ephoratsbibliothek und Bibliothek Sursen
BFa	Burgsteinfurt, Gymnasium Arnoldinum
BFb	— Fürstlich Bentheimsche Bibliothek (als Dauerleihgabe in MÜu)
BG	Beuerberg über Wolfratshausen, Stiftskirche, Bibliothek
BGD	Berchtesgaden, Stiftskirche, Bibliothek
BH	Bayreuth, Stadtbücherei
BI	Bielefeld, Städtisches Ratsgymnasium, Bibliothek
BIR	Birstein über Wächtersbach, Fürst von Ysenburgisches Archiv und Schloßbibliothek
BK	Bernkastel-Kues, Cusanusstift / St. Nikolaus-Hospital
BMek	Bremen, Bücherei der Bremer Evangelischen Kirche (ehem. Landeskirchliche Bücherei)
BMs	— Staatsbibliothek und Universitätsbibliothek
BNba	Bonn, Wissenschaftliches Beethovenarchiv
BNek	— Gemeindeverband der Evangelischen Kirche
BNms	— Musikwissenschaftliches Seminar der Universität
BNu	— Universitätsbibliothek
BOCHa	Bochum, Archiv Haus Laer
BOCHb	— Bergbaumuseum
BOCHmi	— Musikwissenschaftliches Institut der Ruhr-Universität
BOCHs	— Stadtbibliothek, Musikbücherei (ehem. Städtische Musikbibliothek)
BS	Braunschweig, Stadtarchiv und Stadtbibliothek
BSps	— Bibliothek des Predigerseminars der Evangelisch-Lutherischen Landeskirche
BÜ	Büdingen (Hessen), Fürstlich Ysenburg- und Büdingisches Archiv und Schloßbibliothek
BW	Burgwindheim über Bamberg, Katholisches Pfarramt
Cl	Coburg, Landesbibliothek
Cm	— Moritzkirche, Pfarrbibliothek (übernommen nach Cl)
Cs	— Bayerisches Staatsarchiv
Cv	— Kunstsammlung der Veste Coburg, Bibliothek
CA	Castell, Fürstlich Castell'sche Bibliothek
CEbm	Celle, Bomann-Museum
CZ	Clausthal-Zellerfeld, Kirchenbibliothek (Calvörsche Bibliothek)
CZu	— Universitätsbibliothek der Technischen Universität
DB	Dettelbach über Kitzingen, Bibliothek des Franziskanerklosters

DI	Dillingen/Donau, Kreis- und Studienbibliothek
DIp	— Bischöfliches Priesterseminar, Bibliothek
DIN	Dinkelsbühl, Bibliothek des Katholischen Pfarramts St. Georg
DM	Dortmund, Stadt- und Landesbibliothek, Musikabteilung
DO	Donaueschingen, Fürstlich Fürstenbergische Hofbibliothek
DÖF	Döffingen über Böblingen, Pfarrbibliothek
DS	Darmstadt, Hessische Landes- und Hochschulbibliothek (ehem. Großherzoglich Hessische Hofmusik-Bibliothek, Großherzoglich Hessische Hof- und Landesbibliothek, Musikabteilung)
DSim	— Internationales Musikinstitut Darmstadt, Informationszentrum für Zeitgenössische Musik (ehem. Kranichsteiner Musikinstitut), Bibliothek
DSk	— Kirchenleitung der Evangelischen Kirche in Hessen und Nassau
DT	Detmold, Lippische Landesbibliothek
DÜgg	Düsseldorf, Staatliches Görres-Gymnasium (ehem. Hohenzollern-Gymnasium), Lehrerbibliothek
DÜha	— Hauptstaatsarchiv
DÜk	— Goethe-Museum (Anton und Katharina Kippenberg-Stiftung)
DÜl	— Universitätsbibliothek (Landes- und Stadtbibliothek, ehem. Kgl. Landesbibliothek)
DÜmb	— Stadtbüchereien Düsseldorf, Musikbücherei
DÜR	Düren (Nordrhein-Westfalen), Stadtbücherei, Leopold-Hoesch-Museum
Ek	Eichstätt, Kapuzinerkloster, Bibliothek
Es	— Staats- und Seminarbibliothek (mit Bibliothek Schlecht im Bischöflichen Ordinariatsarchiv)
Ew	— Benediktinerinnen-Abtei St. Walburg, Bibliothek
EB	Ebrach, Katholisches Pfarramt, Bibliothek
EBS	Ebstorf (Niedersachsen), Kloster, Bibliothek
EIHp	Eichtersheim, Pfarrbibliothek
EM	Emden, Bibliothek der Großen Kirche
EMM	Emmerich, Staatliches Gymnasium, Bibliothek
EN	Engelberg, Franziskanerkloster, Bibliothek
ERms	Erlangen, Musikwissenschaftliches Seminar der Universität Erlangen-Nürnberg
ERik	— Institut für Kirchenmusik der Universität Erlangen-Nürnberg
ERu	— Universitätsbibliothek
ES	Essen, Musikbücherei der Stadtbücherei Essen
EU	Eutin, Kreisbibliothek (ehem. Großherzogliche Öffentliche Bibliothek; Eutiner Landesbibliothek)
F	Frankfurt/Main, Stadt- und Universitätsbibliothek, Musik- und Theaterabteilung Manskopfisches Museum
Fkm	— Museum für Kunsthandwerk, Bibliothek (ehem. Kunstgewerbemuseum)
Fmi	— Musikwissenschaftliches Institut der Johann Wolfgang von Goethe-Universität
Fsg	— Philosophisch-Theologische Hochschule Sankt Georgen, Bibliothek
Fsm	— Bibliothek für Neuere Sprachen und Musik
FLa	Flensburg, Stadtarchiv (mit Theater- und Musikarchiv)
FLs	— Staatliches Gymnasium (ehem. Kgl. Gymnasium), Bibliothek (Flensburger Schulbibliothek)
FRcb	Freiburg im Breisgau, Collegium Borromaeum
FRms	— Musikwissenschaftliches Seminar der Universität
FRu	— Universitätsbibliothek

FRIs	Friedberg (Hessen), Stadtbibliothek
FRIts	— Bibliothek des Theologischen Seminars der Evangelischen Kirche in Hessen und Nassau
FS	Freising, Dombibliothek
FUf	Fulda, Bibliothek des Klosters Frauenberg
FUl	— Hessische Landesbibliothek
FUp	— Bischöfliches Priesterseminar, Bibliothek der Philosophisch-Theologischen Hochschule
Ga	Göttingen, Staatliches Archivlager (Zerbster Bestände)
Gb	— Johann Sebastian Bach – Institut, Göttingen
Gms	— Musikwissenschaftliches Seminar der Universität
Gs	— Niedersächsische Staats- und Universitätsbibliothek
GAH	Gandersheim, Stiftsbibliothek
GAM	Gau-Algesheim, Stadtarchiv
GAR	Gars/am Inn, Philosophisch-Theologische Ordenshochschule der Redemptoristen, Bibliothek
GD	Gaesdonck über Goch, Collegium Augustinianum (Bibliothek des ehemaligen Augustiner-Chorherren-Stifts)
GI	Giessen, Justus Liebig-Universität, Bibliothek
GL	Goslar, Marktkirchenbibliothek
Ha	Hamburg, Staatsarchiv
Hch	— Gymnasium Christianeum
Hhm	— Harburg, Helmsmuseum
Hj	— Gelehrtenschule des Johanneum
Hkm	— Kunstgewerbemuseum (Museum für Kunst und Gewerbe), Bibliothek
Hmb	— Musikbücherei der Hamburger öffentlichen Bücherhallen
Hmg	— Museum für Hamburgische Geschichte
Hmi	— Musikwissenschaftliches Institut der Universität
Hs	— Staats- und Universitätsbibliothek, Musikabteilung
Hth	— Universität Hamburg, Theatersammlung
HB	Heilbronn, Stadtbücherei, Musiksammlung, mit Gymnasialbibliothek
HCHs	Hechingen, Stiftskirche, Bibliothek
HEk	Heidelberg, Evangelisches Kirchenmusikalisches Institut
HEms	— Musikwissenschaftliches Seminar der Universität
HEu	— Universitätsbibliothek
HIb	Hildesheim, Beverin'sche Bibliothek
HIm	— St. Michaelskirche
HIp	— Bischöfliches Priesterseminar, Diözesanbibliothek
HIps	— Predigerseminar
HL	Haltenbergstetten, Schloß über Niederstetten (Baden-Württemberg), Fürst zu Hohenlohe-Jagstberg'sche Bibliothek
HLN	Hameln, Stadtbücherei (Lehrbücherei) des Schiller-Gymnasiums
HN	Herborn/Dillkreis, Bibliothek des Evangelischen Theologischen Seminars
HO	Hof/Saale (Oberfranken), Jean Paul-Gymnasium
HOr	— Stadtarchiv, Ratsbibliothek
HOG	Hofgeismar, Predigerseminar
HOR	Horst, Kreis Neustadt am Rübenberge, Evangelisch-lutherisches Pfarramt
HR	Harburg über Donauwörth, Fürstlich Öttingen-Wallerstein'sche Bibliothek, Schloß Harburg
HRD	Herdringen, Schloß Herdringen, Bibliotheca Fürstenbergiana
HSj	Helmstedt, Juleum (ehemalige Universitätsbibliothek)

HSk	— Bibliothek des Kantorats zu St. Stephani (übernommen nach W)
HSm	— Kloster Marienberg
HSwandersleb	— Bibliothek Probst Dr. Wandersleb
HVh	Hannover, Staatliche Hochschule für Musik und Theater
HVk	— Kirchenmusikschule der Evangelisch-Lutherischen Landeskirche Hannovers
HVl	— Niedersächsische Landesbibliothek
HVs	— Stadtbibliothek, Musikabteilung (Sammlung Kestner)
HVth	— Bibliothek der Technischen Hochschule
HX	Höxter, Kirchenbibliothek St. Nikolaus
IN	Indersdorf über Dachau (Bayern), Katholisches Pfarramt (mit Bibliothek des ehem. Augustiner-Chorherrenstiftes)
Iek	Isny/Allgäu, Evangelische Kirche St. Nikolai (Evangelisches Pfarramt), Bibliothek
Iq	— Fürstlich Quadt'sche Bibliothek
IS	Isenhagen, Klosterbibliothek
JE	Jever, Marien-Gymnasium, Bibliothek
Kl	Kassel, Murhard'sche Bibliothek der Stadt Kassel und Landesbibliothek
Km	— Musikakademie (ehem. Konservatorium und Musikseminar), Bibliothek
KA	Karlsruhe, Badische Landesbibliothek, Musikabteilung
KAu	— Universitätsbibliothek (ehem. Technische Hochschule Fridericiana)
KAL	Kaldenkirchen Pfarrbibliothek
KBs	Koblenz, Stadtbibliothek
KBEk	Koblenz – Ehrenbreitstein, Provinzialat der Kapuziner
KFm	Kaufbeuren, Stadtpfarrkirche St. Martin
KFs	— Stadtbücherei
KIl	Kiel, Schleswig-Holsteinische Landesbibliothek
KImi	— Musikwissenschaftliches Institut der Universität
KIu	— Universitätsbibliothek
KNd	Köln, Erzbischöfliche Diözesanbibliothek (und Dombibliothek)
KNh	— Staatliche Hochschule für Musik (ehem. Conservatorium der Musik), Bibliothek
KNhi	— Joseph Haydn-Institut
KNmi	— Musikwissenschaftliches Institut der Universität
KNu	— Universitäts- und Stadtbibliothek (mit der ehemaligen Gymnasialbibliothek)
KPk	Kempten (Allgäu), Kirchenbibliothek, Evangelisch-Lutherisches Pfarramt St. Mang
KPs	— Stadtbücherei
KPsl	— Stadtpfarrkirche St. Lorenz
KU	Kulmbach, Stadtarchiv, Bibliothek
KZa	Konstanz, Stadtarchiv
KZr	— Rosgarten-Museum, Bibliothek
KZs	— Städtische Wessenberg-Bibliothek
Lr	Lüneburg, Ratsbücherei und Stadtarchiv der Stadt Lüneburg, Musikabteilung
LA	Landshut (Bayern), Bibliothek des Historischen Vereins für Niederbayern
LAU	Laubach, Kreis Gießen (Hessen), Gräflich Solms-Laubach'sche Bibliothek
LB	Langenburg (Württemberg), Fürstlich Hohenlohe-Langenburg'sche Schloßbibliothek

LCH	Lich, Kreis Gießen, Fürstlich Solms-Lich'sche Bibliothek
LFN	Laufen an der Salzach (Oberbayern), Stiftsarchiv Laufen (Kollegiat-stift Maria Himmelfahrt), Bibliothek
LI	Lindau/Bodensee, Stadtbibliothek
LIM	Limbach/Main, Pfarramt Limbach
LIT	Lichtenthal, Bibliothek des Zisterzienserklosters
LM	Leitheim über Donauwörth, Schloßbibliothek Freiherr von Tucher
LO	Loccum über Wunstorf (Niedersachsen), Klosterbibliothek
LR	Lahr (Baden-Württemberg), Lehrerbibliothek des Scheffel-Gymna-siums
LÜh	Lübeck, Bibliothek der Hansestadt Lübeck (ehemals Stadtbiblio-thek der Freien und Hansestadt Lübeck), Musikabteilung
Ma	München, Franziskanerkloster St. Anna, Bibliothek
Mb	— Benediktinerabtei St. Bonifaz, Bibliothek
Mbm	— Bibliothek des Metropolitankapitels (Erzbischöfliches Ordinariat mit den Beständen der Frauenkirche)
Mbn	— Bibliothek des Bayerischen Nationalmuseums
Mbs	— Bayerische Staatsbibliothek (ehemals Königliche Hof- und Staats-bibliothek), Musiksammlung
Mcg	— Bibliotheca Collegii Georgiani Monacensis (Georgianum, Herzog-liches Priesterseminar)
Mdm	— Deutsches Museum, Bibliothek
Mh	— Staatliche Hochschule für Musik, Bibliothek (ehemals Akademie der Tonkunst)
Ml	— Evangelisch-Lutherisches Landeskirchenamt
Mmb	— Städtische Musikbibliothek
Mms	— Musikwissenschaftliches Seminar der Universität
Msl	— Süddeutsche Lehrerbücherei
Mt	— Universitätsbibliothek der Technischen Universität
Mth	— Bibliothek des Theatermuseums (Clara Ziegler-Stiftung)
Mu	— Universitätsbibliothek
Mwg	— Wilhelms-Gymnasium, Lehrerbibliothek
MB	Marbach/Neckar, Schiller-Nationalmuseum, Deutsches Literatur-archiv, Musikaliensammlung
MBG	Miltenberg am Main, Franziskanerkloster, Bibliothek
MCH	Maria Laach über Andernach, Benediktinerabtei, Bibliothek
MEL	Meldorf (Holstein), Jochimsche Bibliothek, Dithmarsches Landes-museum
MFL	Münstereifel, Bibliothek des St. Michael-Gymnasiums
MGmi	Marburg/Lahn, Musikwissenschaftliches Institut der Philipps-Uni-versität, Abteilung Hessisches Musikarchiv
MGs	— Staatsarchiv und Archivschule
MGu	— Universitätsbibliothek der Philipps-Universität
MH	Mannheim, Wissenschaftliche Stadtbibliothek (ehemals Städtische Schloßbücherei; Öffentliche Bibliothek, verwaltet von der Univer-sitätsbibliothek Mannheim)
MHR	Mülheim (Ruhr), Stadtbibliothek
MI	Michelstadt/Odenwald, Evangelisches Pfarramt West, Kirchen-bibliothek
MMm	Memmingen (Schwaben), Bibliothek des Evangelisch-Lutherischen Pfarramts St. Martin
MMs	— Stadtbibliothek
MÖ	Mölln, Kreis Lauenburg (Schleswig-Holstein), Evangelisch-Lutheri-sche Kirchengemeinde St. Nikolai, Bibliothek

MOSp	Mosbach (Neckar), Pfarrbibliothek
MS	Münsterschwarzach über Kitzingen/Main, Abtei, Bibliothek
MT	Metten über Deggendorf (Bayern), Abtei Metten, Bibliothek
MÜd	Münster (Westfalen), Bischöfliches Diözesanarchiv (Generalvikariat)
MÜms	— Musikwissenschaftliches Seminar der Universität
MÜp	— Bibliothek des Bischöflichen Priesterseminars und Santini-Sammlung, Bibliothek
MÜrt	— Seminar für reformierte Theologie
MÜs	— Santini-Bibliothek (übernommen in die Bibliothek des Bischöflichen Priesterseminars)
MÜu	— Universitätsbibliothek
MWR	Marienweiher über Kulmbach, Franziskanerkloster, Bibliothek
MZfederhofer	Mainz, Bibliothek Prof. Dr. Hellmut Federhofer
MZgm	— Gutenberg-Museum mit Gutenberg-Bibliothek
MZgottron	— Bibliothek Prälat Professor Dr. Adam Gottron (übernommen nach MZmi)
MZmi	— Musikwissenschaftliches Institut der Universität (mit Mainzer Liedertafel, Archiv)
MZp	— Bischöfliches Priesterseminar, Bibliothek
MZs	— Stadtbibliothek
MZsch	— Musikverlag B. Schott's Söhne, Verlagsarchiv
MZu	— Universitätsbibliothek der Johannes-Gutenberg-Universität, Musikabteilung
MZGp	Metzingen, Pfarrbibliothek (aufbewahrt in Urach)
Ngm	Nürnberg, Bibliothek des Germanischen National-Museums
Nla	— Bibliothek beim Landeskirchlichen Archiv
Nst	— Stadtbibliothek
NBsa	Neuburg/Donau, Staatsarchiv
NBsb	— Staatliche Bibliothek (Provinzialbibliothek)
NBss	— Studienseminar, Bibliothek
NEhz	Neuenstein, Kreis Öhringen (Württemberg), Hohenlohe-Zentralarchiv
NEschumm	— Privatbibliothek Karl Schumm
NERk	Neuenrade, Kirchenbibliothek
NEZp	Neckarelz (Baden-Württemberg), Pfarrbibliothek
NGp	Neckargemünd, Pfarrarchiv
NIw	Nieheim über Bad Driburg (Westfalen), Weberhaus
NL	Nördlingen (Schwaben), Stadtarchiv, Stadtbibliothek und Volksbücherei
NM	Neumünster (Schleswig-Holstein), Schleswig-Holsteinische Musiksammlung der Stadt Neumünster (übernommen nach KIl)
NS	Neustadt an der Aisch (Mittelfranken), Evangelische Kirchenbibliothek
NSg	— Gymnasialbibliothek
NT	Neumarkt-St. Veit, Pfarrkirche
NW	Neustadt an der Weinstraße, Heimatmuseum
OB	Ottobeuren (Allgäu), Bibliothek der Benediktiner-Abtei
OF	Offenbach am Main, Verlagsarchiv André
OLl	Oldenburg, Landesbibliothek (ehemals Großherzogliche Öffentliche Bibliothek)
OLns	— Niedersächsisches Staatsarchiv
OSa	Osnabrück, Niedersächsisches Staatsarchiv
OSm	— Städtisches Museum, Bibliothek

Pk	Passau, Bischöfliches Klerikalseminar (oder Priesterseminar), Bibliothek
Po	— Bischöfliches Ordinariat (mit den Beständen aus Dom und Mariahilf)
Ps	— Staatliche Bibliothek (ehemals Königliche Kreis- und Studienbibliothek)
PA	Paderborn, Erzbischöfliche Akademische Bibliothek (Einzeldrucke übernommen nach HRD)
Rim	Regensburg (Bayern), Institut für Musikforschung (übernommen nach Ru)
Rp	— Bischöfliche Zentralbibliothek (Proske – Musikbibliothek)
Rs	— Staatliche Bibliothek (ehemalige Kreisbibliothek)
Rtt	— Fürstlich Thurn und Taxissche Hofbibliothek
Ru	— Universitätsbibliothek
RAd	Ratzeburg (Schleswig-Holstein), Domarchiv
RB	Rothenburg ob der Tauber, Stadtarchiv und Rats- und Konsistorialbibliothek
RE	Reutberg bei Schaftlach (Oberbayern), Franziskanerinnen-Kloster
RH	Rheda (Nordrhein-Westfalen), Fürst zu Bentheim-Tecklenburgische Bibliothek (als Dauerleihgabe in MÜu)
RL	Reutlingen (Baden-Württemberg), Stadtbücherei
RMmarr	Ramelsloh über Winsen/Luhe, Privatsammlung Pastor G. Marr, Probst a. D. (im Tresor des Pfarramts)
ROT	Rotenburg (Niedersachsen), Predigerseminar, Bibliothek (mit Predigerbibliothek Stade)
ROTTd	Rottenburg/Neckar, Diözesanbibliothek
ROTTp	— Bischöfliches Priesterseminar
RT	Rastatt, Bibliothek des Friedrich-Wilhelm-Gymnasiums (ehemals Großherzogliches Lyzeum)
RÜ	Rüdenhausen über Kitzingen (Bayern), Fürst Castell-Rüdenhausen, Bibliothek
Seo	Stuttgart, Bibliothek und Archiv des Evangelischen Oberkirchenrats
Sh	— Staatliche Hochschule für Musik und Darstellende Kunst, Bibliothek (ehemals Königliches Konservatorium)
Sl	— Württembergische Landesbibliothek (ehemals Königliche Hofbibliothek)
SAAmi	Saarbrücken, Musikwissenschaftliches Institut der Universität des Saarlandes
SAAu	— Universitätsbibliothek
SBg	Straubing (Niederbayern), Johannes Turmair-Gymnasium, Bibliothek
SBj	— Kirchenbibliothek St. Jakob
SBk	— Karmeliter-Kloster
SCHhv	Schwäbisch-Hall, Bibliothek des Historischen Vereins für Württembergisch-Franken
SCHm	— Archiv der St. Michaelskirche
SCHr	— Ratsbibliothek im Stadtarchiv
SCHEY	Scheyern über Pfaffenhofen (Oberbayern), Benediktinerabtei, Bibliothek
SCHWherold	Schwabach (Bayern), Sammlung Herold
SCHWk	— Kirchenbibliothek
SD	Sprenge-Deister, Ephoralbibliothek
SDF	Schlehdorf (Oberbayern), Katholische Pfarrkirche

SF	Schweinfurt-Oberndorf (Bayern), Kirchen- und Pfarrbibliothek des Evangelisch-Lutherischen Pfarramts
SFsj	— Pfarramt St. Johannis, Sakristei-Bibliothek
SI	Sigmaringen, Fürstlich Hohenzollernsche Hofbibliothek
SO	Soest (Nordrhein-Westfalen), Stadtbibliothek im Stadtarchiv
SÖNp	Schönau bei Heidelberg, Pfarrbibliothek
SPlb	Speyer, Pfälzische Landesbibliothek, Musikabteilung
SPlk	— Bibliothek des Protestantischen Landeskirchenrats der Pfalz
ST	Stade (Niedersachsen), Predigerbibliothek (übernommen nach ROT)
Tes	Tübingen, Evangelisches Stift, Bibliothek
Tl	— Schwäbisches Landesmusikarchiv (übergegangen in das Musikwissenschaftliche Institut der Universität)
Tmi	— Musikwissenschaftliches Institut der Universität (mit dem Schwäbischen Landesmusikarchiv)
Tu	— Universitätsbibliothek der Eberhard-Karls-Universität
Tw	— Bibliothek des Wilhelmstiftes
TEG	Tegernsee (Oberbayern), Pfarrkirche, Katholisches Pfarramt, Bibliothek
TEI	Teisendorf (Oberbayern), Katholisches Pfarramt
TIT	Tittmoning (Oberbayern), Kollegiatstift, Archiv
TRb	Trier, Bistumarchiv
TRp	— Priesterseminar, Bibliothek
TRs	— Stadtbibliothek
Us	Ulm, Stadtbibliothek mit Stadtarchiv
Usch	— Von Schermar'sche Familienstiftung, Bibliothek
Ü	Überlingen/Bodensee, Leopold-Sophien-Bibliothek
V	Villingen (Baden-Württemberg), Städtische Sammlung (Stadtarchiv)
W	Wolfenbüttel (Niedersachsen), Herzog-August-Bibliothek, Musikabteilung
WALp	Waldorf bei Tübingen, Pfarrbibliothek
WB	Weißenburg (Bayern), Stadtbibliothek
WBB	Walberg, Kreis Bonn, Bibliothek St. Albert, Albertus-Magnus-Akademie
WD	Wiesentheid (Bayern), Musiksammlung des Grafen von Schönborn – Wiesentheid
WE	Weiden (Bayern), Pfannenstiel'sche Bibliothek, Evangelisch-Lutherisches Pfarramt
WEH	Weierhof, Post Marnheim (Pfalz), Mennonitische Forschungsstelle
WEL	Weltenburg, Kreis Kelheim (Niederbayern), Bibliothek des Benediktinerklosters
WERk	Wertheim/Main, Evangelisches Pfarramt, Kirchenbibliothek
WERl	— Fürstlich Löwenstein'sche Bibliothek
WEY	Weyarn (Oberbayern), Pfarrkirche, Bibliothek
WH	Windsheim (Bayern), Stadtbibliothek
WIbh	Wiesbaden, Breitkopf & Härtel, Verlagsarchiv
WId	— Dilthey-Schule (Gymnasium), Bibliothek
WIl	— Hessische Landesbibliothek (ehemals Nassauische oder Königliche Landesbibliothek)
WILd	Wilster (Schleswig-Holstein), Stadtarchiv (Doos'sche Bibliothek) (ehemals Bücherei der Stadt)
WL	Wuppertal, Wissenschaftliche Stadtbibliothek
WO	Worms, Stadtbibliothek
WS	Wasserburg/Inn, Chorarchiv St. Jakob, Pfarramt

WÜms	Würzburg, Musikwissenschaftliches Seminar der Universität
WÜu	— Universitätsbibliothek der Julius-Maximilians-Universität
X	Xanten, Stifts- und Pfarrbibliothek
ZL	Zeil (Bayern), Fürstlich Waldburg-Zeil'sches Archiv
ZW	Zweibrücken (Rheinland-Pfalz), Bibliotheca Bipontina, Wissenschaftliche Bibliothek am Herzog-Wolfgang-Gymnasium

D-ddr – DEUTSCHE DEMOKRATISCHE REPUBLIK

ABG	Annaberg/Buchholz, Erzgebirge, Pfarrarchiv, Kirchenbibliothek
ABGa(k)	— Kantoreiarchiv St. Annen (Notenarchiv)
AG	Augustusburg, Erzgebirge, Pfarrarchiv
ALa	Altenburg, Historisches Staatsarchiv (ehem. Landesarchiv, Thüringisches Staatsarchiv)
ALt	— Bibliothek des Landestheaters
ARk	Arnstadt, Kirchenbibliothek
ARsm	— Schloßmuseum, Bibliothek
Bds	Berlin, Deutsche Staatsbibliothek (ehem. Kgl. Bibliothek; Preußische Staatsbibliothek; Öffentliche Wissenschaftliche Bibliothek), Musikabteilung
Bdso	— Bibliothek der Deutschen Staatsoper
Bgk	— Bibliothek der Streit'schen Stiftung (Berlinisches Gymnasium zum Grauen Kloster zu Berlin) – (übernommen nach Bs)
Bhesse	— Privatbibliothek A. Hesse
Bm	— Marienkirche, Bibliothek
Bmi	— Sektion Ästhetik und Kunstwissenschaften der Humboldt-Universität, Bereich Musikwissenschaft (ehem. Musikwiss. Institut)
Bmm	— Märkisches Museum, Bibliothek
Bn	— Nikolaikirche, Bibliothek
Bs	— Berliner Stadtbibliothek, Musikbibliothek
Buh	— Universitätsbibliothek der Humboldt-Universität (ehem. Kgl. Universitätsbibliothek)
BAL	Ballenstedt, Stadtbibliothek
BAUd	Bautzen, Domstift und Bischöfliches Ordinariat, Bibliothek
BAUk	— Stadt- und Kreisbibliothek (ehem. Allgemeine Öffentliche Bibliothek)
BD(k)	Brandenburg/Havel, Domstift und Archiv der Katharinenkirche
BIT	Bitterfeld, Kreismuseum, Bibliothek (ehem. Stadtmuseum)
BKÖ	Bad Köstritz, Pfarrarchiv
BO	Bollstedt, Pfarrarchiv, Bibliothek
BTH	Barth, Kirchenbibliothek
CD	Crottendorf, Kantoreiarchiv
CR	Crimmitschau, Kirchenbibliothek, Stadtkirche St. Laurentius
Dhm	Dresden, Hochschule für Musik „Carl Maria von Weber" (ehem. Kgl. Konservatorium), Bibliothek
Dkh	— Katholische Hofkirche, Notenarchiv
D(l)a	— Staatsarchiv (ehem. Sächsisches Landeshauptarchiv)
Dl(b)	— Sächsische Landesbibliothek, Musikabteilung (ehem. Kgl. Öffentliche Bibliothek)
Dmb	— Musikbibliothek (ehem. Städtische Musikbücherei)
DEl	Dessau, Stadtbibliothek

DIP	Dippoldiswalde, Kirchenbibliothek und Musikbibliothek des Evangelisch-Lutherischen Pfarrarchivs
DL	Delitzsch, Museum, Bibliothek (Schloß) (ehem. Heimatmuseum)
DLs	— Superintendentur
DÖ	Döbeln, Pfarrbibliothek Sankt Nikolai
EF	Erfurt, Wissenschaftliche Allgemeinbibliothek (ehem. Universitätsbibliothek Erfurt; Kgl. Bibliothek; Stadtbibliothek, Stadt- und Hochschulbibliothek), Musiksammlung
EFd	— Dombibliothek
EFs	— Stadt- und Bezirksbibliothek, Musikbibliothek (ehem. Städtische Volksbücherei) (übernommen nach EF)
EIa	Eisenach, Stadtarchiv, Bibliothek
EIb	— Bachhaus (Bachmuseum, Bibliothek)
EIl	— Landeskirchenrat, Bibliothek
EL	Eisleben, Andreas-Bibliothek
FBb	Freiberg, Bergakademie, Bücherei
FBo	— Geschwister-Scholl-Oberschule (ehem. Gymnasium Albertinum; Markgraf Otto-Schule), Historische Bibliothek
FF	Frankfurt/Oder, Stadt- und Bezirksbibliothek, Musikbibliothek
FG	Freyburg/Unstrut, Pfarrarchiv
GA	Gaussig bei Bautzen, Schloßbibliothek
GBB	Großbrembach, Pfarrarchiv
GBR	Großbreitenbach bei Arnstadt, Pfarrbibliothek
GDZ	Großdalzig, Pfarrarchiv
GE	Gelenau/Erzgebirge, Pfarrarchiv
GERk	Gera, Kirchenarchiv (übernommen nach GERsb)
GERs	— Stadtmuseum
GERsb	— Stadt- und Bezirksbibliothek, Musikbibliothek (mit Kirchenarchiv)
GHk	Geithain, Evangelisch-Lutherisches Pfarrarchiv
GHNa	Großenhain, Stadtarchiv
GHNk	— Kirche, Bibliothek
GLA	Glashütte, Pfarrarchiv
GM	Grimma, Göschenhaus (Privatsammlung Dr. Johannes Sturm)
GO	Gotha, Bibliothek der Evangelisch-Lutherischen Stadtkirchengemeinde
GOa(u)	— Augustinerkirche
GOl	— Forschungsbibliothek (ehem. Landesbibliothek)
GOs	— Stadtarchiv, Bibliothek (übernommen nach GOa)
GÖp	Görlitz, Bibliothek des Evangelischen Parochialverbandes
GÖs	— Stadtbibliothek (Oberlausitzische Bibliothek der Wissenschaften in den Städtischen Kunstsammlungen)
GÖsp	— Pfarrarchiv St. Peter, Bibliothek
GOL	Goldbach bei Gotha, Pfarrarchiv
GRk	Greifswald, Konsistorialbibliothek
GRu	— Universitätsbibliothek der Ernst-Moritz-Arndt-Universität (ehem. Bibliotheca Academica; Kgl. Universitätsbibliothek), Musiksammlung
GRÜ	Grünhain, Pfarrarchiv
GÜ	Güstrow, Heimatmuseum Güstrow, Bibliothek
GZbk	Greiz, Staatliche Bücher- und Kupferstichsammlung, Bibliothek
GZsa	— Historisches Staatsarchiv
HAf	Halle/Saale, Hauptbibliothek und Archiv der Franckeschen Stiftungen (übernommen nach HAu)
HAh	— Händel-Haus

HAmi	— Sektion Germanistik und Kunstwissenschaften der Martin-Luther-Universität, Fachbereich Musikwissenschaft (ehem. Institut für Musikwissenschaft)
HAmk	— Marienbibliothek
HAu	— Universitäts- und Landesbibliothek Sachsen-Anhalt, Musiksammlung
HAI	Hainichen, Heimatmuseum (Gellert-Gedenkstätte)
HD	Hermsdorf, Erzgebirge, Pfarrarchiv
HER	Herrnhut, Archiv der Brüder-Unität
HEY	Heynitz, Pfarrbibliothek
HG	Havelberg, Museum, Bibliothek
HHa	Hildburghausen, Stadtarchiv
HOE	Hohenstein-Ernstthal, Kantoreiarchiv der Christophorikirche
HTa	Halberstadt, Stadtarchiv (Sammlung Augustin)
HTd	— Dombibliothek
HTg	— Das Gleimhaus, Bibliothek
ILk	Ilmenau, Kirchenbibliothek (Notensammlung)
ILs	— Stadtarchiv
Jmi	Jena, Sektion Literatur- und Kunstwissenschaften der Friedrich-Schiller-Universität, Bibliothek des ehem. Musikwiss. Instituts
Jas	— Archiv der Superintendentur
Ju	— Universitätsbibliothek der Friedrich-Schiller-Universität
JA	Jahnsdorf bei Stollberg, Erzgebirge, Pfarrarchiv
KARr	Karl-Marx-Stadt (Chemnitz), Ratsarchiv (oder Stadtarchiv)
KARj	— Jacobi-Kirche, Bibliothek
KARs	— Stadt- und Bezirksbibliothek (ehem. Stadtbücherei Chemnitz)
KIN	Kindelbrück/Kreis Sömmerda, Pfarrarchiv
KMk	Kamenz, Evangelisch-Lutherische Hauptkirche, Bibliothek
KMl	— Lessingmuseum
KMs	— Stadtarchiv
KÖ	Köthen, Heimatmuseum, Bibliothek
LEb	Leipzig, Bach-Archiv
LEbh	— VEB Breitkopf & Härtel, Verlagsarchiv
LEm	— Musikbibliothek der Stadt Leipzig (Musikbibliothek Peters und verschiedene Sammlungen in der Leipziger Stadtbibliothek)
LEmh	— Bibliothek der Hochschule für Musik (ehem. Staatliche Hochschule für Musik)
LEmi	— Sektion Kulturwissenschaften und Germanistik der Karl-Marx-Universität, Wissenschaftsgebiet Musikwissenschaft (ehem. Inst. für Musikwiss.) und Musik-Instrumenten-Museum
LEsm	— Museum für Geschichte der Stadt Leipzig (ehem. Stadtgeschichtliches Museum), Bibliothek
LEt	— Thomasschule (Alumnat), Bibliothek
LEu	— Universitätsbibliothek der Karl-Marx-Universität, Fachreferat Musik
LHD	Langhennersdorf über Freiberg, Pfarrarchiv, Bibliothek
LL	Langula über Mühlhausen, Pfarrarchiv, Bibliothek
LÖ	Lössnitz, Erzgebirge, Pfarrarchiv
LST	Lichtenstein, Kantoreiarchiv von St. Laurentius
LUC	Luckau, Archiv der Nikolaikirche
MAk	Magdeburg, Kulturhistorisches Museum, Klosterbibliothek
MAkon	— Konsistorialbibliothek
MAl	— Staatsarchiv (ehem. Landeshauptarchiv)
MAs	— Stadt- und Bezirksbibliothek, Musikabteilung

MEa	Meißen, Stadtarchiv
MEm	— Stadtmuseum
MEIk	Meiningen, Bibliothek der Evangelisch-Lutherischen Kirchengemeinde
MEIl	— Historisches Staatsarchiv (ehem. Landesarchiv)
MEIo	— Opernarchiv (übernommen nach MEIr)
MEIr	— Staatliche Museen mit Reger-Archiv (ehem. Meininger Museen); Abteilung Musikgeschichte
MERa	Merseburg, Domstift Merseburg, Archiv und Bibliothek
MERz	— Deutsches Zentral-Archiv, Historische Abteilung
MK	Markneukirchen, Gewerbemuseum, Musikinstrumentensammlung
MLHb	Mühlhausen, Blasiuskirche, Archiv
MLHr	— Ratsarchiv im Stadtarchiv
MR	Marienberg, Kirchenbibliothek
MÜG	Mügeln, Pfarrarchiv
NA	Neustadt/Orla, Pfarrarchiv
NAUs	Naumburg Bez. Halle, Stadtarchiv
NAUw	— Wenzelskirche
ND	Neudorf/Erzgebirge, Kantoreiarchiv
NO	Nordhausen/Harz, Humboldt-Oberschule
OH	Oberfrankenhain, Pfarrarchiv
OLH	Olbernhau, Bez. Karl-Marx-Stadt (Chemnitz), Pfarrarchiv
OS	Oschatz, Bez. Leipzig, Ephoralbibliothek
PI	Pirna, Bez. Dresden, Stadtarchiv
PR	Pretzschendorf über Dippoldiswalde, Pfarrarchiv
PU	Pulsnitz, Nikolaikirche
PUm	— Heimatmuseum
PW	Pesterwitz bei Dresden, Pfarrarchiv
Q	Quedlinburg, Stadt- und Kreisbibliothek
QUh	Querfurt, Heimatmuseum, Bibliothek
QUk	— Stadtkirche
REU	Reuden, Pfarrarchiv
RIE	Riesa, Heimatmuseum, Bibliothek
ROu	Rostock, Universitätsbibliothek
RÖ	Röhrsdorf über Meißen, Pfarrbibliothek
RÖM	Römhild, Bez. Suhl, Pfarrarchiv (Stiftsbibliothek)
RUh	Rudolstadt, Hofkapellarchiv (im Staatsarchiv)
RUl	— Staatsarchiv (ehem. Landeshauptarchiv; mit Hofkapellarchiv)
SAh	Saalfeld, Heimatmuseum, Bibliothek
SCHM	Schmölln, Archiv der Stadtkirche St. Nicolai
SCHMI	Schmiedeberg bei Dresden, Pfarrarchiv
SGh	Schleusingen, Heimatmuseum (mit Bibliothek der Oberschule)
SHk	Sondershausen, Stadtkirche, Bibliothek
SHs	— Stadt- und Kreisbibliothek (ehem. Thüringische Landesbibliothek)
SHsk	— Schloßkirche, Bibliothek (übernommen nach SHs)
SLk	Salzwedel, Katharinenkirche, Kirchenbibliothek
SLm	— J. F. Danneil-Museum, Bibliothek
SLmk	— Marienkirche, Bibliothek
SNed	Schmalkalden, Evangelisches Dekanat, Bibliothek
SNh	— Heimatmuseum Schloß Wilhelmsburg
SPF	Schulpforta, Heimoberschule Pforta, Bibliothek (ehem. Landesschule Pforta)
SSa	Stralsund, Bibliothek des Stadtarchivs
SUa	Sulzenbrücken, Pfarrarchiv

SWl	Schwerin, Wissenschaftliche Allgemeinbibliothek (ehem. Landesbibliothek)
SWs	— Stadt- und Bezirksbibliothek, Musikabteilung (übernommen nach SWl)
SWsk	— Schloßkirchenchor (Evangelisch-Lutherische Pfarre der Schloßkirche, Pfarrarchiv)
SZ	Schleiz, Stadtkirche, Bibliothek
TAB	Tabarz, Pfarrarchiv, Evangelisch-Lutherisches Pfarramt
TH	Themar, Pfarrarchiv, Bibliothek
TO	Torgau, Johann-Walter-Kantorei, Bibliothek
TOek	— Evangelische Kirchengemeinde, Bibliothek
TOs	— Stadtarchiv
UDa	Udestedt über Erfurt, Pfarrarchiv, Evangelisch-Lutherisches Pfarramt
VI	Viernau, Pfarrarchiv, Bibliothek
WA	Waldheim, Stadtkirche St. Nikolai, Bibliothek
WAB	Waldenburg, Kirchenmus. Bibl. von St. Bartholomäus
WER	Wernigerode, Heimatmuseum, Harzbücherei
WF	Weißenfels, Heimatmuseum, Bibliothek (mit Bibliothek des Vereins für Natur- und Altertumskunde)
WFg	— Heinrich-Schütz-Gedenkstätte, Bibliothek
WGk	Wittenberg, Stadtkirche
WGl	— Lutherhalle, Reformationsgeschichtliches Museum
WGp	— Evangelisches Predigerseminar
WM	Wismar, Bez. Rostock, Stadtarchiv, Bibliothek
WRdn	Weimar, Archiv des Deutschen Nationaltheaters (ehem. Großherzogliches Hoftheater)
WRgm	— Goethe-National-Museum, Bibliothek
WRgs	— Goethe-Schiller-Archiv
WRh	— Bibliothek der Franz-Liszt-Hochschule (ehem. Staatliche Hochschule für Musik)
WRhk	— Herderkirche, Bibliothek
WRiv	— Institut für Volksmusikforschung (ehem. Volksliedforschung)
WRl	— Staatsarchiv (ehem. Landeshauptarchiv)
WRtl	— Thüringische Landesbibliothek (ehem. Großherzogliche Bibliothek), Musiksammlung (übernommen nach WRz)
WRz	— Zentralbibliothek der deutschen Klassik (mit den Beständen von WRtl)
Z	Zwickau, Ratsschulbibliothek
Zmk	— Domkantorei der Marienkirche
ZE	Zerbst, Stadtarchiv
ZEo	— Bücherei der Erweiterten Oberschule (Franciscum)
ZGsj	Zörbig, Pfarrarchiv St. Jacobi
ZI	Zittau, Stadt- und Kreisbibliothek „Christian-Weise-Bibliothek"
ZIa	— Stadtarchiv
ZZ	Zeitz, Heimatmuseum (Städtisches Museum)
ZZs	— Stiftsbibliothek

DK – DANMARK

A	Åarhus, Statsbiblioteket i Åarhus
Dschoenbaum	Dragor, Privatbibliothek Dr. Camillo Schoenbaum
Hfog	Hellerup, Dan Fog private music collection

Kc	København, Carl Claudius' Musikhistoriske Samling
Kh	— Københavns Kommunes Hovedbiblioteket
Kk	— Det kongelige Bibliotek
Kmk	— Det kongelige danske Musikkonservatorium
Km(m)	— Musikhistorisk Museum
Ks	— Samfundet til Udgivelse af Dansk musik
Kt	— Teaterhistorisk Museum
Ku	— Universitetsbiblioteket 1. afdeling
Kv	— Københavns Universitets Musikvidenskabelige Institut
Ol	Odense, Landsarkivet for Fyen, Karen Brahes Bibliotek
Ou	— Odense Universitetsbibliotek (mit Herlufsholm Kostskoles Biblio-tek, Naestved, und Centralbiblioteket, Stiftsbiblioteket, Odense)
Rk	Ribe, Ribe Stifts- og Katedralskoles Bibliotek
Sa	Sorø, Sorø Akademis Bibliotek

E – ESPAÑA

AL	Alquezar, Colegiata (Huesca)
ALB	Albarracin, Archivo de la Colegiata
Bc	Barcelona, Biblioteca Central
Bim	— Instituto Español de Musicologia
Boc	— Biblioteca Orfeó Catalá
BA	Badajoz, Archivo capitular de la Catedral
BUa	Burgos, Archivo de la Catedral
BUm	— Museo Arqueológico de Burgos
BUp	— Biblioteca Provincial
C	Cordoba, Archivo de la Catedral
CAL	Calatayud, Colegiata de Santa Maria
CU	Cuenca, Archivo capitular de Cuenca
CZ	Cadiz, Archivo capitular de Cadiz
E	Escorial, El, Real Monasterio de El Escorial
G	Gerona, Archivo musical de la Catedral
GRc	Granada, Archivo capitular de la Catedral
GRcr	— Archivo musical de la Capilla Real
J	Jaca, Archivo musical de la Catedral
JA	Jaen, Archivo capitular de la Catedral
LEc	Lérida, Catedral
LEm	— Museo Diocesano
Ma	Madrid, Archivo de Música, Real Academia de Bellas Artes de San Fernando
Mah	— Archivo historico nacional
Mc	— Conservatorio Superior de Música
Mm	— Biblioteca municipal
Mmc	— Biblioteca de la Casa Ducal de Medinaceli
Mn	— Biblioteca nacional
Mp	— Biblioteca del Palacio real
MA	Málaga, Archivo capitular de la Catedral
MO	Montserrat, Monasterio de Montserrat
P	Plasencia, Archivo de música de la Catedral de Plasencia
PAp	Palma de Mallorca, Biblioteca provincial
PAS	Pastrana (Guadalajara), Museo parroquial
Sc(o)	Sevilla, Archivo capitular de la Catedral (Biblioteca capitular Colom-bina

SA	Salamanca, Archivo musical de la Catedral
SD	Santo Domingo de la Calzada, Archivo de Santo Domingo de la Calzada
SE	Segovia, Archivo capitular
SEG	Segorbe, Archivo de la Catedral
Tc	Toledo, Archivo capitular
TE	Teruel, Archivo de la Catedral
TU	Tudela, Archivo capitular
TZ	Tarazona, Archivo capitular
V	Valladolid, Archivo musical de la Catedral
VAc	Valencia, Archivo de la Catedral
VAcp	— Colegio y capilla del Corpus Christi
Zac	Zaragoza, Archivo de música del Cabildo
Zcc	— Biblioteca del Colegio Calasanci
Zsc	— Seminario de San Carlos

EIRE (IRELAND)

C	Cork, University College, Music Library
Da	Dublin, Royal Irish Academy
Dam	— Royal Irish Academy of Music
Dcc	— Christ Church Cathedral, Library
Dm	— Marsh's Library (Archbishop Marsh's Library, Library of St. Sepulchre)
Dn	— National Library and Museum of Ireland
Dpc	— St. Patrick's Cathedral
Dtc	— Trinity College Library
Duc	— University College, Music Library (National University of Ireland)

F – FRANCE

A	Avignon, Bibliothèque du Musée Calvet
AG	Agen, Archives départementales
AI	Albi, Bibliothèque municipale
AIXm	Aix-en-Provence, Bibliothèque municipale, Bibliothèque Méjanes
AIXmc	— Bibliothèque de la maîtrise de la cathédrale
AIXc	— Bibliothèque du Conservatoire
AM	Amiens, Bibliothèque municipale
AR	Arles, Bibliothèque municipale
AS	Arras, Bibliothèque municipale
AU	Auxerre, Bibliothèque municipale
B	Besançon, Bibliothèque municipale
Ba	— Bibliothèque de l'Archevêché
BER	Bernay, Bibliothèque municipale
BG	Bourg-en-Bresse, Bibliothèque municipale
BGma	— Musée de l'Ain
BO	Bordeaux, Bibliothèque municipale
BS	Bourges, Bibliothèque municipale
C	Carpentras, Bibliothèque Inguimbertine et Musée de Carpentras
CAH(CS)	Cahors, Bibliothèque municipale
CH	Chantilly, Bibliothèque du Musée Condé
CN	Caen, Bibliothèque municipale

CO	Colmar, Bibliothèque municipale
CV	Charleville, Bibliothèque municipale
Dc	Dijon, Bibliothèque du Conservatoire
Dm	— Bibliothèque municipale
DO	Dôle, Bibliothèque municipale
DOU	Douai, Bibliothèque municipale
E	Epinal, Bibliothèque municipale
G	Grenoble, Bibliothèque municipale
H	Hyères, Bibliothèque municipale
Lc	Lille, Bibliothèque du Conservatoire
Lfc	— Facultés catholiques, Bibliothèque
Lm	— Bibliothèque municipale
LG	Limoges, Bibliothèque municipale
LH	Le Havre, Bibliothèque municipale
LM	Le Mans, Bibliothèque municipale
LYc	Lyon, Conservatoire national de musique
LYm	— Bibliothèque municipale
Mc	Marseille, Bibliothèque du Conservatoire
Mm	— Bibliothèque municipale
MD	Montbéliard, Bibliothèque municipale
MEL	Melun, Bibliothèque municipale
MH	Mulhouse, Bibliothèque municipale
ML	Moulins, Bibliothèque municipale
MO	Montpellier, Bibliothèque de l'Université
MON	Montauban, Bibliothèque municipale
Nd	Nantes, Bibliothèque du Musée Dobrée
Nm	— Bibliothèque municipale
NAc	Nancy, Bibliothèque du Conservatoire
NAm	— Bibliothèque municipale
NO	Noyon, Bibliothèque municipale
NS	Nîmes, Bibliothèque municipale
O	Orléans, Bibliothèque municipale
Pa	Paris, Bibliothèque de l'Arsenal
Pc	— Bibliothèque du Conservatoire national de musique (übergegangen in Pn)
Pgérard	— Collection Yves Gérard
Pi	— Bibliothèque de l'Institut de France
Pm	— Bibliothèque Mazarine
Pmeyer	— Collection André Meyer
Pn	— Bibliothèque nationale
Po	— Bibliothèque-Musée de l'Opéra
Ppincherle	— Collection Marc Pincherle
Prothschild	— Collection Germaine de Rothschild (Baronne Edouard de)
Psg	— Bibliothèque Sainte-Geneviève
Pshp	— Bibliothèque de la Société d'histoire du protestantisme
Pthibault	— Bibliothèque Geneviève Thibault
R(m)	Rouen, Bibliothèque municipale
Rc	— Bibliothèque du Conservatoire
RS	Reims, Bibliothèque municipale
Sc	Strasbourg, Bibliothèque du Conservatoire
Sg(sc)	— Bibliothèque du Grand Séminaire (Séminaire catholique)
Sim	— Institut de musicologie de l'Université
Sn	— Bibliothèque nationale et universitaire
Ssp	— Bibliothèque du Séminaire protestant

SA	Salins, Bibliothèque municipale
SEL	Sélestat, Bibliothèque municipale
T	Troyes, Bibliothèque municipale
TLc	Toulouse, Bibliothèque du Conservatoire
TLd	— Musée Dupuy
TLm	— Bibliothèque municipale
V	Versailles, Bibliothèque municipale
VE	Vesoul, Bibliothèque municipale

GB – GREAT BRITAIN

A	Aberdeen, University Library, King's College
AB	Aberystwyth (Cards.), Llyfryell Genedlaethol Cymru (National Library of Wales)
AM	Ampleforth, Abbey & College Library, St. Lawrence Abbey
Bp	Birmingham, Public Libraries
Bu	— University of Birmingham, Music Library, Barber Institute of Fine Arts
BA	Bath, Municipal Library
BEas	Bedford, Bedfordshire Archaeological Society Library
BEp	— Bedford Public Library Music Department
BENcoke	Bentley (Hampshire), Gerald Coke private Collection
BO	Bournemouth (Hampshire), Central Library
BRb	Bristol, Baptist College Library
BRp	— Public Libraries; Central Library
BRu	— University of Bristol Library
Ccc	Cambridge, Corpus Christi College
Cchc	— Christ's College Library
Cclc	— Clare College Library
Cfm	— Fitzwilliam Museum
Cjc	— St. John's College
Cjec	— Jesus College
Ckc	— Rowe Music Library, King's College
Cmc	— Magdalene College
Cp	— Peterhouse College Library
Cpc	— Pembroke College Library
Cpl	— Pendlebury Library of Music
Crc	— Rawek's College
Ctc	— Trinity College Library
Cu	— University Library
Cumc	— University Musical Club
Cus	— Cambridge Union Society
CA	Canterbury, Cathedral Chapter Library
CDp	Cardiff, Public Libraries, Central Library
CDu	— University College of South Wales and Monmouthshire
DRc	Durham, Cathedral Library
DRu	— University Library
DU	Dundee, Public Libraries
En	Edinburgh, National Library of Scotland
Enc	— New College Library
Ep	— Public Library, Central Public Library
Er	— Reid Music Library of the University of Edinburgh
Es	— Signet Library

Eu	— University Library
EL	Ely, Cathedral Library
Ge	Glasgow, Euing Music Library
Gm	— Mitchell Library
Gtc	— Trinity College Library
Gu	— Glasgow University Library
GL	Gloucester, Cathedral Library
H	Hereford, Cathedral Library
HAdolmetsch	Haslemere, Carl Dolmetsch Library
Lam	London, Royal Academy of Music
Lbbc	— British Broadcasting Corporation, Music Library
Lbc	— British Council Music Library
Lbm	— British Museum
Lcm	— Royal College of Music
Lco	— Royal College of Organists
Lcs	— Vaughan Williams Memorial Library (Cecil Sharp Library)
Ldc	— Dulwich College Library
Lgc	— Gresham College (Guildhall Library)
Lkc	— King's College Library
Llp	— Lambeth Palace Library
Lmic	— British Music Information Centre
Lsc	— Sion College Library
Lsm	— Royal Society of Musicians of Great Britain
Lsp	— St. Paul's Cathedral Library
Ltc	— Trinity College of Music
Lu	— University of London, Music Library
Lwa	— Westminster Abbey Library
LEbc	Leeds, Brotherton Collection
LEc	— Leeds Public Libraries, Music Department, Central Library
LF	Lichfield, Cathedral Library
LI	Lincoln, Cathedral Library
LVp	Liverpool, Public Libraries, Central Library
LVu	— Liverpool University, Music Department
Mch	Manchester, Chetham's Library
Mcm	— Royal College of Music
Mp	— Central Public Library (Henry Watson Music Library)
Mr	— John Rylands Library
Mrothwell	— Evelyn Rothwell private collection
Mu	— University of Manchester Library Department of Music
NO	Nottingham, University of Nottingham, Department of Music
Ob	Oxford, Bodleian Library
Obc	— Brasenose College
Och	— Christ Church Library
Ojc	— St. John's College Library
Olc	— Lincoln College Library
Omc	— Magdalen College Library
Onc	— New College Library
Ooc	— Oriel College Library
Oqc	— Queen's College Library
Ouf	— Oxford University, Faculty of Music Library
Oumc	— Oxford University Music Club and Union Library
P	Perth, Sandeman Public Library
R	Reading, Reading University, Music Library
RI	Ripon (Yorkshire), Cathedral Library

RO	Rochester (Kent), Cathedral Library
SA	St. Andrews (Fife), University Library
SH	Sherborne (Dorset), Sherborne School Library
STb	Stratford-on-Avon (Warwickshire), Shakespeare's Birthplace Trust Library
STm	— Shakespeare Memorial Library
T	Tenbury (Worcestershire), St. Michael's College Library
W	Wells (Somerset), Cathedral Library
WB	Wimborne (Dorset), Wimborne Minster Chain Library
WC	Winchester (Hampshire), Chapter Library
WI	Wigan (Lancashire), Public Library
WO	Worcester, Worcester Cathedral, Music Library
WRch	Windsor (Berkshire), Chapter Library
WRec	— Eton College Library
Y	York, Minster Library

H – MAGYARORSZÁG

Bb	Budapest, Bartók Béla Zenemüvészeti Szakközepiskola Könyvtára (Béla-Bartók-Konservatorium)
Ba	— Magyar Tudományos Akadémia Könyvtára (Akademie der Wissenschaften)
Bl	— Liszt Ferenc Zenemüvészeti Föiskola Könyvtára (Bibliothek der Musikhochschule „Ferenc Liszt")
Bn	— Országos Széchényi Könyvtár (Nationalbibliothek Széchényi)
Bu	— Egyetemi Könyvtár (Universitätsbibliothek)
BA	Bártfa, Bártfa (Depositum in der Nationalbibliothek Budapest)
Em	Esztergom, Keresztény Múzeum Könyvtára (Bibliothek des Christlichen Museums)
EG	Eger (Erlau), Föegyházmegyei Könyvtár (Diözesanbibliothek)
Gc	Györ (Raab), Püspöki Papnevelö Intézet Könyvtára (Bischöfliche Bibliothek)
Gm	— „Xántus János" Múzeum
KE	Keszthely, Országos Széchényi Könyvtár, „Helikon"-Könyvtára
KÖ	Köszeg, Plébániatemplon (Pfarrkirche)
P	Pécs (Fünfkirchen), Pécsegyházmegyei Könyvtár-volt Pécsi Papnevelöintezeti Könyvtár (Diözesanbibliothek)
PA	Pápa, Dunántuli Református Egyházkerület Könyvtára
PH	Pannonhalma, Musicotheca Jesuitica
Sg	Sopron (Ödenburg), Gimnaziumi Könyvtár
Sl	— Liszt Ferenc Múzeum Sopron
Sp	— Plébániatemplon (Pfarrkirche)
SD	Szekszárd, Balogh Adám Múzeum Könyvtára
SFk	Székesfehérvár (Stuhlweißenburg), Székésfehérvári Püspöki, Könyvtára (Bischöfliche Bibliothek)
SFm	— István Király Múzeum Könyvtára (König-Stephan-Museum)
SG	Szeged, Somogyi Könyvtár
SGu	— Szegedi Orvostudományi Egyetem Könyvtára (Universitätsbibliothek)
SY	Szombathely, Egyházmegyei Könyvtár (Diözesanbibliothek)
T	Tata, Plébániatemplon (Pfarrkirche)

34*

V	Vác, Egyházmegyei Könyvtár (Diözesanbibliothek)
VE	Veszprém, Veszprémi Püspöki Káptalani és Szeminariumí Könyvtár (Bischöfliche Bibliothek)

I – ITALIA

Ac	Assisi, Biblioteca comunale
Ad	— Archivio di San Ruffino (Duomo)
Af	— Archivio di San Francesco (übernommen nach Ac)
AGI	Agira, Biblioteca comunale
AL	Albenga, Cattedrale
AN	Ancona, Biblioteca comunale „Benincasa"
ANcap	— Biblioteca capitolare (Archivio della Cappella del Duomo)
ARc	Arezzo, Biblioteca civica (consorziale)
ARd	— Archivio del Duomo
ASc(d)	Asti, Archivio capitolare (Duomo)
ASs	— Biblioteca del seminario vescovile
Baf	Bologna, Archivio dell' Accademia filarmonica
Bam	— Biblioteca Raimondo Ambrosini (presso la Cassa di Risparmio)
Bc	— Civico Museo Bibliografico-Musicale (ehem. Liceo Musicale „G. B. Martini")
Bca	— Biblioteca comunale dell' Archiginnasio
Bof	— Biblioteca dell' Oratorio dei Filippini
Bsf	— Archivio del Convento di San Francesco
Bsp	— Archivio di San Petronio
Bu	— Biblioteca universitaria
BAc(n)	Bari, Biblioteca nazionale (consorziale)
BAcp	— Biblioteca del Conservatorio di musica „N. Piccini"
BDG	Bassano del Grappa, Biblioteca civica
BE	Belluno, Biblioteca del seminario (Biblioteca „Gregoriana")
BGc	Bergamo, Biblioteca civica „Angelo Maj"
BGi	— Civico Istituto musicale „G. Donizetti"
BRd	Brescia, Archivio del Duomo
BRq	— Biblioteca Queriniana
BRs	— Archivio musicale del Seminario vescovile
BRE	Bressanone (Brixen), Biblioteca del Seminario Maggiore, „Vincentinum"
CARc(p)	Castell' Arquato, Archivio capitolare (parrocchiale), Archivio della Chiesa Collegiata
CC	Città di Castello, Archivio del duomo
CCc	— Biblioteca comunale
CDO	Codogno, Biblioteca civica popolare „L. Ricca"
CEb(sm)	Cesena, Badia Santa Maria del Monte
CEc	— Biblioteca comunale Malatestiana
CEN	Cento, Archivio dell'antico capitolo di San Biagio
CF	Cividale del Friuli, Archivio della Basilica di S. Maria Assunta
CMac	Casale Monferrato, Archivio capitolare (Duomo)
CMbc	— Biblioteca civica
COc	Como, Biblioteca comunale
COd	— Archivio musicale storico del Duomo
CORc	Correggio, Biblioteca comunale
CR	Cremona, Biblioteca statale
CRE	Crema, Biblioteca comunale

CZorizio	Cazzago S. Martino, Biblioteca privata Orizio
E	Enna, Biblioteca comunale
Fa	Firenze, Archivio dell'Annunziata
Fc	— Biblioteca del Conservatorio di Musica „L. Cherubini"
Fd	— Archivio del Duomo, Archivio musicale dell'opera di S. Maria del Fiore
Ffabbri	— Biblioteca privata M. Fabbri
Fl	— Biblioteca Medicea-Laurenziana
Fm	— Biblioteca Marucelliana
Fn	— Biblioteca Nazionale Centrale
Folschki	— Biblioteca privata Olschki
Fr	— Biblioteca Riccardiana
FA	Fabriano, Biblioteca comunale
FAN	Fano, Biblioteca comunale Federiciana
FEbonfiglioli	Ferrara, Biblioteca privata Bonfiglioli
FEc	— Biblioteca comunale Ariostea
FEd	— Archivio del Capitolo Metropolitano, Duomo
FEmichelini	— Biblioteca privata Bruto Michelini
FELc	Feltre, Museo civico
FELd	— Archivio capitolare del Duomo
FERc	Fermo, Biblioteca comunale
FERd	— Archivio della Metropolitana, Duomo
FOc	Forlì, Biblioteca civica, „Aurelio Saffi" (Fondo Carlo Piancastelli)
FOd	— Archivio capitolare del Duomo
FOSc	Fossano, Biblioteca civica
FZac(d)	Faenza, Archivio capitolare (Duomo)
FZc	— Biblioteca comunale
Gi(l)	Genova, Biblioteca dell'Istituto (Liceo) Musicale „Paganini"
Gu	— Biblioteca universitaria
GE	Gemona, Archivio del Duomo
GUBsp	Gubbio, Biblioteca comunale Sperelliana
Lg	Lucca, Biblioteca statale (governativa)
Li	— Istituto musicale (mit Fondo Bottini)
Ls	— Biblioteca del seminario arcivescovile presso la Curia
LA	L'Aquila, Biblioteca provinciale „S. Tommasi"
LOc	Lodi, Archivio della Curia (Biblioteca capitolare)
LOcl	— Biblioteca comunale Laudense
LT	Loreto, Archivio Storico della Cappella Lauretana
Ma	Milano, Biblioteca Ambrosiana
Mb	— Biblioteca nazionale Braidense
Mbarblan	— Biblioteca privata Guglielmo Barblan
Mc	— Biblioteca del Conservatorio „Giuseppe Verdi"
Mcap(d)	— Cappella musicale del Duomo (im Archivio della Veneranda Fabbrica)
Mcom	— Biblioteca comunale
Mdonà	— Biblioteca privata Mariangela Donà
Msartori	— Biblioteca privata Claudio Sartori
Mt	— Biblioteca Trivulziana e Archivio Storico Civico
MAc	Mantova, Biblioteca comunale (mit Archivio Gonzaga)
MAs	— Seminario vescovile
MAC	Macerata, Biblioteca comunale „Mozzi-Borgetti"
MC	Montecassino, Biblioteca dell' Abbazia
ME	Messina, Biblioteca universitaria governativa
MOd	Modena, Archivio capitolare (Duomo)

MOe	— Biblioteca Estense
MOl	— Liceo Musicale „O. Vecchi"
MOs	— Archivio di Stato
MTventuri	Montecatini-Terme, Biblioteca privata Antonio Venturi
Nc	Napoli, Biblioteca del Conservatorio di Musica S. Pietro a Maiella
Nf	— Archivio musicale della Communità Oratoriana dei Padri Filippini
Nn	— Biblioteca nazionale (mit: Bibl. Lucchesi-Palli)
NOVd	Novara, Archivio Musicale Classico del Duomo
NOVc	— Biblioteca civica
NOVg	— Archivio e Biblioteca di San Gaudenzio
NT	Noto, Biblioteca comunale
Oc	Orvieto, Biblioteca comunale „Luigi Fumi"
Od	— Archivio musicale del Duomo
OS	Ostiglia, Fondazione Greggiati
Pbonelli	Padova, Biblioteca privata E. Bonelli
Pc	— Biblioteca capitolare
Pca	— Archivio musicale privata della Veneranda Arca del Santo (Bibl. Antoniana)
Pi(l)	— Istituto musicale „Cesare Pollini" (Biblioteca del Liceo musicale)
Ppapafava	— Biblioteca privata Novello Papafava dei Carreresi
Ps	— Biblioteca del seminario vescovile
Pu	— Biblioteca universitaria
PAc	Parma, Sezione Musicale della Biblioteca Palatina presso il Conservatorio „Arrigo Boito"
PAL	Palestrina, Biblioteca comunale Fantoniana
PCa	Piacenza, Collegio Alberoni
PCc	— Biblioteca comunale Passerini Landi
PCd	— Archivio del Duomo
PEc	Perugia, Biblioteca comunale Augusta
PEd	— Biblioteca Dominicini, chiostro della Cattedrale
PEl	— Biblioteca del Conservatorio di musica „F. Morlacchi"
PEsp	— Archivio della Basilica Benedettina di San Pietro
PEA	Pescia, Biblioteca comunale Carlo Magnani
PESc	Pesaro, Biblioteca del Conservatorio „Gioacchino Rossini"
PEScerasa	— Biblioteca privata Amedeo Cerasa (seit 1970 in Viterbo)
PESd	— Biblioteca capitolare della Cattedrale, Archivio del Duomo
PESo	— Biblioteca comunale Oliveriana
PIa	Pisa, Archivio di Stato
PIp	— Archivio della Primaziale (Duomo)
PIu	— Biblioteca universitaria
PLa	Palermo, Archivio di Stato
PLcom	— Biblioteca comunale
PLcon	— Biblioteca del Conservatorio „V. Bellini"
PLd	— Archivio del Duomo (Biblioteca capitolare)
PLm	— Museo del Teatro Massimo
PLn	— Biblioteca nazionale
PLpagano	— Biblioteca privata Roberto Pagano
PLrubino	— Biblioteca privata Mario Rubino
PLs	— Biblioteca privata Barone Sgadari di Lo Monaco (aufbewahrt: Casa di Lavoro e Preghiera Padre Messina)
PLsd	— Archivio storico Diocesano
POd	Potenza, Archivio del Duomo
PS	Pistoia, Archivio capitolare della Cattedrale

Ra	R o m a , Biblioteca Angelica
Raf	— Biblioteca dell' Accademia Filarmonica Romana
Ras	— Archivio di Stato
Rc	— Biblioteca Casanatense
Rchristoff	— Biblioteca privata Boris Christoff
Rdp	— Archivio Doria Pamphili
Rf	— Archivio della Congregazione dell'Oratorio dei Padri Filippini
Ria	— Biblioteca dell' Istituto di Archeologia e Storia dell' Arte
Rla	— Biblioteca Lancisiana
Rli	— Biblioteca dell' Accademia nazionale dei Lincei e Corsiniana
Rn	— Biblioteca nazionale centrale „Vittorio Emanuele II°"
Rp	— Biblioteca Pasqualini (übergegangen in Rsc)
Rsc	— Biblioteca Musicale governativa del Conservatorio di Santa Cecilia
Rsg	— Archivio di San Giovanni in Laterano
Rsgf	— Archivio dell' Arciconfraternita di San Giovanni de' Fiorentini
Rslf	— Archivio di S. Luigi de' Francesi
Rsm	— Archivio capitolare di Santa Maria Maggiore (in: Rvat)
Rsmt	— Archivio di Santa Maria in Trastevere
Rv	— Biblioteca Vallicelliana
Rvat	— Biblioteca Apostolica Vaticana
RA	R a v e n n a , Archivio capitolare (Duomo)
REas	R e g g i o - E m i l i a , Archivio di Stato
REm	— Biblioteca municipale
REsp	— Archivio capitolare di San Prospero
RIM	R i m i n i , Biblioteca civica „Gambalunga"
Sac	S i e n a , Biblioteca dell' Accademia Musicale Chigiana
Sas	— Archivio di Stato
Sc	— Biblioteca comunale degli Intronati (Museo etrusco)
Sd	— Archivio Musicale dell' opera del Duomo (mit Bibl. Piccolomini)
Smo	— Biblioteca annessa al Monumento Nazionale di Monte Oliveto Maggiore
SA	S a v o n a , Biblioteca civica A. G. Barrili
SAL	S a l u z z o , Archivio del Duomo
SPd	S p o l e t o , Archivio del Duomo
SPc	— Biblioteca comunale „G. Carducci"
SPE	S p e l l o , Archivio di Santa Maria Maggiore
ST	S t r e s a , Biblioteca Rosminiana
STE	S t e r z i n g (Vipiteno), Kapuzinerkloster
Ta	T o r i n o , Archivio di Stato
Tb	— Convento di Benevagienna
Tci	— Biblioteca civica musicale „A. della Corte"
Tco	— Biblioteca del Conservatorio Statale di Musica „Giuseppe Verdi"
Td	— Archivio capitolare del Duomo
Tf	— Archivio dell'Accademia filarmonica
Tmc	— Museo civico, Biblioteca di storia e dell'arte
Tn	— Biblioteca nazionale universitaria
Tr	— Biblioteca reale
TE	T e r n i , Istituto Musicale „G. Briccialdi"
TI	T e r m i n i - I m e r e s e , Biblioteca comunale Liciniana
TRc	T r e n t o , Biblioteca comunale
TSci(com)	T r i e s t e , Biblioteca civica (Biblioteca comunale „Attilio Hortis")
TScon	— Biblioteca del Conservatorio di Musica „Tartini"
TSmt	— Civico Museo Teatrale di fondazione Carlo Schmidl
TSsc	— Fondazione Giovanni Scaramangà de Altomonte

TVca(d)	Treviso, Archivio della Cappella del Duomo
TVco	— Biblioteca comunale
Us	Urbino, Cappella del Sacramento (Duomo)
Usf	— Archivio di S. Francesco (in: Uu)
Uu	— Biblioteca universitaria
UD	Udine, Archivio capitolare del Duomo
UDc	— Biblioteca comunale Vincenzo Soppi
URBc	Urbania, Biblioteca comunale
URBcap	— Biblioteca capitolare (Cattedrale)
Vas	Venezia, Archivio di Stato
Vc	— Biblioteca del Conservatorio „Benedetto Marcello" (fondo primitivo, fondo Correr, fondo Giustiniani, fondo dell' Ospedaletto, fondo Carminati)
Vcg	— Casa di Goldoni, Biblioteca
Vgc	— Biblioteca e Istituto di Lettere, Musica e Teatro della Fondazione „Giorgio Cini" (S. Giorgio Maggiore), (mit Fondo Malipiero)
Vlevi	— Biblioteca della Fondazione Ugo Levi
Vmarcello	— Biblioteca privata Andrighetti Marcello
Vmc	— Museo Civica Correr, Biblioteca d'arte e storia veneziana
Vnm	— Biblioteca nazionale Marciana
Vqs	— Biblioteca della Fondazione Querini-Stampalia
Vs	— Archivio del Seminario Patriarcale
Vsm	— Archivio della Procuratoria di San Marco
Vsmc	— S. Maria della Consolazione detta „della Fava"
VCc	Vercelli, Biblioteca civica
VCd	— Archivio del Duomo (Biblioteca capitolare)
VCs	— Biblioteca del seminario vescovile
VD	Viadana, Biblioteca civica
VEaf	Verona, Biblioteca dell'Accademia filarmonica
VEas	— Archivio di Stato
VEc	— Biblioteca civica
VEcap	— Biblioteca capitolare (Cattedrale)
VIb	Vicenza, Biblioteca civica Bertoliana
VId	— Archivio e Bibl. capitolare del Duomo
VIs	— Biblioteca del seminario vescovile
VO	Volterra, Biblioteca Guarnacci
VTc	Viterbo, Biblioteca comunale degli Ardenti
VTcerasa	— Biblioteca privata Amedeo Cerasa
VTs	— Biblioteca del Seminario Diocesano (mit: Bibl. provinciale A. Anselmi)

IL – ISRAEL

J	Jerusalem, The Jewish National & University Library

J – JAPAN (NIPPON)

Tma (Tmc)	Tokyo, Bibliotheca Musashino Academia Musicae (Musashino College of Music Library)
Tn	— The Ohki Collection, Nanki Music Library

N – NORGE

Bo	Bergen, Bergen Offentlige Bibliotek
Bu	— Universitetsbiblioteket (University of Bergen Library)
Oic	Oslo, Norwegian Music Information Centre, c/o Tono
Oim	— Institutt for Musikkvitenskap, Universitet i Oslo
Ok	— Musik-Konservatoriets Bibliotek
Onk	— Norsk Komponistforening
Or	— Norsk Rikskringkastings (Norwegian Broadcasting Corporation), Bibliotek
Ou	— Universitetsbiblioteket i Oslo
Oum	— Universitetsbiblioteket i Oslo, Norsk Musikksamling
T	Trondheim, Det Kongelige Norske Videnskabers Selskab (Royal Norwegian Scientific Society), Biblioteket
Tmi	— Musikkvitenskapelig Institutt

NL – NEDERLAND

Ad	Amsterdam, Stichting Donemus (Donemus Foundation)
At	— Toonkunst-Bibliotheek
Au	— Universiteitsbibliotheek
Avnm	— Bibliotheek der Vereeniging voor Nederlandse Muziekgeschiedenis (Depositum in der Toonkunst-Bibliotheek)
AN	Amerongen, Archief van het Kasteel der Graven Bentinck
D	Deventer, Stadsbibliotheek (Athenaeum-Bibliotheek), Stadhuis
DHa	Den Haag, Koninklijk Huisarchief
DHgm	— Gemeente Museum
DHk	— Koninklijke Bibliotheek
DHmw	— Rijksmuseum Meermanno-Westreenianum (Museum Van Het Boek)
G	Groningen, Universiteitsbibliotheek
Hs	Haarlem, Stadsbibliotheek
HIr	Hilversum, Radio Nederland
L	Leiden, Gemeentearchief
Lt	— Bibliotheca Thysiana
Lu	— Universiteitsbibliotheek
Lw	— Bibliothèque Wallonne
LE	Leeuwarden, Provinciale Bibliotheek van Friesland
R	Rotterdam, Gemeente Bibliotheek
'sH	'S Hertogenbosch, Archief van de Illustre Lieve Vrouwe Broederschap
Uim	Utrecht, Instituut voor Muziekwetenschap der Rijksuniversiteit
Usg	— St. Gregorius Vereniging, Bibliotheek (als Leihgabe in Uim)
Uu	— Universiteitsbibliotheek

NZ – NEW ZEALAND

Ap	Auckland, Public Library
Au	— University College Library
Dp	Dunedin, The Dunedin Public Library
Wt	Wellington, The Alexander Turnbull Library

P – PORTUGAL

C	Coimbra, Biblioteca Geral da Universidade
EVc	Evora, Arquivo Cathedral
EVp	— Biblioteca Pública
La	Lisboa, Biblioteca do Palácio nacional da Ajuda
Lf	— Fábrica da Sé Patriarcal
Ln	— Biblioteca Nacional de Lisboa
Pm	Porto, Biblioteca Pública Municipal
PO	Portalegre, Arquivo da Sê

PL – POLSKA

B	Bydgoszcz (Bromberg), Biblioteka Miejska
Cb	Cieszyn, Biblioteka Śląska, Oddział Cieszyn
Cp	— Biblioteka Parafii ewang. /Tschammera/
GD	Gdansk (Danzig), Biblioteka Polskiej Akademii Nauk
Kc	Kraków (Krakau), Biblioteka Czartoryskich
Kcz	— Biblioteka Czapskich
Kj	— Biblioteka Jagiellónska
Kp	— Biblioteka Polskiej Akademii Nauk
KA	Katowice (Kattowitz), Biblioteka Śląska
KO	Kornik (Kurnik), Polska Akademia Nauk, Biblioteka Kornicka
Lk	Lublin, Biblioteka Katolickiego Uniwersytetu
Lw	— Biblioteka Wojewódzka i Miejska im.H.Łopacińskiego
ŁO	Łowicz, Biblioteka Seminarium
Pa	Poznań, (Posen) Biblioteka Archidiecezjalna
Pr	— Miejska Biblioteka Publiczna im.Edwarda Raczyńskiego
Pu	— Biblioteka Uniwersytecka
PŁp	Płock, Biblioteka Tow.Naukowego
S	Szczecinie (Stettin), Wojewódzka i Miejiska Biblioteka Publiczna, Biblioteka Główna im. St. Staszica
Tu	Torun (Thorn), Biblioteka Uniwersytecka
Wm	Warszawa, (Warschau) Biblioteka Muzeum Narodowego
Wn	— Biblioteka Narodowa
Wp	— Biblioteka Publiczna
Ws	— Biblioteka Synodu Augsb. Ewangelickiego
Wu	— Biblioteka Uniwersytecka
WL	Wilanów, Biblioteka, oddizał Muzeum Nar. Warszawy
WRu	Wrocław (Breslau), Biblioteka Uniwersytecka

R – ROMANIA

Ab	Aiud, Biblioteca Centrală Universitară, Cluj, Filiala Bethlen
AJ	Alba Julia, Biblioteca Centrală de Stat, Filiala Batthyaneum
Ba	Bucureşti, Biblioteca Academiei Republicii Socialiste Romania
Bas	— Arhivele Statului
Bc	— Biblioteca Centrală de Stat
BRm	Brasov (Kronstadt), Biblioteca Municipala
Cu	Cluj, Biblioteca Centrală Universitară
J	Jaşi, Biblioteca Centrală Universitară „M. Eminescu"

O   Oradea, Arhivele Statului, Filiala Oradea
Sa   Sibiu, Arhivele Statului, Filiala Sibiu
Sb   — Biblioteca Muzeului Bruckenthal
TMt   Tîrgu-Mureş, Biblioteca Teleki-Bolyai

S – SVERIGE

A   Arvika, Folkliga Musikskolan
E   Enköping, S: T Iliansskolan, Biblioteket (Samrealskolans Arkiv or Högre Allmänna Läroverket)
ES   Eskilstuna, Stadsbiblioteket
Gem   Göteborg, Etnografiska Museet, Biblioteket
Ghl   — Hvitfeldtska Högre Allmänna Läroverket (ehem. Latinläroverk or Högre Elementarläroverket, Göteborgs Kgl. Gymnasium), Biblioteket
Gu   — Universitetsbiblioteket (ehem. Stadsbibliotek)
GÄ   Gävle, Vasaskolan (ehem. Högre Allmänna Läroverket), Biblioteket
Hfryklund   Hälsingborg, D. Daniel Fryklunds samling (übernommen nach Skma)
Hs   — Stadsbiblioteket
J   Jönköping, Per Brahegymnasiet (ehem. Högre Allmänna Läroverket) Biblioteket
K   Kalmar, Gymnasie- och Stiftsbiblioteket (Stifts- och Läroverksbiblioteket)
KA   Karlstad, Stifts- och Läroverksbiblioteket
KAT   Katrineholm, Stadsbiblioteket
KH   Karlshamn, Karlshamns Museums Biblioteket
L   Lund, Universitetsbiblioteket
Lbarnekow   — Bibliothek der Akademischen Kapelle (Sammlung Barnekow)
LB   Leufsta Bruk (Privatsammlung De Geer)
LI   Linköping, Stifts- och Landsbiblioteket Institut (ehem. Stifts- och Läroverksbiblioteket)
M   Malmö, Stadsbiblioteket
N   Norrköping, Stadsbiblioteket
Ö   Örebro, Karolinska Skolan Biblioteket (Karolinska Läroverket)
ÖS   Östersund, Jämtlands Läns Biblioteket
Sdt   Stockholm, Drottningholms Teatermuseum, Biblioteket
Sic   — Swedish Music Information Center
Sk   — Kungliga Biblioteket
Skma   — Kungliga Musikaliska Akademiens Bibliotek
Sm   — Musikhistoriska museet, Biblioteket
Sn   — Nordiska museet (ehem. Skandinavsk-Etnografiska Samlingen), Biblioteket
Ssr   — Sveriges Radio, Musikbiblioteket
St   — Kungliga Teaterns Biblioteket
SK   Skara, Stifts- och Landsbiblioteket (mit: Läroverkets Musikbibliotek)
STd   Strängnäs, Domkyrkobiblioteket
STr   — Roggebiblioteket (ehem. Stifts-och Läroverksbiblioteket)
Uifm   Uppsala, Institutionen för Musikforskning vid Uppsala Universitet, Biblioteket
Uu   — Universitetsbiblioteket
V   Västerås, Stifts-och Landsbiblioteket (ehem. Librarium Cathedralis,

	Bibliotheca Templi et Consistorii Cathedralis, Stifts-och Läroverks-bibliotheket und Västerås Gamla Gymnasiebibliotheket)
VIl	Visby (Gotland), Landsarkivet
VIs	— Stadsbiblioteket
VX	Växjö, Stifts-och Landsbiblioteket (ehem. Stifts-och Gymnasiebibliotheket)

SF – SUOMI

A	Åbo (Turku), Sibeliusmuseum Musikvetenskapliga Institutionen vid Åbo Akademi, Bibliotek & Arkiv
Aa	— Åbo Akademis (Åbo Academy or Swedish University of Åbo), Bibliotek
Hko	Helsinki, Helsingin Kaupunginorkester (Helsinki Philharmonic Orchestra), Bibliotek
Hmt	— Musiikin Tiedotuskeskus (Music Information Centre)
Hr	— Oy Yleisradio AB, Nuotisto (Finnish Broadcasting Company), Bibliotek
Hs	— Sibelius-Akatemian Kirjasto
Hy	— Helsingin Yliopiston Kirjasto (Helsinki University Library)
Hyf	— Helsingin Yliopiston Kirjasto (Helsinki University Library, Department of Finnish Music)
TA	Tampere, Tampereen Yliopiston Kansanperinteen Laitos (University of Tampere), Bibliotek

US – UNITED STATES OF AMERICA

AA	Ann Arbor (Mich.), University of Michigan, Music Library
AB	Albany (N.Y.), New York State Library
AL	Allentown (Pa.), Muhlenberg College, John A. W. Haas Library
AM	Amherst (Mass.), Amherst College, Robert Frost Building
AU	Aurora (N.Y.), Wells College Library
AUS	Austin (Tex.), University of Texas – Music in: main library, music library, and rare book collection (Miriam Lutcher Stark Library)
Ba	Boston (Mass.), Boston Athenaeum Library
Bbs	— The Bostonian Society Library
Bc	— The New England Conservatory of Music
Bco	— The American Congregational Association, Congregational Library
Bfa	— Boston Fine Arts Museum
Bge	— School of Fine Arts, General Education Library
Bh	— Harvard Musical Association
Bhh	— Handel and Haydn Society
Bhs	— Massachusetts Historical Society Library
Bl	— Grand Lodge of Masons in Massachusetts, A. F. & A. M. Library
Bm	— Boston University, Mugar Memorial Library
Bp	— Boston Public Library – Music Department
Bth	— Boston University, School of Theology Library
BAep	Baltimore (Md.), Enoch Pratt Free Library, Fine Arts and Music Department

43*

BAhs	— Maryland Historical Society Library
BApi	— Peabody Institute of the City of Baltimore Library
BAu	— John Hopkins University Libraries
BAw	— Walters Art Gallery Library
BAT	Baton Rouge (La.), Louisiana State University Library
BE	Berkeley (Cal.), University of California, Music Library
BER	Berea (Ohio), Baldwin-Wallace College, Ritter Library of the Conservatory
BETm	Bethlehem (Pa.), Archives of the Moravian Church in Bethlehem (Northern Province Archives)
BETu	— Lehigh University, Lucy Packer Linderman Memorial Library
BG	Bangor (Me.), Bangor Public Library
BK	Brunswick (Me.), Bowdoin College, Department of Music (Nathaniel Hawthorne – Henry Wadsworth Longfellow Library)
BLl	Bloomington (Ind.), Indiana University, Lilly Library
BLu	— Indiana University, School of Music Library
BO	Boulder (Col.), University of Colorado, Music Library
BRc	Brooklyn (N.Y.), Brooklyn College Music Library
BRp	— Brooklyn Public Library
BU	Buffalo (N.Y.), Buffalo and Erie County Public Library
Charding	Chicago (Ill.), N. H. Harding private collection
Chs	— The Chicago Historical Society Library
Cn	— Newberry Library
Cu	— University of Chicago, Music Library
CA	Cambridge (Mass.), Harvard University, Music Libraries (Eda Kuhn-Loeb, Houghton, Harvard College, Theatre Collection)
CAR	Carlisle (Pa.), Dickinson College Library
CDhs	Concord (N. H.), New Hampshire Historical Society Library
CDs	— New Hampshire State Library
CG	Coral Gables (Fla.), University of Miami, Music Library
CHua	Charlottesville (Va.), University of Virginia, Alderman Library
CHum	— University of Virginia (mit: Jefferson Family-Monticello Music Collection)
CHH	Chapel Hill (N. C.), University of North Carolina, Music Library
CIhc	Cincinnati (Ohio), Hebrew Union College Library
CIu	— University of Cincinnati College – Conservatory of Music (formerly Cincinnati Conservatory of Music and Cincinnati College of Music), Music Library
CLp	Cleveland (Ohio). Cleveland Public Library, Fine Arts Department
CLwr	— Western Reserve University, Freiberger Library and Music House Library
COu	Columbus (Ohio), Ohio State University, Music Library
CR	Cedar Rapids (Iowa), Iowa Masonic Library
Dp	Detroit (Mich.), Detroit Public Library, Music and Performing Arts Department (formerly Music & Drama Department)
DE	Denver (Col.), Denver Public Library, Art & Music Division
DB	Dearborn (Mich.), Henry Ford Museum and Greenfield Village
DM	Durham (N. C.), Duke University Libraries
DN	Denton (Tex.), North Texas State University (formerly North Texas State College), Music Library
DO	Dover (N. H.), Dover Public Library
Eg	Evanston (Ill.), Garrett Theological Seminary Library (formerly Garrett Biblical Institute)
Eu	— Northwestern University Libraries

ECstarr	Eastchester (N. Y.), Saul Starr private collection
EXd	Exeter (N. H.), Phillips Exeter Academy, Davis Library
EXp	— Exeter Public Library
FW	Fort Worth (Texas), Southwest Baptist Theological Seminary
G	Gainesville (Fla.), University of Florida Library, Rare Book Collection
GA	Gambier (Ohio), Kenyon College Divinity School, Colburn Library
GB	Gettysburg (Pa.), Lutheran Theological Seminary
GR	Granville (Ohio), Denison University Library (William Howard Doane Library)
GRE	Greenville (Del.), Eleutherian Mills Historical Library
Hhs	Hartford (Conn.), Connecticut Historical Society Library
Hm	— Case Memorial Library, Hartford Seminary Foundation
Hp	— Public Library, Art & Music Department
Hs	— Connecticut State Library
Hw	— Watkinson Library, Trinity College
HA	Hanover (N. H.), Dartmouth College, Baker Library
HB	Harrisonburg (Va.), Eastern Mennonite College, Menno Simons Historical Library and Archives
HG	Harrisburg (Pa.), Pennsylvania State Library
HO	Hopkinton (N. H.), New Hampshire Antiquarian Society
HU	Huntingdon (Pa.), Juniata College, L. A. Beechly Library
I	Ithaca (N. Y.), Cornell University Music Library
IO	Iowa City (Ia.), University of Iowa (formerly State University of Iowa), Music Library
K	Kent (Ohio), Kent State University Library
Lu	Lawrence (Kans.), University of Kansas Libraries
LAu	Los Angeles (Cal.), University of California, Music Library
LAuc	— University of California, William Andrews Clark Memorial Library
LAusc	— University of Southern California, School of Music Library
LAkoole	— Koole private collection
LB	Lewisburg (Pa.), Bucknell University, Ellen Clarke Bertrand Library
LChs	Lancaster (Pa.), Lancaster County Historical Society
LCm	— Lancaster Mennonite Historical Library and Archives
LCts	— Lancaster Theological Seminary of the United Church of Christ Library (formerly Theological Seminary of the Evangelical & Reformed Church)
LEX	Lexington (Ky.), University of Kentucky, Margaret I. King Library
LOs	Louisville (Ky.), Southern Baptist Theological Seminary, James P. Boyce Centennial Library
LOu	— University of Louisville, School of Music Library
LOW	Lowell (Mass.), Lowell State College
LU	Lincoln University (Pa.), Lincoln University, Vail Memorial Library
M	Milwaukee (Wisc.), Milwaukee Public Library, Art & Music Department
MI	Middletown (Conn.), Wesleyan University, Olin Memorial Library
MORduncan	Morgantown (W. Va.), Dr. Richard E. Duncan private collection
MSp	Minneapolis (Minn.), Minneapolis Public Library
MSu	— University of Minnesota, Music Library
MV	Mount Vernon (Va.), Mount Vernon Ladies' Association of the Union Collection
Nf	Northampton (Mass.), Forbes Library
Nsc	— Smith College, Werner Josten Music Library

NAZ	Nazareth (Pa.), Moravian Historical Society, Library and Museum
NBs	New Brunswick (N. J.), New Brunswick Theological Seminary, Gardner A. Sage Library
NBu	— Rutgers University Library (The State University)
NEm	Newark (N. J.), Newark Museum
NEp	— Newark Public Library
NH	New Haven (Conn.), Yale University, The Library of the School of Music
NORts	New Orleans (La.), New Orleans Theological Seminary Library
NORtu	— Tulane University, Howard Tilton Memorial Library
NP	Newburyport (Mass.), Newburyport Public Library
NYcc	New York (N. Y.), City College Library, Music Library
NYcu	— Columbia University, Music Library
NYfo	— Fordham University Library
NYfuld	— James J. Fuld private collection
NYgo	— New York University, Gould Memorial Library
NYgr	— The Grolier Club Library
NYhc	— Hunter College Library
NYhs	— New York Historical Society Library
NYhsa	— Hispanic Society of America, Library
NYj	— Juilliard School of Music Library (mit: Institute of Musical Art)
NYlateiner	— Jacob Lateiner private collection
NYma	— Mannes College of Music, Clara Damrosch Mannes Memorial Library (formerly Mannes School)
NYmc	— Museum of the City of New York, Theatre & Music Department
NYmm	— Metropolitan Museum of Art, Thomas J. Watson Library
NYp	— New York Public Library at Lincoln Center
NYpm	— Pierpont Morgan Library
NYq	— Queens College of the City University, Paul Klapper Library, Music Library
NYts	— The Union Theological Seminary Library
OA	Oakland (Col.), Oakland Public Library
OB	Oberlin (Ohio), Oberlin College Conservatory of Music
Pc	Pittsburgh (Pa.), Carnegie Library of Pittsburgh
Pfinney	— Theodore M. Finney private library (übernommen nach Pu)
Ps	— Theological Seminary, Clifford E. Barbour Library
Pu	— University of Pittsburgh, Music Library (mit: Theodore M. Finney private library)
PD	Portland (Me.), Maine Historical Society Library
PER	Perryville (Miss.), St. Mary's Seminary Library
PHbo	Philadelphia (Pa.), St. Charles Borromeo Theological Seminary Library
PHbs	— William Bacon Stevens Library
PHchs	— American Catholic Historical Society of Philadelphia Library
PHci	— The Curtis Institute of Music Library
PHem	— The Eric Mandell Collection of Jewish Music
PHf	— Free Library of Philadelphia, Music Department
PHfhs	— Historical Society of Pennsylvania Library
PHkm	— Lutheran Theological Seminary at Philadelphia, Krauth Memoiral Library
PHlc	— Library Company of Philadelphia
PHma	— Musical Academy Library
PHphs	— The Presbyterian Historical Society Library
PHps	— American Philosophical Society Library

PHr	— The Philip H. and A. S. W. Rosenbach Foundation
PHtr	— Trinity Lutheran Church of Germantown
PHts	— Westminster Theological Seminary Library
PHu	— University of Pennsylvania Music Library
PIlevy	Pikesville (Md.), Lester A. Levy private collection
PL	Portland (Oregon), Library Association of Portland, Music Department
PO	Poughkeepsie (N. Y.), Vassar College, Music Library
PRs	Princeton (N. J.), Princeton Theological Seminary, Speer Library
PRu	— Princeton University Library
PROhs	Providence (R. I.), Rhode Island Historical Society Library
PROu	— Brown University Libraries
R	Rochester (N. Y.), Sibley Music Library, Eastman School of Music, University of Rochester
RI	Richmond (Va.), Virginia State Library
Sp	Seattle (Wash.), Seattle Public Library
Su	— University of Washington, Music Library
SA	Salem (Mass.), Essex Institute Library
SB	Santa Barbara (Cal.), University of California at Santa Barbara, Library
SFp	San Francisco (Cal.), San Francisco Public Library, Fine Arts Department, Music Division
SFs	— Sutro Library
SFsc	— San Francisco State College Library, Col. Frank V. de Bellis Collection
SHE	Sherman (Tex.), Austin College, Arthur Hopkins Library
SLc	Saint Louis (Miss.), Concordia Seminary Library
SLf	— Fontbonne College Library
SLkrohn	— Ernst C. Krohn private collection
SLug	— Washington University, Gaylord Music Library
SLC	Salt Lake City (Utah), University of Utah Library
SM	San Marino (Cal.), Henry E. Huntington Library & Art Gallery
STu	Stanford (Cal.), Stanford University, Music Library, Division of Humanities & Social Sciences
SW	Swarthmore (Pa.), Swarthmore College Library
SY	Syracuse (N. Y.), Syracuse University Music Library
Tm	Toledo (Ohio), Toledo Museum of Art Library
TA	Tallahassee (Fla.), Florida State University, Robert Manning Strozier Library
U	Urbana (Ill.), University of Illinois, Music Library
Ufraenkel	— Collection Fraenkel
UP	University Park (Pa.), The Pennsylvania State University Library (formerly Pennsylvania State College)
Wc	Washington (D. C.), Library of Congress, Music Division
Wca	— Washington Cathedral Library
Wcu	— Catholic University of America, Music Library
Wgu	— Georgetown University Libraries
Ws	— Folger Shakespeare Library
Wsc	— Scottish Rite Masons, Supreme Council, Library
Wsi	— Smithsonian Institution, Music Library
WA	Watertown (Mass.), Perkins School for the Blind
WC	Waco (Tex.), Baylor University, Music Library (F. L. Carroll Library)
WE	Wellesley (Mass.), Wellesley College Library
WELhartzler	Wellman (Iowa), J. D. Hartzler private collection

WGc	Williamsburg (Va.), College of William and Mary, Earl Gregg Swem Library
WGw	— Colonial Williamsburg Research Department, historical collection
WI	Williamstown (Mass.), Williams College, Chapin Library
WM	Waltham (Mass.), Brandeis University Library, Music Library, Goldfarb Library
WOa	Worcester (Mass.), American Antiquarian Society Library
WS	Winston-Salem (N. C.), Moravian Music Foundation, Peter Memorial Library

USSR – SOWJETUNION (vorläufige Liste)

Kan	Kiev, Biblioteka Ukrainskoj akademii nauk
Kk	— Biblioteka Gosudarstvennoj konservatorii im. P. I. Čajkovskogo
KA	Kaliningrad (Königsberg), Oblastnaja biblioteka
KI	Kišinev, Biblioteka Gosudarstvennoj konservatorii im. G. Muzyčesku
Lan	Leningrad, Biblioteka Akademii nauk SSSR
Lit	— Naučnaja biblioteka Gosudarstvennogo instituta teatra, muzyki i kinematografii
Lk	— Biblioteka Gosudarstvennoj konservatorii im. N. A. Rimskogo-Korsakova
Lph	— Muzykal'naja biblioteka Leningradskoj gosudarstvennoj filarmonii
Lsc	— Gosudarstvennaja publičnaja biblioteka im. M. E. Saltykova-Ščedrina
Lt	— Gosudarstvennaja teatral'naja biblioteka im. A. A. Lunačarskogo
Ltob	— Central'naja muzykal'naja biblioteka Teatra opery i baleta im. S. M. Kirova
LV	L'vov (Lemberg), Biblioteka Gosudarstvennoj konservatorii im. N. V. Lysenko
Mcl	Moskva, Gosudarstvennyj central'nyj literaturnyj arhiv
Mcm	— Gosudarstvennyj central'nyj muzej muzykal'noj kul'tury im. M. I. Glinki
Mk	— Naučnaja muzykal'naja biblioteka im. S. I. Taneeva, Gosudarstvennaja konservatorija im. P. I. Čajkovskogo
Ml	— Gosudarstvennaja biblioteka SSSR im. V. I. Lenina
Mt	— Gosudarstvennyj teatral'nyj muzej i. A. Bahrušina
MI	Minsk, Biblioteka Belorusskoj gosudarstvennoj konservatorii
O	Odessa, Biblioteka Gosudarstvennoj konservatorii im. A. V. Neždanovoj
R	Riga, Biblioteka Gosudarstvennoj konservatorii Latvijskoj SSR im. J. Vitola
TAu	Tartu, Universitetskaja biblioteka
TAL	Tallin, Biblioteka Gosudarstvennoj konservatorii
TB	Tbilisi, Biblioteka Gosudarstvennoj konservatorii im. V. Saradžisvili
V	Vilnius, Biblioteka Gosudarstvennoj konservatorii Litovskoj SSR

YU – YUGOSLAVIA

Dsd	Dubrovnik, Knjižnica samostana Dominikanaca
Dsmb	— Mala braća ili Mala Braća Akademija za glasbo knjižnica
La	Ljubljana, Knjižnica Akademije za glasbo

Lf	— Knjižnica frančiskanškega samostana
Ls	— Škofijski arhiv in biblioteka
Lsa	— Biblioteka slovenske akademije znanosti in umetnosti
Lsk	— Arhiv stolnega kora
Lu	— Narodna in univerzitetna knjižnica
MAk	Maribor, Katedrala Maribor, glazbeni arhiv
MAs	— Knjižnica Škofijskega arhiv
NM	Novo Mesto, Frančiskanški samostan, Knjižnica
Ssf	Split, Knjižnica samostana sv. Frane
Za	Zagreb, Knjižnica Jugoslavenske akademije znanosti i umjetnosti
Zda	— Državni arhiv
Zha	— Hrvatski glazbeni zavod (zbirka Don Nikole Udina Algarotti)
Zk	— Glazbeni arhiv katedrale
Zs	— Glazbeni arhiv bogoslovnog sjemeništa
Zu	— Nacionalna sveučilišna biblioteka

VERZEICHNIS DER ABKÜRZUNGEN

ad lib.	ad libitum	B	Baß
conc.	concertando	5 (6 . . .)	5. (6. . . .) Stimme (Quintus . . .)
Chb.	Chorbuch, choirbook, livre de chœur	vag	Vagans
Ex.	Exemplar(e), copy(ies), exemplaire(s)	vl	violino
fasc.	fasciculus	vla	viola
f.	folio	a-vla	alto-viola
KLA.	Klavierauszug, vocal score or piano reduction, réduction pour chant et piano	vlc	violoncello
		vlne	violone
		b	basso
kpl.	komplett		
No.	Platten- (oder Verlags-)Nummer, plate number or publisher's number, cotage	fl	flauto
		ob	oboe
obl.	obligato	fag	fagotto
P.	Partitur, score, partition	cl	clarinetto
p.	pagina	cor	corno
rip.	ripieno	cnto	cornetto
s. l.	sine loco	clno	clarino
s. n.	sine nomine	tr	tromba
s. d.	sine dato	trb	trombone
St.	Stimme(n), seperate part(s), partie(s) séparée(s)	timp	timpani
SD	Sammeldruck, printed collection, recueil imprimé (→ RISM B[I], B II)	cemb	cembalo
		clav	clavecin
vol.	volumen (– mina)	hpcd	harpsichord
		kl	Klavier
v	vox	pf	Piano Forte
S	Sopran (Discantus, Superius)	org	organo
A	Alt	hf	Harfe
T	Tenor	bc	basso continuo

VERZEICHNIS DER IN BAND 3
ENTHALTENEN AUTOREN

FAA Orazio
FABBRI Andru
FABBRONI Giuseppe
FABER Benedikt
FABER Henning
FABER Stephan
FABRI Giovanni Antonio
FAB(B)RI Stefano
FABRICIUS Burchardus
FABRICIUS Werner
FABRIO
FABRITIUS Albinus
FABRITIUS Gaietano
FABRIZI Vincenzo
FACCHI Agostino
FACCINI Giovanni Battista
FACCO Giacomo
FACIO (DI FACIO) Anselmo
FACIUS J. H.
FACOLI Marco
FADINI Andrea
FAGO Nicola
FAIGNIENT Noé
FAITELLI Vigilio Biagio (Blasio)
FAKAERLI George
FALB Remigius
FALCIDIO Giovanni Battista
FALCK Georg
FAL(C)KENHAGEN Adam
FALCKENHAGEN Bartholomäus
FALCO Carlo
FALCO Francesco
FALCONIERI Andrea
FALCONI(O) Placido
FALUSI Michele Angelo
FANTINI
FANTINI Girolamo
FARCY Charles
FARINA Carlo (I)
FARINA Carlo (II)
FARINA Francesco
FARINELLI Michel
FARMER John
FARMER Thomas

FARNABY Giles
FARRANT John
FASCH Christian Friedrich Carl
FASOLD Benedict
FASOLO
FASOLO Giovan Battista
FASTRE J.
FATKEN Johann August Ludwig
FATTORI Massimo
FATTORIN da Reggio
FATTORINI Gabriele
FATTSCHECK Rom.
FAUVEL André-Joseph (l'aîné)
FAVEREO Janino
FAVI Francesco
FAVRE
FAVRE Antoine
FAVRETTO Bartolomeo
FEDELE Diacinta
FEDELI Carlo
FEDEL(L)I Giuseppe
FEDERICI Vincenzo
FEDERLIN Johann Jacob
FEHR Joseph Anton
FEHRE I. A.
FEL Antoine
FELDMAY(E)R George
FELDMAYR Johann
FELICIANI Andrea
FELICIANUS P. F.
FELIS Stefano
FELSTED Samuel
FELTON William
FENNER
FENTUM John
FERANDINI
FERAY
FERAY J. B.
FERDINAND III. von Österreich
FERGUS John
FERGUSIO Giovanni Battista
FERIALDI Angelo
FERMANN Petrus
FERNANDEZ Diego (De Huete)

FERRABOSCO Alfonso (I)
FERRABOSCO Alfonso (II)
FERRABOSCO Costantino
FERRABOSCO Domenico Maria
FERRABOSCO Matthia
FER(R)ANDIERE Fernando
FERRANDINI Giovanni
FERRARI Alfonso
FERRARI Benedetto
FERRARI Carlo
FERRARI Domenico
FERRARI Francesco
FERRARI Giacinto
FERRARI Giovanni
FERRARI Girolamo (detto il Mondondo-
  ne)
FERRARI J.
FERRARI Jacopo Gotifredo
FERRARI Massimo
FERRARO Antonio
FERRATI Antonio
FERRAZZI Giovanni Battista
FERRERO Giuseppe
FER(R)ET
FERRETTI Giovanni
FERRETTI Vincenzo Cesare
FERRI Francesco Maria
FERRO Giulio
FERRO Marco Antonio
FERRONATI Lodovico
FESCH Willem de
FESER Erasmus
FESTA Costanzo
FESTING Michael Christian
FESTONI Abbate
FEUILLADE C.
FEURLE Johann Martin
FEVIN Antoine de
FEVRIER Pierre
FEYER Constantin (Karl)
FEYZEAU
FIALA Joseph
FIDELIS Lancilotto
FIEBIG Johann Christoph Anton
FIEDLER Zacharias
FIELD John
FIESCO Giulio
FIGG W.
FIGULUS Wolfgang
FILAGO Carlo
FILEWOOD Thomas Roger
FILIBERI Orazio
FILIPPI Gasparo
FILIPPINI Stefano

FILIPPO da San Giovanni Battista (MA-
  LABAILA)
FILIPUCCI Agostino
FILTZ (FILS, FILZ, FIELTZ,) Anton
FINATTI Giovanni Pietro
FINAZZI Filippo
FINCK Hermann
FINCK Joachim
FINETTI Giacomo
FINGER Gottfried
FINOLT Andreas
FIOCCO Jean-Joseph
FIOCCO Joseph-Hector
FIOCCO Pierre-Antoine
FIORANI Cristoforo
FIORE' Andrea
FIORE' Angelo Maria
FIORILLO Carlo
FIORILLO Federigo
FIORILLO Ignazio
FIORINO Gasparo
FIRBANK
FIRNHABER Johann Christian
FIRTH R. A.
FISCHER
FISCHER Ferdinand
FISCHER Georg Nicolaus
FISCHER Georg Wilhelm
FISCHER Jean Nicolas
FISCHER Johann (III)
FISCHER Johann Caspar
  Ferdinand
FISCHER Johann Christian
FISCHER Johann Gottfried
FISCHER Ludwig
FISCHER Matthäus
FISCHER Paul
FISCHIETTI Domenico
FISHAR James
FISHER
FISHER F. E.
FISHER John Abraham
FISHER William
FISIN James
FIX Samuel
FLACCOMIO Giovanni Pietro
FLACK Casper
FLACKTON William
FLAD J.
FLASCHNER Gotthelf Benjamin
FLECHA Mateo d. J.
FLEISCHER Friedrich Gottlob
FLEISCHMANN Christian Traugott
FLEISCHMANN Friedrich

FLEISCHMANN Johann (SARCAN-DRUS)
FLEISCHMANN Johann Nicolaus
FLEISCHMANN Sebastian
FLEURY Charles
FLEURY François-Nicolas
FLÖRKE Friedrich Jakob
FLOQUET Étienne Joseph
FLOR Christian
FLORI Jakob
FLORIMI Giovanni Andrea
FLORIO Giorgio
FLORIO Giovanni
FLORIO Pietro Grassi
FLORSCHÜTZ Eucharius
FLÜGGE Johann
FOCKING Hendrik
FODOR Carolus Antonius
FODOR Carolus Emanuel
FODOR Joseph
FÖRKELRATH Kaspar
FÖRSTER Christoph
FÖRSTER Emanuel Aloys
FÖRSTER Johan Bartholomäus
FÖRTSCH Johann Philipp
FÖRTSCH Wolfgang
FOGGIA Francesco
FOGLIANO Giacomo
FOIGNET Charles Gabriel
FOLIOT Edme
FOLTMAR Johann
FONGHETTO (FONGHETTI, FUN-GHETTO) Paolo
FONTANA Fabrizio
FONTANA Giovanni Battista
FONTANA Vincenzo
FONTANELLI Alfonso
FONTANIEU
FONTEI Nicolò
FONTENELLE Granges de
FONTENET
FOOTE
FORCHHEIM (FURCHHEIM) Johann Wilhelm
FORD Thomas
FORESTIER
FORKEL Johann Nikolaus
FORMÉ Nicolas
FORNACI Giacomo
FORNI Antonio
FORQUERAY Antoine
FORREST Margret
FORSTMEYER A. E.
FORTÉ Pierrot Faustin

FORTIA DE PILES Alphonse-Tous-saint-Joseph-André, Comte de
FOSCARINI Giovanni Paolo (Caliginoso detto il furioso)
FOSCONI Tomaso
FOSSAN
FOSSATO Giovanni Battista
FOUQUET
FOUCQUET Pierre Claude
FOULIS David
FOURNIER
FOURNIER Alphonse
FOUX G. F.
FRACASSINI Aloisio Lodovico
FRÄNZL Ignaz
FRAMERY Nicolas-Étienne
FRANCESCHINI G.
FRANCESCHINI Gaetano
FRANCESCO FIAMENGO
FRANCESCO Ricciardo
FRANCESCONI de Lusarda
FRANCHI Giovanni Pietro
FRANCIA Gregorio
FRANCISCONI Giovanni
FRANCK Georges
FRANCK Johann Wolfgang
FRANCK Melchior
FRANCK Michael
FRANCK Peter
FRANCK Samuel
FRANCK Sebastian
FRANCŒUR François
FRANCŒUR Louis
FRANKLIN Benjamin
FRANZ Johann Christian
FRANZONI Amante
FREAKE John George
FREDDI Amadio
FREDIANI Frediano de
FREEMAN Thomas Augustine
FREESE Nicolaus
FREILLON-PONCEIN Jean Pierre
FREMART Henri
FRENCH George
FRENCH John
FRENCH Richard
FRENTZEL Johann
FRESCHI Domenico
FRESCOBALDI Girolamo
FREUDENTHAL J.
FREUND Cornelius
FREUND Philipp
FREYSTÄDTLER Franz Jakob
FREYTAG Heinrich Wilhelm

FRIBERTH Karl
FRICK G.
FRICK Philipp Joseph
FRICKE Elias Christian
FRICKE J. C.
FRIDERICI Daniel
FRIDZERI (FRIZERI, FRIXER) Alessandro Maria Antonio
FRIEDERICH Johann
FRIEDL Sebastian Ludwig
FRIEDRICH II., König von Preußen
FRIES Maurice de
FRILING E. O.
FRISCHMUTH Johann Christian
FRISCHMUTH Leonard
FRISIUS Johannes
FRITH Edward
FRITSCH Balthasar
FRITSCH Thomas
FRITZ Kaspar
FRIZON
FRIZZONI Giovanni Battista
FROBERGER Johann Jakob
FRÖBE L. G.
FROMANT (FROMENT)
FROMM Andreas
FRONDUTI Giovanni Battista
FROSCH(IUS) Johannes
FUCHS Georg-Friedrich
FUCHS Johann
FÜGER G. C.
FÜGER Kaspar
FUENLLANA Miguel de
FÜSSEL C. G.
FUNCK David
FUNCKE Christian
FUNCKE Friedrich
FURNERIUS Gislenus
FURTADO A. Charles
FURTADO John
FUX Johann Joseph
FUX (FUCHS) Peter

GABELLA Giovanni Battista
GABLER Christoph August
GABRIELI Andrea
GABRIELI Giovanni
GABRIELLI D.
GABRIELLI Domenico
GABRIELLO della Nunciata
GABUSSI Giulio Cesare
GAFFI Bernardo
GAGLIANO Giovanni Battista da
GAGLIANO Marco da

GAGNI Angelo
GALEAZZI Francesco
GALENO Giovanni Battista
GALEOTTI Salvatore
GALEOTTI Stefano
GALILEI Michelangelo
GALILEI Vincenzo
GALLASSI Antonio
GALLERANO Leandro
GALLET
GALLETIUS Franciscus
GALLEY Johann Michael
GALLEY John
GALLI Sisto
GALLIARD John Ernest
GALLINI Giovanni Andrea
GALLINO Gregorio
GALLO Alberto
GALLO Domenico
GALLO Giovanni Pietro
GALLO Vincenzo
GALLUS Johannes (Metre Jehan)
GALLUS Josephus
GALOT P. A.
GALUPPI Baldassare
GAMBALO Francesco
GAMBARINI Elizabeth
GAMBERI Pietro
GAMBERINI Michelangelo
GAMBLE John
GAMBOLD Johann
GAMER Paul
GANASSA Giacomo
GANASSI Sylvestro (di)
GANDINO Salvadore
GANSPECKH Wilhelm
GANTEZ Annibal
GANTHONY Joseph
GARAT Pierre-Jean
GARDEL Maximilien Léopold Philippe Joseph
GARDINER P.
GARDOM P.
GARIBOLDI
GARNÉRI (fils) H. Aimé
GARNIER
GARNIER François-Joseph
GARNIER Honoré
GARNIER Joseph
GARNIER L.
GARRO Francisco
GARTH John
GARTINI
GARTNER Christian

GARULLUS Bernardinus
GARZI Pietro Francesco
GASMANN Andreas
GASPAR VAN WEERBEKE
GASPARD
GASPARDINI Gasparo
GASPARINI Felice
GASPARINI Francesco
GASPARINI Quirino
GASS Felix
GASSEAU
GASSMANN Florian Leopold
GASTOLDI Giovanni Giacomo
GASTORIUS Severus
GASTRITZ Mathias
GATEHOUSE (Lady)
GATELLO Giovanni Battista
GATTI Luigi
GATTI Teobaldo de
GATTO Simon
GAUCQUIER Alard du
GAUDE
GAUDE F.
GAUDRY J. S.
GAUDRY Richard
GAULTIER Denis
GAULTIER J. A.
GAULTIER Pierre
GAULTIER Pierre (de Marseille)
GAULTIER Pierre (de Rouen)
GAUMER P. J. N.
GAUTIER Louis
GAUTIER P. N.
GAVARD DES PIVET(S) Enrico
GAVAUDANT
GAVEAUX Pierre
GAVINIÉS Pierre
GAWLER William
GAWTHORN Nathaniel
GAZZANIGA Giuseppe
GEARY Thomas Augustine
GEBART A.
GEBAUER Michel Joseph
GEBEL Georg (d. J.)
GEBHARD Johann Gottfried
GEBHARDT Paul
GEHOT Joseph
GEHRA August Heinrich
GEIER Johann Egidius
GEISENHOF Johannes
GEISLER Benedict
GEISLER Georg
GEIST Samuel
GELINEK Guillaume

GELINEK Joseph
GEMINIANI Francesco
GEMMINGEN Eberhard Friedrich (Freiherr von)
GENET Eleazar (CARPENTRAS)
GENISCHTA Joseph
GENTILE Giovanni
GENTILE Ortensio
GENTILI Giorgio
GENTY Mlle
GENVINO Francesco
GEOFFROY Jean-Baptiste
GEOFFROY Jean Nicolas
GEORGE James
GEORGE Sebastian
GÉRARD Henri Philippe
GERARD James
GERARD John
GERDINI
GERLACH Benjamin
GERLE Hans
GERO Ihan (Jehan, Jan)
GERSTENBERG Johann Daniel
GERVAIS Charles-Hubert
GERVAIS Laurent
GERVAIS Pierre Noël
GERVAISE Claude
GERVASIO Giovanni Battista
GESIUS Bartholomäus
GESSNER Vitus Albert
GESTEWITZ Friedrich Christoph
GESUALDO Don Carlo (Principe di Venosa)
GETZMANN Wolfgang
GEUCK Valentin
GEYER
GEYER Johann Caspar
GHERARDESCHI Filippo Maria
GHERARDESCHI Giuseppe
GHERARDI Biagio
GHERARDI Giovanni Battista
GHERARDINI Arcangelo
GHEYN Matthias van den
GHEZZI Ippolito
GHIBELLINI (GHIBEL, GHIBELLI, GIBEL, GIBELLINI) Eliseo
GHIEL T. F. de
GHIOTTI Gaspard
GHISELIN Johannes
GHISUAGLIO Girolamo
GHIZZOLO Giovanni
GHRO Johann
GIACCIO Orazio
GIACOBBI Girolamo

GIACOBETTI Pietro Amico
GIACOMINI Bernardo
GIACOMO P. D. di cività di Chieti
GIAMBERTI Giuseppe
GIANCARLI Heteroclito
GIANELLI Francesco
GIANETTINI Antonio
GIANONCELLI Bernardo
GIAN(N)OTTI Giacomo
GIAN(N)OTTI Pietro
GIANSETTI Giovanni Battista
GIARDINI Felice
GIBAULT
GIBB Alexander
GIBBON W.
GIBBONS Orlando
GIBBS Joseph
GIBEL(IUS) Otto
GIBELLINI Geronimo
GIBELLINI Nicola
GIBERT Paul César
GIBSON Henry
GIGAULT Nicolas
GIGLI Giovanni Battista
GIGLIO Napoletano
GIGLIO Thomaso
GIGUET
GILDING Edmund
GILLES Jean
GILLIER(S) (le fils)
GILLIER(S) (the younger)
GILLIER(S) Jean-Claude (le jeune)
GILLIER(S) Pierre (l'aîné)
GILSON Cornforth
GINANNI Gaspare
GINGUENÉ
GINTZLER Simon
GIORDANI Domenico Antonio
GIORDANI Tommaso
GIORGI Giuseppe
GIORNOVICHI (JARNOWICK) Giovanni Mane
GIOVANNELLI Ruggiero
GIOVANNI MARIA Da Crema
GIOVANNI Paduani
GIOVANNINI (Comte de St. Germain)
GIRAMO Pietro Antonio
GIRAUD François-Joseph
GIRAULT Auguste
GIRELLI Santino
GIROLAMO da Monte dell' Olmo
GIROUST François
GISENHAGEN Nicolaus
GITTER Joseph

GIULIANI Francesco detto il Cerato
GIULIANI Giovanni Francesco
GIU(G)LINI Giorgio, Conte
GIULIO Romano (Romano da Siena)
GIUSTINI Lodovico
GJEDDE Werner Hans Rudolph Rosenkrantz
GLADWIN Thomas
GLÄSER Carl Ludwig Traugott
GLANNER Caspar
GLASER J. P.
GLEICH Andreas
GLEISSNER Franz
GLETLE Johann Baptist
GLETLE Johann Melchior
GLÖSCH Karl Wilhelm
GLOGER Bogislav von
GLUCK Christoph Willibald
GLÜCK Johann
GNECCO Francesco
GNITLON G. C.
GNOCCHI Giovanni Battista
GNOCCHI Pietro
GNÜGE Johann Christoph
GOBERT A.
GOBERT Thomas
GODARD
GODECHARLE Eugène-Charles-Jean
GODEFRIDO F.
GÖLDEL Johann
GÖPFERT Carl Andreas
GÖRLITZ Johann Friedrich von
GÖRNER Johann Valentin
GOESSWEIN Dominicus
GOETTING Valentin
GOETZE Michael
GOEZE Nicolaus
GOLDE Johann Gottfried
GOMBERT Nicolas
GOMES DA SILVA Alberto José
GOMOŁKA Mikołaj
GONETTI Victor
GONTIER Leonorio
GONZAGA Francesco
GONZAGA Guglielmo
GONZENBACH Johann Jacob
GOODWIN Starling
GOODWIN William
GOOLD William
GORCZYN Jan Alexander
GORDON Thomas
GORTON William
GORZANIS Giacomo
GOSSEC (fils)

GOSSEC François-Joseph
GOSSWIN Antonius
GOTSCHOVIUS Nicolaus
GOUDIMEL Claude
GOUGE
GOUGELET
GOURIET (fils)
GOURILEFF L.
GOUY Jacques de
GOW John
GOW Nathaniel
GOW Niel
GRABBE Johann
GRABU Louis (Lewis)
GRADENIGO Paolo
GRAEF(EN) C. L.
GRÄFE Johann Friedrich
GRAEFF Johann Georg
GRÄSER Heinrich
GRÄSER Johann Christian Gottfried
GRAETERUS Georg Friderich
GRAF (GRAAF) Christian Ernst
GRAF (GRAFF) Friedrich Hartmann
GRAF (GRAFF) Johann
GRAGNANI Filippo
GRAM Hans
GRAMAGNAC
GRANATA Giovanni Battista
GRANCINO (GRANCINI) Michel'Angelo
GRANDI Alessandro (I)
GRANDI Alessandro (II)
GRANDI Ottavio Maria
GRANDIS Vincenzo de
GRANDMAISON F.
GRANDVAL Nicolas Racot de
GRANIER François
GRANO John Baptist
GRANOM Lewis Christian Austin
GRASSET Jean-Jacques
GRASSI Florio
GRASSINI Francesco Maria
GRATIA Pietro Nicola
GRAUN Carl Heinrich
GRAUN Johann Gottlieb
GRAUPNER Christoph
GRAVE Johannes Hieronymus
GRAVES James
GRAVIER (Abbé)
GRAVRAND Joseph (l'aîné)
GRAY
GRAY Thomas Brabazon
GRAZIANI (GRATIANI) Bonifacio
GRAZIANI Carlo
GRAZIANI (GRATIANI) Tommaso

GRAZIOLI Alessandro
GRAZIOLI Giambattista
GREAVES Thomas
GREEN
GREEN George
GREEN James
GREEN Thomas
GREENE Maurice
GREETING Thomas
GREGOR Christian
GREGORI Annibale
GREGORI Giovanni Lorenzo
GREINER Johann Theodor
GRENERIN Henry
GRENET François-Lupien
GRENIER
GRENINGER Augustin
GRENSER Johann
GRENVILLE
GRESHAM William
GRESNICH Antoine-Frédéric
GRESSET Jean-Baptiste-Louis
GRESSLER Friedrich Salomon
GRÉTRY André-Erneste-Modeste
GRÉTRY Lucile
GREUTER Conrad
GREVIN (l'aîné)
GREZNER Johann Friedrich
GRIENINGER Augustin
GRIESBACH Charles
GRIESBACH Heinrich
GRIESBACH William
GRIESBACH(ER) Antony
GRIFFES Charles
GRIFFES Edward
GRIFFI Silvestro
GRIFFONI Antonio
GRIGG Samuel
GRIGNON DE MONTFORT Louis Marie
GRIGNY Nicolas de
GRILL Franz
GRILLO (GRYLLUS) Giovanni Battista
GRIMM Heinrich
GRIMSHAW John
GRISWOLD Elijah
GROENE Anton Heinrich
GRØNLAND Peter
GROH Heinrich
GROHMANN G. C.
GROLL Evermodus
GRONEMAN Antoine
GRONEMAN Johann Albert
GROPPENGISSER Johann
GROS Antoine-Jean

GROSCH Thomas
GROSE Michael Ehregott
GROSHEIM Georg Christoph
GROSSE
GROSSE Johann Heinrich
GROSSE Markus Christfried
GROSSE Samuel Dietrich
GROSSE Wilhelm
GROSSI Andrea
GROSSI Carlo
GROSSI Giovanni Antonio
GROSSI Giovanni Battista
GROT P.
GROTH Frederik Christian
GROTHUSIUS Arnold
GROTZ Dionysius
GROVES
GRUBER Benno
GRUBER Georg Wilhelm
GRUEBER Christoph
GRÜGER Joseph
GRÜNBERGER Theodor
GRUENDLING Christian Gottlob
GRÜNENWALD Jacob von
GRÜNINGER Peter Paul
GRÜNWALD J. J.
GRUNDMANN S. G.
GRUNER (GROUNER) Nathanael Gott-
    fried
GUAITOLI Francesco Maria
GUALDO DA VANDERO Giovanni
GUALTIERI Alessandro
GUALTIERI Antonio
GUAMI Francesco
GUAMI Gioseffo
GUARINONI Paride
GUAZZI Eleuterio
GUEDON DE PRESLES Honoré-
    Claude
GUEDON DE PRESLES (Mlle)
GUEDRON Pierre
GUELFI Antonio
GUENÉE L.
GUENIN Marie-Alexandre
GÜNTHER Carl Friedrich
GÜNTHER G. C.
GÜNTSCH Johann Christian
GUERAU Francisco

GUÉRILLOT Henri
GUERINI Francesco
GUERRERO Francisco
GUERRIERI Agostino
GÜRRLICH Joseph Augustin
GUEST Jane Mary
GUGEL George
GUGGUMOS Gallus
GUGL Matthaeus
GUGLIELMI Pietro (Pier Alessandro)
GUGLIELMI Pietro Carlo
GUGLIELMO (GUILHELMUS) VENE-
    ZIANO
GUGLIETTI Francesco
GUICHARD François
GUICHARD Louis Joseph
GUIDO Giovanni Antonio
GUIDUCCI Girolamo
GUIGNON (GHIGNONE) Jean-Pierre
    (Giovanni-Pietro)
GUIGUE
GUILAIN Jean-Adam Guillaume
GUILBERT Eugène
GUILLAUME
GUILLAUME L.
GUILLAUME Simon
GUILLEMAIN Louis-Gabriel
GUILLEMANT Benoît
GUILLET (l'aîné)
GUILLET (le jeune)
GUILLET Charles
GUILLON (DE GUILLON)
GUILLON Henri Charles
GUINARD
GUISLAIN Pierre Joseph
GUMPEL(T)ZHAIMER Adam
GUNDELWEIN Friederich
GUNN Barnabas
GUNN John
GUSOWIUSZ Jan Godfr.
GUSSAGO Cesario
GUSTO J. Z.
GUTH Johannes
GUTHMAN Friedrich
GUYON Jean
GUYOT Cl.
GYLDENSTOLPE Michael O.
GYROWETZ Adalbert

FAA – GYROWETZ

F

FAA Orazio

Il primo libro di madrigali a cinque voci. –
Venezia, Antonio Gardano, 1569. – St.
[F 1
A Wn (kpl.: S, A, T, B, 5)

Il secondo libro de madrigali a cinque,
& a sei voci, con due dialloghi, uno a otto
& altro a dieci. – *Venezia, li figliuoli di
Antonio Gardano, 1571.* – St. [F 2
A Wn (kpl.: S, A, T, B, 5) – **I** MOe

Salmi di David profeta con tre Magnificat,
et altri componimenti a cinque, sei, &
otto voci. – *Venezia, li figliuoli di Antonio
Gardano, 1573.* – St. [F 3
I Bc (kpl.: S, A, T, B, 5)

— Salmi di David profeta con tre Magnificat a cinque voci . . . nuovamente ristampati, con alcuni salmi che mancavano. –
Brescia, Tomaso Bozzola, 1587. [F 4
SD 1587[1]
GB Lbm (T) – **I** Bc (kpl.: S, A, T, B, 5), Ls
(kpl. [2 Ex.]), PCd – **US** BE (5)

FABBRI Andru

Six duetts [Es, A, F, G, B, D] for two vio-
lins . . . op. 2[d]. – *London, author, 1793.* –
St. [F 5
GB Lbm (2 verschiedene Ausgaben)

FABBRONI Giuseppe

Opera prima. [12] Sonate a violino e violoncello o cimbalo. – *Roma, Angelo Antonio della Cerra, 1724.* – P. [F 6
D-ddr Dlb (Impressum: . . . delle Gerra) –
GB Cu

FABER Benedikt

1604. Sacrarum cantionum, cum quatuor,
5. 6. 7. & 8. vocibus concinendarum . . .
editio prima. – *Coburg, Justus Hauck
(Fürstliche Druckerei), 1604.* – St. [F 7
A Wgm (kpl.: S, A, T, B, 5, 6) – **D-brd** Rp
(fehlen S und 6) – **D-ddr** Bds, SAh (S [unvoll-
ständig], A) – **PL** WRu (kpl.; B [unvollstän-
dig]) – **S** Skma (fehlen S und T)

(1607). Canticum gratulatorium (Ego
flos campi [a 8v]) in solennitatem nuptiarum . . . Melchioris Franci . . . et Susannae . . . Zigleri, 17. Novembris . . .
1607. – *Coburg, Justus Hauck (Fürstliche Druckerei), (1607).* – St. [F 8
D-brd As (fehlt S II) – **D-ddr** SAh (B I)

1609a. Colloquium metricum (Quis puer o
superi) strenae loco, sub novi hujus anni
auspicio felici, musicis numeris octonis
vocibus compositum . . . Dn. Iohanni
Adamo Trummerero. – *Coburg, Justus
Hauck (Fürstliche Druckerei), 1609.* – St.
[F 9
D-brd As (fehlt S II)

1609b. Adhortatio Christi ad genus hu-
manum directa, porrecta: Musicis numeris quintarum vocum condecorata. –
*Coburg, Justus Hauck (Fürstliche Drucke-
rei), 1609.* – St. [F 10
GB Lbm (S I, S II, T, B; fehlt A)

1614. Zwey neue Hochzeit Gesäng, zu
sonderlichen Ehren . . . auff den hochzeitlichen Ehrntag dess . . . Herrn Georgii
Junii . . . unnd der . . . Katharina Zöberin . . . 5. vocum, durch Melchior Frank
. . . das ander . . . mit vier Stimmen gesetzt, durch Benedictum Fabrum. –

1

Coburg, Justus Hauck *(Fürstliche Drucke-*
rei), 1614. – St.   [F 11
SD 1614[18]
D-brd Ngm (S, A, T II)

entfällt   [F 12

(1620). Gratulatorium musicale (Con-
fitebor tibi Domine) . . . honori, et amori
nuptiali . . . Iohannis Christiani . . . con-
jungentis Annam Mariam . . . Hertzber-
geri . . . 7. die Novembr. 1620. celebrando,
octonis vocibus compositum. – *[Coburg]*,
Kaspar Bertsch, (1620). – St.   [F 13
D-ddr LEm (B II)

1622. Christliches Memorial oder valet
Gesänglein Simeonis (In Friede dein, o
Herre mein) über den . . . Abschied der
. . . Agathae Schenkin . . . 4. voc: verferti-
get. – *Coburg, Andreas Forckel (Fürst-*
liche Druckerei), 1622. – St.   [F 14
D-ddr LEm (3. St.)

(1625). Laudes musicae, infantis Jesuli
nati, das ist: Neue gantz fröliche deutsche
Weyhnacht Gesang . . . mit 6. unnd 4.
Stimmen, so wol viva voce, als mit In-
strumenten füglichen zugebrauchen. –
Coburg, Autor (Johann Forckel, Fürstliche
Druckerei), (1625). – St.   [F 15
D-brd Cm (A)

(1629). Neues fröliches Hochzeit Gesang
(Das ist vom Herrn geschehen) . . . dem
. . . Herrn Iohann Quentzler . . . so wol
auch der . . . Anna Barbara . . . Schellers
. . . 1629, mit IV. Stimmen gesetzet. –
Coburg, Johann Forckel (Fürstliche Druk-
kerei), (1629). – St.   [F 16
D-ddr LEm (T)

1630a. Natalitia Christi, musicalia nova,
neue freudenreiche Christ oder Weyhnacht Gesang derer vor diesem wenig
publiciret worden, anjetzo aber den Can-
toribus, und andern Music verstendigen
zum besten, mit 4. 5. 6. und 8. Stimmen
gesetzet. – *Coburg, Johann Forckel*
(Fürstliche Druckerei), 1630. – St.   [F 17
D-brd Cm (A) – **D-ddr** LEm (T, 5), HAh (B)

1630b. Neuer Freuden-Schall, so auß dem
schönen trostreichen Christgesang, Vom
Himmel hoch da komm ich her . . . mit

acht Stimmen auff 2 Chör bequemlichen
gesetzt. – *Coburg, Kaspar Bertsch, 1630.* –
St.   [F 18
D-ddr LEm (A II/T II), HAh (B)

s. d. Ein treues Hertz ist Ehren werth . . .
[a 5v]. – *s. l., s. n.* – St.   [F 19
GB Lbm (A II)

s. d. Dominus mihi adjutor. Bonum est
confidere . . . [a 6v]. – *s. l., s. n.* – St. [F 20
D-ddr SAh (S, A)

s. d. Laetamini in Domino . . . [a 6v]. –
s. l., s. n. – St.   [F 21
D-ddr SAh (S, A)

FABER Henning

Harmonia musica ornatissimo eruditione
. . . festo anno 1607, 29 sept. – *Stettin,*
Johann Duber, (1607). – St.   [F 22
PL Tu (S I, S II, B I, B II, 6)

FABER Stephan

[12] Cantiones aliquot sacrae trium vocum, juxta duodecim modorum seriem,
tam viva voce, quam omnis generis instrumentis cantatu commodissimae. –
Nürnberg, David Kaufmann (Abraham
Wagenmann), 1607. – St.   [F 23
D-brd Usch (kpl.: suprema vox, media vox,
infima vox), W – **GB** Lbm (media vox) –
PL Wu (suprema vox)

FABRI Giovanni Antonio

Il primo libro de madrigali a cinque voci
. . . parte concertati coll'istromento, &
con il basso continuo per poterli anco concertar tutti, se piacerà. – *Venezia, Ales-*
sandro Vincenti, 1620. – St.   [F 24
D-brd Rtt (S)

FAB(B)RI Stefano

Salmi concertati a cinque voci. – *Roma,*
Giacomo Fei d'A.F., 1660. – St.   [F 25
D-brd MÜs (kpl.: S I, S II, A, T, B, org) –
F Pc – **GB** Lbm (B, org), Och – **I** FZd (fehlt A),
Rf, Rsg, Rsmt, Rvat-chigi (fehlt S I), Sac (B)

FABRICIUS Burchardus

Cantilena ad festum Michaelis octo vocibus. – *Frankfurt/O., Friedrich Hartmann,
1603.* – St.   [F 26
PL WRu (kpl.; I: S, A, T, B; II: S, A, T, B)

FABRICIUS Werner

(1655). Der . . . Leichentext (Herr, Herr,
wenn ich nur dich hab) welcher . . . abge-
sungen und mit 8. Stimmen sampt dem
Basso Continuo componiret worden (in:
Gott unser einiger Hertzens Trost . . . bey
. . . Leichenbestattung der . . . Catharinen
. . . Plietzschens . . . welche am 16. Iulii
1655 . . . entschlaffen). – *Leipzig, Christoph
Cellarius (Friedrich Lanckisch), (1655).* –
P.   [F 27
D-ddr Bds, GOl, MAl

(1656a). Gedoppelte Frülings [!] Lust
(Schöner Frühling laß dich küssen [2 S,
2 vl, bc]), welche bey Annehmung des
Höchsten gradus in Facultate Medica wie
auch bey erfreulichen Hochzeit-Feste des
. . . Herrn Sigismundi Ruperti Sultz-
bergers . . . mit . . . Margaritha . . . dem
15. Aprilis 1656. in einer Aria entworffen.
– *[Leipzig], s. n. (Quirin Bauch),
(1656).* – P.   [F 28
D-ddr Z

(1656b). Trauer, Trost-Nahmens-Ode (Du
Blut von unserm Blute [a 5 v]) dem . . .
Herrn Iohann Bauern . . . uber dem . . .
Abschiede ihres . . . Söhnlein Davids
welches . . . dieses 1656. Iahres . . . ent-
schlaffen . . . in folgende Melodey ge-
setzt. – *[Leipzig], s. n., (1656).* – P.
                                           [F 29
D-ddr Z

1657a. Deliciae Harmonicae, oder Musicalische Gemüths Ergätzung, das ist:
Allerhand Paduanen, Alemanden, Couranten, Balletten, Sarabanden, von 5.
Stimmen, neben ihrem Basso continuo,
auff Violen und andern Instrumenten
füglichen zu gebrauchen. – *Leipzig, Johann Bauer, 1657 ([T, B, bc:] 1656).* –
St.   [F 30

D-brd FRu (kpl.: S I, S II, A, T, B, bc) –
S Sk (S I [unvollständig]), Uu (fehlen B und
bc)

(1657b). Trauer- und Trost-Ode (Ach
Gott! Wie gar ein nichtigs Wesen [a 5 v])
. . . Herrn M. David Schwertners . . .
Söhnlein Johannes Christianus, seinen
. . . Abschied von dieser Welt den I. Son-
tag nach Trinitatis 1657. – *Leipzig,
Johann Erich Hahn, (1657).* – P.   [F 31
D-ddr GOl

(1657c). Letzte Ehrerbietung (Leider, daß
von unsern Häuptern [a 4 v]) . . . Herrn
Johanni Benedicto Carpzovio, . . . als der-
selbe . . . den 22. Octobris des 1657. Iahres
. . . entschlaffen. – *Leipzig, Johann Erich
Hahn, (1657).* – P.   [F 32
D-ddr GOl

(1657d). Christselige Sterbens-Gedancken
und Trost-Wort (Ach höret auff zu weinen
[a 5 v]) . . . in eine Melodey gebracht. –
Leipzig, s. n. (Quirin Bauch), (1657). –
P.   [F 33
D-brd W

1659. E. C. Homburgs Geistlicher Lieder
Erster Theil, mit zweystimmigen Melodeyen gezieret. – *Jena, Georg Sengen-
wald; Naumburg, Martin Müllers Buchhandlung, 1659.*   [F 34
D-brd As, KIl – **D-ddr** Bds, WGp

1662a. Geistliche Arien, Dialogen und
Concerten, so zur Heiligung hoher Fest-
Tagen mit 4, 5, 6, und 8 Vocal-Stimmen
sampt ihrem gedoppelten Basso continuo,
auff unterschiedliche Arthen nebst allerhand Instrumenten füglich können gebraucht und musicirt werden. – *Leipzig,
Johann Bauer, 1662.* – St.   [F 35
A Wgm (kpl.: S, A, T, B, 5, 6, 7, 8, bc), Wn –
B Br – **D-brd** W – **D-ddr** BD (T, B, 5, 6, 7, 8,
bc [2 Ex.]), Dlb, LEm (fehlen T und 7; A [un-
vollständig]) – GB Lbm – NL DHk (A, 6, 7,
bc) – S Skma (bc)

(1662b). Tröstliches Zureden (Wann mich
Gott von Jugend auff [a 4 v]) welches . . .
Frau Margarita . . . Heylands . . . am Tage
dero . . . Beerdigung war der 19. Januar
1662. abgehen lassen. – *Leipzig, s. n.
(Johann Erich Hahn), (1662).* – P.   [F 36
D-ddr MAh

1664. Wohlgemeinte Abend-Music (Die dunkle Nacht bricht an [S und bc]), welche dem . . . Hn. M. Gerhardo Corthumm . . . als er den 28. Novembr. des 1664. Jahrs mit . . . Maria . . . Fricks . . . seinen hochzeitlichen Ehren-Tag begieng [für Singstimme mit bc]. – *Hamburg, Georg Rebenlein, 1664.*   [F 37
D-brd FRu

FABRIO

Six sonatas or duets [G, D, C, D, A, G] for two german flutes or violins. – *London, John Walsh.* – P.   [F 38
GB Lbm

FABRITIUS Albinus

Georgius Beutherus in sepulturam consobrini vel potius fratris sui . . . Ambrosii Franci . . . filii: qui XI. die Junij . . . obdormuit: Cantionem hanc (Ich weiß das [!] mein Erlöser lebet) componi curavit . . . 1585. – *Wittenberg, Matthäus Welack, (1585).* – St.   [F 39
D-ddr Dlb (S, T, B, 5 [2 Ex.])

Cantiones sacrae sex vocum. – *Graz, Georg Widmannstetter, 1595.* – St.   [F 40
D-brd W (kpl.: S, A, T, B, 5, 6) – D-ddr Dlb (T [unvollständig]) – GB Lbm (5, 6) – S Uu (fehlen B und 5)

FABRITIUS Gaietano

Liber primus modulorum quatuor vocibus ad usum ecclesiae ac instrumentorum organicorum maxime accomodatorum. – *Paris, Adrien Le Roy & Robert Ballard, 1571.*   [F 41
E Mc (kpl.)

FABRIZI Vincenzo

Cavatina (Cara pace, in van ti chiamo) per il cembalo. – *Dresden, P. C. Hilscher, No. 75.* – KLA.   [F 42
D-brd DO

FABRUS Stephanus → FABER Stephan

FACCHI Agostino

Concerti spirituali a 1. 2. 3. 4. con due scielte de littanie della Madona a 3 e 5 con il basso continuo. – *Venezia, stampa del Gardano, appresso Bartolomeo Magni, 1624.* – St.   [F 43
SD 1624[4]
I Bc (kpl.: S, A, T, B, org)

Motetti a doi, tre, quatro & cinque voci con le litanie della Madona a 6, & il basso continuo, libro sec. – *Venezia, Bartolomeo Magni, 1635.*   [F 44
GB Och (S I, S II, A, B, bc; fehlt T)

Madrigali a doi, tre, quatro & cinque voci con il basso continuo, libro secondo. – *Venezia, stampa del Gardano, appresso Bartolomeo Magni, 1636.* – St.   [F 45
GB Och (S, A, T, B, bc; fehlt 5)

FACCINI Giovanni Battista

Salmi concertati a tre, quatro voci, con il basso continuo . . . novamente ristampati. – *Venezia, Bartolomeo Magni, 1634.* – St.   [F 46
I Bc (kpl.: S, T I, T II, B, bc)

— *ib., 1644.*   [F 47
F Psg – I Sac (fehlt T I) – PL WRu

FACCO Giacomo

Pensieri adriarmonici o vero [6] concerti a cinque [e, B, E, c, A, F], tre violini, alto viola, violoncello e basso per il cembalo . . . opera prima, libro primo (-secundo). – *Amsterdam, Jeanne Roger, No. 469 (477).* – St.   [F 48
B Bc (kpl.: vl princip., vl I, vl II, vla, vlc, cemb) – S L, Skma

— A select concerto [e] for violins and other instruments in 6 parts (in: [Series] to be continued monthly with a well chosen concerto from the works of the most eminent Italian authors . . . January 1734). – *[London], printed for John Walsh, No. 501.* – St.   [F 49
GB Lbm (kpl.: 6 St.)

FACIO (DI FACIO) Anselmo

Sacrarum cantionum quinis vocibus decantandarum, liber primus. – *Palermo, s. n.* – St.   [F 50
I Rsc (kpl.: S, A, T, B, 5 [je 2 Ex.])

Il primo libro de madrigali a cinque voci. – *Messina, Fausto Bufalini, 1589.* – St.
                                           [F 51
I Bc (1 St. [nur Titelblatt]), Rsc (A [2 Ex.], T, B [2 Ex.], 5 [2 Ex.]; fehlt S)

Il primo libro de madrigali a sei voci. – *Venezia, Ricciardo Amadino, 1601.* – St.
                                           [F 52
A Wn (B) – I VEaf (S)

FACIUS J. H.

Trois duos [A, e, D] pour deux violoncelles, œuvre 1er. – *Paris, Pleyel, No. 672.* – St.   [F 53
I Mc

— *Wien, Artaria & Co., No. 825.*   [F 54
I Mc (2 Ex.) – US Wc

Trois sonates [A, D, F] pour violoncelle, et basse . . . œuvre 2, liv: 1 (u. 2). – *Wien, Johann Cappi, No. 947 (und 948).* – St.
                                           [F 55
A Wgm

Concerto per violoncello principale . . . opera 3. – *Wien, Johann Cappi, No. 949.* – St.   [F 56
A Wn (vlc princ.)

FACOLI Marco

Il secondo libro d'intavolatura, di balli d'arpicordo, pass'e mezzi, saltarelli, padovane, & alcuni aeri novi dilettevoli, da cantar, ogni sorte de rima. – *Venezia, Angelo Gardano, 1588.*   [F 57
I Rsc

FADINI Andrea

[12] sonate a due violini, violoncino, ed organo, con tre soggetti reali . . . opera prima. – *Venezia, Giuseppe Sala, 1714.* – St.   [F 58
D-brd WD – I Vgc

— *Amsterdam, Jeanne Roger, No. 450.*
                                           [F 59
S Skma

FAGO Nicola

Cori [a lv/bc] dell' Eustachio [Anhang zu Duca Annibale Marchese's „Tragedie Cristiane"]. – *Napoli, Felice Mosca, 1729.*
                                           [F 60
GB Lbm – I Nc

FAIGNIENT Noé

Chansons, madrigales & motetz à quatre, cinq & six parties . . . le premier livre. – *Antwerpen, Vve de Jean Laet, 1568.* – St.
                                           [F 61
D-brd MÜu (5), Mbs (kpl.: S, Contra-T, T, B, 5), LÜh (T) – D-ddr ROu – S Uu

FAITELLI Vigilio Biagio (Blasio)

Giubilo sacro e festivo tripartito per motetti XII . . . opera prima, parte I., consistente in motetti IV. a voce sola, violinis, viola, violoncello e organo. – *Augsburg, Johann Christian Leopold.* – St.
                                           [F 62
A Gmi (vl I, vl II, org) – D-brd As (kpl.: S, A, T, B, vl I, vl II, vla oblig., org), FRu

Octo dulcisona modulamina seu motetti VIII. incruento missae sacrificio concinentia a voce sola, violini 2., viola, violoncello, & organo . . . opus II. – *St. Gallen, Kloster-Druckerei, 1752.* – St.   [F 63
B Z (unvollständig) – CH E (vox cantans, vl I, vl II, vla, org, trb I, trb II; fehlt vlc), EN (fehlt vlc), Lz (fehlt vlc) – CS N (fehlen vla, vlc, org) – D-brd NBss (fehlen trb I, trb II und vlc), Tmi (fehlt vox cantans) – H PH (vox cantans, vl II, vla, org)

Illustris corona stellarum duodecim seu duodecim offertoria . . . a IV. vocibus, II. violinis, II. clarinis, tympano, & doppio basso continuo . . . opus III. – *Augsburg, Johann Jakob Lotters Erben, 1754.* – St.   [F 64
CH E (kpl.: S, A, T, B, vl I, vl II, vlc, org, clno I, clno II, timp), EN (fehlt timp), Lz (fehlen S, vl I, clno II, timp) – CS Mms (fehlt vl II) – D-brd BEU, DO, Mbs (fehlt timp), NBss (fehlen A, vl I, clno I, timp, org), OB,

Rp, SDF (B) – **D-ddr** BAUd (fehlt timp) –
F Pc – **GB** Lbm (fehlt B)

FAKAERLI George

Trois simphonies pour deux violons, deux
hautbois ou flûtes, deux cors de chasse,
alto et basse. – *Paris, Mme Bérault.* – St.
                                                [F 65
GB Lbm

FALB Remigius

Sutor non ultra crepidam seu synphoniae
VI. a II. violinis & basso vel organo,
facili methodo, quia exili authoris scien-
tiae proportionata, elaboratae. – *Augsburg, Johann Jakob Lotters Erben, Autor,
1748.* – St.   [F 66
D-brd DO (kpl.: vl I, vl II, b/org)

VI. Pastorellae synphoniae a quinque
vocibus obligatis, cembalo, violino I.,
violino II., alto viola & violone . . . opus
II. – *Augsburg, Johann Jakob Lotters
Erben, 1755.* – St.   [F 67
D-brd DO (kpl.: cemb, vl I, vl II, a-vla, vlne)

FALCIDIO Giovanni Battista

Missarum cum quinque vocibus liber pri-
mus nunc primum in lucem editus. Missa
A qualunqu' animal, Missa Tribularer,
Missa Descendit Angelus, Missa Sancta
& immaculata. – *Venezia, li figliuoli di
Antonio Gardano, 1570.* – St.   [F 68
I FZd (S [unvollständig], A [unvollständig],
B, 5; fehlt T)

FALCK Georg

I. N. SS. T. Andacht-erweckende Seelen-
Cymbeln, das ist: Geistreiche Gesänge
Herrn Doct. Martini Lutheri und anderer Geistreicher Evangelischer Christen
. . . in einen vierstimmigen Contrapunct
gesetzt [im Anhang Gesänge von Johann
Bernhard Falck]. – *(Rothenburg/Tauber),
s. n. (Noah von Millenau), 1672.*   [F 69
SD
D-brd NL, Mbs (2 Ex., davon 1 Ex. unvollständig)

Hertz- und Marck-ausfliessendes Seuff-
tzen (Ach! ach mein Herr ist todt) der
Wittib über den . . . Hintritt ihres . . .
Eh-Herren . . . mit 4. Stimmen gesetzt. –
s. l., s. n. – P.   [F 70
D-ddr Z

FAL(C)KENHAGEN Adam

[6] Sonate di liuto solo . . . opera prima. –
s. l., s. n.   [F 71
B Bc – **D-brd** Rp – **D-ddr** LEm – **GB** Lbm

Sei partite a liuto solo . . . opera seconda. –
*Nürnberg, [Johann Ulrich Haffner] (J. W.
Stör).*   [F 72
B Bc – **GB** Lbm

Sej concertij a liuto, traverso, oboe o
violino e violoncello . . . opera nuova. –
*Nürnberg, Johann Ulrich Haffner (J. W.
Stör), No. III.* – St.   [F 73
D-ddr WRtl – **PL** Wu

Erstes Dutzend Erbauungs-voller Geist-
licher-Gesänge mit Variationen auf die
Laute. – *Nürnberg, Johann Ulrich Haff-
ner, No. XXII.*   [F 74
B Bc – **GB** Lbm

FALCKENHAGEN Bartholomäus

Hochzeit Lied (Antwort gut ist mir kom-
men) a 4. voc. dem . . . Friederich Siegeln
. . . Anno 1622 . . . mit . . . Anna Maria. –
Freiberg, Georg Hoffmann, (1622). – St.
                                                 [F 75
D-ddr Z (B)

Christliches Braut Lied, aus dem Hohen
Lied Salomonis am 5. Capitel genommen: unnd auff die hochzeitliche Ehrenfreude welche der . . . Herr Christianus
Zimmermann . . . mit . . . Rosina . . .
Seelfischen . . . angestellet . . . componirt
mit 4. Stimmen. – *Freiberg, Georg Hoff-
mann, 1622.* – St.   [F 76
GB Lbm (kpl.: S, A, T, B)

FALCO Carlo

Sei sonate [A, G, C, Es, B, D] per violino
solo e basso. – *(London), s. n. (Pas-
quali), (1763).*   [F 77
B Bc (fehlt Titelblatt) – **I** Mc (fehlt Titelblatt)

FALCO Francesco

Solfeggi di scuola italiana con i principii della musica vocale e accompagnamento di cembalo. – *Paris, Bignon; Versailles, Parison, Blaisot.* – P.   [F 78
F Pa, Pc, Pn

— *Paris, Bignon; Versailles, Parison.*
    [F 79
CH Gc (Etikett: Bourg-de-Four, Lejeune) – F BO (unvollständig)

— *ib., de La Chevardière.*   [F 80
GB Ckc

FALCONIERI Andrea

Libro primo di villanelle a 1. 2. & 3. voci, con l'alfabeto per la chitarra spagnola. – *Roma, Giovanni Battista Robletti, 1616.* – P.   [F 81
F Pc – I Bc, Rsc (2 Ex.)

Libro quinto delle musiche a una, due, e tre voci. – *Firenze, Zanobi Pignoni, 1619.* – P.   [F 82
I Fn, Rsc

Musiche . . . a una, due & tre voci, libro sexto, con l'alfabbeto [!] della chitarra spagnola. – *Venezia, stampa del Gardano, appresso, Bartolomeo Magni, 1619.* – P.
    [F 83
I Rsc

Sacrae modulationes quinque et sex vocibus concinendae. – *Venezia, sub signo Gardano, appresso Bartolomeo Magni, 1619.* – St.   [F 84
S Skma (6)

Il primo libro di canzone, sinfonie, fantasie, capricci, brandi, correnti, gagliarde, alemane, volte per violini e viole, overo altro stromento a uno, due, e tre con il basso continuo. – *Napoli, Pietro Paolini e Gioseppe Ricci, 1650.* – St.   [F 85
I Bc (kpl.: 4 St.)

FALCONI(O) Placido

1575. Introitus et Alleluia per omnes festivitates totius anni cum quinque voci-

bus. – *Venezia, li figliuoli di Antonio Gardano, 1575.* – P.   [F 86
GB Lbm – I Bc, Rsc

1579. Psalmodia vespertina . . . tum plena tum pari voce, prout cuique visum fuerit, quaternis vocibus decantanda, cantu ad diapason inferius tenorem mutato. – *Brescia, Vicenzo Sabbio, 1579.* – St.   [F 87
I Bc (S, A)

1580a. Turbarum voces . . . tum plena, tum pari voce, prout cuique visum fuerit, quaternis vocibus decantanda, cantu in tenorem ad diapason inferius mutato. – *Brescia, Vicenzo Sabbio, 1580.* – St.   [F 88
I Bc (kpl.: S, A, T, B)

1580b. Voces Christi cum tribus vocibus. – *Brescia, Vicenzo Sabbio, 1580.* – St.   [F 89
I Bc (kpl.: S, T, B) – US Cn (T)

1580c. Sacra Responsoria Hebdomadae Sanctae . . . tum plena, tum pari voce, prout cuique visum fuerit, quaternis vocibus decantanda, cantu in tenorem ad diapason inferius mutato. – *Brescia, Vicenzo Sabbio, 1580.* – St.   [F 90
I Bc (kpl.: S, A, T, B)

1580d. Threni Hieremiae prophetae, una cum psalmis, Benedictus et Miserere . . . tum plena, tum pari voce, prout cuique visum fuerit, quaternis vocibus decantandi, cantu in tenorem ad diapason inferius mutato. – *Brescia, Vicenzo Sabbio, 1580.* – St.   [F 91
I Bc (kpl.: S, A, T, B), BRq

1588. Magnificat octo tonorum, primi versus . . . cum quatuor paribus vocibus decantandi. – *Venezia, Angelo Gardano, 1588.* – St.   [F 92
D-brd Kl (kpl.: S, A, T, B)

FALUSI Michele Angelo

Responsoria Hebdomadis [!] Sanctae, una cum Benedictus, Miserere, ac antiphonis quatuor vocibus cum organo . . . opus primum. – *Roma, Mascardi, 1684.* – St.
    [F 93
D-brd Mbs (kpl.: S, A, T, B, org) – F Pc – GB Lcm (fehlt B) – I Ac (kpl. [2 Ex.]), Bc, Fm (T), Rsmt, Sd, VCd

FANTINI

Three easy sonatas for the piano forte or harpsichord with an accompaniment for a violin . . . op. 6. – *London, Longman & Broderip.* – P.   [F 94
GB Cu, Gu, Lbm, Ob – P Ln

FANTINI Girolamo

Modo per imparare a sonare di tromba tanto di guerra quanto musicalmente in organo, con tromba sordina, col cimbalo, e ogn'altro istrumento, aggiuntovi molte sonate, come balletti, brandi, capricci, sarabande, correnti, paßaggi, e sonate con la tromba, et organo insieme. – *Frankfurt, Daniel Watsch [Quelle: Vuastch], 1638.*   [F 95
D-brd B – I Bc, Fn

FARCY Charles

Son doux regard. Le regard. Romance pour chant avec accompagnement de piano ou harpe (in: Journal des ménestrels et des trouverres, 2ᵐᵉ année, n° 31). – *Paris, Naderman, No. L. M. 2. A. 31.*
                                           [F 96
I Mc

FARINA Carlo (I)

1626. Libro delle pavane, gagliarde, brand: mascharata, aria franzesa, volte, balletti, sonate, canzone, a 2. 3. 4. voce, con il basso per sonare. – *Dresden, Wolfgang Seiffert ([Kolophon:] Gimel Bergen), 1626.* – St.   [F 97
D-brd Kl (kpl.: 4 St.)

1627a. Ander Theil neuer Paduanen, Gagliarden, Couranten, Französischen Arien, benebenst einem kurtzweiligen Quodlibet von allerhand seltzamen Inventionen, dergleichen vorhin im Druck nie gesehen worden, sampt etlichen Teutschen Täntzen, alles auff Violen anmutig zugebrauchen, mit vier Stimmen. – *Dresden, Autor (Gimel Bergen), 1627.* – St.   [F 98
D-brd Kl (kpl.: 4 St.) – D-ddr Dlb (S)

1627b. Il terzo libro delle pavane, gagliarde, brand: mascherata, arie franzese, volte, corrente, sinfonie, a 3. 4. voci, con il basso per sonare. – *Dresden, Autor ([Kolophon:] Gimel Bergen), 1627.* – St.
                                           [F 99
D-brd Kl (kpl.: 4 St.)

1628a. Il quarto libro delle pavane, gagliarde, balletti, volte, passamezi, sonate, canzon: a 2. 3. & 4. voci, con il basso per sonare. – *Dresden, Johann Gonkeritz, 1628.* – St.   [F 100
D-brd Kl (kpl.: 4 St.)

1628b. Fünffter Theil neuer Pavanen, Gagliarden, Brand: Mascharaden, Balletten, Sonaten, mit 2. 3. und 4. Stimmen auff Violen anmutig zugebrauchen. – *Dresden, Gimel Bergen, 1628.* – St.
                                           [F 101

D-brd Kl (kpl.: 4 St.)

FARINA Carlo (II)

Sei soli a violino e basso . . . opera II. – *London, s. n., 1763.*   [F 102
E Mn

FARINA Francesco

[Madrigali . . . a 6, libro 1 (Fragment der S-Stimme, eingebunden in Marenzio's „Il quarto libro dei madrigali a sei voci")]. – *s. l., s. n.* – St.   [F 103
GB Ob (S [unvollständig])

FARINELLI Carlo → BROSCHI Carlo (Farinelli)

FARINELLI Michel

Joy to great Caesar. The King's health: set to Farrinel's ground in six strains. – *London, printed for Joseph Hindmarsh, 1682.*   [F 104
GB Lbm

— *s. l., s. n.*   [F 105
[verschiedene Auflagen:] GB Eu, Gm, Lbm (6 verschiedene Ausgaben), Mch, Ouf – S Skma

FARMER John

(Divers and sundrie waies of two parts in one, to the number of forty upon one playn song [40 Kanons]). – *London, s. n., (1591).*　　　　　　　　[F 106
GB Ob (unvollständig)

The first set of English madrigals to foure voices. – *London, William Barley, the assigne of Thomas Morley, 1599.* – St.
[F 107
EIRE Dam (unvollständig) – GB Lbm (kpl.: S, A, T, B), Lcm, Mp (unvollständig), Och – US Cn (S), Wc, Ws (fehlt B)

Fair Phillis I saw sitting all alone. A favorite glee. – *s. l., printed for S. Babb, 1595.*
[F 108
GB Lbm

FARMER Thomas

[A Consort of musick in four parts containing 33 lessons beginning with an overture]. – *London, s. n., (1686).* – St.
[F 109
GB Lbm (fehlen T und die Titelblätter zu den übrigen 3 St.)

When cold winter storms. The Scotch lass deceiv'd by her bonny lad Jockey, to a new Scotch tune. – *[London], P. Brooksby.*　　　　　　　　[F 110
GB Lbm

FARNABY Giles

Canzonets to foure voyces, with a song of eight parts. – *London, Peter Short, 1598.* – St.　　　　　　　　　　　　　　[F 111
GB Lbm (kpl.: S, A, T, B) – US Ws (unvollständig)

FARRANT John

Rise orphanes, raise your voyce. A psalme of thanksgiving to be sung by the children of Christs Hospitall. – *London, Richard Oulton & Gregory Dexter, 1643.*　　[F 112
GB Lbm

FASCH Christian Friedrich Carl

VOKALMUSIK

Mendelssohniana. Sechs mehrstimmige Gesänge in Musik gesetzt. – *Leipzig, Breitkopf & Härtel, No. 4810.* – St.　[F 113
A Wgm

Hymne. Miltons Morgengesang für die berlinische Singacademie . . . für vier Solostimmen und das Chor componirt und jetzt auch mit einem vollständigen Orchester begleitet, zu doppeltem Gebrauch in vollständiger Partitur herausgegeben von Johann Friedrich Reichardt. – *Kassel, Autor.* – P.　　　　　　　　[F 114
A Wgm

Fünffacher Canon auf 25 Stimmen [aus der 16st. Messe]. – *s. l., s. n.* – P.　[F 115
B Bc

INSTRUMENTALWERKE

Sonate I (–VI) pour le clavecin ou fortepiano. – *Berlin, Rellstab, No. op.* CCCXXXIX (CCCXLI, CCCXLVI, CCCXLVII, CCCXLVIII, CCCL).　　　　　　　　[F 116
US Wc

Andantino con VII Variazioni pel clavicembalo o forte piano [Nachdrucke aus dem „Clavier-Magazin für Kenner und Liebhaber", Berlin, (1787)]. – *Berlin, Rellstab, No. op. XVII.*　　[F 117
D-brd BNms – D-ddr Dlb, HAu – F Pc – GB Lbm – US AA

Ariette pour le clavecin ou piano forte avec quatorze variations. – *Berlin, Johann Julius Hummel; Amsterdam, grand magazin de musique, aux adresses ordinaires, No. 530.*　　　　　　　　[F 118
A Wgm – B Bc – D-brd BNu, FUl, Mbs – D-ddr Bds, Dlb, HAu, LEm – F Pc – GB Lbm – H Bn – US AA, NYp

Minuetto [F] dell' ultimo ballo dell'opera Le festi galanti &c., con variazioni. – *Berlin, Georg Ludwig Winter, 1767.* [F 119
B Bc – D-ddr SWl – F Pc – US U, NYp

FASOLD Benedict

Melos Marianum Mariae matri mirabili
magistrae musicorum modulatum seu
XXIV. Antiphonae Marianae a 4. voc.
ord. 2. violinis, & duplici basso continuo
necessar. 2. cornu ex diversis clavibus ad
libitum, stylo suavi ac moderno . . . opus
I. – *Augsburg, Johann Jakob Lotters Erben, 1753.* – St.   [F 120
CH E (vlc), EN (kpl.: S, A, T, B, vl I, vl II,
vlc, org, cor I, cor II) – **CS** Mms (cor II, org) –
D-brd HR (fehlen S, T, vl I, vlc), Mbs (2 Ex.;
1 Ex.: kpl.; 2. Ex.: fehlen vl I, org), Mcg
(fehlen B, vlc), WEY (fehlen S, vl II) – **F** Pc

FASOLO

Il carro di Madama Lucia, e una sere-
nata in lingua lombarda, che fa la gola,
a carnevale; doppo; un ballo di tre zoppi;
con una sguazzata di colasone, una mo-
rescha de schiavi a 3, et altre arie, e correnti francese, con le littere per la chitarra
spagnola. – *Roma, Giovanni Battista
Robletti, 1628.*   [F 121
GB Lbm

FASOLO Giovan Battista

Motetti a due et tre voci, con una messa
a tre voci pari . . . con il basso continuo
per l'organo, libro secondo, opera sesta. –
Napoli, Ottavio Beltrano, 1635. – St.
                                           [F 122
I Nf (kpl.: prima parte, seconda parte, terza
parte; bc)

Annuale che contiene tutto quello, che
deve far un organista per risponder al
choro tutto l'anno . . . opera ottava. –
Venezia, Alessandro Vincenti, 1645.
                                           [F 123
A Wm – **D-brd** Mbs, Rp – **I** Ac (2 Ex.), MC, Nc

Arie spirituali morali, e indifferenti composte . . . concertate per ogni voce, a due
et a tre, e nel fine alcuni dialogi a tre
voci, e due arie a canto, o ten. con due
violini . . . libro primo, opera nona. –
Palermo, Giuseppe Bisagni, 1659. – St.
                                           [F 124
I Bc (kpl.: S I, S II, B, bc)

FASTRE J.

Air varié [F] violon principale [!] accompagné des deux violons, alto & basso . . .
œuvre IX. – *Berlin, Johann Julius Hummel, No. 1439.* – St.   [F 125
D-ddr SWl (kpl.: vl princip., vl I, vl II, vla,
vlc)

FATKEN Johann August Ludwig

Six quatuor [D, G, C, F, G, D] à flûte,
violon, alto & basse . . . œuvre première. –
*Amsterdam, Johann Julius Hummel,
No. 143.* – St.   [F 126
S Skma, SK, V

FATTORI Massimo

Motetti a due, e tre voci. – *Bologna, Giacomo Monti, 1674.* – St.   [F 127
I Bc (kpl.: S I, S II, B, org), Bsp

FATTORIN da Reggio

Il primo libro de madrigali a tre voci. –
Venezia, Angelo Gardano, 1605. – St.
                                           [F 128
A Wn (kpl.: S I, S II, B) – **F** Pmeyer (S) –
GB Lbm

FATTORINI Gabriele

GEISTLICHE VOKALMUSIK

1600. I sacri concerti a due voci facili,
& commodi da cantare, & sonare con
l'organo a voci piene, & mutate a beneplacito de cantori, co'l basso generale per
maggior commodita de gl'organisti. –
Venezia, Ricciardo Amadino, 1600. – St.
                                           [F 129
I Bc (kpl.: S, B, org), FA (B)

— . . . novamente ristampati, & corretti,
con una nova aggiunta di alcuni ripieni a
quattro per cantare a dui chori, & un
breve avertimento & modo di servirsi di
essi. – *ib., Ricciardo Amadino, 1602.*
                                           [F 130
I Bc (S, B, ripieni di novo aggiunti; fehlt org)

— *ib., Ricciardo Amadino, 1604.*   [F 131
D-brd As (S, B; fehlen ripieni und org) –
I FOc (ripieni)

— *ib., Ricciardo Amadino, 1608.*   [F 132
B Br (kpl.: S, B, ripieni, org) – **D-brd** Rp

1601. Il secondo libro de motetti a otto
voci con il basso generale per l'organo et
nel fine una canzon francese a quattro
voci . . . raccolti da D. Donato Beroaldi. –
Venezia, Ricciardo Amadino, 1601. – St.
[F 133
I VCd (I: A, T, B; II: S, A, T, B; org; fehlt
S I)

1602a. Completorium Romanum octonis
vocibus canendum. – *Venezia, Ricciardo
Amadino, 1602.* – St.   [F 134
I Bc (kpl.; I: S, A, T, B; II: S, A, T, B), FEc

1602b → 1600

1603. Salmi per tutti li vespri de l'anno,
brevi, commodi, & ariosi, con duoi
Magnificat, a quattro voci pari . . . con
un soprano per quinta parte aggiunto . . .
per potersi cantare anco a cinque a beneplacito de cantori. – *Venezia, Ricciardo
Amadino, 1603.* – St.   [F 135
D-brd HEms (S, A)

1604 → 1600
1608 → 1600

WELTLICHE VOKALMUSIK

1598. La cieca. Il primo libro de madri-
gali a cinque voci. – *Venezia, Ricciardo
Amadino, 1598.* – St.   [F 136
I Vnm (T)

1604. La rondinella. Secondo libro de
madrigali a cinque voci. – *Venezia,
Ricciardo Amadino, 1604.* – St.   [F 137
I FEc (kpl.: S, A, T, B, 5)

FATTSCHECK Rom.

Romance. Lieb' und Hoffnung, holde
Sterne. Für die Harfe oder Forte-Piano. –
Hamburg, Johann August Böhme.   [F 138
CS K

FAUVEL André-Joseph (l'aîné)

Op. 1. Trois quatuors [D, h, Es] à deux
violons, alto et basse . . . œuvre 1er. –
Paris, auteur (gravé par Mme Chaume). –
St.   [F 139
CS K – **D-brd** B (Etikett: Sieber) – **F** Pn

Op. 4. Six trios élémentaires [C, G, D, C,
G, A] de la plus grande facilité pour deux
violons et basse . . . œuvre IV. – *Paris,
Ollivier & Parmentier, auteur.* – St.
[F 140
F Pn – **S** Uu

Op. 5. Trois duos concertants dialogués
[D, B, F] pour deux violons . . . œuvre V,
2e liv. de duo. – *Paris, Naderman,
Lobri.* – St.   [F 141
A Wgm, Wn – **CH** EN – **YU** Zha

Op. 6. Trois quatuor [F, A, Es] pour deux
violons, alto et basse . . . œuvre VIe, 2e
livres de quatuor. – *Paris, Benoît Pollet
(gravée par Bouret).* – St.   [F 142
A Wgm – **D-brd** B (Etikett: Sieber)

— *ib., Pollet, No. 215.*   [F 143
US R

Op. 7. Trois duo concertants dialogués
[g, A, E] pour deux violons . . . 3me livre
de duo, œuvre VII. – *Paris, Bonjour
(gravé par Joannès).* – St.   [F 144
A Wgm – **US** Wc

FAVEREO Janino

Il primo libro di canzonette napolitane
a tre voci. – *Köln, Gerhard Grevenbroich,
1593.* – St.   [F 145
A Wn (kpl.: S, A, B)

FAVI Francesco

Il capriccio. Quartetto . . . – *Firenze,
Jacopo Guiducci.* – St.   [F 146
B Bc

FAVRE

Divertissement de la comédie de l'Heure
du berger. – *s. l., s. n.* – P.   [F 147
F AG, Pn

FAVRE Antoine

Second livre de sonates [pour le violon]. –
*Paris, Boivin, Le Clerc (gravé par du
Plessy), (1731).* – P.　　　　　　　　[F 148
F Pc, Pn

FAVRETTO Bartolomeo

Laude spirituali a quattro voci nella
Assomptione della gloriosa Vergine Maria.
– *Venezia, Giacomo Vincenti, 1604.* – St.
SD 1604⁹　　　　　　　　　　　　　[F 149
F Pmeyer (S) – I Rv (A, T, B)

FAYA Aurelio della → DELLA FAYA Aurelio

FEDELE Diacinta

Scelta di villanelle napolitane bellissime
con alcune ottave sciciliane nove, con le
sue intavolature di quitarra alla spagniola.
– *Vicenza, Francesco Grossi, 1628.* [F 150
GB Lbm

FEDELI Carlo

Suonate a due, e a tre, et una a quattro
con ecco col suo basso continuo per
l'organo . . . opera prima. – *Venezia,
Giuseppe Sala, 1685.* – St.　　　　[F 151
GB Ob

FEDEL(L)I Giuseppe

Vokalmusik

Songs in the new opera, call'd The Temple
of Love. – *London, John Walsh & Joseph
Hare, (1706).* – P.　　　　　　　　[F 152
B Br – CS Pu – D-brd B – F Pc – GB Ckc, Gu,
Lbm (2 Ex.), Lcm, Mp, Ob – S Skma – US
LAuc, NYp, PRu, R, Wc

Ne'er leave me more my treasure [Song]
. . . in the opera call'd The Temple of
Love. – *s. l., s. n.*　　　　　　　　　[F 153
GB Lbm

Recueil d'airs françois dans le goût
italien, sérieux et à boire à une, II et III

voix. – *Paris, auteur, Boivin, Le Clerc
(gravé par L. Hue), 1728.* – P.　　[F 154
F Pn (2 Ex.), Pc

Opera seconda. IIme Recueil d'airs françois dans le goût italien, sérieux et à
boire à une, II et III voix. – *Paris, auteur,
Boivin, Le Clerc.* – P.　　　　　　[F 155
F Pn (2 Ex.)

Opera terza. IIIe Livre d'airs françois,
sérieux et à boire à une et deux voix mis
en musique dans le goût italien. – *Paris,
auteur, Mme Boivin, Le Clerc (gravé par
Joseph Renou).* – P.　　　　　　　[F 156
F Pc

Instrumentalwerke

Sonate a violino e basso . . . opera prima. –
Paris, Foucaut, 1715. – P.　　　　[F 157
D-ddr Dlb – F Pn – GB Lcm – US Wc

Six sonates à deux violoncelles, violes ou
bassons qui peuvent se jouer sur deux
violons en les transposant à la quinte. Il
y a une musette, et une chaconne, et un
menuet à la fin. – *Paris, auteur, Boivin,
Le Clerc, 1733.* – P.　　　　　　　[F 158
F Pc, Pn

FEDERICI Vincenzo

Musik zu Bühnenwerken

Alessandro e Timoteo

Amor per tuo diletto. A favorite song. –
London, Lewis Lavenu.　　　　　[F 159
GB Ckc, Lbm

Dammi la destra o cara. A favorite duett.
– *London, Lewis Lavenu.*　　　　[F 160
GB Lbm

Nel seno il cor mi palpita. A favorite
song. – *London, Lewis Lavenu.*　[F 161
GB Lbm

Gli giochi d'Agrigento (Pasticcio)

Affani crudeli. A favorite song. – *London,
Thomas Skillern.* – P.　　　　　　[F 162
US R

Deh numi pietosi. – *London, Thomas Skillern.* – P.   [F 163
GB Lbm, Ob – **US** R

L'Usurpator innocente

Overture . . . [for the piano forte]. – *[London], H. Holland.*   [F 164
US Cu

— *s. l., s. n.*   [F 165
GB Lbm

Che mai feci amici dei. Cavatina. – *London, Longman & Broderip.* – P.   [F 166
GB Gu, Lbm, Ob – **S** Skma

La destra ti chiedo. A favorite duett. – *[London], H. Holland.* – P. und St. [F 167
GB Lbm (P. und pf), Ob (P. und pf)

Misero, misero pargoletto. A favorite song. – *[London], H. Holland.* – P. und St.   [F 168
GB Lbm (P. und pf), Ob (P. und pf)

Prudente mi chiedi [Song]. – *[London], H. Holland.* – P. und St.   [F 169
GB Lbm (P. und pf), Ob (P. und pf)

Se ti perdo o caro bene. Rondo. – *London, Longman & Broderip.* – P.   [F 170
GB Gu, Lbm, Ob – **S** Skma

— . . . Why with sighs. Set to the Italian air „Se ti perdo". – *Dublin, H. Mountain.*   [F 171
EIRE Dn

Sposa amata a questo addio. A favorite rondo. – *[London], H. Holland.* – P. und St.   [F 172
GB Lbm (P. und pf), Ob (P. und pf)

INSTRUMENTALWERKE

Six sonatas for the harpsichord or piano forte, with an accompanyment for a violin . . . op. 1ma. – *London, author, (1786).* – P.   [F 173
US Wc

Dille che l'aure io spiro. Duettino . . . arrangé pour le pianoforte par G. Spontini (in: Souscription d'ariettes italiennes, 21e année, No. 481). – *Paris, Mlles*

Erard; Lyon, Garnier; Zürich, Johann Georg Nägeli, No. 583. – KLA. und St.   [F 174
CH Zz (kpl.: pf, vl I, vl II, a-vla, b, fl, ob, fag, cor) – **D-brd** MÜu

FEDERLIN Johann Jacob

Herzflammender Seufftzer der Glaubigen [!] in die Allerheiligste Bluttriefende Wunden Jesu verliebten . . . Seelen, voce sola sambt einem Basso continuo einfaltig gesetzt (in: Hochtröstliche Creutz- und Süßlautende Jesus-Musick . . .). – *Nürnberg, Michael und Hans Friedrich Endter, 1670.*   [F 175
D-brd As

FEHR Joseph Anton

XII Lieder fürs Klavier gesetzt. – *Kempten, Autor (Bregenz, Joseph Brentano), 1796.*   [F 176
D-brd Mbs, MB, Tu – **US** Wc

Sammlung XII auserlesener Lieder zur angenehmen Unterhaltung fürs Clavier. – *Bregenz, Joseph Brentano, 1797.*   [F 177
CH E

Friedens Lied (Goldner Friede sey willkommen [f. Singst., pf und Chor]), das Lied an die Freude (Freude schöner Götterfunken), nebst sechs deutschen Tänzen fürs Klavier. – *Bregenz, Joseph Brentano, 1798.* – KLA.   [F 178
CH E – **D-brd** B (unvollständig), Mbs – **GB** Lbm

FEHRE I. A.

Différentes pièces pour le clavecin ou forte piano . . . volume I. – *Wien, Artaria & Co. ([spätere No.:] 284).*   [F 179
A Wgm – **D-ddr** Dlb – **F** Pc – **NL** DHgm

FEL Antoine

Le langage des yeux. Première cantatille à voix seule avec simphonie. – *Paris, auteur, Mme Boivin, Le Clerc (gravé par de Gland).* – P.   [F 180
F Pn

Le mot difficile. Deuxième cantatille à voix seule avec simphonie. – *Paris, auteur, Mme Boivin, Le Clerc (gravé par de Gland)*. – P.   [F 181
F AG, Pn

Le courroux inutile. Troisième cantatille pour une basse-taille à voix seule avec simphonie. – *Paris, auteur, Mme Boivin, Le Clerc (gravé par de Gland)*. – P. [F 182
F Pc, Pn

Le vray miroir. [Quatrième] cantatille à voix seule avec simphonie. – *Paris, auteur, Mme Boivin, Le Clerc (gravé par de Gland)*. – P.   [F 183
F Pn

Amour pour amour. Cinquième cantatille à voix seule avec simphonie. – *Paris, auteur, Mme Boivin, Le Clerc (gravé par de Gland)*. – P.   [F 184
F Pn – **US** Cn

La surprise de l'amour. Sixième cantatille à voix seule avec simphonie. – *Paris, auteur, Mme Boivin, Le Clerc (gravé par de Gland)*. – P.   [F 185
F Pn

Les yeux de l'amour. Septième cantatille à voix seule avec simphonie. – *Paris, auteur, Mme Boivin, Le Clerc, Mlle Castagnery (gravé par Mme Brouet)*. – P.   [F 186
F Pn

L'épreuve réciproque. Huitième cantatille à voix seule avec simphonie. – *Paris, auteur, Mme Boivin, Le Clerc, Mlle Castagnery (gravé par Mme Brouet)*. – P.   [F 187
F Pn

L'heureuse faute. Neuvième cantatille pour une basse taille à voix seule avec simphonie. – *Paris, auteur, Mme Boivin, Le Clerc, Mlle Castagnery (gravé par Mme Brouet)*. – P.   [F 188
F Pc, Pn

L'inconstant. Dixième cantatille à voix seule avec simphonie. – *Paris, auteur, Mme Boivin, Le Clerc, Mlle Castagnery (gravé par Mme Brouet)*. – P.   [F 189
F Pn

L'accent du cœur. Onzième cantatille à voix seule avec simphonie. – *Paris, auteur, Mme Boivin, Le Clerc, Mlle Castagnery (gravé par Mme Brouet)*. – P.   [F 190
F Pn – **US** Cn

L'heureuse vieillesse. Douzième cantatille à deux voix avec simphonie. – *Paris, auteur, Mme Boivin, Le Clerc, Mlle Castagnery (gravé par Mme Brouet)*. – P.   [F 191
F Pc (2 Ex.)

Air et duo tendres et bacchiques . . . Ier Recueil. – *Paris, auteur, Mme Boivin, Le Clerc, Mlle Castagnery (gravé par Mme Brouet)*. – P.   [F 192
F Pc, Pn, Mc

Airs et duos tendres et bacchiques . . . IIe Recueil. – *Paris, auteur, Mme Boivin, Le Clerc, Mlle Castagnery (gravé par Mme Vendôme)*. – P.   [F 193
F Pn

Testament d'un yvrogne [Air] (in: Mercure de France, juillet, 1750). – *[Paris], s. n., (1750)*.   [F 194
GB Lbm

FELDMAY(E)R George

Concerto [G] pour flûte principale, avec accompagnement de plusieurs instrumens . . . œuvre l^r. – *Offenbach, Johann André, No. 1552*. – St.   [F 195
D-brd Mbs (fl princip., vl I, vl II, vla, ob I, ob II, b; Etikett: Augsburg, Gombart & Co.)

FELDMAYR Johann

Rhythmus et suavissima D. Bernardi oda, vulgo iubilus dicta, quatuor vocibus latine & germanice composita. – *Dillingen, Adam Meltzer, 1607*. – St.   [F 196
A SP (S II)

Scintillae animae amantis Deum, in modulos quatuor vocum redactae. – *Dillingen, Gregor Hänlin, 1611*. – St.   [F 197
A SP (S II) – **D-brd** Rp (kpl.: S I, S II, A, B)

Sacrae dei laudes, sub officio divino concinendae, 1. 2. 3. 4. vocum . . . liber primus. – *Passau, Tobias Nenninger & Conrad Frosch, 1618.* – St.   [F 198
D-brd F (T)

FELICIANI Andrea

GEISTLICHE VOKALMUSIK

1584. Missarum cum quatuor, quinque, et octo vocibus, liber primus (Missa Renovata iuventus, Missa brevis, Missa Domine si tu es, Missa sine nomine [a 4v]; Missa Corona aurea [a 5v]; Missa octavi toni [a 8v]). – *Venezia, Giacomo Vincenti & Ricciardo Amadino, 1584.* – St.
[F 199
I Sd (kpl.: S [2 Ex.], A [3 Ex.], T [3 Ex.], B [3 Ex.], 5 (2 Ex.]), Bc (fehlt A)

1590. Brevis ac iuxtum ritum ecclesiae annua psalmodia ad vespertinas horas octo canenda vocibus. – *Venezia, Angelo Gardano, 1590 ([B I:] 1589).* – St.
SD 1590⁹   [F 200
D-brd Rp (I: A, T, B; II: A, T, B) – **GB** Lbm (S I, S II, B II) – **I** Ls (kpl.; I: S, A, T, B; II: S, A, T, B)

1591. Musica in canticum Beatissimae Virginis Mariae quatuor, octo, ac duodecim concinenda vocibus. – *Venezia, Angelo Gardano, 1591.* – St.   [F 201
I Bc (A I, B I), FEc (kpl.; I: S, A, T, B; II: S, A, T, B), PS (A I)

1599. Psalmodia vespertinas quatuor canenda vocibus, addito ter cantico Beatissimae Virginis Mariae, quatuor, semel autem quinque vocibus canendo . . . tertia editio. – *Venezia, Giacomo Vincenti, 1599.* – St.   [F 202
PL GD (S, T, B; fehlt A)

WELTLICHE VOKALMUSIK

1579. Il primo libro de madrigali a cinque voci. – *Venezia, Angelo Gardano, 1579.* – St.   [F 203
D-brd Mbs (kpl.: S, A, T, B, 5) – **GB** Lbm – **I** Bc

1586. Il primo libro de madrigali a sei voci. – *Venezia, Giacomo Vincenti & Ricciardo Amadino, 1586.* – St.   [F 204
SD 1586¹⁵
I Sd (5), Sc (T)

FELICIANUS P. F.

Sacra parnassi musici promulsis ad maiorem dei, Mariae matris . . . ad meliorem omnium musicae faventium . . . II. III. IV. V. miscellaneis vocum ac instrumentorum modulis varie attemperata, cum basso continuo, liber primus. – *Innsbruck, Johann Gäch, 1639.* – St.   [F 205
D-ddr MLHb (prima vox, bc)

FELIS Stefano

GEISTLICHE VOKALMUSIK

1585. Liber secundus motectorum quinis senis octonisque vocibus. – *Venezia, Angelo Gardano, 1585.* – St.   [F 206
SD 1585²
D-brd Kl (kpl.: S, A, T, B, 5), As – **I** Rc (B) – **PL** GD

1588. Missarum sex vocum . . . liber primus. – *Prag, Georg Nigrinus, 1588.* – St.
[F 207
D-brd KNu

1591. Motectorum cum quinque vocibus. Liber tertius. – *Venezia, erede di Girolamo Scotto, 1591.* – St.   [F 208
SD 1591²
D-brd Kl (kpl.: S, A, T, B, 5) – **E** V (A, T, B)

1596. Liber quartus motectorum, quae quinis, senis, ac octonis concinuntur vocibus. – *Venezia, Giacomo Vincenti, 1596.* – St.   [F 209
I Bc (kpl.: S, A, T, B, 5)

1603. Missarum quae sex, una excepta quae octo, canuntur vocibus, liber secundus. – *Venezia, Giacomo Vincenti, 1603.* – St.   [F 210
I Bc (S, 5, 6)

WELTLICHE VOKALMUSIK

1579. Il primo libro de madrigali a sei
voci. – *Venezia, Angelo Gardano, 1579.* –
St.   [F 211
SD 1579⁵
D-brd Mbs (6)

1585. Il quarto libro de madrigali a cinque voci, con alcuni a sei, & uno echo a
otto nel fine. – *Venezia, Giacomo Vincenti & Ricciardo Amadino, 1585.* – St.
SD 1585²³   [F 212
PL GD (kpl.: S, A, T, B, 5)

1591. Il sesto libro de madrigali a cinque
voci, con alcuni a sei, et un dialogo a
sette nel fine. – *Venezia, Scipione Rizzo
(erede di Girolamo Scotto), 1591.* – St.
SD 1591¹⁸   [F 213
GB Lbm (kpl.: S, A, T, B, 5)

1602. Libro nono di madrigali a cinque
voci. – *Venezia, Giacomo Vincenti, 1602.* –
St.   [F 214
SD 1602⁵
B Br (A) – I FA (A, T)

FELSTED Samuel

Jonah. An oratorio, disposed for a voice
and harpsicord. – *London, Longman,
Lukey & Broderip, for the author, 1775.* –
KLA.   [F 215
GB Ge, Lbm – US Pu (fehlt Titelblatt)

Six voluntarys, for the organ or harpsichord. – *London, Thompson.*   [F 216
GB BRp

FELTON William

Op. 1. Six concerto's [C, G, A, B, Es, B]
for the organ or harpsichord with instrumental parts . . . [op. I]. – *London, John
Johnson.* – St.   [F 217
GB [alle Ausgaben unvollständig:] Ckc, H,
Lam, Lbm, Lcm, Mp, T (2 unvollständige
Stimmen-Sätze) – I Rsc (kpl.: 9 St.) – S Skma
(vl I, vl I rip., vl II, vl II rip., vla, vlc, bc;
fehlen ob I, ob II, org) – US NH (org)

— . . . opera prima. – *ib., John Johnson.*
                                             [F 218

C Vmclean (kpl.: 10 St.) – D-brd Hs (fehlt org) –
EIRE Dn (unvollständig) – GB [mit Ausnahme
von CDp alle Ausgaben unvollständig:] Ckc,
CDp, H (2 unvollständige Stimmensätze), Ob,
Ouf – S Skma (org) – US Cn (org), Wc

— *ib., Robert Bremner.*   [F 219
US WGw

— [Op. 1, No. 3:] Fill the glass. Farewell Manchester. A song for 3 voices
made on the peace [adapted to the Andante from op. 1, No. 3]. – *s. l., s. n.* – P.
                                             [F 220
GB Lbm

Op. 2. Six concerto's [c, A, B, C, B, F] for
the organ or harpsichord with instrumental parts . . . opera seconda. – *London, John Johnson.* – St.   [F 221
C Vmclean (kpl.: 10 St.) – D-brd Hs (fehlt
org) – GB Ckc (2 unvollständige Stimmen-
sätze), Gm (unvollständig), H (kpl. [2 Ex.]),
Lbm (3 Ex., davon 2 Ex. unvollständig), Ouf
(unvollständig), T – EIRE Dn (unvollständig) –
S Skma (fehlen ob I, ob II, org) – US AA, Wc
(org), WGw

Op. 3. Eight suits [D, B, A, C, G, E, F, d]
of easy lessons for the harpsichord . . .
opera terza. – *London, John Johnson.*
                                             [F 222
F Pc – GB Ckc, CDp, Lbm (2 Ex.), Lcm –
US AA, NYp, R, U, WGw, Wc

Op. 4. Six concerto's [A, F, D, G, B, A] for
the organ or harpsichord, with instrumental parts . . . opera quarta. – *London,
John Johnson.* – St.   [F 223
C Vmclean (kpl.: 10 St.) – D-brd Hs (fehlt
org) – GB Lbm, T (unvollständig) – US Wc
(org), WGw

Op. 5. Six concerto's [C, A, F, a, E, B] for
the organ or harpsichord with instru-
mental parts . . . opera quinta. – *London,
John Johnson.* – St.   [F 224
C Vmclean (kpl.: 10 St.) – D-brd Hs (fehlt org) –
GB [nur org:] Lbm, Mp, Ob, T – US WGw

Op. 6. Eight suits [B, D, A, C, D, G, g, Es]
of easy lessons for the harpsichord . . .
vol. II, opera sesta. – *London, John Johnson.*   [F 225
GB Ckc, DU, Lbm, Lcm – US Wc, WGw

Op. 7. Eight concerto's [A, B, C, D, E, F, G, A] for the organ or harpsichord, with instrumental parts . . . opera settima. – *London, John Johnson.* – St.   [F 226
D-brd B (org, vl I princip., vl II princip., vlc) – **GB** [alle Ausgaben unvollständig:] Ckc, Ge, Mp – **US** Wc (8 St.), WGw (kpl.; No. 4 in Fotokopie)

— Six concerto's [A, B, C, D, E, F] for the organ or harpsichord, with instrumental parts . . . opera settima. – *ib., John Johnson.*   [F 227
EIRE Dn (unvollständig) – **J** Tn (fehlt org)

FENNER

Lieder (Zwar schuf das Glück hienieden; Der Mond erhellt) mit Guitarre Begleitung. – *Mainz, Bernhard Schott, No. 397.* – KLA.   [F 228
D-brd B

FENTUM John

A collection of all the favorite dances and a favorite new minuet with their proper figures, for the harp, harpsichord and violin, for the year 1792. – *London [author], (1792).* – P.   [F 229
GB BA, Lbm – **US** Wc

A collection of all the favorite dances and a favorite new minuet with their proper figures, for the harp, harpsichord and violin, for the year 1794. – *London, [author], (1794).* – P.   [F 230
US Wc

A collection of all the favorite dances and a favorite new minuet with their proper figures for the harp, harpsichord and violin . . . for the year 1795. – *London, [author], (1795).* – P.   [F 231
GB Lbm

A collection of all the favorite dances with their proper figures for the harp, harpsichord and violin . . . for the year 1796. – *London, [author], (1796).* – P.   [F 232
GB Lbm

A collection of all the favorite dances, with their proper figures for the harp, harpsichord and violin . . . (for the year 1798). – *London, [author], (1798).* – P.   [F 233
GB Lbm

Eight cotillions, six country dances, and a favorite new minuet with their proper figures, for the harp, harpsichord and violin . . . book XX, for the year 1788. – *London, [author], (1788).* – P.   [F 234
GB Lbm

Eight cotillions, six country dances and a favorite new minuet with their proper figures, for the harp, harpsichord and violin . . . for the year 1789. – *London, [author], (1789).* – P.   [F 235
GB Gm

Eight cotillions, six country dances and a favorite new minuet with their proper figures, for the harp, harpsichord and violin . . . for the year 1791. – *London, [author], (1791).* – P.   [F 236
GB Lbm (unvollständig)

Sixteen new country dances with their proper figures, for the harp, harpsichord and violin . . . for the year 1788. – *London, [author], (1788).* – P.   [F 237
GB Cu, Lbm

Sixteen new country dances with their proper figures, for the harp, harpsichord and violin . . . for the year 1795. – *London, [author], (1795).* – P.   [F 238
GB Lbm

Sixteen new country dances with their proper figures, for the harp, harpsichord and violin . . . (for the year 1796). – *London, [author], (1796).* – P.   [F 239
GB Lbm

Sixteen new country dances with their proper figures, for the harp, harpsichord and violin . . . for the year 1798. – *[London, author], (1798).* – P.   [F 240
GB Lbm

FERANDINI

Quartetto armonioso [C] senza digiti per tre violini & violoncello del Signore

Ferandini Milanese. – *Augsburg, Gombart & Co., No. 255.* – St.   [F 241
A Wgm (kpl.: vl I, vl II, vl III, b) – **B** Bc –
D-brd Mbs – **I** PESc – **US** Wc – **YU** Zha (2 Ex.)

FERAY

Ier Recueil d'ariettes avec accompagnement de deux violons et basse continue. – *Paris, Le Menu; Lyon, Casteau (gravé par Ribart).* – P.   [F 242
F Pa

Romances nouvelles. – *Paris, Hugard de St. Guy, aux adresses ordinaires (gravée par Mme Renault et sa mère).* – P.   [F 243
F Pa

FERAY J. B.

Quatuor de petits airs, variés et dialogués pour deux violons, alto et basse, œuvre 1er. – *Paris, auteur.* – St.   [F 244
NL Uim (kpl.: vl I, vl II, vla, b)

FERDINAND III. von Österreich

Novi canones. – *Wien, Matteo Cosmerovius, 1647.*   [F 245
I Rsc

FERGUS John

Toccata pour le clavecin ou le forte piano . . . op. I. – *London, Longman & Broderip.*   [F 246
I Rsc

O'er woodlands and mountains I roam. A favourite pastoral canzonet with an accompanyment for the piano forte or harp. – *London, G. Goulding.*   [F 247
GB Lbm

A grand march [Es] for horns, clarinets, bassons, &c., which is also adapted for the harpsichord or piano forte, violin and german flute or fife. – *Edinburgh, for the author.*   [F 248
GB En, Lbm

FERGUSIO Giovanni Battista

Motetti e dialogi per concertar a una sino a nove voci, con il suo basso continuo per l'organo. – *Venezia, Giacomo Vincenti, 1612.* – St.   [F 249
I Bc (kpl.: S, A, T, B, 5, 6, 7, 8, bc), Tn – **PL** WRu (T, B, 7, 8)

FERIALDI Angelo

Duetti da camera . . . opera seconda. – *Pesaro, Niccolo Gavelli, 1733.* – P.   [F 250
I Ac, FEc, Bc

FERMANN Petrus

Poema melicum, in honorem . . . Henrici Boethii . . . M. Laurentii Scheurlini . . . M. Henrici Papaeburgeri . . . quibus summus in Theologia gradus . . . in Julia Helmaestadensi decerneretur 30. die Maii, anno 98, sex vocibus exornatum. – *Helmstedt, Jakob Lucius' Erben, 1598.* – St.   [F 251
PL WRu (S I, A, T I, T II, B; fehlt S II)

FERNANDEZ Diego (De Huete)

Compendio numeroso de zifras armonicas, con théorica, y práctica, para harpa de una orden, de dos órdenes, y de órgano . . . primera parte. – *Madrid, imprenta de música, Manuel Balaguer, 1702.*   [F 252
A Wn (fehlt Titelblatt) – **E** Mn

Compendio numeroso de zifras armonicas, con théorica, y práctica, para harpa de una orden, de dos órdenes, y de órgano . . . segunda parte. – *Madrid, en la imprenta de música, Manuel Balaguer, 1704.*   [F 253
E Mn – **GB** Cu

FERRABOSCO Alfonso (I)

Il primo libro de madrigali a cinque. – *Venezia, Angelo Gardano, 1587.* – St.   [F 254
I MOe (kpl.: S, A, T, B, 5)

Il secondo libro de madrigali a cinque. –
Venezia, Angelo Gardano, 1587. – St.
[F 255
GB Lbm (kpl.: S, A, T, B, 5) – I MOe

FERRABOSCO Alfonso (II)

Ayres . . . [for one and two voices, with
accompaniment for lute and a bass in-
strument]. – *London, Thomas Snodham,
for John Browne, 1609.* – P.   [F 256
GB Lbm – US Cn, Ws

[34] Lessons for 1. 2. and 3. viols [mit
Musik zu Bühnenwerken von Ben Jon-
son]. – *London, Thomas Snodham, for
John Browne, 1609.* – P.   [F 257
GB Lbm

FERRABOSCO Costantino

Canzonette a quattro voci . . . liber quarto.
– *Nürnberg, Katharina Gerlach, 1590.* –
St.   [F 258
D-brd Hs (kpl.: S, A, T, B) – PL Wn (T), Wu
(fehlt T) – US Wc

FERRABOSCO Domenico Maria

Il primo libro de madrigali a quatro
voci. – *Venezia, Antonio Gardano, 1542.* –
St.   [F 259
A Wgm (kpl.: S, A, T, B), Wn – CH Zz –
F Pc – GB Och – I Bc (fehlt S)

FERRABOSCO Matthia

Canzonette a quattro voci . . . libro primo.
– *Venezia, Giacomo Vincenti & Ricciardo
Amadino, 1585.* – St.   [F 260
S Uu (kpl.: S, A, T, B)

FER(R)ANDIERE Fernando

Prontuario músico para el instrumentista
de violín, y cantor. – *[Malaga], con li-
cencia del Excmo. Señor Gobernador Juez
de Imprentas, en la del Impresor de la
Dignidad Episcopal y de la Sta. Iglesia
en la plaza, 1771.*   [F 261
E Mn

Arte de tocar la guitarra española. –
*Madrid, en la imprenta de Pantaleon
Aznar, 1799.*   [F 262
A Wgm – CH E – E Mn

FERRANDINI Giovanni

VI Sonate a flauto traversiere o oboe, o
violino, basso continuo . . . opera seconda, libro secondo. – *Paris, Boivin, Le
Clerc.* – P.   [F 263
F AG

FERRARI Alfonso

Canzonette a tre voci . . . con l'intavola-
tura per sonar di liuto . . . libro secondo. –
Venezia, Giacomo Vincenti, 1600.
[F 264
PL GD

FERRARI Benedetto

Musiche varie a voce sola. – *Venezia,
Bartolomeo Magni, 1633.* – P.   [F 265
GB Och

Musiche varie a voce sola . . . libro secondo. – *Venezia, Bartolomeo Magni,
1637.* – P.   [F 266
PL WRu

Musiche e poesie varie a voce sola . . .
libro terzo. – *Venezia, Bartolomeo Magni,
1641.* – P.   [F 267
I Bc

FERRARI Carlo

Op. 1. Sei sonate a violoncello e basso . . .
opera prima. – *Paris, Bayard, Le Clerc,
Mlle Castagnery.* – P.   [F 268
F Pc, TLc – US NYp

Op. 2. Sei sonate [D, F, G, c, B, g] a
quattro, due violini, alto viola, e basso
. . . opera IIᵃ. – *Paris, Bayard, Le Clerc,
Mlle Castagnery (gravée par Mlle Vendôme).* – St.   [F 269
A Wn – D-brd Mbs – S Skma

Op. 3. Sei sinfonie [G, D, G, D, G, F] a
quattro strumenti . . . opera terza. –

19

*Paris, Bayard, Le Clerc, Mlle Castagnery
(gravée par Mlle Vendôme).* – St. [F 270
A Wn (kpl.: vl I, vl II, vla, b, cor I, cor II) –
F Pn (fehlen cor I und cor II) – **S** Skma –
US NYp

Op. 5. Sei sonate [G, A, C, G, B, Es] a
violinocello [!] et basso . . . opera 5. –
*Paris, Bayard, Le Clerc, Mlle Castagnery
(gravé par Mlle Vendôme).* – P.   [F 271
F Pc – **S** Skma

Duo pour deux violons. – *Paris, de La
Chevardière.* – P.   [F 272
F Pc – **US** CHua

— *ib., Bayard, Le Clerc, Mlle Castagnery.*
                       [F 273
F Pc (2 Ex., davon 1 Ex. unvollständig)

FERRARI Domenico

Vokalmusik

Six romances avec accompagnement de
forte-piano. – *Paris, Le Duc.*   [F 274
GB Lcm

Six nouvelles romances avec accompagnement de forte-piano. – *Paris, Le Duc.*
                       [F 275
GB Lcm

Instrumentalwerke

Op. 1. Sei sonate [D, B, A, C, G, B] a
violino solo e basso . . . opera Iᵃ. – *Paris,
Huberty (gravée par Mlle Vendôme).* – P.
                       [F 276
GB Lbm – **NL** DHgm

— *ib., aux adresses ordinaires (gravée par
Mlle Vendôme).*   [F 277
A Wn – **B** Bc – **CH** Gpu – **D-ddr** LEm – **F** Pa,
Pc (2 Ex., davon 1 Ex. unvollständig), Pn –
GB Lbm – **I** Bc – **S** Skma – **US** AA, NYp

— *ib., Le Duc (gravé par Mlle Ollivier),
No. 91.*   [F 278
US MSu, Wc

— Six sonatas for a violin and a bass. –
London, Robert Bremner.   [F 279
CS KRa – **E** Mn – **GB** Lam (unvollständig),
Lcm – **S** Skma

Op. 2. VI Sonate [F, e, D, F, A, Es] a
violino e basso . . . opera II. – *Paris,
Bayard, Le Clerc, Mlle Castagnery (gravée
par Mlle Vendôme).* – P.   [F 280
F Pa, Pc (2 Ex.) – **GB** Lbm – **US** AA, NYp, Wc

— *ib., John Cox.*   [F 281
GB Lbm – **US** CHua

— Six solos . . . opera seconda. – *London,
John Johnson.*   [F 282
CS KRa

— *ib., Le Duc, de La Chevardière, Mlle
Castagnery, Le Menu (gravé par Mlle
Ollivier), No. 44.*   [F 283
F Pn – **GB** Lbm

Op. 3. VI Sonate [F, A, E, F, A, E] a
violino e basso . . . opera III. – *Paris,
Bayard, de La Chevardière, Mlle Castagnery (gravé par Mlle Bertin; imprimé
par Tournelle).* – P.   [F 284
A Wn – **B** Bc – **D-brd** Rp – **D-ddr** LEm –
F Pmeyer – **I** Bc – **NL** DHgm – **US** AA, Wc

Op. 4. Sei sonate [B, D, B, G, E, G] a
violino solo col basso . . . opera quarta. –
*Paris, Huberty, aux adresses ordinaires
(gravé par Ceron, imprimé par Tournelle).* – P.   [F 285
B Bc – **NL** DHgm – **US** AA, Wc

— *ib., Le Duc, de La Chevardière, Mlle
Castagnery, Le Menu (gravé par Mlle
Ollivier), No. 53.*   [F 286
D-ddr LEm – **F** Pn

Op. 5. Six sonates [A, c, A, D, A, D] à
violon seul avec basse . . . œuvre Vᵐᵉ. –
*Paris, Huberty; Lyon, les frères Le Goux;
Rouen, les marchands de musique (gravé
par Chambon).* – P.   [F 287
B Bc (fehlt Titelblatt) – **D-brd** Rp – **D-ddr** LEm
– **NL** DHgm – **US** AA, Wc (mit No. 66)

Op. 6. Six sonates [G, A, B, C, A, G] à
violon seul avec baße . . . œuvre VIᵐᵉ. –
*Paris, Huberty; Lyon, les frères Le Goux;
Rouen, les marchands de musique (gravé;
par Chambon).* – P.   [F 288
D-brd Rp – **F** B, TLc – **GB** Lbm (mit No. 84) –
NL DHgm – **US** AA, Wc (mit No. 84)

— VI Sonate a violino e basso. – *ib., Le
Duc, de La Chevardière, Mlle Castagnery,*

Le Menu (gravé par Mlle Ollivier), No. 84.
[F 289
B Bc – **D-ddr** LEm – **F** Pn

[vermutlich Auswahl:] Sei sonate [G, B, A, C, D, E] a violino solo e cembalo o violoncello . . . opera seconda. – *Amsterdam, Johann Julius Hummel, No. 11.*
[F 290
B Bc – **D-ddr** LEm

Six sonatas or trios for two violins or german flutes with the thorough bass for the harpsichord. – *London, John Lavo.* – St.
[F 291
B Bc – **US** Wc

FERRARI Francesco

Motetti a voce sola. – *Bologna, Giacomo Monti, 1674.*
[F 292
I Bc, Rsg

FERRARI Giacinto

Sei quartetti per due violini, viola, e violoncello . . . opera I^ma. – *s. l., s. n.* – St.
[F 293
A KR (kpl.: vl I, vl II, vla, vlc)

FERRARI Giovanni

Il primo libro de motetti a quattro, cinque e sei voci per concertare nell' organo o altro simile stromento . . . opera prima. – *Venezia, stampa del Gardano, appresso Bartolomeo Magni, 1627.* – St.   [F 294
F Pc (T, 5), Pn (kpl.: S, A, T, B, 5, org) – **I** Bc (5), Ls, Rsgf, Fn

Il primo libro de madrigali a due, tre, e quattro voci per cantare nel clavicembalo, o altro strumento simile, opera seconda. – *Venezia, stampa del Gardano, appresso Bartolomeo Magni, 1628.* – St.
[F 295
GB Lbm (bc), Och (kpl.: S, A, T, B, bc) – **I** Fn

FERRARI Girolamo (detto il Mondondone)

Missa Psalmi, et Polytoni quinis vocibus ad organum modulati . . . opus primum. –

Venezia, Alessandro Vincenti, 1624. – St.
[F 296
I Bc (kpl.: S, A, T, B, 5, org), FEc

Psalmi cum quatuor vocibus in organo concinendi . . . opus secundum. – *Venezia, Francesco Magni, 1663.* – St.   [F 297
I Bc (kpl.: S, A, T, B, org)

Salmi a cinque voci pieni, e brevi, per li vesperi di tutte le solennita dell'anno . . . opera terza. – *Milano, Ambrogio Ramellati, 1664.* – St.   [F 298
I Bc (kpl.: S, A, T, B, 5, org), Bof

FERRARI J.

Six duos faciles pour deux flûtes . . . 1ère œuvre de duos de flûte. – *Paris, Jouve.* – St.   [F 299
B Bc

Six duos faciles pour deux flûtes . . . (2me) œuvre de duos de flûte. – *Paris, Jouve, No. 15.* – St.   [F 300
D-brd Mbs

FERRARI Jacopo Gotifredo

MUSIK ZU BÜHNENWERKEN

(von Ferrari:)

Borea e Zeffiro

Borea e Zeffiro. A favorite ballet . . . arranged for the piano forte. – *London, Robert Birchall.*   [F 301
B Bc

I due Svizzeri

E un certo fuoco. A favorite air. – *London, author.* – P.   [F 302
GB Lbm – **US** PHu, Wc

— N° (I) Air italien à grand orchestre avec accompagnement de forté-piano. – *Paris, Sieber, No. 78.* – St.   [F 303
D-brd Mbs (pf und Singstimme, 10 Instrumentalstimmen)

Tralle foreste. Cavatina. – *London, s. n.* – P.   [F 304
US Wc

— N° 2 Air italien à grand orchestre avec accompagnement de forte-piano. – *Paris, Sieber fils, No. 79.* – St.   [F 305
F Pc

Tristarella tu non m'intendi. A duett. – *[London], for the author.* – P.   [F 306
GB Lbm

— Tristarella, tu non m'intendi. Duetto. – *Wien, K. k. Hoftheater-Musik-Verlag, No. op. 85.* – P.   [F 307
A SF, Wgm – CH AR – CS K – **D-brd** B

Vieni o sonno. A favorite terzetto . . . adapted with a piano forte accompaniment. – *London, Robert Birchall.* – P.
[F 308
D-ddr WRgs – GB Lbm – US Wc

— Vieni o sonno. Terzetto. – *Wien, K. k. Hoftheater-Musik-Verlag, No. op. 86.*
[F 309
A SF, Wgm – CH AR

— . . . trio favori . . . paroles françaises par Dercaux avec accompagnement de forte piano. – *Paris, Sieber fils, No. 118.*
[F 310
F Pc

Viva le belle gióvani. A favorite song. – *[London], author.* – P.   [F 311
GB Lbm

L'eroina di Raab

L'eroina di Raab . . . arranged by Mortellari. – *London, Falkner & Christmas.* – KLA.   [F 312
B Bc

Sento fra palpiti. The much admir'd canon, in the grand trio . . . arranged for the piano forte by M. C. Mortellari. – *London, Falkner.* – KLA.   [F 313
D-brd Hs

Il Rinaldo d'Asti

T'intendo si t'intendo. A favorite duett. – *London, Robert Birchall.* – KLA.   [F 314
S Skma

Via sei matto sei stordito. A favorite duett. – *London, Robert Birchall.* – KLA.
[F 315
S Skma

Les événemens imprévues

Ouverture arrangée pour clavecin ou pianoforte [et violon]. – *Paris, Imbault, No. # 134.* – St.   [F 316
F Pn (pf, vl)

(Einlage-Arien:)

La Didone

Ve come nobile. Cavatina & duett. – *London, Robert Birchall.* – KLA.   [F 317
D-brd Hs

Il bùrbero di buon core

Deh se pietà ritrova. Rondo with recitative. – *London-Edinburgh, Corri, Dussek & Co., No. 659.* – P.   [F 318
B Bc – GB Lbm

La feste d'Iside

Un bacio tenero, sung by Mad^e Catalani. – *London, Robert Birchall.* – KLA.
[F 319
D-brd Hs

La Frascatana

Non vi fidate agli uomini. A favorite cavatina. – *London, Lewis Lavenu.* – KLA.
[F 320
D-brd Hs

Il furbo contro il furbo

Papa (non dite di no). A favorite canzonetta . . . the melody by Mme Catalani, the accompaniments by G. G. Ferrari. – *London, Lewis Lavenu.* – KLA.   [F 321
D-brd Mbs

— *[London], for Adolfo Ferrari.*   [F 322
D-brd Hs

— Romance . . . pour le piano-forte. – *Hamburg, Johann August Böhme.*   [F 323
D-brd LÜh

— . . . Canzonetta favorita con accomp. di pianoforte (o arpa, o chitarra). – *Leipzig, C. F. Peters, No. 978.*   [F 324
A Wst – S Skma

Senti diro chi son. A favorite Chinese song. – *[London], for the author.* – KLA. [F 325
D-brd Hs

Vedette vedette. A favorite duett. –
London, Lewis Lavenu. – KLA.   [F 326
D-brd Hs

La scuola de' maritati

Jo son capricciosetto [Aria]. – *London,
author.* – KLA.   [F 327
GB Lbm

I zingari in fiera

Sospiro e mi vergogno. Air. – *[London],
author.* – P.   [F 328
D-brd Hs – GB T, Lbm

La villanella rapita

Ouverture . . . arrangée pour clavecin ou
forte-piano avec accompagnement de
violon par Mr. Mezger. – *Paris, Boyer,
Mme Le Menu.* – St.   [F 329
F Pc (pf [unvollständig]) – GB Lbm (pf)

— . . . avec accompagnement de violon. –
*ib., Bonjour, aux adresses ordinaires,
No. 81.*   [F 330
F Pc (pf, vl)

— . . . accompagnement de violon ad
libitum par Mr Andermann. – *ib., Frère,
No. 29.*   [F 331
F Pc (pf)

Air . . . avec accompagnement de clavecin. – *Paris, Bonjour.*   [F 332
F Psg

Duo (Je t'ai vu sourire). . . – *Amsterdam,
Vve Markordt.* – KLA.   [F 333
NL At

VOKALMUSIK (nach Gattungen)

Sammlungen

Twelve Italian ariettas, six canons for
three voices, and the Partenza, or Farewell of Metastasio, for four voices, with
a piano forte accompanyment. – *London,
Longman & Broderip, for the author.* – P.
                                    [F 334
GB Lbm (2 Ex., davon 1 Ex. unvollständig) –
US NH

— *ib., Robert Birchall.*   [F 335
GB Lwa

— Twelve Italian ariettas, and the Partenza . . . adapted for a single voice with
a piano forte accompanyment. – *[Lon-
don], author.*   [F 336
GB Ckc, Lbm – S Skma

Six ariettas, six duetts and six canons,
for 3 voices. – *London-Edinburgh, Corri,
Dussek & Co., for the author.* – P. [F 337
GB Ckc, Lbm – US AA

— *London, Robert Birchall.*   [F 338
GB Lbm, Lwa, Mp

— *ib., author.*   [F 339
GB Lcm

Six notturni, two rondo's, and a duett,
with an accompaniment for a piano forte,
or harp. – *[London], for the author.*
                                    [F 340
A Wgm – GB Lbm – S Skma – US Wc

Six favorite Italian ariettas, one duett,
and one hymn, for four voices. – *[Lon-
don], for the author.* – P.   [F 341
S Skma

Six canzonetts and three duettinos with
a piano forte accompaniment. – *London,
Longman & Broderip.*   [F 342
GB Lbm

Four canzonets, and two duetts, with a
piano forte accompaniment. – *London,
for the author.*   [F 343
A Wgm – GB Lbm

— *ib., Robert Birchall.*   [F 344
US Wc

Five Scotch airs and Rule Britania, with
Italian words . . . and an accompaniment
for a piano forte, or harp. – *London,
author.*   [F 345
A Wgm

Six Venetian barcarole, with a piano-
forte accompaniment. – *London, for the
author.* – KLA.   [F 346
A Wgm (Etikett: Wien, Tranquillo Mollo &
Co.) – B Bc

Ten solfeggis. – *London, Robert Birchall.* –
KLA.   [F 347
CH Bu

Arietten (Lieder)

Sei ariette italiane con accompagnamento di clavicembalo o piano forte. – *Wien, Artaria & Co., No. 449.* – KLA.   [F 348
A Wn, Wst – **CS** K, Pk (2 Ex.) – **D-brd** B – **S** St – **US** SFsc

Sei ariette coll'accompagnamento di pianoforte . . . ridotta per la chitarra da E. Seidler. – *Leipzig, Breitkopf & Härtel, No. 647.*   [F 349
CH Bu (mit No. 1405) – **D-brd** Mbs – **D-ddr** WF (ohne No.) – **DK** Kmk – **I** PAc (ohne No.)

Sechs Lieder mit deutsch- und italienischem Texte, sei ariette con l'accompagnamento di piano-forte o chitara. – *Wien, Artaria & Co., No. 2447.* – KLA.   [F 350
A M, Wgm, Wst – **CS** Pk – **I** Vc – **US** Wc

Six Italian ariettas, with an accompaniment for the piano forte . . . the words by Signor Buonaiuti. – *London, Corri, Dussek & Co.* – KLA.   [F 351
GB Lbm – **I** Rsc

Six ariettes italiennes . . . paroles de Metastase, musique et accompagnement de forte piano . . . 4ᵉ recueil. – *Paris, Le Duc.* – KLA.   [F 352
CS K

Four Italian songs, with piano forte accompaniment. – *[London], s. n.* [F 353
US SFsc

Canons

Dodeci canoni coll' accompagnamento di pianoforte. – *Leipzig, Breitkopf & Härtel, No. 648.* – KLA.   [F 354
A Wgm – **B** Bc – **D-brd** Mbs – **D-ddr** Dlb (ohne No.), Zl (ohne No.) – **DK** Kmk (ohne No.) – **US** Wc

— Dodici canoni . . . – *Firenze, Giuseppe Lorenzi, No. 66.*   [F 355
S Skma

— XII Canons for three voices and a chorus for four voices, with an accompaniment for a piano forte. – *London-Edinburgh, Corri, Dussek & Co.* – KLA.   [F 356
I BGi – **S** Skma

Sei canoni a tre voci coll' accompagnemento di pianoforte . . . No. I. – *Leipzig, Hoffmeister & Kühnel (bureau de musique), No. 381.*   [F 357
B Bc (2 Ex.) – **D-ddr** GOl – **DK** Kk – **US** Wc

Sei canoni per tre voci coll' accompagnamento di pianoforte ridotti per la chitarra da Seidler . . . N°. II. – *Leipzig, Ambrosius Kühnel (bureau de musique), No. 626.* – KLA.   [F 358
A Wgm – **D-brd** MÜu (2 Ausgaben, 2. Ausgabe mit: C. F. Peters) – **D-ddr** GOl – **DK** Kk (Etikett: Bonn, N. Simrock) – **S** Skma, St

Sei canoni a tre voci coll' accompagnamento del piano-forte. – *Leipzig, Breitkopf & Härtel.* – KLA.   [F 359
D-brd Bhm, MÜu – **D-ddr** LEm, SWl – **DK** Kmk

Sei canoni a tre voci con coda ed accompagnamento di pianoforte obbligato. – *London, for the author.* – KLA.   [F 360
A Wgm

Six canons à trois voix avec accompagnement de forte-piano. – *Paris, auteur.*   [F 361
GB Lbm – **P** Ln

Six new canons for three voices with a piano forte accompaniment. – *London, for the author.*   [F 362
A Wgm, Wn

Six favorite canons, for three voices with a piano forte accompaniment. – *[London], Longman & Broderip, for the author.* – KLA.   [F 363
GB Lbm

Six Italian canoni with a piano forte accompaniment. – *Edinburgh, Purdie & Robertson, for the author.* – KLA.   [F 364
CH Gpu

Recueil de cinq canons à trois voix . . . arrangé pour forte-piano ou harpe, avec traduction française. – *Paris, Ollivier & Godefroy.* – KLA.   [F 365
S Skma

Canzonetten (Chansons)

Six chansons italiennes avec accompagnement de piano forte. – *London, auteur.* – KLA.   [F 366
GB Lcm – **I** Vc-ospedaletto, Vcr

— III Canzonette italiane coll' accompagnamento di fortepiano, o chitarra . . . parte I (II). – *Wien, Hoffmeister & Co.; Leipzig, Hoffmeister & Kühnel (bureau de musique), No. 116(117).*   [F 367
D-brd B, BNba (II), MÜu – **D-ddr** Dlb, SWl (II) – **S** Skma (II)

— Sei canzonette coll' accompagnamento di cembalo o pianoforte. – *Leipzig, Breitkopf & Härtel.*   [F 368
D-brd Mbs – **DK** Kmk – **I** Mc

— Sei canzonette italiane coll' accompagnamento di piano-forte o chitarra. – *Wien, Johann Cappi, No. 916.*   [F 369
A Wn

Six English canzonets and a favourite canzone of Petrarca with a piano forte accompaniment. – *[London], for the author.* – KLA.   [F 370
GB Lbm – **S** Skma

VI Favorite Italian canzonetts with a piano forte accompaniment. – *London, Robert Birchall.* – KLA.   [F 371
US Wc

Sei novelle canzonette. – *Paris, Mlles Erard; Lyon, Garnier.* – KLA.   [F 372
CS K – **GB** Lbm – **S** Skma, St

Duette
Twelve Italian duetts with a piano-forte accompaniment. – *London, Corri, Dussek & Co., for the author.* – KLA.   [F 373
GB Lbm – **S** Uu

Six favorite Italian duetts, with a piano-forte accompaniment. – *London, author.* – KLA.   [F 374
B Bc – **D-brd** Mbs – **I** Vc-ospedaletto, Vcr

— *ib., Robert Birchall.*   [F 375
GB Lbm

— Sei duettini coll' accompagnamento di cembalo, o piano-forte. – *Wien, Johann Cappi, No. 917.* – KLA.   [F 376
A Wgm

Sei duetti coll' accompagnamento del piano-forte e della chitarra. – *Leipzig, Breitkopf & Härtel, No. 614.* – KLA.
          [F 377
A Wgm

Sei duetti coll' accompagnamento del piano-forte e della chitarra . . . N°. 2. – *Leipzig, Breitkopf & Härtel, No. 1404.*
          [F 378
D-ddr ZI – **S** Skma

Six petits duos italiens avec accompagnement de forte piano. – *Paris, auteur (gravé par Mlle Crahay).*   [F 379
GB Lbm – **P** Ln

Nocturnes

Douze nocturnes pour une voix seule avec accompagnement de piano-forte, tirés des œuvres de Metastasio. – *Paris, auteur, Sieber.* – P.   [F 380
F Pc (unvollständig) – **GB** Lbm – **I** VEc – **NL** AN – **P** Ln

Sei notturni coll' accompagnamento di pianoforte . . . ridotti per la chitarra da E. Seidler. – *Leipzig, Breitkopf & Härtel, No. 650.*   [F 381
A Wgm – **D-brd** BNms (ohne No.) – **DK** Kmk – **S** Skma

Romanzen

Douze nouvelles romances avec accompagnement de piano . . . livraison [I(–II)]. – *Paris, Pleyel, No. 181(–182).* – P.   [F 382
S Skma

Douze romances nouvelles . . . avec accompagnement de guitarre par P. Porro, op. 14 (et donné pour étrennes aux souscripteurs de la 5e année du Journal de guitarre). – *Paris, M. Porro; Lyon, Garnier.*   [F 383
CH Bu

Six romances avec accompagnement de forte-piano. – *Paris, Le Duc, No. 459.* – KLA.   [F 384
S Skma

— Six romances avec accompagnement de piano forte. – *ib., auteur.*   [F 385
A Wgm – **GB** Lbm (2 verschiedene Ausgaben) – **NL** AN – **P** Ln

Six nouvelles romances avec accompagnement de forte-piano. – *Paris, Le Duc, No. 460.* – KLA.   [F 386
S Skma

— Six nouvelles romances avec accompagnement de forte-piano. – *ib., auteur (écrit par Ribière).* [F 387
GB Lbm – **US** R, SFsc

Quatrième recueil de six romances avec accompagnement de piano forte. – *Paris, Mlles Erard, No. 346.* – KLA. [F 388
A Wgm, Wn

Trois romances avec accompagnement de piano-forte . . . 4e suite. – *Bruxelles, Godefroy.* – P. [F 389
CS K – **DK** Kk

Einzelgesänge

L'Addio. Ode . . . second edition. – *London, author.* – KLA. [F 390
D-brd Hs

L'Amant malheureux et constant. Romance . . . accompt de guitarre par M. Le Moine. – *Paris, Imbault.* [F 391
GB Lbm

Baci infocati. L'Innamorata. An arietta. – *London, Robert Birchall.* – KLA. [F 392
D-brd Hs

The Butterfly. A favorite song. – *London, for the author.* [F 393
GB Lbm

Complainte de la reine de France, pour le piano forte ou la harpe. – *Den Haag, Anton Stechwey, (1793).* – KLA. [F 394
B Bc

— *[London], Fores.* [F 395
A Wmi

Die Grazien und Amor . . . Le Grazie ed Amore . . . Les Graces et Amour. Romance. – *s. l., s. n.* [F 396
A Wn

Incostancy [!] and the Supplication. Two favorite songs, with a piano forte accompaniment. – *[London], author.* – KLA. [F 397
D-ddr LEmi

In quell'occhio lusinghiero. Arietta (in: Journal d'Euterpe, 6e année, 6e livraison, No. 22). – *Paris, au bureau du Journal d'Euterpe.* [F 398
CH Bu

Per mezzo i boschi inospiti. Cantata per una voce sola con accompagnamento de piano-forte estratta da tre sonetti del Petrarca. – *London, author.* – KLA. [F 399
A Wgm (2 Ex.; davon 1 Ex. mit Etikett: Wien, Tranquillo Mollo & Co.) – **S** Skma

Ode of Q. Horatio Flacco . . . set to music for three voices with a piano forte accompaniment. – *London, author.* – KLA. [F 400
A Wgm

Pleas'd would I. A favorite cantata for 1 voice and a chorus. – *London, author.* – P. [F 401
B Bc

Quoi tu fuis cet azile. Le départ. Grande scène . . . avec accompagnement de piano ou harpe. – *Paris, Pleyel, No. 183.* – KLA. [F 402
CH Gc – **GB** Lbm – **S** Skma

Un fanciullin tiranno. A favorite duett with an accompaniment for the piano forte. – *London, author.* – KLA. [F 403
D-brd Hs

Vers toi Seigneur. La captivité de la reine au temple. Romance. – *Bruxelles, Godefroy.* – KLA. [F 404
I PAc

Voto a Diana. A favorite Italian duett. – *London, for the author.* [F 405
A Wgm – **GB** Ckc, Lbm

[Zuweisung fraglich:] Vous avez rejetté mes vœux. Romance, avec accompagnement de piano forte ou harpe. – *s. l., s. n., No. # 175.* – KLA. [F 406
CH AR

INSTRUMENTALWERKE

Konzerte und Divertimentos

Ier Concerto pour clavecin ou fortépiano, deux violons, alto et basse, deux hautbois, deux cors . . . œuvre Vme. – *Paris, Sieber, No. 1144.* – St. [F 407
F BO (kpl.: 9 St.)

Twelve divertimentos for the piano forte and pedal harp, with an accompaniment

of two french horns and tamburino ad
libitum . . . op. XXI. – *London, Long-*
man & Broderip. – St.   [F 408
GB Lbm (hf)

Ten new divertimentos for the piano forte
and pedal harp, with an accompaniment
for two french horns and tamburino ad
libitum . . . op. 23. – *London, Robert*
Birchall. – St.   [F 409
GB Lbm (hf)

XV Divertimento's for the piano forte
and pedal harp, with an accompaniment
of two french horns and tamburino ad
libitum . . . op. 24. – *London, Robert*
Birchall. – St.   [F 410
D-ddr LEmi (hf) – **GB** Lbm (pf, cor I, cor II,
tamburino)

Quatrième duo pour harpe et piano, avec
accompagnement de deux cors. – *Paris,*
Mlles Erard, No. 315. – St.   [F 411
D-ddr GOl

Werke für 3 Instrumente

Trois sonates [G, B, A] pour clavecin ou
forte-piano avec violon obligé et basse
adlibitum . . . œuvre IIᵐ. – *Paris, Sieber.* –
St.   [F 412
F BO (vl, b; fehlt clav), Pn (vl, b [unvoll-
ständig])

— Tre sonate per il clavicembalo o forte
piano con accompagnamento d'un violon
obbligato e basso ad libitum . . . opera II.
– *Wien, Artaria & Co., No. 476.* – St.
                                           [F 413
A Wkann, Wgm – **D-brd** B, WERl – **NL** DHgm
(fehlt b)

— Sonate pour le clavecin ou piano forte
avec violon obligé & violoncelle ad libitum . . . libro I (II, III). – *Berlin, Johann*
Julius Hummel; Amsterdam, grand maga-
zin de musique, No. 933 (952, 955). [F 414
D-brd Bhm (II, III [fehlt vlc]) – **D-ddr** Dlb
(zum Teil handschriftlich) – **DK** Kmk (I: fehlt
clav; II: fehlen vl und vlc; III: kpl.) –
GB T (I [unvollständig]) – **US** Wc (II)

— . . . et basse ad libitum (in: Journal de
musique pour les dames, No. 63, 64, 65). –
Offenbach, Johann André, No. 754 (755,
756).   [F 415

D-brd Bhm (II [pf]), KNmi (III) – **D-ddr** SWl
(III) – **NL** Uim

Trois trios concertants [d, B, A] pour le
piano forte, violino & violoncello . . .
op. XI. – *London, Longman & Broderip.* –
St.   [F 416
GB Cu, Ob – **P** Ln – **US** BE (pf)

— III Trios pour clavecin ou forte-
piano avec violon et violoncelle. – *Offen-*
bach, Johann André, No. 918.   [F 417
D-brd Bhm, KNmi – **S** Skma (pf; fehlen vl und
vlc) – **US** Wc

— Tre sonate per il clavicembalo o forte
piano con accompagnamento d'un violon
e basso . . . opera 6. – *Wien, Artaria &*
Co., No. 745.   [F 418
A M, Wgm, Wst – **B** Bc – **D-brd** B, Rtt

Trois grandes sonates [B, Es, C] pour
harpe avec accompagnement de violon et
basse . . . œuvre 18ᵉ. – *Paris, Pleyel*
(écrit par Ribière), No. 80. – St.   [F 419
D-ddr WRl (Etikett: Le Duc) – **S** Skma

— . . . avec violon et violoncelle . . .
œuvre 18. – *ib., Sieber fils, No. 71.* [F 420
I PESc (hf)

— Three grand sonatas for the French
pedal harpe, with an accompaniment of
a violin & violoncello. – *London, Corri,*
Dussek & Co., for the author.   [F 421
GB Gu (kpl.: hf, vl, vlc). Lbm (hf)

Three favorite sonatas [F, d, G] for the
piano forte, with an accompaniment for
a violin obligato and violoncello (ad libitum) . . . op. 25. – *London, author.* – St.
                                           [F 422
A Wn (pf, vl; fehlt vlc)

— Trois sonates pour clavecin ou forte
piano avec violon obligé et violoncelle. –
Paris, Sieber, (No. 1522). – St.   [F 423
F Pn (kpl.; clav und vl in 2 Ex.) – **US** AA (clav)

XVIII Favorite Tyrolian Walzer, for the
piano forte, with an accompaniment of a
violin, & tamburino (ad libitum) . . .
op. 26. – *London, author.* – St.   [F 424
A Wgm

Three favorite trios for the piano forte, violin & violoncello . . . op. 40. – *London, Robert Birchall.* – P. und St.   [F 425
B Bc (unvollständig) – **US** Wc (fehlt P. und vl)

A divertimento [C], for the harpe & piano forte with an accompaniment for the flute ad libitum . . . op. 54. – *London, Chappell & Co., No. 126.* – St.   [F 426
A Wgm

Werke für 2 Instrumente

Trois sonates [C, A, F] pour le clavecin ou pianoforte avec accompagnement de violon . . . œuvre I. – *Paris, auteur (gravé par Mme Oger).* – St.   [F 427
F Pn

— *ib., De Roullède (gravé par Mme Oger).*   [F 428

D-ddr SWl – **F** Pc

Trois sonates pour le clavecin ou forte-piano, les deux premières avec violon ad libitum, la troisième avec violon obligé . . . œuvre 3me. – *Offenbach, Johann André, No. 343.* – St.   [F 429
US Wc

Trois sonates [G, C, F] pour clavecin ou pianoforte avec violon . . . œuvre VIIIm. – *Paris, Sieber, No. 1338.* – St.   [F 430
CH Gpu (pf; fehlt vl) – **D-brd** B (pf) – **US** AA (pf)

— . . . avec accompagnement de violon (ad libitum) . . . œuvre 8e. – *ib., Naderman; Lyon, Garnier, No. 1090.*   [F 431
D-brd Mbs (pf)

— *ib., Boyer.*   [F 432
B Bc

— . . . avec accompagnement de violon ad libitum . . . œuvre 8me. – *Offenbach, Johann André, No. 661.*   [F 433
CH E (pf [unvollständig])

— . . . accompagnée d'un violon . . . œuvre [VIII]. – *Amsterdam, W. C. Nolting, aux adresses ordinaires.*   [F 434
NL At (pf)

— Three sonatas for the piano forte or harpsichord with an accompaniment for a violin ad libitum . . . opera VIII. – *London, Longman & Broderip.*   [F 435
GB Lbm (pf)

— *Philadelphia, G. Willig.*   [F 436
US Wc

Trois sonates [F, A, a] pour clavecin ou forte piano, la 2m sonate avec accompagnement de violon . . . œuvre IX. – *Paris, Sieber, No. 1391.* – St.   [F 437
D-brd B

— . . . œuvre XIII. – *Offenbach, Johann André, No. 920.*   [F 438
B Bc – **D-brd** OF – **I** Mc

— Trois sonates pour le piano forte, la seconde avec accompagnement d'un violon . . . opera IX à Paris, opera I à Londres. – *London, Longman & Broderip.*   [F 439

GB Lbm (pf) – **US** NYp

Duetto [C] pour deux forte piano ou forte piano et harpe . . . œuvre XIII. – *Paris, Sieber, No. 1430.* – St.   [F 440
NL Uim

— Ist duett for a piano-forte & harp or two piano-fortes . . . op. XIII. – *London, for the author.*   [F 441
GB Lbm (2 Ex.)

Trois sonates [C, G, B] pour clavecin ou forte piano avec violon ad lib. . . . œuvre 15. – *Paris, Sieber, No. 1444.* – St.   [F 442
I Gi

— Trois sonates pour le piano-forte avec accompagnement de violon ad libitum . . . œuvre 15me. – *Offenbach, Johann André, No. 910.*   [F 443
B Bc – **D-brd** OF

— Three sonatas for the piano forte, with an accompaniment for a violin, ad libitum . . . op. XV. – *London, Preston & son.*   [F 444

B Br – **GB** Lbm – **US** Wc

— Tre sonate per il clavicembalo o forte piano con un violino ad libitum . . . opera 4. – *Wien, Johann Cappi, No. 668.*   [F 445

D-brd B

Quatre sonates faciles [G, C, B, C] pour harpe . . . dont trois avec accompagnement d'un violon et la quatrième avec piano, œuvre [19]. – *Paris, Pleyel, No. 24.* – St.   [F 446
S Skma (hf)

— Four sonatinas for the pedal harp, the three first with an accompaniment for the violin, the last with an accompaniment for the piano forte ad libitum . . . op. 16. – *London, Lewis, Houston & Hyde.* – St.   [F 447
GB Cu, Gu (unvollständig), Lbm, Ob

— *ib., F. Linley.*   [F 448
GB Lu

— Trois sonates [G, C, B] d'une exécution facile pour harpe, ou piano-forte avec violon ad libitum . . . œuvre 16me. – *Offenbach, Johann André, No. 1101.*   [F 449
S Sm

Duetto [F] pour deux forte piano ou forte piano et harpe . . . œuvre XXm, 2me livre de duo. – *Paris, Sieber, No. 1463.* – St.   [F 450
F Pn (2 Ex.)

— Deuxième duo [F] pour harpe et piano ou pour deux pianos . . . opera XXe. – *ib., Le Duc, No. 386.*   [F 451
D-ddr WRtl

— Duo pour deux forte-piano ou forte-piano et harpe . . . œuvre 20me. – *Offenbach, Johann André, No. 1122.*   [F 452
D-ddr HAu – N Ou

— A second duett for the harp and piano forte, or for two piano fortes . . . op. XX. – *London, Robert Birchall.*   [F 453
GB Lbm (2 Ex.)

Quatre sonates progressives [C, a, G, B] pour le forté piano avec accompagnement de violon ad libitum . . . opéra 27. – *Paris, Cochet.* – St.   [F 454
D-brd Mbs

— *ib., Erard.*   [F 455
I Tn (pf) – US Bp

— IV Sonatines pour le pianoforte avec accompagnement d'un violon ad libitum . . . œuv. 27. – *Leipzig, Breitkopf & Härtel, No. 112.*   [F 456
B Bc – BR Rn – D-brd B

Trois sonates [C, Es, G] pour le clavecin ou piano-forte avec l'accompagnement d'une flûte ou violon . . . œuvre 32. – *Wien, Johann Cappi, No. 1059.* – St.   [F 457
A Sca (vl/fl [fehlt Titelblatt]) – D-brd BNu (clav), WERl (nur Sonate I und II) – I Mc (nur Sonate III), MOe – YU Zha (nur Sonate I)

Deux sonates [G, C] pour le piano forte avec accompagnement de flûte, ou violon . . . œuvre 33. – *Leipzig, Hoffmeister & Kühnel, (bureau de musique), No. 264.* – St.   [F 458
B Bc – D-ddr GOl, WRgs (pf) – US Wc

— *Leipzig, Breitkopf & Härtel, No. 187.*   [F 459
S SK

A favorite sonata for the piano forte, with an accompaniment for the violin obligato . . . op. 38. – *London, Robert Birchall.* – P.   [F 460
US Wc

Three favorite sonatas [D, G, C] for the piano forte and flute obligato or violin. – *[London], for the author.* – St.   [F 461
EIRE Dn – GB Cu, Lbm, Ob – US Wc

Trois sonates très faciles pour la harpe ou piano forte avec violon . . . libro IIII. – *Berlin, Johann Julius Hummel; Amsterdam, grand magazin de musique.*   [F 462
GB Ckc (unvollständig)

Sonate [D] pour le pianoforte avec accompagnement de flûte. – *Leipzig, Breitkopf & Härtel, No. 193.* – St.   [F 463
I Vqs (pf)

Nouvelle sonate [D] pour le piano-forte avec accompagnement de flûte ou violon. – *Wien, Artaria & Co., No. 1905.* – St.   [F 464
A Wgm, Wst – I Mc

A sonata [G] for the piano forte, with a german flute accompt. obligato. – *London, Monzani & Cimador.* – St.   [F 465
US BE

Trois duos [G, C, F] faciles et agréables pour deux flûtes. – *Mainz, Karl Zulehner, No. 58.* – St.   [F 466
D-brd MZsch

Werke für 1 Instrument

Douze petites pièces pour le clavecin ou piano-forte . . . œuvre 3. – *Wien, Artaria & Co., No. 533.*   [F 467
D-ddr WRtl

Douze petits airs pour le piano-forte solo . . . œuvre IV. – *Paris, auteur.*   [F 468
F Pc – **GB** Lbm – **NL** AN – **P** Ln – **US** Wc

Caprice [c] pour le clavecin ou piano forte . . . œuvre 7. – *Wien, Artaria & Co., No. 845.*   [F 469
A Wgm

Douze pièces pour le piano-forte dédiées aux jeunes élèves . . . œuvre 9me . . . seconde édition. – *Offenbach, Johann André, No. 3260.*   [F 470
D-brd OF

Trois sonates [C, A, G] pour clavecin ou forte piano . . . œuvre X. – *Paris, Sieber, No. 1397.*   [F 471
D-brd Mbs – **GB** Lbm

— *Offenbach, Johann André, No. 917.*
                                        [F 472
CS Pu – **D-ddr** Dlb – **DK** Kk (2 Ex.) – **S** Sm

— Trois sonates pour le pianoforte . . . opera X. – *London, for the author.*   [F 473
CS K – **GB** Lbm

— Tre sonate per il clavicembalo o forte piano . . . opera 5. – *Wien, Artaria & Co., No. 671.*   [F 474
A Wgm, Wst – **D-brd** Rp, Sl – **DK** Kmm, Kv – **I** Mc

Trois sonates [F, C, G] pour clavecin ou fortepiano . . . œuvre 12. – *Paris, Sieber.*
                                        [F 475
F Psg (Etikett: Le Duc)

— Trois sonates et six ballets pour le piano-forte . . . opera XII. – *London, for the author.*   [F 476
A Wgm – **GB** Lbm (2 Ex.)

Douze sonatines pour le piano . . . op. 14. – *Wien, Tranquillo Mollo & Co.*   [F 477
CS K, Pu

Six preludes and twelve sonatinas for the pedal-harp . . . op. 17. – *London, Smart.*
                                        [F 478
GB Gu, Lbm (2 Ex.), Ob

Three sonatinas [G, B, D] for the piano forte solo . . . op. XIX. – *[London], for the author.*   [F 479
GB Lbm – **I** Vc

— Trois sonates pour le clavecin ou piano-forte . . . œuvre 19me. – *Offenbach, Johann André, No. 1104.*   [F 480
D-ddr BD

Caprice et fantaisie pour clavecin ou forte-piano . . . op. 24. – *Paris, Sieber, No. 1534.*   [F 481
F Pn (2 Ex.)

Douze sonatines et six préludes pour la harpe . . . œuvre 26. – *Paris, Sieber fils, No. 154.*   [F 482
D-brd LCH

A Russian air, with twelve variations, for the piano forte . . . op. 29. – *London, s. n.*
                                        [F 483
A Wgm – **GB** Ckc, Lbm

— Variations sur l'air russe Kalimuska. Schöne Minka ich muß scheiden. – *Berlin, Johann Julius Hummel; Amsterdam, grand magazin de musique, No. 1501 ([Titelblatt:] 1500).*   [F 484
S Skma

— Fantaisie et variations, pour le piano-forte, sur la célèbre danse russe, La Katinuska [!] . . . [op. 29]. – *Paris, Beaucé, No. F. 29.*   [F 485
D-brd B

— Douze variations sur l'air Schöne Minka ich muss scheiden, pour piano-forte. – *Mainz, Bernhard Schott, No. 770.*
                                        [F 486
D-brd MZsch

— XI Variations sur l'air russe Kalimuska (Skiönne Minka) . . . pour le piano-forte. – *København, C. C. Lose.*   [F 487
S Skma

— Douze variations pour le pianoforte sur l'air Schöne Minka ich muß scheiden. – *Berlin, J. Concha, No. 740.*   [F 488
D-brd Mmb

— Variations pour le clavecin ou pianoforte sur l'air russe: Kalinuska . . . œuvre 29. – *Wien, Johann Cappi, No. 975.*
[F 489
CS K – **D-brd** MZfederhofer – **I** PAc

— Variationen für das Pianoforte über das russische Lied: Schöne Minka ich muss scheiden . . . 29tes Werk, neue Auflage. – *Wien, Cappi & Czerny, No. 975.*
[F 490
D-brd Mbs

Trois sonatines [e, G, C] pour le pianoforte . . . œuv. 30. – *Leipzig, Breitkopf & Härtel, No. 165.*   [F 491
D-ddr LEbh – **S** Skma

— *Hamburg, Johann August Böhme.*
[F 492
CH EN

Trois sonates [G, c, D] pour le pianoforte . . . opera 31. – *Paris, Mlles Erard, No. 259.*   [F 493
BR Rn – **CS** K

Twelve recreations, for two performers on one piano forte . . . op. 36. – *London, Robert Birchall.*   [F 494
A Wn

48 preludes for the piano forte, two in each of the twelve keys major, and two in each of the twelve keys minor . . . op. 42. – *London, Robert Birchall.* [F 495
S Skma

Ventiquarto variazioni per il piano-forte. – *Napoli, Luigi Marescalchi, No. 44.* [F 496
CS KRa – **D-ddr** WRtl

Douze variations pour le clavecin ou pianoforte (= N° 67 du Journal de musique pour les dames). – *Offenbach, Johann André, No. 788.*   [F 497
D-brd OF – **D-ddr** WRtl – **N** Ou

Andantino pour harpe ou piano-forte. – *Offenbach, Johann André, No. 1034.*
[F 498
DK Kk

Tre grandi marce intitolate La Schwarzenberg, La Platoff, La Blucher, per fortepiano, o arpa. – *Milano, Giovanni Ricordi.*   [F 499
I Vnm, PAc

A favorite grand march [C] for the piano forte. – *London, for the author.*   [F 500
GB Lbm, Ob

FERRARI Massimo

Salmi di compieta concertati a tre voci con un Nunc dimittis a quatro . . . opera prima. – *Venezia, Alessandro Vincenti, 1653.* – St.   [F 501
I Bc (kpl.: S I, S II, B, bc)

Letanie della Madonna concertate a 4 voci . . . opera seconda. – *Venezia, Francesco Magni, 1658.* – St.   [F 502
I Bc (kpl.: S, A, T, B, org), Bsp (kpl.; B [unvollständig])

FERRARIS Paolo Agostino de →
DE FERRARIS Paolo Agostino

FERRARO Antonio

Sacrae cantiones quae tum unica, tum duabus, tribus, ac quatuor vocibus concinuntur, liber primus . . . cum basso pro organo. – *Roma, Bartolomeo Zannetti, 1617.* – St.   [F 503
I Rsc (kpl.: S I, S II, B, org)

FERRATI Antonio

Sei rondo da cimbalo per pianoforte. – *[Firenze], Antonio Brazzini.*   [F 504
I Fr, OS

FERRAZZI Giovanni Battista

Arie et parole . . . libro primo, opera prima. – *Venezia, stampa del Gardano, appresso Francesco Magni, 1625.* – P.
[F 505
GB Lbm

FERRERO Giuseppe

Sei sonate per cembalo o piano-forte . . .
opera I^a . . . plusieurs de ces pièces
peuvent s'exécuter sur la harpe. – *Paris,
Venier; Lyon, Castaud.*   [F 506
F Pc – I Bc

FER(R)ET

Les amusemens de Dusuel. Contredanse
française. – *Paris, Bouin, Mlle Castagnery.*   [F 507
F V

Le caprice de Gaudrot. Contredanse française. – *Paris, Bouin, Mlle Castagnery.*
     [F 508
F V

La joute. Allemande. – *Paris, Bouin,
Mlle Castagnery.*   [F 509
F V

La nouvelle aimée. Contredanse française. – *Paris, Bouin, Mlle Castagnery.*
     [F 510
F V

Les quatre berceaux. Quadrille allemand
à douze. – *Paris, Bouin, Mlle Castagnery.*   [F 511
F V

FERRETTI Giovanni

1567. Canzone alla napolitana a cinque
voci . . . [libro primo]. – *Venezia, Girolamo Scotto, 1567.* – St.   [F 512
F Pc (kpl.: S, A, T, B, 5) – I Rsc (5)

— *ib., 1568.*   [F 513
F VE (5) – GB Lbm (S, B) – I Bc (A)

— *[ib., 1571].*   [F 514
CH Zz (S [unvollständig, ohne Titelblatt])

— Il primo libro delle canzoni . . . – *ib.,
erede di Girolamo Scotto, 1574.*   [F 515
D-brd Mbs (kpl.: S, A, T, B, 5) – I Bc (T) – US
NYp (5)

— *ib., 1579.*   [F 516
D-brd Kl (kpl.: S, A, T, B, 5), Mbs (B)

— *ib., 1582.*   [F 517
A Wn (kpl.: S, A, T, B, 5) – B Br – CH Bu –
D-brd As, Kl (5) – F Pn (5) – GB Lbm (unvoll-
ständig), Lwa – I Bc, Bsp (T, A, 5), MOe, Rdp
– PL GD (S, A, T)

1568 → 1567

1569. Il secondo libro delle canzoni alla
napolitana a cinque voci. – *Venezia, Girolamo Scotto, 1569.* – St.   [F 518
GB Lbm (S) – I Bc (S, A, B, 5; fehlt T)

— *ib., 1571.*   [F 519
CH Zz (S)

— *ib., erede di Girolamo Scotto, 1574.*
     [F 520
D-brd Mbs (kpl.: S, A, T, B, 5)

— *ib., 1578.*   [F 521
D-brd Mbs (B), Kl (kpl.: S, A, T, B, 5)

— *ib., 1581.*   [F 522
A Wn (S, A, B, 5) – B Br (kpl: S, A, T, B, 5) –
CH Bu – D-brd As, Kl (5) – F Pn (5) – GB Lbm
(B), Lwa – I Bc, Bsp (A, T, 5), MOe, Rsc (S) –
PL GD (S, A, T)

1570. Il terzo libro delle napolitane a cin-
que voci. – *Venezia, Girolamo Scotto, 1570.*
– St.   [F 523
I Bc (S, A, B, 5; fehlt T)

— *ib., 1572.*   [F 524
CH Zz (S) – D-brd Rp (T) – I Bc (S)

— *ib., erede di Girolamo Scotto, 1575.*
     [F 525
D-brd Kl (kpl.: S, A, T, B, 5), Mbs (kpl.; B [2
Ex.]) – F Pn (5) – GB Lbm (A, T) – I Bc (S),
Bsp (A, T, 5), Fr (5), FA (B), MAc (5), Rsc (S) –
PL GD (S, A, T)

— *ib., 1583.*   [F 526
A Wn (S, A, B, 5) – B Br (kpl.: S, A, T, B, 5) –
CH Bu – D-brd As, Kl (5) – GB Lbm (B), Lwa –
I Bc

1571a. Il quarto libro delle napolitane a
cinque voci. – *Venezia, Girolamo Scotto,
1571.* – St.   [F 527
CH Zz (S)

— *ib., 1573.*   [F 528
D-brd Mbs (kpl.: S, A, T, B, 5) – I Bc (S), Fr (5)

— *ib., erede di Girolamo Scotto, 1579.*
     [F 529

D-brd Kl (kpl.: S, A, T, B, 5), Mbs (B) – **I** Rsc (S) – **PL** GD (S, A, T)

— *ib., 1583.*   [F 530
A Wn (kpl.: S, A, T, B, 5) – **B** Br – **CH** Bu – **D-brd** As, Kl (5), Rp (T) – **F** Pn (5) – **GB** Lbm (A, B, 5), Lwa – **I** Bc, Bsp, Ps (S, T, B)

1571b → 1567
1571c → 1569

1572 → 1570

1573a. Il primo libro delle canzoni alla napolitana a sei voci. – *Venezia, Girolamo Scotto, 1573.* – St.   [F 531
SD
I Bc (B), Rc (B), Nn (B), VEaf (2 Ex.; 1. Ex.: S, A, B, 5, 6, fehlt T; 2. Ex.: S [unvollständig], 6)

— *ib., erede di Girolamo Scotto, 1576.*
               [F 532
D-brd Bhm (6), Mbs (kpl.: S, A, T, B [2 Ex.], 5, 6) – **I** Bc (S, A), Fr (5), Rsc (S) – **NL** At (S, T)

— *ib., 1581.*   [F 533
A Wn (kpl.: S, A, T, B, 5, 6) – **CH** Bu – **D-brd** As, KNu (S, B) – **F** Pc (A), Pn (5) – **GB** Lbm (A, T, B, 5) – **I** Bc, Bsp, Rdp, Vnm (S, A) – **PL** GD (S, A, T)

1573b → 1571a

1574a → 1567
1574b → 1569

1575a. Il secondo libro delle canzoni a sei voci. – *Venezia, erede di Girolamo Scotto, 1575.* – St.   [F 534
SD
D-brd Mbs (kpl.: S, A, T, B, 5, 6) – **I** ANcap (B), Bc (S, A), Fr (5), Tn

— *ib., 1579.*   [F 535
A Wn (S, A, B, 5, 6) – **CH** Bu (kpl.: S, A, T, B, 5, 6) – **D-brd** As – **F** Pn (5) – **I** Bc, Bsp (unvollständig), Fn, MOe (A), Rc (B), Vnm (S, A) – **PL** GD (S, A, T)

— *ib., 1586.*   [F 536
D-brd KNu (S, B) – **D-ddr** Bds (5) – **F** Pc (A) – **GB** Lbm (S, A, 5, 6) – **I** MOe (kpl.: S, A, T, B, 5, 6)

1575b → 1570

1576 → 1573a

1578 → 1569

1579a → 1567
1579b → 1571a
1579c → 1575a

1581a → 1569
1581b → 1573a

1582 → 1567

1583a → 1570
1583b → 1571a

1585. Il quinto libro delle canzoni alla napolitana a cinque voci. – *Venezia, erede di Girolamo Scotto, 1585.* – St.
SD   [F 537
B Br (kpl.: S, A, T, B, 5) – **I** MAc (5)

— *ib., 1591.*   [F 538
CH Bu (kpl.: S, A, T, B, 5) – **GB** Lbm (fehlt B)

1586 → 1575a

1591 → 1585

FERRETTI Vincenzo Cesare

Raccolta di notturni o sia terzetti vocali . . . opera prima. – *Firenze, Giovanni Battista Stecchi & Antonio Giuseppe Pagani, 1772.* – P.   [F 539
I Bc, Fc – **US** Wc

FERRI Francesco Maria

Solfeggi a due per i principianti commodi per tutte le parti . . . opera prima. – *Roma, Mascardi, 1713.*   [F 540
I Ac, Bc

Antifone a due voci concertate. – *Roma, Mascardi. 1719.* – St.   [F 541
CS Pnm (kpl.: S I, S II/A/T/B, org) – **I** Ac

FERRO Giulio

Il primo libro de madrigali a cinque voci. – *Venezia, Ricciardo Amadino, 1594.* – St.
SD 1594[12]   [F 542
I Bc (kpl.: S, A, T, B, 5)

FERRO Marco Antonio

Sonate a due, tre, & quatro ... opera
prima. – *Venezia, stampa del Gardano,
1649.* – St.   [F 543
PL WRu (vl I, vl II [unvollständig], vla da
braccio, vla da gamba; fehlt bc)

FERRONATI Lodovico

[10] Sonate [C, d, G, a, F, B, D, g, a, c] a
violino solo per camera con il suo basso
continuo per il cembalo ... opera prima.
– *Venezia, Antonio Bortoli, 1710.* - P.
                                                [F 544
A Wn – I Bc, Vc [unvollständig]

FERTÉ Charles de la → LA FERTÉ Charles de

FESCH Willem de

Vokalmusik

Sammlungen

Canzonette ed arie a voce sola di soprano,
col basso continuo: e da potersi suonare
con violino o flauto traversiero. – *London,
John Simpson.* – P.   [F 545
B Bc – GB Ckc, Cu, Ob (2 Ex.) – US AA, Ws

— *Amsterdam, Gerhard Friedrich Witvogel.*   [F 546
NL At

— ... editione terza. – *[London], Benjamin Cooke.*   [F 547
GB Ckc, CDp, Lbm – US I, NYp, Wc

XX Canzonette a voce sola di soprano,
col basso continuo, da potersi suonare con
violino, flauto trav^ra e mandolino ... the
second collection. – *[London], for the
author.* – P.   [F 548
B Bc – GB Lbm – US AA, Wc

VI English songs with violins, and german flutes, and a through bass for the
harpsichord. – *London, Walsh, for the
author.* – P.   [F 549
D-brd KA – GB Lbm

XV English songs ... set for violin &
german flute & thorough bass for the
harpsichord. – *[London], s. n.* – P.
                                                [F 550
B Bc

Six new English songs for the year 1749,
fitted for the violin & german flute with
a thorough bass for the harpsicord. –
London, for the author. – P.   [F 551
GB Lbm – US Wc

Mr. Defesch's songs sung at MarybonGardens. – *[London], John Walsh, 1753.*
SD S. 149   [F 552
GB Lbm, Mp (unvollständig)

Einzelgesänge

The address to Chloe [Song]. – *s. l., s. n.*
                                                [F 553
GB Lbm

As t'other day o'er the green meadow I
pass'd [Song]. – *s. l., s. n.*   [F 554
GB Lbm (2 Ex.), Lcm

— ... (in: The London Magazine, 1754). –
[London], s. n., (1754).   [F 555
GB Lbm

— ... (in: The Universal Magazine, vol.
XV). – *[London], s. n.*   [F 556
GB Lbm

Beauty. A song (in: The Universal Magazine, vol. III). – *[London], s. n.*
                                                [F 557
GB Lbm

Daphne on her arm reclin'd [Song]. – *s. l.,
s. n.*   [F 558
GB Lbm (2 verschiedene Ausgaben), Lcm

— ... (in: The London Magazine, 1753). –
[London], s. n., (1753).   [F 559
GB Lbm

Delia ... [Song]. – *s. l., s. n.*   [F 560
GB CDp

Female friendship [Song]. – *s. l., s. n.*
                                                [F 561
GB Lbm

Gayly smiling, and beguiling. A favorite song in the Oratorio of Judith. – *s. l., s. n.*
[F 562
GB Lbm

Hail, England, old England! An occasional ode on the dawn of the success of our arms (in: The Universal Magazine, vol. XVIII). – *[London], s. n.*   [F 563
GB Lbm

— . . . [Song]. – *s. l., s. n.*   [F 564
GB Cfm, Lbm

Hark Daphne, from the hawthorn bush. A new song. – *s. l., s. n.*   [F 565
GB Lbm (2 Ex.), Ouf

— . . . (in: The Universal Magazine, vol. XI). – *[London], s. n.*   [F 566
GB Lbm

— . . . (in: The Universal Magazine, vol. XII). – *[London], s. n.*   [F 567
GB Lbm

In a grove with roses overspread. The submissive swain. A new song. – *s. l., s. n.*
[F 568
GB Lbm

— . . . (in: The Universal Magazine, vol. XIII). – *[London], s. n.*   [F 569
GB Lbm

In days of old as poets tell. A song. – *s. l., s. n.*   [F 570
GB Lbm

In low'ring clouds the day was drest. The Tippet. A song (in: The Universal Magazine, vol. VI). – *[London], s. n.*   [F 571
GB Lbm

— . . . [Song]. – *s. l., s. n.*   [F 572
GB Lbm

I sing not of battles. Monsieur Pantin. A new song (in: The Gentleman's Magazine, vol. XVIII). – *[London], s. n.*   [F 573
GB Lbm

— . . . [Song]. – *s. l., s. n.*   [F 574
GB Ckc (2 verschiedene Ausgaben), Ge, Lbm (2 verschiedene Ausgaben), Mp, Ob

Let others sing in loftier lays. Polly of the plain. A new song (in: Universal Magazine, vol. XV). – *[London], s. n.*   [F 575
GB Lbm, Lcm
vgl. [F 585

Long time my heart had rov'd. A song. – *s. l., s. n.*   [F 576
GB CDp, Lbm

Mutual love. A new song. – *s. l., s. n.*
[F 577
GB Cfm (2 verschiedene Ausgaben), En, Lbm (2 verschiedene Ausgaben), Lcm (2 verschiedene Ausgaben)

Nature for defence affords [Song]. – *s. l., s. n.*   [F 578
EIRE Dn – **GB** Ge, Lbm – **US** Wc

O lovely maid how dear thy pow'r. To Chloe. Song. – *s. l., s. n.*   [F 579
GB Cfm, CDp, Ge, Lbm (3 verschiedene Ausgaben)

— . . . (in: The London Magazine, 1750). – *[London], s. n., (1750).*   [F 580
GB Lbm

Oh pity Colin! cruel fair. Colin [Song]. – *s. l., s. n.*   [F 581
GB En, Lbm (2 verschiedene Ausgaben)

— . . . (in: London Magazine, 1751). – *[London], s. n., (1751).*   [F 582
GB Lbm

— . . . (in: The Universal Magazine, vol. X). – *[London], s. n.*   [F 583
GB Lbm

Orpheus [Song]. – *s. l., s. n.*   [F 584
GB Ge, Lbm

Polly of the plain [Song]. – *s. l., s. n.*
[F 585
GB Cfm, Lbm
vgl. [F 575

Spring renewing all things gay. Polly (in: The London Magazine, 1747). – *[London], s. n., (1747).*   [F 586
GB Lbm

— *s. l., s. n.*   [F 587
GB Ge, Lbm, Ob

— ... for the german flute. – *s. l., s. n.*
                                                    [F 588
GB Ckc, Lbm

— ... with additional alterations. – *s. l.,*
s. n.   [F 589
GB Lbm

Stretch'd on the turf in Sylvan shades. A
new song. – *s. l., s. n.*   [F 590
GB Lbm

— ... (in: Universal Magazine, vol. XIV).
– *[London], s. n.*   [F 591
GB Lbm

To a Lady curling her hair [Song]. – *s. l.,*
s. n.   [F 592
GB Lbm

To Lysander [Song]. – *s. l., s. n.*   [F 593
GB Cfm, Lbm (2 Ex.), Ouf

To make me feel a virgin's charms. A new
song (in: London Magazine, 1751). – *[Lon-*
don], s. n., (1751).   [F 594
GB Lbm

— ... (in: Universal Magazine, vol. X). –
[London], s. n.   [F 595
GB Lbm

— *s. l., s. n.*   [F 596
GB Cfm, En, Lbm (2 verschiedene Ausgaben),
Lcm

To woo me and win me. Collin's success.
A song (in: Universal Magazine, vol. XV).
– *[London], s. n.*   [F 597
GB Lbm

— *s. l., s. n.*   [F 598
GB Cfm, Lbm (3 Ex., 2 verschiedene Ausgaben)

When Damon and Phillis first on the gay
green ... [Song]. – *s. l., s. n.*   [F 599
GB CDp, Lbm, Ob

— When Damon met Phillis ... [Song]. –
s. l., s. n.   [F 600
GB Lbm

When mighty Jove survey'd mankind.
Fair Bellinda [Song] (in: London Ma-
gazine, 1749). – *[London], s. n., (1749).*
                                                    [F 601
GB Lbm, Ob

— *s. l., s. n.*   [F 602
GB Ge, Lbm – **EIRE** Dn (andere Ausgabe)

When morn her sweets shall first unfold.
The happy couple. A new song (in: The
New Universal Magazine, 1751). – *[Lon-*
don], s. n., (1751).   [F 603
GB Cu

— ... (in: London Magazine, 1751 [und
1752]). – *[London], s. n., (1751 [und*
1752]).   [F 604
GB Lbm (2 verschiedene Ausgaben)

— The happy couple. A new song. – *s. l.,*
s. n.   [F 605
GB En, Lbm, Ouf – **US** Pu

Whilst modest Celia's down cast eyes. The
confession to Celia [Song]. – *s. l., s. n.*
                                                    [F 606
GB CDp, Lbm

The willing maid [Song]. – *s. l., s. n.*
                                                    [F 607
GB Cpl, Lbm

— ... (in: The Universal Magazine, vol.
XVII). – *[London], s. n.*   [F 608
GB Lbm

Would'st thou all the joys receive [Song].
– *s. l., s. n.*   [F 609
GB En, Lbm (2 verschiedene Ausgaben)

Ye medley of mortals that make up this
throng. The Masquarade song (in: The Universal Magazine, vol. V). – *[London], s. n.*
                                                    [F 610
GB Lbm

— ... (in: The Gentleman's Magazine,
vol. XIX). – *[London], s. n.*   [F 611
GB Lbm, Ob

— *s. l., s. n.*   [F 612
GB Lbm (4 Ex., 2 verschiedene Ausgaben)

Young Patty [Song]. – *s. l., s. n.*   [F 613
GB Lbm (2 Ex.), Ob

— ... (in: The Universal Magazine, vol.
XVIII). – *[London], s. n.*   [F 614
GB Lbm

INSTRUMENTALWERKE

Op. 1a. VI Duetti a due violini . . . opera prima. – *Paris, Le Clerc le cadet, Le Clerc, Mme Boivin.* – St.   [F 615
F Pc – **US** AA

Op. 1b. Sonates à deux violoncelles, bassons ou violles . . . premier œuvre. – *Paris, Le Clerc (rue St. Honoré), Le Clerc (rue du Roule), Mme Boivin (gravé par Mlle Laymon).* – P.   [F 616
F Pn

Op. 2a. VI Concerti a quatro violini, alto-viola, violoncello e basso per l'organo . . . opera seconda. – *Amsterdam, Jeanne Roger, No. 436.* – St.   [F 617
CH Zz (kpl.: vl I, vl II, a–vla, vlc, vl I rip., vl II rip., bc) – **D-brd** MÜu

Op. 2b [vgl. op. 8a]. VI Sonates à deux violoncelles, bassons ou violles . . . second œuvre. – *Paris, Le Clerc (rue St Honoré), Le Clerc (rue du Roule), Mme Boivin (gravées par Bailleul le jeune).* – P.   [F 618
F Pn

— Six sonates (VII–XII) . . . second œuvre. – *ib., Vve Boivin.*   [F 619
GB Cu

Op. 3a. VI Concerts dont il y en a quatre à 4 violons, haute contre, & basse continue, & 2 à 2 hautbois, 2 violons, basse, & basse continue . . . troisième ouvrage. – *Amsterdam, Jeanne Roger, No. 454.* – St.   [F 620
CH Zz (kpl.: vl I, vl II, a–vla, vl I rip./ob I, vl II rip./ob II, fag obl., org) – **S** L

— *ib., Michel Charles Le Cène, No. 454.*   [F 621
F Pn

Op. 3b [vgl. op. 4]. VI Sonates à deux violoncelles, bassons ou violles . . . troisième œuvre. – *Paris, Le Clerc le cadet, Le Clerc, Mme Boivin (gravé par Labassée).* – P.   [F 622
F Pc, Pn

Op. 4. [vgl. op. 3b]. XII Sonate in due libri, il primo: 6 a violino, violone e cembalo, ed il secondo: 6 a due violoncelli . . . opera quarta, libro primo (secondo). –

Amsterdam, auteur (gravé par J. M. Lacave), ([Privileg:] 1725). – P.   [F 623
F Pn – **GB** Lbm – **NL** Lu

— [Sonate (VII–XII) a duoi violoncelli]. – *s. l., s. n.*   [F 624
CH Bu (fehlt Titelblatt)

Op. 5. VI Concerti, li quattro primi sono a due flauti traversieri, due violini, alto viola e basso per l'organo; li due ultimi, a quattro violini, alto viola, violoncello e basso per l'organo . . . opera quinta. – *Amsterdam, Michel Charles Le Cène, No. 563.* – St.   [F 625
CH Zz (kpl.: 7 St.) – **S** L

Op. 6. VI Sonate a violino, o flauto traversiero, col basso, per l'organo . . . opera sesta. – *Bruxelles, Joseph Vicidomini.* – P.   [F 626
I MOe – **US** AA

Op. 7. X. Sonata a tre, due flauti a traverso o due violini, e violoncello o basso continuo . . . opera settima. – *Amsterdam, Gerhard Friedrich Witvogel.* – St. [F 627
NL At

— X. Sonata's for two german flutes or two violins, with a thorough bass . . . opera settima. – *London, Benjamin Cooke, for the author.*   [F 628
GB Cfm, Lbm, Mp – **I** Gl – **US** R

Op. 8a [vgl. op. 2b]. XII Sonatas, six for a violin, with a thorough bass . . . and six for two violoncellos . . . op. 8. – *London, Benjamin Cooke.* – St.   [F 629
B Bc

Op. 8b. Six sonatas for a violoncello with a thorough bass for the harpsichord . . . opera ottava. – *London, John Johnson.* – P.   [F 630
D-ddr Dlb – **F** Pc – **GB** Lbm – **US** AA, NH, Wc

Op. 9. VI Sonata's for two german flutes . . . opera IX. – *London, John Simpson.* – P.   [F 631
B Br – **GB** Ckc, Lbm (2 Ex.)

— *ib., author.*   [F 632
B Bc – **US** Wc

— Six sonates à deux flûtes... IXe œuvre. — *Paris, Le Clerc.*   [F 633
US Wc

Op. 10. VIII Concerto's in seven parts. Six for two violins, a tenor violin, and a violoncello, with two other violins, and thorough bass, for ye harpsicord, one for a german flute with all the other instruments, and one with two german flutes, two violins, tenor violin, violoncello and thorough bass for the harpsicord ... opera the tenth. – *s. l., s. n.* – St.   [F 634
GB Cpl (unvollständig), Lam (kpl.: 7 St.), Lbm (2 Ex., davon 1 Ex. unvollständig) – **S** Skma – **US** Wc

— ... [ohne Opuszahl]. – *London, John Walsh.*   [F 635
D-brd B (kpl.: 7 St.; Impressum nur vl I, die übrigen St. mit Opuszahl) – **GB** Cfm (unvollständig), Lam (kpl. [2 Ex.]), Mp (unvollständig) – **US** AA, R

Op. 11. Thirty duets for two german flutes, consisting of variety of aires in different movements compos'd for the improvement of young practitioners on the german flute ... opera XI. – *London, John Walsh.* – P.   [F 636
B Bc – **GB** Ckc, Cu, CDp, Lbm – **US** AA

— Musical amuzements for two german flutes, consisting of thirty airs in different movements ... some of them are for a german flute & a violin. – *London, author.*   [F 637
US Wc

Op. 12. Twelve sonatas for two german flutes, or two violins; with a bass for the violoncello or harpsichord ... opera XII. – *London, John Walsh.* – St.   [F 638
B Bc – **C** Tu – **GB** Ckc, Gu, Lam, Lbm (2 Ex.), Lcm, Ob, Ooc – **NL** DHgm (kpl.; bc [2 Ex.]) – **US** AA, Wc

Op. 13. VI Sonatas for a violoncello solo, with a thorough bass for the harpsichord ... opera XIII. – *s. l., s. n.* – P.   [F 639
B Bc – **GB** Lbm, Mp

— *London, John Walsh.*   [F 640
GB Ckc, Lbm, Lcm

FESER Erasmus

Missae sacrae, seu Thuribulum aureum divini officii, quod canoris symphoniae modulis adornavit, pia et suave o lente septem & octo vocum fragrantia, sacroque devoti animi thure incendit & adolevit, cum basso perpetuo. – *Neuburg, Lorenz Dannhäuser, 1630.* – St.   [F 641
D-brd Mbs (S I)

FESTA Costanzo

Magnificat, tutti gli otto toni, a quatro voce. – *Venezia, Girolamo Scotto, 1554.* – St.   [F 642
A Wgm (kpl.: S, A, T, B) – **I** Rvat-sistina, Vnm (B)

Litaniae Deiparae Virginis Mariae, ex sacra scriptura collectae, quae diebus sabbathi, vigiliarum & festorum eiusdem B. Virginis ... cantari solent. – *München, Adam Berg, 1583.* – St.   [F 643
D-brd Mbs (kpl.; I: S, A [2 Ex.], T [2 Ex.], B; II: S, A, T, B)

FESTING Michael Christian

VOKALMUSIK

Six English songs and a dialogue with a duet. – *London, John Simpson, for the author.* – P.   [F 644
F Pc

A collection of [5] English cantatas and songs. – *London, John Johnson, for the author.* – P.   [F 645
GB Lbm

An English cantata call'd Sylvia and two English songs (Phillis and Silvano, Chloris). – *London, William Smith, (1744).* – P.   [F 646
GB Ep, Lam, Lbm, Mp – **US** BE, NH, CA, Wc

— An English cantata call'd Sylvia, The morning fresh, and four other English songs ... the second edition with additions & alterations. – *ib., John Simpson, for the author, (1744).*   [F 647
GB Lbm, Lcm, Ob – **US** Wc

Sylvia. A cantata. – *s. l., s. n.*   [F 648
GB Lbm

An Ode upon the return of . . . the Duke
of Cumberland from Scotland, Milton's
May-Morning, and four other English
songs. – *London, John Simpson, for the
author.* – P.   [F 649
GB Cu, Lbm, DRc (unvollständig)

Milton's May-Morning; and several other
English songs. – *London, John Simpson,
for the author.*   [F 650
GB Cu, Lgc – US Wc

Cupid baffled [Song]. – *s. l., s. n.* [F 651
GB Lbm

The doubtful shepherd [Song]. – *s. l., s. n.*
                                        [F 652
GB CDp, Ge, Gm, Lbm, Ob – US Ws

On tree top'd hill. A favorite song. – *s. l.,
s. n.*   [F 653
GB Lbm

— On tree-topt hill or turfted green. Tree-
topt hill. A new song (in: Universal Mu-
seum, march, 1764). – *[London], s. n.,
(1764).*   [F 654
GB Lbm

— . . . (in: Universal Magazine, vol.
XXXVII). – *[London], s. n.*   [F 655
GB Lbm

— *s. l., s. n.*   [F 656
GB En, Lbm, Mp – US Ws

The poor shepherd [Song]. – *s. l., s. n.*
                                        [F 657
GB Lbm

Reason for loving, address'd to Salinda
[Song]. – *s. l., s. n.*   [F 658
GB Lbm – US Ws

'Tis not the liquid brightness of those
eyes. A song. – *s. l., s. n.*   [F 659
GB Lbm, Ob

— . . . (in: New Universal Magazine, dec.,
1754). – *[London], s. n., (1754).*   [F 660
GB Gm, Lbm

Who has e'er been at Baldock. The lass of
the mill [Song]. – *s. l., s. n.*   [F 661
GB Lbm (2 verschiedene Ausgaben) – US Ws

— . . . (in: London Magazine, 1753). –
[London], s. n., (1753).   [F 662
GB Lbm

— . . . (in: Universal Magazine, vol. XIII).
– *[London], s. n.*   [F 663
GB Lbm

Yielding Fanny [Song]. Set to a pretty
new tune. – *s. l., s. n.*   [F 664
GB Lbm – US Ws

INSTRUMENTALWERKE

Op. 1. Twelve solo's [E, c, A, Es, D, a, B,
d, G, D, f, Es] for a violin and thorough
bass . . . opera prima. – *London, William
Smith, author, (1729/30).* – P.   [F 665
GB Cu, Lbm, Mp (2 Ex.) – I BGi – US CHua,
Wc

— . . . the second edition. – *ib.*   [F 666
GB Cu

— *ib., John Johnson.*   [F 667
US Wc

Op. 2. Twelve sonata's [h, D, G, e, g, D, e,
A, B, c, A, Es], in three parts . . . the first,
second, and third sonata's, for two german flutes, or two violins and a bass, the
fourth, fifth, and sixth . . . for one german
flute, one violin, or two violins and a bass,
the seventh, eighth, ninth, tenth, eleventh, and twelfth . . . for two violins and
a bass . . . opera secunda. – *London, William Smith, author, 1731.* – St.   [F 668
B Bc – GB Ckc, Cu, Lbm, Lco – I Vnm – US
CHua, R, Wc (2 Ex.)

— *ib., for the author, 1731.*   [F 669
GB Lam

— *ib., John Johnson.*   [F 670
S Skma

Op. 3. Twelve concertos [g, c, d, E, F, D,
e, D, G, D, e, g] in seven parts . . . the first
eight . . . for four violins, one tenor, one
violoncello, and a thorough bass, the last
four . . . for two german flutes, two violins,
&c. opera terza. – *London, William Smith,
author, 1734.* – St.   [F 671
GB A (unvollständig), Ckc (kpl.: 7 St.), Cpl (unvollständig), CDp (unvollständig), Lbm – S
Skma – US AA, Wc

— *ib., John Johnson.* [F 672
S Skma

Op. 4. Eight solos [A, c, E, D, b, B, F, e] for a violin and thorough-bass . . . opera quarta. – *London, William Smith, author, 1736.* – P. [F 673
B Bc – C Tm, Tu – GB Ckc, Cu (2 Ex.), Cpl, Gm, Lbm, Lcm, Mp – I BGi – S Skma – US Wc

— *ib., John Johnson, 1754.* [F 674
GB Lbm

Op. 5. Eight concertos [B, A, c, B, d, Es, G, C] in seven parts . . . opera quinta. – *London, William Smith, author, 1739.* – St. [F 675
B Bc (kpl.: 7 St.) – GB A (unvollständig), Cpl (unvollständig), CDp (unvollständig), Lbm – I Vc-giustiniani (fehlt vl I conc.) – NZ Wt (bc) – US AA, CHua, Wc

— *ib., John Johnson.* [F 676
S Skma

Op. 6. Six sonata's [B, d, Es, e, C, G] for two violins and a bass . . . opera sesta. – *London, William Smith, author, 1742.* – St. [F 677
B Bc – GB Cpl, Cu, Lbm, Lwa, Mp – I Nc – S Skma – US CHH, CHua

— *ib., John Johnson.* [F 678
B Bc – S Skma

Op. 7. Six solos [h, C, A, E, A, g] for a violin and thorough bass . . . opera settima. – *London, William Smith.* – P. [F 679
B Bc – GB Ckc, Cu (2 Ex.), Cpl, Lam, Lbm – US Wc

— *ib., John Johnson, 1754.* [F 680
B Bc – GB Lbm

Op. 8. Six solos [G, A, D, D, D, D] for a violin, with a thorough bass for the harpsichord . . . opera ottava. – *London, John Johnson.* – P. [F 681
GB Cpl, Cu, En, Lbm – US CHua, Wc

Op. 9. Six concerto's [a, G, E, F, A, a] in seven parts for four violins, a tenor, violoncello and thorough bass for the harpsichord . . . opera nona. – *London, John Johnson.* – St. [F 682
D-brd MÜu (kpl.: 7 St.) – GB Lbm (vl I conc., vl II rip.) – S Skma – US Wc

Six setts of airs for two german flutes, or two violins. – *London, William Smith, 1737.* – P. [F 683
US Wc

Minuets with their basses for Her Majesty Queen Caroline's birth day 1733 . . . the tunes proper for the violin, german flute or harpsicord. – *London, John Walsh, No. 166.* [F 684
GB Lbm

Minuets with their basses for Her Majesty Queen Caroline's birth day 1734 . . . the tunes proper for the violin, german flute or harpsichord . . . 2^d book. – *London, John Walsh, No. 166.* [F 685
GB Ge, Lbm

FESTONI Abbate

A sonata or trio [B] for two violins and a bass. – *London, P. Hodgson.* – St. [F 686
GB Lbm – US R

FEUILLADE C.

Four new minuets in 3 parts, six cotillions, eighteen country dances & 2 hornpipes set for the violin, harpsichord and german flute . . . for the year 1782. – *London, W. Campbell, (1782).* – P. [F 687
GB Ob

FEURLE Johann Martin

II Duetten [F, C] für 2 Violin in Musik gesezt. – *Augsburg, Andreas Böhm.* – St. [F 688
CH EN

FEVIN Antoine de

Misse Antonii de Fevin. Sancta trinitas. Mente tota. Ave Maria. Le vilayn ialoys. Roberti de Fevin. Quarti toni. Pierzon. – *Venezia, Ottaviano Petrucci, 1515.* – St.
SD 1515^1 [F 689
A Wn (kpl.: S, A, T, B) – F Pc – GB Lbm – I BGc (S)

Missa Antonii Fevin, super Mente tota. – *s. l., s. n., 1560.*   [F 690
D-brd WII (36 ungezählte Bll.)

FEVRIER Pierre

Le besoin d'aimer. Cantatille . . . avec simphonie. – *Paris, auteur (gravé par le Sr Hue).* – P.   [F 691
GB Lbm

Le Rossignol. Cantate à voix seule pour un dessus qui peut se chanter par une haute-contre avec simphonie. – *Paris, auteur, Mme Boivin, Le Clerc, Mme Hue (gravé par le Sr Hue).* – P.   [F 692
F Pn (2 Ex.)

Vulcain dupé par l'amour. IIIe Cantatille pour une basse-taille avec symphonie. – *Paris, auteur, Vve Boivin, Le Clerc (gravé par L. Hue), 1741.* – P.   [F 693
F Pc (2 Ex.)

Pièces de clavecin . . . plusieurs de ces pièces pouront aussy s'exécuter sur les autres instruments les plus en usage, premier livre. – *Paris, auteur, Vve Boivin, Le Clair (gravées par L. Hue), 1734.*
                    [F 694
F Pn (2 Ex.)

FEYER Constantin (Karl)

Ier Concerto [D] à violon principal . . . – *Paris, Imbault, No. 451.* – St.   [F 695
F Pn (kpl.: vl princ., vl I, vl II, vla, b, ob I, ob II, cor I, cor II [je 2 Ex.]) – B Bc

— Concerto à violon principal accompagné des divers instruments . . . œuvre premier. – *Berlin, Johann Julius Hummel; Amsterdam, grand magazin de musique, No. 733.* – St.   [F 696
NL DHgm (kpl.: 9 St.)

Concert [F] pour le violon principal accompagné des diverses instruments . . . œuvre second. – *Berlin, Johann Julius Hummel, No. 771.* – St.   [F 697
I Mc (kpl.: vl princ., vl I, vl II, vla, b, ob I, ob II, cor I, cor II) – NL DHgm

— Concerto pour le violon avec accompagnement de plusieurs instruments . . . œuvre 2me. – *Offenbach, Johann André, No. 568.* – St.   [F 698
D-brd OF (kpl.: 9 St.), W – US Wc

FEYZEAU

Pièces de clavecin en sonates . . . œuvre première. – *Paris, aux adresses ordinaires; Toulouse, Brunet; Bordeaux, auteur (gravées par Mme Vendôme).*   [F 699
F Pn

FIALA Joseph

Six quatuors [Es, B, F, C, G, D] à deux violons, taille et violoncello . . . œuvre I. – *Frankfurt, W. N. Haueisen.* – St.
                    [F 700
B Bc – D-brd HR, MÜu – D-ddr Dlb – S Skma

— Six grand quatuors concertants pour deux violons, alto & violoncelle . . . œuvre I (= Titelauflage). – *ib.*   [F 701
A Wgm – D-brd Mbs, Tu

— Six quatuors concertants à deux violons, taille & violoncel . . . œuvre I. – *Berlin, Johann Julius Hummel; Amsterdam, grand magazin de musique, aux adresses ordinaires, No. 577.*   [F 702
C Tu – CH SO – D-brd F – GB Ckc – S Skma

— Six quatuors, violino primo, violino secondo, alto viola, violoncello obligatti . . . œuvre I. – *Paris, Mme Heina; Bruxelles, Godefroy La Rivière.*   [F 703
F Pn (vla, vlc) – US Wc

Trois quatuors [D, G, B] pour deux violons, alto & basse . . . œuvre IIIme. – *Wien, Artaria & Co., No. 57.* – St.
                    [F 704
C Tu – CS Pu – D-brd Mbs (vl II), MT (vl II [unvollständig], vlc), Tu – GB Lbm – I Vc – PL WRu – YU Zha

Trois quatuors [C, F, Es] pour deux violons, alto & basse . . . œuvre ([handschriftlich:] 4). – *Wien, Artaria & Co., No. 58.* – St.   [F 705
C Tu – D-brd HEms, Tu

Trois duos concertants [D, G, Es (A, E,
B)] pour violon & violoncelle ... œuv. IV,
liv. I (II). – *Augsburg, Gombart & Co.,
No. 253 (294).* – St.   [F 706
A Wgm (I) – CS Pu – **D-brd** Bhm (II) – S
Skma (II)

— Trois duos [D, G, Es] pour violon et
violoncelle ... œuvre 4me. – *Offenbach,
Johann André, No. 1256.*   [F 707
D-brd Bhm – **DK** Kk – S Skma

Duo concertant pour flûte ou hautbois et
basson ... (cahier [handschriftlich:] IIème
[F, C]). – *Regensburg, Joseph Sigmund
Reitmayr.* – St.   [F 708
D-brd Tu

**FIAMENGO FRANCESCO → FRANCES-
CO FIAMENGO**

**FIATELLO → FAITELLI Vigilio Biagio
(Blasio)**

FIDELIS Lancilotto

Il primo libro di madrigali aerosi a quatro
voci. – *Venezia, li figliuoli di Antonio
Gardano, 1570.* – St.   [F 709
SD 1570^25
I Bc (T)

FIEBIG Johann Christoph Anton

Heptaphonum opus musicum, seu septem
missae a canto, alto, tenore, basso, II.
violinis, et organo. – *Bautzen, Autor
(Richter), 1706.* – St.   [F 710
A Gmi (A, B, org) – **D-ddr** Dlb (kpl.: 7 St.) –
PL Wu

FIEDLER Zacharias

Abschieds-Liedchen (Zu guter Nacht, so
muß ich ziehen [für Singstimme mit bc],
so bey der ... Frauen von Baruthin ...
Leich-Begängnüs ... abgesungen ist worden (in: Aller Gottseligen Hertzen ...
Kleinod ... den 19. Martii Anno 1682 ...
betrachtet). – *Oels, Gottfried Güntzel,
(1682).*   [F 711
D-ddr Bds

FIELD John

Fal lal la [von S. Storace] with variations
for the piano forte. – *Dublin, Edmund Lee.*
                                         [F 712
GB Lbm

The favorite hornpipe ... arranged as a
rondo for the grand or small piano forte. –
London, Broderip & Wilkinson.   [F 713
D-brd W – **GB** CDp

FIESCO Giulio

Il primo libro di madrigali a quattro voci.
– *Venezia, Antonio Gardano, 1554.* – St.
                                         [F 714
D-brd Mbs (kpl.: S, A, T, B) – I Vnm (fehlt A)

Madrigali ... a quattro, a cinque et a sei
et quattro dialoghi dui a 7 et dui a 8. –
Venezia, Girolamo Scotto, 1563. – St.
                                         [F 715
E V (kpl.)

Madrigali ... a cinque voci, libro secondo.
– *Venezia, s. n., 1567.* – St.   [F 716
D-brd Mbs (kpl.: S, A, T, B, 5) – I Bc (fehlt S)

Musica nova a cinque voci ... libro primo.
– *Venezia, Antonio Gardano, 1569.* – St.
                                         [F 717
D-brd Mbs (kpl.: S, A, T, B, 5) – I Bc (fehlt S),
MOe (A)

FIGG W.

A first collection of four anthems & eight
psalms arranged for four voices. – *London,
T. Williamson.* – P.   [F 718
GB Lbm

FIGULUS Wolfgang

1553. Precationes aliquot musicis numeris
compositae. – *Leipzig, Wolfgang Gunther,
1553.* – St.   [F 719
D-ddr Dlb (S, A, T [jeweils unvollständig]) –
PL WRu (fehlt T)

1559. Tricinia sacra ad voces pueriles
pares in usum scholarum composita. –
*Nürnberg, Johann Berg, Ulrich Neuber,
1559.* – St.   [F 720

D-ddr Bds (inferior cantus), LEm (medius cantus)

1575a. Cantionum sacrarum, octo, sex, quinque, quatuor vocum, primi tomi: decas prima. Cum praefatione germanica . . . Martini Lutheri ante non impressa. – *Frankfurt/O., Johann Eichhorn, 1575.* – St.   [F 721
D-brd Mbs (kpl.; I: S, A, T, B; II: S, A, T, B) – **D-ddr** Dlb (I: A, T, B; II: S [unvollständig], B) – **PL** Wu (fehlt S II), WRu (fehlen S II, B II; A II [unvollständig])

1575b. Vetera nova, carmina sacra et selecta, de natali Domini nostri Iesu Christi, a diversis musicis composita, quatuor vocum. Zwantzig artige und kurtze Weynacht Liedlein, alt und neu, mit sonderm Fleis zusammen gebracht mit vier Stimmen . . . der erste Theil. – *Frankfurt/O., Johann Eichhorn, 1575.* – St.   [F 722
SD 1575²
D-brd Mbs (kpl.: S, A, T, B) – **D-ddr** Dlb (fehlt S)

1582. Sacrum nuptiale (Gaudens gaudebo in Domino) in honorem coniugii . . . Johannis Michael . . . et . . . Annae . . . Fritzschii . . . quinque vocibus comp. – *Wittenberg, Matthäus Welack, 1582.* – St.
                                                      [F 723
D-ddr Dlb (S I, S II, A, B; fehlt T)

1586a. Precatio pro tranquillitate ecclesiae, et reip: musicis numeris composita . . . quinque vocum. – *Wittenberg, Matthäus Welack, 1586.* – St.   [F 724
D-ddr Dlb (S I, S II, A, B [unvollständig]; fehlt T)

1586b. Der Hundert und Eilfte Psalm des Königlichen Propheten Davids, mit fünff Stimmen zu singen. – *Wittenberg, Matthäus Welack, 1586.* – St.   [F 725
D-ddr Dlb (fehlt T), LEm (kpl.: S I, S II, A, T, B)

1587. Amorum filii Dei, hymni sacri, de natali Domini nostri Iesu Christi: decadis IIII . . . quinque vocum. – *Wittenberg, Matthäus Welack, 1587.* – St.   [F 726
D-ddr Dlb (S I, S II, A, B [unvollständig]; fehlt T)

1594. Hymni sacri et scholastici cum melodiis et numeris musicis, anniversaria vice in libellum denuo collecti & aucti, studio & opera M. Friderici Birck. – *Leipzig, Michael Lantzenberger, 1594.* – Chb.
                                                      [F 727
D-brd W (2 Ex.) – N Ou

FILAGO Carlo

[Motecta Caroli Philagij, lib. I, a 1. 2. 3. & 4.v]. – *Venezia, erede di Angelo Gardano, 1611.* – St.   [F 728
I CEc (S [fehlt Titelblatt])

Sacrarum cantionum duarum, trium, quatuor, quinque, sex voc., liber tertius ex quibus aliquot instrumentis musicalibus concinuntur . . . cum basso ad organum. – *Venezia, Bartolomeo Magni, 1619.* – St.
                                                      [F 729
I CEc (S I)

Sacri concerti a voce sola, con la partitura per l'organo . . . opera quarta. – *Venezia, stampa del Gardano, appresso Bartolomeo Magni, 1642.* – St.   [F 730
PL WRu (kpl.: v, org)

FILEWOOD Thomas Roger

Six anthems. – *London, Longman & Broderip.*   [F 731
GB Lbm

FILIBERI Orazio

Salmi concertati a tre, quattro, cinque, sei, & otto voci, con doi violini . . . opera prima. – *Venezia, Alessandro Vincenti, 1649.*   [F 732
I Bc (kpl.: S I, S II/vl II, T I, T II/vl I, A, B, bc) – **PL** WRu

FILIPPI Gasparo

Concerti ecclesiastici, per le solennità principali dell'anno a 1. 2. 3. 4. 5. voci . . . libro primo. – *Venezia, Bartolomeo Magni, 1637.* – St.   [F 733
D-brd Ngm (S, A, B, bc) – **GB** Och (kpl.: S, A, T, B, bc) – **PL** WRu (S, A, T, bc)

Musiche di . . . [2–6st. ital. Gesänge, 5st. Madrigale, 3–5st. Sonaten]. – *Venezia, stampa del Gardano, 1649.* – St.   [F 734 **PL** WRu (A, T I, T II, vl I, vl II, a–vla, t–vla, b–vla; fehlen S I, S II, B und bc)

Sacrae laudes. – *Venezia, Francesco Magni, 1651.* – St.   [F 735 **PL** WRu (kpl.: pro voce, pro organo)

Salmi vespertini a doi chori . . . [con il basso continuo]. – *Venezia, stampa del Gardano, appresso Francesco Magni, 1653.* – St.   [F 736 **PL** WRu (I: S, A, T, B; II: S, A, B; org; fehlt T II)

Messe a doi chori. – *Venezia, stampa del Gardano, appresso Francesco Magni, 1653.* – St.   [F 737 **I** Bc (S II, T II, org)

FILIPPINI Stefano

1652. Concerti sacri a 2. 3. 4. e 5. voci . . . libro primo, opera seconda. – *Ancona, Ottavio Beltrano, 1652.* – St.   [F 738 **I** Bc (kpl.: S I, S II, A, T, B, org), FEc (S II), FOc (T, A, B)

1655a. Salmi a 3. 4. e 5. voci . . . opera terza. – *Venezia, stampa del Gardano, appresso Francesco Magni, 1655.* – St.   [F 739 **PL** WRu (S I, S II, T, B, org; fehlt A)

1655b. Salmi a tre voci con due violini con il Dixit, e Magnificat a cinque voci . . . opera quarta. – *Venezia, Francesco Magni, 1655.* – St.   [F 740 **PL** WRu (S I, S II, A, T, org; fehlt B)

1656. [3] Messe a tre voci . . . opera quinta. – *Roma, Maurizio Balmonti, 1656.* – St.   [F 741 **GB** Lbm (B) – **I** FOc (kpl.: S I, S II, B, org), Ls, PIa (fehlt B)

1670. Salmi a cinque voci brevi per tutto l'anno, da cantarsi con l'organo e senza . . . opera sesta. – *Bologna, Giacomo Monti, 1670.* – St.   [F 742 **B** Br (kpl.: S, A, T I, T II, B, org) – **GB** Lbm (T I, T II, B, org) – **I** Bc, Bof, Bsp, CEc (S), COd (kpl.; B unvollständig), FEc, FOc, Ls, Rsmt

1671. Concerti sacri a 2. 3. 4. e 5. con violini e senza . . . libro secondo, opera settima. – *Bologna, Giacomo Monti, 1671.* – St.   [F 743 **F** Pn (kpl.: S I, S II, A, T, B, org) – **I** Bc, Bof (B, org), Bsp, Ls, RA (S I)

1673. [4] Messe da capella a quattro voci col suo basso continuo per l'organo . . . opera ottava. – *Bologna, Giacomo Monti, 1673.* – St.   [F 744 **I** Bc (kpl.: S, A, T, B, org), Baf, BGi (fehlt org), FOc, Ls (2 Ex., 2. Ex. ohne S), PIa (S, T, B), PS, Sd (kpl. [2 Ex.])

1675. Motetti sacri a voce sola . . . opera nona. – *Bologna, Giacomo Monti, 1675.* – P.   [F 745 **I** Bc

1683. Messa e salmi brevi a otto voci . . . opera decima. – *Bologna, Marino Silvani (Giacomo Monti), 1683.* – St.   [F 746 **I** Bc (kpl.; I: S, A, T, B; II: S, A, T, B; org), Ls (kpl. [2 Ex.; 3. Ex. ohne T I])

1685. Salmi concertati a tre voci, con due violini . . . opera undecima. – *Bologna, Giacomo Monti, 1685.* – St.   [F 747 **I** Bc (kpl.: S I, S II, B, vl I, vl II, bassetto, org)

1686. Salmi brevi a otto voci . . . opera duodecima. – *Bologna, Giacomo Monti, 1686.* – St.   [F 748 **GB** Lbm (S I, S II, A II) – **I** Fc (A II), Ls (kpl.; I: S, A, T, B; II: S, A, T, B; org [je 2 Ex.]), NOVd

FILIPPO da Cavi → CAVI Filippo da

FILIPPO da San Giovanni Battista (MALABAILA)

Missae unica voce cum organo, vel sine organo concinendae loco eorum, quae cantu gregoriano cantari solent. – *Roma, Mascardi, 1681.*   [F 749 **I** Rsc (2 Ex.), RIM

— . . . [mit einer zusätzlichen Messe und 3 Sequenzen]. – *ib., Chracas, 1728.*   [F 750 **I** LA, Nc, Rc (2 Ex.), Rsc, Rvat

Missae unica voce cum organo, vel sine organo concinendae loco eorum, quae

cantu gregoriano cantari solent [inhaltlich nicht identisch mit den Ausgaben von 1681 und 1728]. – *Roma, Mascardi, 1704.*   [F 751
I Rsc (2 Ex.)

FILIPUCCI Agostino

Messa e salmi per un vespro, a cinque voci con due violini, e ripieni . . . opera prima. – *Bologna, Giacomo Monti, 1665.* – St.   [F 752
I Baf (S I, S II, A, T, B, vl I, vl II, org), Bc (kpl.: S I, S II, A, T, B, rip. [5 St.], vl I, vl II, org), Ls – PL WRu

Messe a quattro voci da cappella con una da morto nel fine . . . opera seconda. – *Bologna, Giacomo Monti, 1667.* – St.   [F 753
F Pc (S, A, T, org) – I Bc (kpl.: S, A, T, B, org), Baf (S, B), Ls, RA (kpl.; org in 2 Ex.)

FILTZ (Fils, Filz, Fieltz) Anton

SINFONIEN

Sammlungen

Six simphonies [Es, E, C, Es, F, C] à quatre parties, deux violons, alto viola & basse . . . mises au jour par Mr de La Chevardière . . . opera Iᵃ. – *Paris, de La Chevardière; Lyon, les frères Le Goux.* – St.   [F 754
F AG (vl II [im Impressum: . . . mises au jour par M. Huberti]), Pc (kpl. [3 Ex.]) – S Skma – GB Ckc (unvollständig [im Impressum: . . . mises au jour par M. Huberti]) – US BE (Impressum: M. Huberti chez M. de La Chevardière)

Six simphonies [A, g, B, F, D, Es] à quatre parties obligées, avec cors de chasse ad libitum . . . œuvre IIᵐᵉ. – *Paris, de La Chevardière.* – St.   [F 755
CS Bm (kpl.: 7 St.) – F A (fehlt vl I; vl II mit No. 47)

— *ib., Huberty (gravé par Chambon).*   [F 756
B Bc (kpl.: 7 St.) – F Pc

—*ib., Huberty; Lyon, les frères Le Goux.*   [F 757

CH Gc (fl, vl I, vl II, vla, b) – F Pc (3 Ex.; 1. Ex.: kpl.; 2. Ex.: fehlen fl I und fl II; 3. Ex.: vl I, vl II, vla, bc), Pn (vl I) – NL Uim (fehlt cor II)

— *London, Welcker.*   [F 758
GB Lbm (kpl.: 7 St.) – US PRu (kpl.; bc [2 Ex.])

— Sei sinfonie [A, Es, g, B, G, D] a più stromenti . . . opera IIᵃ . . . les parties de cors de chasse se vendent séparément. – *Paris, de La Chevardière, aux adresses ordinaires.*   [F 759
CH Bu (vl I) – D-brd Mbs (vl II, vla, b, fl)

Sei sinfonie [Es, F, Es, B, D, C] a più stromenti . . . mis au jour par Huberty . . . œuvre V. – *Paris, Huberty; Lyon, les frères Le Goux; Rouen, Magoy.* – St. [F 760
F Pc (kpl.: 7 St.)

— *ib., Huberty.*   [F 761
F Pc (fehlt cor II)

Six simphonies choisies [A, D, A, C, B, Es] à deux violons, taille et basse, deux hautbois et deux cornes de chasse ad libitum. – *Den Haag, Burchard Hummel; Amsterdam, Johann Julius Hummel.* – St.   [F 762
D-brd MÜs (kpl.: 8 St.) – GB A, Lbm, Mp, Ob – I Vc (fehlt fl II) – S L, Skma

Six quartettos [B, C, A, F, E, Es] for two violins a tenor and a violoncello obligato. – *London, Charles & Samuel Thompson.* – St.   [F 763
D-brd B – DK Kk – F Pmeyer – GB Lbm (vlc) – US CA, Wc

Einzelne Sinfonien und Sinfonien in Sammlungen

Simphonie périodique [A] a più stromenti . . . Nᵒ II. – *Paris, de La Chevardière; Lyon, les frères Le Goux.* – St.   [F 764
B Bc – F AG (vl II, fl/ob), Pc (kpl.: 7 St.; im 2. Ex. fehlt b)

Simphonie périodique [Es] a più stromenti . . . Nᵒ IV. – *Paris, de La Chevardière; Lyon, les frères Le Goux.* – St.   [F 765
B Bc – CH Bu (vl I) – F AG (vl II, fl/ob), Pc (kpl.: 7 St; im 2. Ex. fehlt b) – I Vqs

Simphonie périodique [D] a più stromenti . . . Nᵒ VI. – *Paris, de La Chevardière; Lyon, les frères Le Goux.* – St.   [F 766

B Bc – **CH** Bu (vl I) – **F** AG (fehlen vl I, vl II), Pc (kpl.: 7 St.)

Simphonie périodique [G] a più stromenti . . . N⁰ VIII. – *Paris, de La Chevardière; Lyon, les frères Le Goux.* – St.   [F 767
F BO (vl II, vla, b, cor I, cor II), Pc (kpl.: 7 St.)

Simphonie périodique [D] a più stromenti . . . N⁰ X. – *Paris, de La Chevardière; Lyon, les frères Le Goux.* – St.   [F 768
CH Bu (vl I) – **F** Pc (kpl.: 7 St.; im 2. Ex. fehlt b) – **GB** Ob

Simphonie périodique [E] a più stromenti . . . N⁰ 40. – *Paris, de La Chevardière; Lyon, les frères Le Goux.* – St.   [F 769
F Pc (vl I, vl II, vla, b, cor I, cor II)

Simphonie périodique [A] a più stromenti . . . N⁰ 44. – *Paris, de La Chevardière; Lyon, les frères Le Goux.* – St.   [F 770
F Pc (vl I, vl II, vla, b) – **GB** Cu (unvollständig)

Simphonie périodique . . . N⁰ 3 [F]. – *Amsterdam, S. Markordt.* – St.   [F 771
GB Gm (unvollständig)

Simphonia a più strumenti obligati . . . N⁰ 6 [G] . . . mise au jour par Mʳ Huberty. – *Paris, Huberty; Lyon, les frères Le Goux (imprimé par Tournelle).* – St.   [F 772
CS Pu (vl, fl, vlc, b [je 3 Ex.]) – **D-brd** Mbs (vl, fl, vlc, b) – **US** NYq (vl, fl, vlc, b [je 3 Ex.])

Simphonia a più strumenti obligati . . . N⁰ 8 [Es] . . . mise au jour par Mʳ Huberty. – *Paris, Huberty; Lyon, les frères Le Goux.* – St.   [F 773
F Pc (kpl.: 7 St.), Pn

To be continued monthly. The periodical overture in 8 parts . . . number IV [Es]. – *London, R. Bremner.* – St.   [F 774
D-brd Mbs (fehlen cor I, II) – **GB** Ge (kpl.: vl I, vl II, vla, b, fl I, fl II, cor I, cor II), Lbm (unvollständig), Ob

To be continued monthly. The periodical overture in 8 parts . . . number VIII [Es]. – *London, R. Bremner.* – St.   [F 775
GB Er

To be continued monthly. The periodical overture in 8 parts . . . number XXX [F]. – *London, R. Bremner.* – St.   [F 776

GB Er, Lbm, Mp, Ob – **US** BE (fehlen ob I, cor II), NYp (kpl.; b [2 Ex.]), Wc (kpl.; b [2 Ex.])

Sinfonie a più stromenti composte da vari autori . . . [N⁰ 1: G]. – *Paris, Venier; Lyon, Castaud (gravées par Mme Leclair).* – St.   [F 777
SD S. 357
B Bc (kpl.: 7 St.) – **F** Pc – **GB** Ob

— *ib., Venier, Bayard, Mlle Castagnery, Le Menu, Le Clerc.*   [F 778
F AG (vl II, vla, cor I), Pc (kpl.: 8 St.; mit Ausnahme von b jeweils 2 Ex.)

Sinfonie a più stromenti composte da vari autori . . . [N⁰ 8: C]. – *Paris, Venier; Lyon, Castaud (gravées par Mme Leclair).* – St.   [F 779
SD S. 357
F Pc (kpl.: 7 St.) – **GB** Ob

Sei sinfonie a più strumenti . . . N⁰ II (III, V) . . . les cors de chasse sont ad libitum et se vendent séparément, opera terza. – *Paris, M. Bayard.* – St.   [F 780
SD S. 355
US AA (fehlt cor II)

— *ib., de La Chevardière.*
SD S. 355   [F 781
B Bc (fehlt a–vla) – **D-brd** Mbs (cor II)

VI Sinfonie a più stromenti . . . [N⁰ 1] . . . opera XII. – *Paris, Venier, Bayard, Mlle Castagnery, Le Menu, Le Clerc (gravées par Mme Leclair).* – St.
SD S. 356   [F 782
S Skma (kpl.: 6 St.)

Sei sinfonie a più stromenti . . . [N⁰ 2] . . . opera XIII . . . compris les parties de hautbois, flûtes et cors de chasse. – *Paris, Venier.* – St.
SD S. 356   [F 783
F Pc (kpl.: 7 St.) – **S** Skma

Konzerte

Due concerti per flauto traverso principale, violino primo, violino secondo, alto viola & basso, corni ad libitum, composti dal Signor Filtz & . . . opera IIda. – *Paris, de La Chevardière (gravés par Mme La Vve Leclair).* – St.   [F 784
SD S. 144
GB Ckc

A concerto in seven parts for the violoncello ... – *London, G. Gardom.* – St.   [F 785
US BE (vlc princip., vl II, vla, cor I)

A favourite concerto [C] adapted for the organ, harpsicord or piano forte. – *London, G. Gardom.*   [F 786
GB Lbm – **US** NYp

KAMMERMUSIK

Sei sonata da camera [C, D, G, F, G, D] a tre stromenti, violoncello obligato, flauto traverso, o violino e basso. – *Paris, de La Chevardière, aux adresses ordinaires; Lyon, Castaud.* – St.   [F 787
D-brd Mbs (kpl.: vl I, vlc oblig., fl/vl. b) – **US** Wc

— *ib., Moria (gravé par Mlle Vendôme).*   [F 788
B Bc – **F** Pc, Pn (vl I)

Six sonatas [C, D, G, D, F, G] for two german flutes and violoncello with a thoro' bass for the harpsicord or organ, opera 2. – *London, Longman, Lukey & Co.* – St.   [F 789
GB Lbm, Mp

Five trios [G, C, G, F, D] and one quartetto [G] for a german flute or violin, violoncello obligato and a bass. – *London, Hummel's music shop.* – St.   [F 790
D-brd Mbs (b) – **GB** Ckc (kpl. [2 Ex.]), Lbm – **US** Wc

— *ib., Welcker.*   [F 791
GB Lbm (vl/fl, vlc, b) – **S** Skma (kpl.: vl/fl, vl II, vlc, b) – **US** Wc

Sei sonate [C, A, B, f, Es, D] a tre, due violini & basso ... opera III. – *Paris, de La Chevardière, aux adresses ordinaires; Lyon, les frères Le Goux (imprimé par Bernard).* – St.   [F 792
B Bc – **D-brd** Mbs – **F** Pc, Pn (kpl.; vl I [2 Ex.]) – **GB** A (unvollständig), Ckc, Lbm – **US** AA, Wc

— Six trio à deux violons & basse ... opera troisième. – *Amsterdam, Johann Julius Hummel, No. 95.* – St.   [F 793
D-brd B – **I** Nc (b) – **S** Skma, SK (vl I) – **US** Wc

Six sonates en trio [a, B, C, D, F, G] pour le clavecin, violon et basse ... la partie du clavecin gravée par Mme Leclair. – *Paris, de La Chevardière.* – St.   [F 794
CH Gpu – **F** BO (fehlt clav), Mc (vl), Pa (clav), Pc (kpl.; clav [2 Ex.]), Pn (kpl.: clav [4 Ex.], vl [2 Ex.], b [2 Ex.]) – **NL** Uim – **S** Skma (kpl.; b [unvollständig])

— Six sonates [a, B, F, C, G, D] pour le clavecin accompagnées d'un violon obligé et d'un violoncelle ... œuv: 2da. – *Amsterdam, Johann Julius Hummel.*   [F 795
S Skma (clav) – **SF** A (kpl. mit clav in handschriftlicher Kopie)

— Six sonatas for the harpsichord with accompaniments for the violin & violoncello ... opera second. – *London, R. Bremner.*   [F 796
GB Ckc, Lbm (2 Ex.; 2. Ex. ohne hpcd), Ob (unvollständig) – **US** Bp, CHH (hpcd), Wc

Sonates [D, A, c] pour le violoncelle et basse continue, ou, le violon seul & basse ... œuvre V. – *Paris, de La Chevardière (gravées par P. L. Charpentier).* – P.   [F 797
F Pn – **GB** Lbm – **US** CHua, NYp

— Sonate pour le violon avec l'accompagnement de basse. – *Leipzig, Breitkopf & Härtel, No. 108.* – St.   [F 798
US Wc

Six sonates en trio [G, D, A, E, C, D] pour une flûte, un violon et basse ... œuvre VI^a. – *Paris, de La Chevardière; Lyon, les frères Le Goux.* – St.   [F 799
F Pc – **S** Skma

— *ib., de La Chevardière; Lyon, Castaud.*   [F 800
F Pc

— *ib., Huberty.*   [F 801
F Pmeyer

FINATTI Giovanni Pietro

Missae, motetta, litaniae B. Virginis, cum quatuor eius solennibus antiphonis, duabus, tribus, quatuor, & quinque vocibus, cum instrumentis & suis replementis ad

libitum, opus secundum. – *Antwerpen,*
Magdalène Phalèse & cohéritiers, 1652. –
St.   [F 802
CH Zz (kpl.: prima pars, secunda pars, tertia
pars, quarta pars, quinta pars, vl I, vl II, org) –
F Pn – **I** PCd

FINAZZI Filippo

Zwölf Italiänische Oden für Liebhaber des
Spielens und Singens, auf die leichteste
Weise in Musik gesetzt. – *Hamburg, M. C.*
Bock.   [F 803
B Bc – **D-ddr** LEm – **GB** Lbm (fehlt letzte
Seite)

VI. Sinfonie [G, A, B, C, D, Es]. – *Ham-*
burg, (presso li Sig^{ri} Petit e Dumoutier,
Vicino alla Borsa), (1754). – St.   [F 804
D-ddr ROu (vl I, vl II, vla, bc) – **US** Wc

FINCK Hermann

Melodia epithalami (Amore flagrantissi-
mo) . . . Iohanni Friderico II. Duci Saxo-
niae . . . 5 vocum. – *Wittenberg, Georg*
Rhaus Erben, 1555. – St.   [F 805
PL Wn (T)

Melodia epithalamii Henrico Paxmanno
. . . quatuor vocum. – *Wittenberg, Georg*
Rhaus Erben, 1555. – St.   [F 806
PL Wn (B)

Melodia epithalamii honestissimi viri Io-
hannis Schrammi et pudicissimae virginis
Iohannae . . . quinque vocum. – *Witten-*
berg, Georg Rhaus Erben, 1557. – St.
                                        [F 807
PL WRu (kpl.: S I, S II, Media vox, Contra-T,
B)

FINCK Joachim

Cantiuncula in foelicem novi anni ingres-
sum, quinque vocibus composita. – *Wit-*
tenberg, s. n., 1571. – St.   [F 808
D-ddr Dlb (S, A, T, B; fehlt 5)

Melodia gratulatoria (Sic ubi iactantur) in
honorem . . . D. Noae Freudemanni Span-
doviensis . . . quinque vocibus composita.
– *Wittenberg, Lorenz Schwenck, 1571.* – St.
                                        [F 809
D-ddr Dlb (S, A, T, B; fehlt 5)

FINETTI Giacomo

1605. Completorium, quinis vocibus de-
cantandum. – *Venezia, Ricciardo Ama-*
dino, 1605. – St.   [F 810
I Bc (S)

1606. Orationes vespertinae quaternis vo-
cibus concinendae. – *Venezia, Ricciardo*
Amadino, 1606. – St.   [F 811
I Bc (S)

1609. Omnia in nocte Nativitatis Domini
nostri Iesu Christi, quae ad matinum [!]
spectant, quinque vocibus. – *Venezia,*
Angelo Gardano, 1609. – St.   [F 812
I Ac (S), Bc (kpl.: S, A, T, B, 5), CEc (A [un-
vollständig], B, 5)

1611a. Psalmi ad vesperas in solemnitate
sanctissimi corporis Christi decantandi
octo vocibus . . . una cum basso ad organum . . . quibus adduntur duo Cantica
Beatae Virginis. – *Venezia, Angelo Gar-*
dano & fratelli, 1611. – St.   [F 813
D-brd BAs (A I), Rp (I: S, A, B; II: S, A; org)

— . . . secundo impressum. – *ib., sub signo*
Gardani, appresso Bartolomeo Magni,
1628.   [F 814
I Ac (I: S, A, T,B; II: S, A, T, B)

1611b. Motecta binis vocibus concinenda,
una cum basso ad organum accomodata
. . . liber secundus. – *Venezia, Angelo Gar-*
dano & fratelli, 1611. – St.   [F 815
D-brd Rp (org; fehlen S und T)

— . . . (quarta impressione). – *ib., stampa*
del Gardano, appresso Bartolomeo Magni,
1617.   [F 816
A Wn (T)

— . . . quinta impressione. – *ib., sub signo*
Gardani, appresso Bartolomeo Magni,
1621.   [F 817
D-brd Rp (kpl.: S, T, org) – **I** Bc (T)

1612. Concerti a quattro voci con il basso
per l'organo novamente ristampati. –
Venezia, erede di Angelo Gardano, 1612. –
St.   [F 818
D-brd Rp (S, B) – **I** PCd (kpl.: S, A, T, B, org)

— Il primo libro de concerti a quattro
voci . . . quinta impressione. – *ib., stampa*

del Gardano, appresso Bartolomeo Magni,
1618. [F 819
A Wn (T) – **D-brd** Rp (kpl.: S, A, T, B, org) –
I Bc (org)

1613a. Cantiones binis vocibus concinen-
dae, cum basso ad organum, liber tertius.
– *Venezia, Bartolomeo Magni, 1613.* – St.
[F 820
A Wn (kpl.: S, T, org)

— ... quarta editio. – *ib., stampa del*
Gardano, appresso Bartolomeo Magni,
1620. [F 821
A Wn (T) – **D-brd** Rp (kpl.: S, T, org) – **I** Ac
(T [fehlt Titelblatt]), Bc (S)

1613b. Sacrarum cantionum ternis vocibus, cum basso ad organum ... liber
quartus, additis in fine litaniis Beatissimae Virginis Mariae quatuor vocibus
etiam sine organo decantandis. – *Venezia,*
stampa del Gardano, aere Bartolomei
Magni, 1613. – St. [F 822
D-brd Mbs (B)

— ... secunda impressione. – *ib., stampa*
del Gardano, appresso Bartolomeo Magni,
1617. [F 823
A Wn (T)

— ... tertia impressione. – *ib., 1621.*
[F 824
D-brd Rp (kpl.: S, T, B, org)

— Sacrorum concertuum ternis vocibus
concinendorum cum basso ad organum. –
Oberursel, Nikolaus Stein (Bartholomäus
Busch), 1619. [F 825
GB Lbm (B, org)

1614. Salmi a tre voci ... con il basso
per l'organo. – *Venezia, stampa del Gar-*
dano, aere Bartolomei Magni, 1614. – St.
[F 826
D-brd Mbs (B)

— ... seconda impressione. – *ib., stampa*
del Gardano, appresso Bartolomeo Magni,
1618. [F 827
D-brd Rp (kpl.: S I, S II, B, org)

— ... tertia impressione. – *ib., 1629.*
[F 828
A KR (S II)

1617a → 1611b
1617b → 1613b

1618a → 1612
1618b → 1614

1619 → 1613b

1620 → 1613a

1621a. Tripartitus ss. concentuum fasciculus, sive trium Italiae lucidissimorum
syderum musicorum utpote: Iacobi Finetti, Petri Lappi, et Iulii Belli ss. medi-
tationes musicae ... I. II. III. IV. V. VI.
vocum, nunc primum in Germania divol-
gatae, una cum symphonijs & basso ad
organum. – *Frankfurt, Nikolaus Stein,*
1621. – St.
SD [F 829
D-ddr Dlb (S [unvollständig], T, B, org [un-
vollständig]) – **PL** Wu (S)

1621b. Concerti ecclesiastici II. III. et
IIII. vocibus, cum basso generali ad or-
ganum. – *Antwerpen, Pierre Phalèse, 1621.*
– St. [F 830
GB Lbm (unvollständig), Och (kpl.: A, T, Con-
tra–T, B, org)

1621c → 1611b
1621d → 1613b

1622. Corona Mariae quatuor concinenda
... liber quintus. – *Venezia, sub signo*
Gardani, appresso Bartolomeo Magni,
1622. – St. [F 831
B Br (A, org) – **D-brd** DO (A, T, B, org), Rp
(kpl.: S, A, T, B, org) – **I** Bc

1628 → 1611a

1629 → 1614

1631 [Gesamtausgabe]. Motetti, concerti
et psalmi binis, ternis, quaternis octonisque vocibus concinendi cum basso ad
organum ... antea Venetiis diversis tem-
poribus, septem separatis editi libris, jam
vero commodioribus usus causa ... uno
volumine ... liber primus (-septimus). –
Frankfurt, Johann Theobald Schönwetter
(Erasmus Kempffer), 1631. – St. [F 832
D-brd F (kpl.: S, A, T, B, org), W (T, org) –
GB Mp (lib. primus: T; lib. tertius: B) – **PL** Wu
fehlt T) – **S** V

FINGER Gottfried

MUSIK ZU BÜHNENWERKEN

The humours of the age

Ayres. – *s. l., s. n.* – St.   [F 833
GB Lcm

Love at a loss

Ayres. – *s. l., s. n.* – St.   [F 834
GB Lbm (unvollständig), Lcm

Love for love

A song . . . in the new play. – *London,
J. Heptinstall, for John Hudgebutt; Carr,
1695.*   [F 835
GB Lbm

Love makes a man, or the Fops fortune

Ayres. – *[London, John Walsh & Joseph
Hare].* – St.   [F 836
GB Lbm (unvollständig), Lcm

The loves of Mars & Venus (Einlage zu
The anatomist, or The sham doctor; mit
John Eccles)

Single songs, and dialogues, in the musi-
cal play of Mars & Venus, perform'd with
The anatomist, or The sham doctor, set
to musick by Mr. Finger, and Mr. John
Eccles. – *London, J. Heptinstall, for the
authors, John Hare, John Welch [!], 1697.*
– KLA.
SD   [F 837
US Wc, Ws
(vgl. John Eccles)

The pilgrim

Calms appear when storms are past. Ve-
nus [Song]. – *s. l., s. n.*   [F 838
GB Eu, Lbm

Sir Harry Wildair

Ayres. – *[London, John Walsh & Joseph
Hare].* – St.   [F 839
GB Lbm (unvollständig), Lcm

The virgin prophetess, or The fate of Troy

Ayres. – *[London, John Walsh & Joseph
Hare].* – St.   [F 840
GB Lbm (unvollständig), Lcm

VOKALMUSIK

She that wou'd gain a faithful lover. A
song. – *[London], s. n. (Thomas Cross).*
                                                  [F 841
GB Lgc

To Victoria [Song]. – *s. l., s. n.*   [F 842
GB Ckc, Lbm, Mch – US Ws

While here for the fair Amarillis. A song. –
[London], s. n., (Thomas Cross). [F 843
GB Lgc, Mch

— . . . a new song. – *s. l., s. n.*   [F 844
GB Eu

INSTRUMENTALWERKE

Sonatae XII. pro diversis instrumentis
quarum tres priores pro violino & viola di
gamba, proximae tres pro II violinis &
viola di basso, tres sequentes pro III
violinis, reliquae pro II violinis & viola,
omnes ad bassum continuam pro organo
seu clavicymbalo formantur . . . opus
primus. – *London, s. n. ([vl I:] engraved
by S. Gribelin), 1688.* – St.   [F 845
D-ddr LEm (kpl.: vl I, vl II, vla da gamba, bc)
– GB Ckc (2 Ex. [unvollständig]), Cmc, DRc,
Lbm, LEc (unvollständig), Ob (unvollständig),
T – US NYp

— *Amsterdam, Estienne Roger, 1688.*
                                                  [F 846
F Pc (kpl.: vl I, vl II, vla da gamba, bc) – GB
DRc

Six sonatas [F, c, C, B, g, G] of two parts
for two flutes . . . opera secunda. – *London, John Walsh & Joseph Hare.* – St.
                                                  [F 847
GB Lbm (kpl.: fl I, fl II)

VI Sonatas or solo's [B, F, E, G, d, F]
three for a violin & three for a flute wth a
thorough bass for ye harpsychord. –
[London, author, 1690]. – P.   [F 848
GB Ckc, Mp – S U (fehlt Titelblatt)

— *London, John Walsh.*   [F 849
GB Lbm

Dix sonates à 1 flûte & 1 basse continue
. . . opera terza. – *Amsterdam, Estienne
Roger.* – St.   [F 850
GB Ckc (unvollständig) – US Wc (kpl.: fl, bc)

Six sonates à 2 flûtes & 1 basse continue
. . . opera quarta. – *Amsterdam, Estienne
Roger.* – St.   [F 851
F Pc (kpl.: fl I, fl II, bc)

X Suonate a tre, due violini e violoncello
o basso continuo . . . opera quinta. –
Amsterdam, Estienne Roger. – St. [F 852
F Pn (kpl.: vl I, vl II, org/vlc [2 Ex.]) – **GB**
Lcm – **S** LB

XII Suonate a due flauti e violoncello o
basso continuo . . . opera quarta e sexta,
ed. corr. trez exactement sur la partition
par Estienne Roger. – *Amsterdam, Estienne Roger, No. 71.* – St.   [F 853
US Wc

A collection of choice ayres for two &
three treble flutes [second issue]. – *London, Thomas Jones & John May.* – St.
     [F 854
GB Cmc

FINOLT Andreas

Der 76. Psalm, das ist, Ein Lied Asaphs
. . . auff das Evangelische von unserm
gnädigsten Churfürsten . . . anverorden-
tes Jubel Jahres Fest unter andern mit
zu musiciren . . . componirt mit acht
Stimmen uffs leichteste. – *Erfurt, Philipp
Wittel, [Titelblatt:] (1617).* – St. [F 855
GB Lbm (kpl.; I: S, A, T, B; II: S, A, T, B)

Prodromus musicus, in quo tria duntaxat
praecipuarum anni, Nativitatis nempe,
Paschatis, et Pentecostes, festivitatum,
continentur Magnificat . . . octo simpli-
citer adornata vocibus. – *Erfurt, Johann
Bischof (Philipp Wittel), 1619.* – St.
     [F 856
A Wgm (kpl.; I: S, A, T, B; II: S, A, T, B) –
D-brd Cm (S II)

Prodromus musicus, in quo . . . continentur Magnificat . . . octo simpliciter adornata vocibus. – *Erfurt, Johann Bischof
(Philipp Wittel), 1620.* – St.   [F 857
D-ddr LUC (S I, S II, T I, B I)

Operationum musicalium pars prima; qua
est cantionum aliquot Davidico-Luthera-
narum . . . quinque compositarum vocibus. – *s. l., s. n., (1620).* – St.   [F 858
D-ddr Dlb (A, B)

FIOCCO Jean-Joseph

[12] Sacri concentus, quatuor vocibus ac
tribus istrumentis modulandi . . . opus
primum. – *Amsterdam, Estienne Roger.* –
St.   [F 859
CH Zz (kpl.: S, A, T, B; vl I, vl II, b-vla, bc) –
D-brd Mbs (kpl.; S handschriftlich), Rtt (A,
vl I, vl II, b-vla) – **GB** Lbm – **NL** At

FIOCCO Joseph-Hector

[24] Pièces de clavecin . . . œuvre premier.
– *Bruxelles, Jean Laurent Krafft.* [F 860
CS Pk (fehlt Titelblatt) – **F** Pn, Pc (fehlt Titel-
blatt) – **GB** Lbm

— [Adagio et Allegro (aus: Pièces de clavecin)]. – *ib., 1730.*   [F 861
B Bc

— Adagio et Allegro pour le clavecin . . .
opera prima. – *Amsterdam, Gerhard Fred-
rik Witvogel, No. 19.*   [F 862
A Wgm – **S** Skma

FIOCCO Pierre-Antoine

Sacri concerti, a una e più voci, con in-
strumenti, e senza . . . opera prima. –
Antwerpen, Hendrik Aertssens, 1691. – St.
     [F 863
GB Lcm (S, A, T, B, 5; vl I, vl II, vla, b) – **NL**
At (vl II), Usg (kpl.: S, A, T, B, 5; vl I, vl II,
a-vla, t-vla, vla/fag, bc)

— *Amsterdam, Estienne Roger.*   [F 864
GB Ge (kpl.: 11 St.)

FIORANI Cristoforo

Duo completoria quorum unum tam
plena voce, quam ad organum decantari
potest; alterum vero concertatum decantari debet quinque vocibus; cum letanijs
B. Mariae Virginis, cum basso ad organum. – *Venezia, Bartolomeo Magni,
1620.* – St.   [F 865
I Bc (kpl.: S, A, T, B, 5, org), FA (A [unvoll-
ständig], B), Sac (S [2 Ex.], A, T [2 Ex.], B,
org), SPE (5, org)

Salmi concertati a 4 voci, in diverse maniere alla moderne. – *Venezia, stampa del
Gardano, appresso Bartolomeo Magni,
1626.* – St.   [F 866
I Rc (T, org), Sac (B)

Missarum liber secundus octonis vocibus
concinendarum, quae tam plena voce,
quam ad organum accommodatae una
vero ad concentum decantanda, opus
septimum. – *Venezia, Alessandro Vin-
centi, 1635.* – St.   [F 867
I Bc (A I, B I)

FIORE' Andrea

[12] Sinfonie da chiesa a tre cioe due violini, e violoncello con il suo basso continuo per l'organo ... op. prima. – *Mo-
dena, Fortuniano Rosati, 1699.* – St.
                                                  [F 868

I Bc (kpl.: vl I, vl II, vlc, bc)

— *Amsterdam, Estienne Roger.*   [F 869
B Bc – **GB** Lcm, Ob

FIORE' Angelo Maria

Trattenimenti da camera a due stromenti,
violoncello e cimbalo o violino e violoncello. – *Lucca, Bartolomeo Gregori, 1698.* –
St.   [F 870
I Vc-correr (vl)

— ... opera prima. – *Amsterdam, Estien-
ne Roger.*   [F 871
GB DRc (kpl.: vl/vlc, b/vlc)

FIORILLO Carlo

Madrigali a cinque voci ... libro primo. –
Roma, Giovanni Battista Robletti, 1616. –
St.   [F 872
I Bc (kpl.: S, A, T, B, 5), Rsc

FIORILLO Federigo

Konzerte und konzertante Sinfonien

[N^o I]. Concerto [F] à violon principal,
deux violons, alto et basse, deux hautbois, deux cors ad libitum. – *Paris, Sieber,
No. 1006.* – St.   [F 873

A Wgm (kpl.: 9 St.) – **D-brd** Mbs (vl princip.) –
F BO

N° 2. Concerto [F] à violon principal,
deux violons, alto et basse, deux hautbois,
deux cors. – *Paris, Sieber, No. 1045.* – St,
                                                  [F 874
F BO (kpl.: 9 St.), Pc – **H** Bn (fehlen cor I, cor
II)

3^m. Concerto [A] à violon principal, deux
violons, alto et basse, deux flûtes, deux
cors. – *Paris, Sieber, No. 1528.* – St.
                                                  [F 875
D-brd Sh (kpl.: 9 St.) – **F** BO

Quatrième concerto à violon principal
deux violons, alto, basso, deux hautbois
& deux cors. – *Paris, Sieber (gravé par
Richomme), No. 157.* – St.   [F 876
D-brd F (kpl.: 9 St.; Etikett: Frankfurt, Gayl
& Hedler) – **US** Wc

Concerto à violino principale violino primo, secondo, alto & basso, deux hautbois
ou flûtes et deux cors de chasse ... œuvre
troisième, libro I(–III). – *Berlin, Johann
Julius Hummel; Amsterdam, grand magazin de musique, aux adresses ordinaires,
No. 589.* – St.   [F 877
D-brd MÜu (I: kpl.; II: vla, b) – **E** Mn – **S** L
(II)

N° 1. Simphonie concertante pour 2 flûtes
principales, 2 violons, alto et basse, 2 hautbois, 2 cors. – *Paris, Sieber.* – St.   [F 878
F Pc (kpl.: 10 St.) – **H** SFm – **YU** Zha

— Simphonie concertant [G] pour deux
flûtes principales avec accompagnement
de deux violons, deux hautbois, deux cors
alt & basse ... œuv: 20. – *Augsburg,
Gombart & Co., No. 379.* – St.   [F 879
D-brd Mbs (kpl.: 10 St.)

[2^n]. Simphonie concertante ... à deux
violons principaux, deux violons, alto et
basse, deux flûtes, deux cors. – *Paris,
Sieber.* – St.   [F 880
D-brd F (kpl.: 10 St.; vl II princip. [2 Ex.])

[3e]. Simphonie concertante ... à deux
violons principaux, deux violons, alto et
basse, deux flûtes, deux cors ... œuvre
VIII. – *Paris, Sieber.* – St.   [F 881
D-brd F (kpl.: 10 St.) – **US** Wc

[4e]. Simphonie concertante [F] à deux hautbois principal, deux violons, alto et basse, deux flûtes et deux cors. – *Paris, Sieber.* – St.   [F 882
D-brd MÜu (kpl.: 10 St.) – **GB** Ckc

5me. Simphonie concertante à deux violons principaux, deux violons, alto et basse, deux hautbois, deux cors. – *Paris, Sieber, No. 1664.* – St.   [F 883
D-brd F (kpl.: 10 St.)

Werke für 5 Instrumente

Trois quintetti [Es, E, g] concertants à deux violons, deux alto et basse ... œuvre XIIme. – *Paris, Sieber, No. 1217.* – St.   [F 884
CH Gc – **F** Pc (kpl.: vl I, vl II, vla I, vla II, b [je 2 Ex.]) – **S** Skma – **US** AA, NYp (fehlt vl I in Quintett 2 und 3), Wc

Werke für 4 Instrumente

Six quatuors concertants [Es, g, G, D, d, c] à deux violons, alto et basse ... œuvre I^r, revue et corigé [!] par l'auteur. – *Paris, Sieber.* – St.   [F 885
A Wgm – **B** Bc – **GB** Lam, Lbm – **I** Mc – **US** AA, NYp (unvollständig), Wc

— Six quatuors concertants [Es, d, G, D, g, c] à deux violons, taille et violoncelle ... œuvre second. – *Berlin, Johann Julius Hummel; Amsterdam, grand magazin de musique, No. 454.*   [F 886
S L, Skma, Uu, V

Six quatuors concertants pour flûte, violon, alto et basse ... œuvre IV^m. – *Paris, Sieber.* – St.   [F 887
US R

Six quatuors [C, A, G, a, D, e-E] pour flûte, violon, viola & violoncelle ... œuvre VII. – *Berlin, Johann Julius Hummel; Amsterdam, grand magazin de musique, aux adresses ordinaires, No. 984.*   [F 888
D-brd BNba

Six quatuors concertants [A, Es, G, D, g, B] ... pour deux violons, alto et basse ... œuvre VI^m. – *Paris, Sieber.* – St.   [F 889
B Bc – **CH** Gc – **D-brd** Mmb (kpl.; vl I mit Etikett: Bonn, N. Simrock) – **D-ddr** Dlb (Etikett: Imbault) – **US** NYp, R (mit No. 930), Wc

Trois quatuors [Es, C, f] pour deux violons, alto, et basse ... œuvre XVI. – *Paris, Sieber, Sieber fils, No. 1490.* – St.   [F 890
B Bc – **CH** Gc – **D-brd** Kl – **D-ddr** Dlb – **F** Pn (2 Ex.) – **US** BE, R

— Three quartetts, for two violins, tenor & violoncello ... op. 23. – *London, Lavenu & Mitchell, for the author.*   [F 891
I Vc

Werke für 3 Instrumente

Six trios [B, G, F, D, C, Es] pour deux violons et basse ... œuvre 2me. – *Paris, Sieber, No. 190.* – St.   [F 892
B Bc – **CH** Bu (ohne No.) – **D-brd** B – **F** Pc – **S** Skma

Six trios concertants pour flûte, violon et alto ... œuvre VIIIme. – *Paris, Sieber.* – St.   [F 893
F Pc – **GB** Ckc

Six trios concertants [G, C, Es, A, B, D] pour deux violons et basse ... œuvre XI. et 2^e. livre de trios. – *Paris, Sieber, No. 1112.* – St.   [F 894
B Bc (2 Ex., davon 1 Ex. unvollständig) – **D-brd** B – **F** Pc – **I** BGi, Mc – **US** CHua

Sonates pour le piano forte, avec accompagnement de violon ou flûte et basse ... en trois livraisons [F (C, D)]. – *Paris, Mlles Erard, No. 408 (409, 410).* – St.   [F 895
A Wgm – **D-brd** WERl (im Impressum auch: Zürich, Johann Georg Nägeli) – **I** Mc (Nr. 2 [C]; im Impressum auch: Lyon, Garnier)

Werke für 2 Instrumente (nach Besetzung)

Six sonates de clavecin ou forte-piano avec accompagnement d'un violon ... œuvre VII. – *Paris, Sieber.* – St.   [F 896
F BO (clav)

— Six sonates pour le clavecin ou fortepiano avec accompagnement d'un violon ... œuvre VII. – *Offenbach, Johann André, No. 221.* – P.   [F 897
CS K

Trois sonates [C, A, e] pour clavecin ou forte-piano avec violon ... œuv. IX. – *Paris, Sieber.* – P.   [F 898
I Tn

— Trois sonates pour clavecin ou piano forté, avec violon obligé ... œuvre 9me. – *Offenbach, Johann André, No. 472.* – St. [F 899

D-brd AD (kpl.: clav, vl), F (clav), OF – **I** Bc

Rondeau [C] pour piano-forté avec accompagnement de flûte ... œuvre 16. – *Offenbach, Johann André, No. 2137.* – St. [F 900

D-brd F, LÜh

— *Paris, Mlles Erard, No. 407.* [F 901
A Wgm

Six waltz's pour le piano-forte avec accompagnement de flûte ou violon. – *Wien, Artaria & Co., No. 1736.* – St. [F 902
I PAc (pf)

The review. A military divertimento [C] for the piano forte, with an accompaniment for the flute. – *London, Chappell & Co., No. 114.* – St. [F 903
A Wgm

Six duos pour deux violons ... œuvre Vme. – *Paris, Sieber, No. 157.* – St. [F 904

F Pc – **US** Wc

— Six sonates [A, D, G, a, B, C] à deux violons ... œuvre I. – *Berlin, Johann Julius Hummel; Amsterdam, grand magazin de musique, No. 410.* – St. [F 905
D-ddr WRh, ZI – **GB** Lbm – **S** Skma – **US** AA (fehlt vl II), Wc

Six duos concertants [D, C, F, E, Es, h-H] pour deux violons ... œuvre Xm, 2e. livre de duos. – *Paris, Sieber père, No. 1094.* – St. [F 906
F Pc – **S** Skma, VIl – **US** Wc

Six duos concertants [B, G, Es, C, g, D] pour deux violons ... œuvre 13. – *Paris, Sieber, No. 1322.* – St. [F 907
NL Uim – **S** Skma – **US** Wc

— Six duos concertans [B, G, Es, g, D, C] pour deux violons ... œuvre 15me. – *Offenbach, Johann André, No. 714.* [F 908
S SK (vl II)

— Six duos pour deux violons ... œuvre V. – *Berlin, Johann Julius Hummel;* *Amsterdam, au grand magazin de musique, aux adresses ordinaires, No. 860.* [F 909
NL DHgm

— Tre duetti concertanti [B, G, D] per due violini ... opera 13. – *Wien, Artaria & Co., No. 460.* [F 910
I Vc

Six duos concertants [G, A, B, C, E, As] pour deux violons ... œuvre XIV. – *Paris, Sieber, No. 1335.* – St. [F 911
I Sac – **NL** Uim – **US** AA

— Six duos pour deux violons ... œuvre V ([zum Teil handschriftlich:] VI). – *Berlin, Johann Julius Hummel; Amsterdam, grand magazin de musique, aux adresses ordinaires, No. 850 [Titelblatt] (954 [innen]).* [F 912
B Bc – **D-brd** F – **D-ddr** WRh – **SF** A – **US** Wc

— Six duos pour deux violons ... œuvre 14me. – *Offenbach, Johann André, No. 669.* [F 913
D-brd DÜl, OF – **NL** Uim – **S** Skma

— ... œuv. 14, liv. 1 (2). – *Hamburg, Johann August Böhme.* [F 914
D-brd Mbs (livre 1) – **S** Skma

— Six duetts concertanti for two violins ... op. 15. – *London-Edinburgh, for the author.* [F 915
GB Cu, Gu, Lbm, Ob – **US** Wc

— ... op. 14. – *ib., J. Bland.* [F 916
DK Kk

— Tre duetti concertanti [G, A, B] per due violini ... opera 14. – *Wien, Artaria & Co., No. 525.* [F 917
A Wgm – **I** Gl – **US** Wc

— Trois duos pour deux violons ... – *ib., Tranquillo Mollo, No. 1211.* [F 918
D-brd MT

Tre duetti concertanti [G, A, d] per due violini ... opera 15. – *Wien, Artaria & Co., No. 526.* – St. [F 919
A Wgm

Suite de l'étude du violon. Six sonates [C, A, Es, d-D, D, B] pour violon avec accompagnement d'alto ... œuvre XV. – *Paris, Sieber, No. 1455.* – P. [F 920
E Mn – **F** Pn – **GB** Ckc – **S** Skma – **US** Wc

— Six sonates pour le violon avec accompagnement d'alto formant suite de l'étude de violon. – *Offenbach, Johann André, No. 3210.* – St.   [F 921
CH EN – **D-brd** B, OF – **D-ddr** LEm – **I** Vc

— Suite de l'étude de violon. Six sonates pour violon avec accompagnement d'alto, œuvre XV. – *Wien, Tranquillo Mollo & Co., No. 195.*   [F 922
I Mc

— Six sonates pour le violon avec accompagnement d'alto formant la 2. livraison de l'étude de violon ... 2de livraison. – *Wien, Tranquillo Mollo & Co., No. 1611.*   [F 923
A Wgm, Wst – **D-brd** HEms – **I** Mc, Raf

Trois duo concertants [C, D, G] pour violon et violoncelle ... opera 31. – *Paris, Boieldieu jeune, No. 408.* – St.   [F 924
D-brd B – **S** Skma

— Three duetts for violin & violoncello ... op. 31. – *London, Monzani & Hill.*   [F 925
I BGi – **S** Skma

Klavierwerke

Three divertimentos for the piano forte ... op. 24. – *London, Lavenu & Mitchell, for the author.*   [F 926
D-brd Mbs

The retreat. A military divertimento ... for the piano forte or harp ... in which are introduced several Russian songs and dances ... op. 60. – *London, Birchall.*   [F 927
J Tmc

Etüden für Violine

(Fundorte der späteren Ausgaben in Auswahl)

Etude pour le violon formant 36 caprices ... œuvre IIIe. – *Paris, Sieber.*   [F 928
A Wn, Wgm (2 Ex.) – **F** Pc – **I** Mc, Vc – **H** Bn – **P** C

— ... seconde et seule édition, revue & corrigée par l'auteur. – *ib., Sieber père, No. 896.*   [F 929
S Skma – **US** Wc

— Etude pour le violon formant 36 caprices ... œuvre IIIe. – *ib., Imbault, No. 424.*   [F 930
A Wn – **CH** E – **D-brd** Km – **I** Mc

— ... nouvelle édition. – *ib., Janet & Cotelle, No. 424.*   [F 931
CH Bu

— *ib., Naderman.*   [F 932
A Sca – **I** Mc, Nc

— ... œuvre IV. – *Berlin, Johann Julius Hummel; Amsterdam, grand magazin de musique, aux adresses ordinaires, No. 773.*   [F 933
NL At (fehlt Titelblatt), DHgm – **SF** A – **US** Wc

— A study for the violin, consisting of thirty six capricios ... published under the immediate inspection of the author. – *London, F. Linley.*   [F 934
GB Lbm – **S** Skma

— Etude de violon, ou 36 caprices. – *Offenbach, Johann André, No. 580.*   [F 935
D-brd MÜu – **I** Bc, Nc – **S** Skma – **US** Cu

— ... seconde édition, augmentée d'une traduction allemande. – *ib., No. 1580.*   [F 936
CS Bu (No. 4649) – **I** Raf – **S** Skma

— ... Übung für die Violine bestehend in 36 Capricen. – *Wien, Artaria & Co., No. 470.*   [F 937
A Wgm – **D-brd** Km

— *ib., Tranquillo Mollo, No. 85.*   [F 938
H KE

— *ib., No. 1050.*   [F 939
A Wgm (2 Ex.)

— *ib., Tranquillo Mollo & Co., No. 1610.*   [F 940
A Sca – **I** Vc

— Etude pour le violon ... œuvre IV. – *Mannheim, Johann Michael Goetz, No. 300.*   [F 941
D-brd Mdm – **DK** Kmk – **S** Skma – **US** I

— Etude de violon ... édition correcte. – *Leipzig, C. F. Peters (bureau de musique), No. 730.*   [F 942

A Wst – **D-brd** HEms, LÜh, Mbs, OL1 – I Mc
– S Skma

—— Etude de violon . . . édition correcte. –
Prag, Marco Berra, No. 355.   [F 943
A Wgm (2 Ex.) – **CS** Pnm

—— Etude pour le violon . . . œuvre IV. –
Hannover, C. Bachmann, No. 773.
[F 944

A Wgm – **D-brd** Mmb

—— Studio per il violino diviso in tren-
tasei capricci. – *Napoli, Luigi Marescalchi,
No. 281.*   [F 945
GB HAdolmetsch, Lbm – I BGi, Mc, Nc, Vc-
giustiniani – S Skma

—— *Milano, Francesco Lucca, No. 6946.*
[F 946
A Wn

FIORILLO Ignazio

Sonate per cembalo. – *(Braunschweig),
s. n. (J. G. Schmidt), 1750.*   [F 947
B Bc – **D-ddr** LEm – F Pn

FIORINO Gasparo

La nobilità di Roma. Versi in lode di cento
gentildonne romane, et le vilanelle a tre
voci . . . intavolate dal . . . M. Francesco
di Parise. – *Venezia, Girolamo Scotto, 1571.*
SD 1571[8]   [F 948
GB Lbm – I Bc, Fc, FEc – US Wc

—— *ib., 1573.*   [F 949
SD 1573[19]
GB Lcm – I Fn, Rc

Libro secondo. Canzonelle [!] a tre e a
quattro voci . . . in lode & gloria d'alcune
signore & gentildonne genovesi. – *(Venezia, Gardano, 1574).* – P.   [F 950
B Br – **GB** Ge, Lbm – I Rc

Libro terzo di canzonelle [!] a tre & a quat-
tro voci. – *Venezia, ercde di Girolamo
Scotto, 1574.* – P.   [F 951
E PAp (fehlt Titelblatt) – I Bc, Fc, Rc

FIRBANK

Mr. Caverley's slow minuet. A new dance
for a girl, the tune composed by Mr. Firbank. – *[London], Pemberton.*   [F 952
US R

La Cybelline. A new dance for a girl. –
[London], Pemberton.   [F 953
US R

FIRNHABER Johann Christian

Trois divertissements [E, F, f-F] pour le
clavecin, deux avec accompagnement
d'un violon et basse et un pour le clavecin
seul . . . œuvre I. – *Berlin, Johann Julius
Hummel; Amsterdam, grand magazin de
musique, No. 172.* – St.   [F 954
S J (kpl.: clav, vl, b)

Trois sonates [Es, D, g] pour le clavecin,
deux avec accompagnement d'un violon
et basse, et une pour le clavecin seul . . .
œuvre second. – *Berlin, Johann Julius
Hummel; Amsterdam, grand magazin de
musique, No. 173.* – St.   [F 955
S J (kpl.: clav, vl, b)

Six [5] sonates [A, C, B, Es, g] pour le
clavecin ou piano forte dont cinq avec un
violon obligé et basse, et un duo pour
quatre mains . . . œuvre III. – *Frankfurt,
W. N. Haueisen.* – St.   [F 956
A Wgm (kpl.: clav, vl, b)

FIRTH R. A.

Two hymns from the Rev'd. Mr. Goode's
version of the psalms, set to music. –
[London], Preston.   [F 957
C Qc

Two hymns from the Rev'd. Mr. Goode's
version of the psalms, set to music. – *London, Birchall & Co., for the author.*
[F 958
C Qc

FISCHER

Concerto [C] pour le clavecin avec accompagnement . . . – *Paris, de La Chevar-*

dière; Lyon, aux adresses ordinaires. – St.
[F 959
CH Zz (kpl.: clav, vl I, vl II, a-vla, b, cor I, cor II) – F Pn

FISCHER Ferdinand

Six simphonies à deux violons, haut-bois, ou flûtes traversières, cors de chasse, fagots, violette, et basse. – *Braunschweig, Rudolf Schroeders Erben (Leipzig, B. C. Breitkopf & Söhne), 1765.* – St.   [F 960
CH Zz (kpl.: 10 St.)

Sei sonate per camera [A, B, C, D, F, G] a due violini e basso. – *Braunschweig, Ludwig Schröder, 1763.* – St.   [F 961
D-ddr HAu (kpl.: vl I, vl II, b) – **S** L, SK

FISCHER Georg Nicolaus

Baden-Durlachisches Choral-Buch [Singstimme mit bc]. – *Leipzig, Breitkopfische Buchdruckerey, 1762.*   [F 962
CS Pk – **D-brd** HEms, KA, Mbs (2 Ex.), Sl – **US** Cn

FISCHER Georg Wilhelm

Gesellschaftslied . . . mit Gesang und Forte-Pianobegleitung. – *Hamburg, Johann August Böhme.*   [F 963
D-brd LÜh

Kommt, setzt euch in die Runde. Trinklied in Musik gesetzt [für 3st. Männerchor]. – *Hamburg, Johann August Böhme.* – P.   [F 964
S Skma

Was ward nicht von Dichterzungen. Lob des Stroh's . . . mit Gesang und Forte-Pianobegleitung. – *Hamburg, Johann August Böhme.*   [F 965
D-brd F

Wer ein Weib hat nach dem Herzen. Lied mit Begleitung des Forte-Piano. – *Hamburg, Johann August Böhme.*   [F 966
US Wc

Concerto [F] pour le basson avec accompagnement de l'orchestre . . . œuv. 8. –

Leipzig, Breitkopf & Härtel, No. 339. – St.
[F 967
D-ddr SWl

Sechs deutsche Tänze für das Forte Piano mit einer Flöte oder Violine. – *Hamburg, Johann August Böhme, No. 101.* – St.
[F 968
A Wgm – **D-brd** B – **D-ddr** SWl

Douze walses pour le forte-piano. – *Hamburg, Johann August Böhme.*   [F 969
CH Bu

[Zuweisung fraglich:] Sechs leichte Variationen [C] über die Arie Willkommen o seliger Abend, fürs Forte-Piano. – *Hamburg, Johann August Böhme.*   [F 970
S Skma

FISCHER Jean Nicolas

Divertissement musical, contenant III. Suites pour le clavessin [Es, B, A] . . . œuvre I. – *Nürnberg, Johann Ulrich Haffner, No. XXIV.*   [F 971
CH N – **F** Pmeyer

Divertissement musical, contenant III. Suites pour le clavessin [d, D, G] . . . œuvre II. – *Nürnberg, Johann Ulrich Haffner, No. XXIV.*   [F 972
CH N

FISCHER Johann (III)

Himmlische Seelen-Lust, gewiesen in verschiedenen anmuthigen neuen Liedern, mit einer Sing-Stimme und etlichen Instrumenten. – *Nürnberg, Wolfgang Moritz Endter, 1686.* – St.   [F 973
CH Zz (kpl.: S/bc, S, vl I/II, vla I/II, org/vlne) – **D-brd** AN (vla I/II), Mbs (vl I/II) – **D-ddr** ROu (S[unvollständig]) – **F** Pn – **S** Uu (fehlt S)

Musicalisch Divertissement, bestehend in einigen Ouverturen und Suiten, mit 2. Stimmen, auff Violen, Hautbois oder Fleutes douces zu gebrauchen. – *Dresden, Johann Riedel, 1699/1700.* – St.   [F 974
D-brd W (dessus, basse)

Neu-Verfertigtes Musicalisches Divertissement, in sechs sehr anmuthig- und Gehör-vergnügenden Ouverturen, Entrée,

Air, Gavotten, Sarabanden, Chaconnen, Rondeau, Menueten, Trio Bouréen, &c. bestehend; mit 4. Stimmen, auf die neueste Manier zusammen gesetzt. – *Augsburg, Koppmeyer & Maschenbaur, 1700.* – St.   [F 975
D-brd WD (kpl.: dessus, haute contre, taille, basse)

Tafel-Musik, bestehend in verschiedenen Ouverturen, Chaconnen ... Suiten ... Pollnischen Täntzen a 4. & 3. Instrumentis. – *Schwerin, Autor (Hamburg, Nikolaus Spieringk), 1702.* – St.   [F 976
D-ddr SWl (dessus [2 Ex.], haute contre/second dessus, taille, basse) – S Uu

— Musicalische Fürsten Lust, bestehend anfänglich in unterschiedenen schönen Ouverturen, Chaconnen, lustigen Suiten und einen curiosen Anhang Polnischer Täntze mit 3 und 4 Instrumenten. – *Lübeck, Peter Böckmann, 1706.* [F 977
F Pn (1er dessus, 2d dessus, haute-contre et 2d dessus, taille, basse)

Trost-Klang ... Raymund Eggern, als ... seine ... Anna Catharina ... dises ... Thränen-Thal an das Himmlische Freuden-Leben verwechselt [für 2 Singst. mit bc; Lamento für vl, vla I–III und bc] (an: Davids großmüthiger Helden-Glaub ...). – *Augsburg, Johann Schönigk.*   [F 978
D-brd Gs, LI (2 Ex.)

FISCHER Johann Caspar Ferdinand

Le journal du printems consistant en airs, & balets à 5. parties, & les trompettes à plaisir ... œuvre première. – *Augsburg, Lorenz Kroninger, Gottlieb Goebels Erben (August Sturm), 1695.* – St.   [F 979
CH Zz (kpl.: 7 St.) – S Uu

Musicalisches Blumen-Büschlein, oder Neu eingerichtes Schlag-Wercklein bestehend in unterschidlichen Galanterien: als Praeludien, Allemanden, Couranten, Sarabanden, Bouréen, Gavotten, Menueten, Chaconnen ... opus II. – *Augsburg, Autor, Lorenz Kroninger, Gottlieb Goebels Erben.*   [F 980
B Bc – **CH** Zz – **D-brd** B – **D-ddr** Bds – **GB** Lbm – US NYp, Wc

Musicalischer Parnassus, oder ganz neu unter dem Nahmen der IX Musen, gleicherweiss in IX Parthien bestehend und auff das Clavier eingerichtetes Schlag-Werck. – *Augsburg, Johann Christian Leopold.*   [F 981
D-brd As, WD

Ariadne Musica neo-organoedum per viginti praeludia, totidemque fugas e difficultatum labyrintho educens ... opus ultimum. – *Wien, Adam Damer, 1713.*   [F 982
A Wm

— Ariadne Musica ... praeludia, totidem fugas atque quinque ricercaras super totidem sacrorum anni temporum ecclesiasticas cantilenas ... – *Augsburg, Joseph Friedrich Leopold, 1715.*   [F 983
B Br – **CH** E, MÜ – **D-brd** B, KA, Rp – **D-ddr** Dlb – **F** Pc – **US** Wc

Blumen Strauss, aus dem anmuthigsten Kunst Garten ... gesamlet, und in acht tonos ecclesiasticos oder Kirchen Thon eingetheilet. – *Augsburg, Johann Christian Leopold.*   [F 984
A KR – **CH** E – **D-brd** B, Bim, As, Mbs – **D-ddr** Dlb, LEm

Vesperae seu psalmi vespertini pro toto anno, quatuor vocibus obligatis: duobus violinis concertantibus quidem, sed non necessariis, et quatuor vocibus ripienis, sive choro pleno, cum duplici basso continuo pro organo, violone ... opus III. – *Augsburg, Autor, Lorenz Kroninger, Gottlieb Goebels Erben (Johann Christoph Wagner), 1701.* – St.   [F 985
D-brd Mbs (S, A, T, B; rip.: S, A, T, B; vlne, org), OB (S, A, T, B, vl I, vl II, vlne, org) – **PL** Wu (S, vl I, vlne, org)

Lytaniae Lauretanae VIII. cum annexis IV. antiphonis pro toto anno; quatuor vocibus obligatis: duobus violinis, totidem tubis campestribus seu cornibus venatoriis concertantibus, non tamen necessariis, & quatuor vocibus sive violis ripienis, cum duplici basso continuo pro organo, violone ... opus V. – *Augsburg, Johann Friedrich Goebel (Peter Detleffs), 1711.* – St.   [F 986

D-brd OB (S, A, T, B, vl I, vl II, clno I, clno II, bc, org) – **US** BE (S, A, T, B, vl I, vl II, clno I, clno II, org)

FISCHER Johann Christian

KONZERTE

A favourite concerto [C] for the hoboy or german flute, with instrumental parts. – *London, Welcker.* – St.   [F 987
GB Bu (unvollständig), Er (unvollständig), Gm (unvollständig), Lbm (kpl.: ob, vl I, vl II, vla, b, cor I, cor II [je 2 Ex.]) – **US** AA, NYp (fehlen cor I, cor II), R, Wc

— *ib., Longman & Broderip.*   [F 988
D-brd Tu (kpl.; b [2 Ex.]) – **GB** Lbm (kpl.; mit handschriftlichen Blättern)

— Concerto pour le hautbois ou flutte traversière avec accompagnement. – *Paris, de La Chevardière; Lyon, aux adresses ordinaires.*   [F 989
F Pc (kpl.: 7 St.) – **US** NYp (vl I, vl II)

— [Arrangement:] A favourite concerto [adapted] for the harpsichord. – *London, Welcker.*   [F 990
C Tu – **D-brd** Mbs – **GB** Ckc, Lbm – **US** Wc

— *ib., Longman & Broderip.*   [F 991
D-brd Mbs – **GB** Lbm

A second concerto [Es] for a hautboy, german flute, or violin, with accompanyments for two violins, two french horns, tenor and bass. – *London, Welcker.* – St.   [F 992
US AA (kpl.: 8 St.)

— *ib., Longman & Broderip.*   [F 993
D-brd Tu (kpl.; b [2 Ex.]) – **GB** Lbm – **US** Wc

— [Arrangement:] A favourite concerto adapted for the harpsichord or piano forte. – *ib., author.*   [F 994
GB DRc, Lbm, R – **US** CA, WGw

— *ib., Welcker.*   [F 995
GB Cu, Lbm

— *ib., Longman & Broderip.*   [F 996
D-brd Mbs – **GB** Ckc

A third concerto [C] for a hautboy, german flute, or violin, with accompany-

ments for two violins, two french horns, tenor and bass. – *London, Welcker.* – St.   [F 997
GB Lbm (kpl.: 7 St.) – **US** AA

— [Arrangement:] A third concerto adapted for the harpsicord or piano forte. – *ib.*   [F 998
C Tu – **GB** Ckc, Lbm

A concerto [G] for a hautboy, german flute or violin, with accompaniments for two violins, two french horns, tenor and bass . . . No. 4. – *London, John Welcker.* – St.   [F 999
GB Lbm (kpl.: 7 St.)

— [Arrangement:] A favourite concerto, adapted for the harpsichord or piano forte. – *ib.*   [F 1000
GB Ckc

A concerto [B] for a hautboy, german flute or violin, with accompaniments for two violins, two french horns, tenor and bass . . . No. 5. – *London, John Welcker.* – St.   [F 1001
GB Lbm (kpl.: 7 St.)

— [Arrangement:] A concerto adapted for the harpsichord. – *ib.*   [F 1002
GB Lbm

A concerto [C] for a hautboy, german flute or violin, with accompaniments for two violins, two french horns, tenor and bass . . . No. 6. – *London, John Welcker.* – St.   [F 1003
GB Lbm (kpl.: 7 St.)

— [Arrangement:] A concerto adapted for the harpsichord or piano forte. – *ib.*   [F 1004
GB Lbm

A seventh concerto [F] with the favorite air „Gramachree Molly" for a hautboy or german flute, accompanied by two violins, two french horns, tenor and bass. – *London, Longman & Broderip.* – St.   [F 1005
D-brd Tu (kpl.; b [2 Ex.]) – **GB** Lbm (7 St. [je 2 Ex.])

— Concerto pour le clavecin, hautbois, ou flûte, avec l'accompagnement de deux violons, taille, & basse, deux cors de

chasse ad libitum. – *Berlin, Johann Julius Hummel.*   [F 1006
US CHua

— [Arrangement:] A seventh concerto ... adapted for the harpsichord or piano forte. – *London, Longman & Broderip.*   [F 1007

D-ddr SWl – **US** NYp

An eighth concerto [C] ... for a hautboy or german flute, with accompanyments for two violins, two french horns, tenor and bass. – *London, John Preston.* – St.   [F 1008

GB Lbm (kpl.: 7 St.)

— [Arrangement:] An eighth concerto with the Irish air „Lango Lee" adapted for the harpsichord or piano forte. – *ib.*   [F 1009

GB Lbm

Concerto IX [F] for a hautboy or german flute, with accompanyments for two violins, two french horns, tenor and bass. – *London, John Preston.* – St.   [F 1010
GB Lbm (kpl.: 7 St.)

A concerto [Es] for a hautboy, german flute, or violin, with accompanyments for two violins, two french horns, tenor and bass. – *London, for the author.*   [F 1011
GB Lcm

— [No. 2 oder 10:] Concerto à hautbois, flûte ou violino principale, violino primo & secondo, alto & basso, deux cors, ad libitum. – *Berlin, Johann Julius Hummel; Amsterdam, grand magazin de musique, No. 337.*   [F 1012
S L

— [Arrangement:] Concerto X adapted for the harpsichord or piano forte by J. S. Schroeter. – *London, J. Preston.*
[F 1013

GB Ckc

— ... by L. Hoeberechts. – *ib., Preston & son.*   [F 1014
GB Lbm

WERKE FÜR 2 INSTRUMENTE

Ten sonatas for a flute with an accompanyment for a violoncello or harpsichord.

– *London, Longman & Broderip.* – P.
[F 1015
C Vmclean – **GB** Ckc (2 Ex.), CDp (2 Ex.), Lbm

Seven divertimentos [D, G, C, G, a, e, D] for two german flutes. – *London, Longman & Broderip.* – P.   [F 1016
GB Lbm

— Sei duetti [D, G, C, G, a, e] per due flauti. – *Paris, de La Chevardière.* – St.
[F 1017
S Skma

— Six duettes à deux flûtes traversières ... œuvre second. – *Berlin, Johann Julius Hummel, No. 49.*   [F 1018
US Wc

VARIATIONEN UND BEARBEITUNGEN

Favourite variations on the celebrated Irish air of Gramachree Molly, sett for the harpsichord, violin, german flute, and guittar. – *[Dublin], S. Lee.*   [F 1019
EIRE Dn (2 Ex.)

— Variations on Gramachree Molly ... – *ib., John Lee.*   [F 1020
EIRE Dn – **GB** Ckc – **US** NYp (unvollständig)

— A celebrated Irish air with favorite variations ... sett for the harpsichord, violin, german flute and guitar. – *ib., Hime.*   [F 1021
US Wc

An old favorite air. Dulce domum [by J. Reading] with the variations ... by J. C. Fischer ... adapted for the harpsichord or piano forte by J. B. Cramer. – *London, Fischer.*   [F 1022
GB Gu, Lbm (2 Ex.), Ob

Hornpipe and Ah ça ira [for the pianoforte]. – *New York, G. Gilfert.*   [F 1023
US NYp

The Princess Royal. A favourite rondo [for harpsichord and 2 melody instruments]. – *[London, William Napier].* – P.
[F 1024
GB Lbm

Menuet en rondeau ... tel qu'il le joue au Vauxhall à Londres. – *s. l., s. n.* [F 1025
F Pc

— Rondeau perform'd on the hautboy . . .
at Vauxhall adapted also for the harpsichord & transpos'd for the german
flute. – *s. l., s. n.*   [F 1026
GB DRc – **S** Skma (fehlt Titelblatt)

— Rondeau [C] . . . (second minuet [C,
for two violins and bass]). – *s. l., s. n.*
                                           [F 1027
GB Lbm

— Favourite rondeau, set for the harpsichord, hautboy, violin, german flute or
guitar. – *Dublin, Benjamin Rhames.*
                                           [F 1028
US Pu

— Fisher's celebrated rondeau with variations (in: Piano-Forte Magazine, vol.
XI, Nr. 5). – *[London, Harrison, Cluse],*
No. 168.   [F 1029
D-brd Mbs

— Menuet . . . avec huit variations en
majeur [C] et huit en mineur [c], arrangée
pour le clavecin ou le forté-piano. – *Paris,*
auteur, aux adresses ordinaires (écrit par
Ribière).   [F 1030
CH E

— Menuet . . . avec douze variations pour
le clavecin ou le pianoforte. – *ib., Borrelly,*
aux adresses ordinaires.   [F 1031
GB Lbm

Rondeaux . . . variés pour le violon. –
Amsterdam, Johann Julius Hummel, No.
223.   [F 1032
B Bc – **DK** Kk – **S** Sm

Favourite rondeau call'd the New Bath
Minuet [for the pianoforte]. – *[Dublin],*
Samuel Lee.   [F 1033
GB Ckc

Second celebrated rondeau [for the pianoforte]. – *Dublin, Samuel Lee.*   [F 1034
EIRE Dn

<small>VOKALMUSIK</small>

How wellcome my shepherd. A song. –
s. l., s. n.   [F 1035
GB Ge, Lbm

<small>LEHRWERKE</small>

The compleat tutor for the hautboy, containing the easiest & most improv'd rules
for learners to play, to which is added a
favourite collection of airs, marches, minuets, duets &c., also the favourite rondeau. – *London, Thompson.*   [F 1036
GB HAdolmetsch

FISCHER Johann Gottfried

Jugendlied, dem Tode Herzogs Leopold
von Braunschweig, im Kurfürstlichen
Gymnasium Illustre zu Eisleben am 30
Jun. 1785. gesungen. – *Leipzig, Johann*
Gottlob Immanuel Breitkopf, 1785.
                                           [F 1037
I Rsc

FISCHER Ludwig

Der Kritikaster und der Trinker. Ein
Wechselgesang von Karl Müchler. –
Augsburg, Gombart, No. 430.   [F 1038
US Wc

— *Berlin, Friedrich Maurer, 1802.*
                                           [F 1039
A Wn

FISCHER Matthäus

VI. Missae. Partim solemnes, partim breves. A canto, alto, tenore, basso, violino I.
et II., viola, violone, cornu et clarino I. et
II., tympano et organo obligatis; oboe et
flauto I. et II. ad libitum . . . opus I. –
Augsburg, Johann Jakob Lotter & Sohn,
1820. – St.   [F 1040
D-brd Mbs (kpl.: 18 St.), NT, Tmi

FISCHER Paul

Sei sonate [D, C, G, F, A, B] per il cembballo [!]. – *Leipzig, Bernhard Christoph*
Breitkopf & Sohn, 1768.   [F 1041
GB Lbm (unvollständig, S. 36 ff. fehlen)

FISCHIETTI Domenico

Chi spose remotra suoni. Aria nel Il mercato di Malmantile. – *s. l., s. n.* – P.

[F 1042

DK Kk

FISHAR James

Thirty two new minuetts, cotillions, country-dances, allemands and hornpipes for the year 1785. – *London, John Welcker.*

[F 1043

GB Gm

Sixteen cotillons, sixteen minuets, twelve allemands and twelve hornpipes. – *London, John Johnston.*　　　　[F 1044
GB Lbm

— *ib., John Rutherford.*　　　　[F 1045
D-ddr SWl – NL DHgm – US Wc

Twelve new country dances. Six new cotillons and twelve new minuets. – *London, Fishar, Rutherford.*　　　　[F 1046
GB Lbm, Lcs – US Wc

FISHER

When bending o'er the lofty yard. A favourite song in The man of enterprise. – *Colchester, W. Keymer.*　　　　[F 1047
GB Gu, Lbm

— . . . a favourite sea song. – *London, Preston & son.*　　　　[F 1048
GB Lbm

FISHER F. E.

Six sonatas [F, A, Es, B, D, C] for two violins with a thorough bass for the harpsichord . . . opera prima. – *London, John Johnson.* – St.　　　　[F 1049
GB Cfm, Ckc, Cpc (unvollständig), Lbm, Mp – US CHua, Pu, Wc

Six sonatas [g, Es, G, B, E, g] for two violins and a bass . . . opera seconda. – *London, John Johnson.* – St.　　[F 1050
GB Ckc, Lbm, Mp – US Pu, Wc

FISHER John Abraham

Musik zu Bühnenwerken

The druids

The songs, duetts and chorusses in the masque of The druids. – *London, William Napier.* – P.　　　　[F 1051
GB DU, Lbm

Harlequin Jubilee

Harlequin Jubilee, as perform'd at the Theatre Royal in Covent Garden, set for the harpsichord, flute or violin. – *London, Welcker.*　　　　[F 1052
GB Lbm – US Ws

The monster of the wood

The monster of the wood. A pantomime entertainment . . . adapted for the harpsicord or violin. – *London, Longman, Lukey & Co.*　　　　[F 1053
GB Lbm

The Norwood gypsies

Airs, duets, &c. in the new pantomime, called The Norwood gypsies . . . second edition. – *London, s. n., 1777.*　　[F 1054
US WGw

The Sylphs, or Harlequin's gambols

The songs, chorusses, and comic-tunes in the entertainment of The Sylphs. – *London, Longman, Lukey & Co.* – KLA.
　　　　[F 1055
GB Lbm – US Bp, Cn (unvollständig)

— The songs, chorusses, comic-tunes, and overture . . . adapted for 1 and 2 german flutes. – *ib.*　　　　[F 1056
GB Gm – US LAuc (Impressum ohne Verleger)

The Syrens

The overture of The Syrens . . . for two violins, tenor & bass, two hautboys, two french horns ad libitum. – *London, A. Portal.* – St.　　　　[F 1057
GB Lbm (kpl.: 8 St.)

Zobeide

The music of the Epithalamium; consisting of songs, chorusses, and a dead march, in Zobeide, a tragedy . . . adapted

for the harpsichord, voice, violin, and G
flute. – *London, Longman, Lukey & Co.*
[F 1058
GB Ckc, Cpl, Lbm

VOKALMUSIK

A comparative view of the English, French,
and Italian schools, consisting of airs and
glees . . . compos'd as examples of their
several manners, during residence in
those countries. – *Edinburgh, Corri &
Sutherland, for the author.*   [F 1059
EIRE Dn – **GB** Ge, Gu, Lbm

Two cantatas and a collection of songs
sung at Vaux Hall and Ranelagh . . . book
II^d. – *London, Welcker.*   [F 1060
GB Cpl

Vauxhall songs and cantatas . . . book
III. – *London, Longman, Lukey & Co.,
(1772).*   [F 1061
GB CDp

The songs and cantatas as sung at Vauxhall Gardens . . . 1773. – *London, Longman Lukey & Co., (1773).*   [F 1062
GB Lbm, Ob

Vauxhall and Marybone songs . . . book
3, 1774. – *London, Longman, Lukey &
Co., (1774).*   [F 1063
GB Lbm

Vauxhall songs for 1775 . . . book IV. –
*London, Longman, Lukey & Broderip,
(1775).*   [F 1064
GB Mp

Seek ye the Lord. An anthem. – *London,
Longman, Lukey & Co.*   [F 1065
GB Lbm

The favorite cantata of Diana and Cupid,
and a collection of songs . . . 1770. – *London, Welcker, (1770).*   [F 1066
GB Cpl, Lbm – **US** Wc

Diana and Acteon. Cantata. – *s. l., s. n.*
[F 1067
GB Lbm

The morning invitation. A cantata. –
[London], M. Whitaker.   [F 1068
GB Lbm

In vain I seek to calm to rest. A favorite
song. – *s. l., s. n.*   [F 1069
GB Lbm

Just what you will [Song]. – *[London],
M. Whitaker.*   [F 1070
GB Lbm

INSTRUMENTALWERKE

Six simphonys in eight parts for violins,
hoboys, horns, tenor and bass. – *London,
Longman, Lukey & Co.* – St.   [F 1071
GB Lcm (kpl.: 8 St.) – **US** PRu

Concerto a violino principale, violino
primo, secondo, viola & basse, deux hautbois & deux cors de chasse ad libitum . . .
œuvre I (II, III). – *Berlin, Johann Julius
Hummel; Amsterdam, grand magazin de
musique, aux adresses ordinaires.* – St.
[F 1072
D-brd W (III, mit No. 555; kpl.: 9 St. [je 2
Ex.]) – **E** Mn – **SF** A (œuvre II, mit No. 555)

Six solos [A, E, C, E, Es, F] for the violin
[with a thorough bass for the harpsi-
chord]. – *London, Welcker.* – P.   [F 1073
GB Lbm

Six easy solos [E, Es, D, B, A, D] for a
violin with a thorough bass for the harpsichord. – *London, Longman & Broderip.* –
P.   [F 1074
GB Lbm

Six duettos [A, Es, C, D, E, Es] for two
violins. – *London, Longman, Lukey &
Co.* – St.   [F 1075
GB Lbm – **US** BE

FISHER William

Come take your glass. The northern lass
[Song] . . . set for ye german flute. – *s. l.,
s. n.*   [F 1076
GB Lbm, Mp, Ob

— . . . a song. – *s. l., s. n.*   [F 1077
GB Lbm

O love, resistless victor, say. A new song.
– *s. l., s. n.*   [F 1078
GB Lbm

Why has not love reflection's eyes? A
new song. – *s. l., s. n.*   [F 1079
GB Lbm

FISIN James

Six canzonets and a gipsey song with an accompaniment for the piano forte or harp . . . op. 5th. – *London, Longman & Broderip.*   [F 1080
GB Cu, Gu, Lbm, Ob

Six songs with an accompaniment for the forte piano . . . op. 8th. – *London, G. Smart.*   [F 1081
GB Lbm, Ob

As drench'd in wine the other night. Zied's resolution. Translated from the Arabic by Mr. Carlyle. – *London, E. Riley.*
                       [F 1082
GB Lbm – **US** NYp

At blythe fifteen. A favorite ballad. – *New York, G. Gilfert.*   [F 1083
US Wc

A wand'ring gipsy Sirs am I. The Gipsy. A new ballad. – *New York, G. Gilfert.*
                       [F 1084
US Wc

Dear Colyza will you leave me. An African love song. – *New York, G. Gilfert.*
                       [F 1085
US Wc (2 Ex.)

Gentle love. A favorite ballad. – *New York, G. Gilfert.*   [F 1086
US Wc (2 Ex.)

Gentle Zephyrs. A favorite canzonet. – *[London], Longman & Broderip.* [F 1087
GB Cu

God of the purple grape. A glee for three voices. – *London, G. Smart.* – P. [F 1088
US Wc

Mary's tomb. A favorite new ballad. – *London, Longman, Clementi & Co.*
                       [F 1089
GB Lbm, Ob

An ode to charity, written for the use of the Sunday schools throughout England. – *Colchester, W. Keymer, 1790.*   [F 1090
GB Gu, Lbm, Ob

Ode to May; the poetry by Dr Darwin. – *New York, J. & M. Paff.*   [F 1091
US Wc

The passing bell no longer toll'd. Loisa [Song]. – *New York, J. & M. Paff.*
                       [F 1092
US Wc

The sailor's farewell. A favorite new song. – *New York, G. Gilfert.*   [F 1093
US Wc (2 Ex.)

Shepherd marry. A favorite ballad. – *New York, G. Gilfert.*   [F 1094
US Wc

When innocence and beauty meet. A favorite new song. – *New York, G. Gilfert.*
                       [F 1095
US ECstarr

When love has once possess'd the heart. A favorite new song. – *New York, G. Gilfert.*   [F 1096
US NYhs

Would we had never met. An admired new song. – *[London], Longman & Broderip.*   [F 1097
GB Lbm, Ob – **US** Wc

Ye little songsters. A much admired ballad. – *New York, J. & M. Paff.* [F 1098
US Wc

FIX Samuel

Lieberosische Trauer-Music (Ach betrübtes Lieberose [S(A), 2 vl, bc], Beweinet doch betrübte Herzen [S, 3 vl, bc], Kombt Sterblichen [2 S, 2 vl, bc]), welche bey dem . . . Leichen-Begängnis des . . . Herrn Levin Ioachim . . . und dero . . . Gemahlin . . . Christinen Lambertinen . . . entworffen wurde. – *Guben, Christoph Gruber, 1695.*   [F 1099
D-ddr Bds, MAl (2 Ex.)

FLACCOMIO Giovanni Pietro

Liber primus concentus, in duos distincti choros, in quibus vespere, misse, sacreque cantiones in nativitate Beate Marie virginis aliarumque virginum festivitatibus decantandi continentur. – *Venezia, Angelo Gardano & fratelli, 1611.* – St.
                       [F 1100

E V (I: S, A, T, B; II: S, T, B; fehlt A II) –
S Uu (I: S, A, T, B; II: B) – US NYhsa (I: S, B;
II: A, T)

Il primo libro delli madrigali a tre voci
. . . col basso continuato per sonare
([bc:] Basso continuato per sonare con
cimbalo et altri istrumenti di conso-
nanza). – *Venezia, Angelo Gardano &
fratelli, 1611.* – St.　　　　　　[F 1101
A Wn (S I, S II, B; fehlt bc) – D-brd Kl (bc) –
E V (B) – GB Lbm (B)

FLACK Casper

Thirty six military divertimentos for two
clarinetts, two horns and a bassoon obli-
gatto. – *London, author, Welcker.* – St.
　　　　　　　　　　　　　　　　[F 1102
GB Ckc

FLACKTON William

VOKALMUSIK

[31] Hymns for three voices, accompanied
with instruments, to which is added an
anthem. – *London, S. & A. Thompson.* –
P.　　　　　　　　　　　　　　[F 1103
GB Lbm

A cantata and several songs. – *London,
J. Simpson, J. Walsh, Mrs. Wamsley, for
the author.* – P.　　　　　　　[F 1104
F Pc – GB Lbm – US Bp

The Chace. Selected from the . . . poem of
William Somerville . . . for a voice, accompanied with a french horn, two violins, a tenor & thorough bass for the
harpsicord, to which is added, Rosalinda;
with several other songs in score. – *London, Walsh, for the author.* – P.　[F 1105
GB Ckc, Lam, Lbm – US Bp, R

The morn is past. The evening hymn (in:
Christian's Magazine, nov., 1760). – *[Lon-
don], s. n., (1760).*　　　　　　[F 1106
GB Lbm

On a young lady stung by a bee [Song]
(in: The Gentleman's Magazine, vol.
XIII). – *[London], s. n., (1743).*
　　　　　　　　　　　　　　　　[F 1107
GB Lbm

To Celia [Song]. – *s. l., s. n.*　　[F 1108
GB Lbm

INSTRUMENTALWERKE

Six sonatas [F, Es, G, D, F, A] for two
violins and a violoncello or harpsichord. –
London, Walsh, for the author, 1758. – St.
　　　　　　　　　　　　　　　　[F 1109
B Bc – GB Lbm, Mp – US Wc

Six solos [C, B, F, C, D, G], three for a
violoncello and three for a tenor, accompanied either with a violoncello or harpsichord, opera II. – *London, for the author.*
– P.　　　　　　　　　　　　[F 1110
GB Ckc, Lbm – I Rsc (fehlt Titelblatt)

Two solos [d, c], one for a violoncello, and
one for a tenor, accompanied either with
a violoncello or harpsichord; being a
supplement to (the second edition of) six
solos, three for a violoncello, and three
for a tenor. – *London, Thompson.* – P.
　　　　　　　　　　　　　　　　[F 1111
GB Lbm

Six overtures [D, F, D, C, C, F] adapted
for the harpsichord or piano forte . . .
opera III. – *London, Messrs. Thompson,
for the author.*　　　　　　　[F 1112
GB CDp, Lbm

FLAD J.

Six quatuors concertans, pour flutte, vio-
lon, alto et basse . . . œuvre Ire. – *Paris,
Imbault.* – St.　　　　　　　[F 1113
DK Kk – GB Mp

FLASCHNER Gotthelf Benjamin

Zwanzig Lieder vermischten Inhalts für
Klavier und Gesang. – *Zittau-Leipzig,
Johann David Schöps, 1789.*　[F 1114
B Bc – US R

Neue Sammlung von Liedern für Clavier,
Harmonika und Gesang nebst vier Mär-
schen. – *Zittau-Leipzig, Johann David
Schöps.*　　　　　　　　　　[F 1115
CS K

Zwey Lieder in Musick gesetzt ... No. 7. – *Offenbach, Johann André, No. 645.*
[F 1116
CS K – YU Zha

FLECHA Mateo d. J.

Il primo libro de madrigali a quatro & cinque voci con uno sesto & un dialogo a otto. – *Venezia, Antonio Gardano, 1568.* – St.   [F 1117
A Wn (kpl.: S, A, T, B, 5) – **D-brd** Mbs

Divinarum Completarum Psalmi, lectio brevis, et Salve Regina, cum aliquibus motetis. – *Prag, Georg Nigrinus, 1581.* – St.   [F 1118
PL Wu (S I, A [unvollständig], T II)

FLEISCHER Friedrich Gottlob

Musik zu Bühnenwerken

Das Orackel. Eine Operette vom Herrn Professor Gellert. – *Braunschweig, Fürstliche Waisenhaus-Buchhandlung, 1771.* – KLA.   [F 1119
A M, Wgm – **D-brd** Kl, Mbs, W – **D-ddr** HAl – F Dc, Pc, Sn – **GB** Lbm – **PL** WRu – **US** Bp, Wc (2 Ex.)

Vokalmusik

Oden und Lieder mit Melodien nebst einer Cantate: Der Podagrist. – *Braunschweig-Hildesheim, Ludwig Schroeders Erben (Leipzig, Johann Gottlob Immanuel Breitkopf), 1756.*   [F 1120
D-brd Bim, Mbs – **D-ddr** Dlb – F Pc, Sim – **GB** Lbm – S Skma – **US** NYp

— Oden und Lieder ... I. Theil, zweyte Auflage. – *ib., 1762.*   [F 1121
A Wn, Wgm – B Bc – CH EN – **D-brd** Mbs – DK Kk – **GB** Lbm – S Uu – **US** Wc

— Oden und Lieder ... I. Theil, neue Auflage. – *ib., 1775.*   [F 1122
A Wgm – B Bc

Oden und Lieder mit Melodien, zweyter Theil nebst einer Cantate: Der Bergmann. – *Braunschweig-Hildesheim, Lud-*

wig Schroeders Erben (Leipzig, Johann Gottlob Immanuel Breitkopf), 1757. [F 1123
A Wgm, Wn – B Bc (2 Ex.) – CH EN – **D-brd** Bim, Mbs – DK Kk – **GB** Lbm – S Skma, Uu – **US** NYp, Wc

Cantaten zum Scherz und Vergnügen, nebst einigen Oden und Liedern für das Clavier. – *Braunschweig, Schröderische Buchhandlung (Leipzig, Breitkopfische Buchdruckerei), 1763.*   [F 1124
B Bc (2 Ex.) – CH Bu – **D-brd** Mbs (2 Ex.) – **US** Wc

Sammlung größerer und kleinerer Singstücke mit Begleitung des Claviers. – *Braunschweig, in Commission der Schul-Buchhandlung, 1788.*   [F 1125
A Wgm – **D-brd** B, Bhm – **GB** Lbm

Instrumentalwerke

Sammlung einiger Menuetten und Polonoisen nebst einigen anderen Stücken für das Clavier. – *Braunschweig, Fürstliche Waisenhaus-Buchhandlung, 1762.* [F 1126
B Bc – **D-ddr** SWl

— Sammlung einiger Sonaten, Menuetten und Polonoisen wie auch einiger andern Stücke für das Clavier ... zweyte und um die Hälfte vermehrte Auflage. – *Braunschweig, Fürstliche Waisenhaus-Buchhandlung, 1769.*   [F 1127
GB Lbm

Clavier-Übung: Erste Partie, bestehend in einer nach heutigen galanten Gusto wohlausgearbeiteten Sonata [B]. – *Nürnberg, Christoph Weigel jr.*   [F 1128
D-ddr SWl – **NL** DHgm

FLEISCHMANN Christian Traugott

Die Wollust. Ein Gedicht ... für das Piano-Forte in Music gesetzt. – *Leipzig, Breitkopf & Härtel.* – KLA.   [F 1129
A Wst – CS K

FLEISCHMANN Friedrich

Vokalmusik

Einige Lieder, verfasst von Ihrer Durchlaucht der Regierenden Frau Fürstin von

Neuwied, mit Melodien. – *Leipzig, Breit-kopf & Härtel.* – KLA.   [F 1130
CS K – **D-brd** MÜu – **D-ddr** MEIr – US Wc

Wiegenlied (Schlafe mein Prinzchen, schlaf ein), aus Gotters Esther, mit Begleitung einer Guitarre oder des Klaviers. – *Offenbach, Johann André, No. 981.* – KLA.   [F 1131
CS K – NL DHgm

— *Hamburg, Johann August Böhme.*
                                         [F 1132
D-ddr Dlb

INSTRUMENTALWERKE

Op. 1. Concerto [C] pour le clavecin ou piano-forté, avec accompagnement de grand orchestre . . . œuvre 1^r. – *Offenbach, Johann André, No. 681.* – St.   [F 1133
D-brd LB (kpl.: 14 St.), OF – **D-ddr** WRtl – NL At

Op. 2. Sonate [G] à 4 mains . . . œuvre 2me. – *Offenbach, Johann André, No. 797.*
                                         [F 1134
D-brd Bhm, LB – US Wc

Op. 3. Concerto [d] pour le clavecin ou piano-forte, avec accompagnement de grand orchestre . . . œuvre 3me. – *Offenbach, Johann André, No. 865.* – St.
                                         [F 1135
S Skma (11 St., fehlt clav)

Op. 4. 1797. Zur Feyer des Friedens, Konzert für das Piano-Forte . . . 4tes Werck. – *Offenbach, Johann André, No. 1095.* – St.   [F 1136
D-brd LB (kpl.: 15 St.), OF – **GB** Lbm

Op. 5. Sinfonie [A] pour deux violons, viole, basse, flûte, deux hautbois, deux cors & deux bassons . . . œuvre 5. – *Offenbach, Johann André, No. 1467.* – St.
                                         [F 1137
B Bc (kpl.: 11 St.) – **D-brd** LB, Mbs, MGmi, MÜu, OF – **D-ddr** RUl (kpl.; mit zusätzlichen handschriftlichen St.: vl I, vl II, vla II, b)

Op. 6. Sinfonie [D] à grand orchestre . . . œuvre 6 . . . A. André y a suppléé le menuet. – *Offenbach, Johann André, No. 2331.* – St.   [F 1138

B Bc (kpl.: 14 St.) – **D-brd** DO, Mbs (kpl.; mit zusätzlichen handschriftlichen St.), MÜu, OF, WO – NL At

Op. 7. Ouverture à grand orchestre de l'opéra: Die Geisterinsel . . . œuvre 7. – *Offenbach, Johann André, No. 2378.* – St.
                                         [F 1139
D-brd LÜh (kpl.: 18 St.; mit zusätzlichen handschriftlichen St.), MÜu, OF (mit zusätzlichen handschriftlichen St.)

FLEISCHMANN Johann (SARCANDRUS)

Drey schöne christliche trostreiche Weyhe-nachttext und Neu-Jahrsgesänge. – *Coburg, Johann Forckel (Fürstliche Druckerei), (1630).* – St.   [F 1140
D-brd Cm (T II, B I)

FLEISCHMANN Johann Nicolaus

Arien nebst einigen Accompagnements, einem Trio und einem Chor, aus dem Alexandersfeste von Händel, fürs Clavier gesetzt. – *Göttingen, Autor, in Commission bei Witwe Vandenhoeck, 1785.*
                                         [F 1141
B Bc – **D-ddr** Dlb – NL DHgm

FLEISCHMANN Sebastian

Missa sex vocum. Ad imitationem suavissimae, Jacobi Reineri, cantionis: Facta est cum angelo, 6. vocum. – *[Antwerpen?], s. n., 1597.* – St.   [F 1142
D-ddr UDa (T II)

entfällt   [F 1143

FLEURY Charles

Douze quatuors pour quatre cors . . . œuvre 1^r. – *Lyon, P. Le Roy; Paris, Pleyel.* – St.   [F 1144
A L

Trois quatuors concertans pour cor, violon, alto et basse . . . œuvre 1^r de quatuors. – *Paris, Sieber père (Choizeau), No. 1864.* – St.   [F 1145
D-brd WERl

FLEURY François-Nicolas

Airs spirituels à deux parties avec la basse continue. – *Paris, Christophe Ballard, 1678.* – P.   [F 1146
B Bc – F Pn

FLÖRKE Friedrich Jakob

Oden und Lieder von verschiedenen Dichtern, mit Melodien. – *Bützow-Wismar, (Berger & Bödner), 1779.*   [F 1147
B Bc

FLOQUET Étienne Joseph

MUSIK ZU BÜHNENWERKEN

Azolan, ou Le serment indiscret

Airs détachés d'Azolan... ballet héroïque, en 3 actes ... représenté pour la p^re fois ... le 15 9bre 1774. – *Paris, auteur, aux adresses ordinaires (gravé par Mme Lobry).* – P.   [F 1148
GB Lbm

— ... le 22 9bre 1774. – *ib., 1774.* [F 1149
F Pc, Pa

Pour former une aimable chaîne. Ariette. – *s. l., s. n.*   [F 1150
GB Lbm

Hellé

Ouverture ... arrangée pour le clavecin ou le forte piano avec accompagnement d'un violon ad libitum. – *Paris, auteur, Mlle Castagnery, aux adresses ordinaires (gravée par Mme Demarle).* – St. [F 1151
F Pc

Tendre amitié. Air ... avec accompagnement de harpe & de violon par Mr Boutard. – *Paris, s. n. (gravé par Mme Tarade).* – P.   [F 1152
F Pc

La nouvelle Omphale

La nouvelle Omphale. Comédie en trois actes représentée à Versailles ... le 22 novembre 1782, et à Paris sur le Théâtre de la Comédie Italienne le 28 suivant. – *Paris, aux adresses ordinaires de musique.* – P.   [F 1153

B Bc – **D-ddr** Bds – F Dc, Pc (2 Ex.), Pn, R – US Wc

Je ris d'une belle. Air (in: Mercure de France, avril, 1783). – *[Paris], s. n., (1783).*   [F 1154
GB Lbm

Le Seigneur bienfaisant

Le Seigneur bienfaisant. Composé des actes du Pressoir, ou des Fêtes de l'automne, de l'incendie et du bal. Représenté pour la première fois ... le 14 décembre 1780. – *Paris, auteur, Lemarchand, aux adresses ordinaires de musique (gravé par G. Magnian).* – P.   [F 1155
B Bc, Gc – **D-brd** HR – DK Kk – F Dc, Lm, Pc, Pn, Po, R, TLc – GB Lbm – I Bc – S St – US AA, Wc

XXIIe Suite d'airs d'opéra comiques en quatuors concertants avec l'ouverture pour deux violons, alto et basse, choisis ... arrangés par Mr Alexandre. – *Paris, de La Chevardière; Lyon, Castaud (gravé par Mme Oger).* – St.   [F 1156
F Pc, Pn

Ouverture ... arrangée en quatuor pour deux violons, alto et basse ou pour tout l'orchestre par C. Fodor. – *Paris, Mmes Le Menu et Boyer.* – St.   [F 1157
F Pc (kpl.: vl I, vl II, vla, b), BO (vl I, b [jeweils ohne Titelblatt])

— Ouverture ... arrangés pour le clavecin ou le piano forte avec accompagnement d'un violon et violoncelle ad libitum ... par Benaut. – *Paris, Mlle Le Vasseur, Mlle Castagnery (gravés par Mme Menet).*   [F 1158
F Pc (clav, vlc)

— Ouverture ... arrangée pour le clavecin ou forté piano avec un accompagnement de violon par J. L. Adam. – *ib., Lemarchand.*   [F 1159
F Pc

— Ouverture ... arrangée pour le clavecin ou le piano-forte avec accompagnement de violon par C. Fodor. – *ib., Boyer, Mme Le Menu.*   [F 1160
F Pn (clav)

Laissons les amans, leur tendresse. Vaudeville. – *s. l., s. n.*   [F 1161
F Psg

Que la grêle, que la tempête. Vaudeville. –
[Paris], Frère.   [F 1162
F Psg

Salut honneur au petit dieu. Ariette. –
s. l., s. n.   [F 1163
F Psg

Contre-danses, gavotes et tambourin . . .
arrangés pour le clavecin ou le forte-
piano par Cesar. – *Paris, Frère.* [F 1164
F Pn

L'Union de l'amour et des arts

L'Union de l'amour et des arts. Ballet
héroïque en trois actes, savoir Bathile et
Chloé, Théodore, et La cour d'amour.
Représenté pour la première fois . . . le
mardi 7 septembre 1773. – *Paris, auteur,
aux adresses ordinaires.* – P.   [F 1165
B Bc (2 Ex.), Gc – **D-brd** BAs – **D-ddr** SWl –
F AG, Dc, Lm (unvollständig), NAc, Pa (andere Ausgabe: 3 Ex.), Pc (3 Ex., 2 verschiedene Ausgaben), Pn (3 Ex., davon 1 Ex. unvollständig, 2 verschiedene Ausgaben), Po,
TLc – **GB** Lbm (2 Ex.) – **I** Rvat – **US** Bp, R,
Wc

Ouverture . . . arrangés [!] pour le clavecin
ou le forte piano avec accompagnement
d'un violon et violoncelle ad libitum, par
M. Benaut. – *Paris, auteur, aux adresses
ordinaires.* – St.   [F 1166
F Pc (kpl.: clav, vl, vlc)

Chaconne [E] . . . pour deux violons, alto
et basse, hautbois, flûte ou clarinette,
cors, timbal et trompette ad libitum. –
s. l., s. n. – St.   [F 1167
CH Zz (9 St.)

— *Frankfurt, J. J. Gayl.*   [F 1168
D-brd MÜu (11 St.)

— Chaconne . . . arrangée pour deux vio-
lons, alto et violoncelle par Mr Tissier. –
*Paris, Borelly, Mlle Castagnery; Versail-
les, Blaizot.* – St.   [F 1169
F Dc (vl I), Pc (kpl.: vl I, vl II, vla, b) –
S Skma

— Chaconne . . . arrangée pour le piano
forte, le clavecin ou la harpe avec accompagnement de violon ad libitum . . . par
Mr Gobert. – *Paris, Boyer.*   [F 1170
F Pc (kpl.: pf, vl)

— . . . par Mr Edelmann. – *Mannheim,
Götz & Co., No. 33.*   [F 1171
S Skma

— Chaconne . . . arrangée en duo pour
deux violons. – *Paris, Imbault, No. V. 39.*
– St.   [F 1172
S Skma (kpl.: vl I, vl II)

Airs détachés. – *Paris, auteur, aux adresses
ordinaires.*   [F 1173
CH Gpu – F Pa, V (fehlt Titelblatt) – **US** Wc

— Airs . . . No 11–15. – *s. l., s.n.* [F 1174
F V

— Ariette[s] [et duos]. – *s. l., s. n.*
                                            [F 1175
F Pa (15 Nummern), Pc (5 Nummern [2, 4, 5, 7,
8])

— [2] Airs de Théodore. – *s. l., s. n.*
                                            [F 1176
F Pc

Aimable jeunesse. Trio des vieillards de
La cour d'amour. – *s. l., s. n.* – P. [F 1177
F Pc, V

L'amour tendre. Duo. – *s. l., s. n.* – P.
                                            [F 1178
F Pc, V

L'himen vous engage. Trio des vieillards
. . . parodie par M. des Fontaines. – *s. l.,
s. n.*   [F 1179
F V

VOKALMUSIK

Les amans seroient charmans. Air (in:
Mercure de France, mars, 1774). –
[Paris], s. n., (1774).   [F 1180
GB Lbm

La contrainte du silence. Ariette avec
accompagnement de deux violons, alto
et basse. – *Paris, Le Menu (gravé par
Gerardin).* – P. und St.   [F 1181
F Pa (P., vl I, vl II, vla)

FLOR Christian

Hochzeitlicher Freuden-Segen (Es segne dich der Gott Israel [S I, S II, A, T, B, vl I, vl II, bc]) . . . musicalisch mit 5. Sing: und 2. Geig: Stimmen zu dem B. Cont. . . . gesetzet. – *Hamburg, Michael Pfeiffer, (1656)*. – St.   [F 1182
D-brd W

Neues Musikalisches Seelenparadis; in sich begreiffend die allerfürtreflichste Sprüche der heiligen Schrifft Alten Testaments, in gantz lehr- und trostreichen Liederen . . . welche so wol auf bekante . . . als auch gantz neue von . . . Christian Flor . . . gesetzete Melodien . . . abgefasset [Singstimme mit bc]. – *Lüneburg, gedruckt und verlegt durch die Sternen, 1660*.   [F 1183
A Iu, Wn – **D-brd** As, Cl, Gs, HVl, Lr, LO, Mbs, Sl (2 Ex.), W – **D-ddr** Bds (2 Ex.), GOl, HAu, HEY, Ju – **GB** Lbm, Mp (unvollständig) – **S** Ö – **US** GB, Hm, NH, PHkm

— Neues Musikalisches Seelenparadis in sich begreiffend die allerfürtreflichste Sprüche der H. Schrifft Neuen Testaments . . . – *ib., 1662*.   [F 1184
A Wn – **D-brd** As, Gs, HVl (2 Ex.), Sl (2 Ex.) – **D-ddr** Bds (2 Ex.), GOl, HEY – **F** Sn – **GB** Lbm, Mp (unvollständig) – **S** Ö (fehlt Titelblatt) – **US** NH

FLORI Jakob

Modulorum aliquot tam sacrorum quam prophanorum cum tribus vocibus, et tum musicis instrumentis, tum vocibus concinentium accomodatorum, liber unus. – *Leuven, Pierre Phalèse, 1573*. – St.   [F 1185
E Mc

Cantiones sacrae quinque vocum quas vulgo motectas vocant quibus adiunctae sunt octo Magnificat secundum octo tonos . . . tum vivae vocis, tum omnivario instrumentorum concentui accommodae, & singulari confectae industria. – *München, Adam Berg, 1599*. – St.   [F 1186
D-brd As (kpl.: S, A, T, B, 5), Kl, KNu, Mbs (5), Rp (S, A, T [je 2 Ex.], B, 5)

FLORIMI Giovanni Andrea

1668. Messe a 5. voci concertate con violini. – *Venezia, Francesco Magni detto Gardano, 1668*. – St.   [F 1187
I Baf (kpl.: S I, S II, A, T, B, vl I, vl II, org), PIa

1669. Salmi pieni a otto voci con il Tedeum . . . opera seconda. – *Bologna, Giacomo Monti, 1669*. – St.   [F 1188
GB Ge (kpl.; I: S, A, T, B; II: S, A, T, B; org) – **I** Baf, Bc, Bsp, Fa, Ls (kpl. [2 Ex.]), Rsmt, Sd (fehlt org)

1673a. Concerti musicali a quattro e cinque voci . . . opera terza. – *Bologna, Giacomo Monti, 1673*. – St.   [F 1189
GB Lbm (S I, S II, A, T) – **I** Bc (kpl.: S I, S II, A, T, B, org), COd (T, B, org), Sc (S I, S II, A, B, org [2 Ex.])

1673b. Hymni unica voce concinendi cum instromentis . . . opus quartum. – *Bologna, Giacomo Monti, 1673*. – St.   [F 1190
CH Zz (kpl.: parte che canta, vl I, vl II, org) – **F** Pc – **I** Baf, Bc, PS (unvollständig)

1676. Flores melliflui in Deiparam Virginem cum octo plenis vocibus concinendi . . . opus quintum. – *Bologna, Giacomo Monti, 1676*. – St.   [F 1191
I Bc (kpl.; I: S, A, T, B; II: S, A, T, B; org), Ls, Sd (kpl. [2 Ex.])

1682. Versi della turba concertati a quattro voci per li passij della domenica delle palme, e venerdi santo con alcuni brevi, e devoti motetti da cantarsi nel visitare li santissimi sepolcri . . . opera settima. – *Bologna, Giacomo Monti, 1682*. – St.   [F 1192
D-brd MÜs (kpl.: S, A, T, B, org) – **I** Bc, PS (S, org), Sc (kpl.; B und vlne handschriftlich)

FLORIO Giorgio

Il primo libro de madrigali a sei voci. – *Venezia, Angelo Gardano, 1589*. – St.   [F 1193
D-brd KNu (S, B) – **I** Sd (6) – **PL** GD (kpl.: S, A, T, B, 5, 6)

FLORIO Giovanni

Il quarto libro de madrigali a cinque voci. – *Venezia, Giacomo Vincenti, 1586.* – St.   [F 1194
A Wgm (T)

FLORIO Pietro Grassi

Six sonatas or duets [G, G, D, A, B, F] for two german flutes or two violins . . . opera prima. – *London, Maurice Whitaker.* – P.   [F 1195
GB Lbm (2 Ex.) – **US** CHua

— *ib., Charles & Samuel Thompson.*
                                                  [F 1196
GB CDp, Lbm (3 Ex.) – **US** Wc

Six sonatas [D, G, A, C, B, c] for two german-flutes . . . opera II. – *London, Messrs. Thompsons.* – P.   [F 1197
GB CDp, Lbm

— *[ib.], Messrs. Thompsons, Longman & Co.*   [F 1198
GB CDp

— *[ib.], author.*   [F 1199
GB Ob

Six trios [G, F, D, g, Es, A] pour flûte, violin & violoncelle . . . œuvre III. – *Berlin, Johann Julius Hummel; Amsterdam, grand magazin de musique, aux adresses ordinaires, No. 446.* – St.   [F 1200
US Wc

— Six trios for a german flute, violin and violoncello obligato . . . opera III. – *London, author.*   [F 1201
GB Ckc (unvollständig), Gu, Lbm, Ob

— *ib., Longman & Broderip.*   [F 1202
F Pc – **GB** Ckc (unvollständig), Lbm – **US** Wc

Huit duos à deux flûtes traversières . . . œuvre IV. – *Den Haag–Amsterdam, Burchard Hummel & fils.* – St.   [F 1203
D-brd Tu

Six quartetts [C, a, G, C, d, e] for a flute, violin, tenor, and violoncello, arranged from favorite French airs. – *London, F. Linley.* – St.   [F 1204
GB Gu, Lbm

— Six quartetto's for a flute, violin, tenor and violoncello, or two violins, tenor, and violoncello, arranged from some of the most favorite French airs. – *London, L. Lavenu.* – St.   [F 1205
GB Lbm

FLORSCHÜTZ Eucharius

Auferstehungsgesang von Klopstock für Sopran, Alt, Tenor und Baß. – *Leipzig, C. F. Peters, No. 1317.* – P.   [F 1206
A Wgm – **D-brd** LÜh

Grande sonate [Es] à quatre mains pour le fortepiano. – *Leipzig, Hoffmeister & Kühnel, No. 233.*   [F 1207
D-brd B – **D-ddr** GOl, HAu – **S** L, SK – **US** Wc

— *ib., Ambrosius Kühnel (bureau de musique), No. 233.*   [F 1208
D-brd FLs – **DK** Kk

— Grande sonate . . . Nᵒ 1. – *ib., C. F. Peters, No. 233.*   [F 1209
A Wgm

Grande sonate [F] à quatre mains pour le forte-piano . . . Nᵒ II. – *Leipzig, Hoffmeister & Kühnel, No. 357.*   [F 1210
D-ddr GOl, HAu – **I** Nc – **S** Sm

— *ib., Ambrosius Kühnel (bureau de musique), No. 357.*   [F 1211
DK Kk

— *ib., C. F. Peters, No. 357.*   [F 1212
A Wgm

Grande sonate [A] à quatre mains pour le pianoforte . . . œuv. III. – *Leipzig, Ambrosius Kühnel (bureau de musique), No. 940.*   [F 1213
A Wgm – **CH** E

Grande sonate [G] pour le forte piano. – *Hamburg, Johann August Böhme.* [F 1214
D-ddr SWl

Capriccio con fughetta per il piano-forte . . . op. 5. – *Leipzig, Hoffmeister & Kühnel.*   [F 1215
B Br – **I** Mc

Grandes walses pour le pianoforte. – *Leipzig, C. F. Peters, No. 1239.* [F 1216
A Wgm

FLÜGGE Johann

Wolgeendeter Kampff der Frommen, bey seeligem Hintritt des . . . Herrn Henrici Staphorsten . . . [a 5 v]. – *Hamburg, Jakob Rebenlein, 1649.* – Chb.   [F 1217
D-brd HVl

FOCKING Hendrik

VI Sonates pour la flûte traverse solo avec une basse continuo . . . œuvre première. – *Amsterdam, s. n.* – P.   [F 1218
NL At, Uim

FODOR Carolus Antonius

VOKALMUSIK

Pseaume premier mis en musique pour 3 voix avec accompagnement de piano. – *Berlin, Johann Julius Hummel; Amsterdam, grand magazin de musique, No. 1481.*
[F 1219
NL Uim

Wiegenlied by de nieuwgeboore constitutie van Vrankrijk (in: Janus, No. 20). – *s. l., s. n.* – KLA.   [F 1220
NL At

INSTRUMENTALWERKE

Sinfonien, Ouvertüren und Konzerte

Simphonie [G] à grand orchestre . . . œuvre XIII. – *Berlin, Johann Julius Hummel; Amsterdam, grand magazin de musique, aux adresses ordinaires, No. 1183.* – St.   [F 1221
D-ddr HAmi (kpl.: 13 St.)

Simphonie [c] à grand orchestre . . . œuvre XIX. – *Berlin, Johann Julius Hummel; Amsterdam, grand magazin de musique, aux adresses ordinaires, No. 1298.* – St.
[F 1222
B Bc (kpl.: 16 St.) – **NL** At, DHgm, Uim

Ouverture [C] à grand orchestre, composée à l'occasion de l'arrivée de son Altesse royale le Prince d'Orange au concert de la société Felix Meritis . . . œuvre XXII. – *Berlin, Johann Julius Hummel;*

Amsterdam, grand magazin de musique, aux adresses ordinaires, No. 1503. – St.
[F 1223
NL At (kpl.: 11 St.)

Concerto [D] pour le clavecin ou piano forte avec l'accompagnement . . . œuvre I. – *Berlin, Johann Julius Hummel; Amsterdam, grand magazin de musique, aux adresses ordinaires, No. 754.* – St.
[F 1224
A Wn (10 St.) – **D-brd** BNba (fehlt Titelblatt; 10 St.; fehlen clav und vla) – **DK** Kk (kpl.; 12 St.: clav, vl I, vl II, vla, b, ob I, ob II, cor I, cor II, tr I, tr II, timp) – **GB** Ckc, Lbm – **NL** At (clav) – **S** Skma
vgl. [F 1242

— Concerto pour clavecin ou fortépiano avec accompagnement de deux violons, alto et basse, deux hautbois, deux cors, trompette et timballes ad libitum . . . œuvre 4me. – *Paris, Sieber fils, No. 23.*
[F 1225
D-brd B (fehlen tr und timp; clav mit Etikett: Frankfurt, Gayl & Hedler) – **F** Pn (fehlen tr und timp; die übrigen 9 St. in 2 Ex.)

— Concerto pour le clavecin ou piano forté, avec accompagnement de plusieurs instruments . . . œuvre 5me. – *Offenbach, Johann André, aux adresses ordinaires, No. 447.*   [F 1226
CH N (clav) – **D-brd** Mbs (kpl.: 12 St.) – **NL** DHa – **S** St (clav, vl I, vl II, vla, b, timp)

Concert [C] pour le clavecin ou piano forte avec accompagnement de deux violons, viola et violoncelle, deux clarinettes & deux cors . . . œuvre VIII. – *Berlin, Johann Julius Hummel; Amsterdam, grand magazin de musique, aux adresses ordinaires, No. 1021.* – St.   [F 1227
D-brd BNba (fehlen cor I und clav), KNh (kpl.: 9 St.) – **D-ddr** Dlb, SWl (cl I, cl II, cor I, cor II) – **F** Pc (clav) – **NL** DHgm – **GB** Ckc, Lbm – **S** Sm

— Concerto pour le pianoforte avec l'accompagnement de grand orchestre. – *Leipzig, Friedrich Hofmeister, No. 856.*
[F 1228
A Wgm (16 St.)

Concerto [g] pour le clavecin ou piano forte avec le rondo à la turque accompagné des plusieurs instrumens . . .

œuvre XII. – *Berlin, Johann Julius Hummel; Amsterdam, grand magazin de musique, aux adresses ordinaires, No. 1064.* – St.   [F 1229
D-brd MÜu (vl II [unvollständig] – **NL** At (clav [3 Ex., davon 2 Ex. ohne Titelblatt], vla, b, ob I, ob II, cor I, cor II, tamburo, triangulo) – **S** Skma (kpl.: 11 St.)

Concertino pour le piano avec accompagnement d'orchestre ad libitum . . . œuvre XXI. – *Berlin, Johann Julius Hummel.* – St.   [F 1230
B Bc

Deuxième concertino pour le piano accompagné de l'orchestre . . . œuvre XXIV. – *Berlin, Johann Julius Hummel.* – St.   [F 1231
B Bc (pf)

Werke für 4 Instrumente

Iʳ Quatuor [B], pour piano forte, deux violons, & violoncelle . . . œuvre VII. – *Amsterdam, J. H. Henning, No. 100.* – St.   [F 1232
D-brd Bhm – **NL** At

2ᵐᵉ Quatuor [C] pour le clavecin ou piano forte avec violon, viola et violoncelle . . . œuvre VII, libro II. – *Berlin, Johann Julius Hummel; Amsterdam, grand magazin de musique, No. 959.* – St.   [F 1233
D-brd Bhm – **D-ddr** Dlb

— Quatuor pour le clavecin, ou pianoforte, avec violon, alto et violoncelle (N° 93 du Journal de musique pour les dames). – *Offenbach, Johann André, No. 1007.*   [F 1234
B Bc – **D-brd** BE – **US** Wc

3ᵐᵉ Quatuor [A] pour le clavecin ou piano forte avec deux violons et violoncelle . . . œuvre VII, libre III. – *Berlin, Johann Julius Hummel; Amsterdam, grand magazin de musique, No. 969.* – St.   [F 1235
D-brd B, Bhm, BNba

Quatuor [Es] pour le piano forte accompagné d'un violon, viola & violoncelle . . . œuvre VII, libro IV. – *Berlin, Johann Julius Hummel; Amsterdam, grand magazin de musique, No. 1208.* – St. [F 1236
D-ddr Dlb – **GB** Lbm – **US** R

Quatuor [E] pour le piano forte accompagné d'un violon, viola et violoncelle . . . œuvre XIV, lib. V. – *Berlin, Johann Julius Hummel; Amsterdam, grand magazin de musique, No. 1235.* – St. [F 1237
D-brd Bhm – **GB** Lbm – **S** Skma

Werke für 2 Instrumente

Ouverture [C] pour le piano forte accompagnée d'un violon . . . œuvre XXIII. – *Berlin, Johann Julius Hummel; Amsterdam, grand magazin de musique, aux adresses ordinaires, No. 1554.* – St. [F 1238
D-brd Mbs (pf; fehlt vl)

Werke für Klavier

Trois sonates [F, fis, Des] pour le clavecin ou piano forte . . . œuvre II. – *Berlin, Johann Julius Hummel; Amsterdam, grand magazin de musique, aux adresses ordinaires, No. 794.*   [F 1239
D-brd B

— Three sonatas for the piano-forte or harpsichord, opera II. – *[London], Longman & Broderip, No. 794.*   [F 1240
NL DHa

Sonate [C] à quatre mains . . . œuvre IX. – *Berlin, Johann Julius Hummel; Amsterdam, grand magazin de musique, No. 1115.*   [F 1241
D-brd Bhm

Sonate [D] à quatre mains, pour le clavecin ou le piano forte . . . œuvre I. – *Offenbach, Johann André, No. 61.*   [F 1242
D-ddr Dlb
vgl. [F 1224

— . . . seconde édition. – *ib., Johann André, No. 2388.*   [F 1243
D-brd OF

Sonate [F] pour le clavecin ou piano forte à six mains . . . œuvre X. – *Berlin, Johann Julius Hummel; Amsterdam, grand magazin de musique, aux adresses ordinaires, No. 1157.* – P.   [F 1244
B Bc – **D-ddr** LEm

Simphonie à quatre mains pour le piano forte . . . œuvre XVI. – *Berlin, Johann Julius Hummel; Amsterdam, grand magazin de musique, No. 1263.*   [F 1245
US Cn

Trois airs variés [D, B, A] pour le piano
... œuvre XVIII. – *Berlin, Johann Julius
Hummel; Amsterdam, grand magazin de
musique, aux adresses ordinaires, No. 1407
(1424).*   [F 1246
D-brd Mbs – **NL** DHgm

FODOR Carolus Emanuel

Originalkompositionen

Sonate pour le clavecin ou le fortepiano
avec violon et basse ... (N° 5 du Journal
de pièces de clavecin par différens auteurs). – *Paris, Boyer, Mme Le Menu
(écrit par Ribière).* – St.   [F 1247
US Wc

Sonate pour le clavecin ou le forte-piano
avec violon et basse ... (N° 8 du Journal
de pièces de clavecin). – *Paris, Boyer,
Mme Le Menu.* – St.   [F 1248
F Pc (kpl.: clav [2 Ex.], vl, b)

Quatre sonates [B, F, B, C] pour le clavecin ou le piano forte avec accompagnement de violon ... (œuvre 2). – *Paris,
Mmes Le Menu & Boyer.* – St.   [F 1249
A Wn – **F** Pc (clav)

— *Offenbach, Johann André, No. 70.*
                   [F 1250
D-ddr Dlb

Premier pot-pourri pour le clavecin ou le
forte piano. – *Paris, Boyer, Mme Le Menu
(gravé par Mme Thurin).*   [F 1251
F Pc (3 Ex.), Pn

— *ib.*, *Mmes Le Menu & Boyer (gravé par
Mme Thurin).*   [F 1252
CS K – **F** Pc, Pn

Deuxième pot-pourri arrangé pour le
clavecin ou le forte piano. – *Paris, Boyer,
Mme Le Menu.*   [F 1253
F Pc, Pn

Troisième pot-pourri pour le clavecin ou
le forte piano. – *Paris, Boyer, Mme Le
Menu.*   [F 1254
F Pc

Quatrième pot-pourri arrangé pour le
clavecin ou le forte piano. – *Paris, Boyer,
Mme Le Menu.*   [F 1255
F Pc

Cinquième pot-pourri pour le clavecin ou
le forte-piano. – *Paris, Boyer, Mme Le
Menu, No. 167.*   [F 1256
F Pn

Bearbeitungen

(Bearbeitungen einzelner Werke siehe
unter den betreffenden Autoren)

2è Recueil d'ariettes d'opéra et opéra comiques, arrangées pour le clavecin ou le
piano-forte avec accompagnement de
violon ad libitum. – *Paris, Le Duc.* – P.
SD S. 321   [F 1257
F Pc

Petits airs connus variés pour le clavecin
ou le piano forte ... œuvre 3ᵉ. – *Paris,
Boyer.*   [F 1258
I CMbc

— Petits airs connus variés pour le clave-
cin ou le piano forte ... œuvre III. –
Offenbach, Johann André, No. 72.
                   [F 1259
D-brd OF

Malbrough, varié pour le violon [et basse].
– *[Paris, Sieber].* – P.   [F 1260
F Pc (fehlt Titelblatt)

FODOR Joseph

Vokalmusik

Recueil de romances et chansons avec
accompagnement de forte-piano ou harpe.
– *Paris, auteur (gravé par Mlle de Fon-
claire).* – P.   [F 1261
F Pn, V

Portrait des maris [Air], musique et
accompagnement de violon. – *[Paris],
Imbault.*   [F 1262
GB Lbm

La sourde oreille [Air]. – *[Paris], Mlle Le
Beau.*   [F 1263
GB Lbm

Un soir dans la forêt prochaine. Romance ... pour le clavecin par Mr. Javu-
rek, et harpe. – *[Paris], Mlle Le Beau.* –
P.   [F 1264
F Pc

— . . . accompagnement par Mr. Alberti. –
[ib], Camand. [F 1265
F Pn – GB Lbm

— . . . Romance nouvelle. – *ib., Imbault.*
[F 1266
GB Lbm

— . . . (in: Mercure de France, mai, 1784).
– *[Paris], s. n., (1784).* [F 1267
GB Lbm

Instrumentalwerke

*(Die angegebenen Konkordanzen sind
wahrscheinlich, jedoch nur in Einzelfällen
durch musikalische Incipits gesichert)*

Konzerte

Concerto [A] a violino principale, violino
primo, secondo, alto & basso, deux hautbois & deux cors de chasse ad libitum. –
*Berlin, Johann Julius Hummel; Amster-
dam, grand magazin de musique, aux
adresses ordinaires, No. 427.* – St. [F 1268
CS Bm (kpl.: 9 St.) – D-brd Mbs – S J (b, cor II)
– SF A

— Concerto à violon principal, premier et
second violons, alto et basse, deux flûtes,
deux cors ad libitum . . . œuvre Ve. –
Paris, Sieber. [F 1269
A Wgm (8 St., vl princ. handschriftlich) –
F BO (vl I, vl II, vla, b, fl I, fl II)

Concerto [D] a violino principale, violino
primo, secondo, alto & basso, deux hautbois & deux cors de chasse ad libitum . . .
œuvre V ([handschriftlich:] VI). – *Berlin,
Johann Julius Hummel; Amsterdam,
grand magazin de musique, aux adresses
ordinaires, No. 427.* – St. [F 1270
D-brd Mbs (kpl.: 9 St.) – S J (b, cor II), L, Uu
(vl princ.), V (fehlt vl princ.)

— Deuxième concerto à violon principal,
premier et second violon, alto et basse,
deux hautbois, deux cors ad lib. . . .
œuvre VIme. – *Paris, Sieber.* [F 1271
CS Pnm (fehlt ob II) – F Pc (vl I, vl II, b, cor I,
cor II)

Concerto [E] a violino principale, violino
primo, secondo, alto & basso, deux hautbois & deux cors de chasse ad libitum . . .

œuvre V ([handschriftlich:] VII). – *Berlin, Johann Julius Hummel; Amsterdam,
grand magazin de musique, aux adresses
ordinaires, No. 427.* – St. [F 1272
D-brd Mbs (kpl.: 9 St.) – D-ddr SWl – S J (vl
princ., vla, b, cor II) – SF A

— IIIe Concerto à violon principal, premier et second violon, alto et basse, deux
hautbois et deux cors. – *Paris, Sieber.*
[F 1273
F Lm (fehlt vl princ.)

— *ib., De Roullède; Lyon, Castaud.*
[F 1274
F Pc (vl I, vl II, vla, b)

Concerto [G] a violino principale, violino
primo, secondo, alto & basso, deux hautbois & deux cors de chasse ad libitum . . .
œuvre V ([handschriftlich:] IX). – *Berlin,
Johann Julius Hummel; Amsterdam,
grand magazin de musique, aux adresses
ordinaires, No. 427.* – St. [F 1275
D-brd Mbs (kpl.: 9 St.) – SF A (fehlt vl princ.
[mit Titelblatt])

— Quatrième concerto à violon principal,
premier et second violon, alto et basse,
deux hautbois, deux cors. – *Paris, Sieber.*
[F 1276
F Pc (vl princ., vl I, vl II, b, ob I, ob II) –
I Vnm (kpl.: 9 St.)

Concerto [C] à violino principale, violino
primo, secondo, alto & basso, deux hautbois et deux cors de chasse, ad libitum
. . . œuvre X ([handschriftlich:] XIV). –
*Berlin, Johann Julius Hummel; Amster-
dam, grand magazin de musique, aux adresses ordinaires, No. 702.* – St. [F 1277
D-brd Mbs (kpl.: 9 St.) – US Wc

— Cinquième concerto à violon principal,
premier et second violons, alto et basse,
deux hautbois, deux cors. – *Paris, Sieber.*
[F 1278
A Wgm (kpl.: 9 St.) – CS Pnm

Concerto [G] à violino principale, violino
primo, secondo, alto & basso, deux hautbois et deux cors de chasse, ad libitum
. . . œuvre XV. – *Berlin, Johann Julius
Hummel; Amsterdam, grand magazin de
musique, aux adresses ordinaires, No. 702.*
– St. [F 1279
A Wgm (kpl.: 9 St.)

— Sixième concerto à violon principal, premier et second violons, alto et basse, deux hautbois, deux cors. – *Paris, Sieber.*   [F 1280
F Pc (vl II, vla, b, ob I, ob II)

VIIme Concerto [D] à violon principal, deux violons, alto et basse obligés, cors et hautbois ad libitum. – *Paris, Imbault, No. 22.* – St.   [F 1281
A Wgm (kpl.: 9 St.) – **F** Pc (vl princip.; ohne No.)

Huitième concerto [G] à violon principal, deux violons, alto et basse, deux flûtes, et deux cors. – *Offenbach, Johann André, No. 141.* – St.   [F 1282
D-brd Rp (kpl.: 9 St.) – **GB** Lbm (vl princip.)

Neuvième concerto [E] pour le violon. – *Paris, Boyer, Mme Le Menu (écrit par Ribière).* – St.   [F 1283
D-brd Mbs (kpl.: 9 St.)

Xème Concerto à violon principal, deux violons, alto et basse, cors et hautbois ad libitum. – *Paris, Imbault.* – St.   [F 1284
F Pc (kpl.: 9 St.; vl princip. unvollständig)

Werke für 4 Instrumente

Six quatuors [C, B, E, A, G, f] à deux violons, taille et violoncelle . . . œuvre VIII. – *Berlin, Johann Julius Hummel; Amsterdam, grand magazin de musique, aux adresses ordinaires, No. 559.* – St.   [F 1285
D-brd F – **S** L (kpl.; vlc unvollständig) – **US** AA (fehlt vl I)

— Six quatuors concertants pour deux violons, alto et basse . . . œuvre XIe. – *Paris, Bailleux (gravé par Mme D'Aussel Olivier).*   [F 1286
B Bc – **D-brd** WERl – **E** Zac – **F** Pn – **GB** Lbm – **I** Gi – **US** AA, Wc

— Six quatuors concertants à deux violons, alto & basse . . . I^r livre de quatuors. – *Mannheim-München, Johann Michael Götz, No. 112.* – St.   [F 1287
A Wgm – **CS** Bm – **H** KE

Second livre. Six quatuors [F, D, C, G, F, Es] à deux violons, taille et violoncelle . . . œuvre XII. – *Berlin, Johann Julius Hummel; Amsterdam, grand magazin de*

musique, aux adresses ordinaires, No. 584. – St.   [F 1288
A Wn – **CS** JIa (fehlt vl II), Pnm (vl II) – **D-brd** Mmb – **SF** A (vla)

— Six quatuors concertants à deux violons, alto & basse . . . 2e livre de quatuor. – *Paris, Imbault.* – St.   [F 1289
CS JIa (fehlt vlc), Pnm (vlc) – **F** [jeweils mit Impressum: Paris, Imbault, Sieber] Pc, Pn – **I** Tn (vl I, vlc) – **US** Wc

Troisième livre. Six quatuors [G, D, C, f, B, F] à deux violons, taille et violoncelle . . . œuvre XIII. – *Berlin, Johann Julius Hummel; Amsterdam, grand magazin de musique, aux adresses ordinaires, No. 487.* – St.   [F 1290
A Wn – **B** Bc – **D-brd** Bhm (fehlt vlc) – **S** J

— Six quatuors concertants pour deux violons, alto et violoncelle . . . III œuvre de quatuors. – *Paris, auteur, Sieber.*   [F 1291
A Wgm (2 Ex.) – **CS** JIa (fehlt vlc), Pnm (vlc) – **F** Pn – **US** Wc

— *Offenbach, Johann André, No. 114.*   [F 1292
D-brd B – **NL** Uim

Six quatuors concertans [D, F, G, B, f, C] pour deux violons, alto et basse . . . 4e livre de quatuors. – *Paris, Imbault (écrit par Ribière).* – St.   [F 1293
D-ddr Bds – **F** Pn – **GB** Lbm (2 verschiedene Ausgaben) – **US** R (mit No. 139) – **US** Wc

— Trois quatuors pour deux violons, alto-viola et basse . . . livre I [D, F, G] (livre II [B, f, C]). – *Mainz, Bernhard Schott, No. 109 (110).*   [F 1294
CS Bm (livre I), JIa (kpl.; fehlt vlc), Pnm (kpl.; vlc) – **D-brd** B (livre II), MZfederhofer (livre II), WD (livre I; fehlt vl II) – **I** Sac – **YU** Zha (livre II)

Quartetto [A] per due violini, viola e violoncello. – *Venezia, Antonio Zatta & figli.* – St.   [F 1295
I Vc

Quartetto [C] per due violini, viola e violoncello. – *Venezia, Antonio Zatta & figli.* – St.   [F 1296
I Vc, Vnm

Quartetto [D] per due violini, viola e violoncello. – *Venezia, Antonio Zatta & figli.* – St.   [F 1297
US BE

Quartetto [F] per due violini, viola e violoncello. – *Venezia, Antonio Zatta & figli.* – St.   [F 1298
US BE

Werke für 2 Instrumente

Duos

Six duos [C, F, B, Es, A, B] à deux violons . . . op. 1. – *Berlin, Johann Julius Hummel; Amsterdam, grand magazin de musique, No. 424.* – St.   [F 1299
NL DHgm (vl I)

— Six duos à deux violons . . . opus 1ᵉ. – *Paris, Sieber.* – St.   [F 1300
NL DHgm – **US** Wc

Six duos [C, Es, A, G, B, G] à deux violons . . . œuvre II. – *Berlin, Johann Julius Hummel; Amsterdam, grand magazin de musique, No. 425.* – St.   [F 1301
NL DHgm, Uim (fehlt vl II)

— Six duos à deux violons . . . œuvre 2ᵉ. – *Paris, Sieber.*   [F 1302
CH Bu (fehlt vl II) – **F** Pn (fehlt vl II), V – **US** Wc

Six duos [G, B, F, D, G, A] à deux violons . . . œuvre III. – *Berlin, Johann Julius Hummel; Amsterdam, grand magazin de musique, No. 426.* – St.   [F 1303
S L

— Six duos à deux violons . . . œuvre 3ᵉ. – *Paris, Sieber.*   [F 1304
CH BEsu (Etikett: Le Menu et Boyer), SAf – **NL** DHgm – **US** Wc

Six duos [G, B, A, F, E, C] à deux violons . . . œuvre I [V]. – *Berlin, Johann Julius Hummel; Amsterdam, grand magazin de musique, aux adresses ordinaires, No. 519.* – St.   [F 1305
NL At

— Six duos pour deux violons . . . œuvre IV. – *Paris, Sieber.*   [F 1306
CH Bu (fehlt vl II) – **GB** Lbm – **US** STu

Six duos [D, G, A, C, D, G] à deux violons . . . œuvre X. – *Berlin, Johann Julius*

Hummel; Amsterdam, grand magazin de musique, aux adresses ordinaires, No. 566. – St.   [F 1307
NL At, DHgm, Uim

— Six duos pour deux violons . . . œuvre VI. – *Paris, auteur, Sieber, No. 119.* [F 1308
F Pc (fehlt vl I) – **I** Nc – **NL** DHgm – **US** Wc

Six duos [B, A, D, F, G, C] à deux violons . . . œuvre XI. – *Berlin, Johann Julius Hummel; Amsterdam, grand magazin de musique, No. 586.* – St. [F 1309
NL DHmw – **S** SK

— Six duos à deux violons . . . VIIᵉ œuvre de duos. – *Paris, Imbault, Sieber.*
                                                      [F 1310
CH Bu – **F** Pn (fehlt vl II) – **GB** Lbm, Lcm – **I** Nc

— Six duos [G, F, A, D, C, B] pour deux violons . . . œuvre Xᵐ. – *Paris, Sieber, No. 123.*   [F 1311
I Nc – **US** Wc

Six duos pour deux violons . . . 8ᵉ livre de duos. – *Paris, Imbault, No. 38.* – St.
                                                      [F 1312
F Pc

Trois duos [D, F, Es] pour deux violons . . . œuvre XVII. – *Berlin, Johann Julius Hummel; Amsterdam, grand magazin de musique, No. 651.* – St.   [F 1313
S Skma, L – **US** NYp

Trois duos [B, G, C] pour deux violons . . . œuvre XVIII. – *Berlin, Johann Julius Hummel; Amsterdam, grand magazin de musique, No. 651.* – St.   [F 1314
S L, Skma – **US** NYp

— *London, Longman & Broderip.* [F 1315
GB T

— [Hummel, œuvre XVII und XVIII:] Six duos [D, F, Es, B, G, C] pour deux violons . . . IXᵉ liv. de duos. – *Paris, Imbault, No. 106.*   [F 1316
F Pc – **GB** Lbm – **S** VII (mit No. 81)

Trois duos [A, D, G] pour deux violons . . . œuvre XIX. – *Berlin, Johann Julius Hummel; Amsterdam, grand magazin de musique, No. 688.* – St.   [F 1317
NL At, DHgm (fehlt vl I), Uim – **S** L

Trois duos [C, F, Es] pour deux violons . . .
œuvre XX. – *Berlin, Johann Julius Hummel; Amsterdam, grand magazin de musique, aux adresses ordinaires, No. 688.* – St.
[F 1318

NL At

— [Hummel, œuvre XIX und XX:] Six
duos concertans pour deux violons [A, D,
G, C, F, Es] . . . livre XIᵉ. – *Paris, Sieber père, No. 848.* [F 1319

NL DHgm

— Six duos pour deux violons . . . XIᵉ
livre de duos de violon. – *ib., Imbault, No. 185.* [F 1320

CH Bu (2 Ex.) – **I** Nc – **US** Wc

— *ib., Boyer.* [F 1321

GB Lbm

Trois duos [F, G, B] pour deux violons . . .
œuvre XXV. – *Berlin, Johann Julius Hummel; Amsterdam, au grand magazin de musique.* – St. [F 1322

D-ddr Dlb

Six duos [D, F, G, C, B, G] pour deux violons . . . opera 12. – *Paris, Sieber.* – St.
[F 1323

US Wc

— . . . XIIᵐᵉ livre de duos. – *ib., Jean Henri Naderman (gravé par Mlle Fleury).*
[F 1324

EIRE Dam – **F** Pn (2 Ex.) – **GB** Lam – **NL** DHgm

— . . . XIIᵐᵉ livre de duos. – *London, Longman & Broderip.* [F 1325

GB Cu (unvollständig), Cpl (unvollständig), Lbm

— Six duos concertants . . . opera 12. –
s. l., s. n. [F 1326

GB Lcm (2 Ex.) – **US** Wc

— Trois duos concertants pour deux violons . . . œuvre 12ᵉ, livre 1 [G, C, F] (livre 2 [D, G, B]). – *Offenbach, Johann André, No. 456 (457).* [F 1327

D-brd OF

Six duos [C, A, d, C, G, a] pour deux violons mêlés d'airs variés . . . XIIIᵉ livre de duos. – *Paris, Imbault, No. 287.* – St.
[F 1328

CH Bu – **F** Pc, Pn – **GB** Lcm – **NL** DHgm

— *ib., Boyer; Lyon, Garnier.* [F 1329

GB Lbm

— Trois duos [C, G, a] pour deux violons
. . . œuvre XXIV. – *Berlin, Johann Julius Hummel; Amsterdam, grand magazin de musique, No. 908.* [F 1330

J Tma – **NL** DHgm, Uim – **S** L, Skma – **SF** A

— Trois duos [C, A, d] pour deux violons
. . . œuvre 13ᵉ de duos, livre 1. – *Offenbach, Johann André, No. 474.* [F 1331

D-brd MÜu – **NL** Uim

— Trois duos [C, G, a] pour deux violons
. . . œuvre 13ᵉ de duos, livre 2. – *Offenbach, Johann André, No. 475.* [F 1332

S L

— Tre duetti [C, G, a] per due violini . . .
op. 15. – *Wien, Tranquillo Mollo & Co., No. 673.* [F 1333

CS Pnm

Six duos concertans [A, F, B, D, f, C] pour
deux violons . . . livre 14. – *Paris, Sieber père, No. 932.* – St. [F 1334

NL DHgm

— Six duos pour deux violons . . . 14ᵉ
livre de duos. – *ib., Imbault, No. 350.*
[F 1335

CH Bu (ohne Verlegername) – **F** Pc – **GB** Lcm

— *ib., MM. Fontaine (écrit par Ribière).*
[F 1336

CH Bu – **I** Sac – **US** Wc

— *Amsterdam, J. H. Henning, No. 32.*
[F 1337

NL At

— Trois duos [A, F, B] pour deux violons . . . œuvre XXIII. – *Berlin, Johann Julius Hummel; Amsterdam, grand magazin de musique, No. 821.* [F 1338

J Tma – **NL** DHgm – **SF** A (fehlt vl I)

— Trois duos concertants [D, f, C] pour
deux violons . . . œuvre 14ᵐᵉ, livre (2). –
Offenbach, Johann André, No. 528. [F 1339

D-brd OF – **S** L

— Tre duetti [F, B, D] per due violini . . .
opera 13. – *Wien, Artaria & Co., No. 667.*
[F 1340

A Wgm – **CS** Pnm

— Tre duetti [C, A, f] per due violini . . .
opera 14. – *Wien, Artaria & Co., No. 672.*
[F 1341
H Bn – **NL** DHgm (unvollständig)

Trois duos [G, d, C (La Bavarde)] pour
deux violons . . . 15e livre de duos. –
Paris, Imbault, No. 784. – St.   [F 1342
US Wc
vgl. [F 1351

Trois duos [F, e, B] pour deux violons . . .
16ᵉ livre de duos. – *Paris, Imbault, No.
290.* – St.   [F 1343
F Pn (2 Ex.) – **NL** DHgm

— *ib., Leduc, No. 25.*   [F 1344
B Bc (vl I) – **I** Sac

— . . . œuv. XVI de duos. – *Moskau,
Charles Louis Lehnhold.*   [F 1345
A Wgm (Etikett: Offenbach, André, No. 1777)
– **D-brd** MÜu (Etikett: Offenbach, André,
No. 1777) – **D-ddr** LEm (Etiketten: Offen-
bach, André; Frankfurt, J. G. Gayl) – **I** Vnm
(Etikett: Offenbach, André)

Six duos pour deux violons . . . 17ᵉ livre
de duos . . . 1 (2) partie. – *Paris, Imbault,
No. 298 (299).* – St.   [F 1346
F Pn (2 Ex.) – **US** Wc

Trois duos pour deux violons . . . opera 18.
1ʳᵉ (2ᵉ [C, F, a]) partie. – *Paris, Imbault,
No. 184 (223).* – St.   [F 1347
CH Bu (2ᵉ partie) – **F** Pn – **US** Wc

— Three duets for two violins . . . op. 18. –
London, Longman & Broderip.   [F 1348
EIRE Dam

Six duos [B, c, G, f, C, g] pour deux vio-
lons . . . œuvre 21ᵐᵉ et 8ᵐᵉ livre de duos. –
Paris, auteur, Imbault, No. 573. – St.
[F 1349
CH Bu (im Impressum: Imbault, No. 38),
Gpu – **GB** Lbm – **US** Wc

Four duets [G, F, A, C] for two violins
. . . op. XXX. – *London, Cobb & Watlen.* –
St.   [F 1350
GB Lbm

Der Schwätzer, Le Bavard, Il Ciarlone.
Duo [C] pour deux violons. – *Wien,
Artaria & Co., No. 1836.* – St.   [F 1351
A Wgm, Wst – **B** Bc
vgl. [F 1342

Potpouri en duetto pour deux violons . . .
livr. II. – *Amsterdam, J. H. Henning.* –
St.   [F 1352
NL DHgm

Sonaten

Six sonates [F, G, B, D, C, A] pour le vio-
lon . . . œuvre 29, Iᵉʳ livre de sonates. –
Paris, Imbault, No. 129. – P. (für 2 vl)
[F 1353
A Wn – **GB** Ckc, Lbm – **I** Vc-giustiniani –
US Cn, I, Nsc, NYp, Wc (2 Ex.)

Six sonates [A, e, F, a, E, A] pour le violon seul avec accompagnement . . . 2ᵉ
livre de sonates. – *Paris, Imbault, No. 372.*
– St.   [F 1354
I Vnm (kpl.: vl I, vl II) – **US** Wc

Caprices

Trois caprices [As, E, C] pour le violon. –
København, E. F. J. Haly, No. 10. – St.
[F 1355
D-ddr Dlb (kpl.: vl, vl II [für Nr. 3]) – **DK** Kk
(vl) – **S** Lu, Skma (nur vl von Nr. 1)

— Caprices pour le violon . . . Nº 1 (2, 3). –
Wien, Johann Traeg.   [F 1356
[verschiedene Ausgaben:] **A** Wgm (Nr. 1 und 2
ohne No., Nr. 3 mit No. 29), Wn (Nr. 1 und 2
ohne No.), Wst (Nr. 2 mit No. 28) – **CS** BRnm
(Nr. 1 und 3), Pk (Nr. 1 und 3) – **I** Nc (Nr. 2
und 3 mit No. 28 und 29)

Werke für Klavier

Sonate pour le clavecin ou le piano-forte.
– *Paris, Imbault, No. 152.*   [F 1357
F Pn

Sonate [C, pour le pianoforte] . . . (in:
Journal de pièces de clavecin, Nº 29). –
Paris, Boyer.   [F 1358
GB Lbm

BEARBEITUNGEN

(Bearbeitungen einzelner Werke siehe
auch unter den betreffenden Autoren)

Recueil de petits airs, avec des variations
pour un violon et violoncel, arrangés. –
*Berlin, Johann Julius Hummel; Amster-
dam, grand magazin de musique, No. 437.* –
P.   [F 1359
D-ddr SWl (unvollständig) – **DK** Kk – **GB** Lbm
– **NL** DHgm

— Recueil de petits airs, avec des variations pour un violon seul [et basse] arrangés. – *Paris, de La Chevardière; Lyon, Castaud; Bruxelles, Godefroy; Toulouse, Brunet; Bordeaux, Bouillon, Saulnier.* – P.   [F 1360
F Pc – **NL** Uim

— *Paris, Le Duc, No. 63.*   [F 1361
US Wc

Troisième recueil d'airs connus et variés pour deux violons [avec accompagnement de clavecin ou piano forte]. – *Paris, Sieber.* – P.   [F 1362
NL At – **US** Wc

Recueil d'airs variés pour clavecin ou forte piano. – *Paris, Sieber.*   [F 1363
SD S. 317.
A Wn – **F** Pc

Six aires connus variés pour le violon avec accompagnement de basse. – *Paris, Durien (gravés par Gérardin).* – P.   [F 1364
D-ddr LEmi

Airs variés pour violon et violoncelle. – *Paris, Sieber.* – P.   [F 1365
F Pc – **NL** At

Recueil d'airs connus variés pour le violon accompagné d'un second violon . . . Nº 1(–6). – *Offenbach, Johann André, No. 3094 (–3099).* – St.   [F 1366
I Vnm (kpl.: vl I, vl II)

— Recueil d'airs connus variés pour le violon . . . Nº 2. – *Offenbach, Johann André, No. 3870.* – St.   [F 1367
D-brd OF (kpl.: vl I, vl II)

Air (No. 1–8) . . . varié pour le violon avec un accompagnement d'un violon. – *St. Petersburg, F. A. Dittmar, No. 987 (993, 1039, 1053, 1055, 1065, 1076, 1127).* – St.   [F 1368
CS Pk (No. 1) – **SF** A (No. 1–8: vl I)

Air de Tarare varié pour le violon. – *Paris, Imbault.*   [F 1369
B Bc – **F** Dc, Pc (fehlt Titelblatt)

Air du 2me acte de Tarare varié pour le violon. – *Paris, Imbault.*   [F 1370
B Bc – **F** Dc

Romance variée pour deux violons. – *Paris, Imbault, No. A. V. 7.*   [F 1371
B Bc

Ah! ça ira. Arrangé en potpouri pour deux violons. – *Offenbach, Johann André, aux adresses ordinaires, No. 469.* – St.   [F 1372
NL At

Ouverture de la Caravane par Mr. Grétry arrangé pour le clavecin . . . avec l'accompagnement d'un violon. – *Berlin, Johann Julius Hummel; Amsterdam, grand magazin de musique, No. 460.* – St.   [F 1373
NL DHgm

— . . . arrangée pour piano forte. – *Paris, Janet & Cotelle, No. 50.*   [F 1374
A Wn (pf, mit einer vl-St.)

FÖRKELRATH Kaspar

Christliches Sterb-Lied (Symphonia [für 4 Instrumente]. Jesus. Wer überwindet sich [für Singstimme und bc]. Die siegende Seele. Vollendet ist der Streit [für Singstimme und bc]. Der Engel Chor. Sey siegende Seele willkommen [für S, A, T, B, 4 Instrumente und bc]) . . . der . . . Sibyllae Ursulae . . . verfasset von Henningo Petersen . . . und Anno 1672. den 6. Febr. gesungen und musiciret. – *Hamburg, Georg Rebenlein, 1672.* – P.   [F 1375
D-brd W – **D-ddr** MAl

FÖRSTER Christoph

Sei sinfonie [G, D, A, Es, B, F] a due violini, viola, cembalo e violoncello con ripieni di diversi stromenti. – *Nürnberg, Ulrich Haffner.* – P.   [F 1376
CH FF (vl I [mit V. Nr. XIV]) – **D-brd** BE (vl I, fondamento, cor/fl/ob I, cor/fl/ob II) – **D-ddr** MEIl (fondamento)

Sei duetti a due violini e basso ad libitum . . . opera prima. – *Paris, Le Clerc, Le Clerc le cadet, Mme Boivin.* – St. [F 1377
CH Zz (vl I, vl II) – **F** Pc (kpl.: vl I, vl II, vlc), Pn (kpl.; andere Ausgabe), TLc (vl I) – **US** NYp (vl I, vl II)

FÖRSTER Emanuel Aloys

VOKALMUSIK

Kantate auf die Huldigungs-Feyer Sr. Königlichen Apostolischen Majestät Franz als Erzherzog von Oesterreich am 25sten April 1792. – *Wien-Linz, Franz Anton Hoffmeister, (1792)*. – KLA.
[F 1378
H Bn – **US** NH

Ein Gesang. Er machte Frieden, nach Claudius; für eine Stimme vom Clavier begleitet. – *Wien, Johann Traeg, No. 957.* – KLA. [F 1379
US NYp

Zwölf Neue Deutsche Lieder fürs Klavier . . . opera 13. – *Wien, Artaria & Co., No. 606.* [F 1380
GB Lbm

— *s. l., s. n.* [F 1381
A Wn – **CS** K (2 Ex.) – **D-brd** Mbs

INSTRUMENTALWERKE

(mit Opuszahlen)

[Op. 1]. II Sonates [G, D] pour le forte-piano, ou clavecin. – *Wien, Franz Anton Hoffmeister, No. 191.* [F 1382
A Wgm, Wweinmann – **CH** BEl – **D-ddr** Dlb – **GB** Lbm – **US** NYp

— Due sonate per clavicembalo o piano-forte . . . opera 12. – *ib., Artaria & Co., No. 570.* [F 1383
A Wn – **D-ddr** WRtl

— *ib., Johann Cappi, No. 570.* [F 1384
A Wgm

[Op. 2]. II Sonates [A, Es] pour le forte-piano ou clavecin. – *Wien, Franz Anton Hoffmeister, No. 195.* [F 1385
A Wn – **D-ddr** Dlb – **I** Nc – **US** Wc

Op. 5. Duetto [6] per il forte-piano e flauto, o violino . . . Nr. I, opera Vta. – *Wien, Franz Anton Hoffmeister, No. 232.* – St. [F 1386
A Wgm

Op. 6. Duetto [Es] per il forte-piano e flauto, o violino . . . Nr. II, opera VIta. – *Wien, Franz Anton Hoffmeister, No. 243.* – St. [F 1387
A Wgm

Op. 7(a). Duetto [D] per il forte-piano e flauto, o violino . . . Nr. III, opera VIIta. – *Wien, Franz Anton Hoffmeister, No. 266.* – St. [F 1388
A Wgm

Op. 7(b). Six quatuors pour deux violons, alto et basse . . . œuvre 7me, livre 1 [A, F, D] (livre 2 [B, G, Es]). – *Offenbach, Johann André, No. 687 (688).* – St. [F 1389
A M (livre 1), Wgm, Wn, Wst – **B** Bc (livre 1) – **CS** Bu, K, Pk, Pnm (livre 1, fehlt b) – **D-brd** Bhm, Mbs (livre 2), MÜu – **GB** Lbm – **H** SFm – **US** NYp (livre 2), R, Wc (livre 2)

Op. 8. Quatuor pour le clavecin, ou piano-forte, avec violon, alto et violoncelle . . . œuvre 8me, livre 1 [B] (livre 2 [a]). – *Offenbach, Johann André, No. 734 (735).* – St. [F 1390
A Wn (livre 1: pf, vl) – **CS** Pu (livre 1) – **D-brd** BNba (livre 1) – **NL** Uim (livre 1) – **S** Skma – **US** NYp (livre 1)

Op. 9. Sextetto [G] pour forte-piano, violon, alto, violoncelle, flûte et basson . . . œuvre 9me. – *Offenbach, Johann André, No. 924.* – St. [F 1391
D-brd Bhm, OF – **D-ddr** SWl – **S** Skma

Op. 10. Quatuor pour le forte-piano avec accompagnement de violon, alto et violoncelle . . . œuvre 10me, livre 1 [G] (2 [C]). – *Offenbach, Johann André, No. 954 (955).* – St. [F 1392
A Wn – **B** Bc (kpl.; livre 1 [2 Ex.]) – **H** Gc (livre 1) – **S** Skma

Op. 11. Quatuor pour le forte-piano avec accompagnement de violon, alto et violoncelle . . . œuvre 11me, livre 1 [A] (2 [Es]). – *Offenbach, Johann André, No. 956 (957).* – St. [F 1393
A Wn (livre 1) – **B** Bc (livre 1) – **S** Skma

— Quartetto in Es per lo clavicembalo, violino, viola, e violoncello . . . opera X. – *Wien, Artaria & Co., No. 607.* – St.
[F 1394
A Wgm – **D-brd** WERl (fehlt vla) – **NL** Uim

— ... opera X, N⁰ 2. – *ib.*, *Joseph Eder.*
[F 1395
A Wn – **B** Bc

Op. 12. Due sonate [G, D] per clavicem-
balo o piano-forte ... opera (12). – *Wien,*
Johann Cappi, No. 570. [F 1396
CS BRnm

Op. 13. Due sonate [F, Es] per clavicem-
balo o piano-forte ... opera 13. – *Wien,*
Johann Cappi, No. 933. [F 1397
A Wgm, Wn

— Due sonate [F, Es] ed un tema [A] con
dieci variazioni dell'opera I finti eredi per
lo clavicembalo solo. - *s. l., s. n.* [F 1398
A M (2 verschiedene Ausgaben) – **CS** Pu –
D-ddr Dlb

— Air de l'opéra I finti eredi, varié pour
le piano-forte [falsche Zuweisung:] par
Mozart, œuvre 66ᵐᵉ [vgl. KV Anhang C
26.06]. – *Offenbach, Johann André, No.*
1226. [F 1399
D-brd Hmb, OF – **GB** Lbm

— Ariette avec X. Variations de l'opéra I
finti eredi pour le clavecin ou piano forte
... [falsche Zuweisung:] par W. A. Mozart. – *Berlin, Johann Julius Hummel;*
Amsterdam, grand magazin de musique,
No. 1104. [F 1400
D-ddr Dlb

— Ariette varié [falsche Zuweisung:] par
W. A. Mozart. – *Bonn, Nikolaus Sim-*
rock, No. 318. [F 1401
D-brd F, Mbs – **S** Skma

Op. 15. Tre sonate [Es, F, c] per il clavi-
cembalo o forte-piano ... opera 15. –
Wien, Artaria & Co., No. 647. [F 1402
A Wn – **US** Wc

Op. 16. Trois quatuors pour deux violons,
alto et basse ... œuvre 16, liv. 1 [D, B,
Es] (livre 2 [C, f, A]). – *Wien, Artaria &*
Co., No. 741 (742). – St. [F 1403
A Wgm (kpl. [2 Ex.]), Wn (kpl.; livre 2 [2
Ex.]), Wst (livre 1) – **CS** Bm (livre 1: vl I), K,
Pk – **D-brd** DO (livre 1), Kl (livre 1) – **GB** Cpl
(livre 1) – **H** Bn (livre 2), SFm (livre 2: vl I,
vl II) – **US** NYp (livre 2), R (livre 1)

Op. 17. Trois sonates [C, Es, A] pour le
forte-piano ... œuvre XVII. – *Wien,*
Johann Traeg, No. 59. [F 1404
A Wn – **D-ddr** Dlb

Op. 18. Trio pour le forte-piano, violon et
violoncelle ... œuv. 18, Nr. 1 (2, 3). –
Wien, Johann Traeg, No. 91 (136, 153). –
St. [F 1405
A Wgm (Nr. 1–3: vl, vlc), Wn (Nr. 2) –
CS Pu (Nr. 1, 2) – **D-brd** Bhm

Op. 19. Quintuor [c] pour deux violons,
deux altes et violoncelle ... œuv. 19. –
Wien, Johann Traeg, No. 92. – St.
[F 1406
A M, Wn, Wgm (3 Ex.) – **CS** Pk – **H** SFm

Op. 20. Quintuor [a] pour deux violons,
deux altos et violoncelle ... œuv. 20. –
Wien, Johann Traeg, No. 138. – St.
[F 1407
A Wgm (2 Ex.), Wn, Wst – **CS** Pk – **D-brd** Bhm
– **H** SFm (vl I, vla I, vla II)

Op. 21. Trois quatuors pour deux violons,
alto et violoncelle ... œuvre XXI, Nr. 1
[C, d, A] (Nr. 2 [Es, B, e]). – *Wien, bureau*
des arts et d'industrie, No. 13 (82). – St.
[F 1408
A M (Nr. 1), Wgm, Wn – **CS** Pk – **D-brd** Mbs –
H SFm (Nr. 1: kpl. [vl I unvollständig], Nr. 2:
vl I [unvollständig], vl II) – **I** Nc (Nr. 1)

— ... livraison 1 (2). – *ib.*, *Artaria & Co.*
[F 1409
B Bc

Op. 22. Sonate pour le pianoforte ...
œuvre XXII, Nr. 1 (2, 3) [B, g, Es]. –
Wien, bureau des arts et d'industrie, No. 14
(59, 60). – St. [F 1410
A Wgm (2 Ex.) – **CS** Pu – **D-ddr** Dlb (Nr. 1) –
S Uu (Nr. 1) – **US** Wc (Nr. 2)

Op. 23. Grande sonate [B] pour le piano-
forte, à quatre mains ... œuvre XXIII. –
Wien, bureau des arts et d'industrie, No.
33. [F 1411
A Wgm – **D-ddr** BD, GOl, ZI – **I** PAc

Op. 25. Fantaisie suivie d'une grande sonate [d] pour le pianoforte ... op. XXV. –
Wien, bureau des arts et d'industrie, No.
102. [F 1412
A M, Wgm, Wn – **B** Bc

— *Paris, Imbault, No. 265.*   [F 1413
F Pn

Op. 26(a). Quintuor [Es] pour deux violons, deux altos et violoncelle . . . œuv. 26. – *Wien, Johann Traeg, No. 192.* – St.
[F 1414
A Wgm (2 Ex.), Wn (2 Ex.) – D-brd Bhm, Mbs – H SFm (vl I, vl II [unvollständig], vla I, vla II [unvollständig], fehlt vlc)

Op. 26(b). Six sonates très faciles pour le pianoforte . . . op. XXVI, liv. 1 (2). – *Wien, bureau des arts et d'industrie, No. 225 (233).*   [F 1415
CS Pu (livre 2) – H SFm (livre 1)

INSTRUMENTALWERKE
(ohne Opuszahlen)

Notturno concertante [D] pour deux violons, deux altes, flûte, oboe, basson, deux cors, violoncelle & basse . . . Nº 1. – *Augsburg, Gombart & Co., No. 256.* – St.
[F 1416
A Gk (kpl.: 11 St.), Wn – CS Pnm – D-brd B, HR, MÜu – D-ddr Dlb – S Vll – YU Lu

10 Variazioni [As] per il clavicembalo solo. – *s. l., s. n.*   [F 1417
A Wgm

VIII Variazioni [A] per il forte piano. – *Heilbronn, Amon; Wien, Franz Anton Hoffmeister, No. 14.*   [F 1418
CH Zz – D-brd DO – D-ddr Dlb – S Skma

Rondeau [A] et [IX] Variations du duo: Pace, caro mio sposo, de l'opéra: Una cosa rara, composés pour le piano forte (in: Nº 42 du Journal de musique pour les dames). – *Offenbach, Johann André, aux adresses ordinaires, No. 330.* [F 1419
B Bc (2 Ex.) – D-brd DO, Hch, Mbs – S Skma

Cavatevi patroni, de l'opéra: Una cosa rara, varié pour le clavecin ou pianoforte (in: Journal de musique pour les dames, Nº 59). – *Offenbach, Johann André, No. 738.*   [F 1420
A Wgm – D-brd DO

VII. Variations d'un thema de Mr. Mozart pour le clavecin . . . et VI. Variations pour le clavecin avec un violon par Mr. W. Amad. Mozart [= KV 374b (360)] (in:

Archiv, drittes und viertes Stük). – *Speier, Bossler, (1788).*   [F 1421
D-ddr LEm

Rondeau [A] pour le forte-piano, ou clavecin . . . Nº I. – *Wien, Franz Anton Hoffmeister, No. 206.*   [F 1422
A Wn, Wgm – D-ddr Dlb, SWl – GB DU – US BE

Rondeau [F] pour le forte-piano . . . Nº II. – *Wien, Franz Anton Hoffmeister, No. 202.*   [F 1423
A Wgm – D-brd AB

Fuge [g] componirt für das piano-forte. – *Wien, Pietro Mechetti qdm. Carlo, No. 1701.*   [F 1424
A Wgm (2 Ex.), Wn – I Rvat

SCHULWERKE
(Fundorte unvollständig)

Anleitung zum General-Bass. – *Wien, Artaria & Co., No. 2116.*   [F 1425
A Wgm (3 Ex.), Wst

— . . . mit gestochenen Notenbeyspielen in 160 Nummern, neue vom Verfasser durchgesehene und vermehrte Auflage. – *ib., 1823.*   [F 1426
A Sca (ohne Notenbeispiele), Wgm, Wn (2 Ex.), Wst (2 Ex.)

— . . . dritte neu durchgesehene und vermehrte Auflage, hinzu ein Heft mit 160 Noten-Beispielen. – *ib., 1840.*
[F 1427
A Wgm

— Anleitung zum General-Bass. – *Leipzig, Breitkopf & Härtel, No. 2339.*
[F 1428
A Wn

Practische Beyspiele als Fortsetzung zu seiner Anleitung des Generalbasses. Ite (IIte, IIIte) Abtheilung. – *Wien, Artaria & Co., No. 2600.*   [F 1429
A Wgm (kpl. [3 Ex.]), Wn (kpl.; Ite und IIte Abtheilung in 2 Ex.), Wst (Ite Abtheilung) – CS Pk (kpl.; IIIte Abtheilung in 2 Ex.)

Dreissig Praeludien für die Orgel, oder das Clavier . . . als Fortsetzung der practischen Beispiele zu seiner Anleitung des

Generalbasses. – *Wien, Artaria & Co.,
No. 3014.* [F 1430
A Wgm, Wn, Wst – **CS** Pk

Dreissig Fughetten für die Orgel, oder das
Clavier . . . als Fortsetzung der practi-
schen Beispiele zu seiner Anleitung des
Generalbasses. – *Wien, Artaria & Co.,
No. 3015.* [F 1431
A Wgm, Wn – **CH** E – **CS** Pk

Vier Fugen [d, C, G, c] für die Orgel oder
das Clavier . . . als Fortsetzung der prac-
tischen Beispiele zu seiner Anleitung des
Generalbasses. – *Wien, Artaria & Co.,
No. 3016.* [F 1432
A Wgm, Wn, Wst – **CS** Pk – **I** PESc

50 Präludien für das Piano-Forte . . .
N⁰ 1 (2, 3). – *Prag, Marco Berra, No. 256
(257, 258).* [F 1433
A Wgm – **D-ddr** Dlb

FÖRSTER Johan Bartholomäus

Tolv nye Engelske dandse for 1797,
satte for 2 violiner, 2 flöiter, 2 valdhorne
og bas. – *København, N. Møller og sön.* –
St. [F 1434
DK Kk (2 Ex., davon 1 Ex. unvollständig)

FÖRTSCH Johann Philipp

Concerto. Ich vergesse was dahinden ist
&c. a 9., 4 strom., 2 bracc., & 2 viole da
gambe, 5 voc., 2 cant. alt. ten. bass., bey
. . . Beysetzung der . . . Frauen Hoff
Räthin Fr. Maria Elisabeth Niederstettin.
– *Schleswig, Johann Holwein, 1682.* – St.
[F 1435
D-brd KIl (kpl.: vla da braccio I, II, vla da
gamba I, II, S I, S II, A, T, B, bc)

FÖRTSCH Wolfgang

Fuga doppia, nebst einer Aria mit Varia-
tionen, und einer andern Fuga über das
Kirchenlied: Sey Lob und Ehr mit
hohen Preiß, in der Haupt-Kirche zu
St Lorenzen in Nürnberg am Tage Lau-
rentii MDCCXXXI . . . gespielet. –
[Nürnberg], Autor, (1731). [F 1436
D-brd DS, Mbs

Zweyte Fuga doppia, nebst einer Aria mit
Variationen, und einer andern Fuga über
das Kirchenlied: Sey Lob und Ehr mit
hohen Preiß . . . in Nürnberg am Tage
Laurentii MDCCXXXII . . . gespielet. –
[Nürnberg], Autor, (1732). [F 1437
D-brd Mbs

Musicalische Kirchwey-Lust, bestehend
erstlich in einer Clavier Fugen, nebst
einer Aria mit 4 Variationibus, und dann
2ᵗᵉⁿˢ einer Choral Fugen über das be-
kandte Kirchen Lied Nun lob mein Seel
. . . mit angefügten Biccinio . . . am Kirch-
wey Fest dieses 1734ᵗᵉⁿ Jahres, in der
Haupt Kirchen zu St. Laurenzen in Nürnberg. – *Nürnberg, Johann Wilhelm Rön-
nagel, 1734.* [F 1438
B Bc – **D-ddr** Bds

FOGGIA Francesco

1645a. Concentus ecclesiastici duarum,
trium, quatuor et quinque vocum. –
Roma, Lodovico Grignani, 1645. – St.
[F 1439
F Pc (S II [fehlt Titelblatt, Ausgabe unklar]) –
I Bc (kpl.: S I, S II, A, B, org), CEc (S I, A),
Sac (S I, A [unvollständig]), Rvat-chigi (S I
[fehlt Titelblatt])

1645b. Concentus ecclesiastici binis, ternis, quaternis, quinisque vocibus concinendi. – *Roma, Giovanni Domenico Franzini (Lodovico Grignani), 1645.* [F 1440
GB Lbm (kpl.: S, A, T, [unvollständig], B,
org) – **I** Bc, Rsgf (A), Rsmt – **J** Tn – **S** Uu

— *Antwerpen, les héritiers de Pierre Phalèse, 1658.* [F 1441
GB DRc (kpl.: S, A, T, B, org)

1650. Missa, et sacrae cantiones binis,
ternis, quaternis, quinisque vocibus concinendae . . . opus tertium. – *Roma, Mascardi, 1650.* – St. [F 1442
A Wn (S I, T, B) – **I** Bc (kpl.: S I, S II, A, T, B,
org), Rc (fehlen T und B), Rsgf (T, B), Rvat-
casimiri (fehlen S I und org), Rvat-capp.
giulia, Sac (kpl.; A, T, B und org in 2 Ex.) –
US R

1652. Litaniae et sacrae cantiones binis,
ternis, quaternis, quinisque vocibus concinendae . . . opus quartum. – *Roma, Vitale Mascardi, 1652.* – St. [F 1443

D-brd MÜs (kpl.: S I, S II, A, T, B, org) –
E TE (S I, T, B) – **I** Bc, Bof, Bsp, Nf (fehlt S
II), PIp (unvollständig), Rn (org), Rsc (fehlt
S I), Rvat-barberini (fehlt S I), Rvat-chigi
(S II, A), Rvat-capp. giulia (fehlen T und B) –
US Cn (S I, B)

1658 → 1645b

1660. Psalmi quaternis vocibus. – Roma,
Antonio Poggioli (Ignazio de Lazari),
1660. – St.   [F 1444
F Pn (fehlt org) – **I** Bc (fehlt S), CEc (fehlt S),
FZac (A, B), Od (T, B, org), Rsm (S, org),
Rsmt (kpl.: S, A, T, B, org), Rvat-capp. giu-
lia – **US** BE (kpl.; die einzelnen St. unvoll-
ständig)

1661a. Sacrae cantiones binis, ternis,
quinisque vocibus concinendae . . . opus
sextum. – Roma, Giacomo Fei, 1661. – St.
                                             [F 1445
GB Lbm (S I, S II, T, org) – **I** Bc, Bsp

1661b. Sacrae cantiones, binis, ternis,
quinisque vocibus concinendae . . . opus
septimum. – Roma, Giacomo Fei, 1661. –
St.   [F 1446
I Ac (T)

1663. Octo missae quaternis, quinis, octo-
nis, novenisque vocibus concinendae. –
Roma, Giacomo Fei, 1663. – St.   [F 1447
A Wgm (kpl.; I: S, A, T, B; II: S, A, T, B;
org) – **I** Ac (S I, A I, T I), Bc, Bsp (fehlt T II),
Fm (S I, T I), Rsg, Rsgf, Rsmt, Rvat-barberini (fehlt B II), Rvat-capp. giulia

1665. Sacrae cantiones, tribus vocibus
paribus sine cantu, pro quolibet sancto-
rum communi, una cum motectis de omni
tempore, litanijs, & Salve regina B. M. V.
. . . opus VIII. – Roma, Giovanni Battista
Caifabri (Giacomo Fei), 1665. – St.
                                             [F 1448
I Bc (kpl.: A, T, B, org), Bsp, Rsc, Rsmt

1667. Psalmodia vespertina, quinque
vocibus concinenda, ad organi sonum
accomodata . . . liber secundus, opus de-
cimum tertium. – Roma, Amadeo Bel-
monti, 1667. – St.   [F 1449
F C (kpl.: S I, S II, A, T, B, org), Pc (fehlt org) –
GB Och, Lbm (unvollständig) – **I** Bc, Fd (S I),
FZac (T), Rc (T, B, org), Rsg, Rsc, Rsm (fehlen S I und B), Rsmt, Rvat-capp. giulia (kpl.;
2 Ex.)

1672a. Messe a tre, quattro e cinque voci
. . . opera decimaquinta. – Roma, Federico
Franzini (Giovanni Angelo Mutii), 1672.
– St.   [F 1450
F C (kpl.: S I, S II, A, T, B, org) – **I** Bc, Md,
Rsmt (kpl.; 2 Ex.), Sd (fehlt B), Rvat-capp.
giulia

1672b. Letanie a tre, quattro, cinque e
sei voci . . . opera decimasesta. – Roma,
Giovanni Battista Caifabri (Giovanni An-
gelo Mutii), 1672. – St.   [F 1451
I Bc (kpl.: S I, S II, A, T, B, org), Bsp, Ls, PIa
(fehlen S II und org), Rsmt, Rsc (org), Rv,
SPd (kpl.; S II ohne Titelblatt), Td

1673. Mottetti et offertorii a due, tre,
quattro, e cinque voci . . . dati in luce da
Gio. Battista Caifabri . . . opera XVI. –
Roma, per il successore al Mascardi, 1673.
– St.   [F 1452
B Br (kpl.: S I, S II, T/B, org), Bc (T/B) –
D-brd MÜs (S II, T/B) – **I** ASc, Bc, Ls, Rc, Rli,
Rvat-capp. giulia, Sac (T/B), SPE (S II)

1675. Messe a tre, quattro, e cinque voci. –
Roma, Giovanni Angelo Mutii, 1675. – St.
SD 1675[1]   [F 1453
I Bc (kpl.: S I, S II, A, T, B, org), Fc, Ls (kpl.,
2 Ex.), PIa

1681. Offertoria quaternis, quinis, senis,
octonisque vocibus cum organo, vel sine
organo concinenda, quae in solemnitati-
bus pro communibus sanctorum decan-
tari solent . . . opus XVIII. – Roma,
Mascardi, 1681. – St.   [F 1454
D-brd MÜs (A, T, B, org; S I und S II handschriftlich) – **I** Bc (kpl.: S I, S II, A, T, B, org),
Rsg, Rsm, Rsmt, Rvat-capp. giulia, Sc (fehlt
S II), VCd (A, B)

FOGLIANO Giacomo

Madrigali a cinque voci il primo libro. –
s. l., s. n., 1547. – St.   [F 1455
SD 1547[16]
D-brd LÜh (kpl.: S, A, T, B, 5) – **I** Bc (A),
MOe (B)

FOIGNET Charles Gabriel

MUSIK ZU BÜHNENWERKEN

Le Mont-Alphéa, ou Le Français Jalabite
Ouverture . . . mise en harmonie pour
quatre clarinettes, deux cors, deux bas-

sons et trompette par F.-G. Fuchs. –
Paris, Jean-Henri Naderman, No. 166. –
St.   [F 1456
D-brd Tu (kpl.: 9 St.) – **F** Pn (kpl. [2 Ex.])

De grâce, un mot. Duo. – *[Paris], Frère.*
                                       [F 1457
F Pn

Michel Cervantes

Jeunes beautés au regard tendre. Air . . .
avec accomp^t de guittare. – *s. l., s. n.*
                                       [F 1458
F Pn – **GB** Lbm

Pour les attraits d'une fauvette. Air. –
s. l., s. n.   [F 1459
F Pn (2 Ex.)

Les petits montagnards

Heureux habitans des campagnes. Vaudeville. – *[Paris], Frère.*   [F 1460
F Pn (2 Ex.)

— *ib., Imbault.*   [F 1461
F Pn

La Montagne, ou Le refuge des brigands.
Air du vaudeville des Petits montagnards
ou sur l'air du Réveil du peuple. –
[Paris], Frère.   [F 1462
F Pn (2 Ex.)

Trop longtems des dieux. Strophes sur
l'Être suprême . . . Air des Petits montagnards. – *[Paris], Frère.*   [F 1463
F Pn

Vokalmusik

Airs et romances avec accompagnement
de forte-piano ou de harpe et d'un violon
ad libitum . . . œuvre IVe. – *Paris, auteur,*
Boyer, Mme Le Menu (gravés par Mlle
Desjardin). – P. und St.   [F 1464
F Pc (kpl.: P., vl [je 2 Ex.]), Pn (P.)

Pourquoi cacher petits oiseaux. Air . . .
accompagnement par Mr Porro. – *[Paris],*
Baillon, 1784.   [F 1465
GB Lbm

[aus: Les prisonniers français en Angle-
terre (?):] Romance du prisonnier. –
Amsterdam, Johann Julius Hummel. –
KLA.   [F 1466
NL DHgm

Instrumentalwerke

Les plaisirs de la société. Recueil d'ariettes choisies des meilleurs opéra, opéra-
comiques et autres, arrangées pour le
forte-piano ou le clavecin, avec un accompagnement de violon ad libitum [vol. 1–3].
– *Paris, Mmes Le Menu et Boyer.*
SD S. 288   [F 1467
D-brd Bhm (vol. 2) – **D-ddr** Bds (vol. 2) –
F Pc, Pn – **GB** Lbm (vol. 1, 2)

FOLIOT Edme

Motets à I. II. et III. voix, avec sympho-
nie et sans symphonie. – *Paris, auteur,*
Foucaut (gravés par Roussel). – P.
                                       [F 1468
D-brd WD (P. und 8 handschriftliche St.) –
F Pa, Pc (2 Ex., davon 1 Ex. ohne Titelblatt),
Pn

FOLTMAR Johann

VI Morquien [G, e, A, D, d, c], ganz neu
und auserlesen, nach dem jetzigen besten
jtalienischen Gousto, singmaessig eingerichtet, vors Clavier, wie auch vor die
Violine und Flûte traversière. – *Nürnberg,*
Balthasar Schmids Witwe, No. XXXI.
                                       [F 1469
B Bc – **D-brd** Mbs – **D-ddr** Bds – **GB** Lbm

FONGHETTO (FONGHETTI,
FUNGHETTO) Paolo

Lamentationes in hebdomada maiori decantandae, missaque triplici modo concinenda, tribus vocibus. – *Verona, Fran-*
cesco dalle Donne, 1595. – St.   [F 1470
I Bc (kpl.: S, T, B)

Capricii, et madrigali . . . a due voci. –
Verona, Francesco dalle Donne & Scipione
Vargnano, 1598. – St.   [F 1471
I Bc (S, T)

Missa, psalmi omnes ad vesperas, completorium, motecta, et concentus, cum
duobus Magnificat, ut vocant, octonis
vocibus concinenda, una cum basso continuo ad organum. – *Venezia, Giacomo*
Vincenti, 1609. – St.   [F 1472

I BRd (I: A, T, B; II: S, A, T, B; org; fehlt S I), TRc (T I, B II [unvollständig]) – **PL** Wu (B I, bc)

Salmi a quattro voci concertati col suo basso continuo, opera ottava. – *Venezia, Bartolomeo Magni, 1620 ([org:] 1621).* – St.   [F 1473
I MOd (S, A, T, org)

FONTANA Fabrizio

Ricercari [per l'organo]. – *Roma, Giovanni Angelo Mutii, 1677.*   [F 1474
A Wn – **GB** Lbm – I Bc, Rsc, Rvat-capp. giulia – P Lf

FONTANA Giovanni Battista

Sonate a 1. 2. 3. per il violino, o cornetto, fagotto, chitarone, violoncino o simile altro istromento. – *Venezia, Bartolomeo Magni, 1641.* – P. und St.   [F 1475
GB Ob (kpl.: S I, S II, B, P.) – I Bc, Fn – **PL** WRu (fehlt P.)

FONTANA Vincenzo

Canzone villanesche . . . a tre voci alla napolitana . . . libro primo. – *Venezia, Antonio Gardano, 1545.* – St.   [F 1476
D-brd Mbs (kpl.: S, T, B; St. zum Teil unvollständig)

FONTANELLI Alfonso

Primo libro di madrigali senza nome, a cinque voci. – *Ferrara, Vittorio Baldini, 1595.* – St.   [F 1477
SD 1595³
F Pn (kpl.: S, A, T, B, 5) – I Bc (S, T, 5), Fm (5), MOe (S, A)

— Il primo libro . . . – *Venezia, Angelo Gardano, 1603.*   [F 1478
GB Lbm (S, B), Och (S, B) – I Bc (kpl.: S, A, T, B, 5), MOe (S, A), Nc (B), Rdp (A, B, 5) – **US** Wc (T)

— *ib., Angelo Gardano & fratelli, 1609.*   [F 1479
F Pc (kpl.: S, A, T, B, 5)

— . . . *tertia impressione.* – *ib., stampa del Gardano, appresso Bartolomeo Magni, 1616.*   [F 1480
US CA (T)

Secondo libro de madrigali senza nome, a cinque voci. – *Venezia, Angelo Gardano, 1604.* – St.   [F 1481
I Bc (T, B, 5), Nc (B), Rdp (A, B, 5), VEcap (kpl.: S, A, T, B, 5) – **US** Wc

— *ib., Angelo Gardano & fratelli, 1609.*   [F 1482
F Pc (kpl.: S, A, T, B, 5) – I Bc

— *ib., stampa del Gardano, appresso Bartolomeo Magni, 1619.*   [F 1483
GB Lwa (kpl.: S, A, T, B, 5) – **US** CA (T)

FONTANIEU

Six sonates [D, G, A, Es, C, D] à violoncel et basse. – *s.l., s. n., 1782.* – P.   [F 1484
F Pc (2 Ex.)

FONTEI Nicolò

1635. Bizzarrie poetiche poste in musica . . . a 1. 2. 3. voci [libro primo]. – *Venezia, Bartolomeo Magni, 1635.* – P.   [F 1485
GB Och

1636. Delle Bizzarrie poetiche poste in musica . . . libro secondo, a 1, 2, 3 voci. – *Venezia, Bartolomeo Magni, 1636.* – P.   [F 1486
GB Och

1638. A 2, 3, 4, 5. Melodiae sacrae . . . opus tertium. – *Venezia, Bartolomeo Magni, 1638.* – St.   [F 1487
GB Och (kpl.: S, A, T, B, org) – **I** PS (org [unvollständig]) – **NL** At (S)

1639. Delle Bizzarrie poetiche poste in musica . . . a una, due, e tre voci, libro terzo . . . opera quarta. – *Venezia, Alessandro Vincenti, 1639.* – St.   [F 1488
I Bc (kpl.: S, T, B, org)

1640. Compieta e letanie della Beata Vergine a cinque, con sue antifone, in ciascun tempo dell' anno a tre, e con alcuni duplicati salmi a tre voci con doi violini, e doi Confiteor, armonizata . . .

opera quinta. – *Venezia, Alessandro Vincenti, 1640.* – St.   [F 1489
I Bc (kpl.: S, A, T, B, 5, org), Rsg – PL WRu (fehlt T)

1647a. Messa, e salmi a diverse voci, et istromenti . . . opera sesta. – *Venezia, Alessandro Vincenti, 1647.* – St. [F 1490
D-brd Mbs (B I) – F C (kpl.; I: S, A, T, B; II: S, A, T, B; vl I, vl II, trb o altro istromento 1–3, org) – I Bc – PL WRu (fehlen: A I, T II, trb o altro istromento 3)

1647b. Salmi brevi a otto con il primo choro concertato . . . opera settima. – *Venezia, stampa del Gardano, 1647.* – St.
                [F 1491
I Bc (kpl.; I: S, A, T, B; II: S, A, T, B; org), Fn (fehlt B I)

FONTEIO Giovanni → NIELSEN Hans

FONTENELLE Granges de

Hécube

Hécube. Tragédie-lyrique, en trois actes . . . représentée pour la première fois sur le Théâtre des arts, le 15 floréal, an 8. – *Paris, auteur, tous les marchands de musique (gravé par Huguet), (1800).* – P.
                [F 1492
A Wn – S St – US Bp, Wc (2 verschiedene Ausgaben)

[Ouverture, Marsch, Arien, Duette und Chöre]. – *s. l., s. n., No. 28.* – KLA.
                [F 1493
D-ddr MEIr (fehlt Titelblatt)

— Airs, scènes et duos . . . arrangés pour la guitare par Doisy. – *Paris, Doisy.*
                [F 1494
GB Lbm

Nous n'aurons plus toute la vie. Ewig vereint sind unsre Seelen. Duett der Polixena und des Achilleus. – *Berlin, Schlesingersche Musikhandlung.* – KLA.
                [F 1495
D-brd F

O mon fils, o mon cher Hector. Theurer Hektor, geliebter Sohn. Arie der Hécuba. – *Berlin, Schlesingersche Musikhandlung.* – KLA.   [F 1496
S Skma

Où porter, où fixer ma vue. Ich durchschaue mein Loos. Arie der Polyxena. – *Berlin, Schlesingersche Musikhandlung.* – KLA.   [F 1497
S Skma

Où suis-je? ah malheureuse! Entsetzlich! welch ein Begehren! Duett der Hécuba und der Polyxena. – *Berlin, Schlesingersche Musikhandlung.* – KLA.
                [F 1498
D-brd F – S Skma

FONTENET

Six trios concertans [D, c, F, e, G, d] pour deux violons et violoncelle . . . œuvre 1er. – *Paris, Mme Bérault.* – St.
                [F 1499
F A (vlc)

Trois sonates pour le forte piano ou clavecin avec accompagnement d'un violon obligé et basse . . . œuvre 2. – *Paris, Durieu, aux adresses ordinaires.* – St. [F 1500
F Pc

FOOTE

Foote's Russian minuet, with variations for the harpsicord or piano forte. – *s. l., s. n.*   [F 1501
US Wc (ohne Titelblatt)

FORCHHEIM (FURCHHEIM) Johann Wilhelm

Musicalische Taffel-Bedienung, mit 5. Instrumenten, als 2. Violinen, 2. Violen, 1. Violon, benebenst den General-Bass. – *Dresden, Paul August Hamann, (1674).* – St.   [F 1502
D-brd JE (kpl.: vl I, vl II, vla I, vla II, violon, bc)

FORD Thomas

Musicke of sundrie kindes, set forth in two bookes. The first whereof are, aries for 4 voices to the lute, orphorion, or basse-viol, with a dialogue for two voices, and two basse viols in parts tuned the lute way. The second are pavens, galiards, almaines, toies, jigges, thumpes and such

like, for two basse-viols, the liera way. –
*London, John Browne (John Windet, at
the assignes of William Barley), 1607.* – P.
[F 1503
GB Ge, Lbm – US CA, Ws

Haste Thee, O Lord. An ancient canon in
the unison . . . for three voices (in: Christian's Magazine, jan., 1761). – *[Lon-
don], s. n., (1761).*   [F 1504
GB Lbm

Fair sweet cruel. A favorite glee. – *[Lon-
don], S. Babb.*   [F 1505
GB Lbm, LEc

Since I first saw your face. Glee for four
voices (in: The Lady's Magazine, dec.,
1789). – *[London], s. n., (1789).* [F 1506
GB Lbm

— *[ib.], Robert Birchall.*   [F 1507
D-brd Hs – D-ddr WRgs – GB Lbm, T

— *ib., Preston.*   [F 1508
GB Lbm

— *ib., John Dale.*   [F 1509
GB Cfm, Lbm

— *ib., Lavenu & Mitchell.*   [F 1510
D-brd Hs

FORESTIER

La fée bordeloise. Contredanse nouvelle.
– *Paris, aux adresses ordinaires de musi-
que.*   [F 1511
GB Lbm

FORKEL Johann Nikolaus

LIEDER

Herrn Gleims neue Lieder, mit Melodien
fürs Clavier. – *Göttingen, Autor, Johann
Christian Dieterich (Leipzig, Bernhard
Christoph Breitkopf & Sohn), 1773.*
[F 1512
B Bc – CS Pu – D-ddr Bds, GRu, LEm, SWl

KLAVIERWERKE

Sechs Claviersonaten [C, D, A, E, F, B]. –
*Göttingen, Autor (Leipzig, Gottlob Imma-
nuel Breitkopf), 1778.*   [F 1513

B Bc – CH N – D-brd Mbs, MÜu – GB Er –
US PHma, Wc

— *ib., 1798.*   [F 1514
S Skma

Sechs Claviersonaten [F, A, D, G, d, Es],
nebst einer Violin- und Violoncellstimme,
zur willkührlichen Begleitung der zwoten
und vierten Sonate . . . zwote Sammlung.
– *Göttingen, Autor (Leipzig, Johann Gottlob Immanuel Breitkopf), 1779.* – St.
[F 1515
A Wgm – B Bc – GB Ckc (unvollständig), Er,
Lbm – D-brd Mbs (pf) – NL DHgm – US Wc

— *ib., Witwe Vandenhoek, 1783.* [F 1516
B Bc – CH E

Three sonatas [C, F, Es] for the piano
forte with an accompaniment for a violin
& violoncello ad libitum . . . op. 6. – *London, Broderip & Wilkinson.* – St. [F 1517
B Bc – D-brd Bhm, Gs – GB Cu (unvollständig),
Er (unvollständig), Gu, Lbm, Ob

Clavier-Sonate [C] und eine Ariette mit
achtzehn Veränderungen. – *Göttingen,
Autor (Leipzig, Johann Gottlob Immanuel
Breitkopf), 1782.*   [F 1518
B Bc (2 Ex.) – D-brd Km, Gs – D-ddr Bds,
LEm – GB Lbm – US BE, Cn, NH, Wc

Vier und zwanzig Veränderungen fürs
Clavichord oder Fortepiano auf das eng-
lische Volkslied: God save the King. –
*Göttingen, Autor, Vandenhoek-Ruprecht
(Leipzig, Breitkopfische Notendruckerei),
(1791).*   [F 1519
B Bc (2 Ex.) – CH N – D-brd DT, Gs, Kll, Mbs
(Titelblatt handschriftlich ergänzt) – D-ddr Dlb
– DK Kk – GB Er, Lbm – NL DHgm – US Pc

Plainte d'une femme abandonnée par son
amant auprès du berceau de son fils,
being a favorite Scotch song with twenty
variations for the piano forte. – *London,
Longman & Broderip.*   [F 1520
D-brd HEms – GB Er

FORMÉ Nicolas

Aeterna Henrici magni . . . et Ludovici
justi eius filii . . . Missam hanc duobus
chorus ac quatuor voc. compositam, vo-

vet et consecrat. – *[Paris]*, *Pierre Ballard, 1638*. – St.　　　　　　　　　　[F 1521
F Psg (I: S, A, T, B; II: S, A, T, B, 5)

FORNACI Giacomo

Amorosi respiri musicali . . . in quali si contengono scherzi, arie, canzoni, sonetti, e madrigali, per cantare nel chitarrone, clavicembalo, et altri instromenti simili, a una, due, e tre voci . . . libro primo, opera seconda. – *Venezia, Giacomo Vincenti, 1617*. – P.　　　　　[F 1522
CS Pu – GB Och – I Bc

FORNI Antonio

XII Sonate a violoncello solo e basso . . . opera prima. – *Paris, Le Clerc (rue St. Honoré), Le Clerc (rue du Roule), Mme Boivin (gravé par Mlle Vendôme).* – P.　　　　　　　　　　　　　[F 1523
CH Zz

FORQUERAY Antoine

[mit 3 Stücken von Jean-Baptiste-Antoine Forqueray:] Pièces de viole avec la basse continue . . . livre Ier . . . ces pièces peuvent se jouer sur le pardessus de viole. – *Paris, auteur, Vve Boivin, Le Clerc (gravées par Mme Leclair).* – P.　　　[F 1524
SD S. 287
B Bc, Br – F Pc (3 Ex., davon 1 Ex. mit Privileg 1747), Pn

— [Bearbeitung:] Pièces de viole . . . mises en pièces de clavecin par Mr Forqueray le fils [= Jean-Baptiste-Antoine Forqueray] . . . livre premier. – *Paris, auteur, Vve Boivin, Le Clerc (gravées par Mme Leclair).*　　　　　　　　[F 1525
F Pc (3 Ex.)

FORREST Margret

Six sonatas for the harpsichord or piano forte with accompaniments for a violin and bass . . . op. 1. – *London, William Napier, for the author.* – St.　　　[F 1526
GB Ckc (hpcd) – US NYp (hpcd)

FORSTMEYER A. E.

Six sonates [e, Es, G, C, G, D] pour le clavecin avec l'accompagnement d'un violon ou flûte . . . œuvre premier. – *Mannheim, Johann Michael Götz.* – St.　　　　　　　　　　　　　　　[F 1527
D-ddr WRtl

FORTÉ Pierrot Faustin

Das bey vergnügten Stunden spielend und singend aufführende Musicalische Tabacks-Collegium . . . Ballet [für 4 Singstimmen]. – *Frankfurt-Leipzig, s. n., 1752.* – P.　　　　　　　　　[F 1528
GB Lbm

FORTIA DE PILES Alphonse-Toussaint-Joseph-André, Comte de

Fuyés l'amour, fuyés tendres fillettes. Air de bravoure pour un dessus avec accompagnement de deux violons, deux hautbois, deux cors, alto et basse. – *Paris, Bignon.* – St.　　　　　　[F 1529
F Lm (kpl.: 7 St. [ob I/II und cor I/II in P.])

Simphonie [Es] à grand orchestre pour deux violons, deux hautbois, deux cors, deux altos et basse . . . N° I. – *Paris, Bignon (gravée par Le Roy).* – St.
　　　　　　　　　　　　　　　[F 1530
F Lm (kpl.: 7 St.), Pc

Ouverture et entre-acte de La fée Urgèle, opéra en 4 actes. – *Paris, Bignon, aux adresses ordinaires.* – St.　　　[F 1531
F Pc (kpl.: vl I, vl II, vla, b, ob I, ob II, cor I, cor II, fag)

Trois quatuor concertans pour deux violons, alto et violoncelle . . . œuvre VI. – *Paris, Bignon, Le Roy; Lyon, Castaud; Nancy, Laurent (gravé par Le Roy l'aîné), 1786.* – St.　　　　　　　　　[F 1532
F Pn

Trois quatuor concertans pour deux violons, alto et violoncelle . . . œuvre VIII, 2ème de quatuor. – *Paris, Bignon; Lyon, Castaud; Nancy, Laurent (gravé par Le Roy l'aîné), 1787.* – St.　　　　　[F 1533
F Pn

Trois sonates pour le violoncelle et basse obligée . . . œuvre IV. – *Paris, Bignon, Le Roy; Nancy, Laurent; Lyon, Castaud (gravé par Le Roy l'aîné).* – P.   [F 1534
F Pn

Deux sonates pour le forte-piano avec accompagnement de violon ad libitum . . . œuvre VII. – *Paris, Bignon; Lyon, Castaud; Nancy, Laurent (gravé par Le Roy l'aîné), 1787.* – St.   [F 1535
F Pn

Deux sonates pour le piano-forte avec accompagnement de violon obligé . . . œuvre IX, 2e œuvre de clavecin. – *Paris, Bignon; Lyon, Castaud (gravé par Le Roy l'aîné), 1788.* – St.   [F 1536
F Pn

Ouverture de La fée Urgèle . . . arrangée par l'aute urpour le forte piano avec accompagnement de violon obligé. – *Paris, Bignon (gravé par Le Roy l'aîné).* – St.   [F 1537
F Pn

FOSCARINI Giovanni Paolo (Caliginoso detto il furioso)

Il primo, secondo, e terzo libro della chitarra spagnola. – *s. l., s. n.*   [F 1538
D-ddr Bds

I quatro libri della chitarra spagnola. – *s. l., s. n.*   [F 1539
[verschiedene Ausgaben:] **E** Mn – **F** Pn – **GB** Cu, Lbm (mit dem Titelblatt der ersten Auflage [F 1538]) – **I** Bc

Intavolatura di chitarra spagnola, libro secondo. – *Macerata, Giovanni Battista Bonono, 1629.*   [F 1540
F Pc

Li 5 libri della chitarra alla spagnuola. – *Roma, s. n., 1640.*   [F 1541
I Vnm

Inventione di toccate sopra la chitarra spagnuola. – *Roma, s. n., 1640.*   [F 1542
I TI

FOSCONI Tomaso

Varia motecta ad sacras Dei laudes decantandas binis, ternis, quaternis, &

quinternis vocibus accommodata, una cum basso ad organum. – *Venezia, Bartolomeo Magni, 1642.* – St.   [F 1543
I Bc (A, org) – **PL** WRu (A, B, 5, org; fehlen S und T)

FOSSAN

Airs du pas de huit . . . dansé à l'opéra à la suitte du ballet des Fêtes Vénitiennes, avec trompettes, tymballes, et cors de chasse. – *Paris, Vve Boivin, Le Clerc, Mlle Monnet, Lallemand (gravé par le Sr Hue).* – P.   [F 1544
F Pa

FOSSATO Giovanni Battista

Arie ad una, et a piu voci, con alcune partite sopra Roggiero e sopra La romanesca . . . libro primo. – *Napoli, Ottavio Beltrano, 1628.* – P.   [F 1545
I Vnm

FOUQUET

Recueil de jolis airs choisis dans les opéras comiques pour deux mandolines ou violons, arrangés par M. Fouquet. – *Paris, de La Chevardière.*   [F 1546
SD S. 326
NL DHgm

FOUCQUET Pierre Claude

Les caractères de la paix. Pièces de clavecin, œuvre 1er. – *Paris, auteur, Mme Boivin, Le Clerc, Mlle Castagnery; Lyon, de Bretonne (gravé par Mlle Vendôme).*
       [F 1547
F Pa, Pc (3 Ex., davon 1 Ex. unvollständig), Pn

Second livre de pièces de clavecin. – *Paris, auteur, Mme Boivin, Mlle Castagnery, Le Clerc; Lyon, de Bretonne (gravé par Mlle Vendôme).*   [F 1548
F Pc, Pn

Les forgerons, Le concert des faunes, et autres pièces de clavecin . . . IIIème livre. –

Paris, auteur, Mme Boivin, Le Clerc, Mlle
Castagnery (gravé par Mlle Vendôme).
[F 1549
F Pc (2 Ex.), Pn (andere Ausgabe) – US Wc

FOULIS David

[anonym überliefert:] Six solos [Es, F, E,
C, A, B] for the violin, with a bass for a
violoncello or harpsichord. – *s. l., s. n.* –
P.   [F 1550
GB DU, En, Ep, Er, Gu, Lbm

FOURNIER

Vous que l'amour intéresse. Les Lanlas.
Air: du Caffé. – *s. l., s. n.*   [F 1551
F Pn – GB Lbm (2 Ex.) – US Wc

— Chers amis qui voulez rire. Le petit
Carabistacoui (Air: Vous que l'amour
intéresse . . .). – *s. l., s. n.*   [F 1552
US Wc

— Iris voici de la fable. Les Lanlas histo-
riques ou observations sur la fable (Air:
Vous que l'amour intéresse). – *s. l., s. n.*
[F 1553

US Wc

Douze petits airs pour deux violons . . .
arrangés . . . [No 3 (4)]. – *Paris, Savigny,
1785 (1789).* – St.   [F 1554
SD S. 285
F Pc (2 Ex.), Pn

FOURNIER Alphonse

[Recueil de romances (für Singst. und Kla-
vier)]. – *s. l., s. n.* – KLA.   [F 1555
CH AR (Titelblatt handschriftlich)

[Le soldat français. Air guerrier (für
Singst. und Klavier)]. – *s. l., s. n.* – KLA.
[F 1556
CH AR (Titelblatt handschriftlich)

FOUX G. F.

Six quatuors ou divertissements à une
flûte, violon, alto et violoncelle . . . œuvre
I. – *Den Haag, Burchard Hummel & fils.* –
St.   [F 1557
DK Kk

IV Trio pour deux violons et violoncelle
. . . œuvre 1. – *Lüttich, Benoît Andrez.* –
St.   [F 1558
US AA

FRACASSINI Aloisio Lodovico

Vesperlieder [für 2 Singstimmen, teilweise mit bc] auf Sonntage, von Franz
Berg. – *Würzburg, Johann Jakob Stahel,
1779.* – P.   [F 1559
D-brd WÜu

FRÄNZL Ignaz

SINFONIEN (nach Tonarten)

Sinfonie périodique [C] à plusieurs instruments . . . Nr. 8. – *Mannheim, Johann Michael Götz, No. 19.* – St.   [F 1560
D-brd MÜu (kpl.: vl I, vl II, vla, b, fl I, fl II,
cor I, cor II) – S Skma – US Wc

Sinfonie a più stromenti . . . No XVIII
[C]. – *Paris, Venier; Lyon, les frères Le
Goux (gravées par Mme Leclair).* – St.
SD S. 357   [F 1561
S Skma (vl I, vl II, vla, b) – GB Ob (kpl.)

Sinfonie périodique [D] à plusieurs in-
struments . . . [No VII]. – *Mannheim,
Johann Michael Götz, No. 23.* – St.
[F 1562
D-brd AB (kpl.: vl I, vl II, vla, b, ob I, ob II,
cor I, cor II) – US Wc

— *[London, J. Betz].*   [F 1563
US NYp (kpl.; b [2 Ex.])

Simphonie périodique [Es] a più stro-
menti. – *Paris, Mme Bérault.* – St.
[F 1564
F Pc (vl I, vl II, vla, fl I/fl II, cor I, cor II)

Sinfonia [F] a più stromenti obligati. –
Paris, Cousineau. – St.   [F 1565
GB Lbm (kpl.: vl I, vl II, violetta, b, cl I, cl II,
fag, cor I, cor II) – S Skma

The periodical overture in 8 parts . . .
number XVII [F]. – *London, Robert
Bremner.* – St.   [F 1566
S SK (kpl.: vl I, vl II, vla, b, cl I, cl II, fag,
cor I, cor II)

The periodical overture in 8 parts . . .
number XXXVII [F]. – *London, Robert
Bremner.* – St.   [F 1567
SD S. 284
F Pc (vl II) – **GB** Lbm (fehlt cor II), Lcm (kpl.:
vl I, vl II, vla, b, cl I, cl II, cor I, cor II, fag),
Mp

VI Sinfonie a più stromenti composte da
vari autori, N° 3 [B]. – *Paris, Venier,
Bayard, Mlle Castagnery, Le Menu, Le
Clerc (gravées par Mme Leclair).* – St.
SD S. 356   [F 1568
F Pc (vl I, vl II, vla, b) – **S** Skma (vl I, vl II,
vla, b)

KONZERTE

Deux concerto à violon principal, premier
et second dessus, alto et basse, flûtes ou
hautbois et deux cors ad libitum . . .
œuvre Ier. – *Paris, auteur, aux adresses
ordinaires (gravés par Mme Annereau).* –
St.   [F 1569
F Pc (vl princip., vl I, vl II, vla, b, fl I/fl II,
cor I, cor II)

[Deux concertos [F, C] à violon principal, premier et second violon, alto et
basse, hautbois et cors]. – *Paris, Sieber.* –
St.   [F 1570
CS Pnm (kpl.: vl princip., vl I, vl II, vla, b,
ob I/ob II, cor I, cor II)

Deux concertos [G, E] à violon princi-
pale, premier et second violons, alto et
basse, hautbois et cors . . . opera V. –
Paris, Sieber. – St.   [F 1571
F Pc (vl I, vl II, vla, b, ob I, ob II, cor I/cor
II; fehlt vl princip.) – **GB** Lbm

[Zuweisung fraglich:] Septième concert
[G] de violon à plusieurs instruments . . .
œuvre (9). – *München-Mannheim-Düssel-
dorf, Johann Michael Götz, No. 235.* – St.
          [F 1572
D-brd B (kpl.: vl princip., vl I, vl II, vla, b, ob
I, ob II, cor I, cor II), MÜu (kpl. [2 Ex.]), W –
US Wc

KAMMERMUSIK

Sei quartetti notturni [D, G, C, F, D, G]
per due violini, alto e basso . . . opera IIIe
(in: Raccolta dell armonia, collezione

sessantesima del magazino musicale). –
*Paris, bureau d'abonnement musical;
Lyon, Casteaud (gravé par Mlle Fleury).* –
St.   [F 1573
S Skma (kpl.: vl I, vl II, vla, b)

Six trios [Es, Es, B, C, G, G] pour deux
violons et basse, œuvre II. – *Paris, Bailleux; Lyon, Castaud; Dunkerque, Gaudaerdt.* – St.   [F 1574
D-brd Mbs (vl II), MÜu (kpl.: vl I, vl II, b) –
F Pc (kpl. [2 Ex.]), Pn (vl I) – **GB** Ckc – **US** Wc

— Sei trietti a due violini col basso . . .
opera seconda. – *ib., Borrelly; Lyon;
Rouen (gravé par Mme Renault).* – St.
          [F 1575
S Skma (kpl. [2 Ex.])

Six sonatas [C, A, D, Es, F, G] for two
violins and a violoncello. – *London,
Robert Wornum.* – St.   [F 1576
GB Lbm

— *ib., Welcker.*   [F 1577
D-brd Mbs – **GB** Lam – **US** Wc

FRAMERY Nicolas-Étienne

KOMPOSITIONEN

La sorcière par hazard

La sorcière par hazard. Opéra comique
en vers mêlé de musique, représenté pour
la première fois par les comédiens italiens
. . . le mercredi 3 7bre 1783. – *Paris,
Houbaut, aux adresses ordinaires (imprimé
par Basset).* – P.   [F 1578
D-brd HR – **F** Lm, Pa, Pc – **US** Bp, Wc

Parties séparées. – *Paris, Lawalle, l'Ecuyer.*
          [F 1579
F Lm (kpl.: vl I, vl II, vla, b, ob I, ob II, cor I,
cor II, fag)

PARODIEN

La colonie

La colonie. Opéra comique en deux actes
imité de l'italien et parodié sur la musique del Sig^r Sacchini. – *Paris, D' Enouville.* – P.   [F 1580
B Bc

— *ib., Le Duc, No. 16.*   [F 1581
B Bc – **F** Pc

Il barbiere di Siviglia

Le barbier de Seville. Opéra comique en
quatre actes, mis en musique . . . par le
célèbre S^gr Paisiello, et remis en français
. . . et parodié sous la musique par Mr Framery. – *Paris, s. n.* – P.   [F 1582
B Bc

Les deux comtesses

Les deux comtesses. Opéra bouffon, imité
de l'italien et parodié sous la musique du
célèbre Sig^r Paisiello, représenté à Versailles devant leurs Majestés. – *Paris,
auteur, Le Duc.* – P.   [F 1583
B Bc (2 Ex.) – **F** Lm, NAc, Pc, TLc – **I** Rvat –
US Wc

Ouverture. – *s. l., s. n., No. 153.* – St.
                                      [F 1584
F BO (vl [fehlt Titelblatt])

— Ouverture . . . arrangée pour le clavecin ou le forte-piano avec accompagnement
d'un violon et violoncelle ad libitum par
Benaut. – *Paris, auteur, Mlle Castagnery
(gravé par Mlle Demarle).* – St.   [F 1585
F Pc (clav [3 Ex.], vlc)

— Ouverture arrangée en duo pour deux
violons par M. Vanhecke. – *ib., Frère,
No. 45.* – St.   [F 1586
F BO (vl I)

L'Infante de Zamora

L'Infante de Zamora. Opéra comique en
3 actes, parodié sous la musique de La
Frascatana, du célèbre S^gr Paisiello . . .
représenté à Versailles devant leurs Majestés. – *Paris, D'Enouville; en province,
chez tous les marchands de musique (imprimé par Basset).*   [F 1587
B Bc – **D-brd** F, HR, Mbs – **D-ddr** Bds, Dlb –
F BO (mit No. 79 A) – **US** Wc

— *ib., Le Duc, No. 79 A.*   [F 1588
B Bc – **CH** Gpu – **D-ddr** LEmi

Sextuor . . . arrangé pour le piano-forte
. . . par J. A. K. Colizzi, N° XII. – *Den
Haag-Amsterdam, Burchard Hummel &
fils.* – St.   [F 1589
F Pc (kpl.: pf, vl)

Quintetto . . . arrangé pour le piano-
forte par J. A. K. Colizzi, N° XIV. – *Den
Haag-Amsterdam, Burchard Hummel &
fils.* – St.   [F 1590
F Pc (kpl.: pf, vla)

L'Olympiade, ou Le triomphe de l'amitié

L'Olympiade, ou Le triomphe de l'amitié.
Drame héroïque en trois actes et vers
imité de l'italien et parodié sur la musique du célèbre Sgr. Sacchini . . . représenté pour la première fois par les comédiens italiens . . . le 2 octobre 1777. –
Paris, D' Enouville. – P.   [F 1591
B Bc

— *ib., Le Duc, No. 63 A.*   [F 1592
B Bc – **F** Pc

Ouverture . . . avec la marche, arrangés
pour le clavecin ou le forte-piano avec
accompagnement d'un violon et violoncelle ad libitum . . . par Benaut. – *Paris,
auteur (gravé par Mme Moria).*   [F 1593
F Pc (pf)

FRANCESCHINI G.

Six sonatas [D, A, F, B, Es, G] à deux
violons . . . œuvre second. – *Amsterdam,
Johann Julius Hummel, No. 144.* – St.
                                      [F 1594
GB Lbm (kpl.: vl I, vl II) – **J** Tma – **NL** At
(fehlt vl II), AN (fehlt vl I) – **S** Skma

Six duos pour deux violons . . . mis au
jour par Sieber. – *Paris, Sieber; Lyon,
Castaud.* – St.   [F 1595
F Pc (vl I, vl II)

FRANCESCHINI Gaetano

Six sonates [D, B, A, Es, G, E] à deux
violons et basse . . . œuvre premier. –
Amsterdam, Johann Julius Hummel. – St.
                                      [F 1596
S Skma (kpl.: vl I, vl II, b)

Six sonatas for two violins & violoncello
with a thorough bass for the harpsichord
. . . opera II. – *London, Robert Wornum.* –
St.   [F 1597
US R (kpl.: vl I, vl II, b)

FRANCESCO della Viola → VIOLA

FRANCESCO FIAMENGO

Pastorali concenti al presepe co' responsorij della sacra notte del natale di N. S., a due, tre, quattro, cinque, e sei voci, co'l basso continuo . . . opera terza. – *Venezia, Alessandro Vincenti, 1637.* – St.
[F 1598
I PLcom (A) – PL WRu (S, A, B, 5, 6, bc; fehlt T)

FRANCESCO Ricciardo

Madrigali . . . sopra li principij del Ariosto, divisi in dui volumi, libro secondo a quattro voci. – *Venezia, Giacomo Vincenti, 1600.* – St.   [F 1599
D-brd MZp (B)

FRANCESCONI de Lusarda

Six sonates [G, A, Es, B, D, F] pour le violon et basse. – *[Amsterdam], s. n. (Pieter Mol).* – P.   [F 1600
D-ddr Dlb

FRANCHI Giovanni Pietro

La cetra sonora. Sonate a tre, doi violini, e violone, o arcileuto, col basso per l'organo . . . opera prima. – *Roma, Giovanni Angelo Mutii, 1685.* – St. [F 1601
I Bc (kpl.: vl I, vl II, vlc, org)

— *Amsterdam, Estienne Roger.*   [F 1602
US R (kpl.: vl I, vl II, vlc, org)

Duetti da camera . . . opera seconda. – *Bologna, Giacomo Monti, 1689.* – St.
[F 1603
I Bc (kpl.: S I, S II, bc)

Motetti a due, e tre voci . . . opera terza. – *Firenze, stamperia di S. A. S., 1690.* – St.
[F 1604
D-brd MÜs (fehlt S I) – I Bc (kpl.: S I, S II, B, org)

Salmi pieni a quattro voci, per tutto l'anno da cantarsi con l'organo, e senza . . . opera quarta. – *Bologna, Marino Silvani, 1697.* – St.   [F 1605

D-brd MÜs (kpl.: S, A, T, B, org) – I Bc, Bof, Ls (kpl. [3 Ex.]), Nf, PS, Rf, Rvat-capp. giulia, Sd (kpl. [2 Ex.])

FRANCIA Gregorio

Il primo libro di madrigali a cinque voci. – *Venezia, stampa del Gardano, aere Bartolomei Magni, 1613.* – St.   [F 1606
E V (S, B) – F Pc (kpl.: S, A,T, B, 5) – I Bc

FRANCISCONI Giovanni

Sei sonate a tre . . . opera Ima (in: Raccolta dell' armonia, collezzione vigesima quarta del Magazino musicale). – *Paris, bureau d'abonnement musical, Cousineau, Vve Daullé (gravé par Leclair).* – St.
[F 1607
F Pc (kpl.: vl I, vl II, b)

Six quatuor d'un goût nouveau à deux violons, alto et basse . . . opera II. – *Paris, Venier (gravée par Mlle Vendôme et le Sr Moria).* – St.   [F 1608
GB Ckc

Six duets for two violins. – *London, Welcker, No. 235.* – St.   [F 1609
E Mn – US NYp

— *ib., Longman & Broderip.*   [F 1610
US NYp

Marche détachée des Deux avares, variée pour le violon. – *Amsterdam, Johann Julius Hummel.*   [F 1611
S L

— *ib., S. Markordt.*   [F 1612
D-brd KNh

FRANCK Georges

Pièces choisies et partagées en différents œuvres accommodées dans le goust moderne pour l'orgue et le clavecin . . . œuvre Ier. – *Colmar, Fontaine; Munster, J. Franck & J. Humbert (gravées par J. Franck).*   [F 1613
B Bc – F Pn

FRANCK Johann Wolfgang

MUSIK ZU BÜHNENWERKEN

Aeneas

Arien, aus dem Musicalischen Sing-Spiel Aeneas Ankunfft in Italien, mit beygefügten Ritornellen. – *Hamburg, Autor (Georg Rebenlein), 1680.* – St.   [F 1614
D-brd Hs (Singstimme) – **F** Pn (kpl.: Singstimme, vl I, vl II, bc)

Cara Mustapha

Arien [für 1–2 Singstimmen mit bc] aus den beyden Operen, von dem erhöhten und gestürzten Cara Mustapha. – *Hamburg, Samuel König, 1686.* – P.   [F 1615
D-brd Hs – **S** L

— *ib., 1687.* – St.   [F 1616
F Pn (kpl.: Singstimme/bc, vl I, vl II)

Diocletian

Arien aus dem Sing-Spiel Diocletian, mit darzu gehörigen Ritornellen. – *Hamburg, Autor (Georg Rebenlein), 1682.* – St.
[F 1617
D-brd Hs (Singstimme) – **F** Pn (kpl.: Singstimme, vl I, vl II, bc)

Vespasian

Arien aus dem Sing-Spiel Vespasian, mit ihren Ritornellen. – *Hamburg, Autor (Georg Rebenlein), 1681.* – St.   [F 1618
D-brd Hs (Singstimme [2 Ex.]) – **F** Pn (kpl.: Singstimme, vl I, vl II, bc)

SAMMLUNGEN

Geistliche Lieder, theils auff die Hohen-Feste, theils auff die Paßion oder Leiden Christi, theils auff unterschiedliche Vorfallungen im Christenthum gerichtet, schrieb M. Hinrich Elmenhorst [2st. Lieder mit und ohne bc]. – *Hamburg, Georg Rebenlein, 1681.*   [F 1619
D-brd GAH – **D-ddr** Bds, Dlb, LEm, MERa

M. Hinrich Elmenhorstes ferner-besungene Vorfallungen im Christenthum [für Singstimme mit bc]. – *Hamburg, Georg Rebenlein, 1682.*   [F 1620
D-brd W (nur Fotos vorhanden) – **D-ddr** Bds – **GB** Lbm

Geistliches Gesangbuch [für Singstimme mit bc], bestehend in vielen auff die vornehmste Jahrs-Zeiten auch allerhand Falle im Christlichen Leben und Wandel gerichteten schönen Geistreichen Liedern. Hiebevor von Herrn M. Hinrich Elmenhorst . . . nunmehro von ihme mit dem Vierten Theil vermehret. – *Hamburg, Autor (Georg Rebenlein), 1685.* [F 1621
A Wn – **D-brd** W – **D-ddr** SWl, Dlb – **GB** Lbm

Erster Theil, Musicalischer Andachten, von einer Stimm, und darzu gehörigem Basso continuo. – *Hamburg, Samuel König, 1687.*   [F 1622
D-brd Lr – **GB** Lbm

EINZELGESÄNGE

Remedium melancholiae, or the Remedy of melancholy. Being a choice collection of new songs: with a thorow-bass for the harpsichord, theorbo, or bass-viol . . . the first book. – *London, J. Heptinstall, 1690.*
[F 1623
GB Lbm, Lcm

Ah, cruel Strephon, now give o're. A song (in: The Gentleman's Journal, oct., 1693). – *London, R. Parker, 1693.*
[F 1624
GB Lbm

By warring winds and killing frost. A song (in: The Gentleman's Journal, may, 1693). – *London, R. Parker, 1693.*
[F 1625
GB Lbm

Ere Phillis with her looks did kill. A song (in: The Gentleman's Journal, jan. and feb., 1694). – *London, H. Rhodes, 1694.*
[F 1626
GB Lbm

Fickle bliss, fantastick treasure. A song (in: The Gentleman's Journal, may, 1693). – *London, R. Parker, 1693.*   [F 1627
GB Lbm

The Gods bestow. A song. – *s. l., s. n. (Thomas Cross).*   [F 1628
GB Lgc

Heroick Mars, what magick charms. A song (in: The Gentleman's Journal, may, 1694). – *London, H. Rhodes, 1694.* [F 1629
GB Ep, Lbm

Love's passion never knew till this [Song] (in: The Gentleman's Journal, aug., 1692). – *London, R. Parker, 1692.* [F 1630
GB Lbm

Let's talk of bow or dart no more. A song (in: The Gentleman's Journal, sept. 1693). – *London, R. Parker, 1693.* [F 1631
GB Lbm

The night is come [Song] (in: The Gentleman's Journal, july, 1692). – *London, R. Parker, 1692.* [F 1632
GB Lbm

Pity, Astrea, one that dies. A song (in: The Gentleman's Journal, may, 1692). – *London, R. Parker, 1692.* [F 1633
GB Lbm

Still must I grieve for an ungrateful swain? Complaint in recitative . . . sung with accompaniments of instruments (in: The Gentleman's Journal, may, 1693). – *London, R. Parker, 1693.* [F 1634
GB Lbm

See bleeding at your feet there lies. A song (in: The Gentleman's Journal, july, 1692). – *London, R. Parker, 1692.* [F 1635
GB Lbm

A swain, in despair. A song (in: The Gentleman's Journal, july, 1693). – *London, R. Parker, 1693.* [F 1636
GB Lbm

Take off your glass. A song for two voices (in: The Gentleman's Journal, june, 1693). – *London, R. Parker, 1693.* [F 1637
GB Lbm

'Tis day when Chloris ope's her eyes. A song. – *s. l., s. n. (Thomas Cross).* [F 1638
GB Lgc

When crafty fowlers would surprize [Song] (in: The Gentleman's Journal, dec., 1692). – *London, R. Parker, 1692.* [F 1639
GB Lbm

Who, dear Fidelia, who can view. A song (in: The Gentleman's Journal, june, 1692). – *London, R. Parker, 1692.* [F 1640
GB Lbm

FRANCK Melchior

(Die Redaktion dankt Herrn Dr. C. T. Aufdemberge für seine Beratung)

DATIERTE WERKE

1601. Sacrarum melodiarum, quaternis, quinis, senis, septenis et octonis vocibus concinendarum, tomus primus. – *Augsburg, Valentin Schönigk, 1601.* – St.
[F 1641
D-brd DS (S), Hs (S, A, T, B, 5, 6), Mbs (S, T), Rp (S, A, T, B, 5 [je 2 Ex.], 6), Sl (B) – **F** Sgs (S [unvollständig], T, B, 5 [unvollständig], 6) – **GB** Lbm (S, A, T, 5) – **PL** GD (S, A, T, B, 5, 6)

1602a. Musicalischer Bergkreyen, in welchen allweg der Tenor zuvorderst intonirt, in contrapuncto colorato auff vier Stimm gesetzt. – *Nürnberg, Konrad Baur (Katharina Dietrich), 1602.* – St. [F 1642
D-brd Hs (kpl.: S, A, T, B), Ngm (fehlt T), PA (A, B), Sl (B) – **GB** Lbm (fehlt B) – **NL** At (T) – **US** Wc

1602b. Contrapuncti compositi. Teutscher Psalmen und anderer Geistlichen Kirchengesäng, welche nicht allein viva voce, sondern auch auff allerhand Instrumenten füglich zu gebrauchen. – *Nürnberg, Konrad Baur (Katharina Dieterich), 1602.* – St. [F 1643
SD 1602³
D-brd Hs (kpl.: S, A, T, B), Kl (B), Mbs, Rp (fehlt B), W – **D-ddr** SAh (S, A) – **GB** Ge, Lbm – **US** NH (T), Wc

1602c. Farrago. Das ist: Vermischung viler Weltlichen Lieder, die in allen Stimmen auffeinander respondieren . . . mit 6 Stimmen componirt. – *Nürnberg, Katharina Dieterich, 1602.* – St. [F 1644
GB Lbm (S II, T I, B)

1603a. Opusculum etlicher neuer und alter Reuterliedlein, welche zuvor niemals musicaliter componirt, gantz lustig auff allerley art zu Musicieren mit vier Stimmen gesetzt. – *Nürnberg, Konrad Baur, 1603.* – St. [F 1645
D-brd PA (A, B) – **US** Wc (kpl.: S, A, T, B)

97

1603b. Neuer Pavanen, Galliarden, unnd Intraden, auff allerley Instrumenten zu musiciren bequem mit vier, fünff und sechs Stimmen gesetzt. – *Coburg, Justus Hauck (Fürstliche Druckerei), 1603.* – St. [F 1646
D-brd Sl (B)

1603c. Noch ein ander Quodlibet . . . dem . . . Herrn Marx Weisen . . . mit vier Stimmen componirt. – *Coburg, Justus Hauck (Fürstliehc Druckerei), 1603.* – St. [F 1647
US Wc (kpl.: S, A, T, B)

1604a. Sacrae melodiae quaternis, quinis, senis, octonis, novenis, 10. 11. & 12. vocibus concinendae, tomus secundus. – *Nürnberg, Konrad Agricola (Coburg, Justus Hauck), 1604.* – St. [F 1648
D-brd F (S, A, T, B, 6, 7, 8), Rp (kpl.: S, A, T, B, 5, 6, 7, 8), Sl (8) – **PL** GD (7)

1604b. Tomus tertius melodiarum sacrarum, ternis et quaternis vocibus concinendarum. – *Coburg, Justus Hauck (Fürstliche Druckerei), 1604.* – St. [F 1649
D-brd Sl (vox infima) – **S** Uu (kpl.: vox I, vox II, vox III, vox infima)

1604c. Deutsche Weltliche Gesäng unnd Täntze, mit vier, fünff, sechs unnd acht Stimmen zur fröligkeit componirt. – *Coburg, Justus Hauck (Fürstliche Druckerei), 1604.* – St. [F 1650
D-brd Mbs (T), PA (A, B), Sl (B) – **GB** Lbm (5)

1605. Der Ander Theil Deutscher Gesäng unnd Täntze mit vier Stimmen sampt beygesetzten Quodlibeten. – *Coburg, Justus Hauck (Fürstliche Druckerei), 1605.* – St. [F 1651
F Pc (S)

1607. Melodiarum sacrarum, quinis, senis, septenis, octonis, novenis, 10. 11. 12. vocibus concinendarum. – *Coburg, Justus Hauck (Fürstliche Druckerei), 1607.* – St. [F 1652
D-brd As (S, A, T, B, 5, 7, 8), Cm (7, 8), Mbs (S, A, T [2 Ex.], B; mit Datierung 1606: 5, 6, 8, 9 [2 Ex.], 10, 11 [2 Ex.], 12 [2 Ex.]) – **D-ddr** LEm (A, B; mit Datierung 1606: 7) – **PL** WRu (S, A, T, B, 6, 7, 8, 9, 10, 11, 12; fehlt 5)

1608a. Geistliche Gesäng und Melodeyen . . . der mehrer theil auß dem Hohenlied Salomonis, neben einer Praefation, deß . . . Herrn D. Iohannis Gerhardi, mit fünff, sechs, und acht Stimmen componirt. – *Coburg, Justus Hauck (Fürstliche Druckerei), 1608.* – St. [F 1653
D-ddr NA (S, A, T, B, 6), SAh (S, A) – **PL** Wu (S, T, 5, 6)

1608b. Neue Musicalische Intraden, auff allerhand Instrumenten, sonderlich auff Violen zugebrauchen mit 6. Stimmen componirt. – *Nürnberg, David Kauffmann (Balthasar Scherff), 1608.* – St. [F 1654
D-brd F (S, A, T, B, 6), W (6) – **PL** GD (A)

1608c. Cantica gratulatoria, quae in . . . solennitatem nuptiarum . . . Dn. Stephani Sigenlist . . . et . . . Elisabethae . . . Eberlin . . . celebratarum, 31. Octobris . . . 1608 . . . quinis vocibus modulantur . . . Melchior Francus . . . nec non Benedictus Faber. – *Coburg, Kaspar Bertsch, (1608).* – St. [F 1655
SD 1608[23]
GB Lbm (T II [Franck], S II [Faber])

1608d. Der CXXI. Psalm (Ich hebe meine Augen auff), dem . . . Herrn Johann Lattermann . . . mit 5. Stimmen componirt. – *Coburg, Kaspar Bertsch, 1608.* – St. [F 1656
GB Lbm (T II)

1608e. Neues Echo . . . in . . . observation der Endsyllaben also daß dieselben in widerhall auff vorhergehende sententiam . . . antwort geben, in dreyen unterschidlichen theilen verfasset, und mit Acht Stimmen componirt. – *Coburg, Justus Hauck (Fürstliche Druckerei), 1608.* – St. [F 1657
D-brd Kl (I: A, A/B; II: S/T) – **D-ddr** NA (I: S, A, T, B; II: S/T [jeweils ohne Titelblatt])

1608f. Dialogus metricus . . . Iohanni Adamo Trummerero . . . Honoris ergo VII. Vocibus redditus & dedicatus, in memoriam diei natalis incidentis in vigiliam laetitiae natalitiae Salvatoris nostri unici I. C. – *Coburg, Justus Hauck (Fürstliche Druckerei), 1608.* – St. [F 1658
D-brd As (S, A I, A II, T I, T II, B)

1609. Gratulationes musicae. In festivam solennitatem nuptiarum . . . Dn. Sebaldi Krugii . . . et Mariae . . . Früauff . . . Coburgi die 21. Novembris, Anno Christi

1609. celebrandarum. Ab . . . Melchiore Franco . . . Benedicto Fabro . . . Henrico Hartmanno . . . compositae. – *Coburg, Justus Hauck (Fürstliche Druckerei), (1609)*. – St.   [F 1659
SD 1609³⁰ᵃ
D-ddr SAh (B)

1610a. Musikalische Fröligkeit von etlichen Neuen lustigen Deutschen Gesängen, Täntzen, Galliarden und Concerten, sampt einem Dialogo mit vier, fünff, sechs unnd acht Stimmen, beydes vocaliter unnd instrumentaliter zugebrauchen. – *Coburg, Justus Hauck (Fürstliche Druckerei), 1610*. – St.   [F 1660
D-brd Mbs (T), W (6) – **H** Bl (5)

1610b. Flores musicales. Neue Anmutige Musicalische Blumen, zu allerhand Lust und Fröligheit [!] . . . zugebrauchen . . . mit 4. 5. 6. und 8. Stimmen componirt. – *Nürnberg, David Kauffmann (Balthasar Scherff), 1610*. – St.   [F 1661
D-brd F (S, A, T, B, 6), Mbs (T), Usch (S, A, T, B, 5), W (6) – **PL** GD (A), Wn (S) – **S** Skma (S, A, T, B)

1610c. Gratulationes musicae. Auff den Geburts Tag . . . Wolffgang Gehlings . . . von drey, vier und fünff Stimmen componiert, durch Melchior Francken . . . Benedictum Fabrum . . . Heinrich Hartman. – *Coburg, Justus Hauck (Fürstliche Druckerei), 1610*. – St.   [F 1662
SD 1610¹⁹ᵃ
D-ddr SAh (S, A)

1611a. Tricinia Nova Lieblicher Amorosischer gesänge, mit schönen Poetischen texten gezieret, und ettlicher massen nach Italiänischer art mit fleiss componirt. – *Nürnberg, David Kauffmann (Abraham Wagenmann), 1611*. – St.   [F 1663
D-brd Tu (media), Usch (kpl.: suprema, media, infima vox) – **PL** WRu

1611b. Vincula natalitia, christliche musicalische Gratulationes und Glückwünschunge von Psalmen unnd andern geistlichen Gesängen . . . mit fünff, sechs und acht Stimmen componirt, durch Melchior Francken . . . Benedictum Fabrum . . . Heinrich Hartmann. – *Coburg, Justus Hauck (Fürstliche Druckerei), 1611*. – St.
SD 1611⁷   [F 1664
D-brd Cm (6) – **D-ddr** SAh (S, A)

1611c. Opusculum Etlicher Neuer Geistlicher Gesäng . . . von 4. 5. 6. unnd 8. Stimmen componirt. – *Coburg, Justus Hauck (Fürstliche Druckerei), 1611*. – St.
                [F 1665
D-ddr LEm (S I)

1611d. Fasciculus Quodlibeticus Neue Musicalisch Wercklein, darinnen die Quodlibet, so bißhero unterschiedlich außgangen jetzo aber mit noch andern gantz Neuen vermehret alle zusammen getruckt unnd von vier, fünff unnd sechs Stimmen componirt. – *Coburg, Justus Hauck (Fürstliche Druckerei), 1611*. – St.
                [F 1666
D-brd Usch (S, A, T, B)

1611e. Gratulationes Musicae, zwey neu Hochzeit Gesänge, zu Ehren . . . Herrn Michael Blatierer . . . unnd . . . Barbara . . . Leopoldi . . . eins . . . mit fünff Stimmen componirt, durch Melchior Francken . . . das ander . . . durch Benedictum Fabrum. – *Coburg, Justus Hauck (Fürstliche Druckerei), 1611*. – St.   [F 1667
SD 1611⁸
GB Lbm (S, A, 5)

1611f. Ein schöner Trostreicher Text (Mir hastu arbeit gemacht) auß dem 43. Capitel Esaiae . . . auff den Geburtstag . . . Herrn Samuelis Stehelin . . . mit . . . 5. Vocibus componirt . . . Anno 1611. den 6. Martii. – *Coburg, Justus Hauck (Fürstliche Druckerei), (1611)*. – St.   [F 1668
D-ddr SAh (S, A)

1612a. Ein schöner Text (Wer den Herren fürchtet) . . . zu hochzeitlichen Ehren . . . dem . . . Herrn Nicolao Dresseln . . . dann der Margarethen . . . Ziegler . . . mit fünff Stimmen componiret . . . Anno Christi, 1612. – *Coburg, Justus Hauck (Fürstliche Druckerei), (1612)*. – St.   [F 1669
D-ddr LEm (T I) – **GB** Lbm (T II)

1612b. Suspira Musica Hertzliche Seufftzen und Inbrünstige Gebetlein zu Jesu Christo unserm Erlöser unnd Seeligmacher . . . mit Vier Stimmen zu Musiciren. – *Coburg, Justus Hauck (Fürstliche Druckerei), 1612*. – St.   [F 1670
D-brd Rp (S, A)

1613a. Viridarium musicum, continens amaenissimos [!] et fragrantissimos ex sacra scriptura flosculos . . . 5. 6. 7. 8. 9. & 10. vocibus. – *Nürnberg, Georg Leopold Fuhrmann, 1613.* – St.   [F 1671
CH Bu (kpl.: S, A, T, B, 5, 6, 7, 8) – **D-brd** F (S, A, T, B, 6, 7, 8) – **D-ddr** LEm (S) – **GB** Lbm – **PL** Wu (6)

1613b. Concentus musicales, in nuptias secundas . . . Sigismundi Heusneri . . . ac . . . Judith . . . Molln . . . a Melchiore Franco (Surge propera amica [a 8v]) . . . a Benedicto Fabro (Nigra sum [a 6v]) . . . ab Henrico Hartmanno (Wie die Sonne [a 8v]). – *Coburg, Justus Hauck (Fürstliche Druckerei), (1613).* – St.   [F 1672
SD
GB Lbm (kpl.)

1613c. Ferculum Quodlibeticum e variis patellis ac versibus rhopalicis corrasum, iamque de novo 4. vocibus musicalibus concoctum. – *Coburg, Justus Hauck (Fürstliche Druckerei), 1613.* – St.   [F 1673
D-brd Mbs (T) – **D-ddr** Bs (T, B; fehlen S und A) – **GB** Lbm (T)

1614a. Recreationes musicae. Lustige anmutige teutsche Gesäng mit schönen Texten neben etlichen Galliarden, Couranten und Auffzügen zu frölicher Musicalischer Ergetzlichkeit . . . voce vel instrumentis zu gebrauchen mit 4. und 5. Stimmen de novo componirt. – *Nürnberg, Georg Leopold Fuhrmann, 1613.* – St.   [F 1674
D-ddr Bs (T, B) – **NL** At (B)

1614b. Trostreicher Text (Ist Gott für uns), auss dem achten Capitel der Epistel Pauli an die Römer. So bey Christlicher Leichbestattung der . . . Frauen Helenen . . . Hackens geprediget . . . mit vier Stimmen . . . componirt. – *Coburg, Justus Hauck (Fürstliche Druckerei), 1614.* – St.   [F 1675
D-brd Cl (kpl.: S, A, T, B) – **GB** Lbm

1614c. Epithalamia in honorem & solennitatem nuptiarum . . . Dn. Erasmi Güntzelii . . . et . . . Susanne . . . celebrandarum . . . 20. Febr. Anno 1614 . . . (Beati omnes qui timent [a 8 v]; Eins mals gieng ich spaziren [a 6 v], von Pontanus; Ich hebe meine Augen auff [a 8 v], von

Franck). – *Coburg, Kaspar Bertsch, 1614.* – St.   [F 1676
SD 1614[17]
US Wc (kpl.: S, A, T, B)

1614d. Musicalische Glückwünschunge, auff den Hochzeitlichen Ehrentag . . . Johannis Gerhardi . . . unnd . . . Mariae . . . Mattenbergers . . . eine auss dem 61. Kapitel Esaiae durch Melchior Francken (Ich freue mich im Herren [a 8v]) . . . die Ander . . . durch Benedictum Fabrum . . . die Dritte . . . durch Heinrich Hartmann. – *Coburg, Justus Hauck (Fürstliche Druckerei), (1614).* – St.   [F 1677
SD
GB Lbm (T I [Franck])

1614e. Zwey Neue Hochzeit Gesäng, Zu sonderlichen Ehren . . . auff den Hochzeitlichen Ehrntag dess . . . Herrn Georgii Iunii . . . unnd der . . . Katharina Zöberin . . . allhie zu Coburgk, den 22. Novembris, Anno 1614. Das Erste (Der Breutgam wird bald ruffen [a 5v]) . . . durch Melchior Francken . . . Das Ander (Wol dem, der den Herren fürchtet [a 4v]) . . . durch Benedictum Fabrum. – *Coburg, Justus Hauck (Fürstliche Druckerei), 1614.* – St.   [F 1678
SD 1614[18]
D-brd Ngm (S, A, T II)

1615a. Threnodiae Davidicae, Busspsalmen ([6:] Bussthränen) dess Königlichen Propheten Davids . . . mit 6. Stimmen componiret. – *Nürnberg, Georg Leopold Fuhrmann, 1615.* – St.   [F 1679
D-brd ERu (5), Ngm (B) – **D-ddr** NA (S, B, 6), Ell (S, A, T), UDa (6) – **GB** Lbm (kpl.: S, A, T, B, 5, 6) – **S** Uu (S, A, T, B) – **PL** WRu

1615b. Fasciculus Quodlibeticus, Neu Musicalische Wercklein, darinnen die Quodlibet, so bißhero unterschiedlich außgangen, jetzo aber mit noch andern gantz Neuen vermehret alle zusammen gedruckt und von Vier, Fünff und Sechs Stimmen componirt. – *Nürnberg, David Kauffmann (Balthasar Scherff), 1615.* – St.   [F 1680
D-brd B (T), Tu (A) – **F** Pc (S)

1615c. Neues Hochzeit Gesang (Gott schuff den Menschen Ihm zum Bilde) . . . dem . . . Iacob Eckellt . . . unnd der . . . Elisabeth . . . Kießners . . . mit fünff

Stimmen componirt ... Anno 1615. –
*Coburg, Justus Hauck (Fürstliche Drucke-
rei), (1615).* – St.   [F 1681
D-ddr LEm (T)

1615d. Neues Hochzeit Gesang, auss dem
19. Capitel Matthaei (Der im anfang den
Menschen gemacht hat) zu Hochzeitlichen
Ehren ... dem ... Herrn Jonae Pürt-
zelln ... so wohl der ... Annen ...
Schmidts ... mit sechs Stimmen componiert. – *Coburg, Justus Hauck (Fürstliche Druckerei), (1615).* – St.   [F 1682
D-ddr LEm (T I, T II) – **GB** Lbm (S II)

1615e. Das Erste Evangelium (Ich wil
Feindschafft setzen) ... auff den Geburtstag dem ... Herrn Johanni Adamo Trum-
merer ... mit vier Stimmen de novo componiret ... Anno Christi, 1615. – *Coburg,
Justus Hauck (Fürstliche Druckerei),
(1615).* – St.   [F 1683
D-ddr LEm (T)

1615f. Trostgesänglein (Sihe, selig ist der
Mensch) ... dem ... Herrn M. Nicolao
Eichhorn ... über tödlichen Abgang
seiner ... HaußFrauen ... mit 4. Stim-
men componiret. – *Coburg, Justus Hauck
(Fürstliche Druckerei), 1615.* – St.
                                        [F 1684
D-ddr LEm (T)

1616a. Geistlichen Musicalischen Lust-
gartens Erster Theil: Darinnen allerley
... Harmonien, von Psalmen unnd an-
dern trostreichen Texten ... so wol voce
als instrumentis zu musiciren ... mit 4.
5. 6. 7. 8. und 9. Stimmen componiret. –
Nürnberg, Georg Leopold Fuhrmann, 1616.
– St.   [F 1685
CH Bu (kpl.: S, A, T, B, 5, 6) – **D-brd** ERu (5) –
D-ddr NA (S, B, 6) – **GB** Lbm (S, T, B)

1616b. Neues Hochzeit Gesang (Sihe meine
Freundin, du bist schön) ... zu Hochzeit-
lichen Ehrn ... dem ... Herrn Heinrich
Hacken ... unnd ... Adelheit ...
Schmiedes ... mit Fünff Stimmen com-
ponieret ... Anno 1616. – *Coburg, Justus
Hauck (Fürstliche Druckerei), (1616).* –
St.   [F 1686
D-ddr LEm (T)

1616c. Musicalische Glückwünschung (Das
Himmelreich ist gleich einem Kauffmann

[a 6v]). Auff den Hochzeitlichen Ehren
Tag deß ... Herrn Ambrosii Walchen ...
dann der ... Barbarae ... Ruffers. – *Coburg, Justus Hauck (Fürstliche Druckerei),
1616.* – St.   [F 1687
D-ddr LEm (T I) – **GB** Lbm (S II)

1616d. Zwey Neue Hochzeit Gesäng zu
Hochzeitlichen Ehren ... Herrn M. Nico-
lao Eich Horn ... unnd ... Annae ...
Francken ... Eins ... durch M. Francken
(Wol dem der den Herren fürchtet) ...
das Ander ... durch H. Hartmann (Freue
dich des Weibes deiner Jugent) ... mit
sechs Stimmen componirt. – *Coburg, Ju-
stus Hauck (Fürstliche Druckerei), (1616).*
– St.   [F 1688
SD 1616[22]
GB Lbm (S II) – **D-ddr** LEm (T I)

1616e. Neues Hochzeit Gesang (Wol dem,
der ein tugentsam Weib hat) ... zu Hochzeitlichen Ehren ... dem ... Herrn Wolff
Albrechten den Jüngern ... unnd der ..
Margarethen ... Trachstetten ... mit
sechs Stimmen componiret ... Anno
1616. – *Coburg, Justus Hauck (Fürstliche
Druckerei), (1616).* – St.   [F 1689
D-ddr LEm (T I) – **GB** Lbm (S II)

1616f. Tricinium Novum (Wie ein Kauff-
mann das Himmelreich [a 3v]). Zu ...
Ehren ... dem ... Herrn M. Michaeli
Cellario ... componiret. – *Coburg, Justus
Hauck (Fürstliche Druckerei), 1616.* – St.
                                        [F 1690
GB Lbm (vox infima)

1616g. Lilia Musicalia, Schöne, liebliche,
fröliche, neue Liedlein, mit lustigen kurtzweiligen Texten unterlegt, sampt etlichen anmutigen Pavanen, Galliarden
und Curranten ... mit vier Stimmen
componiret. – *Nürnberg, Georg Leopold
Fuhrmann, 1616.* – St.   [F 1691
D-brd Ngm (A) – **D-ddr** Bs (T, B) – **NL** DHgm
(B)

1617a. Zwey neue Hochzeit-Gesäng zu
Hochzeitlichen Ehren ... dem ... Herrn
Johanni Rögnern ... und der ... Mar-
garethen ... Tietzschen ... An. 1617. –
Coburg, Kaspar Bertsch, 1617. – St.
SD 1617[23]   [F 1692
D-ddr LEm (T I)

1617b. Musicalischer Freudenschall (Jubilate Deo omnis terra) zu dem vorstehenden Evangelischen JubelFest ... Mit Zwölff Stimmen auff drey Chör zu Musiciren, componiret ... dieses 1617. Jahrs. – *Coburg, Justus Hauck (Fürstliche Drukkerei), (1617).* – St.   [F 1693
D-brd Cm (III: A, B [fehlt Titelblatt]) – **D-ddr** LEm (I: S II, B), SAh (I: S II, B)

1617c. Neues Hochzeit Gesang (Drey schöne ding sind), Auss dem 25. Capitel Syrachs. Zu Hochzeitlichen Ehren ... dem ... Herrn Philippo Beyer ... unnd der ... Margarethen ... Fischers ... mit 12 Stimmen auff 3. Chör zu musiciren, componiret. – *Coburg, Justus Hauck (Fürstliche Druckerei), (1617).* – St.
                                    [F 1694
GB Lbm (III: S, B)

1617d. Echus (Quaenam praesentas) in nuptias ... Domini Iohannis Matthaei Meyfarti ... et Barbarae ... Hübneri ... celebratas Coburgi 30. Septembris, Anno 1617 ... quam ... octo vocibus componebat. – *Coburg, Justus Hauck (Fürstliche Druckerei), (1617).* – St.   [F 1695
D-ddr SAh (B I)

1617e. Christliche Musicalische Glückwünschunge zu dem neuen ... Officio. Dem ... Herrn Iohann Güntzel ... Anno 1617 [a 4–6v]. – *Coburg, Justus Hauck (Fürstliche Druckerei), 1617.* – St.
SD 1617²²   [F 1696
D-ddr LEm (T I [Franck]), SAh (B)

1618a. Neues Hochzeitgesang (Steh auff meine Freundin) ... zu hochzeitlichen Ehren ... dem ... Herrn Iohanni Friederichen ... so wohl der ... Gertraud ... Pürtzels ... Mit 5. Stimmen de novo componiret ... Anno 1618. – *Coburg, Justus Hauck (Fürstliche Druckerei), (1618).* – St.   [F 1697
D-ddr LEm (T) – **GB** Lbm (S II)

1618b. Neues Hochzeit Gesang (Die du wohnest in den Gärten) ... zu Hochzeitlichen Ehren ... dem ... H: Georg Rügern ... unnd der ... Kunigundae ... Beßlers ... Mit Fünff Stimmen componiret. – *Coburg, Justus Hauck (Fürstliche Druckerei), 1618.* – St.   [F 1698
D-ddr LEm (T) – **GB** Lbm (S II)

1618c. Der 122. Psalm (Ich freue mich dess das mir geredt ist). Zu Einweyhung der neuerbauten Kirchen auff Kalenberg ... mit 8 Stimmen auff 2 Chör ... componiret ... Geschehen den 18 Martii Anno 1618. – *Coburg, Justus Hauck (Fürstliche Druckerei), (1618).* – St.   [F 1699
D-ddr LEm (T I, T II) – **GB** Lbm (kpl.; I: S I, S II, A, T I, T II, B; II: S, B)

1618d. Zwey neue Hochzeitgesäng zu Hochzeitlichen Ehren ... dem ... Herrn David Schneider ... und der ... Salome ... Dressers ... (Wo ist denn dein Freund hingegangen [a 8v]; Erhard Büttner: Frisch auff mein Seel verzage nicht [a 8v]). – *Coburg, Kaspar Bertsch, 1618.* – St.
SD 1618¹⁸   [F 1700
D-ddr LEm (A I) – **GB** Lbm (B II)

1619a. Spanneues lustiges Quodlibet, in welchem mancherley gute kurtzweilige Materia, zum Schlaff und Wachtrunck wider allerhand Melancholische humores admodum dienlich und bequem zu befinden, De novo zusammen getragen und 4. Vocibus componirt. – *Coburg, Kaspar Bertsch (Fürstliche Druckerei), 1619.* – St.
                                    [F 1701
D-brd Mbs (T)

1619b. Neues Hochzeitgesang (Freue dich des Weibes deiner Jugent) ... zu Hochzeitlichen Ehren ... dem ... Herrn Iohanni Gunzelio ... so wohl der ... Annae Sophia ... Schotten ... Mit 5. Stimmen de novo componirt. – *Coburg, Andreas Forckel, 1619.* – St.   [F 1702
D-ddr LEm (T)

1619c. Neues Hochzeit Gesang (Ich will mich mit dir verloben in ewigkeit) ... zu Hochzeitlichen Ehren ... dem ... Herrn M. Petro Ziegler so wol der ... Annae Rosinae ... Schneiders ... Anno 1619. Mit 5. Stimmen componirt. – *Coburg, Kaspar Bertsch, (1619).* – St.   [F 1703
D-ddr LEm (T) – **GB** Lbm (S II [fehlt Titelblatt])

1619d. Neues Grabgesang (Weil ich nun soll von dannen) ... zu sonderlichem Trost ... H. Anthonio Poppen ... über tödtlichen ... Abgang seiner ... Hauß-Ehr Margarethae, welche den 19. Martij ... Anno 1619 ... entschlaffen ... mit

4 Stimmen componiret. – *Coburg, Kaspar Bertsch, (1619). – P.*   [F 1704
D-ddr GOl

1620a. Neues Hochzeitgesang (Gott wird die Braut erhaschen) auss dem alten Christlichen Gesang, Hertzlich thut mich erfreuen . . . Zu Hochzeitlichen Ehren . . . dem . . . Michael Hamelburgern . . . mit V. Stimmen. – *Coburg, Kaspar Bertsch, 1620. – St.*   [F 1705
GB Lbm (T II)

1620b. Schöner trostreicher Text (Wer sich an Gottes Wort helt) . . . Zu Hochzeitlichen Ehren . . . Dem . . . Herrn Lucae Amlingen . . . so wohl der . . . Evae Susannae Simlers . . . Mit 6. Stimmen de novo Componiret . . . Anno 1620. – *Coburg, Andreas Forckel, (1620). – St.*   [F 1706
D-ddr LEm (T) – **GB** Lbm (S II)

1621a. Neues Teutsches Musicalisches Fröliches Convivium, in welchem mancherley . . . inventiones . . . Vocaliter unnd Instrumentaliter zugebrauchen, mit 4. 5. 6. und 8. Stimmen . . . componiret. – *Coburg, Salomon Gruner (Andreas Forckel), 1621. – St.*   [F 1707
D-brd HVl (S), W (kpl.: S, A, T, B, 5, 6, 7 [fehlt Titelblatt], 8 [fehlt Titelblatt]) – **D-ddr** Z (A, T [unvollständig], B) – **GB** Lbm (5) – **PL** Wn (S, 5)

1621b. Christliches . . . Trost: und Sterblied, Hertzlich lieb hab ich dich O Herr, zu . . . Ehren . . . der . . . Gertraud . . . Stumpffen . . . Auff 3. unterschiedene Compositiones . . . mit acht Stimmen vorgeschriebener massen componiert. – *Coburg, Andreas Forckel, 1621. – St.*   [F 1708
D-ddr LEm (T I, S II) – **GB** Lbm (B II)

1622a. Laudes Dei vespertinae. Erster Theyl neuer Teutscher Magnificat . . . in einem ahnmuthigen leichten Stylo Musico, nach den 8. Tonis . . . mit 4. Stimmen. – *Coburg, Salomon Gruner (Andreas Forckel), 1622. – St.*   [F 1709
B Br (kpl.: S, A, T, B) – **D-brd** Cl (S, A), HVl (S), W – **D-ddr** Dlb (A, B [jeweils unvollständig]), NA (A [fehlt Titelblatt], T, B [fehlt Titelblatt])

1622b. Laudes Dei vespertinae. Ander Theyl Neuer Teutscher Magnificat . . . in einem ahnmuthigen leichten Stylo Musico, nach den 8. Tonis . . . mit 5. Stimmen gantz von neuem componiret. – *Coburg, Salomon Gruner (Andreas Forckel), 1622. – St.*   [F 1710
B Br (kpl.: S, A, T, B, 5) – **D-brd** Cl (S, A, T), Cm (5), HVl (S), W – **D-ddr** Dlb (A [unvollständig], B), NA (A, T, B, 5) – **US** PRu (5)

1622c. Laudes Dei vespertinae. Dritter Theyl Neuer teutscher Magnificat . . . in einem ahnmuthigen leichten Stylo Musico, nach den 8. Tonis . . . mit 6. Stimmen gantz von neuem componiret. – *Coburg, Salomon Gruner (Andreas Forckel), 1622. – St.*   [F 1711
B Br (kpl.: S, A, T, B, 5, 6) – **D-brd** Cm (5), W – **D-ddr** Dlb (S, T, B), NA (fehlt T; S und A unvollständig) – **US** PRu (5)

1622d. Laudes Dei vespertinae, Vierdter Theyl Neuer teutscher Magnificat . . . nach den 8. Tonis . . . mit 8. Stimmen gantz von neuem componiret. – *Coburg, Salomon Gruner (Andreas Forckel), 1622. – St.*   [F 1712
D-brd Cm (5), W (kpl.; I: S, A, T, B, 5; II: S, T, B) – **D-ddr** Dlb (A [2 Ex., unvollständig], B [unvollständig]) – **US** PRu (5)

1622e. Musicalischer Grillenvertreiber. In welchem alle Quodlibeta, so bißhero unterschiedlich in Truck außgangen, zusamen gebracht, auch mit etlichen neuen, als einem lateinischen und zweyen teutschen vermehret . . . mit 4. Stimmen componiret. – *Coburg, Salomon Gruner (Johann Forckel), 1622. – St.*   [F 1713
D-brd Bim (A, T, B), HVl (S), Ngm (A), W (kpl.: S, A, T, B) – **D-ddr** Z (A, B [2 Ex.]) – **PL** Wn (S)

1622f. Der schöne Trostspruch Iohannis 3 (Sic Deus dilexit mundum) . . . zu . . . Trost und Gefallen dem . . . Hans Friederichen Schencken über den tödtlichen . . . Hintritt . . . seiner . . . HaußEhr der . . . Agathae Schenckin . . . mit 5. Stimmen Latine componirt. – *Coburg, Andreas Forckel (Fürstliche Druckerei), 1622. – St.*   [F 1714
D-ddr LEm (T)

1622g. Epicedium (Ich hab einen guten Kampff gekempfft) . . . zu vorstehender fürstlicher Leichbegängnus desz . . . Für-

sten und Herrn . . . Friderichen desz El-
tern Herzogen zu Sachsen . . . mit 6. voc.
. . . componiret. – *Coburg, Andreas Forckel
(Fürstliche Druckerei), 1622.* – St. [F 1715
D-ddr LEm (T I)

1623a. Gemmulae Evangeliorum Musicae,
Neues Geistliches Musicalisches Wercklein, in welchem die fürnembsten Sprüche
auß den Fest und Sontäglichen Evan-
geliis . . . zu finden . . . Mit 4. Stimmen
componiret. – *Coburg, Salomon Gruner
(Andreas Forckel), 1623.* – St. [F 1716
D-brd W (S) – **D-ddr** Dlb (kpl.: S, A, T, B [je
2 Ex.]) – **PL** Tu (T), WRu

1623b. Neues liebliches Musicalisches
Lustgärtlein, in welchem . . . lustige . . .
Sachen, von allerley Deutschen Amorosi-
schen Gesängen, neben etlichen neuen
Intraden . . . Voce und Instrumentis zu-
gebrauchen, anzutreffen . . . mit 5. 6. und
8. Stimmen componiret. – *Coburg, Salo-
mon Gruner (Andreas Forckel), 1623.* – St.
[F 1717
D-ddr Z (A, B) – **GB** Lbm (5 [unvollständig]) –
PL Wn (S, 5/S I/T I)

1623c. Viertzig Neue Deutzsche lustige
Musicalische Täntze, deren eins Theils
mit schönen Amorosischen Texten, die
andern aber ohne Text uff allerley Instrumenten mit 4. Stimmen lieblich zugebrauchen, neben zweyen andern Cantionibus, quinq: und Sex Vocum, gantz
von neuem componiret und in Truck verfertiget. – *Coburg, Salomon Gruner, 1623.*
– St. [F 1718
A Wn (S, A; fehlen T und B)

1623d. Neues fröliches Hochzeitgesang
(Du hast mir das Hertz genommen) . . .
Zu Hochzeitlichen Ehren . . . dem . . .
H. M. Iohann Langern . . . so wol der . . .
Annae . . . Harretsels . . . Mit V. Stimmen
componirt . . . Anno 1623. – *Coburg,
Kaspar Bertsch, (1623).* – St. [F 1719
D-ddr LEm (T)

1623e. Neues Fröliches Hochzeitgesang
(Mein Freund ist mir ein Püschel Myrrhen)
. . . Zu Hochzeitlichen Ehren . . . dem . . .
Herrn Paulo Trillern . . . und der . . . Mar-
thae . . . Beeren . . . Mit 6. Stimmen com-

poniret . . . An. 1623. – *Coburg, Andreas
Forckel (Fürstliche Druckerei), (1623).* –
St. [F 1720
D-ddr LEm (T I)

1623f. Neues Christliches Grabgesänglein
(Hilff Helffer hilff) welches bey Christlicher Leichbestattung der . . . Anna . . .
Reinhards . . . zu singen . . . mit IV. Stimmen componiret. – *Coburg, Kaspar Bertsch,
1623.* – St. [F 1721
D-brd Ngm (kpl.: S, A, T, B)

1624a. Neues Christliches Grabgesang,
welches bey Christlicher Leichbestattung
dess . . . Herrn Wolffgang Gaylings . . .
mit 4. Stimmen componiret. – *Coburg,
Johann Forckel (Fürstliche Druckerei),
(1624).* – St. [F 1722
US Wc (kpl.: S, A, T, B)

1624b. Neues Hochzeit Gesang (Habe
deine Lust am Herren) . . . Zu Hochzeit-
lichen Ehren . . . dem . . . Herrn Iohann
Forckel . . . unnd der . . . Annae . . . Heub-
ners . . . mit 5. Stimmen componiret . . .
Anno 1624. – *[Coburg], s. n., (1624).* –
St. [F 1723
D-ddr LEm (T)

1624c. Neues Christliches Epithalamium,
aus der Historia Isaacs und Rebeccae, Zu
Hochzeitlichen . . . Ehrenfreuden des . . .
Herrn, M. Melchioris Steinbrücken . . . so
wol . . . der . . . Dorotheae . . . Kempffen
. . . mit 12. Stimmen, aus etlichen deut-
schen Verslein, auff 2. Chör zu musiciren.
– *Coburg, Johann Forckel, 1624.* – St.
[F 1724
GB Lbm (T I, B I)

1625a. Neues Musicalisches Opusculum,
In welchem etliche gantz Neue lustige
Intraden und Auffzüg, so beim Musiciren
zur Abwechselung wol zu gebrauchen . . .
mit 5. Stimmen componiret. – *Coburg,
Salomon Gruner (Johann Forckel), 1625.*
– St. [F 1725
D-ddr LEm (T, 5)

1625b. Gratulatio Musica (Vulnerasti cor
meum) In honorem Nuptiarum secunda-
rum . . . Dn. Iohannis Bechstadii . . . ac
. . . Mariae . . . Fabri . . . Anno 1625 . . .
6 Vocibus composita. – *[Coburg], Johann*

Forckel *(Fürstliche Druckerei), (1625).* –
St.   [F 1726
D-ddr LEm (T I) – **GB** Lbm (S II)

1625c. Geistliche Vermählung des Herrn
Christi (Ich will mich mit dir verloben in
Ewigkeit) mit einer glaubigen Seel ... Zu
Hochzeitlichen Ehren ... dem ... Herrn
Iohann Glocken ... so wol der ... Anna
Catharina ... Krebsens ... mit 6. Stim-
men in eine gantz neue Composition ge-
bracht ... Anno 1625. – *Coburg, Johann
Forckel (Fürstliche Druckerei), (1625).* –
St.   [F 1727
D-brd Mbs (kpl.: S I, S II, A, T I, T II, B) –
D-ddr LEm (T I) – **GB** Lbm (S II)

1626a. Hertzlicher Wuntsch (Der Herr
segne euch und behüte euch) auff vor-
genommene Reyse ... auch zu einem ...
Fried und Freudenreichen lieben Neuen
Jahr ... Mit 5. Stimmen ... componiret.
– *Coburg, Johann Forckel (Fürstliche
Druckerei), 1626.* – St.   [F 1728
D-ddr LEm (T)

1626b. Neues Christliches Hochzeit-Ge-
sang (Drey schöne Ding sind) ... Zu
Hochzeitlichen Ehren ... dem ... Iohann
Kolleß ... so wohl der ... Anna Seyfried
... Mit Fünff Stimmen componirt ...
Anno 1626. – *Coburg, Kaspar Bertsch
(Fürstliche Druckerei), (1626).* – St.
                              [F 1729
D-ddr LEm (T) – **GB** Lbm (S II)

1626c. Der XCI. Psalm Davids (Wer unter
dem Schirm deß Höchsten sitzt) ... uff
den Christlichen Geburtstag deß ...
Herrn Wolfgangi Amlings ... mit VI.
Stimmen ... componirt ... Anno 1626.
– *Coburg, Kaspar Bertsch (Fürstliche
Druckerei), (1626).* – St.   [F 1730
D-ddr LEm (T I, T II)

1626d. Buszgesang von Ninive (Wach auff
vom tiefen Schlaf der Sünden) ... 8. Voc.
(in: Tuba poenitentiae prophetica, das ist
Das dritte Capitel des Buszpropheten
Jonae in fünff unerschiedlichen [!] Predig-
ten ... von Johanne Mattheo Meyfarto).
– *Coburg, Friedrich Gruner (Johann For-
ckel), 1626.* – St.   [F 1731
D-ddr SZ (kpl.; I: S I, S II, A, B; II: S, T I,
T II, B), WGp

1626e. Assaphus Bernhardinus lingua bi-
nus voce trinus hoc est jubilus D. Bern-
hardi poeticus, sancta devotione hactenus
commendatus, ternis vocibus, utroque
stilo tam latino quam germanico empha-
tico tamen compositus. – *Nürnberg, Simon
Halbmayer, 1626.* – St.   [F 1732
F Pc (S)

1627a. Deliciae convivales. Das ist, Neue
musicalische anmutige Intraden, welche
... auff allerley ... Instrumenten ...
gebraucht werden. Mit 4. 5. und 6. Stimmen neben dem General-Bass componiret. – *Coburg, Friedrich Gruner (Johann
Forckel), 1627.* – St.   [F 1733
D-ddr LEm (T [unvollständig]) – **GB** Lbm (5,
bc)

1627b. Neues fröliches Musicalisches Con-
cert (Ich sucht des Nachts) ... zu den ...
Hochzeitlichen Ehrenfreuden des ...
Herrn Conradi Gehlings ... so wol der ...
Anna Maria ... Cornarii ... Mit 7. Stim-
men neben dem General Baß componiret
... Anno 1627. – *Coburg, Johann Forckel
(Fürstliche Druckerei), (1627).* – St.
                              [F 1734
D-ddr LEm (T I, bc)

1627c. Christliche Musicalische Glück-
wündschung (Fürchte dich nicht) ... Zu
Hochzeitlichen Ehren ... dem ... Herrn
Casparo Langern ... so wol der ... Anna
... Hasen ... mit 6. Stimmen gantz von
neuen componiret ... Anno M.DC.XXVII.
– *Coburg, Johann Forckel (Fürstliche
Druckerei), (1627).* – St.   [F 1735
D-ddr LEm (T I, T II)

[1628a]. Cythara Ecclesiastica & Scho-
lastica, das ist Außerlesene ... Gesäng ...
so in Kirchen und Schulen ... zu gebrauchen, neben einer Praefation ... in leichte
vierstimmige Compositiones übersetzt. –
Nürnberg, Simon Halbmayer. – St.
                              [F 1736
D-brd Hs (A) – **D-ddr** SAh (A, T, B)

1628b. Rosetulum Musicum, das ist, Neues Musicalisches Rosengärtlein, In welchem allerhand ... aus H. Göttlicher
Schrifft, so wol andern schönen Geistlichen Texten zu finden ... neben etlichen
neuen Concerten, und dem General Bass,

Mit 4. 5. 6. 7. und 8. Stimmen componiret. – *Coburg, Friederich Gruner (Johann Forckel), 1628 ([S:] 1627)*. – St.

[F 1737

D-brd Cm (T, B), F (kpl.: S, A, T, B, 5, 6, bc), Rp (B [2 Ex., unvollständig], 5 [2 Ex., unvollständig], bc [unvollständig]), W (S, 5 [unvollständig]) – **D-ddr** LEm, SAh (A, T [unvollständig], B, 5, 6) – **PL** Tu (T, 6, bc), WRu – **US** NH (T)

1628c. Sacri Convivii Musica Sacra, Bey dem H. Abendmahl unsers Herrn und Heylandes Jesu Christi heilige Musica, aus anmutigen . . . so wol Kirchengesängen und Psalmen als auch andern . . . Texten . . . colligiret, und in fügliche leichte Compositiones mit 4. 5. 6. Stimmen ubersetzet. – *Coburg, Johann Forckel (Fürstliche Druckerei), 1628*. – St.

[F 1738

D-brd Cm (T, B), Hs (A), W (S, 5 [unvollständig]) – **PL** Tu (T)

1628d. Zwey neue Musicalische . . . Concert, zu sonderbaren Ehren . . . zu den . . . Hochzeitlichen Ehrenfreuden dess . . . Herrn Daniel Langers . . . so wol der . . . Anna Margaretha . . . Rumpelij . . . Das erste ex 13. c. Matth. mit XII Stimmen uff 3. Chör (Das Himmelreich ist gleich einem Kauffmann) . . . Das ander ex 25. cap. Matthaei mit VI. Stimmen durch M. Johannem Dilligern . . . Anno 1628. – *Coburg, Kaspar Bertsch, 1628*. – St.

SD   [F 1739

GB Lbm (A II, B II [Franck])

1628e. Suspirium Germaniae Publicum, Das ist: Allgemeine des betrübten Vaterlandes Seufftzerlein . . . auss dem Propheten Daniel am 9. und ersten Buch Mos. am 18 Cap. . . . in zwo unterschiedliche musicalische Compositiones, zu 7. und 4. Stimmen gebracht. – *Coburg, Johann Forckel (Fürstliche Druckerei), 1628*. – St.

[F 1740

GB Lbm (S I, S II, S III/A, T I ad org, B/bc; fehlt T II)

1629a. Prophetia Evangelica, oder Das Trostreiche 53. Capitel Esaiae . . . Mit 4. Stimmen bey vorstehender Fastenzeit nützlich zu gebrauchen. – *Coburg, Johann Forckel (Fürstliche Druckerei), 1629*. – St.

[F 1741

D-brd Cm (T, B) – **D-ddr** LEm (kpl.: S, A, T, B), NA (S, A [unvollständig], B)

1629b. Votiva Columbae Sĭoneae suspiria, Andächtige Hertzensseuftzer der . . . Christenheit, in etlichen Trostreichen Reimgebetlein verfasset . . . In unterschiedliche leichte Musicalische Compositiones ubersetzet. – *Coburg, Johann Forckel (Fürstliche Druckerei), 1629*. – St.

[F 1742

D-brd F (S, A, T, B)

1629c. Christliche Musicalische Glückwündschung (Du bist aller Dinge schön meine Freundin) Zu den . . . Hochzeitlichen Ehren-Freuden deß . . . Herrn Georgii Zincken . . . so wol der . . . Eva . . . Vetters . . . mit 6. Stimmen von neuem componiret . . . Anno 1629. – *Coburg, Johann Forckel (Fürstliche Druckerei), (1629)*. – St.   [F 1743

D-ddr LEm (T I)

1629d. Christliche Musicalische Glückwünschung (Eine schöne Frau erfreuet jhren Mann) . . . Zu den Hochzeitlichen Ehrenfreuden deß . . . Herrn Johann Friderich Weissen . . . so wohl der . . . Magdalenen . . . Amlings . . . dieses 1629. Jahrs. Mit 6. Stimmen von neuem componirt. – *Coburg, Kaspar Bertsch, (1629)*. – St.   [F 1744

D-ddr LEm (T I) – **GB** Lbm (S II)

1629e. Aller Christgläubigen bester Trost (Misericordiae Domini) . . . auff den . . . Geburtstag deß . . . H. Wolffgangi Amlings . . . Mit 5. Stimmen . . . von neuem componirt . . . Anno 1629. – *Coburg, Kaspar Bertsch, (1629)*. – St.   [F 1745

D-ddr LEm (T I)

1629f. Evangelium Paradisiacum. Das allerelteste und holdseligste Evangelium . . . In 5. Musicalische Stimmen von neuen ubersetzet. – *Coburg, Johann Forckel (Fürstliche Druckerei), 1629*. – St.

[F 1746

D-brd Cm (T I, B [unvollständig]) – **H** Bn (T I)

1630a. Der 85. Psalm des Königlichen Propheten Davids (Herr, der du bist vormals gnädig gewest), Zu dem angestellten Evangelischen Jubelfest, welches den 25. 26. 27. Junij dieses 1630. Jars [!] . . . cele-

brirt worden … mit 8. Stimmen von neuem componirt. – *Coburg, Johann Forckel (Fürstliche Druckerei), 1630.* – St.
[F 1747
D-brd F (kpl.; I: S I/II, A/B; II: S/T I, T II/B; org) – **GB** Lbm (fehlen A I/B I)

1630b. Neues Christliches Weyhnacht Gesang, auff die jetzige hochgefährliche Zeiten gerichtet … mit 5 Stimmen … componiret. – *Coburg, Johann Forckel (Fürstliche Druckerei), 1630.* – St.
[F 1748
D-brd Cm (A [unvollständig])

1630c. Relation, Von dem herrlichen Actu Oratorio (von dem erlöseten Jerusalem), welcher zu Coburgk den 14. Junij dieses 1630. Jahrs … ist gehalten worden … mit den Musicalischen Compositionen [a 3–5v] zum andern mahl gedruckt. – *Coburg, Johann Forckel (Fürstliche Druckerei), 1630.* [F 1749
D-ddr LEm (von diesem Ex. Fotokopie in **D-brd** Cl)

1631a. Dulces Mundani Exilij Deliciae. Das ist, Die süsse Wollust diser Irrdischen Pilgrimschafft, der Chur-Kinder Gottes … auß den schönsten Sprüchen heiliger Göttlicher Schrifft … neben dem Basso continuo ad organum, mit 1. 2. 3. 4. 5. 6. 7. 8. Stimmen gantz von neuem componirt. – *Nürnberg, Wolfgang Endter, 1631.* – St. [F 1750
D-brd F (kpl.: S, A, T, B, 5, 6, bc) – **D-ddr** Dlb (A [unvollständig], 6 [unvollständig], bc) – **GB** Lbm (bc) – **PL** WRu (fehlen S und 5)

1631b. Psalmodia sacra, das ist: Neues Musicalisches Wercklein, in welchem die vornembsten geistlichen Gesäng … neben andern schönen trostreichen Texten … Mit 4. und 5. Stimmen in contrapuncto simpliciter componiret … erster Theil. – *Nürnberg, Wolfgang Endter, 1631.* – St.
SD 1631² [F 1751
D-brd Cm (kpl.: S [unvollständig], A, T, B, 5), W (S, 5) – **PL** GD (T, B, 5)

1631c. Hertzlicher Seufftzer der Christlichen Kirchen [a 4v]. – *Coburg, Kaspar Bertsch, 1631.* – St. [F 1752
D-ddr Bds (T [unvollständig])

1632a. Lobgesang (O schöner Tag an dem hoch jauchtzen sollen) … Herrn Adam Hermann von Rotenhan … in 4. musicalische Stimmen gebracht. – *Coburg, Johann Forckel (Fürstliche Druckerei), 1632.* – St. [F 1753
D-ddr Bds (T)

1632b. Christliche Dancksagung zu unserm Neugebornen Jesulein, auff das instehende fröliche Christ Fest [3tlg., 7–8v]. – *Coburg, Johann Forckel (Fürstliche Druckerei), 1632.* – St. [F 1754
D-brd Cm (Tl. 1 und 3: A II), Cs (Tl. 2 kpl.: 7 St. [S I, S II, B; A, T I, T II, B])

1633. Der schöne trostreiche Spruch, Röm. 8. Ist Gott für uns, wer mag wider uns seyn? … bey … Christlichen Begräbniß zu singen … mit 4. Stimmen. – *Coburg, Johann Forckel (Fürstliche Druckerei), 1633.* – P. [F 1755
D-ddr RÖM

1634a. Zwey neue Christliche Klag- und Traur-Gesäng, das eine aus dem 90. Psalm, das ander aus dem schönen Sprüchlein Christus ist mein Leben … zu … Leichbestattung … Herrn Johann Casimirs Hertzogen zu Sachsen … welcher … am 24. Martij dieses 1634. Jahrs … beygesetzet worden … mit 6. und 4. Musicalischen Stimmen … dediciret. – *Coburg, Johann Forckel (Fürstliche Druckerei), 1634.* – St. [F 1756
D-brd DS (kpl.: S I, S II, A, T I, T II, B)

1634b. Der 51. Psalm deß Königlichen Propheten Davids, Miserere mei Deus … neben andern neuen Moteten Lateinisch und Deutsch. Mit 4. 5. 6. und 8. musicalischen Stimmen übersetzet. – *Coburg, Johann Forckel (Fürstliche Druckerei), 1634.* – St. [F 1757
D-ddr SAh (A, T, B, 5, 6)

1634c. Neues Christliches Grabgesang (Ach du mein liebstes Jesulein) Zum vorstehender Christlicher Leichbestattung deß … Johannis Friderici (Amlings) … Mit 4. Stimmen componiret. – *Coburg, Johann Forckel (Fürstliche Druckerei), 1634.* – P. [F 1758
D-ddr RÖM

1636a. Paradisus Musicus, Geistliches Musicalisches Lustgärtlein, in welchem die vornemsten tröstlichsten Hauptsprüche aus allen Capitteln des Geistreichen Propheten Esaiae zusammen getragen und zum Christlichen Exercitio mit 2. 3. und 4. Stimmen neben dem Basso ad Organum von neuem componiret. – *Nürnberg, Wolfgang Endter (Coburg, Johann Eyrich), 1636.* – St.   [F 1759
D-brd F (kpl.: I. vox, II. vox, III. vox, IV. vox, bc) – **D-ddr** SAh (fehlen I. vox und bc) – F Ssp – S V (fehlt IV. vox)

1636b. Paradisus Musicus, Geistliches Musicalisches Lustgärtlein ... mit 1. 2. 3. und 4. Stimmen neben dem Basso ad Organum auch etliche mit violen von neuem componiret ... ander Theil. – *Nürnberg, Wolfgang Endter (Coburg, Johann Eyrich), 1636.* – St.   [F 1760
D-brd F (kpl.: I. vox, II. vox, III. vox, IV. vox, bc) – **D-ddr** SAh (II. vox) – S V (fehlt IV. vox)

1639. Zwey neue Christliche Epicedia, Zu vorstehender fürstlicher Leichbestattung des ... Johann Ernsten Hertzogen, zu Sachsen ... Welcher am 23. Octobr. dieses 1638. Jahrs ... entschlaffen und ... am 2. Ianuarij 1639. zu Eisenach ... beygesetzet worden ... Das erste aus dem 126. Psalm, mit 8. Stimmen, Das ander aus den Klagliedern Jeremiae 5. Cap. mit 4. Stimmen componiret. – *Coburg, Johann Eyrich (Fürstliche Druckerei), 1639.* – St.   [F 1761
D-brd Kl (kpl.; I: S I, S II, A, B; II: S, T I, T II, B) – **D-ddr** ALa

U̲NDATIERBARE̲ W̲ERKE̲

(Stimmbücher ohne Titelblatt)

Aber eine ist meine Taube [a 5 v]. – *s. l., s. n.* – St.   [F 1762
GB Lbm (S II)

Das Wort ward Fleisch [a 8v]. – *s. l., s. n.* – St.   [F 1763
D-brd Cm (A II)

Ehre sei Gott in der Höhe [a 8 v]. – *s. l., s. n.* – St.   [F 1764
D-ddr SAh (A I, B I)

Gott lob daß ich die schöne Zeit [a 4 v]. – *s. l., s. n.* – St.   [F 1765
D-ddr Bds (T)

Heut jubilirt mit grosser Freud [a 8v]. – *s. l., s. n.* – St.   [F 1766
D-brd Cm (A II)

In Natali: Casti gaudent angeli [a 8v]. – *s. l., s. n.* – St.   [F 1767
D-brd Cm (A II)

Kein liebliches Gepreg [a 4v]. – *s. l., s. n.* – St.   [F 1768
D-ddr Bds (T)

Komm her zu mir du schöne Zier [a 4 v]. – *s. l., s. n.* – St.   [F 1769
D-ddr Bds (T)

Levavi: unde veniet auxilium mihi [a 8v]. – *s. l., s. n.* – St.   [F 1770
GB Lbm (B II)

Noë, Noë, Ehre sei Gott [a 5v]. – *s. l., s. n.* – St.   [F 1771
D-brd Cm (A)

Psallite, unigenito [a 8v]. – *s. l., s. n.* – St.   [F 1772
D-brd Cm (A)

Uns ist ein Kindlein heut geborn [a 6v]. – *s. l., s. n.* – St.   [F 1773
D-ddr SAh (A, B)

Was liegt dort im Krippelein [a 8v]. – *s. l., s. n.* – St.   [F 1774
D-brd Cm (S II)

Wo der Herr das Haus nicht bauet [a 5v]. – *s. l., s. n.* – St.   [F 1775
D-ddr SAh (S, A)

Zu dir ruf ich [a 5v]. – *s. l., s. n.* – St.   [F 1776
D-ddr Bds (A, T)

FRANCK Michael

1649. Davidischer Traur- und Trostgesang ... mit dreyen Stimen gesetzet. – *Coburg, Johann Eyrich (Fürstliche Druckerei), 1649.* – P.   [[F 1777
A Wgm – **B** Bc – **GB** Lbm

1650. Der 133. Psalm Davids (Siehe wie fein und lieblich [a 5v]). – *Coburg, Johann Eyrich (Fürstliche Druckerei), 1650.* – P.   [F 1778
B Bc

1651a. Wohlauff mein gantzes Ich [a 4v] (in: Coburgisches Friedens-Danck-Fest... gehalten am Tage Sebaldi ... 1650). – *Coburg, Autor (Johann Eyrich), 1651.* – P.   [F 1779
B Bc – **D-brd** Cm

1651b. Das alte sichere und in Sünden schlaffende Teutschland [Gedicht und Gesang a 4v]. – *Coburg, Johann Eyrich (Fürstliche Druckerei), 1651.* – P. [F 1780
B Bc

1652. Christliches Iäger-Lied (Ist nicht der Menschen Leben) bey dem ... Abschied ... des ... Herrn Iohann Caspar Scherers ... verfertiget und mit 4. Stimmen gesetzet ... im Iahr Christi 1652 (in: Davidis Confessio ...). – *Coburg, Iohann Eyrich (Fürstliche Druckerei), 1652.* – P. [F 1781
D-ddr Bds

1653. Einer Christgläubigen Seelen Klägliche Seuffzer ... in einem Christlichen Gesänglein wechselweisz vorgestellet und mit 4. Stimmen gesetzet. – *Coburg, Johann Eyrich (Fürstliche Druckerei), 1653.* – St. [F 1782
D-brd DS (kpl.: S, A, T, B) – **GB** Lbm

1666. Lob und Prob der wahren Gottes-Furcht (Was hängst du Erden-Mensch) in einem vierstimmich-christlichen Gesänglein ... vorgestellet. – *[Coburg], Johann Conrad Mönch (Fürstliche Druckerei), 1666.* – P. [F 1783
D-ddr GOl

FRANCK Peter

1649a. Sionis oppugnatae sed non expugnatae epinikion, das ist: Der zwar offt bekämpfften aber nie gedämpfften Kirchen Gottes Danck- und Siegs Psalm ... gesangsweise in 8. Stimmen zusammen gesetzt. – *Coburg, Johann Eyrich (Fürstliche Druckerei), 1649.* – St. [F 1784
A Wgm (S II)

1649b. Munde maligne vale ... Das ist Christliches Valet: und Sterbegesänglein (In Christo will ich sterben [a 4v]) der ... Frauen Barbarae Fränckin ... verfertiget ... im Jahr MDCXLIX (in: Monumentum honorarium ...). – *Coburg, Johann Eyrich (Fürstliche Druckerei), 1649.* – P.
[F 1785
D-ddr Bds, GOl

1651. Trost Rede (Wer will, mag immer hin zu leben lieben [a 4v]) der selig-verstorbenen Frauen an den betrübten Wittiber (in: Quinque ignea et ardentissima Davidis suspiria ... bey ... Leich-Begängnus der ... Frauen Elisabethen ... Reimann). – *Coburg, Johann Eyrich (Fürstliche Druckerei), (1651).* – P.
[F 1786
D-brd Gs – **D-ddr** Bds

1657. Christ-Ritterlicher Todes-Kampff (Christus ist) ... Johannis Schulthesii ... in ein ... vierstimmiges Gesänglein verfaßt. – *Coburg, Johann Conrad Mönch (Fürstliche Druckerei), 1657.* – P.
[F 1787
D-ddr MAl

s. d. Willige Gelassenheit (Bey vollem Creutz, in allen Nöthen) ... Christliches Trost-Liedlein dem ... Herrn Iohanni Georgio Styrtzeln ... mit 4. Stimmen verfertiget. – *s. l., s. n.* – P. [F 1788
D-ddr Z

FRANCK Samuel

Lobthönendes Ehrengedicht (Edles Rostock kröhnstu wieder [für 2 S, 2 vl und bc]) dem ... Herrn Otto Groskreutzen ... als selbigem im 1659. Iahre den 25. Tag Weinmonats ... der Magister Tittel zugeleget ward ... in einer fünfstimmigen Musick gebracht. – *Rostock, Johann Richel, (1659).* – P. [F 1789
D-ddr ROu

FRANCK Sebastian

Neueröffneten Beicht-Bet-Buß- und Thränen-Kämmerleins ander Theil ... in etwas erweitert, und mit andächtigen Hertzens Seufzerlein und Buß Gesänglein gezieret [im Anhang: Gesänge für S und B]. – *Coburg, Johann Eyrich (Fürstliche Druckerei), 1650.* [F 1790
D-ddr Bds (mit handschriftlich ersetztem Titelblatt)

Ehe-Segen (O wie so gar selig ist doch der Christ) . . . dem . . . Herrn Eliae Schmidt . . . so wol der . . . Margarethae Barbarae . . . Anno 1659. Mit 5. Stimmen zu Musiciren Componiret. – *s. l., s. n., (1659)*. – P.   [F 1791
D-ddr Z

FRANCŒUR François

MUSIK ZU BÜHNENWERKEN

(von Francœur und François Rebel)

Les Augustales

Les Augustales. Divertissement, représenté par l'Accademie royale de musique le dimanche 15 novembre 1744. – *Paris, Mme Boivin, Le Clerc, 1744*. – P.   [F 1792
B Bc – **F** LYm, Pa, Pc (5 Ex.), Pn, Po (2 Ex.), TLc, V

Le Ballet de la paix

Ballet de la paix . . . représentée par l'Accademie royale de musique le jeudy 29 may 1738 . . . paroles de Roy [mit hinzugefügten Entrées: La fuite de l'amour, und Nirée]. – *Paris, Francœur, Mme Boivin, Le Clerc, (gravée par De Gland)*. – P.   [F 1793
B Bc – **D-ddr** SWl (mit Entrées) – **F** AG, BO (mit Entrées), Pa (mit Entrées), Pc (2 Ex. mit Entrées), Pn (3 Ex., davon 2 Ex. mit Entrées), Po (mit Entrées), TLc (mit Entrées), V (3 Ex. mit Entrées, davon 1 Ex. unvollständig) – **GB** Lbm – **US** BE (mit Entrées), R (ohne Entrées), U (mit Entrées)

Ismène

Ismène. Pastorale héroïque, représentée devant le Roy sur le Théâtre des petits appartemens à Versailles en 1747 et 1748 et par l'Accademie royale de musique le 18 août 1750. – *Paris, les auteurs, Mme Boivin, Le Clerc*. – P.   [F 1794
[2 verschiedene Ausgaben:] **B** Bc (2 Ex., vermutlich 2 verschiedene Ausgaben) – **F** A, AG (2 Ex.), BO, Pa (3 Ex.), Pc (8 Ex., davon 1 Ex. unvollständig, 2 verschiedene Ausgaben), Pn (3 Ex.), Po (2 Ex.), TLc, V (2 Ex.) – **GB** Lbm – **S** St – **US** Bp, NYcu, Wc

Pirame et Thisbé

Pirame et Thisbé. Tragédie . . . représentée pour la première fois par l'Accadémie

royale de musique, le 15e octobre 1726. – *Paris, Francœur, Rebel, Boivin, 1726*. – P.   [F 1795
B Aa (kpl.; zum Teil handschriftlich), Bc, Br – **D-brd** Rtt – **D-ddr** WRtl (fehlt Prolog) – **F** AG, AI, BO, Dc, Lm, LYc, Mc, Pa (3 Ex.), Pc (3 Ex., 2 verschiedene Ausgaben), Pn, Po, Sim, TLc (3 Ex.), V (4 Ex., davon 2 Ex. unvollständig) – **S** Skma, St (fehlt Prolog) – **GB** Lbm (2 Ex.) – **US** Bp (fehlt Prolog; zum Teil handschriftlich), BE (fehlt Prolog), NYp, Wc (2 Ex.), Ws (2 Ex., 2 verschiedene Ausgaben)

— *ib., Carfourt, 1726*.   [F 1796
CH Gc, P (ohne Prolog) – **US** CA (ohne Prolog)

Le Prince de Noisi

Le Prince de Noisi. Ballet héroïque, représenté pour la première fois devant le Roi sur le Théâtre des petits-appartements à Versailles le 13 mars 1749 . . . représenté pour la première fois par l'Accademie royale de musique, le mardi 16 septembre 1760. – *Paris, auteur, Bayard, de La Chevardière, Le Clair, (gravé par le Sr Hue)*. – P.   [F 1797
F Pa (2 Ex.), Pc (3 Ex., davon 1 Ex. unvollständig), Pn, Po, V

Le Retour du Roi à Paris

Le Retour du Roi à Paris. Dialogue chanté devant sa Majesté à l'hôtel de ville le dimanche 15 novembre 1744. – *s. l., s. n.* – P.   [F 1798
F Pa (2 Ex.), Pc (3 Ex.), Pn (2 Ex.), Po – **GB** Lcm

— . . . le mercredy 8e septembre 1745. – *s. l., s. n.*   [F 1799
F Pa, Pc, Pn (2 Ex.)

Scanderberg

Scanderberg. Tragédie . . . représentée par l'Accademie royale de musique le 27 octobre MDCCXXXV. – *Paris, Francœur, Vve Boivin, Le Clerc, (gravée par De Gland)*. – P.   [F 1800
B Bc, Br – **F** LYm, Mc, Pa (2 Ex.), Pc (2 Ex.), Pn, Po, TLc, V (3 Ex.) – **US** BE, Wc

Tarsis et Zélie

Tarsis et Zélie. Tragédie . . . représentée pour la première fois par la mesme Accadémie le mardy dix-neuvième d'octobre 1728. – *Paris, Jean Baptiste Christophe Ballard, 1728*. – P.   [F 1801

B Bc – F B, BO, Mc, Pa, Pc (unvollständig),
Pn (3 Ex.), Po (3 Ex., zum Teil handschriftlich
ergänzt), TLc, V (3 Ex., davon 2 Ex. unvollständig) – GB Lbm (2 Ex.), T – US BE, Cn, Wc

Le Trophée

Le Trophée. Divertissement à l'occasion
de la victoire de Fontenoi ... représenté
par l'Accadémie royale de musique le
mardy 10 aoust 1745. – *Paris, Mme Boi-
vin, Le Clerc (gravé par le Sr Hue), 1745.*
– P.   [F 1802
B Aa, Bc (2 Ex.) – CH Gpu – F BO, Lm, Mc,
Pa (2 Ex.), Pc (8 Ex.), Pn (2 Ex.), Po (2 Ex.),
TLc (2 Ex.), V (2 Ex.) – GB Lbm – S Skma –
US Bp, BE, Cn

Zélindor, roi des Sylphes

Zélindor, roi des Sylphes. Divertissement
représenté à Versailles devant Sa Majesté
le mercredy 17 et 24 mars, et par l'Acca-
démie royale de musique, le mardy 10
aoust 1745. – *[Paris, Mme Boivin, Le
Clerc], 1745.* – P.   [F 1803
B Aa, Bc (2 Ex.) – CH Gpu – F AG, BO, Lm,
Pa (2 Ex.), Pc (9 Ex.), Pn (4 Ex.), Po (2 Ex.),
TLc (2 Ex.), V (2 Ex.) – GB Lbm – US Bp, BE,
Cn

INSTRUMENTALWERKE

[10] Sonates à violon seul et basse continue ... livre Ier. – *Paris, auteur, Foucault, (gravées par Chevillard), 1720.* – P.
                                        [F 1804
F BO, Pc, Pn – GB Lbm, Lcm – US AA, Bp

— Sonates à violon seul & basse continue
... livre premier. – *Amsterdam, Jeanne
Roger, No. 437.*   [F 1805
F Pmeyer – S Skma

[12] Sonates à violon seul, avec la basse
continue ... IIe livre. La douzième de ces
sonates est obligée pour le violoncelle ou
la viole. – *Paris, auteur, Boivin, Le Clerc
(gravées par Mme Leclair).* – P.
                                        [F 1806
F Pn – GB Lbm, Lcm – US Wc (2 Ex.)

FRANCŒUR Louis

Premier livre de sonates à violon seul et
basse. – *Paris, auteur, Boivin, 1715.* – P.
                                        [F 1807
B Br – F Pc (3 Ex.)

— *ib., Foucault, auteur (gravée par L.
Hue), 1715.*   [F 1808
D-ddr Dlb – F Pc (3 Ex.), Pn – US NYp, Wc
(2 Ex.)

IIme Livre de sonates à violon seul, et
basse continue. – *Paris, auteur, Boivin,
1726.* – P.   [F 1809
B Br – F Pc (4 Ex.) – GB Lbm

FRANKLIN Benjamin

[Zuweisung fraglich:] Quartetto a 3 violini con violoncello. – *s. l., s. n.* – P.
                                        [F 1810
US BLu

FRANZ Johann Christian

Ernste und fröliche Gesänge mit Begleitung der Guittarre oder des Pianoforte ...
erstes Hefft, enthält 2 Trinklieder, 2 Stimmig; 2 Duetten; 1 Lied, 1 Stimmig. –
Berlin, A. M. Schlesinger, No. 36.
                                        [F 1811
S Skma – US Wc

FRANZONI Amante

GEISTLICHE VOKALMUSIK

1611. Concerti ecclesiastici a una, due, et
a tre voci col basso continuo per l'organo
... libro primo. – *Venezia, Ricciardo Amadino, 1611.* – St.   [F 1812
A Wn (S I, S II, org; fehlt T)

1613. Apparato musicale di messa, sinfonie, canzoni, motetti, & letanie della
Beata Vergine, a otto voci, con la partitura de bassi ... opera quinta ... libro
primo. – *Venezia, Ricciardo Amadino,
1613.* – St.   [F 1813
I CEc (I: S, T, B; II: S, A, T, B; org; fehlt A I),
Mc (kpl.)

1614. Messa, et letanie della B. Vergine a
otto voci, con il basso continuo per l'organo ... libro secondo ... et aggiuntevi
le letanie del Gastoldi a otto voci. – *Mantova, Aurelio & Lodovico Osanna, 1614.* –
St.   [F 1814
SD 1614[1]
I Mc (kpl.; I: S, A, T, B; II: S, A, T, B; org)

111

1619. Sacra omnium solemnitatum vespertina psalmodia cum cantico B. Virginis, sex et octo vocibus concinenda, cum duplici modulatione tam ad chorum quam ad organum serviente. – *Venezia, Alessandro Vincenti, 1619.* – St.   [F 1815
I Bc (kpl.; I: S, A, T, B, pars fundamentalis; II: S, A, T, B, 5, 6, pars fundamentalis), Bsp (fehlen I: S, A, T, B; II: T), Mc

1623. Messe a cinque voci . . . col basso per chi se ne vorrà servire, opera decima. – *Venezia, stampa del Gardano, appresso Bartolomeo Magni, 1623.* – St.   [F 1816
D-brd MÜs (S, A, T, 5, bc) – **I** PCd (kpl.: S, A, T, B, 5, bc)

WELTLICHE VOKALMUSIK

1605. I nuovi fioretti a tre voci . . . co'l suo basso generale per il clavicimbalo, chitarrone, et altri simili stromenti. – *Venezia, Ricciardo Amadino, 1605.* – St.
SD 1605[12]   [F 1817
A Wn (S I, S II, B; fehlt bc)

— *ib., 1607.*   [F 1818
SD 1607[17]
B Br (kpl.)

1607a. Il secondo libro delli fioretti musicali a tre voci . . . co'l basso continuo per il clavicembalo, chitarrone, & stromenti simili. – *Venezia, Ricciardo Amadino, 1607.* – St.   [F 1819
A Wn (S I, S II, B; fehlt bc) – **B** Bc (S I), Br (kpl.: S I, S II, B, bc) – **GB** Ob (S I) – **I** Bc

1607b → 1605

1608. Il primo libro de madrigali a cinque voci. – *Venezia, Ricciardo Amadino, 1608.* – St.   [F 1820
D-brd Kl (kpl.: S, A, T, B, 5) – **I** Rvat-casimiri (fehlt T)

1617. Il terzo libro delli fioretti musicali a tre voci . . . con alcune arie nel fine del basso continuo. – *Venezia, Giacomo Vincenti, 1617.* – St.   [F 1821
I Bc (kpl.: S I, S II, B, bc), VEcap

FREAKE John George

XII Solos for a harpsicord, violin, german flute, &c., with a thorough bass for the harpsicord or bass violin . . . [op. I]. – *London, William Smith, (1746).* – P.   [F 1822
GB Lbm – **US** NYp

Six sonatas in three parts for two violins or two german flutes (or one german flute and violin) with a bass . . . opera seconda. – *London, William Smith, (1746).* – St.   [F 1823
C Tu – **GB** Lbm – **US** CHua, Wc

Six solos for a violin or lessons for a harpsicord with a thorough bass . . . opera quarta. – *London, author (William Smith).* – P.   [F 1824
GB Lbm (ohne Impressum) – **US** Wc

Six sonatas in three parts for two violins or two german flutes with a thorough bass . . . opera quinta. – *London, William Smith, (1746).* – St.   [F 1825
GB Lbm

Twelve sonatas for two violins, a violoncello and thorough bass . . . opera VII. – *London, author.* – St.   [F 1826
GB Lbm

FREDDI Amadio

1605. Il primo libro de madrigali a sei voci. – *Venezia, Ricciardo Amadino, 1605.* – St.   [F 1827
A Wn (B) – **D-brd** Hs (kpl.: S, A, T, B, 5, 6) – **F** Pmeyer (S)

1614. Il secondo libro de madrigali a cinque voci . . . parte de quali sono fatti per concertare nel clavicembalo con il suo basso continuo. – *Venezia, Ricciardo Amadino, 1614.* – St.   [F 1828
GB Lcm (A, T, 5) – **I** Bc (kpl.: S, A, T, B, 5, bc), Rdp (A, B, bc), Vnm (fehlt bc), VEcap

1616. Messa, vespro et compieta a cinque voci col suo basso continuo aggiuntovi un violino, et corneto per le sinfonie, & per li ripieni. – *Venezia, Ricciardo Amadino, 1616.* – St.   [F 1829
I Bc (kpl.: S, A, T, B, 5, vl, cnto, org)

1622. Divinae laudes, binis, ternis, quaternisque vocibus concinendae, cum basso ad organum . . . liber secundus. – *Venezia,*

stampa del Gardano, appresso Bartolomeo Magni, 1622. – St.   [F 1830
I Ac (B) – **PL** WRu (S II, B, org; fehlt S I)

1623. Motecta unica voce decantanda ... opus VII. – *Venezia, Bartolomeo Magni, 1623.* – P.   [F 1831
GB DRc

1626. Psalmi integri quatuor vocibus cum basso ad organum ... opus VIII. – *Venezia, sub signo Gardani, appresso Bartolomeo Magni, 1626.* – St.   [F 1832
I Bc (kpl.: S, A, T, B, org), MOd (T)

1642. Hinni novi concertati a 2. 3. 4. 5. 6. voci con doi stromenti acuti, & uno grave per le sinfonie ... opera IX. – *Venezia, Bartolomeo Magni, 1642 [= 2. Auflage].* – St.   [F 1833
D-brd Mbs (T I, org) – **PL** WRu (S, T I [unvollständig], T II, vl I, vl II, trb/fag, org; fehlt B)

FREDERICI Johann → PICTORIUS Johannes Fredericus

FREDIANI Frediano de

Il secondo libro delle villanelle a quattro voci. – *Brescia, Tomaso Bozzola, 1585.* – St.   [F 1834
I VCd (kpl.: S, A, T, B)

FREEMAN Thomas Augustine

The Earl of Carlisle's March ... [2 cor, 2 cl, hpcd]. – *London, Longman & Broderip.* – P.   [F 1835
GB Lbm

FREESE Nicolaus

Der CXVII. Psalm (Lobet den Herren alle Heiden) des Königs und Propheten Davids, mit I. Vocal Stimm und 2. Violinen zusambt dem General Baß Musicalisch übersetzet ... den 2. Decemb. Anno 1665. – *Wismar, Joachim Georg Rheten, (1665).* – St.   [F 1836
D-ddr WM (kpl.: T, vl I, vl II, bc)

FREILLON-PONCEIN Jean Pierre

La véritable manière d'apprendre à jouer en perfection du haut-bois, de la flûte et du flageolet, avec les principes de la musique pour la voix et pour toutes sortes d'instrumens. – *Paris, J. Collombat, 1700.*   [F 1837
US Wc – **F** Pc, Pn

FREMART Henri

Missa sex vocum ad imitationem moduli Jubilate Deo. – *Paris, Robert Ballard, 1645.* – Chb.   [F 1838
F Pc – **GB** Lgc

Missa sex vocum ad imitationem moduli Salvum me fac Deus. – *Paris, Robert Ballard, 1645.* – Chb.   [F 1839
GB Lgc

Missa cinque vocum ad imitationem moduli Paratum cor meum Deus. – *Paris, Robert Ballard, 1642.* – Chb.   [F 1840
GB Lgc

Missa cinque vocum ad imitationem moduli Eripe me, Domine. – *Paris, Robert Ballard, 1643.* – Chb.   [F 1841
GB Lgc

Missa quatuor vocum ad imitationem moduli Confundantur superbi. – *Paris, Robert Ballard, 1642.* – Chb.   [F 1842
GB Lgc

Missa quatuor vocum ad imitationem moduli Verba mea auribus percipe Domine. – *Paris, Robert Ballard, 1645.* – Chb.
                                                      [F 1843
C Qu – **GB** Lgc

Missa quatuor vocum Ad placitum. – *Paris, Robert Ballard, 1642.* – Chb.
                                                      [F 1844
C Qu – **GB** Lgc

FRENCH George

Six sonatas or trios for two violins and a bass. – *London, author.* – St.   [F 1845
GB Cu (unvollständig), Lu

FRENCH John

A collection of [64] new strathspey's, reel's &c. for the piano forte, violin and violoncello. – *Edinburgh, Gow & Shepherd*. – P. [F 1846
GB En, Lbm

FRENCH Richard

Come dissolving softness come. The retirement. A new song. – *s. l., s. n.* [F 1847
GB DRc

FRENTZEL Johann

AEΩ! Seraphischer Engels-Chor (Fürst und Herr des grossen Helden [für 2 S und bc]). – *Leipzig, Quirinus Bauch, (1652)*. – P. [F 1848
D-ddr Z (2 Ex.)

— . . . itzo wiederum, mit zweyer Stimmen Vermehrung, drittesmal zum Druck befördert. – *ib., Johann Bauer, (1673)*. [F 1849
D-ddr Z

FRESCHI Domenico

Messa a 5. e salmi a 3. e 5. con tre stromenti . . . opera prima. – *Venezia, appresso Francesco Magni detto Gardano, 1660*. – St. [F 1850
A Wn (kpl.: S, A, T I, T II, B, vl I, vl II, violoncino, org) – I Bc, Baf – PL WRu (fehlen S und org)

Messa a 6, salmi a 2, 5, e 6 voci, con 4, e 5 stromenti . . . opera seconda. – *Venezia, appresso Francesco Magni detto Gardano, 1673*. – St. [F 1851
I Bc (S I, S II, A, T I, T II, B; fehlen Instrumentalst.)

FRESCOBALDI Girolamo

VOKALMUSIK

1608. Il primo libro de madrigali a cinque voci. – *Antwerpen, Pierre Phalèse, 1608*. – St. [F 1852
GB Ob (S, T, B, 5; fehlt A)

1627. Liber secundus diversarum modulationum singulis, binis, ternis, quaternisque vocibus. – *Roma, Andrea Fei, 1627*. – St. [F 1853
GB Lbm (S I, T, B, org; fehlt S II)

1630. Primo (-secondo) libro d'arie musicali per cantarsi nel gravicimbalo, e tiorba, a una, a due, e a tre voci. – *Firenze, Giovanni Battista Landini, 1630*. – P. [F 1854
I Bc, Fn (primo libro), FEc (primo libro [Fotokopie])

INSTRUMENTALWERKE

1608. Il primo libro delle fantasie a quattro. – *Milano, erede di Simon Tini & Filippo Lomazzo, 1608*. – P. [F 1855
I Bc

1615a. Toccate e partite d'intavolatura di cimbalo . . . libro primo. – *Roma, Nicolo Borboni, 1615*. [F 1856
D-ddr Bds – F Pc (unvollständig) – I Bc, Rc (unvollständig), Rvat-capp. giulia – US Wc

— . . . [2., vermehrte Auflage]. – *ib., Nicolo Borboni, 1616*. [F 1857
F Pn – GB Lbm – I FEc, Vnm

— [4. Auflage:] Il primo libro d'intavolatura di toccate di cimbalo et organo, partite sopra l'arie di Romanesca Ruggiero Monica follie e correnti. – *ib., Nicolo Borboni, 1628*. [F 1858
B Bc – D-brd W – GB Ge, Ob

— [5. Auflage mit neuen Kompositionen, in:] Toccate d'intavolatura di cimbalo et organo, partite di diverse arie e corrente, balletti, ciaccone, passachagli . . . libro 1º. – *ib., Nicolo Borboni, 1637*. [F 1859
A Wn – B Br – C Tu – CH E – CS Bm – D-brd Mbs – D-ddr Bds, ROu – F Pc (2 Ex.) – GB Ge (unvollständig), HAdolmetsch, Lbm (3 Ex.), Lcm, Ltm (unvollständig), Ob (unvollständig) – I Bc, BGi, Fc (unvollständig), FEc, MC, Nc, PEd, Rc (2 Ex., davon 1 Ex. unvollständig und 1 Ex. ohne Titelblatt), Rsc (unvollständig), REm, Sac, Vnm (2 Ex.), VIb – NL DHgm – US Cn, CA, R, Wc

1615b. Recercari, et canzoni franzese fatte sopra diversi oblighi in partitura . . . libro primo. – *Roma, Bartolomeo Zannetti, 1615*. [F 1860

D-ddr Bds – **F** Pc (fehlt Titelblatt und Ende) –
GB Ckc – **I** Rvat-capp. giulia – **US** Wc

— *ib., Bartolomeo Zannetti, 1618.*
[F 1861
GB Lbm

— [eine weitere Auflage ist enthalten in:
Il primo libro di capricci . . . 1626].

1616 → 1615a

1618 → 1615b

1624. Il primo libro di capricci fatti sopra
diversi soggetti, et arie in partitura. –
Roma, Luca Antonio Soldi, 1624.
[F 1862
D-ddr Bds – **F** Pc – **GB** Lbm (2 Ex.) – **I** Bc,
BGi, Rc – **US** Wc

— [eine weitere Auflage ist enthalten in:
Il primo libro di capricci . . . 1626].

1626. Il primo libro di capricci [von 1624],
canzon francese, e recercari [von 1615 b]
fatti sopra diversi soggetti, et arie in partitura. – *Venezia, Alessandro Vincenti,
1626.* [F 1863
D-brd W – **D-ddr** Bds – **GB** Lbm – **I** Ac, Bc –
NL DHgm (unvollständig)

— *ib., Alessandro Vincenti, 1628.*
[F 1864
A Wm – **F** Pmeyer – **I** REm, Vc-giustiniani –
NL DHgm (unvollständig) – **PL** WRu – **US** BE

— *ib., Alessandro Vincenti, 1642.*
[F 1865
A Wn – **D-brd** Mbs – **I** Bc, FEc, MC, Vnm

1627. Il secondo libro di toccate, canzone,
versi d'hinni, Magnificat, gagliarde, correnti, et altre partite d'intavolatura di
cimbalo et organo. – *[Roma, Nicolo Borboni, 1627].* [F 1866
D-brd W – **D-ddr** Bds – **F** Pmeyer, Pc – **US** Cn

— *ib., Nicolo Borboni, 1637.* [F 1867
A Wn – **B** Br – **C** Tu – **CH** E – **CS** Bm – **D-brd**
Mbs – **D-ddr** Bds, ROu – **F** Pc (unvollständig),
Pn – **GB** Ge (unvollständig), HAdolmetsch,
Lbm (3 Ex.), Lcm, Ltm (unvollständig), Ob
(unvollständig) – **I** Bc, BGi, Fc, FEc, MC, Nc,
PEd, Rc, Rsc, Rli, Sac, Vnm (2 Ex.), VIb –
NL DHgm (2 Ex.) – **US** AA, BE, CA, NH, R,
Wc

1628a. Il primo libro delle canzoni ad una,
due, tre, e quattro voci, accomodate per
sonare ogni sorte de stromenti. – *Roma,
Giovanni Battista Robletti, 1628.* – St.
[F 1868
D-brd Lr (S I, S II, B I, B II; fehlt bc) – **I** Bc
(S I, S II, B I, B II; fehlt bc) – **PL** WRu (fehlt
S II) – **US** Wc (fehlt S II)

— In partitura, il primo libro delle canzoni a una, due, tre e quattro voci, per
sonare con ogni sorte di stromenti, con
dui toccate in fine. – *ib., Paolo Masotti,
1628.* [F 1869
D-brd Lr, W – **GB** Lbm – **I** Bc

1628b → 1615a
1628c → 1626
1628d → 1628a

1634. Canzoni da sonare a una, due, tre,
et quattro con il basso continuo . . . libro
primo [Teilneudruck von 1628, mit neuen
Kompositionen]. – *Venezia, Alessandro
Vincenti, 1634.* – St. [F 1870
D-brd Kl (S I, bc) – **GB** Lcm (kpl.: S I, S II,
B I, B II, bc) – **I** Bc, PS (S [unvollständig]) –
PL WRu (fehlen S I und S II)

1635. Fiori musicali di diverse compo-
sitioni: toccate, Kirie, canzoni, capricci, e
recercari, in partitura a quattro, utili per
sonatori . . . opera duodecima. – *Venezia,
Alessandro Vincenti, 1635.* – P. [F 1871
A Wm, Wn – **D-brd** Mbs, W – **D-ddr** Bds – **F**
Pn – **GB** Ge, Lbm (unvollständig) – **I** Bc, FEc,
MC, REm – **PL** WRu – **US** BE

1637a → 1617
1637b → 1627

1642 → 1626

1645. Canzoni alla francese in partitura
. . . raccolte d'Alessandro Vincenti . . .
libro quarto. – *Venezia, Alessandro Vincenti, 1645.* [F 1872
GB Lbm – **I** FEc, MC, REm

FREUDENTHAL J.

Première polonoise pour le violon avec ac-
compagnement de deux violons, alto &
violoncelle ou piano-forte . . . œuv. 20. –
*Braunschweig, J. P. Spehr (Musikalisches
Magazin auf der Höhe), No. 1743.* – St.
[F 1873
D-ddr Bds (kpl.: 5 St.)

FREUND Cornelius

Epithalamion (Ad sacras Friderice tibi [a 5 v]). In honorem ... D. Friderici Petrei ... & Ester ... musicis numeris donatum. – *Mühlhausen, Georg Hantzsch, 1568.* – St.
[F 1874
D-ddr Z (kpl.: S, A, T, B, 5)

FREUND Philipp

VIII Variations pour le clavecin ou pianoforte ... œuvre IV, No 2. – *Wien, Artaria & Co., [spätere No.:] 799.* [F 1875
A Wgm

Grand trio pour violon, alto et violoncelle ... op. 5. – *Wien, bureau des arts et d'industrie, No. 269.* – St. [F 1876
B Bc

Trois quatuors pour deux violons, viole et violoncelle ... op. 17. – *Wien, Joseph Eder, No. 219.* – St. [F 1877
DK Kc

FREYSTÄDTLER Franz Jakob

VOKALMUSIK

Arien und Lieder aus den besten Dichtern Deutschlandes zum Singen und Spielen am Klavier; in Musik gesetzt von verschiedenen berühmten Tonkünstlern. Drittes Heft (Allgemeine Musikalische Bibliothek für das Klavier und die Singekunst). – *Wien, Musikalisch-typographische Gesellschaft, L. Hohenleitter & Co., 1794.* [F 1878
CS K

Sechs Lieder der beßten deutschen Dichter in Musik gesetzt. – *Wien, Musikalisch-typographische Gesellschaft, Hohenleitter, Binz, 1795.* [F 1879
A Wgm, Wn – **CS** K (im Impressum: ... Hoffmeistersche Musik-, Kunst- und Buchhandlung)

Sechs Lieder für eine Singstimme mit Begleitung des Pianoforte ... 1te (2te) Lieferung. – *Wien, bureau des arts et d'industrie, No. 504 (505).* [F 1880
A M – **CS** K (1. Lieferung)

Six airs italiens (avec des paroles allemandes) avec l'accompagnement de pianoforte. – *Leipzig, Friedrich Hofmeister, No. 245.* [F 1881
A Wst – **I** PAc

Cantatille eines Kindes zum Geburts- oder Namensfeste seiner Aeltern, mit Begleitung des Forte-Piano. – *Leipzig, Ambrosius Kühnel, No. 1068.* [F 1882
A Wgm

Rundgesang bey Erhaltung des Friedens [für Singstimme und pf]. – *Wien, Johann Otto (Johann Schäfer), 1798.* [F 1883
A Wgm

Die Verschwiegenheit [für Singstimme und pf]. – *Wien, Musikalisch-typographische Gesellschaft, L. Hohenleitter & Co., 1794.* [F 1884
CS K

INSTRUMENTALWERKE

(Für mehrere Instrumente)

Concerto facile [D] pour le pianoforte avec accompagnement de deux violons, viola et violoncelle obligés. – *Leipzig, Friedrich Hofmeister, No. 171.* – St. [F 1885
A Wgm (pf) – **D-brd** WERl (kpl.: pf, vl I, vl II, vla, vlc)

Concertino [C] pour le piano forte avec accompagnement de deux violons, alto et violoncello. – *Wien, Chemische Druckerei, No. 1220.* – St. [F 1886
A Wst (pf [unvollständig]) – **CS** KRa (kpl.: pf, vl I, vl II, vla, vlc)

Trois sonates pour le forte-piano et violon. – *Wien, Franz Anton Hoffmeister, No. 228.* – St. [F 1887
A Wn (kpl.: pf, vl) – **F** Po (pf)

Die Belagerung Belgrads, eine historisch, türkische Fantasie, oder Sonata für das Clavier mit Begleitung einer Violine. – *Wien, Artaria & Co., No. 280.* – St.
[F 1888
A Wn, Wst (fehlt vl) – **D-brd** HR (kpl.; pf [unvollständig]), MÜu – **S** Skma – **US** Cn (fehlt vl), Wc

(Für Klavier)

Caprice ou fantaisie facile pour le piano-forte. – *Leipzig, Friedrich Hofmeister, No. 198.*   [F 1889
A Wgm

Grande caprice pour le piano-forte. – *Wien, Thadé Weigl, No. 1359.*   [F 1890
A Wn

Der Frühlings Morgen, Mittag, und Abend, o fantasia per il forte-piano. – *Wien, Franz Anton Hoffmeister, No. 258.*
[F 1891
A Wn – GB Lbm – US Wc

Polonoise [D] pour le pianoforte. – *Wien, Chemische Druckerei, No. 963.*   [F 1892
A Wgm – CH EN

Six différentes petites pièces faciles et agréables pour le fortepiano ... œuvre VIII. – *Wien, s. n., 1798.*   [F 1893
A SF – CS KRa (im Impressum: Artaria & Co., No. 836) – GB Lbm

L Petites préludes pour le piano-forte ... parthie I. – *Wien, Chemische Druckerei, No. 244.*   [F 1894
A Wgm – CH EN – D-brd Mbs – D-ddr LEm

Etude ou XL Variations instructives pour le fortepiano à l'usage des commençans ... neue Edition Parthie I. Mit Applicatur. – *Leipzig, Ambrosius Kühnel (bureau de musique), No. 237.*   [F 1895
B Bc – CH Zz – NL DHgm

Rondeau pour le piano-forte. – *Wien, Thadé Weigl, No. 1346.*   [F 1896
A Wn

Rondeau favorit pour le piano-forte ... No. I. – *Wien, Chemische Druckerei, No. 163.*   [F 1897
CS K

Sonata [D] ... op. IX, per il clavicembalo. – *s. l., s. n. (Schäfer).*   [F 1898
I Mc

VI Sonatines très faciles pour le piano forte. – *Wien, Chemische Druckerei, No. 1221.*   [F 1899
CS Pk

Quatre thèmes variées pour le pianoforte. No. 1. Sur l'air tiroliens: Wann i in der Früh aufsteh' (No. 2. Sur l'air russes: Schöne Minka, ich muß scheiden. No. 3. Sur l'air de Clemenza di Tito: Non più di fiori. No. 4. Sur le trio de Zauberflöte: Seid uns zum zweitenmal willkommen). – *Leipzig, Friedrich Hofmeister, No. 169 (177, 181, 200).*   [F 1900
A Wn – S Skma (No. 2 und 3)

XIV Variations pour le piano forte sur le thème de l'Andante [C], si renommé de Monsieur Haydn. – *s. l., s. n.*   [F 1901
CS Pu

XII Variations sur le thème Mama mia non mi gridate, de l'opéra Principessa d'Amalfi, pour le piano forte. – *s. l., s. n.*
[F 1902
CS K

XII Variations sur un menuet de l'opéra Don Juan de W. A. Mozart, pour le forte piano. – *Wien, Chemische Druckerei, No. 330.*   [F 1903
CS KRa

XII Variations pour le clavecin ou pianoforte sur l'air: Im Arm der Liebe ruht sich's so wohl. – *Wien, Franz Anton Hoffmeister, No. 324.*   [F 1904
A Wn – B Bc

10 Variazionen über das alte wohlbekannte Preussische Lied: Schwerin bist wirklich todt? für das Pianoforte. – *Leipzig, Ambrosius Kühnel (bureau de musique), No. 1062.*   [F 1905
A Wn – D-brd DT

— ib., *C. F. Peters (bureau de musique), No. 1062.*   [F 1906
D-brd B

Dix variations (Menuetto con variazioni [A]) pour le piano-forte. – *Wien, Thadé Weigl, No. 1020.*   [F 1907
A Wgm, Wn – CH SO

VIII Variations pour le clavecin ou piano forte sur l'air: Ist denn Liebe ein Verbrechen? – *Wien, Franz Anton Hoffmeister, No. 325.*   [F 1908
B Bc

Neuf variations pour le pianoforte sur la cavatine de l'opéra La Molinara (la Rachelina Molinarina). – *Leipzig, Ambrosius Kühnel (bureau de musique), No. 1077.*
　　　　　　　　　　　　　　　　[F 1909
D-brd BNu

— *ib., C. F. Peters, No. 1077.*　[F 1910
D-brd Bhm

8 Variations pour le fortepiano sur une pièce du ballet d'Alcina. – *Leipzig, Hoffmeister & Kühnel, No. 216.*　　[F 1911
CS Pnm – **F** BO

Sept variations pour le piano-forte, sur un thème favori [G] du ballet: Nina, ou La folle par amour. – *Wien, Thadé Weigl, No. 1452.*　　　　　　　　[F 1912
A Wn – **D-brd** Mbs

Sept variations pour le piano-forte, sur le menuet du ballet: Nina, ou La folle par amour. – *Wien, Thadé Weigl, No. 1453.*
　　　　　　　　　　　　　　　　[F 1913
A Wn

Marche [A] avec VII Variations pour le piano forte. – *Wien, Chemische Druckerei, No. 462.*　　　　　　　　[F 1914
CS Pu

Variations sur un menuette originale de Mr. Diabelli pour le piano-forte. – *Wien, Ludwig Maisch, No. 448.*　　[F 1915
A Wgm

Variations pour le piano-forte sur la romance (Le Troubadour . . .) tirée de l'opéra Jean de Paris. – *Wien, Thadé Weigl, No. 1320.*　　　　[F 1916
A Wn

Variations pour le pianoforte sur un thème de l'opéra Jean de Paris (In einer schmachtenden Romanze). – *Wien, Chemische Druckerei, No. 1999.*　　[F 1917
A Wn – **D-ddr** Bds

FREYTAG Heinrich Wilhelm

Schubartsche Lieder mit Melodien zum Singen beym Clavier, nebst einigen andern leichten Clavierstücken in Musik gesetzt . . . erste Sammlung. – *Leipzig, Autor, in*

Commission der Breitkopfischen Buchhandlung.　　　　　　　　　[F 1918
B Bc – **D-brd** LB (unvollständig, fehlen S. 1–8), Mbs

[Lieder mit Melodien . . . 2. Sammlung(?)]. – *s. l., s. n.*　　　　　　　　[F 1919
D-brd LB (fehlt Titelblatt; Lagentitel: Freytags Lieder)

FRIBERTH Karl

[mit Leopold Hofmann:] Sammlung Deutscher Lieder für das Klavier . . . dritte Abtheilung. – *Wien, Joseph Edler von Kurzböck, 1780.*　　　　[F 1920
SD S. 346
A Wgm, Wn, Wst – **CS** Pk, Pnm – **D-brd** MZfederhofer

FRICK G.

Sei quartetti per due violini, alto e violoncello . . . opera Iª. – *Paris, Bailleux; Lyon, Castaud; Dunkerque, Gaudaerdt (gravé par Bouri). – St.*　　　　　　　[F 1921
F Pc

FRICK Philipp Joseph

Three trios [G, B, A] for the harpsichord or piano forte with an accompaniment for a violin and violoncello obligato. – *London, James Blundell. – St.*　　　[F 1922
GB Lbm

A duet [D] for two performers on one piano forte. Opera IV. – *London, for the author.*　　　　　　　　　　[F 1923
GB Lbm

A duett [C] for two performers, on one pianoforte, with or without additional keys. – *London-Edinburgh, Corri, Dussek & Co.*　　　　　　　　　[F 1924
GB Lbm

FRICKE Elias Christian

Neue Englische Tänze nebst darzu gehöriger vollstimmigen Musik. – *Blankenburg-Quedlinburg, Christian August Reussner, 1773. – St.*　　　　[F 1925
CS KRa (vl, cemb) – **GB** Lbm (vl, b [je 2 Ex.])

Neue Cottillions oder Französische Contretänze mit den Touren und Anweisung solche geschickt zu tanzen, auch vollstimmiger componirten Musik, bestehend aus Violinen und Baße, 2 Flöten, 2 Hörner, 2 Clarinetten, 2 Trompeten u. a. m. – *Quedlinburg, Chr. August Reussner, 1775.* – St. [F 1926
A Wn (6 St.) – **GB** Lbm (5 St.)

Neue Sammlung Englischer Tänze mit abwechselndem Accompagnement von Flöten, Hörnern, Hoboen, Trompeten und Paucken. Für das Jahr 1776. – *Lübeck, Christian Iversen & Co., (1776).* – St. [F 1927
GB Lbm

Neueste Sammlung Englischer Tänze mit den Touren und Erklärung derselben, nebst Anweisung solche geschickt zu tanzen, auch vollstimmiger Musik, bestehend aus 5 Stimmen als 2 Violinen und Baße, 2 Flöten oder 2 Hörner, 2 Clarinetten, 2 Piccol-Flöten. – *Quedlinburg, Chr. August Reussner, 1777.* – St. [F 1928
A Wn (6 St.) – **GB** Lbm (5 St.)

Ganz neue Englische Tänze mit den Touren . . . nebst vollstimmiger Musik, bestehend aus 5 Stimmen, als: 2 Violinen und Bass, oder 2 Hörner, 2 Clarinetten, 2 Oboen, 2 Piccol-Flöten und 2 Basson . . . der englischen Tänze dritter Theil. – *Quedlinburg-Blankenburg, Chr. August Reussner, 1782.* – St. [F 1929
GB Lbm (5 St.)

FRICKE J. C.

Oden und Lieder . . . zum Singen und Clavierspielen in Music gesetzet. – *Rinteln, Bösendahl, 1788.* [F 1930
B Bc

FRIDERICI Daniel

1614. Sertum musicale primum, oder Erstes musicalisches Kräntzlein von schönen wolrüchenden Blümlein . . . das ist: Erster Theil Neuer Lieblicher Concerten, so mit 3. Stimmen nicht allein . . . zu singen; sondern . . . auff allerhandt Instru-

menten zugebrauchen. – *Rostock, s. n., 1614.* – St. [F 1931
D-brd Hs (vox media)

— *ib., Johann Hallervord (Lübeck, Hans Witte), 1617.* [F 1932
D-brd Hs (kpl.: vox suprema, vox media, vox infima) – **D-ddr** ROu (vox media) – **S** Uu

— *ib., Johann Hallervord (Greifswald, Hans Witte), 1623.* [F 1933
D-brd Hs (vox infima) – **GB** Lbm (vox media)

— *ib., Johann Hallervord (Johann Richels Erben), 1629.* [F 1934
D-brd B (kpl.: vox suprema, vox media, vox infima) – **D-ddr** Dlb – **DK** Kk (vox suprema)

1617a. Servia musicalis prima, oder Erstes Musicalisches Sträusslein, von schönen . . . Blümlein . . . das ist: Erster Theil Neuer Liedlein, so mit 3. und 4. Stimmen nach Art Welscher Villanellen gesetzet, nicht allein . . . zu singen, sondern auch . . . auff allerhand Instrumenten . . . zu gebrauchen [2. Auflage]. – *Rostock, Johann Hallervord (Lübeck, Hans Witte), 1617.* – St. [F 1935
CH BEsu (S) – **D-brd** Hs (kpl.: S, A, T, B), PA (A [unvollständig]), W (A) – **GB** Lbm (A)

— . . . [4. Auflage]. – *ib., Johann Hallervord (Johann Richels Erben), 1629.* [F 1936
D-brd Hs (B) – **D-ddr** LEm (A, T, B)

1617b. Servia musicalis altera, oder Anderes Musicalisches Sträusslein, von schönen . . . Blümlein . . . das ist: Anderer Theil: Neuer Liedlein, so mit 4. unnd 5. Stimmen nach Art Welscher Villanellen gesetzet, nicht allein . . . zu singen, sondern auch . . . auff allerhand Instrumenten . . . zu gebrauchen. – *Rostock, Johann Hallervord (Lübeck, Hans Witte), 1617.* – St. [F 1937
D-brd Hs (S II) – **GB** Lbm (S II)

— *ib., Johann Hallervord (Greifswald, Hans Witte), 1624.* [F 1938
D-brd Hs (S II, B)

— *ib., Johann Hallervord (Johann Richels Erben), 1630.* [F 1939
CH BEsu (S) – **D-ddr** LEm (A, T, B) – **DK** Kk (S)

1617c → 1614

1619. Sertum musicale alterum: oder Anderes Musicalisches Kräntzlein ... das
ist: Ander Theil Neuer lieblicher Concerten, so nicht allein ... zu singen, sondern auch ... auff allerhand Instrumenten zu gebrauchen. Mit 4. Stimmen componiret. – *Rostock, Johann Hallervord
(Greifswald, Hans Witte), 1619.* – St.
                 [F 1940
D-brd Hs (A), Mbs (S, B) – **GB** Lbm (A, T) – S
Uu (kpl.: S, A, T, B), VX (A)

— *ib., Johann Hallervord (Johann Richels Erben), 1625.*   [F 1941
D-brd Hs (B) – **DK** Kk (T)

— *ib., 1637.*   [F 1942
D-ddr Dlb (kpl.: S [2 Ex., davon 1 Ex. unvoll-
ständig], A, T, B [2 Ex.]) – **DK** Kk (S)

1622a. Psalmus regii Prophetae Davidis,
centesimus vigesimus primus ... VIII.
vocibus harmonice compositus, duobus
choris distinctus, et decantatus. – *Rostock, Joachim Fuess, 1622.* – St.
                 [F 1943
D-brd Rp (chorus superior: S I, A, T II, B,
org; chorus inferior: T I, B) – **PL** WRu (chorus
superior: T II; chorus inferior: B)

1622b. Neues gantz lustiges und kurtzweiliges Quodlibet, mit 5. Stimmen,
neben einem anmütigem Musicalischen
Dialogo, mit 6. Stimmen. – *Rostock, Johann Hallervord (Joachim Fuess), 1622.* –
St.   [F 1944
D-ddr LEm (A, T I, B), Z (B [unvollständig])

— Neue Avisen, oder Lustiges und gantz
kurtzweiliges musicalisches Quodlibet von
allerhand lustigen Relationen und Zei-
tungen, mit 5. Stimmen, neben einer anmutigen Zugabe. – *ib., Johann Hallervord
(Johann Richels Erben), 1635.* [F 1945
DK Kk (S)

1623a. Bicinia sacra, sive Disticha super
evangelia dominicalia et praecipuorum
festorum ... duabus vocibus composita
& adornata. – *Rostock, Johann Hallervord
(Johann Richels Erben), 1623.* – St.
                 [F 1946
D-ddr Z (kpl.: vox prima, vox altera) – S VX
(vox prima)

— *ib., 1642.*   [F 1947
D-brd As (vox prima, vox altera) – **DK** Ou – **F**
Pn

1623b → 1614

1624a. Amores musicales, oder Neue
gantz Lustige, und Anmütige Weltliche
Liedlein, mit 3. 4. 5. 6. 7. und 8. Stimmen
... nit allein ... mit Menschlichen Stim-
men, Sondern auch ... auf allerley Musi-
calischen Instrumenten zugebrauchen ...
Der Erste Theil begreiffend die Liedlein
mit 3. und 4. Stimmen. – *Rostock, Johann
Hallervord (Johann Richels Erben), 1624.*
– St.   [F 1948
D-brd HVl (S), PA (S [unvollständig]) – **D-ddr**
ROu (T) – **DK** Kk (S) – **H** Bl (B)

— *ib., 1633.*   [F 1949
D-brd BS (S II, A)

1624b. Honores musicales, oder Neue
gantz lustige fröliche und anmütige
Ehren-Liedlein, mit 4. 5. und 6. Stimmen
gesetzet ... so wol mit Menschlichen
Stimmen als mit allerhand Musicalischen
Instrumenten ... zugebrauchen. – *Ro-
stock, Johann Hallervord (Johann Richels
Erben), 1624.* – St.   [F 1950
D-ddr LEm (A, T, B), Z (B) – **DK** Kk (S)

1624c. [herausgegeben von D. Friderici:]
Thomae Morley Angli, Lustige und Artige
Dreystimmige Weltliche Liedlein ... itzo
wiederumb auffs neue ubersehen, und in
besserer, artiger und anmütiger Form zu
drucken verordnet. – *Rostock, Johann
Hallervord (Johann Richels Erben), 1624.*
– St.   [F 1951
D-brd HVl (S) – **D-ddr** LEm (A, B)

1624d → 1617b

1625a. Viridarium musicum sacrum, sive
cantiones sacrae, quaternis et quinis vocibus ita compositae, et adornatae, ut non
solum voce humana, et omnis generis instrumentis musicis ad harmoniam apte &
suaviter decantari poßint. – *Rostock, Johann Hallervord (Johann Richels Erben),
1625.* – St.   [F 1952
D-brd Mbs (S, B) – **D-ddr** Dlb (S [unvollstän-
dig], B, 5 [unvollständig]), LEm (A, T, B) –
DK Kk (S) – S GÄ (B; [unvollständig:] S I, S II,
T II), V (A)

1625b → 1619

1627. Amuletum musicum contra melancholiam. Oder Schönes Wolriechendes Biesem-Knöpfflein wieder [!] Schwermütige Cornelianische Gedancken ... das ist Lustige, Fröliche und Anmütige Weltliche Lieder ... so wol mit Menschlicher Stim als allerhant Musicalischen Instrumenten ... zu musiciren; sondern auch ... zu einem Ehrlichen Täntzlein füglich zugebrauchen: mit 5. Stimmen componiret. – *Rostock, Johann Hallervord (Johann Richels Erben), 1627.* – St.　[F 1953
CH BEsu (S) – **D-ddr** LEm (A, T, B)

1628. Selige Grab- und HimmelsLeiter von Sieben Spalten. Das ist: Sieben Außerlesene schöne Sprüchlein Heiliger göttlicher Schrifft ... mit 5. Stimmen zu musiciren. – *Rostock, Johann Hallervord (Johann Richels Erben), 1628.* – St.
　　　　　　　　　　　　　[F 1954
D-ddr LEm (A, T, B) – **DK** Kk (S)

1629a → 1614
1629b → 1617a

1630a. Deliciae juveniles. Das ist: Geistliche Anmutige Vierstimmige Liedlein vor junge Studirende Jugendt ... der erste Theil. – *Rostock, Johann Hallervord (Johann Richels Erben), 1630.* – St.　[F 1955
S V (vox 2)

— *ib., Joachim Wilden (Johann Richel), 1654.*　　　　　　　　　[F 1956
D-brd As (vox 1, 2, 3, 4) – **S** V (fehlt vox 3)

1630b. Deliciarum juvenalium. Ander Theil. – *Rostock, Johann Hallervord (Johann Richels Erben), 1630.* – St.　[F 1957
S V (vox 2)

— *ib., Joachim Wilden (Johann Richel), 1654.*　　　　　　　　　[F 1958
D-brd As (vox 1, 2, 3, 4) – **S** V (fehlt vox 3)

1630c → 1617b

1632. Hilarodicon, das ist: Gantz Artige und sehr Lustige Neue Vinetten, oder WeinLiederlein ... mit 5. Stimmen componiret. – *Rostock, Johann Hallervord (Johann Richels Erben), 1632.* – St.
　　　　　　　　　　　　　[F 1959

CH C (S I [unvollständig; angebunden ist ein anonymes Fragment]) – **D-ddr** LEm (A, T, B) – **DK** Kk (S I)

1633a. Amores musicales, oder Neue Gantz Lustige und Anmutige Amorosische Liedlein mit 5. und 6. Stimmen. Nebenst beygefügtem Basi [!] generali ... nicht allein ... mit menschlicher Stimmen; sondern auch ... auff allerley Musicalischen Instrumenten zu gebrauchen. – *Rostock, Johann Hallervord (Johann Richels Erben), 1633.* – St.　　　[F 1960
D-brd Hs (S II, A, T II, B) – **D-ddr** Dlb (bc), LEm (A, T, B), ROu (T)

1633b → 1624a
1635　 → 1622b
1637　 → 1619
1642　 → 1623a
1654a → 1630a
1654b → 1630b

FRIDZERI (FRIZERI, FRIXER) Alessandro Maria Antonio

Musik zu Bühnenwerken

Les deux miliciens, ou L'Orpheline villageoise

Les deux miliciens. Comédie en un acte et en prose mêlée d'ariettes ... représentée ... le samedi 24 aoust 1771. – *Paris, Hugard de St. Guy.* – P.　　[F 1961
B Bc – **D-ddr** Bds – **DK** Kk (2 Ex.) – **F** A, Dc, Lm (2 Ex.), Pa, Pc (fehlt Titelblatt), TLc

— *ib., Bignon.*　　　　　　　　[F 1962
US Wc

Airs détachés. – *Paris, Borrelly, Hugard de St. Guy (gravé par Renault et son épouse).*　　　　　　　　　[F 1963
F V

Ariettes. – *Paris, Mlle Girard.*　[F 1964
F V

Les souliers mordorés

Les souliers mordorés. Opéra bouffon en deux actes représenté à la Comédie Italienne, et à Versailles devant leurs Majesté le 16 fév. 1776 ... œuvre IV. – *Paris, auteur, aux adresses ordinaires (gravé par le Sr Huguet).* – P.　　　[F 1965

A Wn – **B** Bc, Gc – **D-brd** Mbs (2 Ex.) – **F** A,
AI, BO, Lm, Pc (3 Ex.), R, TLc – **GB** Lbm –
NL At – **US** AA, Bp, Wc

Airs . . . (O vous dont la voix sonore, Par
un doux ramage, Ma flame est trop chère
[Air de L'école de la jeunesse]). – *s. l.,
s. n.* – KLA.   [F 1966
CH Gc

Oui je suppose. Duo. – *s. l., s. n.*   [F 1967
F Lm

VOKALMUSIK

I^r Recueil d'ariettes de l'opéra de Phèdre,
avec accompagnement de guitare . . . par
Mr Alberti. – *Paris, Le Duc.* – P.   [F 1968
F Pn

Recueil d'airs avec accompagnement de
harpe . . . 1er cahier, œuvre VI. – *Paris,
auteur.* – P.   [F 1969
F Pn

Recueil d'ariettes, scènes et duos pério-
diques . . . œuvre VIII. – *Paris, auteur.* –
St.   [F 1970
F Pn (kpl.: 8 St.)

Recueil d'airs avec accompagnement de
fortépiano . . . 2e cahier, œuvre IX. –
Paris, auteur (gravé par Michot). – P.
                                        [F 1971
F Pn (2 Ex.)

Recueil d'airs avec accompagnement de
harpe . . . 3e cahier, œuvre 13e. – *Paris,
auteur.* – P.   [F 1972
F Pn (2 Ex.)

L'homme n'est pas ce qu'il s'affiche. Vaudeville de La perruque blonde . . . avec
accompagnement de clavecin par le Cit.
Dreux. – *[Paris], Frère, No. 170.*
                                        [F 1973
DK Kv

Hymne à l'Être suprême [à 1 v]. – *s. l.,
Brun aîné.*   [F 1974
CS Pu

Une femme. Romance nouvelle. – *Antwerpen, Mlle Frizeri.* – P.   [F 1975
F Pn

INSTRUMENTALWERKE

Sei quartetti da camera a due violini,
viola e violoncello . . . opera I (Raccolta
del'harmonia, collezzione cinquantesima
seconda del Magazino musicale). – *Paris,
bureau d'abonnement musical, auteur;
Lyon, Castaud (gravée par Mlle Vendôme
et le Sr Moria).* – St.   [F 1976
F Pc – **GB** Lbm – **I** Vnm – **US** BE, Wc

Due concerti a violino principale, due
violini obligati, viola, basso, corni e flauti
idem . . . opera V^ta. – *Paris, auteur, aux
adresses ordinaires (gravés par Mlle
Fleury).* – St.   [F 1977
D-brd Mbs (vl princip) – **F** Pn (kpl.: 9 St.)

Quatre duos pour deux violons concer-
tants . . . œuvre septième. – *Paris, auteur.*
– St.   [F 1978
F Pn – **GB** Lbm – **I** Vnm

Trois quatuors pour deux violons, alto et
basse . . . œuvre X, livre second. – *Paris,
auteur (gravé par Michot).* – St.   [F 1979
CH SO – **F** Pn (2 Ex.) – **US** R

Première simphonie concertante pour
deux violons principaux, deux violons,
deux altos, deux flûtes, deux cors et basse
. . . œuvre 12. – *Paris, auteur.* – St. [F 1980
F Pn (kpl.: 11 St. [je 2 Ex.])

FRIEDERICH Johann

Fugarum libellus. Liebliche Fugen und
Geistliche Lieder . . . mit drey, vier und
fünff und mehr Stimmen componiret. –
*Frankfurt/Oder, Johannes Hartmann,
1601.* – P.   [F 1981
GB Lbm

FRIEDL Sebastian Ludwig

Trois sonates [G, D, F] pour violoncelle et
basse . . . œuvre 1^r. – *Offenbach, Johann
André, No. 1125.* – P.   [F 1982
CS Pk – **D-brd** Bhm – **D-ddr** SWl – **GB** Lbm

FRIEDRICH II., König von Preußen

Sinfonia [D] a II Violini, II Flauti traversi, II Oboi, II Corni di caccia, violetta

e basso. – *Nürnberg, Balthasar Schmid,*
No. N. – St.   [F 1983
B Bc (kpl.: 8 St.) – **D-brd** MÜu – **D-ddr** SWl –
DK Kk – **GB** Lbm

Lesson [D] for the harpsichord or piano-
forte. – *London, John Preston.*   [F 1984
GB Lbm

FRIES Maurice de

Trois quatuors pour deux violons, viola
et violoncelle ... œuvre 16. – *Wien, Ar-*
taria & Co. – St.   [F 1985
PL WRu

FRILING E. O.

Caracteristiske Stykker for Fortepiano
eller Klaveer. – *København, S. Sønnichsen.*
                                   [F 1986
DK Kk

Slaget ved Wagram. Et musikalsk Male-
rie for Fortepiano eller Klaveer. – *Køben-*
havn, S. Sønnichsen.   [F 1987
DK Kk, Kmm

Tolv variationer paa det bekiendte Thema: ach! du lieber Augustin, for Piano-
forte eller Klaveer. – *København, S. Søn-*
nichsen.   [F 1988
DK Kk (2 Ex.)

Tolv Variationer over Themaet: For Nor-
ge, Kjaempers Fødeland, for Piano-Forte.
– *København, S. Sønnichsen.*   [F 1989
DK Kk

Variationer over Manden med Glas i
Haand, for Piano-Forte. – *København,*
S. Sønnichsen.   [F 1990
DK Kk

God save the King, mit sieben Variatio-
nes. – *Berlin, Johann Julius Hummel;*
Amsterdam, grand magazin de musique.
                                   [F 1991
DK Kk

Was helfen mir Tanzend. Canzonetta con
variationi [kl]. – *Berlin, Johann Julius*
Hummel; Amsterdam, grand magazin de
musique, No. 1573.   [F 1992
DK Kk

Vetter Michel, variirt für's Piano-Forte. –
Hamburg, Cranz.   [F 1993
DK Kk

FRISCHMUTH Johann Christian

Sechs leichte Choral-Vorspiele ... erste
Sammlung. – *s. l., Autor.*   [F 1994
D-ddr WRtl

Zwölf leichte Orgelstücke ... 2^s Werk. –
Leipzig, Ambrosius Kühnel (bureau de
musique), No. 1066.   [F 1995
B Bc – **D-brd** OLl

Drei Motetten und drei Arien. – *Erfurt,*
J. Suppus. – P.   [F 1996
NL Uim

FRISCHMUTH Leonard

Op de glorieuse overwinningen door Fre-
derik de Grooten, Koning van Pruissen ...
in de Jaaren 1756 en 1757 ... tweede
Druk [für Singstimme und unbezifferten
Bass]. – *Amsterdam, A. Olofsen.*   [F 1997
NL At, DHgm

Zangwyzen van stichtelyke gezangen by
verscheiden' gelegenheden gedicht door
Rutger Schutte ... naar den besten ita-
liaanschen smaak in musiek gebragt, voor
de zang, clavecimbael ... II. deel. – *Am-*
sterdam, Johannes Covens jr., 1764.
                                   [F 1998
NL DHgm

VI Concerti del Sig^r Tartini accommo-
dati per il cembalo ... op. 4. – *Amsterdam,*
A. Olofsen.   [F 1999
B Bc – **NL** At (Concerti I und II) – **GB** Cfm
(Concerti I–IV), Lbm (Concerti I und II)

Six sonates galantes pour le clavecin et
un violon ... œuvre VI. – *Amsterdam,*
Johannes Covens. – St.   [F 2000
NL At (vl, fehlt clav)

Tre sonate [C, g, G] per il cembalo. –
Amsterdam, s. n.   [F 2001
GB Lbm

FRISIUS Johannes

[mit Heinrich Textor:] Brevis musicae isagoge ... accesserunt priori editioni omnia Horatij carminum genera ... quatuor vocibus ad aequales, in studiosorum adolescentum gratiam composita [2. Auflage der "Synopsis isagoge musicae" (1552), mit einem Anhang von vierst. Oden]. – *Zürich, Froschauer, 1554.* – St.
[F 2002
D-brd W (T) – **F** Pn (kpl.: S, A, T, B) – **GB** Ob, Och

— *ib., 1555.*   [F 2003
GB Lbm

FRITH Edward

The contended cottager. A favorite song. – *London, E. Riley.*   [F 2004
GB Cpl

— *New York, G. Gilfert & Co.*   [F 2005
US Wc, WOa

— *ib., J. C. Moller.*   [F 2006
US PHf

FRITSCH Balthasar

Primitiae musicales, paduanas et galiardas, quas vocant, complures egregias ... complectentes ... [a 4 v]. – *Frankfurt, Nikolaus Stein (Wolfgang Richter), 1606.* – St.   [F 2007
D-brd DS (T), F (kpl.: S, A, T, B) – **F** Pmeyer (S) – **GB** Lbm (T)

Neue Deutsche Gesänge, nach art der Welschen Madrigalien, mit 5. Stimmen componiret. – *Leipzig, Abraham Lamberg, 1608.* – St.   [F 2008
D-brd Mbs (T) – **PL** WRu (kpl.: S, A, T, B, 5)

FRITSCH Thomas

Novum et insigne opus musicum quinis, senis, septenis, octonis, & pluribus vocibus compositum ad totius anni festivitates. – *Breslau, Johann Eyring I & Johann Perferts Erben (Jena, Johann Beithmann), 1620.* – St.   [F 2009

D-brd Cm (A), W (B) – **PL** Tu (A, T, 6, 8), Wn (T, B, 7), Wu (A, T, B, 5, 6, 7, 8), WRu (kpl.: S, A, T, B, 5, 6, 7, 8)

FRITZ Kaspar

Op. 1. Sei sonate [C, B, A, G, F, A] a quatro stromenti, a violino primo, secondo, alto viola, cembalo o violoncello ... opera prima. – *London, John Johnson.* – St.
[F 2010
CH Gpu – **S** Uu

— *ib., Walsh, for the author, 1742.*
[F 2011
B Bc – **CH** Bu – **GB** EL, Lam, Lbm (2 Ex.) – **US** Bp (fehlt vl I), R, Wc

— *Paris, Le Clerc le cadet, Le Clerc, Mme Boivin.*   [F 2012
F Pc

Op. 2. VI Sonate [C, D, A, e, D, G] a violino o flauto traversiere solo col basso ... opera seconda. – *s. l., s. n.* – P.   [F 2013
CH Gc, Zz – **F** Pmeyer

Op. 3. Sei sonate [D, B, Es, A, C, A] a violino solo e basso ... produzzione terza. – *Paris, Le Clerc, Mme Boivin (gravées par Mme Leclair).* – P.   [F 2014
F Pa, Pc, Pn – **I** Gi, MOe

— Six solos for a violin with a bass for the violoncello and harpsicord. – *London, J. Walsh.*   [F 2015
CH Bu – **GB** Lbm

Op. 4. Sei sonate [D, B, E, A, D, d] a due violini e basso ... produzzione quarta. – *[Paris], s. n. (gravé par Mme Leclair).* – St.   [F 2016
GB Lbm

— Six sonatas for two violins with a through bass for the harpsicord or violoncello ... opera terza. – *London, J. Walsh.*
[F 2017
GB Ckc

[Op. 5]. Sei sonate [F, A, G, F, B, D] a due violini. – *Genf, auteur; Paris, aux adresses ordinaires de musique (gravé par Mlle Vendôme).* – St.   [F 2018
US NYp, Wc

— Sei sonate a due violini. – *London, J. Walsh.*   [F 2019
B Bc – E Mn – GB Ckc, Lbm – I Vc – US Wc

— Sei sonate a due violini. – *Amsterdam, J. J. Hummel.*   [F 2020
D-brd Kl (vl I) – S Skma, SK

Op. 6. Sei sinfonie [B, C, G, Es, F, g] a piu strumenti ... opera VI. – *Paris, Mme Bérault, aux adresses ordinaires de musique (gravés par Mme Bérault).* – St.
[F 2021
D-ddr SWl (kpl.: 9 St.)

FRIXER → FRIDZERI Alessandro Maria Antonio

FRIZON

Du charmant berger que j'adore. Air en rondeau (in: Mercure de France, janv., 1764). – *[Paris], s. n., (1764).*   [F 2022
GB Lbm

Rien n'égale dans la nature. Chanson (in: Mercure de France, oct., 1762). – *[Paris], s. n. (gravé par Me Charpentié, imprimé par Tournelle),* *(1762).*   [F 2023
GB Lbm

FRIZZONI Giovanni Battista

Canzuns spirituaelas [a 3–4 v] davart Cristo Gesu il bun pastur, e deliziusa paschura per sias nuorsas [mit 165 Choral-sätzen, herausgegeben von Frizzoni]. – *Cellerina, Giacomo N. Gadina, 1765.* – Chb.   [F 2024
D-brd Mbs (fehlt Titelblatt) – D-ddr HER – F Pc, Pn (2 Ex.) – GB Lbm, T – NL DHgm – US Cn

Testimoniaunza dall' amur stupenda da Gesu Cristo, vers pchiaduors umauns, per gnir cantaeda in verss missa [a 3–4v]. – *Cellerina, Giuseppe Bisatzi, 1789.* – Chb.
[F 2025
B Br – CH Bu – F Pc, Pn – GB Cu, Lbm, Mr, T – NL DHgm – US BE, Wc

FROBERGER Johann Jakob

(Kennzeichnung der Ausgaben nach F. W. Riedel, Quellenkundliche Beiträge zur Geschichte der Musik für Tasteninstrumente in der 2. Hälfte des 17. Jahrhunderts, Kassel 1960, S. 124ff.)

Diverse ingegnosissime, rarissime & non maj più viste curiose partite, di toccate, canzone, ricercate, alemande, correnti, sarabande e gique, di cimbali, organi e instromenti ... Unterschiedliche, Kunstreiche, gantz rar- und ungemeine curiose, und vorhin nie ans Tags Liecht gegebene Partyen von Toccaten, Canzonen, Ricercaten, Allemanden, Couranten, Sarabanden und Giquen, Zu sonderbarem nutzlichen Gebrauch für Spineten, Orgelen und Instrumenten [Inhalt: 9 Toccaten, 1 Fantasie, 2 Ricercari, 2 Capricci]. – *[Mainz], Ludwig Bourgeat, 1693.*
[F 2026
D-brd Mbs – GB Lbm (2 Ex.) – US PRu

— ... [2. Ausgabe, ohne den deutschen Titel]. – *[ib.], 1693.*   [F 2027
D-ddr LEm – DK Kk

— Diverse curiose e rarissime partite di toccate, ricercate, caprici e fantasie ... per gli amatori, di cimbali, organi e instromenti [Nachdruck der Ausgabe von 1693]. – *ib., 1695.*   [F 2028
B Br – D-brd Bhm – D-ddr LEm – GB Ckc – NL DHgm (fehlt Titelblatt)

— Prima parte delle diverse curiose e rarissime partite di toccate, ricercate, caprici e fantasie [Nachdruck der Ausgabe von 1693]. – *ib., 1699.*   [F 2029
B Bc – GB Lbm

Divese [!] curiose e rare partite musicali ... prima continuatione, per uso e recreatione de gli amatori, di cimbali, organi, instromenti e spinetti [Inhalt: 5 Capricci, davon 2 aus der Sammlung von 1693]. – *Mainz, Ludwig Bourgeat, 1696.*   [F 2030
GB Lbm

— Seconda parte delle diverse curiose e rarissime partite di toccate, ricercate, caprici e fantasie [Nachdruck der Ausgabe von 1696]. – *ib., 1699.*   [F 2031
B Bc – GB Lbm

— Diverse ingegnosissime, rarissime & non maj piu viste curiose partite, di toccate, canzone, ricercate, alemande, correnti, sarabande e gique, di cimbali, organi e instrumenti . . . Unterschiedliche, Kunstreiche . . . [Nachdruck der Ausgabe von 1696, mit Kopie des Titels von 1693]. – *ib.*, *1734.*　　　　　　[F 2032
D-brd Bhm

10 Suittes de clavessin . . . mis en meilleur ordre et corrigée d'un grand nombre de fautes [Erstausgabe nicht nachweisbar]. – *Amsterdam, Pierre Mortier.*　　　[F 2033
F Pc – **GB** Cfm

— *ib., Estienne Roger.*　　　　[F 2034
GB Ckc

FRÖBE L. G.

Air varié pour violoncelle avec accompagnement d'une viole. – *Leipzig, Breitkopf & Härtel, No. 39.* – St.　　[F 2035
D-ddr SWl – **I** Mc

FROMANT (FROMENT)

Le vieux soldat et sa pupille. Opéra comique, en un acte en vers mêlé d'ariettes, représenté pour la première fois le 6 juin 1785. – *Paris, bureau général de la correspondance des spectacles de provinces . . . Lawalle, L'Ecuyer (gravé par Magnian).* – P. und St.　　　　[F 2036
D-brd Mbs (P.), HR (P. und 10 St.) – **F** A (P. und 4 St.), Lm (P. und 9 St.), TLc (P.) – **I** Rvat (P.)

Ouverture et duo du Vieux soldat, arrangés pour le clavecin ou le forte-piano avec accompagnement de violon ad libitum. – *Paris, Boyer, Mme Le Menu.* – P.
　　　　　　　　　　　　　　[F 2037
F Pn

J'ai du plaisir à voler au village. Ariette du Vieux soldat et sa pupille, accompagnement de guitarre par M. Ducray. – *Paris, les frères Savigny.*　　　[F 2038
GB Lbm

FROMM Andreas

Actus musicus (Es war ein reicher Mann) de divite et Lazaro, das ist musicalische Abbildung der Parabel vom reichen Manne und Lazaro, Lucae 16. Mit gewissen Persohnen . . . und allerley Instrumenten . . . in 14. Stimmen auff 2 Chore: wie auch Dialogus Pentecostalis . . . mit gewissen Vocalstimmen und . . . Instrumenten in 10. Stimmen auff 2. Chore zum Generalbass zu musiciren. – *Stettin, Jeremias Mamphrasen (Georg Götzke), 1649.* – St.
　　　　　　　　　　　　　　[F 2039
PL WRu (chori sacri: S I, S II, A, T I; S I/T instrum., S II instrum.; chori profani: A, T I, B; fehlen bc und 5 Vokal- und Instrumentalstimmen)

FRONDUTI Giovanni Battista

Augurio di buone feste per l'anno 1714. – *Roma, Mascardi, 1714.*　　　　[F 2040
I Bc (fragmentarisch)

FROSCH(IUS) Johannes

Canon: Dic io pean [a 6 v: S, A, T, Contra-T, B, Contra-B; Einblattdruck, Stimmen als Rahmen], herausgegeben von Sigismund Salblinger. – *Augsburg, Melchior Kriesstein.*　　　　　　[F 2041
D-brd Mbs

FUCHS Georg-Friedrich

Konzerte, konzertante Sinfonien, Militärmusik

Concerto [B] pour clarinette obligé . . . œuvre 14me. – *Offenbach, Johann André, No. 1051.* – St.　　　　　[F 2042
A Wgm (kpl.: 9 St.) – **CH** E – **D-brd** MÜu

Sinfonie concertante [Es] pour cor et clarinette. – *Paris, Imbault, No. 830.* – St.
　　　　　　　　　　　　　　[F 2043
F Pn (kpl.: 10 St.)

Cinquième harmonie, ou Battaille de Genape, et prise de la ville de Mons, pour quatre clarinettes en ut, deux cors, deux bassons, trompette et grosse-caisse. –

Paris, Henri Naderman, aux adresses ordinaires. – St.   [F 2044
D-brd Tu (kpl.: 10 St.)

(104me) Suite militaire, marche pas redoublée et fanfares à plusieurs instruments à vent. – *Paris, Sieber, No. 1497.* – St.   [F 2045
D-brd AB (kpl.: 6 St.)

Werke für 6 Instrumente

Sextuor pour cor, clarinette, basson, violon, alto e contrebasse . . . œuvre XXXIV. – *Paris, Leblanc.* – St.   [F 2046
GB Ckc

Werke für 4 Instrumente

Trois quatuors pour clarinette, violon, alto et basse . . . œuvre 2e. – *Paris, Bonjour.* – St.   [F 2047
F Pn

Trois quatuors concertants pour clarinette, violon, alto et violoncelle . . . œuvre V. – *Paris, Henri Naderman, No. 115.* – St.   [F 2048
A Wgm

Trois quatuors concertants pour clarinette, violon, alto et violoncelle . . . œuvre VI. – *Paris, Henri Naderman.* – St.   [F 2049
A Wgm – **CH** E

Trois quatuors pour clarinette, violon, alto et basse . . . œuvre VII. – *Paris, les frères Gaveaux, No. 52.* – St.   [F 2050
A Wgm (Etikett: Gaveaux aîné)

Trois quatuors pour cor, violon, alto & basse . . . œuvre 31. – *Paris, Imbault, No. 752.* – St.   [F 2051
F Pn (2 Ex.)

Trois quatuors concertants pour cor, clarinette, basson, et violoncelle, œuvre (A). – *[Paris], magasin de musique à l'usage des fêtes nationales.* – St.   [F 2052
GB Ckc

Trois quatuors concertants pour cor, clarinette, basson, et violoncelle, œuvre [unausgefüllt]. – *[Paris], magasin de musique à l'usage des fêtes nationales.* – St.
                                        [F 2053
D-brd F

Werke für 3 Instrumente

Trois trios concertants pour deux violons et violoncelle composés et dédiés à Joseph Haydn . . . œuvre 45, livre 1er (-2ème). – *Paris, Vogt, Vve Goulden (gravé par Michot), No. 3(4).* – St.   [F 2054
F Pn (kpl. [2 Ex.])

— *Braunschweig, Musikalisches Magazin auf der Höhe, No. 232.*   [F 2055
B Bc – **D-brd** W (Etikett: Amsterdam, A. Kuntze)

Trois trios concertants pour clarinette, violon et violoncelle . . . opera 64, 1er œuvre de trio. – *Paris, Lemoine, No. 23 (24).* – St.   [F 2056
A Wgm

Trois trios concertants pour deux clarinettes et cor. – *Paris, Jouve, No. 40.* – St.
                                        [F 2057
A Wgm (kpl. [2 Ex.])

Werke für 2 Instrumente

Vingt-quatre sonatines très faciles pou deux flûtes traversières à l'usage des jeur nes artistes . . . œuvre 1er. – *Paris, Marie.* – St.   [F 2058
F Pn

Six duos pour clarinette et basson . . . œuvre IV. – *Paris, Sieber.* – St.   [F 2059
B Bc

Six duos pour clarinette et cor . . . œuvre Vm. – *Paris, Sieber, No. 1235.* – St.
                                        [F 2060
D-brd Mbs

Six duos pour clarinette et basson . . . œuvre VI. – *Paris, Henri Naderman.* – St.
                                        [F 2061
B Bc

Trois duos pour clarinette en si et violon . . . œuvre XIVe. – *Paris, magasin de musique à l'usage des fêtes nationales.* – St.
                                        [F 2062
F Pn

Trois duos pour clarinette en si et violon . . . œuvre XVe. – *Paris, magasin de musique à l'usage des fêtes nationales.* – St.
                                        [F 2063
F Pn

Six duos dialogués pour deux violons à l'usage des jeunes élèves . . . œuvre 19ᵐᵉ. – *Paris, Lemoine, No. 16.* – St. [F 2064
F Pn

— Six duo pour deux clarinettes tirée de l'œuvre 19ᵐᵉ des duos de violons . . . arrangé par Soler. – *Paris, Lemoine.* – St.   [F 2065
F Pn

Trois duos pour flûte et clarinette . . . œuvre 19. – *Paris, magasin de musique à l'usage des fêtes nationales.* – St. [F 2066
F Pn (cl)

Trois duos pour flûte et clarinette . . . œuvre 20. – *Paris, magasin de musique à l'usage des fêtes nationales.* – St. [F 2067
F Pn

Duos pour deux clarinettes mêlés de valzes, allemandes et polonaises . . . œuvre 29. – *Paris, Imbault, No. 754.* – St.   [F 2068
F Pn (kpl. [2 Ex.])

Six duo formant vingt quatre morceaux pour cor & clarinette . . . œuvre 36. – *Paris, Imbault, No. 751.* – St. [F 2069
F Pn (kpl. [2 Ex.])

Six duos pour clarinette et violon. – *Paris, Imbault, No. 281.* – St. [F 2070
D-ddr Bds (cl [unvollständig], vl)

Trois duos pour clarinette et violon . . . 3ᵉ livre de duos de clarinette et violon. – *Paris, Imbault, No. 335.* – St. [F 2071
F Pn (kpl. [2 Ex.])

Trois duos concertans pour deux flûtes traversières . . . quatrième livre des duos de flûtes. – *Paris, Marie.* – St. [F 2072
F Pn (kpl. [2 Ex.])

Trois duos pour deux flûtes, d'une exécution facile. – *Paris, Meissonnier.* – St.   [F 2073
B Bc

Bearbeitungen und Variationen

(Auswahl; weitere Werke s. u. den einzelnen Komponisten)

Première suite d'airs d'opéra comiques contenant des airs du Trente et quarante, du Cabriolet jaune, d'Une Journée de catinat, de La Rencontre en voyage, d'Une Nuit d'été, arrangés pour 2 clarinettes en ut, 2 flûtes, 2 cors et 2 bassons. – *Paris, Imbault.* – St.   [F 2074
SD S. 375
D-brd AB (fl II, cl II) – **F** Pn (kpl.: 8 St.)

Première suite d'airs d'opéra buffa, contenant des airs de l'Impressario in Angustie, de Gianina e Bernardone, de la Pietra simpatica, de Furberia e puntiglio, de la Villanella rapita, arrangés pour 2 clarinettes, 2 flûtes, 2 cors et 2 bassoons. – *Paris, Imbault, No. 535.* – St.   [F 2075
US Cn

Deuxième suite d'airs de l'opéra buffa contenant la polaca della Capricioza Coretta, le quatuor de l'Inganno felice, le duo du même opéra, la polaca delle Nozze di Dorina, arrangés pour 2 clarinettes, 2 flûtes, 2 cors et 2 bassons. – *Paris, Imbault, No. 794.* – St.   [F 2076
D-brd AB (fl II, cl II)

Ouverture de la Clémence de Titus . . . arrangés en harmonie à 6 parties. – *Paris, Decombe (gravés par Michot).* – St.
                              [F 2077
CH Gpu (kpl.: 6 St.)

(6) Airs de la Clémence de Titus, arrangés en harmonie à 6 parties. – *Paris, Decombe (gravés par Michot).* – St.   [F 2078
CH Gpu (kpl.: 6 St.)

(7) Airs de Don Juan, en harmonie pour deux clarinettes, deux cors, deux bassons et flûtes adlibitum, arrangés par G. Fuchs. – *Paris, Sieber, No. 367.* – St.   [F 2079
CH Gpu (kpl.: 8 St.)

(7) Airs choisis de Montano et Stephanie, mis en harmonie pour deux clarinettes, deux cors, deux bassons, et deux flûtes ad-libitum. – *Paris, Imbault, No. 796.* – St.   [F 2080
CH Gpu (kpl.: 8 St.)

Cinquième pot pourri de Steibelt arrangés en harmonie pour deux cors, quatre clarinettes et deux bassons. – *Paris, Jean Henri Naderman, No. 200.* – St. [F 2081
F Pn (8 St.)

Pot-pourri arrangé pour quatre clarinettes en si, deux cors et deux bassons. – *Paris, Jean Henri Naderman, No. 177.* – St.
[F 2082
F Pn (kpl.: 8 St. [je 2 Ex.])

Pot-pourri pour huits instruments, 4 clarinettes, 2 cors et 2 bassons. – *Paris, Henri Naderman (gravé par la C^ne Chaume), No. 202.* – St. [F 2083
F Pn (kpl.: 8 St.)

Le carillon national, Ah: ça ira, dictum populaire, arrangée pour 2 clarinettes, 2 cors et 2 bassons. – *Paris, Sieber.* – St.
[F 2084
D-brd AB (kpl.: 6 St.)

Trois quatuors concertans pour clarinette, violon, alto et basse, tirés des œuvres de Kozeluch . . . op. 39. – *Paris, Sieber père, No. 1650.* – St. [F 2085
A Wgm

Trois airs connus et variés pour deux flûtes. – *Paris, Jean Henri Naderman, No. 173.* – St. [F 2086
F Pn – GB Lbm

Recueil d'airs variés pour la flûte . . . liv. 1 [d]. – *Leipzig, Breitkopf & Härtel, No. 2330.* [F 2087
A Wgm

Variations pour la flûte sur le thème God save the king . . . liv: II [G]. – *Mainz, Bernhard Schott, No. 888.* [F 2088
D-brd MZsch

Variations pour la flûte sur la walze favorite de la Reine de Prusse . . . liv: III [D]. – *Mainz, Bernhard Schott, No. 889.*
[F 2089
D-brd MZsch – DK Kk

FUCHS Johann

XII. Deutsche und Trio im Clavierauszug welche in dem k: k: Kleinen Redouten-Saale in Wien 1799. aufgeführt worden. – *Wien, Joseph Eder.* [F 2090
GB Ckc

FUCHS Peter → FUX Peter

FÜGER G. C.

[12] Charakteristische Clavierstücke . . . pièces caractéristiques pour le clavecin. – *Tübingen, Autor (übernommen von Steiner, Winterthur; Stich von I. H. Walder).* [F 2091
A Wgm (2 Ex.), Wn – B Bc – CH Bu – D-brd Mbs – GB Lbm – NL DHgm

FÜGER Kaspar

Christliche Verss und Gesenge, Lateinisch und Deutsch . . . Auff fünff Stimmen componirt. – *Dresden, Gimel Bergen, 1580.* – St. [F 2092
A Wn (kpl.: S, A, T I, T II, B) – D-brd WÜu, KIu – D-ddr LEm, SGh – GB Lbm – US Wc

FUENLLANA Miguel de

Libro de musica para vihuela, intitulado Orphenica lyra. En el qual se contienen muchas y diversas obras. – *Sevilla, Martin de Montesdoca, 1554.*
SD 1554^32 [F 2093
A Wn, Iu – B Br – D-brd WIl – E E, Mn – F Pc, Pn – GB Lbm – US Cn, NYp

FÜSSEL C. G.

[Samling af sange, marcher, dandse og walzer indrettet for klaveer eller forte-piano. – *København, S. Sønnichsen*].
[F 2094
DK Kv (fehlen Titelblatt und S. 9–22)

FUNCK David

Stricturae viola di gambicae ex sonatis, ariis, intradis, allemandis, & quatuor violis da gamba concinendis promicantes. – *Leipzig-Jena-Rudolstadt, Johann Theodor, Christoph & David Fleischer, 1677.* – St.
[F 2095
F Pn (kpl.: 4 St.)

129

FUNCKE Christian

Poetische Leidens-Cypressen . . . in Teutschgebundener Sprache auffgerichtet, und mit . . . Erläuterungs-Betrachtungen gezieret [im Anhang: Lieder für Singstimme und bc]. – *Oldenburg, Johann Erich Zimmer, 1686.* [F 2096
D-ddr Bds

FUNCKE Friedrich

Trauer-Ode (Ach! was ist doch unser Leben [a 6 v und bc]) über den . . . Hintritt . . . Herrn Johannis Lutterloh . . . gesetzet. – *Lüneburg, Gebrüder Sternen, 1664.* – P. [F 2097
D-ddr GOl

Klag- und Trost-Zeilen (Ach Hertzeleid! Ia diß Leben-lose Leben [a 6 v mit bc]) über den . . . Hintrit des . . . Herrn Leonhard von Dassel . . . welcher . . . den 12. Ianuarii in disem . . . 1665. Iahre diese . . . Welt gesegnet. – *Lüneburg, s. n., 1665.* – P. [F 2098
D-ddr GOl

Letzte Pflicht (Hier kurtze Zeit, ach leid [a 6 v]) mit welcher . . . Hn. Heinrich Krolow . . . welcher den 20. Tag Augusti . . . diese . . . Welt gesegnete. – *Lüneburg, s. n., 1666.* – P. [F 2099
D-ddr GOl

Danck- und Denck-Mahl, über den starcken und unverhofften Donnerschlag, welcher den 23sten Tag Aprilis diese itztlauffenden 1666sten Jahrs, Abends zwischen 7. und 8. Uhr den Thurm der Haupt-Kirchen zu S. Johannis in Lüneburg . . . berührete . . . in 8 Vocal- und 5 Instrumental-Stimmen abgesungen. – *Hamburg, Georg Rebenlein, 1666.* – St. [F 2100
D-brd Lr (kpl.; I: S, A, T, B; II: S, A, T, B; istromento 1–5, bc)

Trauer-Thoon (Was ist doch diese Welt) in 5 Stimmen (in: Visio apocalyptica . . . der . . . Fr. Richel Dorothea . . . Lafferdt . . . welche den 3. Jun. 1668. Iahrs . . . entschlaffen). – *Lüneburg, Gebrüder Sternen, 1669.* [F 2101
D-ddr Ju

Der ewig -feste und unüberwindliche Gottes Schutz, welchen Der Kayserlichen freyen und des Heiligen Reichs Stadt Lübeck Durch die folgende Zeilen in einer Musicalischen Concert von 4 Vocal- und 5 Instrumental-Stimmen nebenst dem Basso Continuo . . . zuruffet (Ist Gott für uns). – *Hamburg, Georg Rebenlein, 1682.* – St. [F 2102
D-brd HVl (7 St.: S, A, T, B, vl I, vl II, trb)

FURCHHEIM Johann Wilhelm →
FORCHHEIM Johann Wilhelm

FURIOSO → **FOSCARINI Giovanni Paolo**

FURNERIUS Gislenus

Gratulatorium (Annua natalis redierunt tempora Thomae [a 5 v]), ad Thomam Matthiam iuniorem filium . . . compositum. – *Wittenberg, Georg Rhaus Erben, 1564.* – St. [F 2103
D-ddr BD (kpl.: S, A, T, B, 5)

FURTADO A. Charles

Three sonatas for the harpsichord or piano-forte. – *London, for the author.* [F 2104
GB Cu, Gu, Lbm, Ob

A familiar sonatina for the piano-forte. – *London, for the author.* [F 2105
GB Cu, Gu, Lbm, Ob

FURTADO John

It was a winter's evening. A favorite song. – *[London], Longman & Broderip.* [F 2106
GB Lbm, Ob

FUX Johann Joseph

Concentus musico instrumentalis in septem partittas, ut vulgo dicimus, divisus . . . opus primum. – *Nürnberg, Felseckers Erben, 1701.* – St. [F 2107
D-ddr Bds (9 St.: vl I, vl II, vla, clno I, clno II, fag, ob I, ob II, b)

Elisa. Festa theatrale per musica; rappressentata nel giardino dell' imperiale favorita per il felicissimo giorno natalizio della sacra cesarea e cattolica reale maestà di Elisabetta Cristina. – *Amsterdam, Jeanne Roger, No. 482.* – P.   [F 2108
A Wn – **D-brd** MÜu, WD (mit 24 handschriftlichen St.) – **F** Pn – **GB** Lbm – **S** Skma – **US** CA

FUX (FUCHS) Peter

Sonata [A] per il violino solo et violoncello. – *[Wien, Franz Anton Hoffmeister], No. 44.* – St.   [F 2109
D-ddr SWl – **DK** Kk – **E** Mn – **I** Nc

Sonata II^da [B] per il violino solo et violoncello. – *[Wien, Franz Anton Hoffmeister], No. 70.* – St.   [F 2110
B Bc – **D-ddr** SWl

— Sonata per violino e violoncello . . . N° 2. – *ib., Artaria & Co., No. 488.*
                  [F 2111
A Wst – **I** MOe

Sonata [D] per violino e basso. – *Wien, Franz Anton Hoffmeister, No. 153.* – St.
                  [F 2112
B Bc – **DK** Kk – **US** Wc – **YU** Zha

12 Variationi per il violino solo e basso. – *Wien, Franz Anton Hoffmeister, No. 189.* – P.   [F 2113
A Wgm – **B** Bc – **CS** Pnm

Trois duos [C, G, D] pour deux violons . . . op. 1. – *Offenbach, Johann André, No. 753.* – St.   [F 2114
CS Pnm

Neuf variations sur l'air: O mein lieber Augustin, pour un violon, avec accompagnement d'un second. – *Offenbach, Johann André, No. 1263.* – P.   [F 2115
D-brd Tu

— . . . 2de édition. – *ib., No. 3557.* [F 2116
CS Bu – **D-brd** OF

VI Variations sur le duo: La stessa la stessissima, de l'opéra Falstaff, osia Le tre burle, pour le violon avec un violon second . . . No. 3. – *Wien, Johann Traeg, No. 73.* – St.   [F 2117
CS Pk, Pnm – **D-brd** Mbs – **H** Bn, KE

Variazioni a tre soggetti per due violini. – *Wien, Johann Traeg, No. 15.* – St. [F 2118
A M – **CS** Pnm – **D-ddr** SWl (ohne No.)

Caprice pour un violon seul. – *Wien, Johann Traeg, No. 79.*   [F 2119
A Wn – **CS** Pk

G

GABELLA Giovanni Battista

Il primo libro de' madrigali a cinque voci.
– *Ferrara, Vittorio Baldini, 1585.* – St.
[G 1
I MOe (kpl.: S, A, T, B, 5)

Il secondo libro de madrigali a cinque
voci. – *Venezia, Angelo Gardano, 1588.* –
St. [G 2
GB Lbm (A; fehlen S, T, B, 5)

GABLER Christoph August

WERKE MIT OPUSZAHLEN

Op. 4. Serenade für Pianoforte zu 4 Hän-
den . . . op. 4. – *Leipzig, C. G. Hilscher.*
[G 3
B Bc

Op. 6. Sonate pour le clavecin ou le piano
forte . . . œuvre VI. – *Leipzig, F. G. Baumgärtner.* [G 4
A Wst – B Bc – D-brd Bhm – F TLc

Op. 12. Fantaisie pour la harpe ou piano
forte . . . œuvre XII. – *Braunschweig,
Musikalisches Magazin auf der Höhe, No.
230.* [G 5
CS K

Op. 14. VI Lieder mit Begleitung des
Piano-Forte . . . dritte Sammlung, 14tes
Werk. – *Leipzig, Breitkopf & Härtel.* [G 6
B Bc – CS K

Op. 18. VI (VI) Allemandes composées et
arrangées pour le piano-forte . . . œuvre
18, cahier I (II). – *Leipzig, Breitkopf &
Härtel.* [G 7
B Bc – D-brd Mbs (cahier I)

Op. 19. Trois sonates pour le pianoforte
. . . œuvre XIX. – *Leipzig, Breitkopf &
Härtel, No. 57.* [G 8
D-brd B – D-ddr BD – S Skma

Op. 22. Sonate à quatre mains pour le
clavecin ou forte-piano . . . œuv. 22. –
Leipzig, Breitkopf & Härtel, No. 115. [G 9
A Wn – D-brd B – D-ddr HAu

Op. 23. Andante avec IX. Variations pour
le pianoforte . . . œuv. 23. – *Leipzig, Breitkopf & Härtel, No. 91.* [G 10
A Wgm – CS K

Op. 24. Dix variations [C] pour le piano-
forte . . . œuv. 24. – *Leipzig, Breitkopf &
Härtel, No. 206.* [G 11
D-brd B, Mbs (unvollständig) – S Skma

— . . . œuvre 24, No 2. – *St. Petersburg,
F. A. Dittmar, No. 876.* [G 12
D-brd Mbs, LÜh

Op. 25. IX Variations sur l'air: Nel cor
non più mi sento, pour le piano-forte . . .
œuvre 25. – *Leipzig, Breitkopf & Härtel,
No. 272.* [G 13
CH EN – D-brd B – D-ddr BD – S Skma

— *St. Petersburg, F. A. Dittmar, No. 933.*
[G 14
D-brd Mbs

Op. 26. Grande sonate [D] pour le piano-
forte . . . œuvre 26. – *Leipzig, Breitkopf
& Härtel, No. 268.* [G 15
CH EN – D-brd B

Op. 30. Trois polonoises [B, G, C] pour le
pianoforte à quatre mains . . . œuv. 30. –
Leipzig, Breitkopf & Härtel, No. 357.
[G 16
A M – D-brd B, Bhm, LÜh – D-ddr BD

Op. 31. Andante [A] avec neuf variations pour le pianoforte . . . œuvre 31, Nº 4. – *Leipzig, Breitkopf & Härtel, No. 442.*

[G 17

A Wgm – **D-brd** B – **S** Skma

Op. 32. Trois polonoises [D, Es, C] pour le pianoforte à quatre mains . . . œuv. 32. – *Leipzig, Breitkopf & Härtel, No. 1557.*

[G 18

A Wn – **S** Sm (mit No. 2115)

Op. 33. Variations [a] sur un air russe pour le pianoforte à quatre mains . . . œuv. 33. – *Leipzig, Breitkopf & Härtel, No. 1571.*   [G 19

A Wgm – **D-brd** B (mit No. 1711) – **I** PAc

Op. 34. Andante avec huit variations pour harpe et flûte . . . œuv. 34. – *Leipzig, Breitkopf & Härtel, No. 1559.* – St. [G 20

A M

Op. 35. Air varié pour le pianoforte . . . œuv. 35. – *Leipzig, Breitkopf & Härtel, No. 2142.*   [G 21

A Wgm – **D-brd** B

Op. 36. Deutsche Gesänge für eine und mehrere Stimmen mit Begleitung des Pianoforte . . . 6te Sammlung, 36tes Werk. – *Leipzig, C. F. Peters, No. 1212.* – P.

[G 22

A Wgm

Op. 37. Deutsche Gesänge für eine und mehrere Stimmen mit Begleitung des Pianoforte . . . 7te Sammlung, 37tes Werk. – *Leipzig, C. F. Peters, No. 1213.* – P.   [G 23

A Wgm – **D-brd** DT

Op. 38. Romance [C] de l'opéra: Joseph, varié pour le pianoforte . . . œuv. 38. – *Leipzig, C. F. Peters, bureau de musique, No. 1265.*   [G 24

A Wgm – **CH** EN (Etikett: Amsterdam, H. C. Steup; darunter: Kopenhagen, C. C. Lose) – **I** PAc

Op. 40. Gesänge für Freymaurer, mit Begleitung des Pianoforte . . . 40ˢ Werk. – *Leipzig, C. F. Peters.*   [G 25

D-ddr Bds

Op. 41. Andante [E] avec IX Variations composées et arrangées pour deux cors obligés et pianoforte . . . œuv. 41. – *Leipzig, Breitkopf & Härtel, No. 3012.* – St.

[G 26

A Wgm – **D-brd** B, DO

Op. 43. Die Spinnerin. Alla polacca pour le pianoforte à quatre mains . . . œuv. 43. – *Leipzig, Breitkopf & Härtel, No. 3011.*   [G 27

A Wgm – **CH** BEl – **I** PAc

Op. 44. Ouverture [A] pour le pianoforte à quatre mains . . . œuv. 44. – *Leipzig, C. F. Peters, bureau de musique, No. 1420.*   [G 28

D-brd B – **S** Sm – **I** PAc

Op. 45. Stilles Dorf, wo mich die Freude. Der Abschied vom Dörfchen für Gesang und Pianoforte . . . 45s Werk. – *Leipzig, C. F. Peters, bureau de musique, No. 1549.*   [G 29

A Wgm – **CH** Bu

Op. 47. Notturno [Es] à quatre mains pour le pianoforte . . . œuv. 47 [mit einem 4st. Chor zum ersten Satz]. – *Leipzig, C. F. Peters, bureau de musique, No. 1501.*   [G 30

A Wgm, Wn – **D-brd** B – **I** PAc

Op. 49. Introduction et variations pour le pianoforte sur un thème original . . . œuv. 49. – *Leipzig, C. F. Peters, bureau de musique, No. 1589.*   [G 31

A Wgm – **I** PAc

Op. 50. Adagio et rondeau pour le pianoforte . . . œuv. 50. – *Leipzig, C. F. Peters, bureau de musique, No. 1574.*   [G 32

A Wgm – **BR** Rn – **I** PAc

Op. 51. Andante [B] avec six variations pour le piano-forte . . . œuv. 51. – *Leipzig, C. F. Peters, bureau de musique, No. 1590.*

[G 33

A Wgm – **I** PAc

Op. 52. Rondo [B] en forme de valse pour le pianoforte à 4 mains . . . œuv. 52. – *Leipzig, C. F. Peters, bureau de musique, No. 1664.*   [G 34

A Wgm – **I** PAc

Op. 55. Grandes marches [Es, D, a] à quatre mains pour le piano forte . . . œuv. 55. – *Leipzig, C. F. Peters, bureau de musique, No. 1809.*   [G 35
A Wgm – I PAc

WERKE OHNE OPUSZAHLEN

Vokalmusik

Trauergesang am Grabe des Freundes für vier Singstimmen mit Begleitung des Orchesters oder auch mit Begleitung des Pianoforte. – *Leipzig, Breitkopf & Härtel, No. 1486.* – P.   [G 36
A Wgm – D-brd KNh, Tmi

Zwölf Lieder zum Singen beym Klavier. – *Offenbach, Johann André, No. 768.*
                                    [G 37
CS K – GB Lbm

VI Veränderungen fürs Clavier und Gesang über das Lied: Die Caffeeschwester. – *Leipzig, Breitkopf & Härtel.*   [G 38
B Bc

Der Pilger am Jordan, mit Begleitung des Forte-Piano. – *Leipzig, Breitkopf & Härtel.*
                                    [G 39
D-brd B, DT

Die Spinnerin, für Gesang mit Begleitung des Pianoforte. – *Leipzig, Breitkopf & Härtel, No. 1458.*   [G 40
A Wgm – D-brd B

Instrumentalwerke

Drei Sonaten [F, Es, D] für das Clavier oder Piano Forte. – *Leipzig, C. G. Hilscher.*   [G 41
B Bc – D-brd B

Sonatine [D] pour le piano-forte . . . (classe III, cahier – de la Bibl. de musique moderne, année II). – *Milano, Giovanni Ricordi, No. A. B. 1069.*   [G 42
I PAc

Andante avec IX. Variations pour le clavecin. – *Worms, Johann Michael Götz, No. 722.*   [G 43
A Wn

Andantino. Thème varié [A]. – *s. l., s. n. – St.*   [G 44
CS Pnm (vla, vlc [ohne Titelblatt])

Walzer à quatre mains pour le piano-forte. – *Leipzig, C. F. Lehmann, No. 17.*   [G 45
D-ddr LEm

Acht Walzer für das Pianoforte. – *Leipzig, Breitkopf & Härtel.*   [G 46
B Bc

Märsche, Menuetts, Polonoisen und Angloisen für das Clavier. – *Leipzig, C. G. Hilscher.*   [G 47
B Bc

Trois polonoises pour le piano-forte à quatre mains. – *Leipzig, Breitkopf & Härtel, No. 1557.*   [G 48
I PAc

GABRIELI Andrea

GEISTLICHE VOKALMUSIK

1565. Sacrae cantiones (vulgo motecta appellatae) quinque vocum, tum viva voce, tum omnis generis instrumentis cantatu commodissimae, liber primus. – *Venezia, Antonio Gardano, 1565.* – St. [G 49
D-brd Mbs (A, B), Rp (A, B) – I Bc (S, B, 5), Mc (5 [ohne Titelblatt])

— *ib., li figliuoli di Antonio Gardano, 1572.*   [G 50
I VEcap (kpl.: S, A, T, B, 5)

— *ib., Angelo Gardano, 1584.*   [G 51
A Wn (B, 5) – D-brd Kl (kpl.: S [unvollständig], A, T, B, 5) – GB Lbm (A, B) – I Ac (kpl.; S [unvollständig]), Bc – PL GD

— *Milano, Francesco & eredi di Simon Tini, 1590 ([Kolophon:] Michele Tini, 1590).*   [G 52
D-brd LÜh (T)

1572a. Primus liber missarum sex vocum . . . Missa Quando lieta sperai, Missa Vexilla regis, Missa Ove ch'io posi, Missa Pater peccavi. – *Venezia, li figliuoli di Antonio Gardano, 1572.* – St.   [G 53
D-brd As (kpl.: S, A, T, B, 5, 6), Rp (A, B) – GB Lbm (A) – I Bc (T), FZd (fehlt S), TVd

1572b → 1565

1576. Ecclesiasticarum cantionum qua-
tuor vocum, omnibus sanctorum solem-
nitatibus deservientium, liber primus. –
Venezia, Angelo Gardano, 1576. – St.
[G 54
D-ddr ZI (S, T, B) – **GB** Lbm (B) – **I** Ac (kpl.:
S, A, T, B), TVd

— *ib., 1589*. [G 55
A Wn (S, T) – **D-brd** Mbs (kpl.: S, A, T, B) –
F Pn (S, A, B)

1583. Psalmi Davidici, qui poenitentiales
nuncupantur, tum omnis generis instrumentorum, tum ad vocis modulationem
accommodati, sex vocum. – *Venezia, Angelo Gardano, 1583*. – St. [G 56
D-brd F (fehlt 5), Mbs (kpl.: S, A, T, B, 5, 6),
Rp (kpl.; S [2 Ex.]) – **GB** Lbm (5) – **I** Bc, Bsp,
FEc, MOe (A), Rsc (B) – **PL** GD (S, A, T)

— *ib., 1606*. [G 57
D-brd BAs (A) – **I** Bc (S, T, 5, 6)

1584 → 1565

1587. Concerti di Andrea, et di Gio: Ga-
brieli . . . continenti musica di chiesa,
madrigali, & altro, per voci, & stromenti
musicali, a 6. 7. 8. 10. 12. & 16. . . . libro
primo et secondo. – *Venezia, Angelo Gar-
dano, 1587*. – St.
SD 1587[16] [G 58
A Wn (kpl.: S, A, T, B, 5, 6, 7, 8, 9, 10, 11, 12) –
CS Bm (2 Fragmente) – **D-brd** As (fehlt S), F,
Mbs (fehlen 7–12), Rp – **E** MO (7) – **GB** Lbm (5)
– **I** Bc, Bsp, BRd, FEc (fehlen 9–12), MOd (A,
B, 6), Sd, TVd, Vnm (fehlt 12) – **US** Cn (T)

1589 → 1576
1590 → 1565
1606 → 1583

Weltliche Vokalmusik

1566. Il primo libro di madrigali a cinque
voci. – *Venezia, Antonio Gardano, 1566*. –
St. [G 59
A Wn (B) – **I** VEaf (S, A, T, 5), Fn (B)

— *ib., li figliuoli di Antonio Gardano,
1572*. [G 60
B Br (kpl.: S, A, T, B, 5) – **D-brd** Mbs – **I** Bc (5),
Fn (fehlt B), MOe (fehlt B), Vnm – **US** OB (T)

— . . . [erweiterte Ausgabe]. – *ib., Angelo
Gardano, 1587*. [G 61
B Br (kpl.: S, A, T, B, 5) – **PL** GD

1570. Il secondo libro di madrigali a cinque voci, insieme doi a sei & uno dialogo
a otto. – *Venezia, li figliuoli di Antonio
Gardano, 1570*. – St. [G 62
I Bc (T), VEaf (S)

— *ib., 1572*. [G 63
D-brd Mbs (kpl.: S, A, T, B, 5) – **GB** Lcm, Lbm
(fehlt B), Lwa – **I** Vnm (B)

— . . . [erweiterte Ausgabe, jedoch ohne
die 6st. Madrigale]. – *ib., Angelo Gardano,
1588*. [G 64
B Br (kpl.: S, A, T, B, 5) – **D-ddr** Dlb – **GB** Lbm
(fehlt 5)

1571. Greghesche et Iustiniane . . . a tre
voci . . . libro primo. – *Venezia, li figliuoli
di Antonio Gardano, 1571*. – St. [G 65
GB Lbm (T)

1572a → 1566
1572b → 1570

1574. Il primo llibro [!] de madrigali a sei
voci. – *Venezia, li figliuoli di Antonio Gardano, 1574*. – St. [G 66
CH E (B) – **D-brd** Kl (kpl.: S, A, T, B, 5, 6),
Mbs – **I** Bc (A), MAc (5), MOe (fehlt 6), VEaf
(fehlt T) – **NL** DHgm (T)

— *ib., Angelo Gardano, 1587*. [G 67
CH Bu (kpl.: S, A, T, B, 5, 6) – **D-brd** As – **F**
Pc (S) – **GB** Lbm (S) – **I** Bc, Fn, MOe (fehlt 5),
PAc (fehlen 5 und 6), Sd (fehlt T) – **PL** GD
(fehlt B) – **US** BE (5)

1575. Libro primo de madrigali a tre voci.
– *Venezia, li figliuoli di Antonio Gardano,
1575*. – St. [G 68
D-brd Mbs (kpl.: S, T, B), Rtt (T, B [2 Ex.]) –
PL Wn (S)

— *ib., Angelo Gardano, 1582*. [G 69
GB Lbm (kpl.: S, T, B) – **I** Bc, Fn (T), MC (T) –
S Uu (S)

— *ib., 1590*. [G 70
A Wn (kpl.: S, T, B) – **F** Pn (S, B) – **I** Bc

— *ib., Alessandro Raverii, 1607*. [G 71
GB Lbm (S, T) – **I** Vnm (kpl.: S, T, B)

1580. Il secondo libro de madrigali a sei voci. – *Venezia, Angelo Gardano, 1580.* – St. [G 72
CH E (B) – D-brd As (kpl.: S, A, T, B, 5, 6), Bhm (6), Kl, Mbs (kpl.; B [2 Ex.]) – GB Lbm (fehlt 6) – I Bc, Bsp, MAc (5), MOe (fehlt 6), Nn, Rdp, Vnm (S, A)

— *ib., 1586.* [G 73
D-brd As (kpl. [2 Ex.]), F (fehlt 5), Rp (fehlen T und B) – D-ddr Bds (5) – F Pc (kpl.; S [2 Ex.]) – GB Lbm (3 Ex. [davon 2 Ex. unvollständig]), Lcm (unvollständig) – I FEc, Rc (S), Sd (fehlt T) – PL GD (fehlt B) – US BE (5), Bc (6)

— *Milano, Francesco & eredi di Simon Tini, 1588.* [G 74
CH Bu (kpl.: S, A, T, B, 5, 6) – I PAc (fehlen 5 und 6) – NL At (S, T)

1582 → 1575
1586 → 1580
1587a → 1566
1587b → 1574

1588a. Chori in musica ... sopra li chori della tragedia di Edippo Tiranno, recitati in Vicenza l'anno M. D. LXXXV, con solennissimo apparato. – *Venezia, Angelo Gardano, 1588.* – St. [G 75
A Wn (A, B, 5) – I Ps (S, T, B)

1588b → 1570
1588c → 1580

1589a. Il terzo libro de madrigali a cinque voci, con alcuni di Giovanni Gabrielli. – *Venezia, Angelo Gardano, 1589.* – St. [G 76
SD 1589[14]
B Br (kpl.: S, A, T, B, 5) – I Vnm, VEaf (A) – YU Ssf (A, 5)

1589b. Madrigali et ricercari ... a quattro voci. – *Venezia, Angelo Gardano, 1589.* – St. [G 77
CH Bu (kpl.: S, A, T, B) – GB Lbm (kpl.; S [2 Ex.]) – I Bc (A, B), VEcap

— *ib., 1590.* [G 78
D-brd W (kpl.: S, A, T, B)

1590a → 1575
1590b → 1589b

1601. Mascherate di Andrea Gabrieli et altri autori eccellentissimi a tre, quattro, cinque, sei, et otto voci. – *Venezia, Angelo Gardano, 1601.* – St. [G 79
SD 1601[11]
A Wn (A, B, 5)

1607 → 1575

1593. Intonationi d'organo di Andrea Gabrieli, et di Gio. suo nepote ... composte sopra tutti li dodici toni della musica ... libro primo. – *Venezia, Angelo Gardano, 1593.* [G 80
SD 1593[10]
CH Bu – F Pc – GB Ob – I Bc

1595. Ricercari ... composti et tabulati per ogni sorte di stromenti da tasti ... libro secondo. – *Venezia, Angelo Gardano, 1595.* [G 81
SD 1595[13]
CH Bu – I Bc

1596. Il terzo libro de ricercari ... insieme uno motetto, due madrigaletti, et uno capriccio sopra il pass'è mezo antico, in cinque modi variati, et tabulati per ogni sorte di stromenti da tasti. – *Venezia, Angelo Gardano, 1596.* [G 82
SD 1596[19]
CH Bu – I Bc

1605a. Canzoni alla francese et ricercari ariosi, tabulate per sonar sopra istromenti da tasti ... libro quinto. – *Venezia, Angelo Gardano, 1605.* [G 83
SD 1605[18]
D-brd As

1605b. Canzoni alla francese per sonar sopra istromenti da tasti ... con uno madrigale nel fine et uno capricio a imitatione ... libro sesto et ultimo. – *Venezia, Angelo Gardano, 1605.* [G 84
SD 1605[19]
I Bc

GABRIELI Giovanni

(vgl. auch Gabrieli Andrea)

Concerti di Andrea, et di Gio. Gabrieli ... continenti musica di chiesa, madrigali, & altro, per voci, & stromenti musicali, a 6, 7, 8, 10, 12, & 16 ... libro primo et secon-

do. – *Venezia, Angelo Gardano, 1587.* – St.
SD 1587[16]   [G 85
A Wn (kpl.: S, A, T, B, 5–12) – **D-brd** As (fehlt
S), F, Mbs (fehlen 7–12), Rp – E MO (7) – **GB**
Lbm (5) – **I** Bc, Bsp, BRd, FEc (fehlen 9–12),
MOd (A, B, 6, 9, 11, 12), Sd, Vnm (fehlt 12)

Sacrae symphoniae ... senis, 7, 8, 10, 12,
14, 15, & 16, tam vocibus, quam instrumentis, editio nova. – *Venezia, Angelo
Gardano, 1597.* – St.   [G 86
A Wn (kpl.: S, A, T, B, 5–12) – **D-brd** As (fehlt
S), Rp (5 Ex.; 1. Ex.: kpl.; 2. Ex.: S, A, 5, 8,
11, 12; 3. Ex.: B; 4. Ex.: fehlen T, B, 5, 8;
5. Ex.: fehlen A, B) – E MO (7) – **GB** Lbm (5) –
I BRd (fehlen 10–12), FEc, PCd – **YU** Lu (A, 5)

Symphoniae sacrae ... liber secundus,
senis, 7, 8, 10, 11, 12, 13, 14, 15, 16, 17, &
19, tam vocibus, quam instrumentis, editio nova. – *Venezia, stampa del Gardano,
aere Bartolomei Magni, 1615.* – St. [G 87
D-brd As (14 St.; fehlt B), Kl (14 St.) – **GB** Lbm
(9), Lcm (A, 7, 8, 9, 11), Ob (A, B, 13) – **I** Bc
(5), Ls (14 St.) – **PL** Wu (14 St.) – **S** Skma (6,
7, 8)

Canzoni et sonate ... a 3. 5. 6. 7. 8. 10. 12.
14. 15. & 22. voci, per sonar con ogni sorte
de instrumenti, con il basso per l'organo. –
*Venezia, stampa del Gardano, appresso
Bartolomeo Magni, 1615.* – St.   [G 88
CS Pu (org) – **D-brd** As (12 St.; fehlt B), Kl
(kpl.: 13 St.) – **I** Bc (T [unvollständig]), Rsc (A,
T, B, 5)

GABRIELLI D.

Trois romances avec accompagnement de
forte piano, ou de harpe. – *s. l., s. n.* – P.
                 [G 89
F Pc

— *Karlsruhe, Danner.*   [G 90
CS K

GABRIELLI Domenico

Balletti, gighe, correnti, alemande, e sa-
rabande, a violino e violone, con il secon-
do violino a beneplacito ... opera prima.
– *Bologna, Giacomo Monti, 1684.* – St.
                 [G 91
GB Lbm (kpl.: vl I, vl II, vlne/spinetta), Ob –
I Bc, Baf

— *Amsterdam, Jean Philippe Heus, 1693.*
                 [G 92
GB DRc (kpl.: vl I, vl II, vlc, bc)

Cantate a voce sola. – *Bologna, Pier-
Maria Monti, 1691.* – P.   [G 93
A Wn – **D-brd** MÜs (unvollständig) – **I** Bc – **GB**
Lcm

GABRIELLO della Nunciata

Salterio di cento cinquanta laudi spirituali, dato di nuovo in luce dal P. Gabriello della Nunciata ... concertato in due
parti, parte prima (-parte seconda). –
Genova, eredi del Calenzani, 1675.
SD   [G 94
I Rsc, Rc

GABUSSI Giulio Cesare

Il primo libro de madrigali a cinque voci. –
Venezia, Angelo Gardano, 1580. – St. [G 95
D-brd WILd (S, A, T, B) – **I** Bc (B), Vnm (B) –
PL GD (kpl.: S, A, T, B, 5) – **YU** Ssf (A, 5)

Motectorum liber primus, quae partim
quinque, partimque senis vocibus concinuntur. – *Venezia, Angelo Gardano,
1586.* – St.   [G 96
I Bc (kpl.: S, A, T, B, 5, 6), Bsp – **PL** GD

Magnificat X., quorum novem quinis, &
unum senis vocibus concinuntur; quibus
in obitu Caroli Cardinalis Borromaei mo-
tectum octonis, & Te Deum laudamus
quaternis vocibus alternatim decantan-
dum adijciuntur. – *Milano, Francesco &
eredi di Simon Tini ([Kolophon:] Michele
Tini), 1589.* – St.   [G 97
I Bc (kpl.: S, A, T, B, 5), Bsp, FEc, FZd, PCd,
VCd

Il secondo libro de madrigali a cinque
voci. – *Venezia, Giacomo Vincenti, 1598.* –
St.   [G 98
D-ddr LEm (kpl.: S, A, T, B, 5) – **I** LOcl (B)

GAFFI Bernardo

Cantate da cammera [!] a voce sola ...
opera prima. – *Roma, Mascardi, 1700.* –
P.   [G 99
A Wn – **D-brd** MÜs – **D-ddr** Dlb – **GB** Ge, Lbm
– **I** Bc, Fc

GAGLIANO Giovanni Battista da

Varie musiche [a 1–5 v mit bc] . . . libro primo. – *Venezia, Alessandro Vincenti, 1623.* – P.   [G 100
B Bc – I Fn – PL WRu – US Cn

Mottetti [!] per concertare a due, tre, quattro, cinque, sei, & otto voci. – *Venezia, Alessandro Vincenti, 1626.* – St.   [G 101
D-brd Rp (S, A, B, 5, 6, bc; fehlt T) – US BE (S, T, B, 5, 6, bc [unvollständig]; fehlt A)

Psalmi vespertini cum litaniis Beatissimae Virginis quinis vocibus modulandi . . . opus tertium. – *Venezia, Alessandro Vincenti, 1634.* – St.   [G 102
GB Lbm (S, T, B, 5, bc; fehlt A)

Il secondo libro de motetti a sei et otto voci per concertarsi nell' organo, & altri strumenti. – *Venezia, Alessandro Vincenti, 1643.* – St.   [G 103
SD
PL WRu (kpl.: S, A, T, B, 5, 6, bc)

GAGLIANO Marco da

GEISTLICHE VOKALMUSIK

1607. Officium defunctorum quatuor vocibus. – *Venezia, Angelo Gardano & fratelli, 1607.* – St.   [G 104
I Fr (T, B)

1614. Missae, et sacrarum cantionum, sex decantandarum vocibus. – *Firenze, Zanobi Pignoni, 1614.* – St.   [G 105
D-brd Rp (kpl.: S, A, T, B, 5, 6, bc) – D-ddr LEm – I Sd – US BE (fehlt S)

1622. Sacrarum cantionum unis ad sex decantandarum vocibus . . . liber secundus. – *Venezia, sub signo Gardani, appresso Bartolomeo Magni, 1622.* – St.   [G 106
GB Lbm (bc)

1630. Responsoria maioris hebdomadae, quatuor paribus vocibus decantanda. – *Venezia, Bartolomeo Magni, 1630.* – St.   [G 107
I Vnm (kpl.: A, T I, T II, B) – US Wc

WELTLICHE VOKALMUSIK

1602. Il primo libro de madrigali a cinque voci. – *Venezia, Angelo Gardano, 1602.* – St.   [G 108
SD 1602[6]
B Br (A) – D-brd W (T) – GB Lbm (S, T) – I Bc (kpl.: S, A, T, B, 5), Fm (5)

— *ib.*, *Angelo Gardano & fratelli, 1606.*
SD 1606[10]   [G 109
I Bc (kpl.: S, A, T, B, 5)

1604. Il secondo libro de madrigali, a cinque voci. – *Venezia, Angelo Gardano, 1604.* – St.   [G 110
SD 1604[17]
I Bc (kpl.: S, A, T, B, 5)

1605. Il terzo libro de madrigali a cinque voci. – *Venezia, Angelo Gardano, 1605.* – St.   [G 111
SD 1605[13]
I Bc (kpl.: S, A, T, B, 5)

1606a. Il quarto libro de madrigali, a cinque voci. – *Venezia, Angelo Gardano, 1606.* – St.   [G 112
SD 1606[11]
D-brd Kl (kpl.: S, A, T, B, 5) – F Pn – I Bc (fehlt A) – US CA (T)

1606b → 1602

1608a. La Dafne . . . rappresentata in Mantova. – *Firenze, Cristofano Marescotti, 1608.* – P.   [G 113
F Pc – GB Lbm – I Bc, Fn, Rsc – US Wc

[1608b]. Il quinto libro de madrigali, a cinque voci. – *Venezia, Angelo Gardano & fratelli, 1658 [= 1608].* – St.   [G 114
D-brd Mbs (kpl.: S, A, T, B, 5), MÜs – GB Lbm – I Bc – US CA (T)

1615. Musiche a una, dua [!] e tre voci. – *Venezia, Ricciardo Amadino, 1615.* – P.
SD 1615[16]   [G 115
B Br – GB Lbm – I Fc, Fn

1617. Il sesto libro de madrigali a cinque voci. – *Venezia, stampa del Gardano, appresso Bartolomeo Magni, 1617.* – St.
SD 1617[14]   [G 116
I Bc (kpl.: S, A, T, B, 5)

— *ib.*, *1620.*   [G 117
SD 1620[17]
F Pn (T) – I MOe (A, T, B), Vnm (kpl.: S, A, T,
B, 5) – US CA (T)

1620 → 1617

*1628. La Flora . . . rappresentata nel
teatro del . . . Gran Duca, nelle reali nozze
del . . . Odoardo Farnese . . . e della . . .
Principessa Margherita di Toscana. –
Firenze, Zanobi Pignoni, 1628. –* P.
                                        [G 118
I Bc, MOe, Nc – US Wc (Fotokopie)

GAGNI Angelo

Sei sonate per cembalo . . . opera prima. –
Firenze, Ranieri del Vivo.   [G 119
I Bc, Rsc – E Ma

Tre duetti [Es, D, F] per violino e viola. –
s. l., s. n. (Giuseppe Filippini). – St.
                                        [G 120
I Gl – P Ln (vl)

GALEAZZI Francesco

Sei duetti per due violini o violino e violoncello . . . opera I. – *Ascoli, s. n. (inciso
dall' autore), 1781.* – St.   [G 121
I Fc

GALENO Giovanni Battista

Il primo libro de madrigali a cinque voci.
– *Antwerpen, Pierre Phalèse & Jean Bel-
lère, 1594.* – St.   [G 122
A Wn (fehlt T) – D-brd Hs (kpl.: S, A, T, B, 5)
– GB Ob

Il primo libro de madrigali a sette voci. –
Venezia, Ricciardo Amadino, 1598. – St.
                                        [G 123
B Br (kpl.: S, A, T, B, 5, 6, 7) – D-ddr LEm
(fehlen 6 und 7)

GAL(L)EOTTI Salvatore

Six sonatas for two violins, with a thorough bass for the organ or harpsichord,
five by Sig[r] Salvatore Galleotti and one

by Sig[r] Cristiano Giuseppe Lidardi. –
London, P. Welcker. – St.   [G 124
SD S. 364
B Bc – GB Ckc, Lbm (2 Ex.), Lcm – US Wc

— *ib., Longman & Broderip.*   [G 125
US CHua

— Six sonates à deux violons & basse continue . . . opera II. – *Amsterdam, grand
magazin de musique; Berlin, Johann Julius Hummel.*   [G 126
I Nc (bc)

GALEOTTI Stefano

Six sonates [C, fis, F, b, A, D] en trio pour
deux violons et basse . . . opera II[a]. –
*Paris, de La Chevardière, Le Clerc; Lyon,
les frères Le Goux.* – St.   [G 127
F Pc

— Six sonatas or trios for the violins or
a german flute and violin with a bass for
the violoncello or harpsichord . . . op. 2[d].
– *London, J. Walsh.*   [G 128
GB Lbm – US CHua

Sei trio [F, B, Es, G, A, g] per due violini
e basso . . . opera III[a]. – *Paris, aux adresses ordinaires de musique (gravés par Mme
Leclair).* – St.   [G 129
B Bc – F Pc – GB Ckc (fehlt b) – I Gl

— *ib., de La Chevardière.*   [G 130
D-brd MÜu

— Six sonates à deux violons, & basse
continue . . . opera troisième. – *Amsterdam, Johann Julius Hummel, No. 75.*
                                        [G 131
S Skma – US Wc

— Six sonatas for two violins with a thor-
ough bass for the harpsichord . . . opera
IV. – *London, Welcker.*   [G 132
B Bc – GB Ckc (2 Ex.), Lcm – US CHua, Wc

— *ib., A. Hummell.*   [G 133
GB Lbm

Six sonates [A, B, C, Es, F, G] à deux
violons & basse continue . . . opera II. –

Amsterdam, Johann Julius Hummel. – St.
[G 134
GB Ckc (unvollständig), Lbm – **I** Nc – **S** Skma

— Two sonatas [F, G] for two violins and a bass. – *London, Thorowgood & Horne.*
[G 135
GB Ckc, Lbm – **US** Wc (2 Ex.)

Twenty Italian minuets for two violins and a bass. – *London, Henry Thorowgood.* – P.   [G 136
GB Lbm

Six sonatas [C, fis, F, b, A, D] for two violoncellos with a through bass for the harpsichord. – *London, J. Walsh.*   [G 137
GB Lbm – **US** Wc (2 Ex.)

Sei sonate [d, A, D, D, A, F] per violoncello solo e basso . . . opera prima. – *Paris, Le Clerc, aux adresses ordinaires.* – P.
[G 138
F Pc – **GB** Lbm – **US** R

— Six sonata's for a violoncello and bass. – *London, Welcker.*   [G 139
US NYp

— [No. 2, 3, 5, 6 und 2 neue Sonaten]. Six solos [A, D, A, F, c, D] for a violoncello with a thorough bass for the harpsichord . . . opera 3^{za}. – *London, William Randall & J. Abell.* – P.   [G 140
GB Lbm – **US** Wc (fehlt Titelblatt)

— Two solos [d, D] for a violoncello & bass . . . op. 1. – *London, William Forster.*
[G 141
GB Ckc, Lbm – **I** BGi – **US** Wc (2 Ex.)

Six sonates [B, A, F, G, D, F] pour le violoncelle . . . œuvre IV. – *Paris, de La Chevardière.*   [G 142
A Wgm

GALILEI Michelangelo

Il primo libro d'intavolatura di liuto . . . nel' quale si contengono varie sonate: come, toccate, gagliarde, correnti, volte passemezzi & saltarelli. – *München, s. n., 1620.*   [G 143
GB Lbm

GALILEI Vincenzo

Intavolature de lauto [!] . . . madrigali, e ricercate, libro primo. – *Roma, Valerio Dorico, 1563.*   [G 144
SD 1563^{23}
A Wn

Fronimo. Dialogo . . . nel quale si contengono le vere e necessarie regole del intavolare la musica nel liuto. – *Venezia, Girolamo Scotto, 1568 ([Kolophon:] 1569).*
[G 145
GB Lbm (Tl. 1) – **I** Bc (nur Tl. 2), BGi, Fn, Fr, PAc, RIM, Rsc – **US** AA, NYp

— Fronimo. Dialogo . . . sopra l'arte del bene intavolare et rettamente sonare la musica negli strumenti artificiali si di corde come fiato, & in particulare nel liuto . . . arrichito, et ornato di novità di concetti, et d'essempi. – *ib., erede di Girolamo Scotto, 1584.*
SD 1584^{15} [G 146
B Br – **D-brd** B, Rp (2 Ex.) – **D-ddr** LEm – **F** Pa, Pc (2 Ex.), Pn (2 Ex.) – **GB** Cfm (unvollständig), Ge, Lbm (2 Ex.) – **I** Bc, Fr, Mb, MOe, NOVc, OS, PIu, Rc, Rsc, Rvat, Rvat-ferrajoli, Vgc – **US** AA, Bp, Cn, CA, NH, R, Wc

Il primo libro de madrigali a quatro et cinque voci. – *Venezia, li figliuoli di Antonio Gardano, 1574.* – St.   [G 147
I Bc (T)

Contrapunti a due voci. – *Firenze, Giorgio Marescotti, 1584.* – St.   [G 148
I Fn (kpl.: S, T)

Il secondo libro de madrigali a quatro, et a cinque voci. – *Venezia, Angelo Gardano, 1587.* – St.   [G 149
I Fd (fehlt 5) – **PL** GD (kpl.: S, A, T, B, 5)

GALLASSI Antonio

Le cri de la doulleur [!]. Complainte adressée aux Français égarés [Air]. – *s. l., s. n., 1792.*   [G 150
GB BA, Lbm, Ob

Three sonatas [F, B, C], composed expressly for those grand pianofortes which extend to double C in alt, with an accompanyment for a violin, ad libitum . . .

op. 7. – *London, William Forster.* – St.
[G 151
GB Lbm (pf, fehlt vl)

GALLERANO Leandro

1615. Il primo libro delle messe, motetti, et letanie della B. V. a cinque voci . . . con il basso continuo. – *Venezia, Ricciardo Amadino, 1615.* – St.   [G 152
I BRd (kpl.: S, A, T, B, 5, bc)

1620. Il secondo libro delle messe a quatro, e cinque voci . . . con il basso per l'organo, opera terza. – *Venezia, Alessandro Vincenti, 1620.* – St.   [G 153
I Bc (kpl.: S, A, T, B, 5, bc)

1622. Salmi intieri a cinque voci . . . con il suo basso per l'organo. – *Venezia, Alessandro Vincenti, 1622.* – St.   [G 154
I Md (kpl.: S, A, T, B, 5, bc)

1624a. Salmi intieri concertati a quatro voci con il basso continuo . . . opera quinta. – *Venezia, stampa del Gardano, appresso Bartolomeo Magni, 1624.* – St.   [G 155
I Bc (kpl.: S, A, T, B, bc)

1624b. Ecclesiastica armonia de concerti a 1. 2. 3. 4. 5 . . . libro primo, opera sesta, col basso continuo. – *Venezia, stampa del Gardano, appresso Bartolomeo Magni, 1624.* – St.   [G 156
GB Och (kpl.: S, A, T, B, bc)

1625. Messa, e salmi a octo voci, con un Dixit, e Magnificat concertati, col basso continuo . . . opera decima. – *Venezia, stampa del Gardano, appresso Bartolomeo Magni.* – St.   [G 157
I Bc (kpl.; I: S, A, T, B; II: S, A, T, B; bc)

1628a. Missae quae ut harmonicis reddantur numeris senas voces haud simili discretas sono musica concordes arte composuit . . . opus decimumtertium. – *Venezia, Alessandro Vincenti, 1628.* – St.
[G 158
GB Lbm (6) – PL WRu (S, A, T, 6, bc; fehlen B und 5)

1628b. Missarum et psalmorum verba musicis exprimenda notis, quinis vocibus decantanda . . . opus decimumquartum. –

Venezia, Alessandro Vincenti, 1628. – St.
[G 159
I Bc (kpl.: S, A, T, B, 5, bc)

1629. Messa e salmi concertati a tre, cinque, et otto voci, aggiontovi il terzo choro ad libitum . . . opera decima sesta. – *Venezia, Alessandro Vincenti, 1629.* – St.
[G 160
I Bc (I: S, 5; II: S, A, B; bc), Vnm (kpl.; I: S, A, T, B, 5; II: S, A, B; III: S, A, T, B; bc)

— *ib., 1641.*   [G 161
I Bc (kpl.: 13 St.), PCd

GALLET

Bacchus & Ariadne. A grand ballet as performed at the Kings Theatre, Haymarket, 1797–8 . . . the music arranged for the piano forte by Cesare Bossi. – *London, Corri, Dussek & Co.* – KLA.   [G 162
D-brd Sl (unvollständig) – GB Ob – US Cn

Pizarre. The favorite grand ballet . . . adapt'd for the piano forte by J. Mazzinghi. – *London, G. Goulding.* – KLA.
[G 163
GB Lbm, Lcm – US NYp, R

GALLETIUS Franciscus

Sacrae cantiones quinque, sex, et plurium vocum, tum instrumentorum cuivis generi, tum vivae voci aptissimae. – *Douai, Jean Bogard, 1586.* – St.   [G 164
D-brd KNu (kpl.: S, A, T, B, 5, 6), Mbs – S Uu

Hymni communes sanctorum, iuxta usum romanum, quatuor, quinque, et sex vocum, tam instrumentorum cuivis generi, quam vivae voci aptissimi . . . his accessere quidam moduli, qui vulgo falsibourdones nuncupantur. – *Douai, Jean Bogard, 1586.* – St.   [G 165
D-brd Mbs (kpl.: S, A, T, B, 5, 6)

GALLEY Johann Michael

Aurora. Musicalium fabricationum. Sive initium futurae diei musicalis. Continens in se cantiones sacras a 2. 3. 4. 5. 6. voc.

cum & sine instrumentis. – *Konstanz, Autor (Franz Straub), 1688.* – St.   [G 166
CH E (S II, vl II, vla I, vla II), Zz (kpl.: S I, S II, vox III, vox IV, vla I, vla II, org) – F Pn

GALLEY John

Twelve strathspeys and two hornpipes for the violin or piano forte, with figures for each dance. – *Newcastle upon Tyne, W. Wright.*   [G 167
GB Lbm

GALLI Sisto

Motecta octo vocum et duo cum quatuor vocibus, que duplici modo decantari possunt . . . liber primus. – *Venezia, Ricciardo Amadino, 1600.* – St.   [G 168
D-brd Rp (A I, B I, T II, B II) – I Bc (kpl.; I: S, A, T, B; II: S, A, T, B)

GALLIARD John Ernest

MUSIK ZU BÜHNENWERKEN

Apollo & Daphne

Songs in the new entertainment call'd Apollo & Daphne . . . perform'd . . . at the Theatre Royall in Lincoln's Inn Fields. – *London, John Walsh & Joseph Hare.* [G 169
GB BA, Ckc, Lbm

— *ib., Mickepher Rawlins.*   [G 170
GB Ob

Daphne shine, the queen of love [Song]. – *s. l., s. n.*   [G 171
GB Gm, Lbm – US Wc, Ws

Farewel mountains, lawns & fountains [Song]. – *s. l., s. n.*   [G 172
GB Gm, Lbm (unvollständig) – US Wc

Hark hark the huntsman sounds his horn. The hunting song. – *s. l., s. n.*   [G 173
GB [3 verschiedene Ausgaben:] Gm, Lam, Lbm, Mch, Ob, T – US Wc

The sun from the east tips the mountains with gold. A hunting song. – *s. l., s. n.*   [G 174
GB [2 verschiedene Ausgaben:] A, Cfm, Cpl, Lbm – US Wc

— *Glasgow, James Aird.*   [G 175
GB P

The sweet rosy morn. The hunting song. – *s. l., s. n.*   [G 176
GB [4 verschiedene Ausgaben:] Ckc (2 verschiedene Ausgaben), CDp, Ge, Lbm (2 verschiedene Ausgaben), Ob – US Ws

Tho' envious old age seem in part to impair me [Song]. – *s. l., s. n.*   [G 177
GB Ckc, CDp, Ge, Gm, Lbm, Mch – US Wc

Vain were graces [Song]. – *s. l., s. n.* [G 178
GB Gm, Lbm

Calypso & Telemachus

Songs in the opera of Calypso & Telemachus as they are perform'd at the Queens Theatre. – *London, John Walsh & Joseph Hare.* – P.   [G 179
B Br – F Pc – GB Ckc, CDp, DRc, Lam, Lbm, Lcm, LVp, Ob – US Bp, Cn (unvollständig), CA (ohne Impressum), LAuc (Impressum s. n.), NYp, R (fehlt Titelblatt), Su, Wc, Ws

The symphonys or instrumental parts. – *London, John Walsh & Joseph Hare, P. Randall.* – St.   [G 180
US Wc (first treble, second treble, tenor)

Ambition cease t'alarme me. Telemachus. – *[London], Cluer.*   [G 181
GB Lbm, Mp

— *s. l., s. n.*   [G 182
GB Gm, Lbm – US Ws

From me, from thee he turns his eyes. A favourite song. – *s. l., s. n.*   [G 183
GB Lbm

— *s. l., s. n.*   [G 184
GB Lbm

No, no, you'd deceive me. [Eucharis]. A favourite song. – *s. l., s. n.*   [G 185
GB Lbm (2 verschiedene Ausgaben, davon 1 Ausgabe Teil einer Sammlung), Mch

O Cupid, gentle boy. Telemachus. – *London, John Walsh & Joseph Hare.*   [G 186
GB DRc

Pleasing visions shall attend thee. Calypso. – *London, John Walsh & Joseph Hare.*   [G 187
GB DRc

— *s. l., s. n.*   [G 188
US Ws

Pursue ye flying fair. Proteus. – *London,
John Walsh & Joseph Hare.*   [G 189
GB DRc

Circe

Fairest if thou can'st be kind. A song. –
s. l., s. n.   [G 190
GB Cfm, Lbm – US Wc

Let nature henceforward neglect. A song.
– *s. l., s. n.*   [G 191
GB Lbm, Lcm – US Wc

Oft on the troubled ocean's face. A song. –
s. l., s. n.   [G 192
GB Gm, Lbm (3 Ex.), T – US Wc

— *s. l., J. Simpson.*   [G 193
GB Lbm

Dr. Faustus, or The Necromancer

Dr. Faustus or The Necromancer. A masque of songs as they were perform'd at
the Theatre in Lincolns Inn Fields. – *London, John Walsh, John & Joseph Hare.*
                                    [G 194
B Br – GB Lbm, Lcm, Ob

The songs in The Necromancer, or Harle-
quin Dᴿ Faustus. – *[London], Daniel
Wright.*   [G 195
GB Lcm – US LAuc

— *ib., Benjamin Cooke.*   [G 196
GB Ckc

Arise ye subtle forms. – *[London, John
Walsh, John & Joseph Hare].*   [G 197
GB Lbm (2 Ex.)

— . . . Incantation song. – *s. l., s. n.*
                                    [G 198
GB [2 verschiedene Ausgaben:] Ckc, Gm – US
Ws

Cease, injurious maid, to blame. [Hero]. –
*[London, John Walsh, John & Joseph
Hare].*   [G 199
GB Lbm

— *s. l., s. n.*   [G 200
GB Ckc, Lbm, Mch – US NYp, Ws

— *s. l., s. n.*   [G 201
GB Ckc (2 Ex.), Lbm – US Ws

Cupid, god of pleasing anguish. [Helen]. –
*[London, John Walsh, John & Joseph
Hare].*   [G 202
GB Gm, Lbm – US Ws

Ghosts of ev'ry occupation. Charon. –
[London], s. n. (T. Cross).   [G 203
GB Ckc, Gm, Lbm, Mch

— *s. l., s. n.*   [G 204
GB [2 verschiedene Ausgaben:] Er, Lbm (2 verschiedene Ausgaben), Ob – US Wc, Ws

— A new song (Peace and plenty swell the
nation) sett to a tune in Dr. Faustus. –
s. l., s. n.   [G 205
GB Lbm

While on ten thousand charms I gaze.
[Leander]. – *[London, John Walsh, John
& Joseph Hare].*   [G 206
GB Lbm, Ob

— *s. l., s. n.*   [G 207
GB [2 verschiedene Ausgaben:] Ckc, CDp, Ge,
Gm

Jupiter and Europa (von Galliard, Cob-
ston und Leveridge)

Jupiter and Europa. A masque of songs as
they were perform'd at the Theatre in
Lincolns Inn Fields. – *[London, John
Walsh, John & Joseph Hare].*   [G 208
GB Lbm (2 Ex.), Lcm – US R

— *[London], J. Young.*   [G 209
US LAuc

Europa fair. The favourite minuet. – *s. l.,
s. n.*   [G 210
GB [2 verschiedene Ausgaben:] Cfm, Ckc, Gm,
Lbm – US Ws

The Lady's triumph

On a bank of flow'rs. A new song. – *s. l.,
s. n.*   [G 211
GB [3 verschiedene Ausgaben:] Gm, Lbm (4
Ex., 3 verschiedene Ausgaben), Lcm, Mch

The rape of Proserpine

The songs in the new entertainment call'd
The rape of Proserpine. – *[London], Mickepher Rawlins.*   [G 212

GB Lam, Lbm (3 Ex.), Lcm, Ob – US R, Wc (2 Ex.), Ws

Flights of Cupids hover round me [Song]. – *s. l., s. n.*   [G 213
GB Gm, Lbm – US Ws (2 Ex.)

Fortune often wooes us [Song]. – *s. l., s. n.*   [G 214
GB Lbm

O blest retreat [Song]. – *s. l., s. n.*   [G 215
GB Mch

O goddess chear those beauteous eyes [Song] . . . sett to a new minuet. – *s. l., s. n.*   [G 216
GB Gm – US Wc

O raree show [Song]. – *s. l., s. n.*   [G 217
GB Lam, Lbm, Mch

— The raree show [Song]. – *[London], Daniel Wright.*   [G 218
GB Lbm – US Wc, Ws

The royal chace, or Merlin's cave

Tunes in The royal chace, or Merlin's cave. – *s. l., s. n.*   [G 219
GB Lbm (unvollständig)

With early horn, salute the morn. A fav'rite song. – *s. l., s. n.*   [G 220
GB [4 verschiedene Ausgaben:] A, Bu, Cpl, CDp, En, Ge, Lbm (4 verschiedene Ausgaben), Mch, Mp – F Pc (2 verschiedene Ausgaben) – US Wc (2 verschiedene Ausgaben)

— The early horn. A fav'rite song in The royal chace. – *s. l., s. n.*   [G 221
D-brd Hs

— *[London], John Simpson.*   [G 222
GB Lbm

— *London, Robert Falkener.*   [G 223
GB Lbm, Lcs

— . . . with the recitative and symphonies. – *s. l., s. n.*   [G 224
GB Lbm

VOKALMUSIK

The hymn of Adam and Eve, out of the fifth book of Milton's Paradise lost [Cantata for two voices]. – *[London], s. n.*

(engraven by Thomas Atkins), 1728. – P.   [G 225
GB Bu, Cfm, Ckc (2 Ex.), Cu, Ge (2 Ex.), Gm, Lam, Lbm, Lcm, Mr, Ob – US BE, LAuc, Pu, PRu, U

— *ib., John Walsh (engraven by Thomas Atkins).*   [G 226
B Bc – GB Cpc, Cu, Lgc, Lbm, Ooc, T – NZ Wt – US AA, Cn, CA, Nf, NYp, Wc

— *s. l., s. n.*   [G 227
GB Lcm

— *London, Welcker.*   [G 228
C Tm

— *ib., Preston.*   [G 229
GB Cu

— *ib., J. Bland.*   [G 230
GB Ob

— The morning hymn, taken from the fifth book of Milton's Paradise lost . . ., the overture, accompanyments & chorusses added by Benjamin Cooke. – *London, Welcker, (1773).* – P.   [G 231
C Tu, Tm – D-brd B – GB Cfm, Ckc (2 Ex.), Cu, Ge, Lam (2 Ex.), Lbm (2 Ex.), Lcm (3 Ex.), Lwa, Mp (2 Ex.), Ob, WO – NZ Wt – US Bp, CA, NH, NYp, R, Wc, Ws

— *ib., Robert Birchall.*   [G 232
US Bp, Cn

Six English cantatas after the Italian manner. – *London, John Walsh & Joseph Hare.* – P.   [G 233
GB Bp (unvollständig), Bu, CDp, Lam, Lbm, Lcm, Ob – US BE (Etikett: John Young), R, Wc

— *ib., John Walsh.*   [G 234
D-brd MÜs (Titel handschriftlich) – GB Ckc (Titel handschriftlich), Lbm, Lcm (2 Ex.) – US AA, CA

Thus to a pensive swain. A cantata. – *s. l., s. n.*   [G 235
GB Ckc – US Wc (unvollständig)

As the mole's silent stream. A song. – *[London], s. n.*   [G 236
GB Lbm (2 verschiedene Ausgaben), Ob – US Wc, Ws

The fond shepherdess [Song]. – *s. l., s. n.*   [G 237

GB Lbm (3 Ex., 2 verschiedene Ausgaben), Ob
– US Wc, Ws

— . . . (in: The London Magazine, 1749). –
[London], s. n., (1749).   [G 238
GB Lbm

Jolly mortals fill your glasses. A song. –
s. l., s. n.   [G 239
GB Ckc (2 verschiedene Ausgaben), Lbm (2 verschiedene Ausgaben), Ob – US Wc

Kind god of sleep. A song. – *s. l., s. n.*
                                            [G 240
GB Lbm – US Wc

— Kind god of sleep. An address to the
god of sleep [Song]. Set for the german
flute. – *s. l., s. n.*   [G 241
GB Ckc, Lbm

The lass that would know how to manage
a man. The advice [Song]. – *s. l., s. n.*
                                            [G 242
GB Ckc, Gm, Lbm, Ob – US Wc

— *[London], J. Simpson.*   [G 243
GB Lbm

[Zuweisung fraglich:] Prithee foolish boy
give o'er. The advice [Song]. – *[London]*,
J. Simpson.   [G 244
GB Lbm

— *s. l., s. n.*   [G 245
GB Ckc (2 verschiedene Ausgaben), Lbm (3
Ex., 2 verschiedene Ausgaben), Ob – US Wc

INSTRUMENTALWERKE

Six sonatas [a, G, F, e, d, C] for the bas-
soon or violoncello with a thorough bass
for the harpsichord. – *London, John Walsh,
No. 382.* – P.   [G 246
B Bc – **D-brd** B – **D-ddr** Dlb – **F** Pc, Pn – **GB**
Bu, Cfm, Ckc (2 Ex.), Cu, Cpc, Cdp, Lbm (2
Ex.), Lcm – **I** BGi – **US** NH, NYp, R, Wc

— *s. l., s. n.*   [G 247
US Wc

Twelve solos for the violoncello. VI of
Sigr. Caporale; & VI composed by Mr.
Galliard. – *London, John Johnson, 1746.*
SD S. 361   [G 248
B Bc – GB Ckc, Cu (unvollständig), Lbm (2
Ex.), Lcm (unvollständig) – US Bp, NH

Sonata [C, d, e, F, G, a] a flauto solo e
basso continuo . . . opera prima. – *Amsterdam, Estienne Roger.* – P.   [G 249
GB Ckc, Lbm, Mp – US Wc

— *ib., No. 114.*   [G 250
GB Lbm, Lcm

— VI Sonatas for a flute & a through
bass. – *[London], s. n. (engraved by Thomas Cross).*   [G 251
F Pn – GB Lbm, Lsc, Ob – US Wc

— XII Sonates à une flûte & une basse
continue, dont les 6 premières sont de
la composition de Monsieur Galliard, qui
sont son opera prima & les 6 dernières
de celle de Monsieur Sieber demeurant
à Rome. – *Amsterdam, Jeanne Roger, No.
430.* – P.   [G 252
SD S. 367
D-brd MÜu – **DK** Kk – **GB** Lbm

GALLINI Giovanni Andrea

A new collection of forty-four cotillons,
with figures properly adapted; also, the
music for six select dances, two of which
may be used as cotillons. – *London,
R. Dodsley, T. Becket, P. A. de Hondt,
J. Dixwell, Bremner, for the author.*
                                            [G 253
E Mn

GALLINO Gregorio

Compieta a 4 voci concertata . . . opera
prima. – *Venezia, stampa del Gardano,
1650.* – St.   [G 254
A Wn (A; fehlen S, T und B)

Messa, salmi e litanie a due voci concer-
tati . . . opera quarta. – *Venezia, appresso
Francesco Magni detto Gardano, 1679.* – St.
                                            [G 255
I Rvat-casimiri (S I, bc [unvollständig])

GALLO Alberto

[12] Sinfonie a due violini, alto viola e
basso . . . raccolte da Pietro Giannotti,
opera prima. – *Paris, Boivin, Le Clerc.* –
St.   [G 256

145

CH Zz (kpl.: vl I, vl II, vla, cemb/vlc) – F Pc
(2 Ex.; vl I [3 Ex.]), Pn (kpl.; vl I [3 Ex.], vla
[2 Ex.])

[12] Sinfonie a due violini, alto viola e
basso ... raccolte da Pietro Giannotti,
opera seconda ... ces simphonies aussi
bien que celles du premier œuvre de cet
auteur se peuvent jouer en trio en suppri-
ment [!] l'alto viola. – *Paris, Le Clerc, Vve
Boivin (gravé par De Gland)*. – St.
[G 257
F Pc (kpl.: vl I [3 Ex.], vl II, vla, b [je 2 Ex.])

— *ib., Le Clerc*.   [G 258
F Pn (2 Ex.)

— *ib., Le Clerc (rue St. Honoré), Vve Boivin, Le Clerc (rue du Roule)*.   [G 259
F Pn (kpl.; vl I [2 Ex.])

— Twelve sinfonie or sonatas in 4 parts,
for two violins, a tenor, with a bass for the
violoncello & harpsicord, compos'd in an
easy and pleasing stile ... opera 2da. –
London, John Walsh. – St.   [G 260
B Bc – C Tu – GB Lam, Lbm, Ob

[Zuweisung fraglich:] Sei sonate [B, A, G,
F, Es, D] en trio per due violini e basso. –
*Paris, Bayard, Mlle Castagnery, Le Clerc
(gravé par Mlle Vendôme)*. – St.   [G 261
F Pn – US CHua

[Zuweisung fraglich:] Six sonatas [D, G,
C, a, G, d] for two german flutes, or violins, with a bass for the harpsicord or
violoncello. – *London, John Walsh*. – St.
[G 262
GB Ckc (unvollständig) – S Skma (kpl.: vl I,
vl II, vlc)

GALLO Domenico

Sei sonate [a, G, C, D, d, C] per due flauti
traversi e basso. – *London, James Oswald*.
– St.   [G 263
GB Lbm (kpl.: fl I, fl II, vlc [2 Ex.]) – US Wc

Sei sonate [B, F, C, G, F, D] a due violini,
e violoncello, o cembalo. – *Venezia, Innocente Alessandri & Pietro Scattaglia*. – P.
[G 264
I Mc (2 Ex.)

GALLO Giovanni Pietro

Il primo libro de madrigali a cinque voci.
– *Venezia, Giacomo Vincenti, 1597*. – St.
SD 1597[20]   [G 265
D-brd Kl (kpl.: S, A, T, B, 5) – D-ddr LEm

Motectorum quinque & octo vocum, liber
primus. – *Roma, Nicolo Mutij, 1600*. – St.
[G 266
GB Lbm (B)

GALLO Vincenzo

Salmi del Re David che ordinariamente
canta Santa Chiesa ne i vesperi ... libro
primo a otto voci, con il suo partimento
per commodita degl'organisti. – *Palermo,
Giovanni Battista Maringo, 1607*. – St.
[G 267
I Bc (kpl.; I: S, A, T, B; II: S, A, T, B; partimento)

GALLUS Jacobus → HANDL (GALLUS) Jacobus

GALLUS Jean → MEDERITSCH (GALLUS) Johann

GALLUS Joannes (Metre Jehan)

Il primo libro de i madrigali, di Maistre
Jhan ... & de altri eccellentissimi auttori.
– *Venezia, Alessandro Gardano, 1541*. – St.
SD 1541[15]   [G 268
A Wgm (kpl.: S, A, T, B), Wn – GB Lbm (T) –
I Bc (S), VEaf

Symphonia quatuor modulata vocibus. –
Venezia, Girolamo Scotto, 1543. – St. [G 269
SD 1543[4]
D-brd Mbs (kpl.: S, A, T, B) – I Rvat-sistina,
REas (B), VEaf

GALLUS Josephus

Sacri operis musici alternis modulis concinendi lib. I ... missam unam voc. novenis; 8 motecta octonis; tres item cantiones musicis instrumentis. – *Milano,
eredi di Francesco & Simon Tini, 1598*. –
St.   [G 270

D-drb Mbs (A I, partitio) – **GB** T (partitio [unvollständig])

GALOT P. A.

Six capriccios [D, G, F, C, D, C] for the piano forte with an accompaniment for the flute or violin ad libitum. – *London, E. Riley, for the author.* – P.   [G 271
GB Lbm

GALUPPI Baldassare

MUSIK ZU BÜHNENWERKEN

Antigono

The favourite songs in the opera call'd Antigono [book 1 (2)]. – *London, John Walsh.* – P.   [G 272
A Wn – **D-brd** Hs – **GB** Lam, Lbm, Lcm – **NL** Uim (book 2) – **S** Ssr (book 2) – **US** LAuc (book 1), Cu (book 1), Wc (book 2)

La diavolessa

Sinfonia [D] nell'opera, La diavolessa, a 2 corni, 2 oboi, 2 violini, viola e basso. – *Leipzig, Johann Gottlob Immanuel Breitkopf, 1757.* – St.   [G 273
D-ddr SWl (kpl.: 8 St.) – **S** Skma

Didone abbandonata

The favorite songs in the opera call'd Didone abbandonata. – *London, John Walsh.* – P.   [G 274
US LAu

Enrico

The favourite songs in the opera call'd Enrico [book 1 (2)]. – *London, John Walsh.* – P.   [G 275
B Bc – **D-brd** Hs (2 Ex.), Mbs, Mh – **F** Pc – **GB** Ckc, Cpl (unvollständig), En (book 1 [unvollständig]), Lam (book 1), Lbm, Lcm (book 1), Lgc (book 1) – **US** AA, LAuc, NH (book 1), NYp, Wc

L'eroe cinese

Scelta di arie del dramma L'eroe cinese ... rappresentato nel Real Teatro di San Carlo la primavera dell'anno 1753. – *[Napoli], Aniello Giura, Medemo Carlini, (1753).* – P.   [G 276
D-brd Mbs – **I** Nc (unvollständig; Identität der Ausgaben fraglich)

Il filosofo di campagna

The favourite songs in the opera call'd Il filosofo di campagna [book 1 (2)], mit Stücken aus: Il mondo nella luna, davon 1 Stück von G. Cocchi]. – *London, John Walsh.* – P.   [G 277
SD
A Wn – **C** Tu (book 1) – **D-brd** DS, Mbs – **EIRE** Dam – **GB** Ckc, Cpl, Gm, Lbm (2 Ex.), Lcm, Lgc (unvollständig), Ob – **S** Ssr – **US** AA, Cn, Wc (book 1), Ws

Che dolce liquore. A favorite terzetto. – *London, Babb.*   [G 278
B Bc

Il mondo alla roversa, ossia Le donne che comandano

Il mondo alla roversa, o sia Le donne che comandano. Dramma giocoso per musica ... accommodato per il clavicembalo dal originale venetiano. – *Leipzig, Johann Gottlob Immanuel Breitkopf, 1758.* – KLA.   [G 279
A M, Wgm, Wn – **B** Bc – **C** Tu – **D-brd** Hs, Mbs – **D-ddr** GOl – **F** Pc – **GB** Lbm, Lcm – **I** Bc – **US** Wc

Sinfonia [G] nell' opera Il mondo alla roversa. – *s. l., s. n.* – St.   [G 280
D-ddr RUl (kpl.: 8 St.; mit zusätzlichen handschriftlichen St.)

II^da Sinfonia nell' opera Il mondo alla roversa ... a 2. corni, 2. oboi, 2. violini, viole e basso. – *Leipzig, Johann Gottlob Immanuel Breitkopf, 1758.* – St.   [G 281
S Skma (kpl.: 8 St.)

Il mondo nella luna

The favourite songs in the opera call'd Il mondo nella luna. – *London, John Walsh.* – P.   [G 282
B Bc – **CH** Gc (ohne Impressum) – **D-brd** B, Hs, Mbs – **GB** Ckc, Cpl, Gm, Lbm (2 Ex.), Lcm, Lgc – **I** Tci – **US** NYp, Wc

Montezuma

Idol mio che fiero istante. Rondo ... per l'assenzione dell'anno 1772. – *Venezia, Luigi Marescalchi.* – P.   [G 283
D-ddr SWl – **GB** Lbm

L'Olimpiade

The favourite songs in the opera call'd L'Olimpiade. – *London, John Walsh.* – P. [G 284
NL Uim – **US** I

Penelope

The favourite songs in the opera call'd Penelope. – *London, John Walsh.* – P. [G 285
B Bc – **D-brd** Hs – **F** Pn – **GB** Ckc, Lbm (2 verschiedene Ausgaben), Lcm, Lgc (2 Ex.) – **US** AA, Cu, LAuc, Ws, Wc

Ricimero

The favourite songs in the opera call'd Ricimero [mit 1 Arie von L. Leo]. – *London, John Walsh.* – P. [G 286
EIRE Dam – **GB** Ge, Lbm (2 Ex.), Lcm, Lgc – **US** AA, R, Wc

Scipione in Cartagine

The favourite songs in the opera call'd Scipione in Cartagine [book 1 (2)]. – *London, John Walsh.* – P. [G 287
B Bc – **D-brd** Hs, Mbs, Mh – **F** Pn – **GB** Ckc, Lam (unvollständig), Lbm – **NL** Uim (book 1) – **US** AA, LAuc (book 2), Su (book 1), Wc (book 2), Ws (book 1)

Sirbace

The favourite songs in the opera call'd Sirbace. – *London, John Walsh.* – P. [G 288
B Bc – **D-brd** Hs (2 Ex., davon 1 Ex. ohne Titelblatt und unvollständig) – **GB** Lbm – **US** AA, LAuc, Wc

Il trionfo della continenza (Pasticcio)

The favourite songs in the opera call'd Il trionfo della continenza [book 1 (2)]. – *London, John Walsh.* – P. [G 289
A Wn (book 1) – **B** Bc – **D-brd** Hs (2 Ex., davon 1 Ex. ohne Titelblatt und unvollständig) – **F** Pc – **GB** Lam (book 1), Lbm, Lu (book 1) – **US** AA, LAuc, NYp (book 1), Wc

(Bałamut kobiet)

Bałamut kobiet. Opera we trzech aktach z włoskiego tłomaczona. – *Warszawa, P. Dufour, 1783.* [G 290
PL Wn

(Weitere Pasticcio-Opern mit Stücken von Galuppi sind an dieser Stelle nicht berücksichtigt)

Vokalmusik

Mentre dormi, Amor! formenti ... Le sommeil agréable. Aria italiana [E]. – *s. l., s. n.* – St. [G 291
D-ddr LEbh (8 St.: S/bc, vl I, vl II, vla, cor I [2 Ex.], cor II [2 Ex.])

Ti parla il core. The favourite Italian song. – *[Dublin], Samuel Lee.* [G 292
EIRE Dn

[Zuweisung fraglich:] The seasons [Song]. – *[London], P. Hodgson.* [G 293
GB Lbm

Instrumentalwerke

IIIᵃ Sinfonia [D] a 2. corni, 2. oboi, 2. violini, viole, e basso. – *Leipzig, Johann Gottlob Immanuel Breitkopf, 1758.* – St. [G 294
D-ddr RUl (kpl.: 8 St.; zusätzlich handschriftliche St.) – **S** Skma

IVᵗᵃ Sinfonia [D] a 2. corni, 2. violini, viola et basso. – *Leipzig, Johann Gottlob Immanuel Breitkopf, 1758.* – St. [G 295
S Skma (kpl.: 6 St.)

Simphonie périodique a più stromenti, No. 47. – *Paris, de La Chevardière.* – St. [G 296
GB Ckc (unvollständig)

Simphonie périodique a più stromenti, No. 51. – *Paris, de La Chevardière.* – St. [G 297
GB Ckc (unvollständig)

Sonate [C, d, a, D, F, As] per cembalo ... [op. 1]. – *London, John Walsh.* [G 298
[3 verschiedene Ausgaben:] **C** Tu – **F** Pc – **GB** Ckc, Lbm (2 verschiedene Ausgaben), Lcm (2 verschiedene Ausgaben), Mp, Ob – **NL** DHgm (2 verschiedene Ausgaben) – **US** Cn, NH, Wc, WGw

Sonate [D, d, e, c, G, C] per cembalo ... opera (2ᵈᵃ). – *London, John Walsh.* [G 299
D-brd Mbs – **GB** Ckc, Lbm (2 Ex.) – **US** Cn, Wc

Lesson [D] for the harpsichord. – *[London]*, John Johnson.   [G 300
GB Lbm

— *ib., Charles & Samuel Thompson.*
                                                          [G 301
D-brd B – GB Ckc – US Wc

— *ib., J. Longman & Co.*   [G 302
GB Lbm

— *[London], Welcker.*   [G 303
GB Lbm – S Skma (fehlt Titelblatt) – US WGw

— *ib., A. Hummel.*   [G 304
GB Lbm

Lesson [G] for the harpsichord. – *London, Charles & Samuel Thompson.*   [G 305
GB Ckc, Lbm, T – US Wc

Lesson [D] for the harpsichord. – *[London]*, Charles & Samuel Thompson.
                                                          [G 306
US Wc

A favourite overture for the harpsicord. – *[London], Charles & Samuel Thompson.*
                                                          [G 307
GB Ckc, Ouf

A favourite overture for the harpsichord. – *[London], Robert Falkener.*   [G 308
US U

GAMBALO Francesco

Novi fructus sacrarum laudum, quibus insunt duae missae, sacrae cantiones, nonnulli psalmi integri, duo cantica B.V.M. una cum (quod vulgo dicitur) falsi bordoni cum Gloria patri, quatuor vocibus concinendi. – *Milano, Filippo Lomazzo, 1619.* – St.   [G 309
US R (kpl.: S, A, T, B, org)

GAMBARINI Elizabeth

Six sets of lessons [G, D, F, G, C, d] for the harpsichord. – *London, author, (1748).*
                                                          [G 310
GB Lbm – US Wc

Lessons for the harpsichord, intermix'd with Italian and English songs, opera 2da. – *London, author, (1748).*   [G 311
GB Cpl, Lbm (2 Ex.) – US BE

XII English & Italian songs, for a german flute & thorough bass . . . opera III. – *[London], authoress.*   [G 312
GB Lbm

GAMBERI Pietro

Messe, e salmi a otto, & a cinque, parte concertati, & parte pieni, con un Laudate dominum a tre, letanie della B. Vergine, & Ave regina coelorum a otto . . . opera prima. – *Venezia, Bartolomeo Magni, 1634.* – St.   [G 313
I Bc (A II)

Messa e salmi a otto voci . . . opera seconda. – *Venezia, Bartolomeo Magni, 1640.* – St.   [G 314
D-brd Mbs (B I, S II)

Messe e salmi a cinque concertati, con alcuni salmi a 2. e 3. con violini, & altri a 4. senza istrumenti, con quatro hinni . . . aggiunti per commodita alle messe, e salmi a 5 li ripieni dal R. D. Girolamo Missio . . . opera terza. – *Venezia, Bartolomeo Magni, 1642.* – St.   [G 315
PL WRu (S, A, T, B, 5, bc; ripieni: S, T, B; fehlt A rip.)

GAMBERINI Michelangelo

Motetti concertati a due, tre, e quattro voci . . . libro primo. – *Venezia, stampa del Gardano, appresso Francesco Magni, 1655.* – St.   [G 316
PL WRu (kpl.: S I, S II, 3/4, org)

GAMBLE John

Ayres and dialogues to be sung to the theorbolute or base-violl. – *London, William Godbid, for the author, 1656.* [G 317
GB Ctc, Ge, Lbm (2 Ex.), Ob – US CA, U, Wc, Ws (unvollständig, Ausgabe unbestimmt)

— *ib., William Godbid, for Humphry Mosley, 1657.*   [G 318
B Br – GB Cchc, DU, Lcm, Ob – J Tn – US R

Ayres and dialogues for one, two, and three voyces; to be sung either to the theorbo-lute or basse-viol . . . the second book. – *London, William Godbid, for Nathaniel Ekin, 1659.*   [G 319
B Br – **GB** DU, Ge, Lbm, Lcm – **J** Tn – **US** BE (unvollständig), Ws

GAMBOLD Johann

Sechs kleine Klavier-Sonaten [f, G, F, c, C, B]. – *Leipzig, Autor, Johann Gottlob Immanuel Breitkopf, 1788.*   [G 320
D-ddr LEm, HER

GAMER Paul

Magni dei magnae matris Mariae canticum bifariam aequalibus vocibus binis & quaternis, quas basis continua sustinet, octoreceptis modis musicis seu tonis. – *Bamberg, Augustinus Crinesius, 1627.* – St.   [G 321
D-brd GD (vox tertia)

GANASSI Giacomo

Vespertina psalmodia in totius anni solemnitatibus octonis, novenis ut, si libet, vocibus; cum parte organica . . . liber primus. – *Venezia, Alessandro Vincenti, 1625.* – St.   [G 322
D-brd F (kpl.; I: S, A, T, B, 5; II: S, A, T, B; org) – **I** Bc

Ecclesiastici missarum fructus musicis concentibus iam in organo degustati quinis, novenis, denisque vocibus concinendi priore choro concertantibus vocibus disposito . . . opus IV. – *Venezia, Alessandro Vincenti, 1634.* – St.   [G 323
I Bc (kpl.; I: S, A, T, B, 5; II: S, A, T, B, 5; org), Ls, BE (S, A, T, B, 5; org)

Vespertina psalmodia in totius anni solemnitates, item cantica duo Beatae Mariae Virginis, ac aliae copiosae cantiones, cum parte organica quatuor musicis vocibus explicata. – *Venezia, Alessandro Vincenti, 1637.* – St.   [G 324
I Bc (S, A, T, B) – **PL** WRu (kpl.: S, A, T, B, org)

GANASSI Sylvestro (di)

Opera intitulata Fontegara, la guale insegna a sonare di flauto chon tutta l'arte opportuna a esso istrumento massime il diminuire il guale sara utile ad ogni istrumento di fiato et chorde: et anchora a chi si dileta di canto. – *Venezia, Sylvestro di Ganassi, 1535.*   [G 325
D-brd B, W – **D-ddr** Ju – **I** Bc-fondo villa

GANDINO Salvadore

Messa e salmi a 3. 4. voci . . . opera prima. – *Venezia, stampa del Gardano, appresso Francesco Magni, 1653.* – St.   [G 326
GB Lbm (org)

Corenti et balletti alla francese, et all'italiana a 3 . . . opera quarta. – *Venezia, Francesco Magni, 1655.* – St.   [G 327
I Bc (kpl.: vl I, vl II, bc)

— *ib., 1656.*   [G 328
F Pn – **GB** Ob – **I** Bc

Messa e salmi della B. V. Maria a 4. e 5. voci con due violini parte obligati, & ad libitum . . . opera quinta. – *Venezia, Francesco Magni, 1658.* – St.   [G 329
PL WRu (S I, S II, A, T, B, vl I, vl II; fehlt org) – **I** Bc (kpl.)

Messa e salmi a 3. 4. 5. con ripieni . . . opera settima. – *Venezia, stampa del Gardano, 1681.* – St.   [G 330
US Cn (ripieno)

GANSPECKH Wilhelm

Octiduum sacrum, id est, octo missae breves . . . addita una lugubri pro defunctis, a IV. vocibus necessariis, & II. violinis ad libitum belle concertantibus: cum organo identidem repetendo, operis primi pars I. – *[München], Johann Kaspar Joseph Ganspeckh, (1722).* – St.   [G 331
D-brd Mbs (kpl.: S, A, T, B, vl I, vl II, org), WEY (B [2 Ex.])

XII. Offertoria brevia et ariosa: de omnibus sanctis in communi, et de tempore, a IV. Vocibus, & II. Violinis necessariis, cum organo itidem repetendo, operis pri-

mi pars II. – *[München]*, *Johann Kaspar Joseph Ganspeckh, 1724.* – St.   [G 332
D-brd Mbs (kpl.: S, A, T, B, vl I, vl II, org), WEY (B [2 Ex.])

GANTEZ Annibal

Missa sex vocum (Vigilate). – *(Paris, s. n., 1641).* – Chb.   [G 333
F Psg (fehlt Titelblatt)

Missa quatuor vocum (Laetamini). – *Paris, Robert Ballard, 1641.* – Chb.   [G 334
F Pm

[Patapatapan. Hymne (à 3v) en l'honneur de la naissance du Dauphin]. – *(Paris, s. n., 1661).* – St.   [G 335
F Psg (dessus)

GANTHONY Joseph

An anthem for Christmas Day . . . also two . . . psalm tunes and a canon for six voices. – *London, author, (engraved by Maund).* – P.   [G 336
GB Lcm

An anthem for Easter-Day for one, two, three, & four voices, opera 3. – *London, Samuel, Anne & Peter Thompson.* – P.   [G 337
GB Ckc

A celebrated hunting cantata, the Banks of the Tweed, a favorite cantata, the Bacchanalian, & Chloe's advice, with instrumental parts to each. – *London, Longman, Lukey & Co.* – P.   [G 338
GB Lbm

The absent lover [Song]. – *s. l., s. n.*   [G 339
GB Lbm

— . . . (in: The London Magazine, 1760). – *[London], s. n., (1760).*   [G 340
GB Lbm

The Bachanalian [Song]. – *s. l., s. n.*   [G 341
GB Lbm

The banks of the Tweed. A favorite Scotch cantata [for voice and orchestra]. – *London, Longman & Broderip.* – P.   [G 342
US Wc

Damon and Silvia. A dialogue. – *s. l., s. n.*   [G 343
GB Lbm

The modest shepherd . . . (in: Royal Magazine, vol. XIII). – *[London], s. n., (1765).*   [G 344
GB Lbm

The new Tweed [Song]. – *s. l., s. n.*   [G 345
EIRE Dn

On contentment . . . [Song]. – *s. l., s. n.*   [G 346
GB Lbm

GARAT Pierre-Jean

SAMMLUNGEN

Recueil d'airs et duo italiens avec accompagnement de harpe ou piano forte. – *Paris, Sieber.*   [G 347
D-brd F

Recueil des romances françaises avec l'accompagnement de forte-piano . . . 2e partie. – *Wien, Johann Cappi, No. 1457.*   [G 348
I Mc

Romances mises en musique. – *Hamburg, au nouveau magazin de musique.*   [G 349
DK Kk

Six romances avec accompagnement de clavecin ou piano forte, paroles de Mr. Dechampcenet. – *Paris, aux adresses ordinaires.*   [G 350
I Nc

Six romances pour le clavecin ou piano-forte, paroles de Mr Dechampcenet. – *Paris, Jean Henri Naderman, aux adresses ordinaires.*   [G 351
F Pc, Pn

Six romances avec accompagnement de piano-forte, paroles de Mr. Alexandre de Tilly. – *Paris, Boyer; Lyon, Garnier.*
[G 352

F V

Six nouvelles romances, pour piano ou harpe avec accomp^t de flûte ou violon. – *Paris, les frères Gaveaux, s. No.* – P.
[G 353

F Pc – GB Lbm

— *ib., No. 183.*
[G 354
F Pc

Quatre romances avec accompagnement de forte-piano . . . 9me recueil. – *Paris, Pleyel, auteur, No. 895 F. G.*
[G 355
CH Bchristen

IV Romances pour le piano-forte. – *Hamburg, Johann August Böhme.*
[G 356
S Skma

Trois romances avec accompagnement de piano ou harpe . . . œuvre 5e. – *Paris, Mlles Erard; Lyon, Garnier, No. 427.*
[G 357

D-ddr WRtl – S Skma

— *Amsterdam, Kunze, No. 14.*
[G 358
A Wgm

Trois romances avec accompagnement de piano ou harpe . . . œuvre 6e. – *Paris, Mlles Erard; Lyon, Garnier.*
[G 359
B Bc

— *Amsterdam, Kunze, No. 15.*
[G 360
A Wgm

Deuxième recueil de trois romances avec accompagnement de piano ou harpe, paroles de divers auteurs. – *Paris, Mlles Erard, No. 649.*
[G 361
DK Kk

Einzelgesänge

Adieux d'un soldat. Romance . . . avec accomp^t de guitarre. – *Paris, Imbault.*
[G 362

GB Lbm

Amans croyez Délie. Romance. – *Paris, Imbault, No. A. ⧉ 102.* – P.
[G 363
D-brd KNmi

A quinze ans je connus. Le passé, le présent et l'avenir. – *Paris, Mlles Erard; Lyon, Cartoux.*
[G 364
S Skma

L'autre jour je crus entendre. Romance . . . avec accomp^t de guitarre. – *Paris, Imbault.*
[G 365
GB Lbm

Le convoi du pauvre. Romance. – *Bruxelles, magasin de musique et de pianos, H. Messemaekers, No. 515.*
[G 366
NL At

— . . . avec accompagnement de piano ou harpe. – *Paris, Charon.*
[G 367
NL At

De ce ruisseau. Le ruisseau. Romance . . . avec accompagnement de forte piano ou harpe. – *Paris, Mlles Erard, No. 718.*
[G 368

CH Bchristen – S Skma

Le délire de l'amour. Romance . . . avec accompagnement de forte piano. – *s. l., s. n.*
[G 369
D-ddr Bds – GB Lbm

Digne objet. Henri quatre à Gabrielle. – *Paris, Mlles Erard, No. 720.*
[G 370
S Skma

— *Wien, Johann Cappi.*
[G 371
A Wgm

La foi nous prête son flambeau. Le sire de Coucy partant pour la croisade. Romance. – *Paris, A. Meissonnier, No. 221.*
[G 372

S Skma

Honneur au monarque. Chant lyrique. – *Paris, Momigny, No. 10.*
[G 373
S Skma

Il est trop tard. Romance . . . avec accompagnement de forte piano ou harpe. – *Paris, Mlles Erard, No. 431.*
[G 374
I Nc

Il était là. Romance . . . avec accompagnement de forte piano ou harpe. – *Paris, Mlles Erard, No. 722.*
[G 375
CH Bchristen

Je t'aime tant. Romance . . . avec accompagnement de piano ou harpe. – *[Paris]*, *les frères Gaveaux.*　　　　　　[G 376
S Skma

— *Hamburg, Johann August Böhme.*
　　　　　　　　　　　　　　　[G 377
CS K – S Skma

O vous qui pour être sensible. Romance nouvelle . . . accompagnement de piano ou harpe par Phillis. – *Paris, Janet, No. A.* ♯ *30.*　　　　　　　　　　　[G 378
D-brd KNmi

Pour vaincre Alvar. La chapelle des trois amants. Romance avec accompagnement de piano ou harpe. – *Paris, Mlles Erard, No. 688.*　　　　　　　　　　[G 379
D-brd DT

Le premier sentiment d'amour. Romance, mise en musique avec accompagnement de piano ou harpe, par Fabry-Garat. – *Paris, Pleyel, No. 895. D. – P.*　[G 379a
US IO

Prêt à partir pour la rive africaine. Les adieux du Cid. – *Paris, Mlles Erard; Lyon, Garnier, No. 668.*　　　　　[G 380
D-ddr WRtl – I Nc – S Skma

Si tu quittes ton Hélène. Rondeau . . . accompagnement de piano ou harpe par N. Carbonel. – *Paris, les frères Gaveaux (gravé par Brunet).*　　　　　　[G 381
F Pc

— . . . arrangé pour piano ou harpe par N. Carbonel. – *Bruxelles, Weissenbruch, No. A. 79.*　　　　　　　　　　[G 382
NL At

Toujours on médit de l'absence. Eloge de l'absence. Romance avec accompagnement de piano ou harpe. – *Paris, Mlles Erard, No. 685.*　　　　　　[G 383
D-brd DT

Tout est changé pour moi. Regrets de Pétrarque . . . avec accompagnement de forté-piano ou harpe. – *[Paris], les frères Gaveaux.*　　　　　　　　[G 384
CH BEsu

Trésor d'encens, fortunée Arabie. Chan, son arabe. – *Paris, Mlles Erard; Lyon-Garnier, No. 603.*　　　　　[G 385
CH Bchristen – D-ddr WRtl – S Skma

Une même pensée. Mademoiselle de Lafayette. Romance. – *Paris, Momigny.*
　　　　　　　　　　　　　　　[G 386
S Skma

Un jeune enfant. Bélisaire. Romance . . . accompagnement de lyre ou guitare par Le Moine. – *Paris, Mlles Erard; Lyon, Garnier, No. 468.*　　　　　[G 387
CH Bchristen – S Skma (2 verschiedene Ausgaben, davon 1 Ausgabe mit No. 484), Sk

— . . . avec accompagnement de piano ou harpe. – *Amsterdam, Kunze, No. 13.* [G 388
A Wgm – D-ddr Dlb

— . . . auch mit deutschem Text. – *Leipzig, Hoffmeister & Kühnel (bureau de musique), No. 398.*　　　　　[G 389
D-ddr Bds – US Wc

Vous qui savés ce qu'on endure. La complainte du troubadour . . . avec accompagnement de fortepiano ou harpe. – *Paris, les frères Gaveaux, tous les marchands de musique.*　　　　　　　[G 390
CH Bu – D-brd KII, KNmi – DK Kk – F Pc (2 Ex.) – GB Lbm – S Skma

Y sera-t-elle? Romance. – *Paris, Momigny.*　　　　　　　　　　　[G 391
S Skma

GARDEL Maximilien Léopold Philippe Joseph

Minuet di [!] la cour and gavot [pf]. – *s. l., s. n.*　　　　　　　　　　[G 392
D-brd B – GB Lbm, Lcs – US Wc

— *[London], G. Smart.*　　　　[G 393
GB Lbm

— *ib., Skillern.*　　　　　　　[G 394
GB Ckc, Lbm

— Minuet di la cour and gavot [pf, fl, guitarre]. – *[London], Skillern.*　[G 395
GB Lbm

— *s. l., s. n.*　　　　　　　　　[G 396
GB Lbm

153

Gavotte arrangée pour le piano-forte. –
Hamburg, Johann August Böhme.
[G 397
CS Bm

GARDINER P.

The cheerful spring [Song] (in: The London Magazine, may, 1774). – *[London]*,
s. n., (1774).   [G 398
GB Lbm

Corydon and Phillis. A pastoral. – *[London], Straight & Skillern.*   [G 399
GB Lbm (2 verschiedene Ausgaben), LEc

Kindly thus my treasure [Song]. – *[London], J. Rutherford.*   [G 400
GB Lbm

Moll of the Wad. A favorite Irish air, with variations, for the harp or piano forte. –
London, Thomas Skillern.   [G 401
US Wc

The old batchelors [Song]. – *[London], John Preston.*   [G 402
GB Lbm

Reason and friendship [Song]. – *[London], Longman, Lukey & Broderip.*
[G 403
GB Lbm

Young Damon [Song]. – *[London], J. Rutherford.*   [G 404
GB Lbm

A favourite minuet with variations for the harpsichord, violin or german flute. –
London, Longman, Lukey & Broderip.
[G 405
GB Lbm

GARDOM P.

Poor Tom Halliard. A favorite ballad. –
London, J. Dale, for the author.   [G 406
GB Lbm

GARIBOLDI

Six conversation pieces or quartettos for two violins, tenor, and violoncello ...

opera prima. – *London, Caulfield, for the author.* – St.   [G 407
GB Ckc, Lbm

GARNÉRI (fils) H. Aimé

Six duos pour deux violons d'une difficulté gradué et à la portée des élèves ...
2me livraison de duos. – *Paris, Sieber,
No. 483.* – St.   [G 408
US Wc

GARNIER

Trois nocturnes ou divertissements concertants pour forté-piano, avec flûte ou violon ... 2e livre. – *Paris, Sieber, No.
376.* – P.   [G 409
CH Gc

Airs variés pour violon avec accompagnement d'une basse ad libitum. – *Paris,
Sieber.* – P.   [G 410
D-ddr LEmi

Duos pour deux violons tirés des opéras et opéras comiques. – *Paris, Sieber.* – St.
SD S. 163   [G 411
F Pn

Ouverture de Hayden suivie de six duo d'airs arrangés et variés pour deux fluttes.
– *Paris, De Roullède.* – St.   [G 412
SD S. 277
F Pc (fl I), Pn

— *ib., Naderman, Lobry.*   [G 413
F Pc

Second recueil d'airs, ariettes choisis dans les opéra comiques de la Comédie italienne
... accommodés pour deux bassons ou violoncelles, ou deux alto. – *Paris, de La
Chevardière.* – P.   [G 414
SD S. 301
US Wc

Recueil d'airs choisis dans différents opéra nouveaux, arrangés pour deux fluttes. –
Paris, De Roullède. – St.   [G 415
SD S. 303
F Pc (fl I), Pn

GARNIER François-Joseph

Premier concerto pour une flûte principale avec accompagnement de deux violons, alto, basse, cors et hautbois, œuvre IIIᵉ. – *Paris, De Roullède.* – St.   [G 416
F Pn (kpl.: 9 St.)

Symphonie concertante pour deux hautbois ou clarinettes. – *Paris, Boyer, Mme Le Menu.* – St.   [G 417
F Pc (kpl.: 12 St.)

Seconde simphonie concertante pour deux hautbois ou clarinettes. – *Paris, Boyer, Mme Le Menu.* – St.   [G 418
F Pc (kpl.: 11 St.)

Six duo concertants pour hautbois et basson . . . œuvre 4ᵉ. – *Paris, Jean Henri Naderman, No. 82.* – St.   [G 419
B Bc – DK Kmk

Six duo concertans pour hautbois et violon . . . œuvre 7ᵉ. – *Paris, Boyer.* – St.   [G 420
F Pn (2 Ex.)

Méthode raisonnée pour le haut-bois, contenant les principes nécessaires pour bien jouer de cet instrument . . . six petits duos, six sonates, six airs variés et une étude pour les doigts. – *Paris, Pleyel (gravée par Michot), No. 461.*   [G 421
D-brd KNh – F Pc – NL At

— *Offenbach, Johann André, No. 2132.*   [G 422
CS Bu

GARNIER Honoré

Nouvelle méthode pour l'accompagnement du clavecin et bon pour les personnes qui pincent de la harpe. – *Paris, Girard.*   [G 423
F Pc – GB Lbm

GARNIER Joseph

Six duo concertant [G, C, A, F, D, G] pour deux fluttes mêlés d'airs variés . . . 3ᵉ livre. – *Paris, De Roullède.* – St.   [G 424
GB Lbm

GARNIER L.

Six sonates pour violon seul et basse . . . œuvre Iʳᵉ. – *Lyon, Guera (gravé par Charpentier fils).* – P.   [G 425
GB Lcm

Premier grand quatuor pour flûte, violon, alto et basse . . . œuvre 2. – *Paris, Pascal Taskin, No. 6.* – St.   [G 426
US R

Premier grand quatuor [F] pour clarinette, violon, alto et basse . . . œuvre 6ᵉ. – *Paris, Pascal Taskin (gravé par Richomme), No. 8.* – St.   [G 427
D-brd B

Premier grand quatuor [D] pour violoncelle, violon, alto & basse . . . œuvre 10ᵉ. – *Paris, Pascal Taskin, Auguste Le Duc (gravé par Richomme).* – St.   [G 428
S Skma

Trois duos pour deux violons . . . Iᵉʳ liv. de duos de violons, œuvre XI. – *Paris, Pascal Taskin (gravés par Richomme), No. 13.* – St.   [G 429
US Wc

GARRO Francisco

Missae quatuor, octonis vocibus tres, & una duodenis; defunctorum lectiones tres, octonis vocibus; tria Alleluia, octonis etiam vocibus. – *Lissabon, Pieter Graesbeeck, 1609.* – St.   [G 430
GB Lbm (I: S, A; II: A, T, B; III: S) – P C (keine St.-Angaben)

GARTH John

VOKALMUSIK

Thirty collects, set to music. – *London, Birchall, for the author, (1794).*   [G 431
GB Lbm, Ob

INSTRUMENTALWERKE

[Op. 1]. Six concertos [D, B, A, B, F, G] for the violoncello, with four violins, one

alto viola, and basso repieno [!]. – *London, John Johnson, John Walsh, for the author; Edinburgh, Robert Bremner (engraved by William Clark), 1760.* – St.   [G 432
GB Lbm (kpl.: 7 St.) – **US** NYp (vlc/bc)

— *London, Welcker (engraved by William Clark).*   [G 433
GB Mp (unvollständig) – **S** Skma (kpl.: 7 St.)

Op. 2. Six sonatas [G, F, c, Es, A, E] for the harpsichord, piano forte, and organ; with accompanyments for two violins, and a violoncello ... opera seconda. – *London, Robert Bremner, R. Johnson, T. Smith; York, T. Haxby, for the author, 1768.* – St.   [G 434
B Bc – **C** Tu – **D-brd** B (hpcd) – **GB** Cu (unvollständig), Lbm (hpcd) – **US** BE, CA (fehlt hpcd), NH, NYp (hpcd), Wc, WGw

— *ib., Welcker.*   [G 435
GB Ckc, Cu (unvollständig), Lbm (3 Ex.), Lu (unvollständig), Ob (2 unvollständige Ex.) – **US** Cn (hpcd), U (hpcd)

— *ib., J. Blundell.*   [G 436
GB Lbm

— Sei sonate per il cembalo obligato un [!] due violini e violoncello, opera 2. – *Amsterdam, S. Markordt.*   [G 437
GB Lbm (vlc)

Op. 3. Six voluntarys [D, C, F, Es, G, B] for the organ, piano forte or harpsichord ... opera terza. – *London, Welcker.*   [G 438
GB Ckc, Lbm – **US** BE

— *ib., Preston & son.*   [G 439
D-brd FLs – **US** AA

Op. 4. A second sett of six sonatas for the harpsichord, piano forte and organ; with accompanyments for two violins and a violoncello ... opera IV. – *London, Welcker.* – St.   [G 440
GB Ckc – **US** BE, NH, NYp (hpcd)

Op. 5. A third set of six sonatas [F, C, a, Es, c, D] for the harpsichord, piano forte, and organ, with accompanyments for two violins and a violoncello ... op. V. – *London, Welcker.* – St.   [G 441
GB Lbm (hpcd) – **US** NYp (hpcd)

Op. 6. A fourth sett of six sonatas [B, A, F, d, G, D] for the harpsichord, pianoforte and organ, with accompanyments for two violins and a violoncello ... opera VI. – *London, Welcker.* – St.   [G 442
GB Ckc (unvollständig), Lbm (kpl.: hpcd [2 Ex.], vl I, vl II, vlc) – **US** NYp (hpcd)

Op. 7. A fifth set of six sonatas [a, D, Es, C, B, G] for the harpsichord, piano forte and organ, with accompanyments for two violins and a violoncello ... op. VII. – *London, Robson, for the author.* – St.   [G 443
GB Lbm – **US** Wc

GARTINI

Six easy lessons or sonatinas [D, F, C, G, C, F] and a minuet [C] with variations for the harpsichord, for the use of young practitioners. – *London, Charles & Samuel Thompson.*   [G 444
GB CDp, Lbm

GARTNER Christian

Trost-Gedichte (Ihr Lieben und Bekandten, lasset ab von Traurigkeit [a 6v]) ... in beygesetzter Arien-Weise herauß gegeben und mit 6. Stimmen gesungen ... – *[Lüneburg], s. n., (1653).*   [G 445
D-brd W

Dialogus valedictorius (Es ist allhie auff Erden [a S/T I, S/T II, A, T I, T II, B]) ... welches ... Junckherr Wilhelm-Cordt von Weyhe ... seiner ... seeligen Frauen Fr. Catharina-Gertrud ... da dieselbe ... 1653 ... den 11. Maij ... beygesetzet ward, gehalten: In ein Lied gefasset, mit 6. musicalischen und verwechselten Stimmen auff Arien weise gezieret gesungen. – *Hamburg, Jakob Rebenlein, 1654.*   [G 446
D-brd Gs

GARULLUS Bernardinus

Modulationum quinque vocum ... liber primus. – *Venezia, Girolamo Scotto, 1562.* – St.   [G 447
D-brd Mbs (kpl.: S, A, T, B, 5) – **GB** Lbm – **US** Wc

GARZI Pietro Francesco

Madrigali e canzonette a 2. 3. 4. 5. voci . . .
opera terza. – *Venezia, stampa del Gar-*
dano, appresso Bartolomeo Magni, 1629. –
St.   [G 448
A KR (S I, S II) – **GB** Lbm (S I, S II) – **S** Uu
(B)

GASMANN Andreas

Epithalamion (Ingreditur thalamos Hen-
ningi [a 8 v]) in nuptias . . . viri Henningi
Grossii . . . Reginae Mariae. – *Leipzig,*
Michael Lantzenberger, 1611. – St.
                                             [G 449
D-ddr Z (kpl.; I: S, A, T, B; II: S, A, T, B)

GASPAR VAN WEERBEKE

[Misse Gaspar: Ave regina celorum, O Ve-
nus banch, E trop penser, Octavi toni, Se
mieulx ne vient]. – *Venezia, Ottaviano*
Petrucci, [1507]. – St.   [G 450
A Wn (S, A, T) – **GB** Lbm (B) – **I** Bc (kpl.: S, A,
T, B), Mc (S)

GASPARD

VIIIe Recueil contenant 38 airs en duo
pour deux clarinettes ou deux cors de
chasse . . . œuvre XIe. – *Paris, Bignon, à*
l'opéra chez les marchands de musique, aux
adresses ordinaires. – St.   [G 451
F Pc

GASPARDINI Gasparo

Sonate a tre, due violini, e violoncino con
il basso per l'organo . . . opera prima. –
Bologna, Gioseffo Micheletti, 1683. – St.
                                             [G 452
GB Ob (kpl.: vl I, vl II, vlc, org) – **I** MOe, Bc
(vl II, vlc)

Sonate a tre, due violini e violoncello col
basso per l'organo . . . opera seconda. –
Amsterdam, Estienne Roger. – St.
                                             [G 453
F Pn (kpl.: vl I, vl II, vlc, org)

GASPARINI Felice

Concertí ecclesiastici, a due, & tre voci,
per cantare nell' organo, con il basso continuo. – *Milano, erede di Simon Tini & Fi-*
lippo Lomazzo, 1608. – St.   [G 454
A Wn (S, T, bc) – **D-brd** Mbs (B) – **I** REm (bc)

GASPARINI Francesco

MUSIK ZU BÜHNENWERKEN

Antioco

Songs in the opera of Antiochus. – *Lon-*
don, John Walsh & Joseph Hare. – P.
                                             [G 455
[vermutlich 2 verschiedene Ausgaben:] **F** Pc –
GB Ckc (2 Ex.), CDp, Lbm, Ob – **US** LAuc, Wc

The symphonys or instrumental parts in
the opera call'd Antiochus. – *London,*
John Walsh, P. Randall, Joseph Hare. –
St.   [G 456
GB Ckc (unvollständig) – **US** Wc (first treble,
second treble, tenor)

The song tunes for ye flute in the opera's
of Antiochus & Hamlet. – *London, John*
Walsh & Joseph Hare. – P.   [G 457
GB Ckc, Lbm

Questo conforto . . . sung by Signr. Nico-
lini in the opera of Antiochus. – *s. l., s. n.*
                                             [G 458
GB DRc (unvollständig)

Ambleto

Songs in the opera of Hamlet as they are
perform'd at ye Queens Theatre. – *Lon-*
don, John Walsh & Joseph Hare.   [G 459
[vermutlich mindestens 2 verschiedene Ausgaben:] **F** Pc – **GB** Bp, Ckc, Lbm, Lgc – **US**
LAuc, NYp, Ws (2 verschiedene Ausgaben)

The symphonys or instrumental parts in
the opera call'd Hamlet. – *London, John*
Walsh, P. Randall, Joseph Hare. – St.
                                             [G 460
GB Ckc (unvollständig) – **US** Wc (first treble,
second treble, tenor)

Love's triumph (mit Cesarini und Giovanni Gasparini)

Songs in the new opera, call'd Love's
triumph as they are performed at the

Queen's Theatre. – *[London], John Walsh, Joseph Hare*. – P.   [G 461
GB Ckc (2 Ex.), CDp, Lbm, Lcm, Ob – S Skma – US Wc

The symphonys or instrumental parts in the opera call'd Love's triumph as they are perform'd at the Queen's theatre. – *London, John Walsh, Joseph Hare, P. Randall*. – St.   [G 462
GB Ckc (unvollständig), Lbm – EIRE Dn

VOKALMUSIK

Cantate da camera a voce sola ... opera prima. – *Roma, Mascardi, 1695*. – P.
[G 463
I Bc – US Wc

— *Lucca, Bartolomeo Gregori, 1697*.
[G 464
GB Lbm – I Bc, Rsc

GASPARINI Quirino

L'Inno Stabat Mater, a due soprani, con violini, e basso. – *s. l., s. n.* – P.   [G 465
B Bc – CH E, Zcherbuliez – D-ddr Dlb – F Pc – GB Lam, Lbm – I BGc

Sei trio academici a due violini, e un violoncello, opera prima. – *Paris. Le Clerc (gravé par Gerardin)*. – St.   [G 466
GB Cu

[ohne Vornamen, Zuweisung fraglich:] VI Trii [G, B, F, Es, A, F] per due violini e violoncello. – *[London], Giuseppe Soderini (Pasquali)*. – St.   [G 467
GB Lbm, Mp – US Wc

— *London, John Johnson*.   [G 468
A Wn – B Bc – C Tu – GB Ckc, Lbm (3 Ex., 2 verschiedene Ausgaben), Mp – US R, Wc (2 verschiedene Ausgaben), WGw

GASS Felix

David ludens ad arcam dei. Hoc est ariae simplices, et pulsatu facillimae adhibendae in ecclesiis sub sacro, tempore elevationis ... pars prima [Arien für Orgel]. – *Augsburg, Johann Christian Leopold*.
[G 469
D-brd As, Mbs – D-ddr SWl

GASSEAU

Nouvelle suite d'ariettes italiennes arrangées pour deux flûtes. – *Paris, Lobry (Ribière)*. – St.   [G 470
SD
B BRc – E Mn

Recueil d'airs des opéra bouffons italiens ... arrangés en quatuor concertans pour deux violons, alto, et violoncelle obligé ... "lè[-7]" suitte. – *Paris, Sieber*. – St.
SD S. 306   [G 471
F Pn

Recueil d'airs tirés des opéras bouffons italiens et autres ... arrangés en quatuors concertants pour deux violons, alto et violoncelle dédié aux amateurs ... "VIII [-IX"] suite. – *Paris, Henri Naderman*. – St.   [G 472
SD S. 316
F Pn

Recueil de nouveaux airs tirés des opéras de Paul et Virginie ... arrangés en duo pour deux violons ... [1ère – 3e suite]. – *Paris, Henri Naderman*. – St.   [G 473
SD S. 329
F Pn (2 Ex.)

[von Gasseau, C. N.:] Galatée. Roman pastoral, mis en musique avec accompagnement de piano-forte ou de harpe, et une partie de flûte et de violon ad libitum. – *Paris, auteur*. – P.   [G 474
F Pc, Pn (2 Ex.)

GASSMANN Florian Leopold

Sei quintetti [Es, G, F, Es, E, F] dilatamenti notturni o sia serenate per violino primo o flauto, violino secondo, due viole e basso ... opera II (Raccolta del harmonia. Collezzione cinquantesima septima del Magazino musicale). – *Paris, bureau d'abonnement de musique; Lyon, Castaud*. – St.   [G 475
DK Kk – GB Lbm

Sei quartetti [c, Es, B, C, G, A] per obboe, violino, alto e basso ... opera Iª ... au défaut d'hautbois on pourra se servir d'une flûte, violon ou violoncelle. – *Paris, Venier; Lyon, Castau*. – St.   [G 476
F Pa (fehlt b), Pc – GB Ckc

Six quatuor [C, d, A, c, F, B] à deux violons, taille, et basse obligée . . . œuvre première. – *Amsterdam, Johann Julius Hummel, No. 76.* – St.   [G 477
D-brd HR – **GB** Lbm – **H** KE – **S** Skma – **US** Wc

Six quatuor [D, B, F, G, Es, F] pour deux violons, alto viola et basse . . . œuvre II. – *Paris, de La Chevardière; Lyon, aux adresses ordinaires de musique.* – St.   [G 478
F Pn – **S** Skma

Six quatuors [G, C, e, F, d, a] pour deux violons, alto et violoncelle. – *Wien, bureau des arts et d'industrie, No. 341.* – St.
                                                [G 479
A Wgm, Wn – **B** Bc – **CS** Bu

GASTOLDI Giovanni Giacomo

GEISTLICHE VOKALMUSIK

1587. Sacre lodi a diversi santi con una canzona al . . . S. Francesco . . . a cinque voci. – *Venezia, Ricciardo Amadino, 1587.* – St.   [G 480
PL GD (kpl.: S, A, T, B, 5)

1588. Psalmi ad vesperas in totius anni solemnitatibus . . . quatuor vocibus cum cantico B. Virginis excellentiss. Iaches Vuerth. – *Venezia, Ricciardo Amadino, 1588.* – St.   [G 481
SD 1588[7]
I Bc (kpl.: S, A, T, B)

— *ib., 1592.*   [G 482
SD 1592[4]
I FEc (kpl.: S, A, T, B)

— . . . editio tertia. – *ib., 1597.*   [G 483
SD 1597[1]
I Bc (fehlt T), BRs (kpl.: S, A, T, B), PCd

— . . . editio quinta [= quarta]. – *ib., 1609.*   [G 484
SD 1609[5]
D-brd BAs (A)

— . . . editio quinta. – *ib., 1616.*   [G 485
SD 1616[4]
I Mc (kpl.: S, A, T, B)

1589. Completorium ad usum S. Romanae Ecclesiae perfectum sacraeque; illae laudes, quibus divinum terminatur officium . . . quaternis vocibus. – *Venezia, Ricciardo Amadino, 1589.* – St.   [G 486
GB Lbm (T) – **I** FEc (kpl.: S, A, T, B)

1592 → 1588

1593. Sacra omnium solemnitatum vespertina psalmodia, cum Beatae Virginis cantico, alternis versiculis concinenda, sex vocibus. – *Venezia, Ricciardo Amadino, 1593.* – St.   [G 487
I Mc (kpl.: S, A, T, B, 5, 6)

1597a. Completorium perfectum ad usum Sanctae Romanae Ecclesiae sacraeque illae laudes, quibus divinum terminatur officium . . . quaternis vocibus, liber secundus. – *Venezia, Ricciardo Amadino, 1597.* – St.   [G 488
I Bc (S, B), Mc (kpl.: S, A, T, B)

1597b. Magnificat per omnes tonos, videlicet primus, & secundus chorus . . . quattuor vocibus. – *Venezia, Ricciardo Amadino, 1597.* – St.   [G 489
I Mc (kpl.: S, A, T, B)

1597c → 1588

1600a. Integra omnium solemnitatum vespertina psalmodia, cum cantico B. Virginis . . . quinis vocibus infractis canenda, editio secunda. – *Venezia, Ricciardo Amadino, 1600.* – St.   [G 490
D-brd Mbs (kpl.: S, A, T, B, 5) – **I** Bc, Mc (5), Sac (S, A, T)

— Basso continuo a commodo degli organisti del primo libro delli salmi intieri a cinque voci. – *ib., 1605.*   [G 491
I SPE

— . . . cum parte organica, editio tertia. – *ib., 1606.*   [G 492
A Wn (A) – **I** Bc (A, B)

— . . . editio quarta. – *ib., 1609.*   [G 493
I Bc (A, T, B), Ls (kpl.: S, A, T, B, 5, org), SPd (S, A, T [unvollständig], B [fehlt Titelblatt], 5 [unvollständig])

— . . . editio quinta. – *ib., 1614.*   [G 494
I Bc (A, T, 5)

— . . . editio sexta. – *ib.*, *1616*.   [G 495
I Bc (S, T, 5)

— . . . [mit Sätzen von Francesco Gonzaga]. – *ib.*, *Bartolomeo Magni*, *1626*.
SD   [G 496
I Bc (A, T, B, 5, org), Bof (S, A, T, B, 5), Sac (T[unvollständig]) – PL GD (org) – US NH (B)

1600b. Messe a cinque et a otto voci . . . libro primo. – *Venezia*, *Ricciardo Amadino*, *1600*. – St.   [G 497
I Bc (B), Mc (S, A, T, B, 5) – PL GD (S, T, B, 5)

1601. Tutti li salmi che nelle solennita dell'anno al vespro si cantano, a otto voci, con duoi cantici della B. Vergine, uno del settimo tuono, & uno del secondo tuono, che risponde in eco. – *Venezia*, *Ricciardo Amadino*, *1601*. – St.   [G 498
A Wn (S I) – I Bc (kpl.; I: S, A, T, B; II: S, A, T, B), CEc (I: A; II: A, T, B), Mc

1602a. Missarum quatuor vocibus, liber primus. – *Venezia*, *Ricciardo Amadino*, *1602*. – St.   [G 499
I Mc (S, A, T, B [je 2 Ex.])

— . . . cum basso ad organum. – *ib.*, *1611*.
                                               [G 500
I Bc (kpl.: S, A, T, B, org), PCd (A, T, org)

1602b. Vespertina omnium solemnitatum psalmodia, quinis vocibus decantanda . . . liber secundus. – *Venezia*, *Ricciardo Amadino*, *1602*. – St.   [G 501
D-brd BAs (A) – I Bsp (kpl.: S, A, T, B, 5), Mc

1605 → 1600a

1606 → 1600a

1607a. Messe et motetti a otto voci . . . con la partitura per l'organo, libro primo . . . opera XXX. – *Venezia*, *Ricciardo Amadino*, *1607*. – St.   [G 502
A Wn (fehlen T I und S II) – D-brd HEk (S II [unvollständig]) – I Bc (kpl.; I: S, A, T, B; II: S, A, T, B; org), Mc – PL WRu (fehlen A I, S II und B II)

1607b. Salmi intieri che nelle solennita dell'anno al vespro si cantano, con il cantico della B. Virgine, a sei voci . . . con il basso continuo per l'organo, libro secondo. – *Venezia*, *Ricciardo Amadino*, *1607*. – St.
                                               [G 503

D-brd BAs (A) – GB Lbm (fehlt org) – I Bc (kpl.: S, A, T, B, 5, 6, org), BRd, Mc, PCd, Rc (S [unvollständig], A, T [unvollständig]), Rsgf (B, 5, 6, org) – PL GD

1607c. Officium defunctorum integrum, quatuor vocibus. – *Venezia*, *Ricciardo Amadino*, *1607*. – St.   [G 504
D-brd Rp (T) – I CEc (A, B), Rvat-chigi (kpl.: S, A, T, B)

1609a. Salmi per tutti li vespri de l'anno a due voci, commodi, & facili per introdure i figliuoli a cantare in compagnia. – *Venezia*, *Ricciardo Amadino*, *1609*. – St.
                                               [G 505
I Bc (T)

1609b → 1588
1609c → 1600a

1611   → 1602a

1614   → 1600a

1616a → 1588
1616b → 1600a

1626   → 1600a

1673. [Nachdruck unbestimmten Inhalts:] Salmi per tutto l'anno a cinque voci col suo basso continuo a beneplacito. – *Bologna*, *Giacomo Monti*, *1673*. – St.   [G 506
F Pn (kpl.: S, A, T, B, 5, org) – I Bc, Baf, Bof (S, A, T, 5, bc [unvollständig]), Bsp, Ls, Rli, Rsg (2 Ex., davon 1 Ex. unvollständig: fehlt T), Rsmt (kpl. [2 Ex.]), RA (T, 5, bc)

— . . . ristampati e ridotti in tuoni più commodi quei salmi che regolarmente e per necessita si sogliono trasportare. – *Lucca*, *Bartolomeo Gregori*, *1705*.   [G 507
I Ls (S, T, B, bc)

1705 → 1673

WELTLICHE VOKALMUSIK

Balletti

Balletti a cinque voci, con li suoi versi per cantare, sonare, & ballare; con una mascherata de cacciatori a sei voci, & un concerto de pastori a otto . . . novamente ristampati. – *Venezia*, *Ricciardo Amadino*, *1591*. – St.   [G 508
I Bc (T, B)

— . . . quarta impressione. – *ib.*, *1593.*
[G 509
B Br (kpl.: S, A, T, B, 5) – **I** Vnm (T)

— . . . quinta impressione. – *ib.*, *1595.*
[G 510
CH Bu (kpl.: S, A, T, B, 5) – **I** Bc (S, T)

— *Antwerpen, Pierre Phalèse, 1596.* [G 511
D-brd KNu (T, B)

— . . . sesta impressione. – *Venezia, Ricciardo Amadino, 1597.*   [G 512
D-ddr LEm (kpl.: S, A, T, B, 5) – **I** Bc – **US** SFsc (S)

— . . . settima impressione. – *ib.*, *1600.*
[G 513
D-brd Hs (kpl.: S, A, T, B, 5) – **I** Bc – **US** NYp (S)

— *Nürnberg, Paul Kauffmann, 1600.*
[G 514
D-brd W (kpl.: S, A, T, B, 5)

— *Antwerpen, Pierre Phalèse, 1601.*
[G 515
GB Lbm (unvollständig), SH (kpl.: S, A, T, B, 5) – **I** BGc (A [unvollständig])

— *ib.*, *1605.*   [G 516
GB Lbm (T, B; 5 handschriftlich) – **NL** DHgm (S, T)

— *Nürnberg, Paul Kauffmann, 1606.*
[G 517
F Pc (T), Pn (kpl.: S, A, T, B, 5) – **GB** Lbm (5)

— . . . nona impressione. – *Venezia, Ricciardo Amadino, 1607.*   [G 518
I Bc (S)

— *Antwerpen, Pierre Phalèse, 1612.*
[G 519
NL DHgm (T)

— . . . decima impressione. – *Venezia, Ricciardo Amadino, 1613.*   [G 520
D-brd Rp (kpl.: S, A, T, B, 5), Rtt (S, T, 5) – **I** Bc (S)

— *Paris, Pierre Ballard, 1614.*   [G 521
GB Lbm (A, T, B)

— *Antwerpen, Pierre Phalèse, 1617.*
[G 522
GB Lbm (S, A, T, B; fehlt 5) – **NL** At (S, T, B, 5; fehlt A)

— *ib.*, *1620.*   [G 523
GB Ckc (B) – **NL** At (kpl.: S, A, T, B, 5)

— *ib.*, *1624.*   [G 524
NL DHgm (T)

— *Douai, Jean Bogard, 1627.*   [G 525
GB Lbm (S, A, B, 5; fehlt T)

— *Rotterdam, Isaac Waesbergio, 1628.*
[G 526
S N (S, T)

— *Antwerpen, les héritiers de Pierre Phalèse, 1631.*   [G 527
NL DHgm (B)

— *ib.*, *1637.*   [G 528
NL DHgm (kpl.: S, A, T, B, 5)

— *ib.*, *1640.*   [G 529
NL At (S, A)

— *Amsterdam, Everardo Cloppenburch (Paul Matthysz), 1641.*   [G 530
F Pn (S, B) – **GB** Lbm (T)

— [erweiterte Ausgabe:] Italiaense Balletten met 5 en 6 stemmen, te zingen of speelen . . . en op nieuw verrykt met Pastorellen, Cantzonetten, Masceraden, &c. . . . op. 3. en 4. stemmen: noch by gevoeght twee vermakelyke Drinklietjes, en 26 Canons, met 2. 3. 4. 5. 6. stemmen. – *Amsterdam, Paul Matthysz, 1648.* – St.   [G 531
SD 1648[6]
B Br (B) – **GB** Lcm (kpl.: S, A, T, B, 5)

— [erweiterte Ausgabe mit niederländischem Text:] Balletten met vyf, ses en acht stemmen, ghestelt op Italiaensche Rijmen, nu tot lof vanden Peys tusschen Spaignen ende Oraignien, en . . . met Nederduytsche woorden . . . om singhen, ende op alle soorten van Instrumenten te spelen. – *Antwerpen, les héritiers de Phalèse, 1649.*   [G 532
B Amp (S)

— [erweiterte Ausgabe:] Italiaansche Balletten, met 5 en 6 Stemmen . . . op nieuws verrijkt met verscheide Pastorellen, Cantzonetten, Mascaraden, &c. . . . alles in Duitsch vertaalt . . . – *Amsterdam, Paul Matthysz, 1657.*   [G 533
SD 1657[4]
GB Lbm (kpl.: S, A, T, B, 5) – **NL** Avnm

161

Balletti a tre voci, con la intavolatura del liuto, per cantare, sonare, & ballare. – *Venezia, Ricciardo Amadino, 1594.* – St. [G 534
D-brd As (kpl.: S, T, B), Hs

— . . . con li suoi versi per cantare. – *Nürnberg, Paul Kauffmann, 1600.* [G 535
US BU (unvollständig)

— *Antwerpen, Pierre Phalèse, 1602.* [G 536
S Uu (S) – **US** Bp (S)

— . . . con la intavolatura del liutto. – *Venezia, Ricciardo Amadino, 1604.* [G 537
I Bc (T)

— . . . con li suoi versi per cantare. – *Antwerpen, Pierre Phalèse, 1606.* [G 538
B Amp (S), Br (S, B)

— . . . con la intavolatura del liutto. – *Venezia, Ricciardo Amadino, 1611.* [G 539
D-brd Rtt (T)

— . . . con li suoi versi per cantare. – *Antwerpen, Pierre Phalèse, 1617.* [G 540
GB Lbm (kpl.: S, T, B)

— *ib., les héritiers de Pierre Phalèse, 1631.* [G 541
GB Och (kpl.: S, T, B) – **NL** DHgm (B)

— [mit den meisten der 3st. Balletti:] Johann-Jacobi Gastoldi und anderer Autorn Tricinia . . . jetzo . . . mit teutschen weltlichen Texten in Truck gegeben durch Valentinum Haussmann. – *Nürnberg, Paul Kauffmann, 1607.* [G 542
SD 1607[25]
D-brd F (kpl.: S, T, B), Hs, Tu (T), Usch, W – **F** Pc (S) – **GB** Lbm (T)

— [mit niederländischem Text:] Balletten, seer lustich om singhen ende spelen . . . met drie stemmen, ende nu vertijckt met de vierde partye, door Godfrid Oldenraet. – *Amsterdam, Willem Jansz Wijngaert, 1628.* [G 543
NL At (S)

— [erweitert und mit niederländischem Text:] Balletten . . . – *Amsterdam, Paul Matthysz, voor Jan Jansz, 1641.* [G 544
SD
B Br (B) – **F** Pn (S, B)

— Balletten, lustigh om te zingen, en speelen, met drie stemmen, op nieuws verciert met een nieuwe alt, ofte vierde parthye, mede doorgaens met de oude ende nieuwe stichtelycke rymen, boven malkander, gestelt, noyt voor dezen zo gedrukt; hier zyn noch achter by gevoeght, de vyf carilenen, op de vyf zinnen gerymt, en op 4 stemmen, gestelt door Jacobus Haffner. – *Amsterdam, Paul Matthysz.* [G 545
NL DHgm (S I, S II, T)

Madrigale und Canzonetten

1581. Canzoni a cinque voci . . . libro primo. – *Venezia, Angelo Gardano, 1581.* – St. [G 546
GB Lbm (kpl.: S, A, T, B, 5) – **I** MOe (A, B) – **PL** GD

1588. Il primo libro de madrigali a cinque voci. – *Venezia, Ricciardo Amadino, 1588.* – St. [G 547
D-brd As (kpl.: S, A, T, B, 5) – **I** MOe – **US** BE (A [fehlt Titelblatt])

1589. Il secondo libro de madrigali a cinque voci . . . con un dialogo a dieci, & una mascherata a sette. – *Venezia, Ricciardo Amadino, 1589.* – St. [G 548
D-brd As (kpl.: S, A, T, B, 5) – **US** BE (A)

1592a. Il primo libro de madrigali a sei voci, con una danza de pastori a otto. – *Venezia, Ricciardo Amadino, 1592.* – St. [G 549
D-brd Rp (S, A, T, B, 6; fehlt 5) – **I** Bc (A, B, 5), VEaf (S, A, B, 5, 6; fehlt T)

1592b. Canzonette a tre voci, con un baletto nel fine. – *Venezia, Ricciardo Amadino, 1592.* – St. [G 550
F Pn (S, T) – **GB** Ckc (T) – **I** Bc (B), Rsc (B)

— Canzonette a tre voci . . . libro primo . . . in miglior forma ristampate. – *ib., 1595.* [G 551
D-brd Kl (T, B), Hs (kpl.: S, T, B)

1595a. Canzonette a tre voci . . . libro secondo. – *Mantova, Francesco Osanna,*
1595. – St.   [G 552
I Bc (T, B)

— . . . con ogni diligentia ristampate. –
Venezia, Ricciardo Amadino, 1598. [G 553
PL GD (kpl.: S, T, B)

— Canzonette a tre voci . . . con quattro
vaghe canzonette a 3 di Alessandro Savio-
li . . . terza impressione. – *Milano, Filippo*
Lomazzo, 1615.   [G 554
SD 1615[17]
I Bc (S, T; fehlt B)

1595b → 1592b

1598a. Il terzo libro de madrigali a cinque
voci con duoi a sei, & uno a otto. – *Vene-*
zia, Ricciardo Amadino, 1598. – St.
                                            [G 555
A Wn (S, B) – D-brd Kl (S, B) – GB Lbm (T) –
I Rc (S, B, 5), Vnm (T)

1598b → 1595a

1602. Il quarto libro de madrigali a cinque voci con uno a nove. – *Venezia, Ric-*
ciardo Amadino, 1602. – St.   [G 556
I VEaf (kpl.: S, A, T, B, 5)

1604. Concenti musicali con le sue sinfonie
a otto voci, commodi per concertare con
ogni sorte de stromenti. – *Venezia, Ric-*
ciardo Amadino, 1604. – St.   [G 557
SD 1604[21]
D-brd As (I: S, A, T, B; II: S, A, B)

— Concenti musicali a otto voci, com-
modi per concertare con ogni sorte di stro-
menti. – *Antwerpen, Pierre Phalèse, 1610.*
SD 1610[15]   [G 558
B Gu (A I, B I, A II, T II) – D-brd W (S I, T I,
B I) – NL DHgm (T I)

1610 → 1604
1615 → 1595a

INSTRUMENTALWERKE

Il primo libro della musica a due voci. –
Milano, erede di Giovanni Francesco Be-
sozzi & Simon Tini, 1598. – St.   [G 559
SD 1598[13]
D-brd As – GB Lbm

GASTORIUS Severus

Trauer-Gesang (Die Gerechten werden
ewiglich leben [a 5 v mit bc]) welchen bey
der . . . Beerdigung des . . . Herrn M. Johann Jacob Botsacks . . . am . . . XXI.
Aprilis des M DC LXXII. Jahres . . . abgesungen. – *Jena, Johann Jacob Bauhofer,*
(1672).   [G 560
D-ddr Bds, GOl – PL GD

Trauer-Lied (Du aber gehe hin [a 5 v mit
bc]) bey . . . seligen Ableiben des . . . Hn.
Iohann Arnold Friderici . . . am 2. Junij
des Iahres Christi 1672. – *[Haupttitel mit*
Impressum:] Jena, Johann Nisio, (1672).
                                            [G 561
D-ddr GOl (3 Ex.), Ju

Klag- und Trauer-Lied (Es ist genug [a 5 v
mit bc]) Herrn Christoph Philipp Richtern . . . zu . . . letzten Ehren abgesungen
(an: Geistliche Sehnsucht . . . bey . . .
Leichbegängnüß . . . Christoph Philipp
Richters . . . am ersten Sonntag des neuen
1674sten Jahres). – *Jena, Johann Jacob*
Bauhofer, (1674). – St.   [G 562
D-brd BEV, Gs – D-ddr GOl (2 Ex.), Ju, WRiv

Klag und Trauer-Lied (Du aber gehe hin
und ruhe [a 6v mit bc]) dem . . . Hn. Christoph Philipp Richtern . . . den 4. Jan.
dieses 1674sten Jahrs . . . beerdiget worden. – *Jena, Johann Jacob Bauhofer,*
(1674). – St.   [G 563
D-brd Mbs (kpl.: S I, S II, A, T, B, bc)

Klag- und Trauer-Gespräch (O Trauer-
Fall! Der mich fast gantz entseelet [a 4v])
bey . . . Leich-Begängnüß des . . . Herrn
Wilken von Berglasen . . . den 18. Augusti
des 1679sten Jahres . . . in einer Arie gesetzet. – *Jena, Johann Werther, (1679).*
                                            [G 564
D-brd Mbs – D-ddr GRu

GASTRITZ Mathias

Novae harmonicae cantiones ut piae, ita
etiam suaves et iucundae, quinque voci-
bus concinnatae . . . anno salutiferi partus
M. D. LXVIII. – *Nürnberg, Ulrich Neu-*
ber, 1569. – St.   [G 565
A SL (S) – D-brd Mbs kpl.: S, A, T, B, vag),
Ngm (A, B, vag), Rp, W – D-ddr HAmi – GB
Lbm

163

Kurtze und sonderliche Neue Symbola etlicher Fürsten und Herrn neben andern mehr schönen liedlein mit fünff und vier Stimmen auff alle Instrument zu gebrauchen. – *Nürnberg, Dieterich Gerlatz [!], 1571.* – St. [G 566
D-brd Mbs (kpl.: S, A, T, B, vag) – **D-ddr** ROu – S V

GATEHOUSE (Lady)

Twelve songs composed by Lady Gatehouse, published by her ladyship's permission. – *s. l., s. n.* [G 567
US Cn

GATELLO Giovanni Battista

Il secondo libro di canzonette a tre voci. – *Venezia, Giacomo Vincenti & Ricciardo Amadino, 1584.* – St. [G 568
D-brd MZp (B) – **I** Lg (S [unvollständig])

GATTI Luigi

Ave Maria. Offertorio in Es a quattro voci concertato con istrumenti. – *Firenze, Giuseppe Lorenzi & figlio.* – P. [G 569
I Bc, PS

Nel lasciarti in questo istante. Rondo. – *London, Longman & Broderip.* [G 570
B Bc – **GB** Lbm

GATTI Teobaldo de

Scylla. Tragédie mise en musique . . . représentée pour la première fois par l'Académie royale de musique, le seizième jour de septembre 1701. – *Paris, Christophe Ballard (De Baussen), 1701.* – P. [G 571
D-brd B – **F** AG, Lm, Pa, Pc (2 Ex.), Pn, TLc, V – **GB** Lbm, T – **US** Cn

— *ib., auteur, Foucault, Vve Landry.* [G 572
B Bc – **D-brd** Sl, W – **F** B, BO, Dc, Pc (2 Ex.), Pn, Po (3 Ex.) – **GB** Lbm – **S** Skma, Uu – **US** BE, Wc

Airs italiens. – *Paris, Christophe Ballard, 1696.* – P. [G 573
D-brd WD – **F** Pc, Pn

GATTO Simon

Missae tres, quinis et senis vocibus . . . liber primus. – *Venezia, Angelo Gardano, 1579.* – St. [G 574
D-brd Mbs (kpl.: S, A, T, B, 5, 6)

Motectorum IIII. V. VI. VII. VIII. X. & XII. vocibus . . . tum Annibalis Perini . . . insequens opus hoc levidense noviter collectorum, autore Horatio Sardena. – *Venezia, Ricciardo Amadino, 1604.* – St. SD [G 575
GB Lbm (B, 8)

GAUCQUIER Alard du

Magnificat octo tonorum, quatuor, quinque, et sex vocum. – *Venezia, Giorgio Angelerio, 1574.* – St. [G 576
D-brd Kl (kpl.: S, A, T [unvollständig], B), Rp – **PL** WRu

Quatuor missae (Maeror cuncta tenet, Missa sine nomine, Beati omnes, Missa sine nomine; Motette in aspersione . . .), quinque, sex et octo vocum. – *Antwerpen, Christophe Plantin, 1581.* – Chb. [G 577
A KN, Wn – **B** Br (Titel handschriftlich) – **D-brd** AN

GAUDE

Trois grands duos pour deux flûtes . . . œuvre 6. – *Bonn, Nikolaus Simrock, No. 461.* – St. [G 578
A Wgm

Vingt quatre variations pour la flûte traversière accompagnée de la guitarre . . . op. 1. – *Offenbach, Johann André, No. 229.* – St. [G 579
F Pc

GAUDE F.

Sechs Walzer und Sechs Eccosaisen [!] für die Guitarre . . . op. 10. – *Hamburg, Johann August Böhme.* [G 580
D-brd Tu

GAUDRY J. S.

A collection of favorite songs. – *London, Longman & Broderip.*　　　[G 581
US Wc

A collection of songs . . . to which is added the Free Mason's anthem. – *London, Welcker.*　　　[G 582
GB Lbm

GAUDRY Richard

A collection of Masonic songs selected from the Grand Lodge books . . . the music prefixed to each song and carefully adapted for the voice, violin, and german flute. – *s. l., for the editor, 1795.*　　　[G 583
EIRE Dn (2 Ex.)

And are all thy vows come to this [Song]. – *s. l., s. n.*　　　[G 584
GB Lbm

Hope. A favorite sonnett. – *London, T. Williams.*　　　[G 585
GB Lbm

June. A favourite song. – *s. l., s. n.*　[G 586
GB Lbm

Ye shepherds ye nymphs and ye swains. Song. – *s. l., s. n.*　　　[G 587
GB Lbm

GAULTIER Denis

Pièces de luth . . . sur trois différens modes nouveaux. – *Paris, auteur (Richer).*　　　[G 588
F Pn – GB Ob

GAULTIER J. A.

Les plaisirs de l'enfance, ou Choix de petits airs d'une difficulté graduelle pour le forte piano, formant trois suites, arrangées . . . (2me) suite. – *Paris, Boyer; Lyon, Garnier.*　　　[G 589
CH Gpu

Ouverture du Jaloux à l'épreuve arrangée pour la harpe ou le clavecin. – *Paris, Mlle*

Girard, aux adresses ordinaires; Lyon; Toulouse; Bordeaux; Dijon; Rouen; Caen (écrit par Ribière).　　　[G 590
D-ddr SWl

Recueil d'airs et ariettes tirées des opéras et opéras comiques, arrangées pour la harpe, le clavecin ou le forte-piano. – *Paris, Mlle Girard.*　　　[G 591
SD S. 310
F Pc

(Weitere Bearbeitungen s. u. den einzelnen Autoren: Dezède, Grétry, Monsigny u. a.)

GAULTIER Pierre

Les œuvres de Pierre Gaultier Orléanois [Lauten-Tabulatur]. – *Roma, s. n., 1638.*　　　[G 592
GB HAdolmetsch (Fotokopie), Lbm – I Bc, Rc

GAULTIER Pierre (de Marseille)

Symphonies de feu Mr. Gaultier de Marseille; divisées par suites de tons [Suiten für Flöte(n) oder Violine(n) und bc]. – *Paris, Christophe Ballard, 1707.* – P.　　　[G 593
D-brd PA – F Pc, Pn (3 Ex.) – US NYp, Wc

[Recueil de trio nouveaux pour le violon, hautbois, flûte, sur les différents tons et mouvements de la musique, avec les propriétés qui conviennent à ces instruments, et les marques qui peuvent donner l'intelligence à chaque pièce. – *Paris, Roussel, 1699].*　　　[G 594
F Pn (Titel handschriftlich)

GAULTIER Pierre (de Rouen)

Ier Recueil d'airs sérieux et à boire et vaudevilles. – *Paris, auteur, Boivin, Le Clair (gravé par L. Hue), 1729.* – P.　　[G 595
F Pa, Pc (2 Ex.), Pn – GB Lbm (2 Ex. [unvollständig]) – US WC

Deuxième recueil d'airs sérieux et à boire, meslez de vaudevilles. – *Paris, Jean Baptiste Christophe Ballard, 1731.* – P. [G 596
F Pc, Pn – GB Lbm

Airs sérieux et à boire et vaudevilles . . .
troisième recueil. – *Paris, auteur, Le Clerc,
1747.* – P.   [G 597
F Pc – **US** Wc

GAUMER P. J. N.

In fuga victoria. Das ist: Drey Fugen für
die Orgel oder Clavicymbal mit einem
beygefügten Anhang. – *Augsburg, Johann
Jakob Lotter, 1776.*   [G 598
A KR – **CH** E – **D-brd** As

GAUTIER Louis

Six sonates [C, G, A, B, Es, F] pour le cla-
vecin . . . œuvre second. – *Den Haag,
Burchard Hummel; Amsterdam, Johann
Julius Hummel.*   [G 599
A GÖ – **D-ddr** Dlb – **S** Skma

Six sonates [F, B, Es, D, A, C] pour le clavecin ou forte piano avec l'accompagnement d'un violon ad libitum . . . œuvre
IV. – *[Den Haag], Pierre Frédéric Gosse.*
– St.   [G 600
GB Lbm (clav [unvollständig], vl) – **NL** DHgm
(clav)

GAUTIER P. N.

XXIV Contredances angloises mises à la
portée de tout le monde par leur explication françoise, la musique et les figures,
œuvre second. – *Den Haag, E. C. Creit &
Spangenberg.*   [G 601
NL AN

XII Contredances angloises et deux menuets, qui peuvent se jouer au violon,
flûte et clavecin avec leur explication en
françois . . . œuvre second. – *Den Haag,
Burchard Hummel et fils.*   [G 602
F Pc

GAVARD DES PIVET(S) Enrico

Sei trio [B, F, Es, G, F, A] . . . opera prima. – *Venezia, Innocente Alessandri & Pie-
tro Scattaglia.* – St.   [G 603
I AN (kpl.: vl I, vl II, vlc), Bc, Vc

Sei sonate [F, C, G, Es, A, C] da cimbalo
. . . opera II. – *[Venezia, Antonio Zatta &
figli].*   [G 604
GB Lbm (Etikett: Venezia, Giuseppe Benzon) –
I Bc, Gi, Mc

Cinque sonate per cimbalo piano forte con
accompagnamento ad libitum d'un violino, oltre alcune arie per l'arpa piano
forte . . . opera XI. – *Firenze, Ranieri del
Vivo.*   [G 605
D-brd MÜs

GAVAUDANT

Email des prés, verdure enchantresse. Ro-
mance du Délire. – [am Ende:] *Hamburg,
Mees & Co., No. 16d.* – KLA.   [G 606
D-ddr Bds

GAVEAUX Pierre

*(Da das Impressum nicht in allen Fällen
genau angegeben war, wurde für die For-
men: Gaveaux frères, M Mrs Gaveaux, les
frères Gaveaux, M. M. Pierre Gaveaux . . .
et Simon Gaveaux frères, einheitlich das
Impressum: les frères Gaveaux gesetzt)*

Musik zu Bühnenwerken

L'amour à Cythère

L'amour à Cythère. Ballet pantomime en
deux actes . . . arrangé pour le piano ou
harpe avec accompagnement de violon
par N. Carbonel. – *Paris, les frères Ga-
veaux.* – St.   [G 607
B Bc – **S** Skma

Avis aux femmes, ou Le mari colère

Avis aux femmes, ou Le mari colère. Comédie en un acte et en prose . . . représentée pour la première fois à Paris, sur le
théâtre de l'Opéra comique, le 5 brumaire
an XIII. 27 octobre 1804 . . . œuvre
XXIII. – *Paris, les frères Gaveaux.* – P.
                                                   [G 608
A Wn – **B** Bc – **D-ddr** Bds – **S** Skma, St – **US**
Cn

Parties séparées d'Avis aux femmes . . . –
Paris, les frères Gaveaux.   [G 609
S St (13 St.)

Le bouffe et le tailleur

Le bouffe et le tailleur. Opéra comique en
un acte . . . représenté pour la première
fois sur le théâtre Montansier, le 2 mes-
sidor an 12 . . . œuvre XXII. – *Paris, les
frères Gaveaux (gravé par Bouillerot).* – P.
       [G 610
B Bc – D-brd F – S St

Parties séparées du Bouffe et le tailleur
. . . – *Paris, les frères Gaveaux.*   [G 611
B Bc (10 St.) – D-brd F (10 St.) – S St (10 St.)

Ouverture. – *Paris, les frères Gaveaux.* –
St.   [G 612
B Bc

Conservez bien la paix. La leçon. Romance . . . arrangé pour piano ou harpe par
l'auteur. – *Paris, les frères Gaveaux.* –
KLA.   [G 613
S Skma

— Conservez bien la paix du cœur. Romance . . . avec accompagnement de guitarre par J. D. B[édard]. – *Braunschweig,
J. P. Spehr (Musikalisches Magazin auf
der Höhe)*, No. 991.   [G 614
D-brd DO

Les deux ermites

Ouverture, rondo, trio et petits airs des
deux hermites . . . arrangés pour le piano-
forte par Hyacinthe Jadin. – *Paris, les
frères Gaveaux.*   [G 615
F Pn

Adieu pour le coup, l'hermitage. Vaude-
ville . . . avec accompt. de guittare. –
Paris, Imbault.   [G 616
F Pn

Jeune fille et jeune garçon. Romance. –
[Paris], les frères Gaveaux. – KLA.
       [G 617
S Skma

Les deux Suisses, ou Les deux invalides
(später: L'amour filial, ou La jambe de
bois)

L'amour filial. Opéra en un acte . . . représenté pour la première fois sur le théâtre
de la rue Feydeau le 7 mars 1792. – *Paris,
Huet (gravé par la citoyenne Le Roy).* – P.
       [G 618
A Wn – B Bc, Br, Gc – CH Gc – D-brd BOCH-
mi, F, LÜh – D-ddr Dlb – F Lm, LYm, Pc
(2 Ex.), Pn, V – GB Lbm – S Skma – US AA,
Wc (2 verschiedene Ausgaben, davon 1 Ausgabe mit Etikett: Cousineau père)

— *ib., Imbault, No. 700.*   [G 619
A Wn (Etikett: Hamburg, I. Mees) – D-brd
Mh – D-ddr Bds – F G, Pc (2 Ex.) – GB Lbm
(2 Ex.) – S Skma, St – US Bp, NYp

— *ib., s. n.*   [G 620
US Cn, I

Parties séparées de l'amour filial . . . –
Paris, Imbault, No. 700.   [G 621
F Pn (12 St. [je 2 Ex.])

L'amour filial . . . Ouverture. – *Paris,
Huet.* – P.   [G 622
CH Gc (Etikett: Genève, Marcillac dit le jeune)

Ouverture . . . en sinfonie pour deux violons, alto et basse, cor et hautbois ad libitum. – *Paris, Imbault, No. O. S. 147 [Ti-
tel] (No. 700 [Stimmen]).* – St.   [G 623
D-brd MÜu (11 St.)

Ouverture . . . Harmonie à grand orchestre et à huit parties, composée de six
morceaux pour deux clarinettes, deux
petites flûtes ou hautbois, deux cors, deux
baßons, serpent, trompettes, große-caiße,
cymbales et triangles, arrangés par Fs.
Devienne. – *Paris, les frères Gaveaux, No.
36.* – St.   [G 624
D-brd AB (7 St.)

Ouverture aus der Oper: Die kindliche
Liebe . . . für das Clavier, Violine und
Violoncello ad lib. – *Hamburg, Johann
August Böhme.* – St.   [G 624a
D-brd KII (kl) – D-ddr SWl (kl) – DK A (kpl.:
kl, vl, vlc), Kmk (Etikett: Copenhagen, C. C.
Lose)

Jeunes amans cueillés des fleurs, Que je
suis heureux d'être père. Deux airs [frz.
und dtsch.] . . . arrangés pour le forte-
piano. – *Hamburg, Günther & Böhme.*
       [G 625
A Sca – D-brd LÜh (2 Ex.) – S Skma

— Jeunes amants, cueillés des fleurs. Air
... accompagnement de guittare par M.
Le Moine. – *Paris, Imbault.* [G 626
F Pn – **GB** Lbm

— ... avec accompagnement de clavecin
ou harpe. – *ib., No. A. #. 150.* [G 627
CH Bu

Mes chers enfants, unissés vous. Vaudeville ... avec accompt de guittare. – *Paris, Imbault.* [G 628
F Pn

— Vaudeville ... avec accompagnement
de piano. – *ib., Imbault.* [G 629
GB Lbm

Quand j'avois l'âge de mon fils. Air [2 v
et vl]. – *Paris, Imbault.* – P. [G 630
F Pn

Le diable couleur de rose, ou Le bonhom-
me misère

Le diable couleur de rose, ou Le bonhom-
me misère. Opéra comique en un acte ...
œuvre 19e. – *Paris, les frères Gaveaux,
No. 18. P.* – P. [G 631
B Bc – **US** Wc

Ouverture à grand orchestre. – *Paris, les
frères Gaveaux.* – St. [G 632
D-brd AB (13 St.)

Ouverture ... arrangée en harmonie par
J. Gebauer. – *Paris, les frères Gaveaux,
No. 216.* – St. [G 633
D-brd AB (11 St.)

Airs, duo, trio ... arrangés en harmonie
par J. Gebauer. – *Paris, les frères Gaveaux,
No. 217.* – St. [G 634
D-brd AB (8 St.)

Le diable en vacances, ou La suite du
diable couleur de rose

Le diable en vacances, ou La suite du
diable couleur de rose. Opéra féerie et
comique en un acte représenté pour la
1ère fois à Paris, sur le théâtre Montansier,
le 27 pluviose an 13. – *Paris, les frères
Gaveaux.* – P. [G 635
B Bc – **D-brd** MZsch – **S** Skma, St

Parties séparées du Diable en vacances
... – *Paris, les frères Gaveaux.* [G 636
D-brd MZsch (11 St.) – **S** St (11 St.)

Ouverture à grand orchestre. – *Paris, les
frères Gaveaux.* – St. [G 637
D-brd AB (11 St.) – **CH** Bu (11 St.)

Tour à tour je change de forme. Polonaise
... arrangé pour le forte piano. – *Hamburg, Johann August Böhme.* [G 638
S Sk

L'échelle de soie

L'échelle de soie. Opéra comique en un
acte et en vers libres ... représenté pour
la première fois ... sur le théâtre de l'Opéra comique le 22 août 1808 ... œuvre 26.
– *Paris, les frères Gaveaux.* – P. [G 639
B Bc – **S** Skma

Ouverture à grand orchestre. – *Paris, les
frères Gaveaux.* – St. [G 640
D-brd AB (13 St.)

Je n'entends plus aucun bruit. Romance
[E] ... arrangée pour le piano ou la harpe
par Tourterelle fils. – *Paris, les frères
Gaveaux.* [G 641
I Nc

Romance [C] ... arrangée pour piano ou
harpe par Tourterelle fils. – *Paris, les frères Gaveaux.* [G 642
I Nc

L'enfant prodigue

L'enfant prodigue. Opéra en trois actes et
en vers ... représenté pour la première
fois ... le 23 novembre 1811, œuvre
XXVIII. – *Paris, les frères Gaveaux, No.
568.* – P. [G 643
B Bc – **DK** Kk (Etikett: Auguste Leduc & C.) –
I BGc – **S** Ssr

Ouverture pour le piano-forte. – *Mainz,
Bernhard Schott's Söhne, No. 210.*
[G 644
D-brd MZsch

La famille indigente

La famille indigente. Opéra en un acte ...
représenté pour la première fois sur le thé-
âtre Faydeau le 4 mars 1793 ... (œuvre
IIe). – *Paris, les frères Gaveaux.* – P.
[G 645
B Bc, Gc – **D-brd** MZsch (Etikett: Imbault) –
DK Kk – **GB** Lbm (2 Ex.) – **F** LYm, Pc (2 Ex.),

Pn (2 Ex.). – **NL** Uim – **S** St – **US** AA, Bp, NYp
(Etikett: Toulouse, Crosilhes-Calvet), Wc

Pour bien employer ses loisirs. Chanson
. . . avec accomp^t de guitarre. – *s. l., s. n.*
[G 646
F Pc

Léonore, ou L'amour conjugal

Léonore, ou L'amour conjugal. Fait histo-
rique espagnol en deux actes . . . repré-
senté pour la première fois sur le théâtre
de la rue Faydeau le 1er ventose de l'an 6e,
œuvre 13. – *Paris, les frères Gaveaux.*
[G 647
A Wn – **B** Bc – **CH** Gc – **D-brd** BNba – **DK** Kk
– **F** Lm, LYm, Pc, Pn, V – **GB** Lbm – **S** Skma,
Ssr – **US** AA, BE, Cn, Dp (Etikett: Le Duc),
Wc (Etikett: B. Viguerie)

— *ib., No. 10.*   [G 648
D-brd Mbs – **D-ddr** Dlb (Etikett: Sieber) – **F** Pc
– **US** NYp

Parties séparées. – *Paris, les frères Gaveaux.*   [G 649
D-brd BNba (17 St.) – **F** Lm (17 St.), V (17 St.)

Air de Léonore . . . arrangé pour le forte
piano ou la harpe par M. P. Dalvimare. –
[Paris], les frères Gaveaux.   [G 650
DK Kv

Dieux! quelle obscurité. Introduction et
romance du second acte . . . arrangée pour
le forte-piano ou la harpe par M. P. Dalvimare, N° 3. – *Paris, les frères Gaveaux.*
[G 651
F Pc – **I** Nc

entfällt   [G 652

Lise et Colin

Lise et Colin, Opéra comique en deux
actes . . . représenté pour la 1re fois . . .
sur le théâtre de la rue Faydeau, le 17
thermidor, an quatrième. – *Paris, les frères Gaveaux (gravé par Favrot).* – P.
[G 653
B Bc, Gc – **D-brd** HR (Etikett: Imbault) – **F**
Lm – **GB** Lbm (2 Ex.) – **S** Skma – **US** Bp, NYp,
Su, Wc

— *ib., No. 3.*   [G 654
F Pc (2 Ex.), Pn

Le locataire

Le locataire. Opéra comique en un acte
. . . représenté pour la première fois . . .
sur le théâtre de l'Opéra comique rue
Favart, le 7 thermidor, an 8, œuvre XVII.
– *Paris, les frères Gaveaux.* – P.   [G 655
A Wn – **B** Bc – **D-brd** MZsch – **F** V – **GB** Lbm
(2 Ex.) – **S** Skma, Ssr, St – **US** AA, Wc

Parties séparées. – *Paris, les frères Gaveaux.*   [G 656
F V (13 St.)

Lieux charmans. Rondeau . . . accom-
pagnement de guitare ou lyre par Lintant.
– *[Paris], les frères Gaveaux.*   [G 657
S Skma

Monsieur des Chalumeaux

Monsieur des Chalumeaux. Opéra bouffon
en trois actes . . . représenté pour la première fois sur le théâtre impérial de
l'Opéra comique, le lundi 17 février 1806
. . . œuvre 25. – *Paris, les frères Gaveaux.*
– P.   [G 658
A Wn – **B** Bc – **D-brd** F (Etikett: Paris, Louis)
– **S** Skma, St

— *ib., No. 21.*   [G 659
D-ddr Bds – **I** Mc

Parties séparées. – *Paris, les frères Gaveaux.*   [G 660
S St (vl I, vl II)

J'estime infiniment Marseille. Couplets
. . . arrangés pour piano ou harpe par M^r
Tourterelle fils. – *Paris, les frères Gaveaux, No. 2.*   [G 661
S Skma

Sous l'ombrage. La chanson des noces . . .
arrangée pour piano ou harpe par l'auteur.
– *Paris, les frères Gaveaux, No. 6.* [G 662
S Skma (fehlt Titelblatt)

Les noms supposés (später: Les deux
jockeys)

On peut dans l'heureux age. Air (N° 4) . . .
arrangé par Narcisse Carbonel. – *Paris,
les frères Gaveaux.* – KLA.   [G 663
DK Kk (Etikett: Sieber)

Qui moi cherches. Air (No 1) . . . (in: Journal de la lyre d'Orphée, 2e année, No 33). – *Paris, les frères Gaveaux.* – KLA. [G 664
DK Kk (Etikett: Sieber)

Ovinska, ou Les exilés de Sibérie

Ouverture et entr'actes d'Ovinska . . . arrangés pour le forte-piano avec accompagnement de violon par N. Carbonel. – *Paris, les frères Gaveaux.* – St. [G 665
GB Lbm (pf, vl)

La partie carrée

Le curé de notre village. Ronde . . . avec accompagnement de guitarre. – *Paris, Imbault.* [G 666
GB Lbm

L'heureuse vie que mène un père capucin . . . avec accompagnement de guitarre. – *Paris, Imbault.* [G 667
GB Lbm

Que ces minois jolis. Rondo . . . arrangé pour piano ou harpe, par N. Carbonel. – *Paris, les frères Gaveaux.* [G 668
GB Lbm

Le petit matelot, ou Le mariage impromptu

Le petit matelot. Opéra en un acte . . . représenté pour la première fois sur le théâtre de la rue Faydeau le 7 janvier 1796 (vieux style). – *Paris, les frères Gaveaux (gravé par la citoyenne Le Roy).* – P. [G 669
B Bc, Gc – **C** Tu – **D-brd** F (Etikett: Imbault), Hs – **D-ddr** Dlb, SWl (Etikett: Imbault) – **DK** Kk – **F** Po, V – **GB** Lbm (2 Ex.) – **S** St – **US** AA (Etikett: Imbault; 2. Etikett: Marseille, M. Charpentier), Bp, Cn, CA, CHH, Dp, I

— *ib., No. 2.* [G 670
B Br – **D-ddr** Bds – **F** G, LYm, NS, Pc (3 Ex.), Pn, TLc – **NL** Uim – **S** Skma – **US** NYp, Wc

Klaveerudtog af ouverturen og favouritsangene i den Lille matros, et syngestykke i een akt. – *København, S. Sønnichsen.* – KLA. [G 671
DK A, Kc, Kk, Kv

Ouverture et airs favorits [No. 1–4] . . . arrangée pour le forte piano. – *Berlin, Rellstab.* [G 672
S Skma

Ah! laisse moi déraisonner. Rondo . . . arrangés pour piano ou harpe par Carbonel. – *Paris, les frères Gaveaux.* [G 673
DK Kk – **F** Pn

Amour quelle est ta puissance. Air . . . arrangés pour piano ou harpe par Carbonel. – *Paris, les frères Gaveaux.* [G 674
DK Kk – **F** Pn

Contre les chagrins de la vie. Air . . . arrangé pour piano ou harpe par Carbonel. – *Paris, les frères Gaveaux.* [G 675
DK Kk – **F** Pn – **S** Skma, Ssr

— . . . [Singstimme m. Guitarre]. – *s. l., Lebeau.* [G 676
D-brd DÜk

— Über die Beschwerden dieses Lebens schwatzt oft so mancher. Aria. – *Mannheim, Johann Michael Götz, No. 588.* [G 677
D-ddr Dlb

— Über die Beschwerden . . . im Clavier Auszug. – *Hamburg, Johann August Böhme.* [G 678
D-brd SPlb

La pipe de tabac. Air. – *London, J. Dale.* [G 679
GB BA

— . . . a second edition . . . with English words written by Mr. Winter. – *ib., J. Davies.* [G 680
GB Lbm

— La pipe de tabac. A celebrated air . . . the English words, imitated from the German, by R. S. Sharpe. – *ib., Bland & Weller.* [G 681
GB Lbm

— . . . a favorite French song with an English translation, arranged for the piano forte, violin and flute. – *New York, I. & M. Paff.* [G 682
US PHf (2 Ex.)

— The dish of tea, or Ladies answer to 'Pipe of tobacco'. – *London, J. Longman, Clementi & Co.* [G 683
GB Lbm

Nº 23. Valse favorite [C] ... pour piano forté. – *Mainz, Bernhard Schott, No. 573.*
[G 684
D-brd MZsch

La rose blanche et la rose rouge

Ouverture et entr'actes à grand orchestre. – *Paris, les frères Gaveaux, No. 228.* – St.
[G 685
D-brd AB (16 St.)

De château en château. Romance [c] du ménestrel ... arrangée pour piano ou harpe par Tourterelle fils. – *Paris, les frères Gaveaux.* [G 686
I Nc

La rose blanche et la rose rouge. Romance [B] ... arrangée pour le piano ou la harpe par Tourterelle fils. – *Paris, les frères Gaveaux.* [G 687
I Nc

Sous les habits d'un troubadour. Romance [c] du Troubadour ... arrangée pour piano ou harpe par Tourterelle fils. – *Paris, les frères Gaveaux.* [G 688
I Nc

Sophie et Moncars, ou L'intrigue portuguaise

Sophie et Moncars, ou L'intrigue portuguaise. Opéra en trois actes ... représenté sur le théâtre Faydeau le 9 vendémiaire an 6 ... œuvre 12ᵉ. – *Paris, les frères Gaveaux (gravé par Mme Brunet), No. 8.* – P. [G 689
F Pc (2 Ex.), Pn, LYm, TLc – **GB** Cpl, Lbm (2 Ex.) – **S** Skma – **US** Cn

— *ib., s. No.* [G 690
B Bc – **F** Lc, Lm – **NL** Uim – **S** St – **US** AA, Bp, I, NYp, Wc

Parties séparées. – *Paris, les frères Gaveaux.* [G 691
CH Gpu (17 St.) – **F** Lm (13 St.), Pn (13 St.)

Ouverture. – *s. l., s. n., No. 45.* – St.
[G 692
D-brd AB (7 St.: petite fl I/ob ad lib., cl II, cor I, cor II, b I, b II, serpent)

Le traité nul

Le traité nul. Opéra en un acte ... représenté pour la première fois, sur le théâtre Feydeau, le 23 juin 1797. – *Paris, les frères Gaveaux (gravé par Mme Brunet), No. 6.* – P. [G 693
B Br – **F** LYm, Pc, Pn, TLc – **S** Skma, St – **US** I, NYp, Wc

— *ib., s. No.* [G 694
A Wgm (Etikett: Le Duc) – **B** Bc, Gc (ohne Impressum) – **D-brd** Sl (unvollständig; Etikett: Le Duc) – **DK** Kk (Etikett: Imbault) – **F** Lm, V – **GB** Lbm (2 Ex.) – **NL** Uim – **US** AA (Etikett: Imbault), Bp, Cn

Parties séparées. – *Paris, les frères Gaveaux (écrit par Lefrançois), No. 7.* [G 695
S St (12 St.)

— *ib., s. No.* [G 696
F Lm (12 St.), Pc (12 St.; ohne Impressum), V (12 St.)

Ouverture à grand orchestre. – *Paris, les frères Gaveaux.* – St. [G 697
D-brd AB (13 St.), LÜh (13 St.; zusätzlich vl I, vl II und b handschriftlich)

Ah! qu' c'est un métier difficile. Air [à 1 v]. – *[Paris], Frère.* [G 698
F Pn

Amour, j'invoque ta puissance. Air [à 1 v]. – *[Paris], Frère.* [G 699
F Pn

C'est en vain que les amoureux. Rondeau. – *[Paris], Frère.* [G 700
F Pn

— ... arrangé pour piano ou harpe par N. Carbonel. – *ib., les frères Gaveaux.* [G 701
DK Kv – **GB** Lbm

Souvent la nuit. Air [à 1 v]. – *[Paris], Frère.* [G 702
F Pn

— ... avec accomptᵗ de guittare par Lemoine. – *ib.* [G 703
F Pc

Un amant sensible et discret. Romance [à 1 v]. – *[Paris], Frère.* [G 704
F Pn

Le trompeur trompé

Le trompeur trompé. Opéra comique en un acte et en prose ... représenté pour la

171

première fois à Paris au théâtre Faydeau le 14 thermidor an 8 . . . œuvre XVIIIe. – *Paris, les frères Gaveaux (gravé par Petit).* – P.   [G 705
B Bc – **DK** Kk (Etikett: Hamburg, Mees père & Co.) – **F** Lm, Pc (2 Ex.), Pn – **GB** Ckc, Lbm (2 Ex.) – **S** St, Skma, Ssr – **US** Wc

Parties séparées. – *Paris, les frères Gaveaux (écrit par Ribière).*   [G 706
F Lm (12 St.) – **S** St (12 St.)

Ces beaux galans, ces jeunes gens. Couplets . . . arrangé pour piano ou harpe par A. E. Trial. – *[Paris], les frères Gaveaux.*   [G 707
GB Lbm – **S** Skma

D'un mensonge très innocent. Air . . . accompagnement de guitare ou lyre par Lintant. – *[Paris], les frères Gaveaux.*   [G 708
F Pc

— . . . arrangé pour piano ou harpe par A. E. Trial. – *ib.*   [G 709
S Skma

J'attendais dans l'impatience. Couplets . . . arrangé pour piano ou harpe par A. E. Trial. – *[Paris], les frères Gaveaux.*   [G 710
S Skma

Vous qui souffrés du mal d'amour. Romance . . . arrangée pour piano ou harpe par A. E. Trial . . . (in: Journal de la lyre d'Orphée, 4e année, No 20). – *Paris, les frères Gaveaux.*   [G 711
D-brd Mbs (Etikett: Le Duc & Co.)

— . . . accompagnement de guitare ou lire par Lintant. – *ib.*   [G 712
F Pc

— . . . arrangée pour piano ou harpe par A. E. Trial. – *[ib.].*   [G 713
S Skma

Un quart d'heure de silence

Un quart d'heure de silence. Opéra comique en un acte . . . représenté pour la première fois sur le théâtre nationale [!] de l'Opéra comique, le 20 prairial an 12 . . . œuvre XXI. – *Paris, les frères Gaveaux.* – P.   [G 714

A Wn (Etikett: Le Duc) – **B** Bc – **D-brd** F (2 Ex.) – **DK** Kv – **NL** DHgm (P. und St.) – **S** Skma, Ssr

Ouverture à grand orchestre. – *Paris, les frères Gaveaux.* – St.   [G 715
D-brd AB (12 St.)

Sur le déclin de l'âge vieux parents chaque jour. Romance . . . arrangée avec accompt de piano ou harpe par J. B. Auvray. – *[Paris], les frères Gaveaux.*   [G 716
CH BEsu

VOKALMUSIK

Romanzen, Airs und Hymnen

Six romances imitées d'Atala . . . musique et accompagnement de harpe et cor obligé, ou piano-forté, flûte, ou violon ad-libitum . . . œuvre 2e des romances. – *Paris, les frères Gaveaux (L. Acbert).* – St.   [G 717
CH AR – **S** Uu

Romance . . . (in: Journal de la lyre d'Orphée, No. 15). – *s. l., s. n.*   [G 718
US Wc

Quoi! toujours à mes désirs. Romance d'Ernesta. – *Paris, les frères Gaveaux.*   [G 719
GB Lbm

Romance historique sur Guillaume Tell. – *[Paris], les frères Gaveaux.*   [G 720
B Bc – **CH** Bu

Romance de Médiocre et Rempant . . . arrangé pour piano ou harpe par N. Carbonel. – *Paris, les frères Gaveaux.* [G 721
I Nc

Hermite, bon hermite réveillez vous. La chanson du jeune pâtre, tirée du roman de Brick Bolding (tome IIe) . . . accompt de guitarre par Lintant. – *Paris, les frères Gaveaux.*   [G 722
F Pc

Stances . . . arrangée pour guitare ou lyre, par Ch . . . de Méliant. – *Paris, les frères Gaveaux.*   [G 723
GB Lbm

Le tombeau d'Eucharis [Air]. – *Paris, les frères Gaveaux.*   [G 724
GB Lbm

Le voici, vos mains l'ont planté. Couplets patriotiques, pour l'inauguration de l'arbre de la liberté sur la section de la République. Air du vaudeville de l'Amour filial. – *Paris, Huet.*   [G 725
F Pn

Muse alle-là! pourquoi veux-tu me contraindre à suivre Pindare? [für Singstimme und Guitarre]. L'Apothéose de J. J. Rousseau, air républicain pour le jour de sa translation au Panthéon français . . . musique . . . de l'Amour filial ou des Deux Suisses avec accompagnement de guittare. – *Paris, Imbault.*   [G 726
CH Gpu

O liberté, chère aux Français. Hymne à la liberté . . . air de la Piété filiale: Jeunes amants. – *Paris, Imbault.*   [G 727
GB Lbm

Peuple français, peuple de frères. Le réveil du peuple contre les terroristes . . . à grand orchestre à l'usage des départements. – *Paris, les frères Gaveaux.* – P.   [G 728
DK Km, Kv

— . . . [pour 1 voix et basse]. – *ib.*
                                                  [G 729
B Bc – CH Gpu – F Pc, Pn (2 Ex.)

— . . . arrangé [pour 1 voix avec accompagnement de piano ou harpe] par C. M. Plentade. – *ib.*   [G 730
CH Bu – D-brd Kll – F Pc (2 Ex.) – S Skma

— . . . arrangé par C. M. Plentade. – *London, Longman & Broderip.*   [G 731
GB Lbm (2 verschiedene Ausgaben; 2. Ausgabe ohne Impressum)

— Le réveil du peuple . . . – *Mainz, Bernhard Schott, No. 3.*   [G 732
CS K – D-brd MZsch

— Le réveil du peuple . . . [avec accompagnement de guitarre]. – *s. l., s. n.*
                                                  [G 733
GB Lbm

— Le réveil du peuple, ou le retour au modérantisme, composé après la dénonciation de Barrère . . . et Vadier. – *London, J. Dale.*   [G 734
GB Gu, Lbm, Ob – US Wc

— Le réveil du peuple . . . in French and English. – *New York-Philadelphia, Benjamin Carr.*   [G 735
US PHf

GAVINIÉS Pierre

WERKE MIT OPUSZAHLEN

Op. 1. Six sonates [D, g, h, G, B, A] à violon seul et basse . . . Ier œuvre. – *Paris, auteur, aux adresses ordinaires (Oger), (1760).* – P.   [G 736
D-brd Mbs – **D-ddr** Dlb – **F** Pc (4 Ex.), Pn – **GB** Lbm – **I** Vc – **US** AA, NYp, Wc – **USSR** Mk

— *ib., auteur, Sieber, No. 141.*   [G 737
GB Lbm – US BE

Op. 2. Le prétendu. Intermède en trois actes, représenté sur le théâtre italien . . . IIe œuvre. – *Paris, auteur, Bayard, de La Chevardière, Castagnery, Le Menu, Le Clerc, Moria (Moria).* – P.   [G 738
D-brd BNu – **F** Dc, Lm, Pa, Pc (4 Ex.), Pn – **I** MOe – **US** AA, Bp, NYp, Wc

— Airs détachés du Prétendu . . . – *ib., aux adresses ordinaires.* – P.   [G 739
F V – GB Ckc

Op. 3. Six sonates [A, B, g, d, G, A] à violon seul et basse . . . IIIme œuvre. – *Paris, auteur, Sieber, aux adresses ordinaires (Vendôme, chez Moria).* – P.   [G 740
D-ddr Dlb – **F** Pc – **GB** Lbm (Etikett: Paris, Auguste Le Duc) – **US** AA – **USSR** Mk

Op. 4. Six concerto à violon principal, premier et second dessus, deux hautbois, deux cors, alto et basse . . . IVème œuvre. – *Paris, auteur, aux adresses ordinaires (Vendôme, chez Moria).* – St.   [G 741
F Pc (5 Ex., davon 1 Ex. ohne vl II, ob I)

Op. 5. Six sonates [F, e, A, B, f, C] à deux violons . . . œuvre Ve. – *Paris, auteur, aux adresses ordinaires (Hyver).* – St.   [G 742
F Pa – GB Lbm – US NYp

WERKE OHNE OPUSZAHLEN

On craint un engagement. Romance . . . (in: Mercure de France, avril 1770). – *[Paris], s. n., (1770).*   [G 743
F Pn – GB Lbm – US NYp

Qu'il est doux, qu'il est charmant. Romance. – *Paris, s. n.* [G 744
GB Lbm (2 verschiedene Ausgaben)

Concerto à violon principal, premier et second violon, alto et basse, deux hautbois, deux cors. – *Paris, Sieber.* – St.
[G 745
US Wc

Trois sonates [f, c, Es] pour le violon composées par le célèbre Gaviniés avec accompagnement de violoncelle ad libitum, dont l'une en fa mineur, dite son tombeau, dédiées d'après ses dernières intentions à son ami Kreutzer. – *Paris, Naderman, Lobry.* – P. [G 746
D-ddr Dlb – GB Lbm – US Wc

— *Berlin, F. S. Lischke, No. 1640.*
[G 747
B Bc – D-brd Bhm

Les vingt quatre matinées . . . exercices pour le violon. – *Paris, Imbault, No. 440.*
[G 748
D-brd HEms – D-ddr Dlb – DK Kk – F Dc, Pc, Pn – GB Lbm – I Nc – US NYp

— *ib., Janet & Cotelle, No. 440.* [G 749
I Nc – US PO

— *Leipzig, C. F. Whistling.* [G 750
A Wgm – CS Pk – I BGi

Neal Zaslaw

GAWLER William

Harmonia sacra. Or, a collection of psalm tunes, with interludes, and a thorough bass . . . to which are added, an introductory voluntary, anthems and hymns. – *London, editor, 1781.* [G 751
SD S. 195
GB Lam, Lbm, Mp

The psalms and hymns used at the Asylum. – *London, Charles & Samuel Thompson.* [G 752
GB Lcm

The hymns and psalms used at the Asylum. – *London, W. Gawler.* [G 753
GB Gm, Lbm (3 verschiedene Ausgaben) – US Ps

— *ib., Bland & Weller.* [G 754
GB Lbm – US Ps

Ye hearts of oak. Glorious naval victory. – *London, Charles Wheatstone.* [G 755
GB Lbm

— . . . the celebrated song of Can British tars wish more. – *[London], G. Goulding.*
[G 756
US PD

A miscellaneous collection of fugitive pieces . . . calculated . . . for improvement on the harpsichord or piano-forte, op. 2. – *London, John Preston.* [G 757
GB Lbm

GAWTHORN Nathaniel

Harmonia perfecta: A compleat collection of psalm tunes, in four parts . . . taken from the most eminent masters, chiefly from Mr. Ravenscroft, to which is added, a dialogue upon death: with several psalm tunes, hymns, and anthems . . . with an introduction of psalmody. – *London, printed by William Pearson, sold by Nathaniel Gawthorn, 1730.* [G 758
SD S. 194
GB Cu, En, Ge, Gtc, Lam, Lbm, LVu, Mp (2 Ex.) – US Cn

— Harmoniae [!] perfecta . . . – *ib., 1730.*
SD [G 759
GB Ckc, Lbm (unvollständig), Lcm – US Pu, PHlc

— Harmonia perfecta . . . – *ib., printed by William Pearson, sold by Richard Ford, 1730.* [G 760
GB Lbm – US Wc

GAZZANIGA Giuseppe

Salmi, cantici ed inni cristiani del Conte Luigi Tadini ad 1–3 voci posti in musica popolare dai maestri Giuseppe Gazzaniga e Stefano Pavesi. – *Milano, Giovanni Ricordi, 1817.* – P. [G 761
SD
A Wgm – I Mc

Il car ben perdei ... (in: Journal d'ariettes
italiennes, N⁰ 337, année 1793). – *[Paris],
Bailleux*. – KLA. und St.   [G 762
D-brd MÜu (KLA., vl I, vl II, vla, b, fl, cor I,
cor II)

Per pietà chi mi conforta ... (in: Abonnement année 1780, Journal d'ariettes
italiennes ... N⁰ XLVI ... mois de novembre). – *Paris, Bailleux*.   [G 763
A Wgm (4 Streicher-St. ohne Titel)

Rondo d'il Finto cieco ... (in: Abonnement année 1791, Journal d'ariettes italiennes ... N⁰ 312 ... mois de décembre).
– *Paris, Bailleux*.   [G 764
NL At

Tenerino e tutto amore. Aria buffa ...
con recitativo. – *Venezia, Antonio Zatta &
figli*. – P. und St.   [G 765
I Vgc (P.), Vc-correr (cor I/II, ob I/II [jeweils
ohne Titel])

Ti consola amato [Einlage-Arie zu:] Gian-
nina & Bernardone [von Cimarosa]. –
[London], Longman & Broderip. – P.
                                     [G 766
GB BA, Gu, Lbm, Ob

Viva Paris. A ... song in the opera of
Alcina. – *Dublin, Anne Lee*.   [G 767
GB Ckc

GEARY Thomas Augustine

Ten canzonets for one and two voices,
with an accompaniment for the piano-
forte or harpsichord. – *Dublin, Edmund
Lee, for the author*.   [G 768
GB Lbm

Six canzonetts [!] with an accompaniment
for the piano forte. – *London, J. Bland*.
                                     [G 769
EIRE Dn – **US** PHu

Six canzonets for the harpsichord or piano
forte by J.[!] Geary (in: Piano-Forte Magazine, vol. XIV, Nr. 6). – *London, Harrison, Cluse & Co., No. 219*. – KLA.
                                     [G 770
D-brd Mbs

Blow chearly ye winds. The bonny sailor.
A favorite new Scots song. – *Dublin,
Hime*.   [G 771
US Bm

Geordie Jenkin. An admired ... ballad. –
Dublin, Mᶜ Donnell.   [G 772
GB Lbm, Ob

Go gentle Zephyr, for the piano forte. –
London, Bland & Weller.   [G 773
US Wc

The Greenwich pensioner, with variations
for the piano forte or harpsichord. –
Dublin, Edmund Lee.   [G 774
GB DU

— *ib., Hime*.   [G 775
US Wc

Kiss me lady. A favorite air with violin
accompᵗ arranged as a rondo for the piano
forte. – *Dublin, McDonnell*.   [G 776
GB Lbm, Ob – **I** Rsc

Listen to the voice of love. A favorite glee
for four voices [the melody by J. Hook]
... harmonized by T. A. Geary. – *Dublin,
McDonnell*.   [G 777
GB Lbm, Ob

Old Towler. A celebrated hunting glee for
four voices ... harmonized by T. A.
Geary. – *Dublin, Benjamin Cooke*. [G 778
EIRE Dn

Pity the sorrows of a poor old man. A
favorite canzonett. – *Philadelphia, Carr &
Co*.   [G 779
US Wc

Soft in the Zephyr's breezy wing [Duet].
– *s. l., s. n.*   [G 780
GB Lbm

Winsan Willy. An admired Scots ballad. –
Dublin, McDonnell.   [G 781
GB Lbm

GEBART A.

Tres quartettos [Es, A, G] a dos violines,
viola y bajo. – *Madrid, Chener*. – St.
                                     [G 782
I Tn (vl I, vl II, vlc; fehlt vla)

GEBAUER Michel Joseph

(Die Zuweisung der nach 1800 erschienenen Ausgaben zu Michel Joseph Gebauer oder Michel Joseph Gebauer le fils ist zweifelhaft. Es wurden alle gemeldeten Ausgaben berücksichtigt, die nicht den Zusatz „fils" tragen)

WERKE MIT OPUSZAHLEN

Six duos pour violon & alto . . . œuvre 5. – *Paris, Imbault.* – St. [G 783
F Pmeyer

Six duos concertans pour deux flûtes . . . seconde édition, revue, corrigée, et augmentée par l'auteur, op. IX (en deux parties). – *Paris, Sieber père, No. 1746 (–1747).* – St. [G 784
CH Bchristen (fl I)

Grande étude ou exercice [d] pour la flûte seule . . . œuv. 9. – *Wien, Chemische Druckerei, No. 1378.* [G 785
A Wgm

Douze duos [C, F, a, G, D, C; B, Es, h, A, d, g] très faciles pour deux violons, divisées en deux livraisons à l'usage des commençans . . . œuvre 10, livre 2 [B, Es, h, A, d, g]. – *Paris, Richault, No. 1052. R.* – St. [G 786
I Nc

— Six duos pour deux violons à l'usage des commençans . . . œuv: 10. – *Hamburg, Johann August Böhme.* [G 787
US AA (kpl.; vl I mit Etikett: Antwerpen, A. Schott)

— Douze duos très faciles pour deux violons à l'usage des commençans . . . œuvre 10, 1er (–2eme) partie. – *Mainz, Bernhard Schott & Söhne, No. 2661 (2662).* [G 788
A Wgm

— Six duos très faciles pour deux violons . . . œuv. 10, Ire livraison. – *Den Haag-Amsterdam, F. J. Weygand, No. 1253.* [G 789
US Wc

— Six duos très faciles pour deux violons . . . œuvre X, lib. II. – *Berlin, Johann Julius Hummel, No. 1253 ([Titelblatt:] 1249).* [G 790
NL DHgm (vl II) – US Wc

— Six duos . . . œuv. X, liv. II. - *Amsterdam, J. Schmitt.* [G 791
SF A

— Trois duos pour deux violons à l'usage des commençans avec des notices pour faciliter aux élèves le moyen de retenir et observer les différentes instructions qui caractérisent chaque morceau . . . œuvre X, livre II [G, D, C]. – *Amsterdam, Vve W. C. Nolting & fils, No. 95.* [G 792
NL At

— Trois duos pour deux violons . . . œuvre X, livre III [B, Es, h]. – *ib., No. 100.* [G 793
NL At (fehlt vl II)

Six quatuors concertans [D, F, Es, H, A, F] pour deux violons, alto et basse . . . œuvre 111e [!]. – *Paris, Boyer.* – St. [G 794
DK Dschoenbaum (vl I, vla)

Trois quatuor [Es, B, c] concertans pour clarinette, violon, alto et basse . . . œuvre 13e. – *Paris, Boyer.* – St. [G 795
S Skma

Trois duos [G, F, C] pour flûte et basson . . . œuvre 17. – *Paris, Sieber, No. 436.* – St. [G 796
E MO – I Mc

WERKE OHNE OPUSZAHLEN

Ire Suite de douze fanfares ou marches à quatre trompettes et timbale (ad libitum) à l'usage des troupes à cheval. – *Paris, Lemoine.* – St. [G 797
F Pn (kpl.: tr I, II, III, IV, timbale)

12 Marches nouvelles exécutées à l'occasion des grandes parades . . . No 1 (2). – *Wien, Thadé Weigl, No. 1100 (1099).* [G 798
A Wgm

XII Variations [c] pour la flûte anglaise avec accompagnement d'un violon ou flûte. – *Wien, Chemische Druckerei, No. 57.* – St. [G 799
A Wgm – H KE

XII Variations [F] pour la flûte anglaise avec accompagnement d'un violon ou flûte. – *Wien, Chemische Druckerei, No. 72.* – St.   [G 800
A Wgm (2 Ex.) – H PH

12 Ländler für zwey Flöten. – *Wien, Johann Traeg, No. 336.* – St.   [G 801
D-brd Mbs

Petites pièces pour 2 czakans ou flûtes douces. – *Wien, Chemische Druckerei, No. 822.* – St.   [G 802
A Z – H KE

Trois duos pour deux violons. – *Paris, Naderman, éditeur.* – St.   [G 803
US WC

Deux fantaisies [G, G] pour la flûte seule. – *Wien, Chemische Druckerei, No. 908.*
                                              [G 804
A Wgm

BEARBEITUNGEN

Recueil de XXVIII pièces choisies pour des commençans pour deux violons. – *Mainz, Schott.* – St.   [G 805
SD S. 337
D-brd LÜh

Vingt-huit petits airs pour deux violons d'une difficulté progressive à l'usage des commençans . . . 2de édition. – *Offenbach, Johann André, No. 2618.* – St.   [G 806
D-brd Mbs, OF – NL At

— *ib., No. 3930.*   [G 807
D-brd F, OF

Petits airs pour deux flûtes choisis dans les opéras et opéras comiques . . . Ière suite. – *Paris, Boyer; Lyon, Garnier.*
                                              [G 808
B BRc

Deux pots pourris d'airs connus arrangées pour deux flûtes. – *Paris, Boyer.* – St.
                                              [G 809
F Pn

Deux pots pourris d'airs connus arrangés pour deux clarinettes. – *Paris, Boyer.* – St.   [G 810
F Pn

Deux pots pourris d'airs connus arrangés pour deux bassons. – *Paris, Boyer.* – St.
                                              [G 811
F Pn

[3] Duos d'airs arrangés pour deux clarinette . . . suite (Nº 4–6). – *Paris, Sieber, No. 1318.* – St.   [G 812
CH E (fehlt cl I)

Petits airs connus variés pour le flageolet avec accompagnement ad libitum. – *Paris, Boyer.* – P.   [G 813
F Pn

Aria variata per uno o due flauti. – *Napoli, G. Girard, No. 88.* – St.   [G 814
I Nc

GEBEL Georg (d. J.)

Partita per il cembalo. – *Rudolstadt, Christoph Friedrich Eschrich.*   [G 815
D-ddr SWl

GEBHARD Johann Gottfried

Sammlung vermischter kleiner und leichter Klavierstücke . . . (erster und zweyter Theil). Nebst einer Zugabe von etlichen Orgelstücken [mit gesondertem Titel]. – *Barby, Autor, 1786 (1788).*   [G 816
D-ddr HER (1. Teil mit Zugabe [2 Ex.], 2. Teil mit Zugabe), LEm (1. Teil ohne Zugabe, 2. Teil [nur Titelblatt] mit Zugabe [S. 1–4])

Eine Sonate [c] für das Klavier componirt. – *Barby, Autor, Christian Friedrich Laur, 1784.*   [G 817
B Bc – F Pc – US Wc

GEBHARDT Paul

Six quartetts [C, D, A, B, F, Es] pour deux violons, alto et violoncelle, œuvre I. – *Lyon, Guera (gravées par Mlle Ferrière), No. 57.* – St.   [G 818
B Bc – GB Lbm – I Vc

                                              177

GEHOT Joseph

Op. 1. Six quartettos [F, G, D, D, C, Es] for two violins, a tenor and bass . . . opera Iᵐᵃ. – *London, William Napier, for the author.* – St.   [G 819
E Mn – GB Lbm – US Wc

— *ib., Welcker.*   [G 820
I Vc – US CA

Op. 2. Six trios [D, G, Es, G, Es, C] for a violin, tenor, and violoncello . . . op. II. – *London, William Napier, No. 82.* – St.
[G 821
GB Ckc, Lbm – US NYp, R, Wc

— Six sonates en trios pour un violon, un alto, et basse . . . œuvre IIᵉ. – *Paris, Mlle De Silly.*   [G 822
CH Gc (Etikett: Lausanne, Doy)

Op. 3. Six easy duettos [B, A, C, D, G, c] for a violin and violoncello . . . opera III. – *London, William Napier, No. 104.* – St.
[G 823
GB Ckc – I Vc – US Wc

— *ib., William Forster, No. 104.* [G 824
GB Lbm

Op. 4. Twenty four military pieces, consisting of marches, minuets, quick-movements &c. for two clarinets, two horns, and a bassoon . . . op. 4ᵗʰ. – *London, William Napier.* – St.   [G 825
D-ddr SWl (cor I/II, fag)

Op. 5. Six trios [C, F, d, c, Es, D] for two violins and violoncello obligato . . . op. V. – *London, James Blundell.* – St. [G 826
GB Lbm – I Vc – US NYp, Wc

— *ib., Longman & Broderip.*   [G 827
EIRE Dam

— Six trios à deux violons et violoncelle obligé . . . œuvre I. – *Berlin, Johann Julius Hummel; Amsterdam, au grand magazin de musique, aux adresses ordinaires, No. 520.*   [G 828
D-brd B (vlc [fehlt Titelblatt]) – I Nc – S Skma

Op. 6. Six duettos [B, A, A, C, Es, A] for two violins . . . op. VI. – *London, William Napier.* – St.   [G 829
I Vc

— Six duos à deux violons . . . œuvre troisième. – *Berlin, Johann Julius Hummel; Amsterdam, au grand magazin de musique et aux adresses ordinaires, No. 483.*
[G 830
F Pc – S V (fehlt vl I)

Op. 7. Six quartets [D, E, F, A, Es, D] for two violins, tenor and violoncello . . . op. VII. – *London, J. Bland (Boyce).* – St.
[G 831
GB Ckc – S Uu (fehlt vlc) – SF A (Etikett: Amsterdam, J. Schmitt)

Op. 9. Six duetts [A, B, D, C, F, Es] for a violin, and violoncello . . . op. 9. – *London, Fentum.* – P.   [G 832
GB Lbm – US Wc

The art of bowing on the violin, calculated for the practice & improvement of juvenile performers [mit: Aria con 30 variazioni, für vl und bc]. – *London, G. Goulding.*   [G 833
GB Lbm – US Wc

GEHRA August Heinrich

Deliciae musicae in sex partiis per unam tibiam transversam, duas violinas et bassum. – *Augsburg, Johann Christian Leopold.* – St.   [G 834
D-brd As (kpl.: fl traversiere, vl I, vl II, vlc) – DK Kk

Primo saggio di sei pezzi per il cembalo, un flauto traverso, due violini e basso. – *s. l., J. G. Frantzel.* – St.   [G 835
DK Kk (kpl.: vl I, vl II, b, fl traversiere, clav/ cemb obl.)

GEIER Johann Egidius

Lieder und Gesänge für das Clavier oder Fortepiano. – *Leipzig, C. F. Lehmann.*
[G 836
CS K – D-ddr LEsm

Lieder und Gesänge für das Clavier oder Fortepiano . . . 2ter Theil. – *Leipzig, C. F. Lehmann.*   [G 837
CS K – US Wc

Lieder und Gesänge für das Clavier oder
Fortepiano . . . 3ter Theil. – *Leipzig, C. F.*
Lehmann.   [G 838
CS K

Sechs Lieder mit Begleitung des Claviers.
– *Braunschweig, Musikalisches Magazin*
auf der Höhe, No. 302.   [G 839
CS K – D-brd MÜu

Walzer à quatre mains pour le clavecin ou
fortepiano . . . liv. II. – *Leipzig, C. F. Leh-*
mann, No. 25.   [G 840
D-brd LB – D-ddr HAu

GEISENHOF Johannes

Missae aliquot sacrae: ad imitationem se-
lectissimarum quarundam cantionum senis vocibus compositae, adiuncto psalmo
Miserere per totum. – *Dillingen, Adam*
Meltzer, 1610. – St.   [G 841
D-brd DI (S I, S II, A I, A II, T I, T II, B [un-
vollständige Stimmen, außer S I])

GEISLER Benedict

Op. 1. Opus novum sex missarum, quarum I. pro singulis diebus festis & dominicis, ex A. II. vero est missa solemnis. ex. C.
missa III, IV, & V. iterum ut prima pro
singulis diebus festis & dominicis, VI. autem est missa defunctorum, notandum
praeterea est, quod hae missae constent
4. vocibus C. A. T. B., 2 violinis necessariis, 2 clarinis ad libitum, organo, violoncello non obligato . . . opus I. – *Bam-*
berg, Johann Jakob Schnell, 1738. – St.
                                              [G 842
D-brd WEY (org), BEU (clno I, clno II [ohne
Titelblatt und Impressum, Ausgabe un-
bestimmt])

— *ib., 1739.*   [G 843
D-brd NBss (8 St.: S, A, T, B, vl I, clno/cor I,
clno/cor II, org)

Op. 2. Opus II. Continens in se VI. Missas
in quibis de festo solenni una, aliae breviores, a canto, alto, tenore, basso, II. violinis atque II. cornibus pro libitu, violoncello cum organo. – *Augsburg, Johann*
Jakob Lotters Erben, 1741. – St.   [G 844

A Gmi (fehlen vlc und org) – CH E (fehlen
clno I, clno II), FF(A, T, B), MÜ (org), SAf (fehlen clno I, clno II, org), SO (fehlen vl II, vlc) –
CS Mms (fehlen clno I, clno II, vlc) – D-brd AAm
(A, T, vl II, vlc, clno I), EB (fehlen clno I, clno
II, org), IN (fehlt clno I; vl I [unvollständig]),
Mbs (A, clno I), NBss (fehlen vl II, org), OB
(kpl.: S, A, T, B, vl I, vl II, vlc, clno I, clno II,
org), Rp (org [2 Ex.]), WEY (kpl.; A [unvoll-
ständig])

Op. 3. Fluenta roris nectarei e petra stillante tertia jam vice promanantia, vesperas quatuor musicales a canto, alto, tenore, basso, II. violinis, II. cornibus ad
libitum, violoncello & organo constantes
effundentia . . . opus III. – *Augsburg,*
Johann Jakob Lotters Erben, 1742. – St.
                                              [G 845
CH EN (S, B, vl I, vl II, org, clno I, clno II),
Lz (org), MÜ (S, B, org), SO (S, A, T, vl II, vlc,
clno I, clno II, org) – CS Pnm (9 St.), Sk (vl II
[Titelblatt]) – D-brd AAm (S [unvollständig],
A, T, vl I, clno II, org), BEU (fehlt vl II), DO
(fehlen clno I, clno II), Ew (kpl.: S, A, T, B,
vl I, vl II, vlc, clno I, clno II, org), FRu, HR
(S, A, vlc, org, clno I, clno II), IN, Tmi, WEY –
D-ddr BAUd (kpl.; S und vl I ohne Titelblatt)

Op. 4. Fons de novo prae gaudio saliens e
petra stillante, roris nectarei ubertatem
demonstrans in XVIII. Offertoria diffu-
sus . . . opus IV. – *Bamberg, Johann*
Jakob Schnell, 1743. – St.   [G 846
CH E (vl I [ohne Titelblatt]) – D-brd EB (kpl.:
S, A, T, B, vl I, vl II, vlc, clno I, clno II, org),
IN (fehlen vl I, vl II; clno I [unvollständig]),
NBss, Po (fehlen clno I, clno II) – GB Lbm

Op. 5. Petra denuo percussa stillat copiose
quintum opus Marianum consistens in V.
missis brevibus et duobus missis de Re-
quiem a 2. vocibus, 1. violino & organo
necessariis, tenore, basso, violino II. &
2. clarinis ad libitum . . . opus V. – *Augs-*
burg, Johann Jakob Lotters Erben, 1744.
– St.   [G 847
A Gmi (S, A, T, B, clno I, vlc) – B Z (T, B, vl II,
clno I, clno II) – CH E (fehlen clno I, clno II) –
CS KU (fehlen clno I, clno II), Sk (B) – D-brd
DO (A, T, B, vl I, vl II, org), IN (fehlt clno II;
S [unvollständig]), Rp (S), Tmi (A, T, B, vl I,
vl II, clno I, clno II, org; fehlen S und vlc) –
H Bn (vl I [ohne Titelblatt])

Op. 6. Concentus Marianus seu sex lytaniae lauretanae gloriosissimae Dei-Parenti
Mariae . . . a 4. vocib. concert., 2. violin.,

2 cornibus ad libit., cum duplici basso, quibus accedit ... antiphonae duodecies repetitae ... elaboratae a 4. vocibus, 2. violinis & duplici basso ... opus VI. – *Augsburg, Johann Jakob Lotters Erben, 1746. –* St. [G 848
CH E (S, vlc), **MÜ** (S, A, T, B, vl I, vl II, vlc), **SO** (T, B, vl I, vl II, vlc, clno I, clno II, org) – **CS** Mms (B, vl I [unvollständig], vl II [unvollständig], org) – **D-brd** AAm (A, T, vl I, clno II, org), FRu (kpl.: S, A, T, B, vl I, vl II, vlc, clno I, clno II, org), IN (fehlen B, clno I, clno II), Mcg (A, B, vl I, vl II), WEY

Op. 7. Hostia laudis Deo uni & trino sacrificata seu sex missae novae, a 4. vocibus, 2. violin. concert., 2. clarin. vel corn. ad libitum, cum duplici basso continuo, quarum ultima a 2. vocib. & violino unisono concert., tenore & basso ad libitum ... opus VII. – *Augsburg, Johann Jakob Lotters Erben, 1746. –* St. [G 849
CH EN (fehlt vl II), SAf (org) – **CS** Pnm (10 St.) – **D-brd** AAm (S [unvollständig], B, clno I, clno II, org), IN (fehlen vl I, vl II; A [unvollständig]), NBss (kpl.: S, A, T, B, vl I, vl II, vlc, clno I, clno II, org), WEY (kpl.; S und A [2 Ex.])

Op. 8. Concentus novus suave sonans pro ecclesia dei sive VI. Missae a canto, alto, tenore, basso, 2 violinis, & 2 cornibus vel lituis non obligatis, ac violoncello non obligato, & organo ... opus VIII. – *Bamberg, Johann Jakob Schnell, 1749. –* St. [G 850
D-brd IN (S, A, vl I, vl II, vlc, clno I, clno II, org), Rp (S, A, T, B, vl I, vl II, clno I, clno II [ohne Titelblatt])

Op. 9. Jucunda decoraque Dei nostri laudatio psalm. 146. consistens in quatuor vesperis ... a 4. vocibus, 2. violinis, 2. cornibus ad libitum, organo, violone vel violoncello ... opus IX. – *Bamberg, Johann Jakob Schnell, 1753. –* St. [G 851
D-brd IN (org), NBss (fehlt org), Rp (org), WEY (fehlt clno II) – **D-ddr** BAUd (kpl.: S, A, T, B, vl I, vl II, vlc, org, clno I, clno II)

GEISLER Georg

Hymenaeus poetico-musicus nuptiis ... Fridericus Seilerus med. doctor sponsus, cum ... Hedwige Scepsia ... X. VII bris,

anno 1612 ... VI. Vocibus compositus. – *Breslau, Georg Baumann, 1612. –* St. [G 852
PL WRu (S I, S II, T I; fehlen A, T II, B)

Psalmus CXXVII. secundis nuptiis, quas ... Christophorus ab Hoberg in Fürstenstein &c. sponsus, cum ... Anna Hobergia ... ad 26. novemb. anni 1613 ... VI. Vocibus compositus. – *Liegnitz Nikolaus Sartorius, 1613. –* St. [G 853
PL WRu (S I, S II, A, B; fehlen T I, T II)

GEIST Samuel

Ach eile doch mit mir mein Heiland [S, bc]. Christiana ἀποθέωσις, oder Die seelige VerEwigung der ... Anna Margaretha Oxenstierna. – *Stockholm, [J. G. Eberdt], 1672.* [G 854
S Uu

GELINEK Guillaume

Recueil de walses, d'anglaises, d'allemandes et de différents airs de danse choisis et mis à la portée des commençans, pour la harpe. – *Paris, Naderman et Lobry (Ribière), No. 750.* [G 855
CH Bu – **F** Pc

GELINEK Joseph

VOKALKOMPOSITIONEN

Hymne guter Bürger. Zur Danksagung für die Siege über die Feinde rechtmäßiger Regenten und bürgerlicher Ordnung in Musik gesetzt für das Clavier [C]. – *Wien, Artaria & Co., No. 841. –* KLA. [G 856
A Wn – **CS** K, Pnm, Pu

Landwehr Marsch [F] mit unterlegtem Text des Hrn. H. I. v. Collin. – *Wien, Johann Cappi, No. 1399. –* KLA. [G 857
A Wst – **CS** Pnm

Couplets [B] pour Mademoiselle Célina ... agée de 4 ans. – *Wien, Artaria & Co., No. 2062.* [G 858
A Wgm, Wst

WERKE FÜR 3 INSTRUMENTE

Trio [Es] pour le clavecin ou piano-forte avec un violon et violoncelle . . . œuvre X. – *Wien, Artaria & Co., No. 728.* – St.
[G 859
A Wgm, Wn, Wst – **CS** Bm, Pnm, Pu – **D-brd** WE – **D-ddr** Dlb – **I** Mc

Grand trio [Es] pour le clavecin ou piano-forte avec un violon et violoncelle . . . œuvre 21. – *Wien, Johann Cappi, No. 906.* – St.
[G 860
A Sca – **CS** Pk, Pnm – **D-brd** WE

Sonate [Es] pour le piano-forte avec accompagnement d'un violon et violoncelle. – *Wien, Chemische Druckerei, No. 179.* – St.
[G 861
A Wn (pf [unvollständig]) – **CS** Mnm (pf, vlc)

11 Deutsche Tänze und Coda für zwey Violinen und Baß. – *Wien, Chemische Druckerei, No. 937.* – St.
[G 862
A Wst

WERKE FÜR 2 INSTRUMENTE

Sonate facile [C] pour le clavecin ou piano-forte avec un violon . . . œuvre 11me. – *Wien, Artaria & Co., No. 740.* – St.
[G 863
CS Bu, Pu – **I** Nc

Sonate [a] pour le piano-forte avec accompagnement d'un violon obligé arrangée d'après le quatuor de Mr. Haensel, œuvre 32me. – *Wien, Artaria & Co., No. 2456.* – St.
[G 864
A Wst – **US** Wc

Rondeau [A] pour le piano forte avec accompagnement de flûte ou violon . . . op. 81. – *Paris, Carli, No. 702.*
[G 865
I Nc (pf)

Rondoletto [A] de Romberg arrangé pour le piano forte avec accompagnement de flûte . . . op. 100. – *Paris, Carli, No. 2090.*
[G 866
I Nc (pf)

Sonata [C] per il forte piano con flauto o violino. – *Wien, Ludwig Maisch, No. 390.* – St.
[G 867
A Wgm

Sonatine et variations [G] très faciles pour le piano-forte avec l'accompagnement d'une flûte ou violon. – *Wien, Johann Cappi, No. 1251.* – St.
[G 868
A Wgm – **I** Tn
vgl. [G 871

— . . . 2de édition. – *Offenbach, Johann André, No. 3261.*
[G 869
D-brd OF (pf)

Rondo pour le Csakan avec piano-forte. – *Wien, Chemische Druckerei, No. 2011.* – St.
[G 870
H Gm

Variations [G] très faciles pour le piano-forte avec l'accompagnement d'une flûte ou violon ad libitum . . . No. 48. – *Wien, Johann Cappi, No. 1251.* – St.
[G 871
A Wgm – **CS** Pk
vgl. [G 868

Concertante Variationen [C] für das Piano-Forte mit Flöte oder Violin über das beliebte Lied Die Sendung Idas (Eine Rose an Alexis) . . . No. 88. – *Wien, Artaria & Co., No. 2420.* – St.
[G 872
A Wgm, Wst – **CS** Pk – **I** PAc

— Variations concertantes pour le piano forté, flûte ou violon, Eine Rose an Alexis . . . No. 88. – *Bonn-Köln, Nikolaus Simrock, No. 1206.*
[G 873
A Wn

— Variationen für Piano-Forté mit Flöte oder Violin über das beliebte Lied Die Sendung Idas (Eine Rose an Alexis) . . . No. 88. – *Offenbach, Johann André, No. 3670.*
[G 874
D-brd OF

— Rose et Alexis. Chanson allemande favorite précédée d'une introduction et suivie de huit variations concertantes pour piano et flûte ou violon . . . op. 73. – *Paris, Carli, No. 654.*
[G 875
I Nc (pf)

WERKE FÜR KLAVIER

Variationen Nr. 1–107

No. 1. Variazioni [A] del duetto La ci darem la mano, nell' opera Il Don Giovan-

ni, per il clavicembalo o forte piano . . .
No. 1. – *Wien, Artaria & Co., No. 221.*
[G 876
A Wgm – CS KRa – **D-brd** DO – I Tn

— *ib., No. 339.*   [G 877
A M, Wgm, Wn, Wst – CS K – **D-brd** Mbs –
D-ddr Dlb – I Mc, Nc

— Variations pour le piano-forté, sur le
duo La ci darem la mano, de l'opéra Don
Juan . . . No. 1, seconde édition. – *Offen-*
bach, Johann André, No. 3507.   [G 878
D-brd OF – **D-ddr** ZI

— Dix variations pour le forte piano sur
un duo de Don Juan . . . op. 6. – *Paris,*
Carli, No. 167.   [G 879
D-brd Mbs

— Variations pour le pianoforte sur le
duo „Gieb mir die Hand mein L." de
l'opéra Don Juan . . . No. 1. – *Leipzig,*
Breitkopf & Härtel, No. 2800.   [G 880
S Skma

— *ib., No. 3258.*   [G 881
A Wn – CS Pu – **D-ddr** Bds

— Mozart's celebrated air La ci darem,
arranged with variations for the piano
forte . . . No. 7. – *London, Paine & Hop-*
kins.   [G 882
S Skma

— Variations pour le clavecin ou forte-
piano, No. 4. – *Mannheim, J. M. Götz;*
Strasbourg, Ch. F. Storch, No. 284. [G 883
F Pc

— X Variationen über das beliebte Duettino aus der Oper Don Giovanni von Mozart (Mädchen wie ich dich liebe) componirt fürs Piano-Forte . . . No. 1. – *Mainz,*
Bernhard Schott.   [G 884
CH W

— *München, Falter & Sohn.*   [G 885
D-brd Mbs

— X Variationen über das Duett aus der
Oper Donjouan [!] von Mozart (Mädchen
wie ich dich liebe) für das Piano-Forte . . .
No. 1. – *Mainz, Bernhard Schott's Söhne,*
No. 1261.   [G 886
D-brd Mbs, MZsch – **D-ddr** Bds
vgl. [G 1349

No. 2. Six variations [A] pour le clavecin
ou piano-forte sur l'air Seid uns zum zwei-
tenmal willkommen tiré de l'opéra Die
Zauberflöte de Mr. Mozart . . . No. 2. –
Wien, Johann Cappi, No. 393.   [G 887
A Wgm, Wn, Wst – CS Pk, Pu

— *ib., Artaria & Co., No. 393.*   [G 888
A Wn – B Bc – CS Bm (2 Ex.) – **D-ddr** ZI – GB
Lbm – I PAc – NL DHa – YU Lu, Zs

— Six Variations . . . – *Wien-Mainz, Ar-*
taria & Co., No. 393.   [G 889
CS KRa – **D-brd** DO – **D-ddr** Dlb

— *Offenbach, Johann André, No. 666.*
           [G 890
CS KRa – **D-brd** Mbs, Rp – **D-ddr**S Wl – **DK** Kk
– US Wc

— *ib., No. 3335.*   [G 891
D-brd OF (2 Ex.)

— Air de l'opéra de la Flûte enchantée
Seid uns zum zweiten Mal willkommen
. . . varié pour le forte-piano . . . (in: Journal de pièces de clavecin, par différens
auteurs, Nº 133). – *Paris, Boyer.* [G 892
D-ddr Bds – US R

No. 3. VIII Variations [C] pour le clave-
cin ou piano-forte sur l'air Wie stark ist
nicht dein Zauberton tiré de l'opéra Die
Zauberflöte de Mr Mozart . . . No. 3. –
Wien, Artaria & Co., No. 416.   [G 893
A M, Wgm, Wst – CH EN – CS KRa – **D-brd**
BNu, Mbs – **D-ddr** Dlb – NL DHa

— Huit variations pour le clavecin ou
piano-forté de l'air Wie stark ist nicht
dein Zauberton de Mr Mozart. – *Offen-*
bach, Johann André, No. 606.   [G 894
D-ddr SWl – **DK** Kk

— *Mannheim, Götz, No. 431.*   [G 895
A Wst – **D-brd** MÜu

No. 4. Six variations [F] pour le clavecin
ou piano-forte sur l'air Ein Mädchen oder
Weibchen tiré de l'opéra Die Zauberflöte
de Mr. Mozart . . . No. 4. – *Wien, Artaria*
& Co., No. 433.   [G 896
A Wgm, Wn, Wst – CS K, KRa – **D-brd** Mbs
(2 Ex.), Mmb – **D-ddr** Bds, HAu – **DK** Kk
(2 Ex.) – GB Lbm – H Bn – I Mc – PL Wn

— Offenbach, Johann André, No. 3352.

[G 897

D-brd OF

— Mannheim, Johann Michael Götz, No. 430. [G 898

A Wst – **D-ddr** SWl

— Six variations pour le clavecin ou piano forte sur l'air Ein Mädchen oder Weibchen de l'opéra Die Zauberflöte . . . No. 3. – Braunschweig, magasin de musique, No. 817. [G 899

CH W

— Six variations pour le clavecin ou piano forte sur l'air Ein Mädchen oder Weibchen, tiré de l'opéra Die Zauberflöte. – Amsterdam, J. Schmitt. [G 900

NL DHgm

No. 5. Variazioni [G] facili sopra una canzonetta popolare russa per il piano-forte . . . No. 5. – Wien, Johann Cappi, No. 1467. [G 901

CS Pk

— Air russe varié pour le piano-forté . . . No. 5. – Offenbach, Johann André, No. 3350. [G 902

D-brd OF

No. 6. Variazioni [F] sul minuetto del' opera La Grotta di Trofonio per il piano-forte . . . No. 6. – Wien, Johann Cappi, No. 1468. [G 903

A Wgm

No. 7. VI Variazioni [G] sul duetto Nel cor più non mi sento, nell' opera La Molinara per clavicembalo o piano-forte . . . No. 7. – Wien, Johann Cappi, No. 635. [G 904

A Wgm, Wst – **CS** KRa, Pk – **D-brd** Mbs – **US** CA

— ib., Artaria & Co., No. 635. [G 905

GB Lbm

— Sei variazioni per piano-forte . . . sopra il duetto Nel cor più non mi sento, nell' opera La Molinara del sig. Maestro Giovanni Paisiello. – Milano. Giovanni Ricordi, No. 484. [G 906

I Nc, Tn

— [6] Variations pour forté piano, Nel cor più non mi sento . . . No. [hs.:] 1. – Paris, Sieber, No. 477. [G 907

CH Bu – **D-brd** Mbs

— Six variations sur le duo della Molinara Nel cor più non mi sento . . . opera 17. – ib., Carli, No. 169. [G 908

D-brd Mbs – **I** Nc, PAc

— Air della Molinara . . . varié par . . . (in: Collection d'airs variés pour le pianoforté, 1e livraison, No. 2). – ib., Pacini, No. 173. [G 909

F Psg

— Variations pour le forté-piano . . . sur l'air della Molinara. – ib., Auguste Le Duc, No. 1131. [G 910

CS Pu

— [5] Variations sur l'air della Molinara Nel cor più non mi sento . . . pour le pianoforte. – ib., Janet & Cotelle, No. 427. [G 911

CH E

— Duetto Nel cor più non mi sento . . . avec variations pour le forte-piano. – Hamburg, Johann August Böhme. [G 912

D-brd LÜh (2 Ex.)

— Six variations sur le duo de l'opéra La Molinara Nel cor più non mi sento pour le piano-forté . . . No. 5. – Mainz, Bernhard Schott, No. 153. [G 913

CH Bu, W – **D-brd** Bhm, MZsch – **D-ddr** Bds – **NL** At

— Variations pour le clavecin ou fortepiano . . . No. 5. – Mannheim, Johann Michael Götz, No. 533. [G 914

A Wn – **D-ddr** Dlb

— Hope told a flatt'ring tale, with variations [= Variationen über Nel cor più non mi sento aus La Molinara von Paisiello] (in: Piano-Forte Magazine, vol. XIV, No. 10). – [London, Harrison, Cluse & Co.], No. 223 A. [G 915

D-brd Mbs

— Variationen über das Thema Mich fliehen alle Freuden etc. für Piano-Forte. – Berlin, Concha & Co., No. (242). [G 916

D-brd Mbs

No. 8. VIII Variations [A] pour le clave-
cin ou piano-forte sur le trio Copia si
tenera de l'opéra Palmira [v. Salieri] . . .
No. 8. – *Wien, Artaria & Co., No. 636.*
[G 917
A M, Wgm (2 Ex.), Wn (2 Ex.), Wst – **CS** K,
Pk – **D-brd** DO – **D-ddr** Dlb, SWl – **GB** Lbm

— VIII Variations pour le piano-forte
sur le trio Copia si tenera de l'opéra Palmira . . . (in: No. 94 du Journal de musique pour les dames). – *Offenbach, Johann
André, No. 1046.* [G 918
A Wn

— *ib., No. 3353.* [G 919
D-brd BNba, OF

— *Mannheim, Johann Michael Götz, No.
(535).* [G 920
D-brd Hs

— A favorite air with variations for the
piano-forte . . . No. 6. – *London, Chappell & Co., No. 52.* [G 921
I Nc
vgl. [G 1353

No. 9. VIII Variations [C] pour le clave-
cin ou piano-forte sur le menuet dansé par
Mad^{lle} Venturini dans le ballet Le nozze
disturbate . . . No. 9. – *Wien, Artaria &
Co., No. 639.* [G 922
A M, Wgm, Wn, Wst – **CS** K, Pk – **D-brd** DO –
D-ddr Dlb – **I** Mc

— 8 Variations pour le piano-forte sur le
thème du ballet Le nozze disturbate . . .
(in: No. 95 du Journal de musique pour
les dames). – *Offenbach, Johann André,
No. 1047.* [G 923
CS Pnm – **D-brd** OF – **D-ddr** Dlb – **DK** Kk

— Variations pour le piano-forté . . . No.
9. – *ib., No. 3354.* [G 924
D-brd OF

— *Mannheim, Johann Michael Götz, No.
534.* [G 925
D-brd Mbs

— 8 Variationen über ein beliebtes Thema
aus dem Ballet Le nozze disturbate, pour
le pianoforte . . . No. [hs.:] 9. – *Köln-
Bonn, Nikolaus Simrock, No. 1427.*
[G 926
D-brd BNba – **D-ddr** Dlb

— Huit variations pour le piano forte sur
le menuet du ballet Le nozze disturbate
. . . opera 12. – *Paris, Carli.* [G 927
D-brd Mbs

— Huit variations . . . pour le piano-
forte . . . No. 6. – *Mainz, Bernhard Schott,
No. 534.* [G 928
D-brd MZsch – **D-ddr** Bds

No. 10. Variations [G] sur le thème Gott
erhalte Franz den Kaiser, par Jos. Haydn,
arrangées pour le clavecin . . . No. 10. –
Wien, Artaria & Co., No. 851. [G 929
A Wgm, Wn, Wst – **CS** Pk

— Variations pour le piano-forte sur l'air
Gott erhalte Franz den Kaiser, par J.
Haydn . . . No. 10. – *Offenbach, Johann
André, No. 1465.* [G 930
D-brd BNba

No. 11. Sei variazioni [F] di Mauro Giuliani ridotte per il pianoforte . . . No. 11. –
*Wien, bureau des arts et d'industrie, No.
593.* [G 931
CS Pk – **I** VEc

— Variations pour piano-forté sur un
thème de M. Giuliani . . . No. 24. – *Offenbach, Johann André, No. 3400.* [G 932
D-brd OF

No. 12. XII Variations [C] pour le clave-
cin ou piano-forte sur une pièce tirée du
ballet Alcine . . . No. 12. – *Wien, Artaria
& Co., No. 746.* [G 933
A Gk, M, Wgm, Wn, Wst – **CS** K, KRa, Pnm –
D-brd BNba, MT, Rp – **D-ddr** Bds – **I** Tn –
NL AN – **PL** Tu – **US** BE

— Variations pour le piano forte . . . No.
12. – *Leipzig, bureau de musique, No. 1076.*
[G 934
CS Pk

— Variations pour le piano-forté sur une
pièce tirée du ballet Alcine . . . No. 12. –
Offenbach, Johann André, No. 3925.
[G 935
D-brd OF

— Douze variations pour le piano forte
sur un air d'Alcine . . . opera 11. – *Paris,
Carli.* [G 936
D-brd Mbs

— *Firenze, Giuseppe Lorenzi, No. 165.*
[G 937
D-ddr Dlb

No. 13. 12 variations [Es] pour le clavecin
ou pianoforte sur le trio Pria che l'im-
pegno, tiré del'opera l'Amor marinaro . . .
No. 13. – *Wien, Artaria & Co., No. 747.*
[G 938
A Wgm, Wn, Wst – **CS** Bm, K, KRa, Pnm, Pu –
D-brd BNba, HL, Mbs – **D-ddr** SWl – **GB** Lbm
– **I** Mc, Nc, Vnm

— *Offenbach, Johann André, No. 2519.*
[G 939
A Wn

— *ib., No. 3924.*   [G 940
CH Bu – **D-brd** OF

— *Paris, Mme Duhan, No. 44.*   [G 941
CS Bm

— Douze variations pour le piano-forté
sur le trio Pria che l'impegno, tiré de l'opéra l'Amor marinaro . . . [hs:] op. 13. –
Paris, Carli.   [G 942
D-brd Mbs – **I** Tn

— Variations pour le clavecin ou forte-
piano . . . No. 13. – *Mannheim, Johann
Michael Götz, No. 661.*   [G 943
CS Pu

— *Bonn, Nikolaus Simrock, No. 915.*
[G 944
D-brd LCH – **D-ddr** Bds

— Variations sur le trio l'Amor marinaro,
pour le piano forte . . . No. 13. – *Mainz,
Bernhard Schott's Söhne.*   [G 945
CH W – **NL** At

— *Leipzig, bureau de musique, No. 1077.*
[G 946
D-brd Bu, Mbs

— Variations sur le trio: l'Amor marinaro,
pour le piano forte . . . Nº 13. – *München,
Falter & Sohn.*   [G 947
D-ddr Bds

— IX Variations pour le pianoforte sur le
trio Pria che l'impegno, tiré de l'opéra
l'Amor marinaro . . . (in: Journal de musique, No. 4). – *St. Petersburg, Paez; Moskau, Lehnhold, No. 1752.*   [G 948
S Skma

No. 14. X Variations [Es] pour le clavecin
ou piano-forte sur une pièce tirée du ballet d'Alceste . . . No. 14. – *Wien, Johann
Cappi, No. 862.*   [G 949
A Wst – **CH** Bchristen – **CS** Pk – **H** PH – **I** Tn

— *ib., Artaria & Co., No. 862.*   [G 950
A HE, M, Wgm – **GB** Lcm

— Dix variations pour le piano-forté sur
une pièce tirée du ballet d'Alceste . . .
No. 14. – *Offenbach, Johann André, No.
3926.*   [G 951
D-brd BNba, OF

— *Mannheim, Johann Michael Götz, No.
660.*   [G 952
D-brd Bu

— A favorite air with variations for the
piano forte . . . No. 9. – *London, Chappell & Co., No. 54.*   [G 953
I Nc

No. 15. 10 variations [A] pour le clavecin
ou piano-forte sur une marche tirée de
l'opéra Achille . . . No. 15. – *Wien, Johann
Cappi, No. 882.*   [G 954
A M, Wgm, Wn, Wst – **CS** Bm, Pk, Pnm, Pu –
D-brd BNba, Mbs (2 Ex.) – **H** Gc – **I** PAc

— Dix variations pour le piano-forté sur
une marche tirée d'Achille . . . No. 15. –
Offenbach, Johann André, No. 3369.
[G 955
D-brd OF

— Dix variations pour le piano forte sur
la marche de l'opéra d'Achille . . . opera
[hs.:] 9. – *Paris, Carli, No. 181.* [G 956
D-brd Mbs

— *Leipzig-Berlin, bureau des arts et d'industrie, No. 182.*   [G 957
D-brd Mbs

— Viationars pour le clavecin . . . No. 15.
– *Mannheim, G. M. Götz, No. 659.* [G 958
YU Zha
vgl. [G 1351

No. 16. XII Variations [G] pour le clavecin ou piano-forte sur un air bohémien
favori, Oh, mein lieber Augustin . . . No.
16. – *Wien, Johann Cappi, No. 883.*
[G 959
A Wgm, Wn, Wst – **CS** Pu – **I** PAc

— Douze variations pour le piano-forté sur l'air, O mein lieber Augustin . . . No. 16. – *Offenbach, Johann André, No. 3029.*
[G 960
D-brd OF

— XII Variations pour le piano-forté sur un air bohémien favori, O mein lieber Augustin . . . œuvre 16. – *Bonn, Nikolaus Simrock, No. 917.*   [G 961
A Wn – **D-ddr** Dlb

— A favorite air with variations for the piano-forte . . . No. 12. – *London, Chappell & Co., No. 190.*   [G 962
CS Pu

— XII Variations pour le piano-forté . . . œuvre 16. – *Paris, Carli.*   [G 963
D-brd Mbs

— *Paris, Janet & Cotelle, No. 672.*
[G 964
BR Rn

No. 17. Variations [F] pour le clavecin ou pianoforte sur l'air Ombra adorata aspetta . . . in Giulietta e Romeo . . . op. 17. – *Wien, Artaria & Co., No. 748.*   [G 965
A Wgm, Wst – **CH** BEsu – **CS** K, Pk, Pu – **D-ddr** Dlb

— Variations pour le piano-forté sur l'air Ombra adorata aspetta . . . No. 17. – *Offenbach, Johann André, No. 3370.*
[G 966
D-brd BNba, HEms, OF

–– Ombra adorata. Air . . . dans l'opéra italien de Romeo et Julietta, varié pour le piano forte . . . op. 14. – *Paris, Naderman, No. 132.*   [G 967
I PAc

— *ib., Carli, No. 132.*   [G 968
D-brd Mbs (2 Ex.)

— Variations pour forté piano . . . No. [hs.:] 4. – *ib., Sieber, No. 458.*   [G 969
CH E

No. 18. VII Variations [A] pour clavecin ou piano-forte sur l'air tirée de l'opéra Castor et Pollux [No. 18]. – *Wien, Artaria & Co., No. 875.*   [G 970
A Wn, Wst – **D-brd** LB

— *Wien, Tranquillo Mollo, No. 1254.*
[G 971
CS Pk

— Air de Castor et Pollux, avec six variations et coda, pour le forte piano . . . op. 34. – *Firenze, Giuseppe Lorenzi, No. 557.*
[G 972
BR Rn

No. 19. Andante avec variations [c] pour le clavecin ou piano-forte . . . No. 19. – *Wien, Artaria & Co., No. 844.*   [G 973
A Wgm, Wst – **CS** K, Pk, Pu – **D-brd** Mbs

— *Offenbach, Johann André, No. 1466.*
[G 974
CS Bm – **D-brd** OF – **DK** Kk

— *ib., No. 3373.*   [G 975
D-brd BNba, OF

No. 20. 6 Variations [C] pour le clavecin ou piano-forte sur l'air Ein Mädel und ein Glaßel Wein . . . No. 20. – *Wien, Tranquillo Mollo & Co., No. 1327.*   [G 976
CS Pk – **D-brd** Mbs

— A favorite air with variations for the piano forte . . . No. 1. – *London, Mitchell's musical library, No. 353.*   [G 977
S Skma

No. 21. Variations [Es] pour le piano-forte sur un thème original . . . No. 21. – *Wien, Johann Cappi, No. 906.*   [G 978
A Wgm – **I** Nc

— *Offenbach, Johann André, No. 3378.*
[G 979
D-brd BNba

No. 22. VIII Variations [F] pour le clavecin ou piano-forte sur un air russe . . . No. 22. – *Wien, Johann Cappi, No. 922.*
[G 980
A M, Wst – **CS** Pk – **I** Nc, PAc

— *Leipzig, C. F. Peters, bureau de musique, No. 121.*   [G 981
CS Pu – **D-brd** KIl – **D-ddr** Bds (2 Ex.)

— Variations pour le pianoforte . . . No. 22. – *Köln-Bonn, N. Simrock, No. 1950.*
[G 982
D-brd MÜu

— Air russe avec huit variations pour le forte piano ... op. 3. – *Paris, Carli, No. 498.*   [G 983
D-brd Mbs

— Huit variations pour piano-forté sur un air russe ... No. 22. – *Offenbach, Johann André, No. 1745.*   [G 984
A Wgm – **D-brd** OF – **DK** Kk – **NL** DHgm

— Favorite air with variations for the piano-forte ... No. 3. – *London, Chappell & Co., No. 47.*   [G 985
CS Pu

— Variations sur l'air russe ... pour le pianoforte. – *St. Petersburg-Moskau, Lehnhold.*   [G 986
USSR Lsc

No. 23. Variations [c] pour le pianoforte sur l'air O ma chère musette ... op. 23. – *Wien, bureau des arts et d'industrie, No. 52.*   [G 987
A Wgm – **CS** Pu – **D-brd** Mbs – **I** Mc, Nc

— *Offenbach, Johann André, No. 3399.*
                                                        [G 988
CS Pk
vgl. [G 1355

No. 24. Variations [F] pour le piano-forté sur la marche de l'opéra La flûte magique ... No. 29. – *Offenbach, Johann André, No. 2051.*   [G 989
A Wgm – **BR** Rn – **CS** Pk – **D-brd** OF

— ([hs.:] Six) variations [F] pour le piano forte sur la marche de La flûte enchantée ... opera (7). – *Paris, Carli, No. 136.*
                                                        [G 990
D-brd Mbs

— ([hs:] Six) variations pour le piano forte ... opera (2). – *ib., No. 495.*   [G 991
D-brd Mbs

— Variations pour le clavecin ou forte piano ... No. 16. – *Mannheim, Johann Michael Götz, No. 735.*   [G 992
CS KRa

— A favorite air with variations for the piano forte ... No. 2. – *London, Chappell & Co., No. 57.*   [G 993
I Nc

— Six variations pour le piano forte sur la marche de La flûte enchantée ... opera (7). – *Paris, Carli, No. 136.*   [G 994
D-brd Mbs
vgl. auch [G 1350

No. 25. XII Variations [B] pour le clavecin ou fortepiano sur un walz (Ländler) favorit de Mozart ... No. 25. – *Wien, Artaria & Co., No. 1615.*   [G 995
A M, Wgm, Wst – **CS** Pk – **D-brd** BNba – **I** Mc, Nc, Tn

— *Wien, Tranquillo Mollo & Co., No. 1615.*
                                                        [G 996
CS K

— XII Variations pour le clavecin ou forte piano sur un walz (Ländler) favorit de Mozart ... No. 4. – *Braunschweig, magasin de musique, No. 818.*   [G 997
D-ddr SWl

— Variations pour piano-forte sur une valse favorite de Mozart ... No. 25. – *Offenbach, Johann André, No. 3401.*
                                                        [G 998
CS Bm – **D-brd** OF

— Douze variations sur une valze favorite de Mozart. – *Paris, Sieber, No. 384.*
                                                        [G 999
CH Bu

— Douze variations sur une valze favorite de Mozart pour le forte piano ... op. 10. – *ib., Carli, No. 131.*   [G 1000
D-brd Mbs

— Air-waltz, with variations for the piano forte ... No. 8. – *London, J. Power, No. 248.*   [G 1001
I Nc

No. 26. VIII Variations [G] pour le clavecin ou piano-forte sur la romance, In des Tyrannen Eisen Macht, tiré de l'opéra Die beyden Füchse (Une folie) de Mr. Méhul ... No. 26. – *Wien, Johann Cappi, No. 1015.*   [G 1002
A Wgm, Wn – **CS** Bu, K, Pk, Pu – **D-brd** Mbs – **I** Nc

No. 27. Variations [C] pour le pianoforte sur l'air J'ai de la raison (Jugend ist ein Gut) de l'opéra de Méhul L'irato (Die

Temperamente) . . . op. XXVII. – *Wien, bureau des arts et d'industrie, No. 25.*
[G 1003
CS K, Pk, Pnm, Pu – I Nc

— Six variations pour le fortepiano sur l'air J'ai de la raison, de l'opéra de Méhul L'irato . . . op. 27. – *Firenze, Giuseppe Lorenzi, No. 133.* [G 1004
I Nc

— *Paris, Carli, No. 133.* [G 1005
D-brd Mbs

— Variations pour le pianoforte sur l'air Jugend ist ein Gut, de l'opéra Die Temperamente . . . No. 28. – *Leipzig-Berlin, bureau des arts et d'industrie, No. 243.*
[G 1006
S Skma

— VI Variations pour le piano-forte sur l'air J'ai de la raison, de l'opéra L'irato . . . No. 28. – *Mainz, Karl Zulehner, No. 238.* [G 1007
D-brd MZsch – D-ddr Bds

— *Offenbach, Johann André, No. 2037.*
[G 1008
A Wgm – D-brd Mbs – I Tn

— Variations pour le clavecin ou forte piano (Nʳᵒ 11, sur l'air J'ai de la raison . . .). – *Mannheim, Johann Michael Götz, No. 734.* [G 1009
D-ddr Bds

No. 28. Variations [Es] tirées des derniers quatuors de Mr. Joseph Haydn, arrangées pour le clavecin ou pianoforte . . . No. 28. – *Wien, Johann Cappi, No. 884.* [G 1010
A Wgm, Wst – CS K, Pk – I Nc

No. 29. Variations [C] pour le piano-forte sur l'air Wer hörte wohl jemals mich klagen? Ich hüpfe, ich tanze &c., de l'opéra Die Schweizer Familie . . . No. 29. – *Wien, Johann Cappi, No. 1470.*
[G 1011
A M, Wgm, Wn (2 Ex.) – CS Bu, K, Pk – D-brd Bu, HL

— *Bonn, Nikolaus Simrock, No. 937.*
[G 1012
A Wn – CH Zz – D-brd BNba, Mbs, Tu

— *Hamburg, Cranz, No. 29.* [G 1013
D-brd MÜu

— *Hamburg, Johann August Böhme.*
[G 1014
D-brd LÜh – D-ddr Bds – S Skma

— *Offenbach, Johann André.* [G 1015
USSR Lsc

— *Leipzig, Breitkopf & Härtel, No. 2559.*
[G 1016
D-ddr Bds

— X Variations pour le pianoforte sur l'air Wer hörte wohl jemals mich klagen? de l'opéra Die Schweizerfamilie. – *Leipzig, A. Kühnel, No. 1025.* [G 1017
A Wn – CS Pnm – D-brd Mbs

— *Leipzig, C. F. Peters, No. 1025.*
[G 1018
D-ddr Bds – S Sm

— *Mainz, Bernhard Schott's Söhne, No. 1334.* [G 1019
CH W – D-brd Mbs, WIl – D-ddr Bds

— *Berlin, Adolph Martin Schlesinger, No. 256.* [G 1020
D-ddr Bds

— Variationen für das Piano-Forte über die Cavatine aus der Schweizerfamilie, Wer hörte wohl jemals mich klagen . . . zweite Auflage. – *Berlin, Concha & Lischke, No. 336.* [G 1021
D-brd Mbs

— X Variations pour le piano sur l'air de la Famille Suisse . . . opera 59. – *Paris, Carli, No. 176.* [G 1022
D-brd Mbs
vgl. [G 1444

No. 30. X Variations [A] non difficiles pour le clavecin ou piano-forte sur l'air Hoch lebe Kaiser Franz . . . No. 30. – *Wien, Johann Cappi, No. 1097.* [G 1023
A Wgm, Wn – CS Pu – I Mc, Nc, PAc

— X Variations pour piano-forté sur l'air Hoch lebe Kaiser Franz . . . No. 30. – *Offenbach, Johann André, No. 2018.*
[G 1024
BR Rn – D-brd OF

— Dix variations sur l'air Hoch lebe Kaiser Franz, pour piano-forté ... No. 10. – *Mainz, Bernhard Schott, No. 179.*
[G 1025
CH W – **D-brd** MZsch – **D-ddr** Bds

No. 31. Variations [C] pour le pianoforte sur la romance de l'opéra de Boieldieu Le Caliph de Bagdad. – *Wien, bureau des arts et d'industrie, No. 473.*   [G 1026
CS K, Pnm, Pu – **D-brd** Mbs – **I** Mc, PAc (2 Ex.)

— Variations pour le pianoforte sur la romance de l'opéra Le Caliph de Bagdad ... No. 31. – *Leipzig-Berlin, bureau des arts et d'industrie, No. 239.*   [G 1027
D-brd Bhm

— *Offenbach, Johann André, No. 3030.*
[G 1028
A Wgm – **I** Tn

— *Paris, Mlles Erard, No. 873.*   [G 1029
BR Rn

— A favorite air with variations for the piano forte. – *London, Robert Birchall.*
[G 1030
CS Pu

No. 32. Variations [G] sur un air français Lorsqu'auprès de Josephine quelqu'un lui fera la cour ... No. 32. – *Wien, Johann Cappi, No. 1149.*   [G 1031
CS Pk, Pu – **D-brd** LB

— *Offenbach, Johann André, No. 3404.*
[G 1032
D-brd OF

No. 33. Variations [G] pour le pianoforte sur le Duo Wenn mir dein Auge strahlet, ist mir so leicht und gut, de l'opéra Das unterbrochene Opferfest ... No. 33. – *Wien, Johann Cappi, No. 1178.* [G 1033
A M, Wgm, Wn, Wst – CS Bm, KRa, Pk, Pu – **D-brd** HL, WE – **I** Tn

— *Berlin, Johann Julius Hummel; Amsterdam, grand magazin de musique, No. 1518.*   [G 1034
D-brd Mbs – **S** Skma

— *Berlin, Concha, No. 86.*   [G 1035
D-brd BE – **D-ddr** Bds – **S** St

— *Leipzig, Breitkopf & Härtel, No. 2570.*
[G 1036
S Sm

— *ib., No. 3716.*   [G 1037
S Skma

— *ib., No. 4688.*   [G 1038
CS Pu – **D-ddr** Bds

— *Offenbach, Johann André, No. 3686.*
[G 1039
BR Rn – **D-brd** Bhm, OF – **I** Nc

— *Braunschweig, magasin de musique, No. 814.*   [G 1040
D-brd BNba

— Six variations pour le piano forté sur un duo du Sacrifice interrompu de Mr. Winter, Wenn mir dein Auge strahlt. – *Bonn-Köln, Nikolaus Simrock, No. 1166.*
[G 1041
A Wn – **D-brd** MÜu – **D-ddr** Bds

— Variationen für das Pianoforte über das Duett, Wenn mir dein Auge strahlet, aus der Oper Das unterbrochene Opferfest. – *Berlin, Schlesinger, No. 257.*
[G 1042
CS Pu – **D-brd** Hhm, MZsch

— Sechs Variationen über das Duett aus dem Unterbrochenen Opferfest von Winter, Wenn mir dein Auge strahlet, für das Piano-Forte ... No. 18. – *Mainz, Bernhard Schott, No. 144.*   [G 1043
CH W, Zz – **D-brd** Es, MZsch – **D-ddr** Bds – **S** Sm

— Wenn mir dein Auge strahlet. Duo de Winter, varié pour le piano-forte. – *Hamburg, Cranz.*   [G 1044
D-brd LÜh

No. 34. Variations [D] pour le piano-forte sur le Pas de deux du ballet Der Tiroler Jahrmarkt ... No. 34. – *Wien, Johann Cappi, No. 1189.*   [G 1045
A Wst – CS KRa, Pk, Pu – **D-brd** Mbs, WE – **D-ddr** Bds – **I** Nc, PAc, Tn

— *Den Haag, F. J. Weygand.*   [G 1046
S Skma – **US** Wc

No. 35. VI Variations et Polonaise in B pour le pianoforte sur un thème de l'opéra

Fanisca, de Mr. Cherubini. – *Wien, Chemische Druckerei, No. 176.*   [G 1047
A Wgm, Wn – CS Bm, K, Pu

— Variations pour le piano-forte sur un thème de l'opéra Faniska ... op. 35. – *Firenze, Giuseppe Lorenzi, No. 644.*   [G 1048
CS Pk

— *Offenbach, Johann André, No. 3406.*   [G 1049
CS Pu

No. 36. Variations [Es] pour le pianoforte sur l'air des Tiroliens, Wann i in der Früh aufsteh ... tirées de la pièce Der Lügner ... No. 36. – *Wien, Johann Cappi, No. 1244.*   [G 1050
A Wn, Wst – CS KRa, N, Pk, Pu – **D-brd** DO, Mbs, WE – **D-ddr** Bds – I Nc, PAc, VEc – YU Lu

— ... [Titelauflage der Ausgabe Johann Cappi]. – *Wien, Joseph Czerný, No. 1244.*   [G 1051
A Wgm

— *Hannover, C. Bachmann, No. 1363.*   [G 1052
CS Pk

— *Offenbach, Johann André, No. 4297.*   [G 1053
D-brd MH

— *Paris, Imbault, No. 937.*   [G 1054
I PAc (2 Ex.)

— *ib., Auguste Le Duc & Cie., No. 940.*   [G 1055
CH Gc

— *ib., Duhan.*   [G 1056
B Bc

— *ib., Gambaro, No. 52.*   [G 1057
S Skma

— *Moskau, Lehnhold.*   [G 1058
USSR Lsc

— *St. Petersburg, Paez.*   [G 1059
USSR Lsc

— Variations pour le piano forte sur l'air des Tyroliens, Wann i in der Früh aufsteh ... œuv. 46. – *Berlin, Gebrüder Westphal.*   [G 1060
D-ddr Bds – PL Tu

— *Hamburg, Johann August Böhme.*   [G 1061
CH EN – S Skma, Sm

— *Augsburg, Gombart & Co., No. 523.*   [G 1062
D-brd BNba (fehlt Titelblatt), Mbs

— ... œuvre 46. – *Leipzig, C. F. Peters, No. 722.*   [G 1063
A Wn – **D-brd** BE, MÜu – **D-ddr** Bds, GOl, HAmi – S Skma, Sm

— Variations pour le piano-forte sur l'air des Tyroliens, Wann i in der Früh aufsteh ... [op. 46]. – *København, C. C. Lose.*   [G 1064
S Skma

— *Hamburg, A. Cranz.*   [G 1065
D-brd LÜh (2 Ex.)

— Variations pour forté piano sur l'air tyrolien ... No. 5 [Op. 46]. – *Paris, Sieber (fils), No. 459.*   [G 1066
CH AR – S Skma

— IX Variations pour le piano forte sur l'air tirolien, Wann i in der Früh aufsteh' ... No. 36. – *Mainz, Bernhard Schott's Söhne, No. 792.*   [G 1067
CH BEl, SO – **D-brd** MZsch – S Skma

— *Bonn, Nikolaus Simrock, No. 911.*   [G 1068
CH Zz – **D-brd** WO

— *Paris, Carli, No. 172.*   [G 1069
CH Bchristen, Gpu – **D-brd** Mbs

— *ib., Pleyel, No. 879.*   [G 1070
B Bc – CH N

— IX Variazioni per piano forte sopra l'aria Tirolese, Wann i in der Früh aufsteh ... No. 36. – *Firenze, Giuseppe Lorenzi, No. 172.*   [G 1071
I MOe, Nc

— Variationen über das Tyrolerlied Wann i in der Früh aufsteh, für das Pianoforte. – *Berlin, Schlesinger, No. 216.*   [G 1072
D-brd Mbs (2 Ex.)

— Variationen für das Piano Forte über das Thema, Wenn ich in der Früh aufsteh. – *Berlin, Magazin für Kunst, Geographie u. Musik.*   [G 1073
D-brd Bhm

— Variations über das Tirolerlied, Wann i in der Früh aufsteh ... No. 36 (in: Pianoforte-Bibliothek. Siebzehntes Heft). – *Hamburg-Itzehoe, Schuberth & Niemeyer, No. 54.*   [G 1074
A Wst – **CS** Bu, KRa, Pu – **I** Mc

— Air tyrolien, Wann i in der Früh aufsteh ... Quand je me lève de grand matin, avec neuf variations. – *Den Haag, F. J. Weygand.*   [G 1075
US Wc

— The favorite Tyrolesian air, Wann i in der Früh aufsteh ... with nine variations for the piano forte. – *London, G. Walker, No. 11.*   [G 1076
CS Bm

— *London, Chappell & Co., No. 142.*
          [G 1077
CS Pu

— A favorite air with variations for the piano forte ... No. 11. – *London, Robert Birchall.*   [G 1078
F Pc
vgl. [G 1352 und [G 1440

No. 37. Variations [F] pour le piano-forte sur un thème tiré du ballet Die feindlichen Volksstämme ... No. 37. – *Wien, Artaria & Co., No. 1908.*   [G 1079
A Wgm, Wn, Wst – **CS** Bu, Pk – **D-brd** BNba – **I** Nc, Tn

— Variations pour le piano-forté ... No. 37. – *Offenbach, Johann André, No. 3927.*
          [G 1080
D-brd OF

— ([hs.:] Huit) Variations pour le piano forte sur le ballet Les tribus ennemis ... opera (5). – *Paris, Carli, No. 171.* [G 1081
D-brd Mbs – **I** Mc, Nc

No. 38. Variazioni [C] facili alla Pleyel per il piano forte ... No. 38. – *Wien, Johann Cappi, No. 1276.*   [G 1082
I Nc

— Variations pour piano-forté ... No. 38. – *Offenbach, Johann André, No. 3777.*
          [G 1083
D-brd F, OF

No. 39. Andante très favorit de Joseph Haydn avec variations faciles [A] mis pour le pianoforte. – *Wien, Artaria & Co., No. 2046.*   [G 1084
A Wgm, Wst – **CS** Pk, Pnm – **D-ddr** Dlb – **I** Nc

— *Offenbach, Johann André, No. 2940.*
          [G 1085
D-brd OF

No. 40. Variations ou fantasie [C] pour le piano forte sur un thème original. – *Wien, Chemische Druckerei, No. 871.*   [G 1086
CS Pk

— Variations pour le piano-forté sur un thème original ... No. 40. – *Offenbach, Johann André, No. 3408.*   [G 1087
D-brd OF

No. 41. Variations [F] pour le piano-forte sur un thème favori du ballet dansé dans l'opéra Armida ... No. 41. – *Wien, Johann Cappi, No. 1336.*   [G 1088
A Wgm – **BR** Rn – **CS** Pk, Pu – **I** Nc, PAc, VEc

— Variations pour le piano-forté sur un thème favori de l'opéra Armida ... No. 41. – *Offenbach, Johann André, No. 3409.*
          [G 1089
D-brd OF

— Dix variations sur la gavote d'Armide, musique de Gluck, variées ... opera 15. – *Paris, Carli, No. 168.*   [G 1090
D-brd Mbs – **I** Nc
vgl. [G 1348

No. 42. Variations [Es] pour le piano-forte sur un thème original ... Nr. 42. – *Wien, Johann Cappi, No. 1337.*   [G 1091
A M, Wgm – **CS** Bu, Pk – **D-brd** HL – **I** Nc

No. 43. Variations [B] pour le forte-piano sur l'air Ich liebe dich wie du mich ... op. 43. – *Wien, Artaria & Co., No. 2001.*
          [G 1092
A SF, Wgm, Wst – **CS** Bu, Pk – **D-brd** HL – **I** Mc, Nc, PAc, VEc

— Variations pour le piano-forté sur l'air Ich liebe dich wie du mich ... No. 43. –

Bonn, Nikolaus Simrock, No. 920.
[G 1093
CH Zz – **D-ddr** Bds

— *Berlin, Johann Julius Hummel; Amsterdam, grand magazin de musique, No. 1385.* [G 1094
S Sm

— Sept variations sur l'air Ich liebe dich wie du mich, pour piano-forté . . . No. 20. – *Mainz, Bernhard Schott, No. 177.*
[G 1095
D-brd MZsch – **D-ddr** Bds

— Variations pour le piano-forté . . . No. 43, seconde édition. – *Offenbach, Johann André, No. 3578.* [G 1096
D-brd OF

— Six variations et finales pour le piano sur l'air Ich liebe dich wie du mich . . . opera 43. – *Paris, Carli, No. 173.* [G 1097
CH Bchristen – **D-brd** Mbs

— *ib., Ignace Pleyel, fils aîné, No. 1358.*
[G 1098
CH N

No. (5). Ich liebe dich wie du mich . . . (in: Collection des airs variés pour le piano forte). – *ib., Pacini, Bochsa père, No. 176.*
[G 1099
CH Bu

No. 44. Fantaisie ou variations [c] sur une danse russe Dumka pour le piano-forte . . . No. 44. – *Wien, Tranquillo Mollo, No. 1598.* [G 1100
CS Pk – **I** Nc

— Fantaisie ou variations sur une danse russe Dumka pour le pianoforte . . . No. 47. – *Berlin, bureau des arts et d'industrie, No. 618.* [G 1101
CH Bchristen

— Variations pour le piano-forté sur la danse russe Dumka . . . No. 39. – *Offenbach, Johann André, No. 3928.* [G 1102
D-brd OF

No. 45. Variations pour le forte piano sur le solo d'Arlequin, thème favorit de la pantomime Harlequin et Colombine sur les Alpes . . . No. 45. – *Wien, Artaria & Co., No. 2012.* [G 1103

A Wgm (2 Ex.), Wst – **CS** Bm, Pk – **I** Nc, PAc, Tn

— *Offenbach, Johann André, No. 3032.*
[G 1104
D-brd OF – **I** Tn

— . . . 2de édition. – *ib., No. 3259.*
[G 1105
D-brd OF

No. 46. 10 variations faciles [C] sur un thème „La galopade" pour le piano forte . . . op. 46. – *Wien, M. Maisch, No. 392.*
[G 1106
A Wkann – **D-brd** Mbs – **I** PAc

— *Offenbach, Johann André, No. 3908.*
[G 1107
D-brd OF

— La galopade, variée pour le pianoforte. – *Hamburg, Cranz.* [G 1108
D-ddr SWl

No. 47. Variations [D] pour le piano-forte sur une marche de l'opéra Cesare in Farmacusa . . . No. 47. – *Wien, Johann Cappi, No. 1408.* [G 1109
A M, Wgm – **CS** Pk – **D-brd** BNba, Mbs – **H** Bn – **I** PAc

— VII Variations pour le piano-forté sur une marche de l'opéra Caesare in Farmacusa . . . No. 47. – *Bonn, Nikolaus Simrock, No. 993.* [G 1110
D-ddr Dlb

— *Leipzig, Breitkopf & Härtel, No. 1775.*
[G 1111
CS Pu – **D-ddr** Bds – **S** Skma

— *Offenbach, Johann André, No. 3413.*
[G 1112
D-brd LÜh, OF

No. 48 vgl. [G 871

No. 49. Grand variations [C] pour le forte piano sur le quintett du ballet Figaro . . . No. 49. – *Wien, Chemische Druckerei, No. 987.* [G 1113
CS Pk, Pnm

— *Offenbach, Johann André, No. 3414.*
[G 1114
D-brd OF

No. 50. Variations [C] sur une wals de Hummel (de la Salle d'Apollon) ... No. 50. – *Wien, Artaria & Co., No. 2063.*
[G 1115
A Wgm, Wst – **CS** K, Pk – **I** PAc

— X Variations pour le piano-forté sur la walze de Hummel (de la Salle d'Apollon) ... No. 50. – *Bonn, Nikolaus Simrock, No. 943.*
[G 1116
A Wst – **D-brd** BNba, KIl – **D-ddr** Dlb

— *Paris, Carli, No. 174.*
[G 1117
D-brd Mbs

— Dix variations pour le piano sur la walze de Hummel ... opéra 50. – *ib., Naderman, No. 1633.*
[G 1118
CH BEsu

— *ib., Pleyel, père et fils aîné, No. 1132.*
[G 1119
CH Bchristen

— Valse de Hummel varié pour le piano forté. – *Hamburg, Cranz.*
[G 1120
D-ddr SWl

— Variationen über einen Walzer von Hummel ... No. 50 (in: Pianoforte-Bibliothek, Heft XXIV). – *Hamburg-Itzehoe, Schuberth & Niemeyer, No. 75.*
[G 1121
A Wst – **CS** Bu, Pu

— Variations pour le pianoforte sur un valse de Hummel pour la Salle d'Apollon ... No. 50. – *Leipzig, Breitkopf & Härtel, No. 1758.*
[G 1122
D-brd LÜh

— *ib., No. 2690.*
[G 1123
CS Pu – **D-ddr** Bds

— A favorite air with variations for the piano forte ... No. 25. – *London, Robert Birchall.*
[G 1124
CS Pu

— Variations pour le piano forte sur une valse de Hummel de la Salle d'Apollon ... No. 50. – *St. Petersburg, Paez, No. 1373.*
[G 1125
I Nc

— Variations ... op. 50. – *Mainz, Bernhard Schott, No. 661.*
[G 1126

CS Pu – **D-brd** MZsch (Ausgabe: ... avec accompagnement d'orchestre par J. Amon; kpl.: 14 St.) – **D-ddr** Bds (2 verschiedene Ausgaben mit No. 593 auf p. 2, 6 und 7)

No. 51. Variations [B] pour le piano forte sur un thème tiré du ballet Die Weinlese ... No. 51. – *Wien, Artaria & Co., No. 2065.*
[G 1127
A Wgm, Wst – **CS** Pk, Pnm – **I** Nc

— VIII Variations pour le piano-forté sur un thème tiré du ballet Die Weinlese ... No. 51. – *Bonn, Nikolaus Simrock, No. 918.*
[G 1128
D-ddr Dlb

— *Leipzig, Breitkopf & Härtel, No. 1760.*
[G 1129
CS Pu – **D-ddr** Bds

— Huit variations pour le piano sur un thème tiré du ballet Die Weinlese ... opera 51. – *Paris, Carli.*
[G 1130
D-brd Mbs

— Variations pour le piano-forté sur un thème tiré du ballet (Die Weinlese) ... No. 51, 2de édition. – *Offenbach, Johann André, No. 3172.*
[G 1131
D-brd OF

— *Berlin, Concha & Co., No. 364.*
[G 1132
D-ddr Bds

No. 52. 8 variations [C] faciles sur une valzer (Cors de poste) pour le forte piano ... op. 52. – *Wien, Ludwig Maisch, No. 370.*
[G 1133
I Mc, PAc

— Huit variations pour le forte piano sur une valtze appelée Cors de poste ... op. 4. – *Paris, Carli, No. 137.*
[G 1134
D-brd Mbs

— Variations pour le piano-forté sur une walse ... No. 44. – *Offenbach, Johann André, No. 3938.*
[G 1135
D-brd OF

— Air with variations for the piano-forte ... No. 47. – *Dublin, W. Power.*
[G 1136
CS Pu

— The post horn waltz arranged with variations for the piano forte . . . No. 30. – *London, Paine & Hopkins.*   [G 1137
S Skma

No. 53. Variations [C] pour le piano-forté sur une marche de l'opéra Rochus Pumpernickel . . . No. 53. – *Offenbach, Johann André, No. 3416.*   [G 1138
CH Bchristen – **D-brd** OF

— Variations pour le pianoforte sur une marche de l'opéra Rochus Pumpernickel . . . œuv. 53. – *Wien, Chemische Druckerei, No. 1404.*   [G 1139
A Wgm – **CS** Pk

No. 54. Variazioni [C] all'italiana per il piano-forte sopra l'arietta La mia crudel tiranna . . . No. 54. – *Wien, Johann Cappi, No. 1459.*   [G 1140
A Wgm – **CS** Pk – **I** Nc

— Variations pour le piano-forté sur l'air La mia crudel tiranna d'amarmi un di giuro . . . No. 54. – *Offenbach, Johann André, No. 3417.*   [G 1141
D-brd OF

No. 55. Variations [Es] pour le piano-forté sur la romance française Partant pour la Syrie . . . No. 55. – *Wien, Johann Cappi, No. 1461.*   [G 1142
A Wgm, Wn – **CS** Pk – **D-brd** Mbs – **I** PAc

— *Offenbach, Johann André, No. 3418.*   [G 1143
BR Rn

No. 56. Variations [G] pour le pianoforte sur l'air Künstler giebts allerley, de l'opéra, Die Familie Pumpernickel . . . No. 56. – *Wien, Chemische Druckerei, No. 1424.*   [G 1144
CS K, Pk – **I** Nc

No. 57. Variations [D] pour le forte-piano sur un thème du ballet Il Ciarlatano . . . No. 57. – *Wien, Artaria & Co., No. 2092.*   [G 1145
A Wgm (2 Ex.), Wst – **CS** Pk, Pu – **I** Bc, Nc, PAc, Vc

No. 58. Variations [As] pour le piano-forte sur une éccossaise très favorite . . . No. 58. – *Wien, Artaria & Co., No. 2094.*   [G 1146
A HE, M, Wgm, Wst – **CS** K, Pu – **I** Nc, PAc

— Variations pour le piano-forte sur une éccossaise favorite. – *ib., Anton Pennauer, No. 1.*   [G 1147
A Wgm, Wst – **I** PAc

— Variations pour le pianoforte sur une éccossaise très favorite . . . No. 58. – *Leipzig, Breitkopf & Härtel, No. 1774.*   [G 1148
A Wgm – **CH** Bchristen – **USSR** Lsc

— *ib., No. 2435.*   [G 1149
D-brd Mbs – **D-ddr** SWl

— *ib., No. 3053.*   [G 1150
CS Pk, Pu – **D-ddr** Bds

— Variations [As] pour le piano-forté sur une écossaise favorite . . . No. 58. – *Offenbach, Johann André, No. 3421.*   [G 1151
D-brd BNba – **S** Skma – **USSR** Lsc

No. 59. Variations [F] pour le pianoforte sur l'air de l'opéra Die Schweitzer Familie, Wenn sie mich nur von weitem sieht, so läuft sie was sie kann . . . No. 59. – *Wien, Tranquillo Mollo, No. 1355.*   [G 1152
A Wst – **CS** Pk – **I** Nc

— Variations [F] pour le piano-forté sur l'air (Wenn sie mich nur von weitem sieht) de l'opéra Die Schweizerfamilie . . . No. 59. – *Offenbach, Johann André, No. 3316.*   [G 1153
D-brd DS

— *ib., No. 3786.*   [G 1154
BR Rn – **D-brd** OF

— Dix variations pour le piano sur l'air de La famille suisse . . . opera 59. – *Paris, Ignace Pleyel & fils aîné, No. 1291.*   [G 1155
CH Bchristen – **I** Tn

No. 60. Variations pastorales [a] pour le piano-forte sur l'air favori du chalumeau de l'opéra La famille suisse . . . œuv. 60. – *Wien, Thadé Weigl, No. 1116.*   [G 1156
D-brd Mbs

— Sept variations pastorales pour le piano sur l'air favori du chalumeau de La famille suisse . . . opera 60. – *Paris, Carli, No. 177.*   [G 1157
D-brd Mbs

— Paris, Ignace Pleyel & fils aîné, No. 1292.   [G 1158
CH Bchristen

— ib., Naderman, No. 1591.   [G 1159
BR Rn

— Bern, Rod. Haag & Co., No. 692.
                                      [G 1160
CH Bu

— Bonn, Nikolaus Simrock, No. 950.
                                      [G 1161
D-ddr Bds, Dlb

— Variations pastorales ... No. 60. –
Offenbach, Johann André, No. 3317.
                                      [G 1162
D-brd BNba

— ib., No. 3579.   [G 1163
BR Rn – D-brd OF

— Variations pour le pianoforte sur l'air
du chalumeau de l'opéra Die Schweitzer-
familie. – Leipzig, Breitkopf & Härtel,
No. 4196.   [G 1164
CS Pu – D-ddr Bds

— Variations pastorales pour le piano-
forte sur l'air favori du chalumeau de
l'opéra Die Schweizerfamilie ... œuv. 60.
– ib., C. F. Peters, No. 1023.   [G 1165
CH Bu – D-brd BE – D-ddr Bds, GOl

— St. Petersburg, Brieff.   [G 1166
USSR Lsc

— Variations pastorales ... (in: Journal
de musique, No. 11). – ib., Paez, No. 1679.
                                      [G 1167
SF A

No. 61. Variations [C] pour le piano-forte
sur une polonaise favorite ou Pas de
deux dansé par Mad. Vigano ... No. 61. –
Wien, Johann Cappi, No. 1471. [G 1168
A Wgm, Wn – CS Pk – H Bn – I Nc

— Leipzig, Breitkopf & Härtel, No. 1773.
                                      [G 1169
D-ddr Bds – S Skma

— Offenbach, Johann André, No. 3422.
                                      [G 1170
D-brd OF

No. 62. Variations [A] pour le piano-
forte sur un duo [Ah perdona] de l'opéra
La clemenza di Tito ... No. 62. – Wien,
Artaria & Co., No. 2100.   [G 1171
A Wgm (2 Ex.), Wst – CS Bu, K, Pk

— Variations pour piano-forté sur un duo
de l'opéra Clemenza di Tito ... No. 62. –
Offenbach, Johann André, No. 3423.
                                      [G 1172
D-brd Bu, FUl, OF

No. 63. Variations [G] sur un duo del'
opera Das Waisenhaus, Ich halte ihn am
Herzen den blühenden Kleinen, pour le
piano-forte ... op. 63. – Wien, Tranquillo Mollo, No. 1360.   [G 1173
CS Pk – I Nc

No. 64. Variations [F] pour le pianoforte
sur un air populaire de Vienne, Müssts
ma nix in Übel aufnehma ... œuvre 64. –
Wien, Chemische Druckerei, No. 1495.
                                      [G 1174
A M, Wst – CS Pnm – D-brd Bu, Mbs

— Firenze, Giuseppe Lorenzi, No. 633.
                                      [G 1175
CS Pk
vgl. [G 1443

No. 65. Variations [B] pour le piano-forte
sur une danse cosaque favorite ... op. 65.
– Wien, Ludwig Maisch, No. 423.
                                      [G 1176
A Wn – CS Pk – D-brd DO – I Nc, PAc

— Leipzig, Breitkopf & Härtel, No. 3660.
                                      [G 1177
CS Pu – D-ddr Bds

— XVII Variations pour le piano-forte
sur une danse cosaque favorite ... No. 65.
– Bonn, Nikolaus Simrock, No. 955.
                                      [G 1178
D-brd BNba, Tu

— Paris, Carli, No. 148.   [G 1179
D-brd Mbs – I Mc

No. 66. Variations [D] pour le pianoforte
sur une marche de l'opéra Coriolano ...
op. 66. – Wien, Johann Cappi, No. 1488.
                                      [G 1180
A Wgm, Wn, Wst – CS Pk – I Nc

— Variations pour le piano-forté sur une marche de l'opéra Coriolano . . . No. 66. – *Offenbach, Johann André, No. 3693.*
[G 1181]

D-brd OF

— Six variations . . . No. 66. – *Bonn, Nikolaus Simrock, No. 964.*   [G 1182]
D-brd BNba

— Variations pour le pianoforte sur une marche de l'opéra Coriolan. – *Leipzig, Breitkopf & Härtel, No. 1771.*   [G 1183]
CS Pu – **D-ddr** Bds

No. 67. XI Variations [D] pour le pianoforte sur les Allemandes Saxones . . . œuvre 67. – *Wien, Chemische Druckerei, No. 1653.*   [G 1184]
A Wgm, Wst – **CS** K, Pk – **D-brd** HL

IX Variations pour le piano-forte sur une walse favorite de S. M. la Reine de Prusse . . . No. 67. – *Bonn, Nikolaus Simrock, No. 953.*   [G 1185]
CS Bm – **D-brd** BNba – **D-ddr** Dlb

— *Offenbach, Johann André.*   [G 1186]
USSR Lsc

— *Paris, Michot.*   [G 1187]
I Tn

— *ib., Carli, No. 178.*   [G 1188]
D-brd Mbs

XI Variations pour le piano-forte sur la walze favorite de la Reine de Prusse. – *ib., Pleyel père & fils aîné, No. 1131.*
[G 1189]

D-brd Mbs

— *Hamburg, Johann August Böhme.*
[G 1190]

CH W

— *ib., A. Cranz.*   [G 1191]
D-ddr Bds

— Variations pour le forté-piano sur la walze favorite de S. M. la Reine de Prusse. – *Paris, Le Duc, No. 1061.*   [G 1192]
B Bc

— Variations pour le pianoforte . . . N° ([hs.:] 50). – *Berlin, Johann Julius Hummel; Amsterdam, grand magazin de musique, aux adresses ordinaires.*   [G 1193]
D-ddr Bds (2 Ex.)

— Onze variations sur la favorite walze de la Reine de Prusse pour le pianoforte . . . (in: Journal de musique, No. 15). – *St. Petersburg, Paez, No. 1675.*   [G 1194]
SF A

— *Leipzig, A. Kühnel, No. 937.*   [G 1195]
D-brd Mbs (2 Ex.)

— *ib., C. F. Peters, No. 937.*   [G 1196]
D-ddr Bds

— *ib., Breitkopf & Härtel, No. 3062.*
[G 1197]

CS Pu – **D-ddr** Bds – **USSR** Lsc

— *Hannover, Bachmann, No. 1384.*
[G 1198]

D-brd MÜu (Etikett: Woltmann)

— Variationen über den Favoritwalzer der Königin von Preussen für Pianoforte. – *Berlin, F. S. Lischke, No. 478.*   [G 1199]
D-ddr Bds

— A favorite air with variations for the piano forte. – *London, Robert Birchall.*
[G 1200

CS Pu

— Walze favorite de la Reine de Prusse avec onze variations pour le piano-forte . . . No. 67. – *Den Haag, F. J. Weygand.*
[G 1201]

NL At

— *Paris, Janet & Cotelle, No. 358.* [G 1202]
CH Bchristen
vgl. [G 1375

No. 68. Variations [Es] pour le pianoforte sur une walze favorite . . . œuv. 68. – *Wien, Artaria & Co., No. 2153.* [G 1203]
A Wgm (2 Ex.), Wst – **CS** Pk – **I** Nc

— *Mainz, Bernhard Schott, No. 546.*
[G 1204]

D-brd MZsch, Mbs – **D-ddr** Bds

— Variations pour le piano-forté sur une walse favorite . . . No. 68. – *Offenbach, Johann André, No. 3302.*   [G 1205]
BR Rn

— *Leipzig, Breitkopf & Härtel, No. 1770.*
[G 1206
CS Pu – D-ddr Bds

No. 69. Variations [c] faciles pour le piano forte sur une romance, Je suis modeste et soumise, de l'opéra Cendrillon „Aschenbrödel" [von Isouard] . . . op. 69. – *Wien, Chemische Druckerei, No. 1795.*
[G 1207
A Wgm – CS Pk – I Nc

— *Milano, Ferd. Artaria, No. 1795.*
[G 1208
I VEc

— Variations faciles pour le pianoforte sur la romance de l'opéra Cendrillon. – *København, C. C. Lose.*   [G 1209
S Skma

— Variations faciles pour le pianoforte sur la romance de l'opéra Cendrillon . . . No. 69. – *Leipzig, Breitkopf & Härtel, No. 1783.*   [G 1210
CS Pu – D-brd BNba – D-ddr Bds

— *Offenbach, Johann André, No. 3303.*
[G 1211
D-brd OF

— Variations sur la romance favorite de l'opéra Cendrillon . . . pour le piano-forte. – *Berlin, A. M. Schlesinger, No. 44.*
[G 1212
D-ddr Bds, SWl

No. 70. Variations [G] pour le piano-forte sur la romance Was ist des Reichthums Schimmer de l'opéra Cendrillon . . . No. 70. – *Wien, Johann Cappi, No. 1543.*
[G 1213
A Wn – CS Pk – I Nc

— Variations pour le piano-forte sur la romance Was ist des Reichthums Schimmer de l'opéra Cendrillon . . . œuvre 69. – *Wien, Chemische Druckerei, No. 1543.*
[G 1214
A Wgm

— Variations pour le piano-forté sur la romance Was ist des Reichthums Schimmer de l'opéra Cendrillon. – *Leipzig, Breitkopf & Härtel, No. 1766.*   [G 1215
S Uu

— *Leipzig, Breitkopf & Härtel, No. 3637.*
[G 1216
CS Pu – D-ddr Bds

— [4] Variations . . . No. 70. – *Offenbach, Johann André, No. 3304.*   [G 1217
CH Zz – D-brd OF

— V Variations pour le pianoforté sur la romance de Cendrillon, A quoi bon la richesse, Was ist des Reichthums Schimmer . . . No. 70. – *Bonn, Nikolaus Simrock, No. 963.*   [G 1218
D-ddr Dlb

— Variations pour le piano-forte sur la romance de Cendrillon, Was ist aller Glanz von Thronen . . . No. 70. – *Leipzig-Berlin, bureau des arts et d'industrie, No. 204.*   [G 1219
D-brd BNba

No. 71. Variations [C] pour le pianoforte sur la marche du Tournoi dans l'opéra Cendrillon . . . No. 71. – *Wien, Artaria & Co., No. 2219.*   [G 1220
A Wgm (2 Ex.), Wst – CS Pk

— *Leipzig, Breitkopf & Härtel, No. 1769.*
[G 1221
CS Pu – D-ddr Bds – S Skma, Sm

— *Offenbach, Johann André, No. 3305.*
[G 1222
D-brd OF

— A favorite air with variations for the piano-forte . . . No. 29. – *London, Chapell & Co., No. 345.*   [G 1223
CS Pu

No. 72. Variations [C] pour le piano-forte sur la cavatine favorite, Mir leuchtet die Hoffnung, de l'opéra Der Augenarzt . . . No. 72. – *Wien, Johann Cappi, No. 1559.*
[G 1224
A Wgm, Wn (2 Ex.) – CS K, Pk – H Bn

— *Offenbach, Johann André, No. 3230.*
[G 1225
BR Rn

— *Leipzig, Breitkopf & Härtel, No. 3098.*
[G 1226
CS Pu – D-ddr Bds

— VII Variations pour le piano-forté sur la cavatine favorite, Mir leuchtet die Hoffnung, de l'opéra Der Augenarzt . . . No. 72. – *Bonn, Nikolaus Simrock, No. 997.* [G 1227
D-ddr Dlb

No. 73. Variations [F] pour le pianoforte sur un solo du Duport tiré du ballet Der blöde Ritter . . . œuvre 73. – *Wien, Chemische Druckerei, No. 2005.* [G 1228
A Wgm – CS Bm, K, Pu – I Nc

— Variations pour le piano-forte sur un solo du Duport tiré du ballet Der blöde Ritter . . . No. 73. – *Offenbach, Johann André, No. 3962.* [G 1229
D-brd OF

— Variations pour le piano-forte sur un solo . . . – *Berlin, bureau des arts et d'industrie, No. 625.* [G 1230
D-brd Bhm

No. 74. Variations [B] pour le piano-forte sur un air (Wiegenlied) . . . No. 74. – *Wien, Ludwig Maisch, No. 483.* [G 1231
A Wgm – CS Bm, K, Pk, Pnm – **D-brd** Mbs – I Nc, PAc (2 Ex.)

— *Leipzig-Berlin, bureau des arts et d'industrie, No. 451.* [G 1232
D-brd Bhm

No. 75. Variations [G] pour le piano-forte sur la romance favori, Le troubadour, de l'opéra Jean de Paris . . . No. 75. – *Wien, Artaria & Co., No. 2263.* [G 1233
A Wgm (2 Ex.), Wst – CS K, Pk, Pu – I Nc

— *Leipzig, Breitkopf & Härtel, No. 75.* [G 1234
D-brd DO

— *ib., No. 2166.* [G 1235
CH W – S Sm

— *ib., No. 3131.* [G 1236
CS Pu – **D-ddr** Bds

— Variations [G] pour le piano-forté sur la romance, Le troubadour, de l'opéra Jean de Paris, par Boieldieu . . . No. 75. – *Offenbach, Johann André, No. 3695.* [G 1237
D-brd OF – USSR Lsc

— Variations pour le pianoforte sur la romance, Le troubadour, de l'opéra Jean de Paris . . . No. 75. – *Leipzig-Berlin, bureau des arts et d'industrie, No. 452.* [G 1238
CS Bu – **D-brd** Bhm

— Six variations pour le piano-forté sur la romance, Le troubadour, de l'opéra Jean de Paris . . . No. 75. – *Bonn, Nikolaus Simrock, No. 1062.* [G 1239
A Wn – **D-brd** BNba – **D-ddr** Dlb

— *Paris, Boieldieu jeune, No. 348.* [G 1240
CH Bu

No. 76. Variations [G] pour le piano-forte sur une walse autrichienne . . . No. 76. – *Wien, Artaria & Co., No. 2285.* [G 1241
A Wgm, Wst – CS Bu, Pk – **D-brd** BNba – I Nc

— *Leipzig, Breitkopf & Härtel, No. 2168.* [G 1242
CH W – CS Pu – **D-ddr** Bds

— *Offenbach, Johann André, No. 3909.* [G 1243
D-brd OF

No. 77. Variations [C] pour le piano-forte sur la danse favorite (La Gavotte) . . . No. 77. – *Wien, Tranquillo Mollo, No. 1586.* [G 1244
A Wgm – CS KRa, Pk – I Mc, Nc

— *Bonn-Köln, Nikolaus Simrock, No. 1295.* [G 1245
D-ddr Bds

— *Offenbach, Johann André, No. 3910.* [G 1246
D-brd OF

No. 78. Variations [Es] pour le piano-forte sur l'air de la paix (Sol per te si gode pace) . . . de l'opéra Davide par Mr. J. Liverati . . . No. 78. – *Wien, Johann Cappi, No. 1588.* [G 1247
A Wgm, Wn – CS Pk

— Variations pour le piano-forté sur l'air de la paix (Sol per te si gode pace . . . Nur durch dich glorwürd'ger König ist der Friede etc.) de l'opéra Davide . . . No. 78. – *Offenbach, Johann André, No. 3911.* [G 1248
D-brd OF

No. 79. Variations faciles (G) pour le piano-forte sur l'air (O Giovine amabile) de l'opéra Davide par Mr Liverati . . . No. 79. – Wien, Johann Cappi, No. 1589.
[G 1249
A Wgm, Wkann – CS Pk – I Nc – YU Lu

— Offenbach, Johann André, No. 3912.
[G 1250
D-brd OF

No. 80. X Variations [G] avec coda pour le piano-forte sur un air (Kaiser Joseph willst du noch) . . . œuvre 80. – Wien, Chemische Druckerei, No. 2146.   [G 1251
A SF, Wgm – CS Pk – I Nc, PAc

— Firenze, Giuseppe Lorenzi, No. 695.
[G 1252
I Mc

— Dix variations pour le piano-forté sur l'air, Kaiser Joseph willst du noch . . . No. 80. – Offenbach, Johann André, No. 3665.
[G 1253
D-brd OF

No. 81. Variations [F] pour le piano-forte sur un air, Wenn ich abends nach Hause gehe . . . ore 80 ([oder:] 81). – Wien, Ludwig Maisch, No. 502.   [G 1254
A Wgm (2 verschiedene Ausgaben) – CS K (81), Pk (80) – D-brd Mbs (80) – I PAc (81)

— Variations pour le piano-forté sur l'air, Wenn ich abends nach Hause gehe . . . No. 81. – Offenbach, Johann André, No. 3913.   [G 1255
D-brd OF

No. 82. Variations [C] pour le forte-piano sur un air martial de Mr Canne . . . No. 82. – Wien, Artaria & Co., No. 2311.
[G 1256
A Wgm, Wkann, Wst – CS Pk, Pu – I Nc, PAc, VEc

— Bonn, Nikolaus Simrock, No. 1135.
[G 1257
D-ddr Dlb

— Offenbach, Johann André, No. 3666.
[G 1258
D-brd OF

— Variations pour le pianoforte sur un air martial de Mr Kanne . . . No. 82. – Leipzig, Breitkopf & Härtel, No. 2321.
[G 1259
CS Pu – D-ddr Bds – S Sm

Variations pour le piano-forte sur un air martial de Mr Canne . . . avec accompagnement de flûte, 2 oboe ou clarinette, 2 cors, basson, timbales et trombon basso par J. Amon. – Heilbronn, Amon, No. 82. – St.
[G 1260
D-brd LB (7 St.)

No. 83. Variations [G] pour le piano-forte sur l'air russe (Paschaluite Sudarina) . . . No. 83. – Wien, Artaria & Co., No. 2318.
[G 1261
A Wgm, Wst – CS Pk

— Bonn, Nikolaus Simrock, No. 1134.
[G 1262
D-brd Bu – D-ddr Dlb

— Offenbach, Johann André, No. 3667.
[G 1263
BR Rn

No. 84. Variations [G] pour le piano-forte sur une romance (Villanella) tiré du ballet Nina . . . op. 84. – Wien, S. A. Steiner, No. 2314.   [G 1264
A Wgm – CS Bm, Bu, K, Pk – D-brd AM – D-ddr Bds – I Nc, PAc, Vc

— Variations sur un thème favori du ballet Nina par J. Mayseder mises pour le piano-forte seul. – Wien, Artaria & Co., No. 2582.   [G 1265
CS Bm, Bu – D-brd Mbs – I MOe, PAc
vgl. auch [G 1356

No. 85. Variations [G] pour le piano-forte sur la Quadrille favorite de Sa Majesté l'Empereur Alexandre . . . No. 85. – Wien, Tranquillo Mollo, No. 1602.   [G 1266
A Wgm – CS K, Pk – D-ddr Bds – I PAc

— Offenbach, Johann André, No. 3914.
[G 1267
D-brd OF

No. 86. Variations [G] pour le piano-forte sur la danse favorite La tempête . . . No. 86. – Wien, Johann Cappi, No. 1648.
[G 1268
A Wgm – CS Pk – I PAc

— *Offenbach, Johann André, No. 3915.*
[G 1269
D-brd OF

No. 87. Variations [G] avec echo pour le pianoforte sur l'air, Troubadour, tiré de l'opéra Joconde . . . No. 87. – *Wien, S. A. Steiner & Co., No. 2400.* [G 1270
A Wgm, Wn – CS Bu, Pk, Pu

— Variations [G] avec echo pour le pianoforte sur l'air, Troubadour, tiré de l'opéra Gioconde. – *Warschau, Plachecki, No. (182).* [G 1271
USSR Lsc

— *Offenbach, Johann André, No. 3669.*
[G 1272
D-brd OF

No. 88. vgl. [G 872

No. 89. Variationen [C] für das Piano-Forte über die Romanze, Einst zog ich an der Brüder Seite, aus der Oper, Joseph und seine Brüder . . . No. 89. – *Wien, S. A. Steiner & Co., No. 2470.* [G 1273
A Wgm, Wkann, Wn (2 Ex.) – CS Bu, Pk – **D-ddr** ZI

— *Berlin, A. M. Schlesinger, No. 198.*
[G 1274
D-brd Bu

— *ib., Kunst und Industrie Comptoir, No. 620.* [G 1275
D-ddr ZI

— [8] Variations pour le piano forte sur la romance, A peine au sortir de l'enfance, Einst zog ich an der Brüder Seite, de l'opéra Joseph et ses frères . . . No. 89. – *Köln-Bonn, Nikolaus Simrock, No. 1416.*
[G 1276
CH Bu – **D-ddr** Dlb

— Variationen für Piano-Forté über die Romanze, Einst zog ich an der Brüder Seite . . . aus der Oper Joseph und seine Brüder . . . No. 89. – *Offenbach, Johann André, No. 3671.* [G 1277
BR Rn – **D-brd** OF

No. 90. Variationen für das Piano-Forte [A] über die zweite Romanze (Als ihm der Tod den Sohn entrissen) aus der Oper

Joseph und seine Brüder . . . No. 90. – *Wien, Johann Cappi, No. 1662.* [G 1278
A Wgm, Wn – CS K, Pk

— Variations [A] pour le piano-forté sur la 2me romance de l'opéra Joseph . . . No. 90. – *Offenbach, Johann André, No. 3916.*
[G 1279
D-brd OF

No. 91. Variations [Es] pour le piano-forte sur un Mazur favori . . . No. 91. – *Wien, Artaria & Co., No. 2430.* [G 1280
A Wgm, Wst – CS Bu

— *Leipzig, Breitkopf & Härtel, No. 2424.*
[G 1281
CS Pk, Pu – **D-brd** LÜh – **D-ddr** Bds (2 Ex.)

— *Offenbach, Johann André, No. 3672.*
[G 1282
D-brd OF

— XIV Variations pour le pianoforte sur un Mazur favorit . . . op. 91. – *Berlin, A. M. Schlesinger, No. 199.* [G 1283
D-brd Bu

— XIV Variations . . . No. 91. – *Bonn-Köln, Nikolaus Simrock, No. 1207.*
[G 1284
D-ddr Dlb

— *Braunschweig, magazin de musique, No. 1239.* [G 1285
D-brd BNba

No. 92. X Variations [A] pour le piano-forte sur la romance (Trichordium) de Rousseau . . . No. 92. – *Wien-Pest, Joseph Riedl, No. 763.* [G 1286
A Wgm – CS Bu, BRu, Pk

— *Köln-Bonn, Nikolaus Simrock, No. 1401.* [G 1287
D-brd Tu – **D-ddr** Dlb

— Variations pour le piano-forté sur le thème de Rousseau . . . No. 92. – *Offenbach, Johann André, No. 3785.* [G 1288
D-brd OF

— Variations pour le forte-piano sur la romance à 3 notes de J. J. Rousseau . . . No. 92. – *Paris, Ignace Pleyel & fils aîné, No. 1312.* [G 1289
CH Bchristen.

No. 93. Variations [D] für das Piano-
Forte über den beliebten Franzens-Brunn
Walzer . . . No. 93. – Wien, S. A. Steiner &
Co., No. 2585.   [G 1290
A Wgm, Wst – CS Pk – D-brd BNba – I PAc

— Berlin, Kunst und Industrie Comptoir,
No. 619.   [G 1291
A Wn – D-ddr Bds

— 8 Variationen über den beliebten Fran-
zens-Brunn Walzer pour le pianoforte . . .
No. 93. – Köln-Bonn, Nikolaus Simrock,
No. 1415.   [G 1292
D-brd Dlb

— Variationen für Piano-Forté über den
beliebten Franzens'Brunn Walzer . . . No.
93. – Offenbach, Johann André, No. 3673.
                                  [G 1293
D-brd OF

No. 94. Variationen [a] für das Piano-
Forte über das erhabene Andante in a-
moll aus der neuen 7ten Sinfonie von
Ludwig van Beethoven, 92tes Werk . . .
No. 94. – Wien, S. A. Steiner & Co., No.
2601.   [G 1294
A Wgm, Wn (2 Ex.), Wst – CS Pk, Pu – D-brd
BNba, Lr, Mbs – I PAc – S Skma

No. 95. 12 variations [C] pour le piano-
forte sur un thème très favorit nomé l'air
d'housard hongrois à Paris . . . œuvre 95. –
Wien, Peter Cappi, No. 10.   [G 1295
A Wgm – D-brd Mbs – I PAc

— Leipzig, Friedrich Hofmeister, No. 520.
                                  [G 1296
D-brd BNba

— Douze variations [C] pour le piano-
forté sur un thème très favori nomé l'air
d'housard hongrois à Paris . . . No. 95. –
Offenbach, Johann André, No. 3917.
                                  [G 1297
D-brd OF

No. 96. Variations [F] pour le forte-piano
sur la cavatine: Di tanti palpiti, de l'opéra
Tancredi [von Rossini] . . . No. 96. – Wien,
Artaria & Co., No. 2479.   [G 1298
A M, Wgm, Wst – BR Rn – CS Pk, Pu – D-brd
Bhm

— Variations de Mr. Mayseder sur la cavatine (Di tanti palpiti) mises pour le clavecin seul . . . N. 97. – ib., No. 2505.
                                  [G 1299
A Wgm (2 Ex.) – CS Pk (2 Ex.)

— Variations pour le forte-piano (Di
tanti palpiti) de l'opéra Tancredi . . . No.
96. – Mainz, Bernhard Schott.   [G 1300
CH Bu – D-brd F, MB – D-ddr Bds

— ib., Bernhard Schott's Söhne, No. 1062.
                                  [G 1301
CH BEl – D-brd MZsch, Tu

— Paris, Ignace Pleyel & fils aîné, No.
1311.   [G 1302
CH Bchristen

— Bern, R. Haag & Co., No. 684.   [G 1303
CH BEl

— Variations pour le piano-forté sur la
cavatine [Di tanti palpiti) de l'opéra
Tancredi . . . No. 96. – Offenbach, Johann
André, No. 3763.   [G 1304
A Wn – BR Rn – USSR Lsc

— Variations pour le piano-forté sur la
cavatine, Di tanti palpiti, de l'opéra
Tancrède . . . No. 11. – Den Haag, F. J.
Weygand.   [G 1305
NL At

— Di tanti palpiti. Cavatine de Tancrède
. . . variée pour le piano . . . œuvre 96. –
Paris, Janet & Cotelle, No. 1199. [G 1306
D-brd Sl

— Variations sur la cavatine favorite de
l'opéra: Tancred, de Rossini, composées
pour le piano forte. – Bonn-Köln, Nikolaus Simrock, No. 1694.   [G 1307
D-ddr Bds

— Variationen über die beliebte Cava-
tine, Di tanti palpiti, aus Tancred, von
Rossini. – Berlin, Schlesinger, No. 289.
                                  [G 1308
D-ddr Bds

No. 97. Variations [A] pour le piano-forte
sur la romance favorite, Ritter voll Muth
des Thrones feste Stütze, de l'opéra, Liebe
und Ruhm . . . œuvre 97. – Wien, K. k.
Hoftheater-Musikverlag, No. SM 61.
                                  [G 1309

A Wgm, Wst (2 Ex.) – **CS** Pk – **D-brd** DO, LÜh – **I** PAc

No. 98. Variations [D] pour le piano-forte sur l'air favorite Bolero . . . œuvre 98. – *Wien, Tranquillo Mollo, No. 1729.* [G 1310
A Wn – **CS** KRa, Pk, Pnm – **I** PAc

— Variations pour le piano-forté sur une chansonette espagnole . . . No. 98. – *Offenbach, Johann André, No. 3937.*   [G 1311
D-brd OF

No. 99. Variations [A] pour le piano-forte sur une valse favorite (Fopp Ländler) . . . œuvre 99. – *Wien, Tranquillo Mollo, No. A. 1746.*   [G 1312
A Wgm, Wst – **CS** K, Pk – **I** Mc, PAc

— Variations pour le piano-forté sur une walse favorite . . . No. 99. – *Offenbach, Johann André, No. 4038.*   [G 1313
D-brd Mbs, OF

No. 100. Les dernières variations [B] pour le piano-forte sur un valz favori de H. Payer . . . œuvre 100. – *Wien, Cappi & Diabelli, No. 100.*   [G 1314
A Wgm – **BR** Rn – **CS** Bu, Pk – **D-brd** Mbs – **I** PAc

No. 101. Variations [B] pour le piano-forte sur la grande marche favorite du ballet Alfred le Grand. – *Wien, Tranquillo Mollo, No. 1814.*   [G 1315
A Wgm, Wst – **CS** KRa – **I** PAc

— Variations [B] . . . No. 101. – *Offenbach, Johann André, No. 4319.*   [G 1316
A Wn

No. 103. Leichte Variationen [D] für das Piano-Forte über den beliebten Walzer aus der Oper Der Freyschütz . . . op. 103. – *Wien, Artaria & Co., No. 2674.* [G 1317
A Wgm, Wn (2 Ex.), Wst – **CS** Pk

— Variations pour le piano forte sur la valse favorite de l'opéra Der Freyschütz. – *Bonn-Köln, Nikolaus Simrock, No. 2017.*   [G 1318
A Wn – **D-ddr** Dlb

— *Bruxelles, Weissenbruch.*   [G 1319
B Bc

— *Mainz, Bernhard Schott's Söhne, No. 1862.*   [G 1320
CS Pu – **D-ddr** Bds – **S** Sm

— Valse favorite de Robin des Bois, musique de C. M. de Weber, variée pour le piano forte . . . op. 105. – *Paris, Carli, No. 2231.*   [G 1321
A Wn – **CS** Bm

No. 104. Variations [D] für das Piano-Forte über den Favorit-Chor aus der Oper Der Freyschütz . . . op. 104. – *Wien, Artaria & Co., No. 2671.*   [G 1322
A Wgm, Wst – **CS** Pk

— *Berlin, F. S. Lischke, No. 1370.*   [G 1323
S Skma

— Variations pour le piano-forte sur le chœur de chasse favorit de l'opéra, Der Freyschütz . . . ([hs.:] No. 104). – *Bonn-Köln, Nikolaus Simrock, No. 2018.*   [G 1324
D-ddr Dlb

— Variations pour le piano forte sur la marche favorite et chœur des chasseurs de l'opéra du Freischütz. – *Paris, Richault, No. 270R.*   [G 1325
CH Bchristen

— Six variations pour le piano forte. Chœur des chasseurs . . . de l'opéra Der Freischütz. – *Mainz, Bernhard Schott's Söhne, No. 1824.*   [G 1326
D-ddr Bds

No. 105. Variations [D] suivies d'un Polonaise pour le piano-forte sur la cavatine favorite (Sorte! seccondami) . . . dans l' opéra Zelmira, de Rossini . . . œuvre 105. – *Wien, S. A. Steiner & Co., No. 3835.*   [G 1327
A Wst – **CS** Bu, Pk
vgl. [G 1358

No. 106. Variations [C] suivies d'une Sicilienne pour le piano-forte sur la cavatine favorite Cara deh attendimi . . . dans l'opéra Zelmira, de Rossini . . . œuvre 106. – *Wien, S. A. Steiner & Co., No. 3836.*   [G 1328
A Wst – **CS** Pk

— Variations pour le piano-forté sur un thème de Rossini dans l'opéra Zelmira . . . No. 106. – *Offenbach, Johann André, No. 4626.*   [G 1329
CH Bu

No. 107. Variations [G] sur un valse favorite de Mr. Wilde pour le piano forte par . . . No. 107. – *Wien, S. A. Steiner & Co., No. 3982.*   [G 1330
A Wst – CS Pk

Verschiedene Variationen

Air de Rode [Es] . . . varié pour le piano forte. – *Hamburg, Cranz.*   [G 1331
B Bc – D-brd Mbs

— Air de Rode varié pour le pianoforte. – *Stockholm, J. F. Walker.*   [G 1332
S Skma, Sm

— Variations de M. Rode pour le piano-forte. – *Warschau, Plachecki.*   [G 1333
USSR Lsc

Variations [Es, G, Es, G] . . . mises pour le pianoforte . . . (O dolce concento; Nel cor più non mi sento; Frenar vorrei le lagrime; Teneri cari affetti). – *Wien, Artaria & Co., No. 2551.*   [G 1334
CS Bu, Pu – I Mc, PAc

— Variations [Es] sur l'air, Frenar vorrei le lagrime, pour le pianoforte. – *Warschau, Plachecki.*   [G 1335
USSR Lsc

Variations [F, Es, F] . . . mises pour le pianoforte. – *Wien, Artaria & Co., No. 2553.*   [G 1336
A Wst – I PAc

— Seconde partie de variations [F, Es, F] . . . mises pour le piano-forte. – *London, Clementi & Co., No. 55.*   [G 1337
D-ddr ZI

Variations [G, G] . . . mises pour le piano-forte. – *Wien, Artaria & Co., No. 2566.*   [G 1338
I PAc

Thèmes choisis de différentes opéras et ballets variés pour le clavecin ou piano-forte . . . No. 12. – *[Wien, Johann Cappi], No. 1076.*   [G 1339
A Wgm – CS Pk – I PAc

Deux thèmes favoris avec variations [A, Es] pour le piano-forté de Joseph Haydn. – *Bonn, Nikolaus Simrock, No. 889.*
                                                   [G 1340
CH Bchristen – D-ddr Dlb

— Deux thèmes favoris de J. Haydn avec variations pour le piano . . . op. 18. – *Paris, Carli, No. 170.*   [G 1341
D-brd Mbs

Variations sur un thème de l'opéra Jean de Paris [G] avec une grande Introduction [D] par J. Mayseder, mises pour le piano-forte seul. – *Wien, Artaria & Co., No. 2570.*   [G 1342
I Nc, PAc

— Variations pour le pianoforte . . . No. ([handschriftlich:] 100). – *Köln-Bonn, Nikolaus Simrock, No. 1916.*   [G 1343
D-ddr Dlb

— Variationen für das Piano-Forte über das Thema aus: Johann von Paris, Welche Lust gewährt das Reisen . . . No. 100. – *Berlin, F. S. Lischke, No. 1427.*   [G 1344
D-brd Hhm

Variationen [C] für das Piano-forte über das Thema: Auf dieser Welt ist's schön zu leben . . . oder über die Menuett à la Vigano. – *Berlin, Concha & Co., No. 215.*
                                                   [G 1345
D-ddr Bds

[Zuweisung fraglich:] Variations pour le pianoforte composées et dédiées à Mr. le Comte Constantin Rucki. – *Wien, Ludwig Maisch, No. 488.*   [G 1346
A Wkann

Collection des airs variés pour le piano forte . . . première livraison (Marche d'Achille; Nel cor più; Gavotte d'Armide; Walzer: Le cors de poste; Ich liebe dich; La ci darem la mano; Marche de la flûte ench.; Die feindl. Volksstämme; Air thyrolien; Valse favorite; Danse cosaque; Air du chalumeau; Air de valz; Oh, mon cher Augustin; Valz de Hummel; Pria che l'impegno; Thème de Gelinek; Thème: Die Weinlese; Coppia si tenera; Venu [!], mir dein Auge strahlet). – *Paris, Pacini, Charles Bochsa père, No. 172–191.* [G 1347
D-brd DO

— Collection d'airs variés pour le piano forte, Gavotte d'Armide . . . I^e livraison, No. 3. – *Paris, Pacini, No. 174.* [G 1348
I Nc
vgl. [G 1088

— Collection d'airs variés pour le piano forte, La ci darem la mano. Duo de Don Juan de Mozart . . . I^e livraison, No. 6. – *ib., No. 177.* [G 1349
I Nc
vgl. [G 876

— Collection des airs variés pour le piano-forte . . . No. 7, marche de La flûte enchantée. – *ib., No. 178.* [G 1350
BR Rn
vgl. [G 989

— Collection des airs variés pour le piano-forte. No. [1]. Thema con variazioni [sur] Marche d'Achille, de Paër. – *ib., No. 172.* [G 1351
CH Gpu – NL DHa
vgl. [G 954

— Collection des airs variés pour le piano-forte, No. 9, air tyrolien. – *ib., No. 180.* [G 1352
BR Rn – I Nc
vgl. [G 1050 und [G 1440

— Collection des airs variés pour le piano-forte . . . No. 19, trio de l'opéra, Palmira. – *ib., No. 190.* [G 1353
BR Rn
vgl. [G 917

— *ib., L. Lavenu.* [G 1354
S Uu

Collection d'airs variés: O ma tendre musette, 2e livraison, No. 39. – *Paris, Pacini, No. 519.* [G 1355
I Nc
vgl. [G 987

Collection d'airs variés pour le pianoforte: Romance du ballet de Nina . . . 3e livraison, No. 44, œuvre 84. – *Paris, Pacini, No. 171.* [G 1356
CH Bchristen

— Variations pour le piano-forté sur une romance Villanella tiré du ballet Nina . . . No. 84. – *Offenbach, Johann André, No. 3668.* [G 1357

CS Pk – D-brd OF
vgl. [G 1264

Collection d'airs variés pour le piano forte, livraison No. 51 (Chœur des Chasseurs de Robin). – *Paris, Pacini, No. 496.* [G 1358
I Nc
vgl. [G 1327

Select airs with [9] variations [Es] for the piano forte. – *London, Preston.* [G 1359
CH E (unvollständig)

Maience walse with variations for the piano forte. – *London, Clementi & Co.* [G 1360
C Qul

Sonaten, Rondos u. a.

Sonate [B] pour le clavecin ou piano-forte . . . œuvre 5. – *Paris, Pleyel (Michot).* [G 1361
US Cn

— Sonate pour le clavecin ou piano-forte . . . No. 5. – *Wien, Artaria & Co., No. 603.* [G 1362
D-ddr SWl

XII Allemandes [C] pour le clavecin ou pianoforte . . . œuvre 20. – *Wien, Artaria & Co., No. 1519.* [G 1363
A Wst

Sonate [A] pour le clavecin ou piano-forte tirée du trio favorit de Viotti . . . œuvre 21. – *Wien, Tranquillo Mollo, No. 1271 ([ältere No.:] 208).* [G 1364
A Wst – I VIb

— *s. l., s. n., No. 208.* [G 1365
CS K – D-brd LB (Etikett: Frankfurt, Gayl & Hedler)

Sonate [F] pour le pianoforte . . . op. 24. – *Wien, bureau des arts et d'industrie, No. 51.* [G 1366
A Wn – CS Bm – I Nc

Rondeau favori [G] par W. A. Mozart mis pour le forte piano . . . op. 48. – *Wien, Artaria & Co., No. 2011.* [G 1367
CS K

Sonate très facile [C] pour le piano-forte . . . No. 6. – *Hamburg, Johann August Böhme.* [G 1368
D-brd BNba – US BLu

— *Heilbronn, J. Amon, No. 115.* [G 1369
D-brd F

— *Mainz, Bernhard Schott, No. 115.*
[G 1370
D-brd Mbs, MZsch

Sonatina [C] leicht und angenehm für
das Piano-Forte, No. 2. – *Wien, Artaria
& Co., No. 608.* [G 1371
A Wn (2 Ex.), Wst (2 Ex.) – **CS** Pk – **D-brd**
Mbs – **D-ddr** Bds – **I** Mc – **PL** Tu

Sonatine favorite [C] pour le piano forte.
– *Hamburg, A. Cranz.* [G 1372
D-brd Bu, LÜh

Grande sonate [g] pour le forte-piano . . .
tirée d'une simphonie composée par W. A.
Mozart. – *Wien, Artaria & Co., No. 1623.*
[G 1373
CH Gpu – **I** Bc, Mc

Sonate [B] pour le clavecin ou piano-forte
. . . (in: No. 78 du Journal de musique
pour les dames). – *Offenbach, Johann André, No. 908.* [G 1374
D-brd F, KNh, OF – **D-ddr** GOl – **DK** Kk

Leichte Sonate [C] und Variationen [D]
über einen Favoritwalzer . . . Sonate: Nro.
1. Variationen: Nro. 67 (in: Pianoforte-
Bibliothek Heft XXII und XXIII). –
*Hamburg-Itzehoe, Schuberth & Niemeyer,
No. 68.* [G 1375
A Wst – **CS** Bu, Pu
vgl. [G 1184

[Zuweisung fraglich:] Sonate [B] pour le
piano-forte composée et dédiée à Mr. le
Comte François de Harrach fils. – *Wien,
Johann Cappi, No. 1590.* [G 1376
A Wgm

Rondo [C] pour le forte-piano . . . No. 2. –
Wien, Artaria & Co., No. 2053. [G 1377
A Wst – **CS** K, Pu

Rondo [C] avec la pédale nommée la mu-
sique turque pour le forte-piano . . . No. 3.
– *Wien, Artaria & Co., No. 2234.* [G 1378
A Wst – **CS** K

— Rondo [C] pour le pianoforte avec la
pédale nommée la musique turque. – *Leipzig, Breitkopf & Härtel, No. 1782.* [G 1379
A Wst – **D-ddr** Bds

— Rondo turque [C] pour le pianoforte. –
Leipzig, Friedrich Hofmeister, No. 212.
[G 1380
A Wst – **D-brd** MZfederhofer

Rondo [D] brillant et très agréable de M^r
F. Spina mis pour le piano-forte. – *Wien,
Artaria & Co., No. 2316.* [G 1381
CS K – **D-brd** Cl, WE – **D-ddr** Dlb – **S** Skma,
Sm, Uu

Rondeau [Es] mis pour un piano forte. –
Wien, Tranquillo Mollo, No. 1528.
[G 1382
A Wst – **CS** K – **D-brd** BNba

— *Bonn, Nikolaus Simrock, No. 991.*
[G 1383
D-brd LB

Rondo favorit [A] tiré d'un quatuor de
Mayseder mis pour le piano-forte. – *Wien,
Artaria & Co., No. 2243.* [G 1384
A Wst – **CS** K

— Rondo favori de Mayseder mis pour
piano-forté. – *Offenbach, Johann André,
No. 4037.* [G 1385
D-brd KNmi

Grand rondo [B] mis pour le piano-forte.
– *Wien, S. A. Steiner & Co., No. 2820.*
[G 1386
A M, Wst – **CH** E – **CS** K – **D-brd** BNba

Trois rondeaux [G, c, E] par J. Mayseder
mis pour le pianoforte . . . No. 8. – *Wien,
Artaria & Co., No. 2649.* [G 1387
CS Bu

Trois rondoletti [C, F, C] pour le clavecin
ou piano-forte à l'usage des commençans.
– *Wien, Johann Cappi, No. 1675.* [G 1388
A Wgm, Wst – **CS** K

Rondo ou polonoise favorite [As] pour le
piano forte. – *Wien, Chemische Druckerei,
No. 2024.* [G 1389
A Wst – **CS** K – **I** Mc

— *Bonn-Köln, Nikolaus Simrock, No.
1146.* [G 1390
D-ddr Dlb

— *Offenbach, Johann André, No. 3664.*
[G 1391
BR Rn – **D-brd** OF

Rondo ou polonoise favorite [A] pour le piano-forte. – *Hamburg, J. A. Böhme.*
[G 1392
D-brd LÜh (2 Ex.) – **S** Skma

Polonaise [D] de Mr. J. Böhm arrangée pour le pianoforte. – *Wien, Artaria & Co., No. 2611.* [G 1393
A Wst – **CS** Bu

Polonoise [A] de Mayseder misse pour le piano-forte. – *Wien, Artaria & Co., No. 2406.* [G 1394
CS Bu, K, Pnm, Pu – **D-ddr** Bds

Polonaise [G] de Mʳ Mayseder mise pour le piano-forte. – *Wien, Artaria & Co., No. 2438.* [G 1395
CS Bu, KRa – **D-ddr** Bds

Troisième Polonoise [E] de Mr. Mayseder . . . pour le piano-forte. – *Wien, Artaria & Co., No. 2461.* [G 1396
CS Bm, Bu, KRa, Pu – **USSR** Lsc – **YU** Lu

Polonoise favorite [D] en rondo par Spagnoletti arrangée pour le piano-forte. – *Wien, Johann Cappi, No. 1626.* [G 1397
A Wn, Wst – **CS** K, Pk

Polonaise favorite [B] pour le piano-forte. – *Leipzig-Berlin, bureau des arts et d'industrie, No. 284.* [G 1398
D-brd BNba

[Zuweisung fraglich:] IX Nouvelles écossoises pour le pianoforte. – *Wien, Ludwig Maisch, No. 445.* [G 1399
BR Rn

Fantasia per cembalo solo [C] . . . sull'aria Non più andrai farfallone amoroso, del celebre M. Mozart. – *Milano, Giovanni Ricordi, No. 329.* [G 1400
A Wgm, Wst – **D-brd** Mbs – **S** Skma

Fantaisie ou caprice très facile [A] avec un rondo à la turque pour le piano-forte. – *Wien, Tranquillo Mollo, No. 1622.*
[G 1401
A Wgm – **CS** K, Pk – **D-brd** BNba

Menuet favori [C] varié pour le piano-forté . . . No. 11. – *Offenbach, Johann André, No. 3355.* [G 1402
S Skma

X Walzes avec coda pour le piano-forte. – *Wien, Artaria & Co., No. 2441.* [G 1403
A Wst

Marsch [D] des 1ᵗᵉⁿ Bataillons der n.ö. Landwehr der Stadt Wien für das Forte-Piano. – *Wien, Artaria & Co., No. 2022.*
[G 1404
A Wgm – **CS** Pnm – **I** MOe

Empfindungen eines jungen Mädchens am 1ten May bey Übersendung eines Straußes von Rosen und Veilchen von L. Bleibtreun. In Musik gesetzt für das Piano-Forte. – *Wien, Artaria & Co., No. 2453.*
[G 1405
A Wgm, Wn, Wst

Bearbeitungen

Simphonie favorite [C] composée par Louis van Beethoven et arrangée pour le clavecin ou piano-forte. – *Wien, Johann Cappi, No. 1099.* [G 1406
CS K, Pnm

Duo [B] . . . mis pour un forte piano. – *Wien, Tranquillo Mollo, No. 1603.* [G 1407
CS K, Pu

Le duo de l'opéra: Die Schweizer Familie, en rondo [A] pour le pianoforte. – *København, C. C. Lose.* [G 1408
S Sm

Walzer [D] aus der Oper: Tancred, für das Pianoforte eingerichtet. – *Wien, Artaria & Co., No. 2581.* [G 1409
A Wst

Walzer nach den beliebtesten Motiven aus der Liederposse: Die Wiener in Berlin, eingerichtet für das Piano-Forte. – *Hamburg, Johann August Böhme.* [G 1410
D-brd Mbs

Neue Deutsche Tänze aus der Oper: Ferdinand Cortez, componirt für das Piano-Forte. – *Wien, Artaria & Co., No. 2325.*
[G 1411
A Wst

X. Ländler für das Clavier. – *Wien, Ludwig Maisch, No. 501.* [G 1412
A Wn, Wst (2 Ex.) – **CS** Bu – **I** PAc

Marche [F] de l'opéra: Jean de Paris. –
Wien, Johann Cappi, No. 1556. [G 1413
A Wst

— *München, Macario Falter & Sohn.*
[G 1414
D-brd Mbs

Verbunkos notak, oder Aecht ungarische
National-Tänze von Herrn Lavotta, für
das Piano-Forte eingerichtet. – *Wien, Ar-*
taria & Co., No. 2362. [G 1415
D-brd WE

Auswahl der beliebtesten Stücke für das
Piano-Forte allein, ohne Singstimme, aus
der Oper: Die Italienerin in Algier (L'Ita-
liana in Algeri) von G. Rossini. – *Wien,*
Tranquillo Mollo, No. 1825. [G 1416
A Wst

Auswahl der beliebtesten Stücke für das
Forte Piano, ohne Singstimme, aus der
Oper: Tancred, von G. Rossini. – *Wien,*
Tranquillo Mollo, No. 1679. [G 1417
A Wst

Auswahl der beliebtesten Stücke für das
Forte Piano ohne Sing Stimme(!) [C, C,
C, E, A] aus der Oper Joseph und seine
Brüder von Méhul. – *Wien, Tranquillo*
Mollo, No. 1611. [G 1418
YU Lu

Cotillon nach beliebten Melodien aus der
Liederposse: Die Wiener in Berlin ...
eingerichtet für das Piano-Forte von C.
Berens. – *Hamburg, Johann August Böh-*
me. [G 1419
D-brd Mbs

Pot-pourri [Es] tiré des airs de: Zauberflöte, Donjuan et Figaro, pour le piano-
forté. – *Hamburg, Johann August Böhme,*
No. 1. [G 1420
CS Pu – S Skma, Sm, Uu

— *Bonn, Nikolaus Simrock, No. 992.*
[G 1421
CH Bu – D-brd Bu

— Pot-pourri für's Piano Forte, nach
Arien aus Figaro, Don Juan und der
Zauberflöte. – *Hamburg, Rudolphus; Al-*
tona, Cranz. [G 1422
D-brd LÜh

— Pot-pourri d'airs (Zauberflöte, Don
Juan, Figaro) mis pour un piano-forte. –
Wien, Tranquillo Mollo, No. 1529.
[G 1423
CS K – D-ddr Bds

— Pot-pourri pour le piano composé des
airs de La flûte enchantée, Don Juan et
Les noces de Figaro ... op. 75. – *Firenze,*
Giuseppe Lorenzi, No. 656. [G 1424
BR Rn

Deuxième pot-pourri tiré des airs de: Tancred, Jean de Paris et Schweitzer-Familie
pour le piano-forté. – *Hamburg, Johann*
August Böhme, No. 2. [G 1425
S Skma, Sm

— Zweites pot-pourri für's Forte-Piano,
nach Arien aus Tancred, Johann von
Paris und der Schweizerfamilie. – *Ham-*
burg, Rudolphus; Altona, Cranz. [G 1426
D-brd LÜh

Potpourri [D] pour le piano forté tiré
d'airs des opéras de Paer: Sargino, Camilla et Achilles. – *Bonn-Köln, Nikolaus*
Simrock, No. 1671. [G 1427
CH Bu

— Troisième pot-pourri [D] tiré de l'opéra: Sargino, Camilla et Achille, pour le
piano-forte. – *Hamburg, Johann August*
Böhme, No. 3. [G 1428
D-brd Hs – DK Kk – S Skma

— *Berlin, F. S. Lischke, No. 1043.*
[G 1429
D-brd Mbs

— Pot-pourri für's Forte-Piano nach Sar-
gino, Camilla und Achilles ... No. 3. –
Hamburg, Cranz. [G 1430
CS Pu – D-brd LÜh

4me pot-pourri [C] pour le piano forté tiré
des opéras: L'enlèvement du Sérail, Le
sacrifice interrompu, et Fanchon. – *Bonn-*
Köln, Nikolaus Simrock, No. 1743.
[G 1431
D-ddr Dlb

— Quatrième pot-pourri pour le piano-
forte tiré de l'opéra: Entführung, Opferfest, & Fanchon. – *Hamburg, Johann*
August Böhme. [G 1432
D-brd Hs – S Skma

— Pot-pourri für's Forte Piano nach Fanchon, Entführung und dem Opferfeste, No. 4. – *Hamburg, Cranz.*   [G 1433
CH E

Cinquième pot-pourri pour le piano-forte tiré de l'opéra: Orazi, Titus, Aline et Tarare. – *Hamburg, Johann August Böhme.*
[G 1434
S Skma

6me pot-pourri [C] pour le piano forté des opéras: Le petit chaperon rouge, La molinara, Zémire et Azor, et Le capitaine de marine. – *Bonn-Köln, Nikolaus Simrock, No. 1867.*   [G 1435
D-ddr Dlb

Siebenter potpourri für's Piano-Forte nach den beliebtesten Motiven aus der Liederposse: Die Wiener in Berlin. – *Hamburg, Johann August Böhme.* [G 1436
D-brd Mbs

— Potpourri für's Piano-Forte nach den beliebtesten Motiven aus der Liederposse: Die Wiener in Berlin. – *København, C. C. Lose.*   [G 1437
D-brd KIl

Pot-pourri d'airs les plus favorites de G. Rossini, des opéras: Adelaïde, Riccardo, Gazza ladra, Barbier de Seviglia, Mosé, pour le piano-forte . . . cahier 1, 2, 3, 4, 5, 6. – *Wien, Tranquillo Mollo, No. 1760 (1793, 1832, 1838, 1869, 1870).* [G 1438
A Wst (1–6) – **CS** Pnm (1, 6), Pr (1, 6) – **I** PAc (1–4)

Pot-pourri sur les plus jolis airs du Barbier de Séville, de La pie voleuse, et de Richard, musique de Rossini, arrangé pour le pianoforté. – *Paris, Boieldieu jeune, No. 997.*
[G 1439
CH Bchristen

Werke für Flöte

Variations [Es] pour la flûte sur l'air Tiroliens (Wann i in der früh aufsteh). – *Wien, Johann Cappi, No. 1258.* [G 1440
CS Bu
vgl. [G 1050 und [G 1352

— *Berlin, A. M. Schlesinger, No. 18.*
[G 1441
D-ddr Bds

— VI Variations pour la flûte . . . – *Bonn, Nikolaus Simrock, No. 627.*   [G 1442
D-ddr Bds

Variations [F] pour la flûte sur une air populaire de Vienne (Müssts ma nix in übel aufnehma). – *Wien, Johann Cappi, No. 1481.*   [G 1443
A Wgm
vgl. [G 1174

Variations sur l'air favorit: Wer hörte wohl jemals mich klagen, de l'opéra: Die Schweizerfamilie . . . arrangées pour la flûte par Mr Fred. Petzold. – *Berlin, A. M. Schlesinger, No. 29.*   [G 1444
D-ddr Bds
vgl. [G 1011

Theodora Straková

GEMINIANI Francesco

Vokalmusik

Gently touch the warbling lyre. The warbling lyre. A favourite air . . . with variations for the harpsichord, or piano forte. – *London, Thomas Skillern.*   [G 1445
GB Lbm

— . . . a new song to a favourite air. – *s. l., s. n.*   [G 1446
[3 verschiedene Ausgaben:] **GB** Gm, Lam, Lbm (5 Ex., 3 verschiedene Ausgaben), Ob

— *[London], Elizabeth Hare.*   [G 1447
GB CDp

— Gently stir and blow the fire . . . burlesqu'd by Sir W. Y. – *s. l., s. n.* [G 1448
[2 verschiedene Ausgaben:] **GB** Gm, Lbm

The poor little blind beggar boy [Song]. – *London, G. Goulding.*   [G 1449
GB Lbm

The sympathizing heart [Song] (in: The Gentleman's Magazine, vol. IX). – *[London], s. n., (1739).*   [G 1450
GB Lbm

The tender lover [Song]. – *s. l., s. n.*
[G 1451
GB Cfm, Lam, Lbm (2 verschiedene Ausgaben)

— . . . (in: Hibernian Magazine, sept., 1787). – *[Dublin], s. n., (1787).* [G 1452
GB Lbm

The tragical history of the life and death of Billy Pringle's pig [Song] . . . in the Mayor of Garrat. – *London, the Little a [!].*
[G 1453
GB Lbm

INSTRUMENTALWERKE

Concerti grossi

Opus 2

Concerti grossi [c, c, d, D, d, A] con due violini, violoncello, e viola di concertino obligati, e due altri violini, e basso di concerto grosso ad arbitrio il IV. V. e VI. si potranno suonare con due flauti traversieri, o due violini con violoncello . . . opera seconda. – *London, John Walsh ([bzw:] John Walsh, for the author). –* St.
[G 1454
[mindestens 3 verschiedene Ausgaben:] **B** Bc (kpl.: 7 St.) – **CH** Gc (vl I, vl II, vla, b) – **D-brd** B – **D-ddr** Dlb – **F** Pc, Pn (vl II conc., vla II, vl I rip., vl II rip., b rip. [alle St. ohne Titelblatt]) – **GB** BRp, Bu (unvollständig), Cfm (2 verschiedene Ausgaben), Ckc (2 verschiedene Ausgaben), Cu, Cpl (2 Ex.), CDp, DRc (2 verschiedene Ausgaben), Lam (2 Ex.), Lbm (3 verschiedene Ausgaben), Lcm (3 Ex., 2 verschiedene Ausgaben), Lco (2 verschiedene Ausgaben), Mp, Ooc, T (2 verschiedene Ausgaben) – **I** FOc – **J** Tmc – **NL** Uim (2 verschiedene Ausgaben) – **S** Skma – **US** AA, Bp, BE, LOn, NH (2 verschiedene Ausgaben, Pu, R, Wc (2 verschiedene Ausgaben, davon 1 Ausgabe kpl. in 8 St.), WGw

— *ib., s. n., 1732.* [G 1455
I BGi (kpl.: 7 St.) – **S** Skma – **US** AA, NH

— *Amsterdam, Michel Charles Le Cène, No. 574.* [G 1456
F Pc (7 St. [je 2 Ex.]), Pn – **US** Cn, NYp (vl I), R

— *ib., Henry Chalon, No. 574.* [G 1457
D-ddr Bds (7 St.) – **S** Skma

— *Paris, Le Clerc, aux adresses ordinaires.*
[G 1458
F Pc (7 St.)

— *ib., Le Clerc (rue St. Honoré), Le Clerc (rue du Roule), Mme Boivin.* [G 1459
D-ddr Dlb (7 St.) – **NL** DHgm (7 St.)

Six concertos . . . the second edition, corrected and enlarged; with some new movements, by the author; and now first published in score. – *London, John Johnson, for the author (engraved by Mlle Vendôme).* – P. [G 1460
D-ddr Dlb, LEm – **GB** Ckc, Cu, DRc, Ge, HAdolmetsch, Lam, Lbm, Lcm, Lgc, Ob – **US** CA, Wc

— Six concertos . . . the second edition, revised, corrected and enlarged. – *ib., John Johnson, for the author.* – St. [G 1461
GB Lbm (fehlen vla II, b) – **NL** Uim (7 St.)

— . . . carefully corrected from the errors of a former edition. – *ib., John Johnson, for the author.* [G 1462
GB EL (unvollständig)

— . . . carefully corrected from the errors of a former impression. – *ib., John Johnson, for the author.* [G 1463
GB Lu (unvollständig) – **US** CHua (7 St.)

Celebrated six concertos, as perform'd by Mr. Cramer . . . adapted for the harpsichord, organ, or pianoforte ([handschriftlich:] op. 2). – *London, G. Goulding.*
[G 1464
B Bc – **C** Tu – **D-brd** Hs – **GB** EL, Lbm – **US** CA

[Op. 2, Nr. 1:] Know Madam I never was born. A favourite minuet . . . set for ye german flute. – *s. l., s. n.* [G 1465
GB Ckc, Lbm

Opus 3

Concerti grossi [D, g, e, d, B, e] con due violini, viola e violoncello di concertino obligati, e due altri violini e basso di concerto grosso . . . opera terza. – *London, John Walsh & Joseph Hare.* – St. [G 1466
GB Ckc (7 St.), Cu

— *ib., John Walsh.* [G 1467
[mindestens 4 verschiedene Ausgaben:] **B** Bc (7 St.) – **CH** Gc (vl I, vl II, vla, b), Zz (mit No. 379) – **D-brd** B, Bhm – **D-ddr** Dlb (mit No. 379), LEm – **F** Pc (7 St., vla [2 Ex.], mit No. 379), Pn (vl II conc., vl I rip., vl II rip., vla, b rip., mit No. 379) – **GB** A (unvollständig), Bu, BRp, Cfm, Ckc, Cpl, CDp, EL (2 verschiedene

Ausgaben, davon 1 Ausgabe unvollständig), Lam (2 Ex.), Lbm (6 Ex., 4 verschiedene Ausgaben, davon 3 Ausgaben unvollständig, 1 Ausgabe mit hinzugefügter No. 379), Lcm (3 Ex.), Lco (2 verschiedene Ausgaben), Lu, Mp (2 Ex.), Ooc, T – I FOc – J Tmc – NL Uim – NZ Wt (b, ohne Angabe der Opuszahl) – S Skma – US AA, Bp (6 St.), BE (8 St.), Cn, CA, CHH (ohne Angabe der Opuszahl, mit No. 379), LOu, MSu, NH (mit No. 379), NYp, R (mit No. 379), U (mit No. 379), Wc (2 Ex., im 2. Ex. fehlt b)

— *ib., Benjamin Cooke.*   [G 1468
GB AM (7 St.), Lbm – US BE

— *Amsterdam, Michel Charles Le Cène, No. 571.*   [G 1469
F Pc (7 St., vl I conc. [2 Ex.]) – S Skma – US NYp (vl I), R

— *ib., Henry Chalon, No. 571.*   [G 1470
S Skma (7 St.)

— *Paris, Le Clerc, aux adresses ordinaires.*
          [G 1471
F Pc (7 St.), Pn (vl I, vl II, vl III, vl IV, b) – NL DHgm (7 St.)

— *Paris, Le Clerc le cadet, Le Clerc, Mme Boivin (gravé par Mlle Laymon).* [G 1472
F BO (vl III, vl IV, vla, b) – I Gi (7 St.)

Six concertos . . . the second edition, revised, corrected and enlarged by the author; and now first published in score. – *London, John Johnson, for the author.* – P.   [G 1473
B Bc – **D-brd** Bhm – **D-ddr** LEm – **GB** Ckc (2 Ex.), Cu, Ge, Lam, Lbm, Lcm, HAdolmetsch, Ob

— Six concertos . . . the second edition, revised, corrected, and enlarged, by the author. – *ib., John Johnson, for the author.* – St.   [G 1474
GB Lbm (8 St.) – NL Uim (7 St.) – S Skma (8 St.) – US AA (8 St.)

— . . . carefully corrected from the errors of a former impression. – *ib., John Johnson, for the author.* – St.   [G 1475
D-brd B (7 St.) – **GB** Lu (unvollständig) – **US** AA, CHua

Celebrated six concertos as perform'd by Mr. Cramer . . . adapted for the harpsichord, organ, or pianoforte, op. 3. – *London, G. Goulding.*   [G 1476
GB Lbm, WO – US Wc (2 Ex.)

Bearbeitung von Opus 4 (Sonaten)

Concerti grossi [D, h, e, a, A, c] a due violini, due viole e violoncello obligati con due altri violini, e basso di ripieno . . . questi concerti sono composti dalle sonate [Nr. 1, 11, 2, 5, 7, 9] a violino e basso dell'opera IV. – *London, author, 1743.* – St.
          [G 1477
DK Kk (vl I princip., vl II princip., vl I, vl II, vla I) – **F** Pc (8 St.) – **GB** Lbm (8 St. [je 3 Ex.]), Lcm – **NL** Uim – **US** Bp (6 St.), Pu, Wc (9 St.)

— *ib., John Johnson, for the author, (1743).*
          [G 1478
[2 verschiedene Ausgaben:] GB Cfm (8 St.; 2 verschiedene Ausgaben), Cu, Ge, Lbm (unvollständig), T – I FOc – S Skma – US NH

— *ib., s. n., 1743.*   [G 1479
GB Mp (unvollständig)

[Op. 4, Nr. 5. Allegro:] Welcome all who sigh with truth. The celebrated air and chorus of nuns . . . introduced . . . in The island of St. Marguerite. – *London, Preston & son.*   [G 1480
GB Lbm – US PL

Opus 7

Concerti grossi [D, d, C, d, c, B] composti a 3, 4, 5, 6, 7, 8 parti reali, per essere eseguiti da due violini, viola e violoncello di concertino, e due altri violini, viola, e basso ripieno, a quali vi sono annessi due flauti traversieri, e bassone . . . opera VII. – *London, author, 1746.* – St.   [G 1481
GB Lbm (8 St.), Lwa – NL DHgm (8 St.)

— *ib., 1748.*   [G 1482
GB Cu (8 St.), CDp (unvollständig), Lbm (2 Ex., davon 1 Ex. unvollständig), Lcm, Mp – J Tmc – S Skma (7 St., fehlt vla rip.) – NL Lu

— *ib., John Johnson, (for the author).*
          [G 1483
[2 verschiedene Ausgaben:] E Mn (8 St.) – **GB** Cfm (unvollständig), Ge, Lbm, Lcm (unvollständig), Lu, Mp (unvollständig) – I FOc – US Wc (10 St. [unvollständig])

Ohne Opuszahl

Two concertos [D, G] to be performed by the first and second violins in unison, the tenors in unison with the violoncellos & other basses and particularly by a harp-

sichord. – *London, John Johnson.* – P.
[G 1484
GB Lbm – **S** Skma

The inchanted forrest. An instrumental
composition expressive of the same ideas
as the poem of Tasso of that title. – *London, John Johnson.* – St.   [G 1485
F Pmeyer (9 St.) – **GB** Lbm (8 St. [je 2 Ex.]),
Lam – **S** Skma (9 St.) – **US** R, Wc (8 St.)

Sonaten

Opus 1

Sonate [A, d, e, D, B, g, c, h, F, E, a, d] a
violino, violone, e cembalo ... [opera prima]. – *[London], s. n. (engraved by Thomas Cross), (1716).* – P.   [G 1486
D-brd Mbs, MZsch (Vorrede: 1736) – **GB** HAdolmetsch (fehlen Titelblatt und letzte Seite),
Lbm, Lcm, Lgc, Ob – **I** Vc (Vorrede: 1736) –
S Skma – **US** CHua, Wc

— *ib., Richard Meares (engraved by Thomas Cross), (1716).*   [G 1487
B Bc – **D-brd** MÜs – **GB** Gu, Lbm, Och – **NZ**
Wt – **NL** Uim – **US** Bp, NYp (unvollständig)

— *Amsterdam, Michel Charles Le Cène,
No. 459.*   [G 1488
A Wgm – **B** Bc – **D-ddr** Bds, Dlb – **I** Bc – **NL**
DHgm

— *ib., Jeanne Roger, No. 459.*   [G 1489
F Pc

XII Solo's for a violin with a thorough
bass for the harpsicord or bass violin. –
London, John Walsh & Joseph Hare. – P.
[G 1490
D-brd Hs – **GB** Lam (2 Ex.), Lbm, Lcm (fehlt
Titelblatt), Ob – **I** CR – **US** AA, PO

— *ib., John Walsh.*   [G 1491
F Pc (2 Ex.) – **I** BGi (2 Ex.), MOe, Nc (2 Ex.) –
US BE, IO, NH, R, Wc (2 Ex.)

— *ib., John Walsh, No. 378.*   [G 1492
CH Bu, Gc – **D-ddr** Dlb – **GB** Cfm, Cu, Ckc,
Cpl, Mp, Ob – **I** Nc – **US** NYp, Pu

[12 Sonaten und 2 Menuette mit Variationen:] Le prime sonate a violino, e basso
... con diligenza corrette, aggiuntovi ancora per maggior facilità le grazie agli
adagj, ed i numeri per la trasposizione della
mano. – *London, s. n., 1739.* – P. [G 1493

D-brd Bhm, Hs – **D-ddr** Dlb – **GB** Cfm, Cu,
Ckc (2 Ex.), Lbm, Lcm – **I** Vc – **US** NH, NYp
(fehlt Titelblatt), R, Wc

— *ib., John Johnson, for the author.*
[G 1494
D-brd B – **GB** Cu (unvollständig), Lam – **I** BGi-
US NYp

Sonate a violino e basso ... édition faite
par l'auteur, dans laquelle les sonates sont
dans leur entier. – *Paris, Vve Boivin, 1740.*
[G 1495
B Bc – **NL** At – **US** Wc

— Sonate a violino e basso ... opera prima. – *Paris, Le Clerc le cadet, Le Clerc,
Mme Boivin.*   [G 1496
F Pc (3 Ex.), Pn – **GB** HAdolmetsch – **I** Fc, Mc

Six sonatas for two violins & a violoncello
or harpsichord with a ripieno bass to be
used when the violins are doubled, from
the VI first ([1–6], last [7–12]) solo's of
his opera Iᵃ, with a few additional movements. – *London, John Johnson, for the
author.* – St.   [G 1497
B Bc (1–6; keine Stimmen-Angaben) – **GB** Ckc
(1–6; fehlen vl I rip., vl II rip.), Cu (1–6; fehlen
vl I rip., vl II rip.), Lbm (1–6; kpl.: vl I, vl II,
vlc/cemb, b rip., vl I rip., vl II rip.; 7–12:
fehlen vl I rip., vl II rip.), Lam (1–6; fehlen
vl I rip., vl II rip.), Lcm (1–12; fehlen vl I rip.,
vl II rip.), Ob (1–6; fehlen vl I rip., vl II rip.)
– **NL** Uim (1–12; fehlen vl I rip., vl II rip.) –
S Skma (1–6; kpl.: vl I, vl II, vlc; 7–12: fehlen vl I rip., vl II
rip.) – **US** LAuc (1–12: vl I, vl II), Wc (7–12:
fehlen vl I rip., vl II rip.), WGw (1–12; keine
Stimmen-Angaben)

[Op. 1, Nr. 7–12:] Sonatas of three parts
for two violins, a violoncello and thorough
bass made out of Geminianis solos ... by
Francesco Barsanti. – *London, John Walsh,
Joseph Hare.* – St.   [G 1498
GB LEc – **I** Vnm – **US** Wc (vl II, bc)

— *ib., John Walsh, No. 354.*   [G 1499
C Tu – **D-ddr** Dlb (fehlt Titelblatt) – **GB** Lam,
Lbm, T – **US** CHua, NYp

— Sonatas ... for two violins with a
thorough bass for the harpsichord or
violoncello, made from the solos of Francesco Geminiani. – *ib., John Walsh, s. No.*
[G 1500
C Tu – **GB** Cfm, Ckc, Lam, Lbm (2 Ex.) –
NL Uim – **US** CHua, Wc (kpl.; vl I [2 Ex.])

Opus 4

Sonate [D, e, C, d, C, D, A, d, c, A, h, A]
a violino e basso . . . opera IV. – *London,
s. n., 1739.* – P.   [G 1501
[2 verschiedene Ausgaben:] **B** Bc (2 verschiedene Ausgaben) – **D-brd** Hs – **D-ddr** Dlb – **F**
Pc – **GB** Cfm, Ckc, Cu, Lbm (3 Ex.), Lcm, Mp
(2 Ex.) – **I** BGi, Nc – **S** Skma – **US** BE, NYp,
R, Wc (2 Ex.), WGw

— *ib., John Johnson, for the author, 1739.*
                                 [G 1502
D-brd Mbs – **D-ddr** Dlb – **F** Pc – **GB** Cfm, Ckc,
Lam (2 Ex.), Lbm – **I** Mc, Vgc – **US** NYp, Pu,
Wc

— XII Sonate . . . opera quarta. – *Amsterdam, G. F. Witvogel, J. Covens, No. 74.*
                                 [G 1503
GB Lbm – **S** Skma – **US** Pu (fehlt Titelblatt)

— Sonate a violino e basso . . . opera IV.
– *London, John Welcker.*   [G 1504
GB Lam – **US** AA, NYp, R

— *Paris, Vve Boivin, 1740.*   [G 1505
A Wn – **B** Bc

— *ib., Le Clerc le cadet, Le Clerc, Mme
Boivin.*   [G 1506
D-brd Rp – **D-ddr** Dlb – **F** Pa, Pc (3 Ex.), Pn –
GB HAdolmetsch – **US** Wc

— *ib., Leclair.*   [G 1507
I BGi

Opus 5

Sonates [A, d, C, B, F, a] pour le violoncelle et basse continue . . . ouvrage cinquième. – *Den Haag, auteur, 1746.* [G 1508
NL Lu

VI Sonate di violoncello e basso continuo
. . . opera V. Nelle quali egli a procurato
di renderle non solo utile a quelli che
bramano perfettionarsi sopra il detto stromento ma ancora per quelli che accom-
pagnano di cembalo. – *London, s. n. (Philips).*   [G 1509
GB Lbm, Mp – **US** BLu

Sonates pour le violoncelle . . . dans lesquelles il a fait une étude particulière
pour l'utilité de ceux qui accompagnent
. . . œuvre Vᵉ. – *Paris, Mme Boivin, Le
Clerc (gravée par Mlle Vendôme), 1746.*
                                 [G 1510
F Pn

Sonates [A, fis, C, D, B, d] pour le violon
avec un violoncelle ou clavecin, lesquelles
ne sont pas moins utiles à ceux qui jouent
le violon, qu'à ceux qui accompagnent. –
Den Haag, auteur, 1746. – P.   [G 1511
GB Lbm – **NL** Lu

— Six sonates transposées pour le violon
avec des agréments propres pour l'instrument . . . œuvre VI. – *Paris, Mme
Boivin, Le Clerc, Mlle Castagnery (gravée
par Mlle Vendôme), 1746.*   [G 1512
B Bc – **CH** Gpu – **S** Skma

— Le VI Sonate di violoncello e basso
continuo . . . opera V. Sono dalla stesso
transposte per il violino con cambiamenti
proprij e necessarij allo stromento. – *London, s. n., 1747.*   [G 1513
D-ddr Dlb – **GB** Cu, Lbm – **US** Wc

— *ib., John Johnson.*   [G 1514
D-ddr Dlb – **S** Skma – **US** NYp

Menuette

Menuetti [c, g] con variazioni composti
per il cembalo . . . il secondo è formato
sopra un soggetto datogli. – *s. l., s. n.*
                                 [G 1515
D-brd Hs – **GB** Ckc, Lbm, Lcm – **I** Vc – **US** Wc

— . . . opera quinta. – *Amsterdam, Gerhard
Friedrich Witvogel, No. 79.*   [G 1516
S Skma

— A favourite menuet with variations
[for pf]. – *s. l., s. n.*   [G 1517
GB DRc, Mp

— Geminiani's favourite minuet [c] with
variations [for pf]. – *London, J. Longman
& Co.*   [G 1518
GB Lbm

— A favourite minuet by Geminiani. The
words (Know Madam) by Mr. Leveridge.
Set for ye german flute. – *s. l., s. n.*
                                 [G 1519
GB Ckc

Bearbeitungen

Concerti grossi [F, B, h, f, a, G] con due
violini, viola e violoncello di concertino
obligati, e due altri violini, e basso di concerto grosso, composti delle sei sonate del
opera terza [Op. 3: Nr. 1, 2, 4, 9, 10; op. 1:

Nr. 9] d'Arcangelo Corelli. – *London, John Walsh, No. 569.* – St.   [G 1520
A Wn (kpl.: 7 St.) – **D-ddr** Dlb – **GB** Cfm, Lbm (2 Ex.; 2. Ex.: vlc) – **I** FOc (2 Ex.), Mc – **NL** At – **S** Skma – **US** AA, U, Wc

Concerti grossi [D, B, C, F, g, A] con due violini, viola e violoncello di concertino obligati, e due altri violini, e basso di concerto grosso . . . composti delli sei soli della prima parte dell'opera quinta d'Arcangelo Corelli. – *London, William Smith & John Barrett.* – St.   [G 1521
D-brd HVl (7 St.) – **F** Pc – **GB** Ckc (concertino doppelt), Lbm (vl I, vl II, vla concertino), Mp – **I** BGi – **US** AA (fehlt concertino), PHu

— *ib., John Walsh & Joseph Hare.* [G 1522
GB Cfm, Lbm (a–vla) – **US** Wc

— *Amsterdam, Michel Charles Le Cène, No. 549.*   [G 1523
D-brd B (7 St.), WD (vlc concertino, basso conc. gr.) – **GB** AM – **I** Bc – **NL** DHgm – **S** LB, Uu – **US** R (2 Ex.)

— *London, John Walsh, No. 376.* [G 1524
GB Lbm (concertino)

— *ib., John Walsh, s. No.*   [G 1525
C Tu (7 St.) – **CH** Gc (vl I, vl II, vla, b) – **D-ddr** Dlb – **I** Bc, Fc, FOc, Li – **GB** CDp (vlc), Cfm, EL (vl II concertino, vl I, basso conc. gr.), En, Er (vla), Lbm (2 Ex., 2. Ex.: vl I concertino, vl II conc. gr., vl II, basso), Mp (3 Ex.) – **S** Skma (2 Ex.) – **US** Bp, BE, NYp
weitere Ausgaben s. u. Corelli [C 3865 ff.

Concerti grossi [d, e, A, F, E, d] con due violini, viola e violoncello di concertino obligati, e due altri violini e basso di concerto grosso, quali contengono preludii, allemande, correnti, gigue, sarabande, gavotte, e follia composti della seconda parte del opera quinta d'Arcangelo Corelli. – *London, Nicolas Prevost.* – St.   [G 1526
D-brd B (7 St.) – **D-ddr** Bds – **GB** Ge – **S** LB, Uu – **US** R

— Concerti grossi . . . composti delli sei soli della seconda parte dell'opera quinta. – *London, John Walsh & Joseph Hare.*   [G 1527
[2 verschiedene Ausgaben:] **GB** Ckc (fehlt vl I conc.), Cfm (7 St.), Lbm (andere Ausgabe; vl I, vl II, basso conc.gr.), Mp (vl I, vl II, basso rip.) – **US** AA

— Concerti grossi . . . seconda parte del opera quinta. – *Amsterdam, Michel Charles Le Cène, No. 550.*   [G 1528
D-brd B (7 St.) – **NL** DHgm
weitere Ausgaben s. u. Corelli [C 3875 ff.

Concerti grossi . . . composti della prima e seconda parte dell'opera quinta d'Arcangelo Corelli. – *Paris, Le Clerc le cadet, Le Clerc marchand, Mme Boivin.* – St. [G 1529
F Pc, Pn – **D-brd** Mbs (vl II, basso conc.gr. [mit Impressum: Le Clerc, aux adresses ordinaires, gravé par Joseph Renou])

Pièces de clavecin, tirées des différens ouvrages . . . adaptées par luy même à cet instrument. – *London, s. n., 1743.*
          [G 1530
D-ddr Dlb – **F** Pc – **GB** Ckc (2 Ex.), Lam – **I** Nc – **NL** DHgm – **S** Skma – **US** BE, AUS

— *ib., John Johnson, for the author.*
          [G 1531
[2 verschiedene Ausgaben:] **GB** Cfm, Lbm, Lcm, Mp, T (3 Ex.) – **I** Bc – **US** NH, Wc (3 Ex., 2 verschiedene Ausgaben)

— *ib., Welcker.*   [G 1532
B Bc – **D-brd** Hs – **GB** Lcm

— *ib., Preston & son.*   [G 1533
B Bc – **US** BRp

— *Paris, Mme Boivin, Le Clerc.* [G 1534
F Pc

The second collection of pieces for the harpsichord, taken from different works . . . and adapted by himself to that instrument. – *London, Mrs. Johnson, for the author, 1762.*   [G 1535
[2 verschiedene Ausgaben:] **B** Bc – **F** Pmeyer – **GB** Cfm, Ckc, Lbm (2 Ex.) – **I** Bc – **US** NH, Wc (2 verschiedene Ausgaben, davon 1 Ausgabe ohne Datierung)

— Pièces de clavecin tirées des différens ouvrages . . . adaptées par luy même à cet instrument, book 2. – *London, Preston & son.*   [G 1536
B Bc – **F** Pc – **I** Vnm – **US** BRp

SCHULWERKE (unvollständig)

Rules for playing in a true taste on the violin, german flute, violoncello and harp-

sicord particularly the thorough bass; exemplify'd in a variety of compositions on the subjects of English, Scotch and Irish tunes ... opera VIII. – *[London]*, *s. n. (engraved by Philips), (1739).*
[G 1537
D-ddr Bds – **EIRE** Dn – **F** Pc – **GB** Ckc, Cpl (2 Ex.), Cu, Ge, Lam, Lbm (3 Ex.), Lcm – **S** Skma – **US** NH, NYp

A treatise of good taste in the art of musick [mit 4 Songs, 3 Sonaten und Airs]. – *London, s. n., 1749.* [G 1538
GB HAdolmetsch – **I** Nc, Rsc, Vnm – **US** NH, WGw

The art of playing on the violin, containing all the rules necessary to attain a perfection on that instrument, with great variety of compositions, which will also be very useful to those who study the violoncello, harpsichord &c., opera IX. – *London, s. n. (Philips), 1751.* [G 1539
GB Ckc, Cpl, Cu, Er, Ge, Lam (2 Ex.), Lbm (3 Ex.) – **I** BGi – **US** Wc

— *ib., John Johnson, for the author, 1751.*
[G 1540
D-brd B – **GB** Bu, HAdolmetsch, Lbm – **I** Rsc – **US** R, Wc

— *ib., Robert Bremner.* [G 1541
GB Mp

— *ib., Preston.* [G 1542
GB Cfm, Ckc, Lam – **US** BE

— L'art de jouer le violon, contenant les règles nécessaires à la perfection de cet instrument, avec une grande variété de compositions très utiles. – *Paris, de La Chevardière (gravé par Mme de Lusse).*
[G 1543
GB Lbm – **US** NYp, R, Wc

— *ib., Huberty, No. 83.* [G 1544
CS Pk

— L'art du violon, ou Méthode raisonnée pour apprendre à bien jouer de cet instrument, composée primitivement ... et nouvellement rédigiée [!], augmentée, expliquée et enrichie de nouveaux exemples, préludes, airs et duos ... nouvelle édition. – *ib., Sieber fils, No. 60.* [G 1545
CH Gpu – **I** Fc, Mc, Rsc

— *ib., Louis, No. 60.* [G 1546
US Wc

— Gründliche Anleitung oder Violin Schule ou Fundament pour le violon. – *Wien, Christoph Torricella, No. 5.* [G 1547
A Wn – **GB** Lbm – **NL** DHgm

— *ib., Artaria & Co., No. 458.* [G 1548
A Wgm – **D-brd** Kl – **I** Mc

— New and compleat instructions for the violin ... to which is added a ... collection of airs, marches, minuets, &c. – *London, Longman, Lukey & Co.* [G 1549
GB Lcm

— *ib., Longman & Broderip.* [G 1550
GB DU, Lbm, Ob, WI – **US** I

— *ib., Broderip & Wilkinson.* [G 1551
GB Lcm

— Compleat instructions for the violin ... – *ib., G. Goulding.* [G 1552
SD S. 136
US Wc

— The compleat tutor for the violin ... to which is added a favourite collection of airs, marches, minuets, song tunes, & duetts. – *ib., Charles & Samuel Thompson.*
[G 1553
GB Gm, Ob – **PL** GD

— *ib., S., A. & P. Thompson.* [G 1554
GB Gm

— The entire new and compleat [!] tutor for the violin ... – *ib., A. Bland.* [G 1555
GB Gm

— *ib., Bland & Weller.* [G 1556
GB Gm

— *ib., G. Smart.* [G 1557
GB Lcm

— *ib., John Preston.* [G 1558
GB DU, Er, Gm (2 Ex.) – **I** BGi

L'Art de bien accompagner du clavecin. – *Paris, aux adresses ordinaires, 1754.*
[G 1559
F Pn – **GB** Lbm

— The art of accompaniament [!] or A new ... method to learn to perform the

thorough bass on the harpsichord . . .
opera 11th, book 1 (2). – *London, John
Johnson, for the author.*   [G 1560
B Bc, Br – **D-ddr** Bds – **GB** Ckc (unvollständig),
Cu, Ge, Lam (2 Ex.), Lbm, LEc (unvollstän-
dig), Ob – **US** NH, NYcu, SFsc, Wc

— [book 1:] . . . part the first. – *ib., Preston & son.*   [G 1561
F Pc – **GB** Ckc – **NL** DHgm – **US** BRp, NYp

— [book 2:] . . . part the second. – *ib.,
Preston & son.*   [G 1562
F Pc – **NL** DHgm – **US** BRp

— Arte d'accompagnare col' cimbalo, o
sia Nuovo metodo per accompagnare pro-
priamente il basso continuo. Opera XI.
– *Paris, Mme Boivin.*   [G 1563
US BE

The art of playing the guitar or cittra,
containing several compositions with a
bass for the violoncello or harpsichord. –
*Edinburgh, Robert Bremner, for the author,
1760.*   [G 1564
D-ddr LEm – **GB** Lbm, WI – **US** R, Wc

Vierundzwanzig instructive Uebungs-
stücke durch alle Tonarten für zwei Violinen . . . mit Fingersatz. – *Berlin, Schlesinger, No. 996.* – St.   [G 1565
D-brd HEms

Zwölf instructive Duetten für 2 Violinen
mit Fingersatz . . . I (II, III) Lief. – *Berlin, Schlesinger, No. 997 (998, 999).* – St.
            [G 1566
D-brd HEms (I–III), Mbs (III)

Three solos containing twelve easy movements for the german flute or violin and
a thorough bass . . . for the use of young
performers. – *London, J. Bland.* – P.
            [G 1567
DK Kk

— *ib., A. Portal.*   [G 1568
US R

ZEITSCHRIFT

The harmonical miscellany [mit Instru-
mentalmusik zu 4 St.] . . . number I (II).
– *London, John Johnson, for the author,
1758.* – P.   [G 1569

D-ddr Dlb (I) – **GB** Ckc, Lbm, LEc – **US** BE, R
(I), Wc (I [2 Ex., davon 1 Ex. unvollständig],
II)

GEMMINGEN Eberhard Friedrich (Frei-herr von)

Trois sonates [Es, C, F] à quatre mains
pour le clavecin ou piano forte . . . œuvre
I. – *Offenbach, Johann André, No. 82.*
            [G 1570
GB Lbm – **S** Skma

GENET Eleazar (CARPENTRAS)

Liber primus missarum Carpentras et sunt
infrascripte: prima, Se mieulx ne vient;
scda., A l'ombre dung buissonet; tertia,
Le cueur fut mien; quarta, Fors seule-
ment; quinta, Encore iray ie iouer. – *Avignon, Jean de Channay, 1532.* – Chb.
            [G 1571
A Wn – **F** Pc (fehlt Titelblatt; zwischen den
Messen handschriftliche Kopien von Josquin-
und Mouton-Motetten)

Liber lamentationum Hieremiae prophetae [a 5 v] Carpentras per eundem
nuper auctarum; et accuratius recogni-
tarum. – *Avignon, Jean de Channay,
1532.* – Chb.   [G 1572
A Wn – **F** Pn (unvollständig; fehlen Titelblatt
und f. 11, 53) – **I** Rsmt

Liber hymnorum usus Romanae ecclesiae
authore Carpentras. – *[Avignon, Jean de
Channay].* – Chb.   [G 1573
A Wn – **I** Vas (fehlt Titelblatt)

Liber cantici Magnificat, omnium tono-
rum, authore Carpentras – *[Avignon,
Jean de Channay].* – Chb. [G 1574
A Wn – **D-brd** As – **I** Rsg

GENISCHTA Joseph

Solo pour le piano-forte, deux violons,
alto, violoncelle et contrebasse . . . œuvre
3. – *Moskau, Wenzel.*   [G 1575
USSR Mk

Variations sur „Rule Britannia" pour le
piano-forte avec accompagnement d'un

violoncelle . . . œuvre 5. – *Leipzig, auteur.*
[G 1576
USSR Mk (2 Ex.)

GENTILE Giovanni

Solfeggiamenti, et ricercari a due voci. –
Roma, Lodovico Grignani, 1642. – St.
SD 1642[6]   [G 1577
I Bc (kpl.: parte acuta, parte grave)

GENTILE Ortensio

Il primo libro de madrigali a cinque voci
. . . con un madrigale, in modo di sinfonia,
et una romanesca a quattro. – *Venezia,
Giacomo Vincenti, 1616.* – St.   [G 1578
GB Lwa (kpl.: S, A, T, B, 5), Och

GENTILI Giorgio

[12] Suonate a tre, doi violini e violoncello
col basso per l'organo . . . opera prima
[Nachdruck]. – *Amsterdam, Estienne Roger.* – St.   [G 1579
F Pn (kpl.: vl I, vl II, vlc, org) – GB Lbm

[12] Concerti da camera, a tre, due violini,
violoncello, & cembalo . . . opera seconda
[12 Sonaten]. – *Venezia, Giuseppe Sala,
1703.* – St.   [G 1580
I RIM (vl I, vl II, vlc)

[12] Capricci da camera, a violino, e vio-
loncello, o cimbalo . . . opera terza. –
Venezia, Giuseppe Sala, 1707. – P. [G 1581
D-brd WD (mit handschriftlicher bc-St.) – I
Vc-correr

[12] Sonate a tre, due violini, violoncello,
o arcileuto, col basso per l'organo . . .
opera quarta. – *Venezia, Antonio Bortoli,
1707.* – St.   [G 1582
D-brd Mbs (org) – I Bc (kpl.: vl I, vl II, vlc, org)

[12] Concerti a quattro, e cinque . . . opera
quinta. – *Venezia, Antonio Bortoli, 1708.*
– St.   [G 1583
D-brd WD (kpl.: vl I, vl II, vl III, vl rip., a-vla,
vlc, org) – GB Lbm (vl I, vl III, a–vla, vlc, org)
– I Bc

GENTY Mlle

Recueil de chansons avec un accompagnement de guitarre. – *Paris, auteur, aux
adresses ordinaires (gravé par Mlle Vendôme).*   [G 1584
F Pc (2 Ex.)

IIe Recueil de chansons avec accompagnement de guitarre par musique & par tabla-
ture. – *Paris, de La Chevardière, aux adresses ordinaires.*   [G 1585
F Pc

GENVINO Francesco

Libro secondo di madrigali a cinque voci.
– *Napoli, Giovanni Battista Sottile, 1605.* –
St.   [G 1586
D-brd Kl (kpl.: S, A, T, B, 5) – I Nc (B)

Madrigali a cinque . . . libro terzo. – *Na-
poli, Giovanni Giacomo Carlino, 1612.* – St.
[G 1587
I Nc (S, A, T, B; fehlt 5)

Madrigali a cinque voci, libro quinto. –
*Napoli, Pietro Paolo Riccio (Giovanni
Giacomo Carlino), 1614.* – St.   [G 1588
D-brd MÜs (kpl.: S, A, T, B, 5) – I Bc (A)

GEOFFROY Jean-Baptiste

Musica sacra, ad vesperas, aliasque in ecclesia preces a 4 vocibus, in plerisque ab
unica, vel duabus cum organo. – *Paris,
Robert Ballard, 1659.* – St.   [G 1589
F TLc (org)

Musica sacra ad varias ecclesiae preces
a 4 vocibus, in plerisque ab unica, vel duabus, cum organo, pars altera. – *Paris,
Robert Ballard, 1661.* – St.   [G 1590
F Psg (S, T, Contra-T, B, org), TLc (org)

GEOFFROY Jean Nicolas

A moy ma sœur, je meurs de peur. Le loup.
Ariette corrigé . . . [1 v, 2 dessus, basse]. –
*Paris, aux adresses ordinaires (gravé par
Mme la Vve Leclair).*   [G 1591
F Pc, Pn

GEORGE James

Six concerto's [D, F, B, c, D, E] in seven parts, for four violins, one for a german flute, one for a violoncello, a tenor, & thorough bass for the organ or harpsichord. – *Bath, author.* – St.   [G 1592
GB Lam, Lbm

GEORGE Sebastian

Six sonatas [F, C, B, D, A, Es] for the piano forte or harpsichord, with an accompanyment for a violin obligato. – *London, Welcker.*   [G 1593
GB Lbm

GÉRARD Henri Philippe

SAMMLUNGEN

Recueil de romances et petits airs arrangés pour le clavecin ou forte piano. – *Paris, Boyer, Mme Le Menu (gravé par G. Magnian).*   [G 1594
F Pc

Recueil de romances et petits airs avec accompagnement de forte piano. – *Paris, Le Duc.*   [G 1595
F Pc

No. 1er Recueil de romances et petits airs avec accompagnement de forte-piano ou harpe. – *Paris, chez tous les marchands de musique.*   [G 1596
F Pc

No. 3 et 2. Romances et petits airs avec accompagnement de forte-piano ou harpe. – *Paris, chez tous les marchands de musique (gravé par Mlle Michaud).*   [G 1597
F Pc – US NYp

No. 4 et 2. Romances et petits airs avec accompagnement de forte-piano ou de harpe. – *Paris, chez tous les marchands de musique (gravé par Mlle Michaud).*   [G 1598

F Pc – US NYp

No. 5. Recueil de romances et petits airs avec accompagnement de forte-piano ou

harpe. – *Paris, chez tous les marchands de musique.*   [G 1599
CH AR – F Pc

No. 6. Recueil de romances et petits airs avec accompagnement de forte-piano ou harpe. – *Paris, chez tous les marchands de musique.*   [G 1600
CH AR – F Pc

No. 7. Recueil de romances et petits airs avec accompagnement de forte-piano ou harpe. – *Paris, chez tous les marchands de musique.*   [G 1601
F Pc

No. 1er Recueil de canons en français & en italien. – *Paris, chez tous les marchands de musique.*   [G 1602
F Pc

No. 2 Recueil de canons & nocturnes en français & en italien. – *Paris, chez tous les marchands de musique.*   [G 1603
F Pc

EINZELGESÄNGE

L'amour est roi de la nature. Romance … musique et accompagnement de piano ou harpe. – *Paris, Pleyel, Momigny, No. 4.*   [G 1604
S Skma

Combien j'ai douce souvenance. Romance … avec accompagnement de piano ou harpe. – *Paris, Pleyel, Momigny, No. 5.*   [G 1605
S Skma

De l'amour la rose est l'image. Amour et rose [1 v, pf/hf]. – *Paris, chez tous les marchands de musique.*   [G 1606
S Skma

D'une amante abandonnée. Romance [1 v, pf]. – *Paris, chez tous les marchands de musique.*   [G 1607
S Skma

Jeunes beautés qu'embellit. Romance [1 v, pf/hf]. – *Paris, Pleyel, Momigny, No. 1.*   [G 1608
S Skma

Pourquoi regretter ces beaux. L'âge d'or. Romance [1 v, pf/hf]. – *Paris, Pleyel, Momigny, No. 3.* [G 1609
S Skma

Que tes alarmes. Rondeau [1 v, pf]. – *Paris, chez tous les marchands de musique.*
[G 1610
S Skma

Vive la paix! . . . Chant à la paix pour le retour de Louis le désiré [2 v, pf/hf]. – *Paris, Pleyel, Momigny.* [G 1611
S Skma

SCHULWERKE

Méthode de chant, ou Etudes du solfège et de la vocalisation . . . première partie . . . deuxième partie. – *Paris, Pleyel, Momigny, Naderman.* [G 1612
I Mc

INSTRUMENTALWERKE

Les moulins de Fervacques. Fugue imitative suivie d'une pastorale pour le forte piano. – *Paris, Pleyel, Carli, Momigny.*
[G 1613
B Bc

GERARD James

Six sonatas or duets for two german flutes or two violins. – *London, John Johnson.* – P. [G 1614
GB Lbm (2 Ex.), Lcm – US NYp, Wc

— . . . the second edition. – *ib., J. Longman & Co.* [G 1615
GB CDp

GERARD John

Twelve songs set to music. – *London, Longman & Broderip, for the author.*
[G 1616
GB Cu, Lbm – US PHci, Wc

The world, my dear Myra. On friendship. – *s. l., s. n.* [G 1617
GB Bp, Cfm (2 verschiedene Ausgaben), Er, Gu, Lbm (2 verschiedene Ausgaben), Lcm, Lcs, P – S Uu – US BRc, Cu

GERDINI

Let not age. A favorite cantata. – *[London, John Welcker].* – KLA. [G 1618
D-brd Hs

GERLACH Benjamin

Außgestreuter Thränen, Fröliche Erndte . . . Der . . . Fr. Anna Sophia, Hertzogin in Schlesien . . . überreichet (Was weint ihr? meine Liben [S, S, A, T, B]; Was traurstu mein Gemüth? [S, bc; Styli recitativi]). – *s. l., s. n., (1642).* [G 1619
D-ddr HAu

GERLE Hans

Musica Teusch, auf die Instrument der grossen und kleinen Geygen, auch Lauten. – *Nürnberg, Hieronymus Formschneider, 1532.* [G 1620
D-brd B, W – GB Lbm (2 Ex.)

— Musica Teutsch . . . – *ib., 1537.* [G 1621
F Pc (unvollständig)

— Musica und Tabulatur, auff die Instrument der kleinen und grossen Geygen, auch Lautten . . . von neuen corrigirt und . . . gebessert. – *ib., (1546).* [G 1622
SD 1546[31]
A Wn – D-brd B, Mu – F Pc

Tabulatur auff die Laudten etlicher Preambel, Teutscher, Welscher und Francösischer stück, von Liedlein, Muteten, und schönen Psalmen, mit drey und vier stymmen. – *Nürnberg, Hieronymus Formschneider, 1533.* [G 1623
GB Lbm (2 Ex., davon 1 Ex. unvollständig)

Eyn Neues sehr künstlichs Lautenbuch, darinnen etliche Preambel, unnd Welsche Tentz, mit vier stimmen, von den berumbsten Lautenisten . . . aus welscher in teutsche Tabulatur versetzt. – *Nürnberg, Hieronymus Formschneider, 1552.*
SD 1552[31] [G 1624
A Wn – D-brd Usch – D-ddr LEm (2 Ex.)

GERO Ihan (Jehan, Jan)

GEISTLICHE VOKALMUSIK

Motetti a cinque voci, libro primo (-secondo). – *Venezia, Girolamo Scotto, 1555.* – St.   [G 1625
E Bc (libro primo: T) – GB Lbm (libro primo: B, 5; libro secondo: B) – H Bl (libro primo: B)

WELTLICHE VOKALMUSIK

Il primo libro de madrigali italiani, et canzon francese, a due voci . . . aggiuntovi alcuni canti di M. Adriano, & di Constantio Festa. – *Venezia, Antonio Gardano, 1541.* – St.   [G 1626
SD 1541[14]
A Wn (kpl.: S, T) – I Oc (S[unvollständige Ausgabe, nicht zu identifizieren]), PLn (T[ohne Impressum; zusammengebunden mit 2 Gardano-Drucken von 1539])

— . . . [ohne die Kompositionen von Festa und Willaert]. – *ib., 1543.*   [G 1627
A Wn – F Pc

— . . . [erweitert um 12 französische Chansons]. – *ib., s. n., 1545.*   [G 1628
GB Lbm

— *ib., Antonio Gardano, 1552.*   [G 1629
D-brd Mbs

— *ib., Girolamo Scotto, 1552.*   [G 1630
I Bc

— . . . [entspricht der Ausgabe von 1545]. – *ib., 1562.*   [G 1631
GB Lbm (S)

— . . . [erweitert um 11 französische Chansons]. – *ib., Angelo Gardano, 1581.* [G 1632
A Wn – D-brd As – I Fn (T)

— *ib., Giacomo Vincenti & Ricciardo Amadino, 1584.*   [G 1633
I VCd (T)

— . . . [entspricht der Ausgabe von 1545]. – *ib., Giacomo Vincenti, 1588.*   [G 1634
F Pn – I Bc, VCd (S)

— . . . [entspricht der Ausgabe von 1543]. – *ib., Angelo Gardano, 1593.*   [G 1635
I Fr (S)

— *ib., erede di Girolamo Scotto, 1596.*   [G 1636
I Nn (T), Rdp (T)

— *ib., Alessandro Vincenti, 1622.* [G 1637
I Bc (T)

— *ib., 1625.*   [G 1638
I Bc (T)

— . . . [gekürzt um 6 Kompositionen]. – *ib., 1629.*   [G 1639
I Bc (T)

— *ib., stampa del Gardano, appresso Bartolomeo Magni, 1629.*   [G 1640
I Vnm (S)

— . . . [verkürzte Ausgabe]. – *Orvieto, s. n., 1632.*   [G 1641
I Rvat-barberini

— . . . [entspricht der Ausgabe von 1622]. – *ib., 1644.*   [G 1642
I Bc

— *Venezia, Alessandro Vincenti, 1646.*   [G 1643
I Bc (S)

— *ib., 1662.*   [G 1644
I Bc

— . . . [entspricht der Ausgabe von 1581]. – *ib., Francesco Magni detto Gardano, 1672.*   [G 1645
I Bc

— . . . [entspricht der Ausgabe von 1622]. – *ib., Giuseppe Sala, 1687.*   [G 1646
F Pn – US BE (S)

Libro primo delli madrigali a quatro voce. – *Venezia, Girolamo Scotto, 1549.* – St.   [G 1647
E V (kpl.: S, A, T, B) – I Bc (T)

Libro secondo delli madrigali a quatro voce. – *Venezia, Girolamo Scotto, 1549.* – St.   [G 1648
GB Lbm (S, T, B) – I Bc (T)

Quaranta madrigali a tre voci. – *Venezia, Antonio Gardano, 1553.* – St.   [G 1649
I Bc (T)

— Il primo libro di madrigali a tre voci.
– *ib., 1559.*   [G 1650
D-brd Mbs (kpl.: S, T, B) – **GB** Lbm (fehlt T) –
I Bc (fehlt S)

— *ib., li figliuoli di Antonio Gardano,
1570.*   [G 1651
D-brd Rtt (kpl.: S, T, B) – **I** Pu (B)

Il secondo libro di madrigali a tre voci. –
Venezia, Antonio Gardano, 1556. – St.
                                                  [G 1652
D-brd Mbs (kpl.: S, T, B) – **F** Pmeyer (fehlt T)
– **I** VEaf (B)

GERSTENBERG Johann Daniel

Zwölf Lieder und ein Rundgesang zur
Beförderung des geselligen und einsamen
Vergnügens fürs Klavier . . . erste (zweite)
Sammlung. – *Leipzig, Sommersche und
Hilschersche Buchhandlung, 1787 (1788).*
                                                  [G 1653
D-brd KNmi (erste Sammlung [ohne Titelblatt],
zweite Sammlung) – **D-ddr** HAu (erste Samm-
lung) – **GB** Lbm – **US** Wc (erste Sammlung)

Drei Klavier-Sonaten [B, G, C] . . . erster
Theil. – *Leipzig, Sommersche und Hilscher-
sche Buchhandlung, 1787.*   [G 1654
B Bc – **D-ddr** HAu

GERVAIS Charles Hubert

Les amours de Protée. Ballet . . . représentée pour la première fois par l'Académie Royale de musique le jeudy vingt-
troisième jour de may 1720. – *Paris, Jean
Baptiste Christophe Ballard, 1720.* – P.
                                                  [G 1655
B Bc – **F** Dc, Lm, Pa, Pc (2 Ex.), Pn, Po, TLc,
V (3 Ex.) – **US** Cn, Wc

Pomone. Nouvelle cantate ajoutée . . . à
son ballet des Amours de Protée, le mardy
trentième jour de juillet 1720. – *s. l., s. n.*
– P.   [G 1656
F Lm, Pn

Hypermnestre. Tragédie mise en musique
. . . représentée pour la première fois par
l'Académie Royale de musique, le mardy
troisième novembre 1716. – *Paris, Jean
Baptiste Christophe Ballard, 1716.* – P.
                                                  [G 1657

[2 verschiedene Ausgaben:] **B** Bc, Br – **F** AG,
Dc, Lm, Pa (2 verschiedene Ausgaben), Pc (4
Ex., 2 verschiedene Ausgaben), Pn (2 Ex.), Po,
TLc, V (3 Ex., davon 1 Ex. unvollständig) –
GB Lbm, T – **I** MOe – **S** Uu – **US** Wc

Cantates françoises avec et sans sympho-
nies . . . livre premier. – *Paris, Christophe
Ballard, 1712.* – P.   [G 1658
F AG, Pc (2 Ex.), Pn, SA

GERVAIS Laurent

Cantates françoises avec et sans simphonie . . . livre premier. – *Paris, Boivin (gravées par Louise Roussel), 1727.* – P.
                                                  [G 1659
F Pc, Pn

Cantates françoises . . . livre second. –
*Paris, Boivin, Le Clerc (gravées par Mme
Leclair, (1732).* – P.   [G 1660
F Pc (2 Ex.)

Airs sérieux et à boire . . . livre premier. –
*Paris, Vve Ribou, Vve Boivin, Le Clerc
(gravés par Mme Leclair).* – P.   [G 1661
F Pn

Airs sérieux et à boire . . . livre IIIe. –
*Paris, auteur, Mme Boivin, Le Clerc (gra-
vés par Mlle Vendôme), 1744.* – P.
                                                  [G 1662
F Pn

Andromède et Persée. Cantate à voix
seule et simphonie]. – *s. l., s. n.* – P.
                                                  [G 1663
F Pn (fehlt Titelblatt)

L'aurore. Cantatille. – *Paris, Vve Boivin
(gravé par le Sr Hue).* – P.   [G 1664
GB Lbm

L'hiver. Cantate de haute contre avec
symphonie. – *Paris, auteur, Mme Boivin,
Le Clerc.* – P.   [G 1665
F Pn

Ixion. Cantatille de basse taille. – *Paris,
Mme Boivin, Le Clerc, 1741.* – P. [G 1666
F Pn

Pour vous vanter mes feux naissans. Airs
(in: Mercure de France, sept., 1745). –
[Paris], s. n., (1745).   [G 1667
GB Lbm

Ragotin, ou La sérénade burlesque. Cantate avec simphonie. – *Paris, Boivin, Le Clerc (gravée par Mme Leclair), (1732).* – P.   [G 1668
F Pc, Pn

La rose. Cantatille à voix seule. – *Paris, auteur, Mme Boivin, Le Clerc.* – P. [G 1669
F Pn

GERVAIS Pierre Noël

1er Concerto [E] à violon principal [avec accompagnement d'orchestre]. – *Paris, Imbault, No. 706.* – St.   [G 1670
F Pn (kpl.: vl princip., vl I, vl II, vla, b, ob I, ob II, cor I, cor II)

2e Concerto [D] à violon principal [avec accompagnement d'orchestre]. – *Paris, Imbault, No. 33.* – St.   [G 1671
F Pn (kpl.: vl princip., vl I, vl II, vla, b, ob I, ob II, cor I, cor II)

3e Concerto [Es] à violon principal [avec accompagnement d'orchestre]. – *Paris, Imbault, No. 45.* – St.   [G 1672
F Pn (kpl.: vl princip., vl I, vl II, vla, b, ob I, ob II, cor I, cor II [je 2 Ex.])

GERVAISE Claude

Second livre contenant trois gaillardes, trois pavanes, vingt trois branles, tant gays, simples que doubles, douze basses dances et neuf tardions, en somme cinquante, le tout ordonné selon les huict tons. – *Paris, Pierre Attaingnant, 1547.*   [G 1673
F Pn

Quart livre de danceries à quatre parties contenant XIX pavanes et XXXI gaillardes en ung livre seul. – *Paris, Pierre Attaingnant, 1550.*   [G 1674
F Pn – GB Lbm

Cinquiesme livre de danceries à quatre parties, contenant dix branles gays, huict branles de Poitou, trentecinq branles de Champaigne, le tout en ung livre seul veu et corrigé. – *Paris, Pierre Attaingnant, 1550.*   [G 1675
F Pn

Sixième livre de danceries, mis en musique à quatre parties. – *Paris, Vve de Pierre Attaingnant, 1555.*   [G 1676
F Pn

Troisième livre de danceries à quatre et cinq parties. – *Paris, Vve de Pierre Attaingnant, 1556.*   [G 1677
F Pn

GERVASIO Giovanni Battista

Méthode très facile pour apprendre à jouer de la mandoline à quatre cordes, instrument fait pour les dames, avec les règles les plus exactes pour la façon de se servir de la plume . . . œuvre 1r. – *Paris, Bouin.*   [G 1678
US Wc

Airs for the mandoline, guittar, violin or german flute, interspersed with songs . . . opera III. – *London, Welcker.* – P.
                                         [G 1679
GB Lbm

Sei duetti per due mandolini, o due violini . . . opera V. – *s. l., s. n.* – P.   [G 1680
I TSmt

GESIUS Bartholomäus

1588. Historia vom Leiden und Sterben unsers Herren und Heilandes Jesu Christi wie sie uns der Evangelista Johannes im 18 und 19 Cap. beschrieben mit 2. 3. 4. und 5. Stimmen. – *Wittenberg, Matthes Welack, 1588.* – P.   [G 1681
F Pc

[1593]. Der CXII. Psalm zu hochzeitlichen Ehren und sonderlichen wolgefallen dem . . . M. Johann Albino . . . und . . . Margarethe Flöters . . . mit fünff Stimmen componiret. – *[Frankfurt/Oder], Friedrich Hartmann.* – St.   [G 1682
PL WRu (kpl.: S, A, T I, T II, B)

1595a. Hymni quinque vocum de praecipuis festis anniversariis. – *Wittenberg, Johann Hartmann, Friedrich Hartmann, 1595.* – St.   [G 1683
PL Wu (kpl.: S, A, T, B, 5)

1595b. Hochzeit gesänge mit fünff, sechs und acht stimmen zu Ehren . . . Friderico Hartman . . . und . . . Elisabeth . . . Schönefeld. – *[Frankfurt/Oder, Andreas Eichhorn, 1595].* – St.   [G 1684
PL Wn (A, T), WRu (S)

1596. Novae melodiae harmonicis quinque vocum numeris concinnatae. – *Frankfurt/Oder, Friedrich Hartmann, 1596.* – St.   [G 1685
PL Wu (A, T, B, 5; fehlt S)

1597a. Hymni scholastici . . . per duodecim modos musicos . . . quatuor vocum contrapuncto ornati . . . his adiectae sunt et aliae quaedam precationes trium vocum, una cum cantionibus gregorianis. – *Frankfurt/Oder, s. n. (Andreas Eichhorn), 1597.*   [G 1686
PL WRu

1597b. Echo (Qualia jam resonet) in honorem . . . DN.M. Ioachimi Gobbii Anclamensis & DN. Iusti Bruningii Hallensis Westphali, cum illis a . . . Sebastiano Gerstmanno . . . in utroque iure gradus conferretur, musicis decem vocum numeris ornata. – *[Frankfurt/Oder], Andreas Eichhorn, 1597.* – St.   [G 1687
D-brd Rp (I: S I, S II, A, T, B; II: A, B; fehlen II: S I, S II, T)

1598. Der Lobgesang Mariae (Meine Seel erhebt den Herren, Herr Gott dich loben wir) und andere geistliche Lieder mit fünff Stimmen sampt einem neuen Jahrgesang mit acht Stimmen. – *Frankfurt/Oder, Autor (Andreas Eichhorn), 1598.* – St.   [G 1688
PL Wu (S, A)

1600. Psalmodia choralis continens antiphonas cum intonationibus, psalmos, responsoria, hymnos, introitus & caeteras cantiones missae . . . additis in fine lamentationibus . . . quae vesperis in hebdomadae palmarum canuntur. – *[Frankfurt/Oder], Friedrich Hartmann, 1600.*   [G 1689
PL Wu

1601. Geistliche Deutsche Lieder. D. Mart. Lutheri: Und anderer frommen Christen . . . mit vier und fünff Stimmen nach gewöhnlicher Choral melodien richtig und lieblich gesetzet. – *Frankfurt/Oder, Johann Hartmann ([Kolophon:] Friedrich Hartmann), (1601).* – P.   [G 1690
D-brd ERu, W (unvollständig) – D-ddr BD (unvollständig), Dlb, WRtl – GB Lbm – PL Wu

— Ein ander neu Opus Geistlicher Deutscher Lieder . . . in zwo Theile . . . mit vier und fünff Stimmen schlecht Contrapunctsweise nach bekandten gewöhnlichen KirchMelodien gesetzet . . . der erste Theil (das ander Theil). – *Frankfurt/Oder, Johann Hartmann (Friedrich Hartmann), 1605.*   [G 1691
D-brd HVh – D-ddr Dlb – PL Wu

— Geistliche deutsche Lieder . . . mit vier und fünff Stimmen schlecht contrapunctsweise nach gewönlicher gemeiner Choral Melodien richtig und lieblich gesetzet . . . Theil 1 (2, 3). – *ib., 1607.*   [G 1692
D-brd W – D-ddr BD (2, 3), Q (2, 3) – NL DHk

1602. Ein Gesang vom Lob und Preiß der Edlenfreyen Kunst Musica . . . mit sechs Stimmen componiret. – *Frankfurt/Oder, Autor (Friedrich Hartmann), 1602.* – St.   [G 1693
D-ddr Dlb (S I, A, T I, T II) – PL Wu (S I, S II, A, T I, T II)

1603. Enchiridium etlicher deutschen und lateinischen Gesengen mit 4. Stimmen . . . zusingen. – *Frankfurt/Oder, Friedrich Hartmann, 1603.* – P.   [G 1694
D-brd ST – PL Wu

1605a. Christliche Hauß und Tisch Musica. Darin sehr schöne Gesänge des H. Paschasij Reinicken, durch den Catechismum D. Mart. Lutheri, auff alle Tag . . . zu singen . . . mit vier Stimmen, zum theil nach bekandter ChoralMelodien, zum theil auff ein ander art richtig und lieblich gesetzet. – *(Wittenberg), Paul Helwig (Lorenz Seuberlich), 1605.* – P.   [G 1695
D-brd LÜh

1605b → 1601

1607a. Canticum B. Mariae Virginis sive Magnificat per quintum & sextum tonum, insertis cantionibus aliquot natalitijs: Resonet in laudibus: In dulci jubilo,

&c. . . . harmonicis sex vocum numeris diligenter compositum. – *Frankfurt/Oder, Autor (Friedrich Hartmann), 1607.* – St. [G 1696
D-ddr Dlb (S I [fehlt Titelblatt], A, T I [fehlt Titelblatt], T II [fehlen Titelblatt und letztes Blatt]), NA (S I, B, 6) – **PL** GD (A, T I, T II, 6), Wu (S I, A, T I, T II, 6)

1607b. Der XC. Psalm (Herr Gott du bist unser Zuflucht) neben einem Spruch vom seligen Tode (O wie selig ist der Todt) der Christgleubigen auff das Leichbegengniß deß . . . Johan Hartmans . . . welcher . . . den 25. (Mai 1607) . . . bestattet . . . mit fünff Stimmen [S, A, T I, T II, B] componiret. – *Frankfurt/Oder, Friedrich Hartmann, 1607.* [G 1697
D-brd Gs

1607c → 1601

1608. Dictum ex Psalmo XXXIIII. De excubijs et custodia Angelorum musicis sex vocum numeris adornatum et nuptiis . . . M. Jonae Ulrici . . . et . . . Margaritae . . . Hartmanni . . . viduae. – *Frankfurt/Oder, Friedrich Hartmann, (1608).* – St. [G 1698
PL WRu (kpl.: S I, S II, A, T I, T II, B)

1609a. Melodiae scholasticae sub horarum intervallis decantandae, cum cantionibus Gregorianis [1. Auflage von 1597 nicht gemeldet]. – *Frankfurt/Oder, Friedrich Hartmann, 1609.* [G 1699
PL Wu

1609b. Hymni patrum cum canticis sacris, latinis et germanicis, de praecipuis festis anniversarijs, quibus additi sunt et hymni scholastici ad duodecim modos musicos in utroque cantu . . . cum cantionibus Gregorianis . . . ad modulandeum simul ac precandum simplici quatuor vocum contrapuncto adornati. – *Frankfurt/Oder, Friedrich Hartmann, 1609.* – P. [G 1700
D-ddr Bds, GOl (Ausgabe von 1610?)

1609c. Psalmus CXXXII. Musicis octo vocum numeris compositus & undeviginti viris . . . Nathanaeli Tilesio Lib. Baron. (et alii) . . . cum ipsis . . . Philosophia gradus. – *Frankfurt/Oder, Friedrich Hartmann, 1609.* – St. [G 1701

D-ddr WRu (kpl.; I: S, A, T, B; II: S, A, T, B)

[1609d]. Der CXXVIII. Psalm vom Ehesegen, auff die hochzeitliche Ehrenfreude des . . . Herren, M. Georgii Guggemos . . . und . . . der . . . Jungfrauen Elisabethae Praetoriae . . . zur Brautmissen auffs neu mit 8. Stimmen gesetzet. – *Frankfurt/ Oder, Friedrich Hartmann.* – St. [G 1702
PL WRu (kpl.; I: S, A, T, B; II: S, A, T, B)

1610. Cantiones sacrae chorales: Introitus, ut vocantur, Kyrie, sequentia & plures aliae de praecipuis diebus festis anniversarijs . . . musicis sex, quinq; & quatuor vocum numeris adornatae. – *Frankfurt/Oder, Autor (Friedrich Hartmann), [T:] 1610.* – St. [G 1703
D-ddr Bds (T [unvollständig]), BD (kpl.: S, A, T, B, 5, 6), NA – S V (kpl.; 6 [unvollständig])

1611a. Missae ad imitationem cantionum Orlandi, et aliorum probatissimorum musicorum, quinque vocum. – *[Frankfurt/Oder], Autor (Friedrich Hartmann), 1611.* – St. [G 1704
D-ddr BD (kpl.: S, A, T, B, 5)

1611b. Echo maritalis nuptiis novis . . . Joannis Grunovii . . . Christinae . . . Benckendorfii ad melodias accommodata. – *Frankfurt/Oder, Friedrich Hartmann, 1611.* – St. [G 1705
PL WRu (kpl.; I: S I, S II, A, T, B; II: S I, S II, A, T, B)

1612. Gratulatio musica in lauream doctoralem . . . Jacobi Schickfusii . . . quinque vocibus decantata. – *(Brieg), s. n., (1612).* [G 1706
GB Lbm

1613a. [Erweiterte Ausgabe der Cantiones sacrae . . . (1610) und Missa ad imitationem . . . (1611)]. Opus plane novum cantionum ecclesiasticarum in duas partes divisum. Prior continet missas ad imitationem cantionum Orlandi, Marentii et aliorum probatissimorum musicorum 5. 6. 7. 8. & plurium vocum . . . pars prior. – *Frankfurt/Oder, Friedrich Hartmann, 1613.* – St. [G 1707
A Wgm (kpl.: S, A, T, B, 5, 6, 7, 8) – **PL** WRu (S, 6, 7, 8) – **US** Bp (5)

— Pars posterior continens Introitus, Kyrie, sequenti et plures alias cantiones de praecipuis festis anniversariis, ad melodias chorales musicis sex, quinq: & quatuor vocum numeris adornatas. – *ib.*, *1613*. [G 1708
A Wgm (kpl.: S, A, T, B, 5, 6) – PL WRu – US Bp (5)

1613b → 1613a

[1614]. Moteta sex vocum consecrata . . . virorum . . . Henrici Schulteti . . . M. Samuelis Scharlachii . . . Caspari Otthonis . . . cum illis summus in arte medica gradus solenniter tribueretur. – *Frankfurt/Oder, Friedrich Hartmann.* – St. [G 1709
PL WRu (S I, S II, A, T, B, 6)

1621. Vierstimmiges Handbüchlein in welchem verfasset sind der Altväter Ambrosii, Augustini . . . Lobgesenge nebenst den deutschen Kirchenliedern . . . zum vierdenmal gedruckt und . . . mit mehren gebessert [die Auflagen 1597 und 1609 sind nicht mehr nachzuweisen]. – *[Frankfurt/Oder], Friedrich Hartmann, 1621.* [G 1710
D-ddr GOl

s. d. Carmen musicum in nuptias secundas . . . Ioachimi Carusii . . . Hedewigam . . . Eberti . . . octo vocibus concinnatum. – *Frankfurt/Oder, s. n.* – St. [G 1711
PL Wu (A, T, B)

s. d. Echo nuptialis in honorem . . . Francisci Omichii . . . & . . . Emerentiae . . . Sartorii . . . musicis 10. vocum numeris composita. – *Frankfurt/Oder, Friedrich Hartmann.* – St. [G 1712
PL WRu (kpl.; I: S, A, T, B; II: S, A, T, B)

s. d. Ein Hochzeit Gesang aus dem 26. cap. Jesus Syrach . . . auff die hochzeitliche Ehrenfreude des . . . Herren Christiani Wernicaei . . . und . . . Frauen Elisabethae . . . Greiffenhagens . . . mit 8. Stimmen gesetzet. – *Frankfurt/Oder, Friedrich Hartmann.* – St. [G 1713
PL WRu (kpl.; I: S, A, T, B; II: S, A, T, B)

GESSNER Vitus Albert

Psalmi, Magnificat, antiphonae, cum adjunctis litanijs B.M.V. . . . 8 vocum [und

org]. – *Wien, Michael Rictius, 1632.* – St. [G 1714
A KR (kpl.; I: S, A, T, B; II: S, A, T, B; org [doppelt])

GESTEWITZ Friedrich Christoph

Sinfonia [D] dell'opera L'Orfanella americana. – *Dresden, P. C. Hilscher, No. 58.* – KLA. [G 1715
D-brd B

Sonata [Es] per il forte piano. – *Dresden, Hilscher, No. 64.* [G 1716
B Bc – GB Lbm – US Wc

Marche militaire, composé et arrangé pour le clavecin. – *Dresden, Hilscher.* [G 1717
D-ddr Dlb

GESUALDO Don Carlo (Principe di Venosa)

GEISTLICHE VOKALMUSIK

1603a. Sacrarum cantionum, quinque vocibus, liber primus. – *Napoli, Costantino Vitale, 1603.* – St. [G 1718
I Nf (kpl.: S, A, T, B, 5)

1603b. Sacrarum cantionum, liber primus, quarum una septem vocibus, ceterae sex vocibus . . . compositae. – *Napoli, Costantino Vitale, 1603.* – St. [G 1719
I Nf (S, A, T, 5; fehlen B und 6)

1611. Responsoria, et alia ad officium Hebdomadae Sanctae spectantia. – *[Napoli], Giovanni Giacomo Carlino, 1611.* – St. [G 1720
E Mn (S, B, 5, 6) – I Nf (kpl.: S, A, T, B, 5, 6), PAL (fehlt 6)

WELTLICHE VOKALMUSIK

1594a. Madrigali a cinque voci [libro primo]. – *Ferrara, Vittorio Baldini, 1594.* – St. [G 1721
I Bc (kpl.: S, A, T, B, 5), MOe, Nc (S, A), PS (S, A, T, B [unvollständig, ohne Titelblatt])

— *Venezia, Angelo Gardano, 1603.* [G 1722
D-brd Kl (kpl.: S, A, T, B, 5) – I Fn (T, B), Rdp (A, B, 5)

— *ib., Angelo Gardano & fratelli, 1607.*
[G 1723
F Pc (kpl.: S, A, T, B, 5) – GB Lbm, Och –
I Nc, Vnm (S, B) – US Cn (T)

— . . . tertia impressione. – *ib., stampa del
Gardano, appresso Bartolomeo Magni,
1616.* [G 1724
D-brd Mbs (A, T, B, 5; S [handschriftlich]) –
GB Ge (kpl.: S, A, T, B, 5), Och – I Bc (S, T,
B), Rsc (S) – US CA (T), SFsc (S, 5)

1594b. Madrigali a cinque voci [libro se-
condo]. – *Ferrara, Vittorio Baldini, 1594.
– St.* [G 1725
I Nc (S, A)

— *Venezia, Angelo Gardano, 1603.*
[G 1726
D-brd Mbs (S) – GB Lbm (kpl.: S, A, T, B, 5),
Och – I Rdp (A, B, 5), Sd (T), Vnm (S, B)

— *Napoli, Stefano Colacurcio (Costantino
Vitale), 1604.* [G 1727
GB Lbm (T, 5) – I Nn (A)

— *Venezia, Angelo Gardano & fratelli,
1608.* [G 1728
F Pc (kpl.: S, A, T, B, 5) – I Nc

— *ib., stampa del Gardano, appresso Bar-
tolomeo Magni, 1617.* [G 1729
D-brd HVl (kpl.: S, A, T, B, 5), Mbs – GB Ge,
Och – I Bc (S, T, B), Rsc (S) – US CA (T),
SFsc (S, 5)

— . . . aggiontovi li due madrigali, che
mancano al sesto libro ristampati in Venezia, libro primo [= secondo]. – *Napoli,
Pietro Paolo Riccio (Lucrezio Nucci),
1617.* [G 1730
I Nc (B)

1595. Madrigali a cinque voci, libro terzo.
– *Ferrara, Vittorio Baldini, 1595. – St.*
[G 1731
I Nc (S, A)

— *Venezia, Angelo Gardano, 1603.* [G 1732
F Pc (kpl.: S, A, T, B, 5) – GB Lbm, Och –
I Rdp (A, B, 5)

— *ib., Angelo Gardano & fratelli, 1611.*
[G 1733
D-brd HVl (S, T, B, 5), Mbs (A, T, B, 5; S
[handschriftlich]) – I Bc (S), Fn (S, T, B, 5),
Nc (kpl.: S, A, T, B, 5), Rsc (S) – US SFsc
(S, 5)

— *ib., stampa del Gardano, appresso Bar-
tolomeo Magni, 1619.* [G 1734
GB Ge (kpl.: S, A, T, B, 5), Och – I Bc (T, B) –
US CA (T)

1596. Madrigali a cinque voci, libro quar-
to. – *Ferrara, Vittorio Baldini, 1596. –
St.* [G 1735
I Fn (kpl.: S, A, T, B, 5), PS (S, A, T, B [alle
St. unvollständig und ohne Titel; Ausgabe un-
bestimmt])

— *Venezia, Angelo Gardano, 1604.*
[G 1736
D-brd HVl (kpl.: S, A, T, B, 5) – GB Lbm,
Och – I Rdp (A, B, 5), Vnm (S, B)

— *ib., Angelo Gardano & fratelli, 1611.*
[G 1737
I Nc (kpl.: S, A, T, B, 5) – US CA (T), SFsc
(S, 5)

— . . . terza impressione. – *ib., stampa del
Gardano, appresso Bartolomeo Magni,
1616.* [G 1738
D-brd Mbs (A, T, B, 5; S [handschriftlich]) –
GB Ge (kpl.: S, A, T, B, 5), Och – I Bc (S, T, B),
Rsc (S)

1603a → 1594a
1603b → 1594b
1603c → 1595

1604a → 1594b
1604b → 1596

1607   → 1594a

1608   → 1594b

1611a. Madrigali a cinque voci, libro
quinto. – *[Napoli], Giovanni Giacomo
Carlino, 1611. – St.* [G 1739
I Nc (A, B, 5)

— *Venezia, stampa del Gardano, aere Bar-
tolomeo Magni, 1614.* [G 1740
D-brd Mbs (A, T, B, 5; S [handschriftlich]) –
GB Ge (kpl.: S, A, T, B, 5) – I Fn (T, 5), Rsc
(S) – US CA (T), SFsc (S, 5)

1611b. Madrigali a cinque voci, libro
sesto. – *[Napoli], Giovanni Giacomo Carlino, 1611. – St.* [G 1741
I Bc (S), Fn (A, 5), Nc (A, B, 5)

— *Venezia, stampa del Gardano, appresso
Bartolomeo Magni, 1616.* [G 1742

225

D-brd Mbs (A, T, B, 5; S [handschriftlich]) –
GB Ge (kpl.: S, A, T, B, 5), Lcm, Och – **I** Bc
(S, T, B), Fn (A, 5), Rsc (S) – **US** CA (T), SFsc
(S, 5)

1611c → 1595
1611d → 1596

1613. [Gesamtausgabe als Partitur-
Druck:] Partitura delli sei libri de' ma-
drigali a cinque voci . . . di Simone Mo-
linaro. – *Genova, Giuseppe Pavoni, 1613.* –
P.   [G 1743
A Wn – **B** Br – **D-brd** HVl, MÜs – **F** Pc, Sim –
GB Lbm, Lcm – **I** Bc, COc, Fc, Mc, Nc (2 Ex.),
Rc, Rsc, REm – **US** R, Wc – **YU** Zha

1614   → 1611a

1616a → 1594a
1616b → 1596
1616c → 1611b

1617a → 1594b
1617b → 1594b

1619   → 1595

1626. [Gesamtausgabe in St.:] Madrigali
a sei voci. – *Napoli, Ambrosio Magnetta,
1626.* – St.   [G 1744
I Bc (5)

GEUCK Valentin

Novum et insigne opus continens textus
metricos sacros: festorum, dominicarum,
et feriarum, ex mandato . . . Principis . . .
D. Mauritii, Landgravii Hassiae, &c., a
Valentino Geuckio . . . octo, sex & 5. voci-
bus inceptum, denique a morte illius im-
matura . . . suae cels. opera . . . perfectum
& absolutum . . . liber primus. Motetarum
festalium, octo vocum. – *Kassel, Wilhelm
Wesseli, 1604.* – St.   [G 1745
SD 1604[5]
A Wgm (kpl.: S, A, T, B, 5, 6, 7, 8) – **D-brd**
Bhm (fehlt B), FUl (8), Kl, Rp (8) – **DK** Kk –
GB Lbm (kpl. [2 Ex.])

— Novum et insigne opus . . . liber secundus, continens motetas dominicales,
sex vocum. – *ib., 1603.*   [G 1746
SD 1603[3]

A Wgm (kpl.: S, A, T, B, 5, 6) – **D-brd** Bhm
(fehlt B), Kl – **DK** Kk – **GB** Lbm (kpl. [2 Ex.])

— Novum et insigne opus . . . liber ter-
tius, continens motetas dierum feriarum
quinque vocum. – *ib., 1603.*   [G 1747
SD 1603[4]
A Wgm (kpl.: S, A, T, B, 5) – **D-brd** Bhm (fehlt
B), Kl – **DK** Kk – **GB** Lbm (kpl. [2 Ex.])

GETZMANN Wolfgang

Phantasie sive cantiones mutae, ad duodecim modos figurales, tam autenticos
quam plagales, naturales non transpositos, et transpositos, variis instrumentis
musicis accommodatae, ex diversis de-
mum musicae coryphaeis collectae. –
Frankfurt, N. Stein (W. Richter), 1613. –
St.   [G 1748
SD 1613[15]
D-brd Kl (S, A)

GEYER

Dem Andenken (Die Thräne rinnt [für 2
Singstimmen mit Pianoforte]) des seeligen Herrn Professor Sander . . . in musik
gesetzt. – *s. l., s. n., 1782.*   [G 1749
D-brd KA

GEYER Johann Caspar

Schmertzlicher Nachruff (Begehrt Sie
Leibstes [!] Ehgemahl [S/T und bc]; So
fahrt dann hin [S, T, vla I, vla II, bc])
des . . . Herrn Bernhard Maximilian . . . und
Sehnlicher Gegenruff deßen . . . Frau . . .
Evae Christianae. – *[Nördlingen], Fried-
rich Schultes, 1684.*   [G 1750
D-brd NL (2 Ex.)

Vom Himmel schallende Seele (Jo! freu
dich meine Seele [S mit bc]) der . . .
Frauen Johanna Barbarae . . . Mengens
. . . welche Anno 1684 . . . seelig entschlaffen . . . in nachgesetzter Sing-Weise
vorgestellet (in: Rahels unvermuhteter
doch seeliger Tod . . .). – *Onolzbach, Jeremias Kretschmann, 1684.*   [G 1751
D-brd ERu, NL, WB

GEYER Johann Egidius →
GEIER Johann Egidius

GHERARDESCHI Filippo Maria

Tre sonate [C, B, E] per cembalo, o
forte-piano. – *Firenze, Ranieri del Vivo.*
[G 1752
A Wn – I CEsm, Fc, PS

GHERARDESCHI Giuseppe

Sei sonate per cembalo o piano-forte con
l'accompagnamento d'un violino obbligato. – *Firenze, Ranieri del Vivo.* [G 1753
I Fc, MTventuri

GHERARDI Biagio

Il primo libro de motetti concertati a
due, tre, quattro e cinque voci con il
basso per l'organo . . . opera prima. –
Venezia, Alessandro Vincenti, 1635. – St.
[G 1754
PL WRu (S, A, T, B, org)

Compiete concertate a 3. 4. 5. & 6. voci &
alcuni salmi con instromenti . . . opera
seconda. – *Venezia, stampa del Gardano,
1650.* – St.   [G 1755
GB Lbm (S I, S II, A, T, B) – I Bc (S I, S II,
A, T, B, org) – PL WRu (S I, S II, A, B, 6)

Compiete a otto concertate, e non concertate, con le letanie della Madonna . . .
opera quarta. – *Venezia, stampa del Gardano, 1650.* – St.   [G 1756
I NOVd (I: S, T; II: A [fehlt Titelblatt], T
[fehlt Titelblatt])

Motetti a otto voci concertati, & non concertati . . . opera quinta. – *Venezia,
stampa del Gardano, 1650.* – St.   [G 1757
D-brd OB (kpl.; I: S, A, T, B; II: S, A, T, B;
org)

GHERARDI Giovanni Battista

Fourteen cotillons or French dances . . .
to which Mr. Gherardi has subjoin'd yᵉ
music of four allemands yᵉ most in vogue
in Paris, set for the harpsichord, violin
or german flute. – *London, Welcker, 1767.*
[G 1758
GB Gm, Lbm – US Wc (fehlt Titelblatt)

A second book of cotillons or French dances . . . set for the harpsichord, violin or
german flute. – *London, Welcker.*
[G 1759
GB Gm, Lbm – US Wc

A third book of French country dances
or cotillons. – *London, Welcker.* [G 1760
GB Gm, Lbm – US Wc

A fourth book of cotillons. – *London,
Welcker.*   [G 1761
US Wc

GHERARDINI Arcangelo

Il primo libro de'madrigali a cinque voci.
– *Ferrara, Vittorio Baldini, 1585.* – St.
SD 1585²⁴   [G 1762
I Bc (A), MOe (kpl.: S, A, T, B [unvollstän-
dig], 5)

Motecta cum octo vocibus. – *Milano,
Francisco & eredi di Simon Tini ([Kolo-
phon:] Michele Tini), 1587.* – St.
[G 1763
D-ddr WRtl (kpl.; I: S, A, T, B; II: S, A, T, B)

GHEYN Matthias van den

Six divertiment [!] pour le clavecin. –
London, Welcker.   [G 1764
GB Ckc – US Wc

GHEZZI Ippolito

Sacri dialoghi o vero mottetti a due voci
. . . opera prima. – *Firenze, Giacomo Guiducci alla Condotta, 1699.* – St.   [G 1765
I Bc (S I, S II, org [handschriftlich])

Salmi a due voci, basso, e soprano, an-
danti, e brevi in stile lombardo . . . opera
seconda. – *Bologna, Marino Silvani,
1699.* – St.   [G 1766
I Rvat-capp. giulia (kpl.: S, B, org), Sd, Vnm
(org)

Oratorii sacri a tre voci . . . opera terza.–
Bologna, Marino Silvani, 1700. – P.
[G 1767
I Bc

Lamentationi per la settimana santa, a voce sola . . . opera quarta. – *Bologna, Marino Silvani, 1707.*   [G 1768
I Bc

Dialogi sagri o vero motetti a due voci con violini. – *Bologna, Marino Silvani, 1708.* – St.   [G 1769
I Bc (kpl.: S I, S II, vl I, vl II, org)

GHIBELLINI (GHIBEL, GHIBELLI, GIBEL, GIBELLINI) Eliseo

1546. Motetta super plano cantu cum quinque vocibus, et in festis solennibus decanenda, liber primus. – *Venezia, s. n., 1546.* – St.   [G 1770
I TVca (kpl.: S, A, T, B, 5), VEaf

1548. Motectorum . . . cum quinque vocibus liber primus. – *Venezia, Girolamo Scotto, 1548.* – St.   [G 1771
D-brd Hs (kpl.: S, A, T, B, 5), Mbs – GB Lbm (kpl.; S und A unvollständig)

1551. Il primo libro di madrigali a tre voci a note negre . . . con la gionta di alcuni altri tercetti bellissimi. – *Venezia, Girolamo Scotto, 1551.* – St.   [G 1772
SD
GB Lbm (kpl.: S, T, B)

— Il primo libro de madrigali a tre voci a note negre . . . ristampato & da molti errori emendato. – *ib., Antonio Gardano, 1552.*   [G 1773
B Br (B) – D-brd Mbs (kpl.: S, T, B) – I Bc (T), VEaf (B)

1552 → 1551

1554. Il primo libro de madrigali a quatro voci. – *Venezia, Girolamo Scotto, 1554.* – St.   [G 1774
A Wgm (kpl.: S, A, T, B)

1565. De festis introitibus missarum cuiusque anni quae quinque vocibus canuntur . . . liber primus. – *Roma, Valerio Dorico, 1565.* – P.   [G 1775
I Bc

1581. Il primo libro de madrigali a cinque voci. – *Venezia, Angelo Gardano, 1581.* – St.   [G 1776

I Bc (5), MOe (S, A, T, 5) – PL GD (kpl.: S, A, T, B, 5)

GHIEL T. F. de

Sonate concertante à quatre mains pour le piano forte avec deux violons, deux cors de chasse et basse. – *Mainz, Bernhard Schott.* – St.   [G 1777
D-brd Mbs (kpl.: 6 St.)

GHILLINI DI ASUNI → ASUNI Ghillini di

GHIOTTI Gaspard

Trois sonates [A, F, B] pour le forte piano avec accompagnement d'un violon ad libitum . . . œuvre Ier. – *Yverdon, auteur; Lyon, Castaud (gravé par I. F. Zimmerli).* – St.   [G 1778
CH BEl (fehlt vl) – I Bc (kpl.: pf, vl)

Trois sonates [E, C, Es] pour le fortepiano, avec accompagnement d'un violon, ad libitum . . . œuvre II. – *Yverdon, auteur (gravé par Noel).* – St.   [G 1779
CH BEl (vl; fehlt pf)

GHISELIN Johannes

Misse [4v] Ioannis Ghiselin. La bella se siet. De les armes. Gratieusa. Narayge. Je nay dueul. – *Venezia, Ottaviano Petrucci, 1503.* – St.   [G 1780
A Wn (S, A, T) – I Ac (kpl.: S, A, T, B), Bc (S, A, B), Fm (B [unvollständig]), Rvatsistina

GHISUAGLIO Girolamo

Il secondo libro de madrigali, a cinque voci. – *Venezia, Angelo Gardano, 1604.* – St.   [G 1781
I Bc (kpl.: S, A, T, B, 5)

GHIZZOLO Giovanni

GEISTLICHE VOKALMUSIK

1609. Integra omnium solemnitatum psalmodia vespertina, octonis vocibus concinenda . . . addita etiam infima pars

pro organo alternatim continuata. –
*Milano, eredi di Simone Tini & Filippo
Lomazzo, 1609.* – St.   [G 1782
D-brd Rp (I: S, A, B; II: S, A; org) – **GB** Lbm
(A I, S II) – **I** Bc (kpl.; I: S, A, T, B; II: S, A,
T, B; org), BRq (org), BRd, CEc (I: A, T, B;
II: A, T; org), Md (fehlt T I), PCd (org), Rsc
(I: A, B; II: A, T, B)

1611. Concerti all'uso moderno a quattro
voci . . . libro secondo, & opera settima. –
*Milano, eredi di Simone Tini & Filippo
Lomazzo, 1611.* – St.   [G 1783
A Wn (partitura) – **I** Bc (kpl.: S, A, T, B, par-
titura), VCd (kpl.; partitura unvollständig)

— Il secondo libro de' concerti a quattro
voci, con il basso per sonar nell'organo
. . . opera settima. – *Venezia, Alessandro
Vincenti, 1623.*   [G 1784
I Bc (fehlt S), CEc (fehlen S und org), Nc (T),
Rsc (fehlen S und org)

1612. Messe, concerti, Magnificat, falsi
bordoni, Gloria Patri, et una messa per
gli morti a quattro voci, co'l basso continuo per l'organo . . . opera ottava. –
*Milano, eredi di Simone Tini & Filippo
Lomazzo, 1612.* – St.   [G 1785
I Bc (S, T, org [hinzugefügt A])

1613. Messe, motetti, Magnificat, can-
zoni francese, falsi bordoni & Gloria
Patri, a otto voci . . . con la partitura de
bassi per l'organo . . . opera decima. –
Milano, Filippo Lomazzo, 1613. – St.
                        [G 1786
I Bc (kpl.; I: S, A, T, B; II: S, A, T, B; org),
Rn (S I, A II)

1615. Il terzo libro delli concerti a due, 3.
e quattro voci, con le letanie della Beata
Vergine a cinque, et la parte per l'organo
. . . opera XII. – *Milano, Filippo Lomazzo, 1615.* – St.   [G 1787
F Pc (kpl.: S, A, T, B, org) – **I** Bc, PCd

— *Venezia, Alessandro Vincenti, 1623.*
                        [G 1788
I CEc (fehlt org), VCd (fehlen B und org) –
US Cn (S, A, T [fehlt Titelblatt], org)

1618. Salmi intieri a cinque voci co'l
basso per l'organo ad libitum . . . opera
decima quarta. – *Venezia, Giacomo Vincenti, 1618.* – St.   [G 1789
SD 1618⁶

I Bc (kpl.: S, A, T, B, 5, org), FEc (fehlt org),
PIa (A, T [unvollständig], B [fehlt Titelblatt],
org), Rdp (B, 5), Rsc (A)

1619. Messa, salmi, lettanie B. V., falsi
bordoni et Gloria Patri concertati a cinque, o nove voci, servendosi del secondo
choro a beneplacito, con il basso per l'organo . . . opera decimaquinta. – *Venezia,
Alessandro Vincenti, 1619.* – St. [G 1790
D-brd MÜs (B I) – **I** Bc (kpl.; I: S, A, T, B, 5;
II: S, A, T, B; org), Rdp (A I, A II, T II)

— *ib., 1622.*   [G 1791
I Bc (A I, T I)

1620. Salmi, messa, et falsi bordoni concertati a quattro voci, con il basso per
l'organo . . . opera decima settima. –
Venezia, Alessandro Vincenti, 1620. – St.
                        [G 1792
I VCd (S, A, B, org)

— . . . novamente ristampati et corretti. –
ib., 1624.   [G 1793
SD 1624⁵
F Pn (A, T) – **I** SPd (fehlt org)

— . . . novamente in questa terza impressione ristampati, & corretti. – *ib.,
1624.*   [G 1794
SD 1624⁵
I Bc (kpl.: S, A, T, B, org), Nf, Rsg

— *Milano, Filippo Lomazzo, 1625.*
SD 1625⁴   [G 1795
I Bc (S, T, B, org)

— *Venezia, Alessandro Vincenti, 1634.*
SD 1634²ᵃ   [G 1796
I Bc (kpl.: S, A, T, B, org)

1622a. Il quarto libro delli concerti a
due, tre, & quattro voci, con le letanie
della Beata Vergine, et la parte per l'organo . . . opera decima sesta, novamente
ristampata & corretta. – *Venezia, Alessandro Vincenti, 1622.* – St.   [G 1797
I CEc (S, B, org)

— . . . novamente in questa quarta impressione ristampata & corretta. – *ib.,
1640.*   [G 1798
I Bc (kpl.: S, A, T, B, org)

1622b → *1619*

1623a. Compieta, antifone et litanie della Madona, a cinque voci, con il basso per l'organo . . . opera vigesima. – *Venezia, Bartolomeo Magni, 1623.* – St.   [G 1799
I Bc (kpl.: S, A, T, B, 5, org), VCd

1623b → 1611
1623c → 1615

1624a → 1620
1624b → 1620

1625a. Messe, parte per cappelle et parte per concerto, a quattro, et cinque voci, et una per li defonti, con basso per l'organo . . . opera decimanona, ristampate. – *Venezia, ([am Ende:] Bartolomeo Magni), 1625.* – St.   [G 1800
I Ac (kpl.: S, A, T, B, 5, org), Bc, Rsmt – S Uu (A, B, 5)

1625b → 1620

1634 → 1620

1640 → 1622

WELTLICHE VOKALMUSIK

1608. Madrigali a cinque voci . . . libro primo. – *Venezia, Alessandro Raverii, 1608.* – St.   [G 1801
D-brd Kl (kpl.: S, A, T, B, 5) – **GB** Lbm (A) – I Bc (fehlt T), FEc, Rdp (B [fehlt Titelblatt])

1609a. Canzonette et arie a tre voci . . . libro primo. – *Venezia, Alessandro Raverii, 1609.* – St.   [G 1802
SD 1609[20]
A Wn (kpl.: S/T, S II, B) – I Bc (S II, B), PS (B)

1609b. Madrigali et arie per sonare et cantare nel chitarone, liuto, o clavicembalo, a una, et due voci . . . col gioco della cieca, et una mascherata de pescatori, libro primo. – *Venezia, Alessandro Raverii, 1609.* – P.   [G 1803
SD 1609[21]
B Br – GB Lbm, Lcm

1610. Il seondo libro de madrigali et arie a una et due voci, per sonare & cantare nel chitarone, liuto, o clavicembalo . . . con duoi dialoghi, & un canto di Sirene con la risposta di Nettuno, opera sesta. – *Milano, erede di Simone Tini & Filippo Lomazzo, 1610.* – P.   [G 1804
B Br – GB Lbm

1613. Il terzo libro delli madrigali, scherzi, et arie, a una, & due voci, per suonare, et cantare nel chitarrone, liuto, o clavicembalo . . . con uno epitalamio, opera nona. – *Milano, Filippo Lomazzo, 1613.* – P.   [G 1805
B Br

1614. Secondo libro de madrigali a cinque et sei voci . . . co'l basso continuo per il clavicembalo o altro, et in particolare per quelli a sei . . . opera undecima. – *Venezia, Ricciardo Amadino, 1614.* – St.   [G 1806
F Pc (kpl.: S, A, T, B, 5, 6, bc) – I Bc (fehlt 6)

1621. Il terzo libro de madrigali a cinque voci, in parte anco concertati co'l clavicembalo . . . opera decima ottava. – *Venezia, Alessandro Vincenti, 1621.* – St.   [G 1807

I VCd (bc)

1623. Frutti d'amore in vaghe & variate arie, da cantarsi co'l chittarone, clavicembalo, o altro simile stromento, accomodatovi l'alfabetto con le lettere per la chitarra spagnola . . . libro quinto, et opera vigesima prima. – *Venezia, Alessandro Vincenti, 1623.* – P.   [G 1808
I Bc

GHRO Johann

Sechsunddreissig Neue liebliche und zierliche Intraden . . . mit fünff Stimmen gesetzet. – *Nürnberg, Paul Kauffmann, 1603.* – St.   [G 1809
D-brd Rp (S, A, 5), W (kpl.: S, A, T, B, 5)

— *ib., David Kauffmann (Abraham Wagenmann), 1611.*   [G 1810
PL Wn (B)

Dreissig Neue außerlesene Padouane und Galliard [a 5 v] . . . auff allen Musicalischen Instrumenten lieblich zugebrauchen. – *Nürnberg, Paul Kauffmann, 1604.* – St.   [G 1811
D-brd As (B [unvollständig, handschriftlich ergänzt]), F (kpl.: S, A, T, B, 5), W

— Dreissig Neue . . . sampt einem zu end angehengtem Quotlibet, genannt: Bettlermantel. Von mancherley guten Fleck-

lin zusammen gestickt . . . mit 4. Stimmen [1606 erschienen]. – *ib.*, *David Kauffmann (Abraham Wagenmann), 1612.*
[G 1812
D-ddr Bds (T [unvollständig]), LEm (Quodlibet: A, B) – **F** Pc (Quodlibet: S) – **GB** Lbm (T, B, 5) – **NL** DHgm (kpl.: S, A, T, B, 5) – **PL** WRu (S, A, T, B; fehlt 5)

Der 104. Psalm des Königlichen Propheten Davids . . . Von Herrn D. Cornelio Beckern . . . gesangsweise zu 21. Versiculn gesetzet, Jetzo aber nach art der Muteten zu 3. 4. 5. 6. 7. und 8. Stimmen mit fleiß componiret. – *Nürnberg, David Kauffmann (Balthasar Scherff), 1613.* – St.
[G 1813
D-brd Ngm (B) – **D-ddr** UDa (6)

Trifolium sacrum musicale, oder Geistliches Musicalisches Kleeblätlein [a 3 v] . . . zum täglichem Exercitio zum besten componiret. – *Nürnberg, David Kauffmann (Abraham Wagenmann), 1625.* – St.
[G 1814
D-ddr Dlb (1. vox [2 Ex., davon 1 Ex. unvollständig], 2. vox, 3. vox [2 Ex., davon 1 Ex. unvollständig])

GIACCIO Orazio

Laberinto [!] amoroso, canzonette a tre voci . . . libro terzo. – *Napoli, Pietro Paolo Riccio (Giovanni Battista Gargano & Matteo Nucci), 1618.* – St.
[G 1815
I Bc (B) – **S** Skma (S I)

Armoniose voci, canzonette in aria spagnola, et italiana, a tre voci . . . novamente ristampate, & in questa terza impressione corrette, libro primo [die früheren Auflagen von 1613 und 1618 sind nicht nachzuweisen]. – *Naploi, Pietro Paolo Riccio (Giovanni Battista Gargano & Matteo Nucci), 1620.* – P.
[G 1816
I Bc

Hinni e frottole a tre, e a quattro voci . . . libro primo, opera quarta. – *Napoli, Giovanni Battista Gargano & Matteo Nucci, 1621.* – St.
[G 1817
I PAL (S, A, T)

Canzone sacre in musica . . . ad una, a due, & a tre voci, opera sesta. – *Napoli, Ottavio Beltrano, 1645.* – St.
[G 1818
GB Lbm (kpl.: S, A, B, partimento)

GIACOBBI Girolamo

Motecta multiplici vocum numero concinenda, liber primus. – *Venezia, Angelo Gardano, 1601.* – St.
[G 1819
B Br (kpl.: S, A, T, B, 5, 6) – **GB** Lbm – **I** Bc, Bsp, CEc (B) – **US** Cn (fehlen S und A)

Dramatodia overo canti rappresentativi . . . sopra l'Aurora ingannata dell' . . . Conte Ridolfo Campeggi. – *Venezia, Giacomo Vincenti, 1608.* – P.
[G 1820
I Bc

Prima parte dei salmi concertati a due, e piu chori . . . commodi da concertare in diverse maniere. – *Venezia, Angelo Gardano & fratelli, 1609.* – St.
[G 1821
I Bc (kpl.; I: S, A, T, B, 5; II: S, A, T, B; org), Bsp (kpl.; org handschriftlich) – **PL** Kcz (org), WRu (fehlen S I, T I, B I, A II und org)

Vespri per tutto l'anno a quattro voci, con l'organo e senza. – *Venezia, stampa del Gardano, appresso Bartolomeo Magni, 1615.* – St.
[G 1822
GB Lbm (A) – **I** Bc (kpl.: S, A, T, B, org), Bsp, Ls

Litanie e motetti da concerto e da capella a due chori per la Santissima Vergine. – *Venezia, stampa del Gardano, appresso Bartolomeo Magni, 1618.* – St.
SD 1618[7]
[G 1823
I Bc (kpl.; I: S, A, T, B; II: S, A, T, B; org), Bsp (S I, T I, A II), CEc (fehlen T I, T II, B II und org)

GIACOBETTI Pietro Amico

Motectorum, quatuor, quinque, & sex vocibus, liber primus. – *Venezia, Giacomo Vincenti, 1589.* – St.
[G 1824
D-brd Kl (kpl.: S, A, T, B, 5/6)

Lamentationes cum omnibus responsoriis in triduo hebdomadae sanctae, nec non passiones in missis dominicae palmarum, & parasceves, quinis vocibus concinen-

dae. – *Venezia, Giacomo Vincenti, 1601. –*
St.   [G 1825
I FA (5), Bc (kpl.: S, A, T, B, 5)

GIACOMINI Bernardo

Il primo libro di madrigali a cinque voci. –
Venezia, Antonio Gardano, 1563. – St.
                                       [G 1826
D-brd Mbs (kpl.: S, A, T, B, 5) – GB Lbm, LI –
I Bc (T), VEaf – US Wc

GIACOMO P. D. di cività di Chieti

Mottetti concertati a una, due, tre, quattro, cinque, & sei voci . . . con un Magnificat
concertato a quattro, con il basso generale per l'organo, primo libro. – *Venezia,
Giacomo Vincenti, 1616.* – St.   [G 1827
D-brd Rp (5 St.)

GIAMBERTI Giuseppe

Poesie diverse poste in musica . . . a una
e tre voci per cantar nel cimbalo et alcune con l'alfabeto per la chitarra spagnola con due aggiunte una di Gio. Bernar-
dino Nanini, l'altra di Paolo Agostini . . .
libro primo. – *Roma, Luca Antonio Soldi,
1623.* – P.   [G 1828
SD 1623[13]
F Pc

Sacrae modulationes . . . binis, ternis,
quaternis, & quinis vocibus decantande,
cum litanijs B. M. V. ad organi sonum
accomodate, liber primus, opus secundum.
– *Orvieto, Rinaldo Ruuli, 1627.* – St.
                                       [G 1829
I Rv (S I, S II [unvollständig], T, B)

Laudi spirituali poste in musica in diversi stili . . . a una, due, tre, quattro,
cinque, e sei voci, opera terza. – *Orvieto,
Rinaldo Ruuli, 1628.* – St.   [G 1830
I Bc (S I, S II, T, bc), Nn (T, bc)

Antiphonae et motecta festis omnibus
propria, et communia, juxta formam Bre-
viarij Romani; una cum plurimis, quae
dominicis per annum aptari possunt, binis, ternis, quaternisque vocibus concinenda. – *Roma, Giovanni Battista Robletti, 1650.* – St.   [G 1831

D-brd MÜs (kpl.: S, A, T, B, org) – GB Lbm
(T) – I Ac (T), ASc (fehlt T), Bc (fehlen S und
A), Nf, Rc (A [mit anderer Widmung]), Rsg,
Rsgf, Rsmt (kpl. [2 Ex.]), Rsc, Rvat-capp.
giulia

Duo tessuti con diversi solfeggiamenti,
scherzi, perfidie, et oblighi, alcuni moti-
vati da diverse ariette. – *Roma, Amadeo
Balmonti, 1657.* – P.   [G 1832
I Bc

— . . . per cantare, e sonare, alcuni mo-
tivati da diverse ariette. – *ib., Giacomo
Fei d'Andrea figlio, 1664.*   [G 1833
US R

— *ib., Giovanni Battista Caifabri (successor' al Mascardi), 1677.*   [G 1834
I Bc

— . . . ristampati, e corretti dal Sig.
Francesco Giannini. – *ib., Mascardi, 1689.*
                                       [G 1835
I Bc, Bsp, Fc, Rli

GIANCARLI Heteroclito

Compositioni musicali intavolate per
cantare et sonare nel liuto. – *Venezia,
Giacomo Vincenti, 1602.*   [G 1836
D-brd Rp

GIANELLI Francesco

Il primo libro de madrigali a tre voci. –
Venezia, Angelo Gardano, 1592. – St.
                                       [G 1837
GB Lbm (S, B)

GIANETTINI Antonio

Salmi a quattro voci, a cappella, da cantarsi, ne'vespri dell'anno, con un coro
separato di cinque stromenti. – *Venezia,
Fortuniano Rosati, appresso Antonio Bar-
toli, 1717.* – St.   [G 1838
D-ddr Dlb (kpl.: S, A, T, B, vl I, vl II, vla,
tenor-vla, vlc, org) – DK Kk – F Pc – GB Lbm
(fehlt S) – I Bc, Bsp, Gi (fehlen A und vlc), Ls

GIANONCELLI Bernardo

Il liuto di Bernardo Gianoncelli. – *[Venezia], s. n., (1650).*   [G 1839
I Vnm

GIAN(N)OTTI Giacomo

Canzoni a quattro voci . . . raccolte per Francesco Rambaldi . . . libro primo. – *Venezia, Giacomo Vincenti & Ricciardo Amadino, 1584.* – St.   [G 1840
D-brd Mbs (S, T; fehlen A und B)

GIAN(N)OTTI Pietro

Op. 1. [12] Sonate a violino solo col basso . . . opera prima. – *Paris, Boivin, Le Clerc (gravé par Mlle Louise Roussel).* – P.   [G 1841
CH Gpu – F Pc (2 Ex.), Pn – GB Lbm

Op. 2. [12] Sonate a violino solo col basso . . . opera seconda. – *Paris, auteur, Vve Boivin, Le Clerc (gravé par Mme Leclair).* – P.   [G 1842
CH Gpu – F Pc, Pn – GB Lbm – US Wc

Op. 3. [6] Sonate a tre, due violini e basso . . . opera terza. – *Paris, auteur, Vve Boivin, Le Clerc, Vve Roussel (gravées par Mme Leclair).* – St.   [G 1843
CH Zz (vl II) – F Pc (kpl.: vl I [2 Ex.], vl II [2 Ex.], b [3 Ex.]), Pn – US AA

Op. 4. Sonate a tre, due violini e basso . . . opera IV. – *Paris, auteur, Vve Boivin, Le Clerc.* – St.   [G 1844
F Pc (kpl.: vl I [2 Ex.], vl II [2 Ex.], b [3 Ex.])

Op. 5. [6] Sonate a violino o flauto solo col basso . . . opera V. – *Paris, auteur, Vve Boivin, Le Clerc (gravées par Mme Leclair).* – P.   [G 1845
B Bc – F Pc – GB Ckc – I Vnm – US Wc

Op. 6. [6] Sonate a tre, due violini e basso . . . opera VI. – *Paris, auteur, Vve Boivin, Le Clerc (gravées par Mme Leclair).* – St.
[G 1846
CH SAf (kpl.: vl I, vl II, b) – F Pc – US AA, Wc

Op. 7. Sonate a due violini senza basso . . . opera VII. – *Paris, auteur, Vve Boivin, Le Clerc (gravées par Mme Leclair).* – St.
[G 1847

F Pc (kpl. [2 Ex.]), Pn (2 Ex.) – GB Lbm – NL Uim (vl II) – US NYp, Wc (2 Ex.)

Op. 9. Sonate a tre, due violini e basso . . . opera IX. – *Paris, auteur, aux adresses ordinaires (gravé par Mlle Estien).* – St.
[G 1848
F Pc (kpl.: vl I, vl II, b) – US AA

Op. 11. [6] Sonate a due violini senza basso . . . opera XI. – *Paris, auteur, Mme Boivin, Le Clerc.* – St.   [G 1849
F Pc, Pn – GB Lbm (vl II)

Op. 16. [6] Nouveaux duo pour deux violons ou deux pardessus de viole . . . œuvre XVI. – *Paris, auteur (gravés par Mlle Vendôme).* – St.   [G 1850
A Wgm

GIANSETTI Giovanni Battista

Motetti a due, tre, quattro, cinque, e sei voci . . . opera prima. – *Roma, Giovanni Angelo Mutii, 1670.* – St.   [G 1851
D-brd MÜs (kpl.: S I, S II, A, T, B, org) – GB Lbm – I Bc, Ls

Motetti a voce sola . . . opera seconda. – *Roma, Giovanni Angelo Mutii, 1671.* – St.
[G 1852
D-brd MÜs (kpl.: S, partitura)

GIARDINI Felice

MUSIK ZU BÜHNENWERKEN

Astarto (Pasticcio)

The overture to Astarto. – *London, William Napier.* – St.   [G 1853
GB Lbm (kpl.: 9 St.)

The overture . . . adapted for two performers on one harpsichord or piano forte. – *London, William Napier.*   [G 1854
US WGw

The overture . . . for the harpsichord or piano forte. – *London, William Napier.*
[G 1855
D-brd HEms – GB Ckc, Lbm

— *ib., Longman & Broderip.*   [G 1856
GB Lbm

The favourite songs in the opera Astarto. –
London, Robert Bremner.   [G 1857
GB Ckc, Er, Lbm (2 Ex.), Lu, Ob – US LAu

Cleonice (Pasticcio)

The favorite songs in the opera Cleonice
. . . for the voice and harpsichord. – *Lon-
don, Robert Bremner.*   [G 1858
SD S. 175
F Pc – GB Ckc, Ge, Gu, Lbm (2 Ex.), Lcm, Lgc
– S Skma – US PO, Wc

Enea e Lavinia

The favorite songs in the opera Enea e
Lavinia . . . for the voice and harpsichord.
– *London, Robert Bremner.*   [G 1859
GB Lbm, Lcm – US Cn, Wc

Il geloso in cimento (von Anfossi)

Dimmi amor. The favourite song . . . in
the opera Geloso in cimento. – *[London,
John Welcker].*   [G 1860
GB Ckc (2 Ex.), Cu, Lbm – US NYp, Ws

— *[London], J. Duckworth.*   [G 1861
GB Er

Ninetta (von Cimarosa)

Bei labri che amore [Song] . . . in the co-
mic opera of Ninetta. – *London, Robert
Birchall, for the author.*   [G 1862
GB Gu, Lbm, Ob

La Ninetta povercina [Song] . . . in the
comic opera of Ninetta. – *London, Robert
Birchall, for the author.*   [G 1863
GB Gu, Lbm, Ob

Sono dama e son signora. Cavatina . . . in
the opera of Ninetta. – *London, Robert
Birchall, for the author.*   [G 1864
GB Gu, Lbm, Ob

Siroe

The favorite songs in the opera Siroe, for
the voice and harpsichord with the instrumental parts printed each separately. –
London, Robert Bremner. – KLA. und St.
                                    [G 1865
US Wc (KLA., ohne Instrumental-St.)

The two favourite songs in the opera
call'd Siroe, sung by Sign^ra Mingotti. –
London, John Cox.   [G 1866
D-brd Hs (ohne Impressum) – US Wc

VOKALMUSIK

Salmo V. Verba mea auribus percipe Do-
mine. Canto greco messo in salmo. –
London, Thomas Skillern, for the author.
                                    [G 1867
GB Lbm, Lcm, Ob – US Pu

In dimostrazione d'affetto Felice Giardini D. D. D. . . . a Giovanni Manzoli
questi musicali divertimenti [1 Duett und
6 dreistimmige Gesänge]. – *London, s. n.,
1765.* – P.   [G 1868
GB Lbm – I Bc

— *ib., Welcker, 1765.*   [G 1869
US AA (unvollständig)

Sei duetti . . dedicati a . . . la . . . Mar-
chesana di Rockingamme. – *s. l., s. n.*
                                    [G 1870
GB Lbm, Lcm

— *ib., Welcker.*   [G 1871
GB Gm, Lbm

— Sei duetti a due soprani con cembalo. –
*Leipzig, Johann Gottlob Immanuel Breit-
kopf, 1762.*   [G 1872
D-brd B, MÜs – DK Kk

Sei arie . . . [Dedikation: Ellisabetta Du-
chessa di Marlborough]. – *London, Robert
Bremner.*   [G 1873
GB Lbm

Sei arie . . . [Dedikation: Signora Fran-
cesca Pelham]. – *(London), s. n., (1762).*
                                    [G 1874
GB Lbm, Lcm – US Wc

Ah se de mali miei. As chears the sun the
flow'r. A favourite air. – *[London], J.
Phillips.*   [G 1875
GB Lbm

Beviamo tutti tre. The favourite Italian
glee. – *Dublin, Anne Lee.*   [G 1876
US Lu

For me my fair a wreath has wove. Madrigal, imitated from the Spanish (in: The
Universal Magazine, vol. LVI). – *[Lon-
don], s. n.*   [G 1877
GB Lbm

— ... the madrigal which is in the last page of Mr. Twiss's account of the Spanish & Portuguese literature. – *ib.*, *Skillern.*   [G 1878
GB Gu, Lbm – **US** Pu, Wc

— *[ib.], J. Bland.*   [G 1879
GB Lbm

— *s. l., s. n.*   [G 1880
GB BA, Lam, Lbm, LEc – **US** U

— The favourite madrigal . . . – *London, Samuel, Anne & Peter Thompson.*
                                                  [G 1881
GB Gu, Lbm – **US** Ws

— ... a favourite madrigal (in: Aberdeen Magazine, july, 1791). – *[Aberdeen], s. n., (1791).*   [G 1882
GB Lbm

— Go spotless paper to my love. Sonnet addressed to Miss S. Heath by Mr. G. [adapted to F. Giardini's song, "For me my fair a wreath has wove"]. – *[London], Skillern.*   [G 1883
GB Lbm

La liberta. Canzonetta del Metastasio messa in musica a richiesta di molte dame . . . con arie diverse ad ogni strofe. – *(London), s. n., (1758).*   [G 1884
A Wn – **GB** Lbm (2 Ex.), Lcm – **I** Bc, PLcon – **US** NYp, SFsc (Impressum: Longman & Broderip?), Ws

Mon cher troupeau. A favourite ariette (in: The Lady's Magazine, nov., 1800). – *[London], s. n., (1800).*   [G 1885
GB Lbm
vgl. [G 1980

The old woman. A humourous song. – *London, Samuel, Anne & Peter Thompson.*   [G 1886
GB Lbm

O sleep, my helpless infant sleep. The mother's complaint. A romance. – *London, Samuel, Anne & Peter Thompson.*
                                                  [G 1887
GB Gu, Lbm – **US** Dp

Peace gentle maid. Loyal stanzas on a dove 'lighting on Her Royal Highness the Princess Elizabeth at Covent Garden Theatre in the pantomime of Mother Shipton by Mr. Swords. – *London, Longman & Broderip.*   [G 1888
GB Lbm

Un enfant plein de charmes. An admir'd French song. – *Dublin, John Lee.* [G 1889
EIRE Dn
vgl. [G 1980

Viva tutte . . . [a 3 v]. – *Dublin, Hime.* – P.   [G 1890
F Pn

Voi amante che vedete. Dearest creature, of all nature. Voi amante, or Rondeau. – *s. l., s. n.*   [G 1891
GB Lbm – **US** Cu

— Voi amante. A rondeau [Song]. – *s. l., s. n.*   [G 1892
GB Cfm, Ckc

— Voi amanti [!] che vedete. Aria en rondeau. – *s. l., s. n.*   [G 1893
GB Ckc

— Voi amanti che vedete. Aria in rondeau. – *Paris, Le Menu (gravée par Mlle Vendôme).*   [G 1894
F AG

— Voi amante. A favorite rondeau. [Song]. – *s. l., s. n.*   [G 1895
GB Lbm

Instrumentalwerke (mit Opuszahlen)

Op. 1. Sei sonate [G, F, e, A, E, g] a violino solo e basso . . . opera prima. – *London, John Cox, (1751).* – P.   [G 1896
[vermutlich 2 verschiedene Ausgaben:] **D-brd** Rp – **GB** Lam, Lbm

— *ib., Robert Bremner.*   [G 1897
GB Ckc, Lam (2 Ex.), Lbm, LVp

— *Paris, Mme Boivin, Le Clerc, Mlle Castagnery (gravé par Mlle Vendôme), (1756).*   [G 1898
F Pn – **US** Wc

— *ib., Bayard, Le Clerc, Mlle Castagnery, Le Menu (gravé par Mlle Vendôme).*
                                                  [G 1899
DK Kk – **F** Pc (2 Ex.), Pn – **S** Skma – **US** AA, CHua, NYp

Op. 2. Sei duetti [D, F, C, A, e, G] a due violini . . . opera seconda. – *London, author, John Cox.* – St.   [G 1900
CH EN – **F** Pc (kpl.; vl I [2 Ex.]), Pn (kpl.; vl I [2 Ex.], vl II [3 Ex.]), V – **I** Bc, Nc

— *ib., Robert Bremner.*   [G 1901
GB Lbm – **S** L

— *Paris, auteur, Mme Boivin, Le Clerc, Mlle Castagnery (gravées par Mlle Vendôme).*   [G 1902
CH SO, Zz (fehlt vl I) – **F** Pn – **US** CHua

— *ib., Boivin, Le Clerc, Mlle Castagnery.*   [G 1903
F Pc, Pn – **US** Wc

— *ib., Bailleux; Lyon; Toulouse; Bordeaux; Dunkerque.*   [G 1904
F Pc

— Sei sonate per due violini. – *s. l., s. n.*   [G 1905
I Nc (unvollständig)

Op. 3. Sei sonate [G, C, F, A, g, D] di cembalo con violino o flauto traverso . . . opera terza. – *London, John Cox, (1751).* – P.   [G 1906
CH SO – **D-ddr** LEm – **GB** BA, CDp (2 Ex.), Lbm (2 Ex.) – **S** SK – **US** AA, Cn, NYp, Pc, Wc (2 Ex.), WGw

— *ib., Robert Bremner.*   [G 1907
GB Ckc, Lbm, Ltc – **S** Skma

— . . . nouvelle édition, revue et corrigée de 554 fautes. – *Paris, Bayard, Le Clerc, Mlle Castagnery, (1756).*   [G 1908
F Pc, Pn

— *ib., aux adresses ordinaires.*   [G 1909
F Pc – **GB** Lbm

— . . . et auguementé de menuet en variations. – *ib., auteur, aux adresses ordinaires (gravé par Mlle Vendôme).*   [G 1910
F Pc (4 Ex.)

Op. 4. Sei sonate [D, g, Es, G, C, B] da camera a violino solo col basso . . . opera IV^a. – *Paris, Bayard, Vernadé, Mlle Castagnery, Le Menu, (De Brotonne).* – P.   [G 1911
[2 verschiedene Ausgaben:] **CH** Gc – **DK** Kk – **F** Pa, Pc (2 Ex.), Pn (andere Ausgabe) – **GB** Lbm – **I** Mc, MOe – **S** Skma – **US** MSu, Wc

— *ib., Bailleux; Lyon; Bordeaux; Toulouse.*   [G 1912
F Pa – **US** NYp (2 Ex.), R

— *ib., aux adresses ordinaires.*   [G 1913
I Bc

Op. 5. Troisième livre de sonates [D, G, C, g, A, B] à violon seul et basse . . . œuvre V. – *Paris, aux adresses ordinaires.* – P.   [G 1914
F Pc (2 Ex.), Pn, TLc – **I** Bc – **S** Skma – **US** NYp, Wc

Op. 6. VI Sonates [E, G, Es, A, d, F] à violon seul avec la basse, VI œuvre. – *[London], s. n.*   [G 1915
GB Ckc

— [mit Op. 5:] XII Sonates à violon seul avec la basse . . . VI œuvre. – *ib., author.*   [G 1916
D-brd Rp – **GB** Lbm – **US** WGw

— Dodici sonate di violino e basso. – *London, s. n., 1765.*   [G 1917
D-brd KNh

— XII Sonate a violino e basso. – *ib., s. n. (Thomas Baker), (1765).*   [G 1918
B Bc – **CH** Bu (fehlt Titelblatt) – **F** Pn – **GB** Ckc, Lam, Lbm – **I** BGi – **US** NYp (2 Ex., davon 1 Ex. unvollständig), Wc

— *ib., Welcker.*   [G 1919
DK Kk – **E** Mn – **GB** Lbm – **I** Pi (Nr. 1–6) – **S** Skma (Nr. 1–6) – **US** WGw

— *ib., Preston & son.*   [G 1920
D-brd B (Nr. 1–6)

Op. 7. VI Soli [G, C, Es, d, A, B] a violino e basso . . . opera settima. – *(London), s. n., (1759).* – P.   [G 1921
D-brd Rp – **F** Pn, V – **GB** Lbm – **I** BGi – **US** BE, Wc, WGw

— *ib., Welcker.*   [G 1922
GB Ckc – **US** R

— *ib., Samuel & Anne Thompson.* [G 1923
GB Cu, Lbm (2 Ex.) – **US** Wc

Op. 8. Six sonates [D, C, g, E, Es, G] à violon seul et basse . . . opera VIII. – *Paris, Bayard.* – P.   [G 1924
GB Lam

— Six sonates à violon seul et basse . . .
œuvre VIIIe. – *ib., de La Chevardière;
Lyon, Castaud (gravé par Mme Oger).*
[G 1925
F Pc, Pn – GB Ckc – US Wc

Op. 9. Six sonates [A, B, G, F, a, D] à
violon seul et basse . . . œuvre IXe. –
*Paris, de La Chevardière (gravés par
Mme Oger).*   [G 1926
US Wc

Op. 11a. Sei quintetti [G, D, F, Es, B, C]
per cembalo, due violini, violoncello e
basso . . . opera XI. – *London, Welcker. –*
St.   [G 1927
GB Lbm (kpl. [2 Ex.]) – S Skma – US Wc

Op. 11b. Sei sonate da camera [D, G, A, B,
D, Es] a violino solo col basso . . . opera
XI^a. – *Paris, Bailleux; Lyon; Toulouse;
Bordeaux; Lille (écrit par Ribière).* – P.
[G 1928
B Bc – F Pc, Pn – US NYp, Wc (2 Ex.)

Op. 13. Sei duetti [A, C, D, Es, G, B] per
due violini . . . opera XIII. – *London,
s. n., 1767.* – St.   [G 1929
GB Ckc, Lbm – US Wc

— *ib., Welcker.*   [G 1930
I Vc

— *ib., Longman & Broderip.*   [G 1931
E Mn – US NYp (fehlt vl II)

— Sei duetti per due violini . . . opera X. –
*Paris, Bailleux; Lyon, Castaud; Dunker-
que, Gaudaerdt (gravé par Mme Oger).* –
St.   [G 1932
D-brd B – F BO (kpl.; vl I [unvollständig]),
Pc, Pn – US NYp

— Six sonates à deux violons . . . œuvre
troisième. – *Berlin, Johann Julius Hummel; Amsterdam, au grand magazin de
musique, No. 332.*   [G 1933
S Skma – US CHua

— [Six duos pour 2 violons]. – *s. l., s. n.*
[G 1934
CH E (fehlt Titelblatt)

Op. 14. Sei duetti [D, F, C, G, c, A] per
violino e violoncello . . . opera XIV. –
London, Welcker. – St.   [G 1935
GB Ckc, Lbm – S Skma – US Cn

— *ib., Robert Bremner.*   [G 1936
E Mn

— *ib., Preston.*   [G 1937
B Bc

— Sei duetti per violino e violoncello. –
*Amsterdam, Johann Julius Hummel,
No. 130.*   [G 1938
S Skma (fehlt vlc) – US AA

Op. 15. A concerto [B (D, C, G, B, Es)] in
7 parts . . . opera XV, No. 1(–6). – *London, Welcker.* – St.   [G 1939
D-ddr LEm (kpl.; 9 St. vorhanden) – GB Lbm
(kpl.; 7 St. [je 2 Ex.]) – I Gi (kpl.; vl II, vla),
Rsc (cor I und cor II von Nr. 1, 2, 3, 6; ohne
Impressum) – US Bp (kpl.; No. 5 ohne cor I
und cor II), Wc (No. 6)

— *ib., Longman & Broderip.*   [G 1940
E Mn – GB Lbm, Lcm

— Trois concerts [B, D, C] a violino principale, violino primo & secondo, alto &
basse (deux cors de chasse ad libitum),
œuvre quatrième. – *Berlin, Johann Julius Hummel; Amsterdam, au grand magazin de musique, No. 339.* – St.   [G 1941
CH SO (8 St.)

— Trois concerts [G, B, Es] a violino
principale . . . œuvre cinquième. – *ib.,
No. 341.*   [G 1942
B Bc (kpl.: 7 St.) – NL DHgm (8 St.) – S Uu

Op. 16. Six solos [D, A, G, Es, B, D] for
the violin and a bass . . . opera 16. – *London, Robert Bremner.* – P.   [G 1943
DK Kk – E Mn – GB Lbm – US CHH

— *ib., Welcker.*   [G 1944
CH Gpu – I MOe

— *ib., Preston & son.*   [G 1945
NZ Ap

Op. 17a. Six trios [Es, B, A, C, D, E] for
a violin, tenor and violoncello . . . opera
XVII. – *[London], s. n.* – St.   [G 1946
CH SO – D-brd Mbs

— *ib., Welcker.*   [G 1947
F Pc – GB Ckc, Lam, Lbm – I Vc – US CA, Cn,
NYp, R, Wc, WGw

— *ib.*, *James Blundell, No. 46.*   [G 1948
E Mn (keine No. angegeben) – **GB** Ckc (keine
No. angegeben), Lbm (keine No. angegeben) –
US Wc

— *ib.*, *William Napier, No. 126.*   [G 1949
GB Lbm (keine No. angegeben) – **US** Wc

— *ib.*, *Longman & Broderip, No. 126.*
                                                            [G 1950
GB Lbm

— *ib.*, *Longman, Clementi & Co.*   [G 1951
GB Lam

— *ib.*, *William Forster.*   [G 1952
GB Ckc

— Sei sonate a tre, cioè violino, viola e
violoncello concertante . . . op. 17 (=
Raccolta del harmonia, collezione ses-
sentesima quarta del magazino musicale). – *Paris, bureau d'abonnement musical; Lyon, Casteau.*   [G 1953
D-brd MÜu – **US** Wc

— Six trios à violon, alto et violoncello
obligé . . . œuvre second. – *Amsterdam,
Johann Julius Hummel, au grand magazin de musique, No. 315.* – St.   [G 1954
B Bc – **D-brd** MÜu – **DK** Kk – **S** L, Skma, SK
(vl) – **US** Wc

Op. 18. Six trios [C, F, C, C, C, C] for the
guittar, violin, and piano forte; or harp,
violin and violoncello . . . opera 18. –
London, William Napier. – St.   [G 1955
DK Sa (kpl.: hf/guitarre, vl, pf/vlc) – **GB** Ckc,
Lbm, LEbc (unvollständig) – **US** CA (mit No.
50), Wc

— Sei sonate a tre, cioè violino, viola e
violoncello concertante . . . opera XVIII
(= Raccolta del harmonia, collezzione
cinquantesima octava del magazino musicale). – *Paris, bureau d'abonnement
musical; Lyon, Casteau.*   [G 1956
F Pc

Op. 19. Six solos [A, B, C, E, A, D] for
the violin and a bass . . . opera XIX. –
London, John Welcker. – P.   [G 1957
D-ddr Bds – **E** Mn – **GB** Ckc, Lbm, Lcm –
US WGw

Op. 20. A second sett of six trios [B, F, D,
C, A, G] for a violin, tenor & violoncello

. . . op. XX. – *London, James Blundell.* –
St.   [G 1958
B Bc – **E** Mn – **F** Pc (2 Ex., mit No. 55) –
GB Ckc (3 Ex.), Er, Lam (2 Ex.), Lbm (2 Ex.) –
US MSu, Wc (mit No. 55)

— *ib.*, *Robert Bremner, No. 55.*   [G 1959
GB Lbm

— Six trio pour violon, alto et basse . . .
œuvre XIIIe. – *Paris, Bailleux, aux adresses ordinaires.*   [G 1960
A Wgm – **B** Bc – **D-brd** Mbs – **F** Pmeyer

— Six trio pour violon, alto et basse . . .
mis au jour par M. Fauveau. – *ib.*, *Fauveau (gravés par Mme Frère).*   [G 1961
US Wc (2 Ex.)

— Trois trio concertans [B, F, C] pour
violon, alto et basse . . . œuvre XIII. –
Frankfurt, W. N. Haueisen.   [G 1962
S Skma

— Trois trios concertants [B, F, C] pour
un violon, altoviola & violoncello . . .
œuvre XX. – *Amsterdam, Joseph Schmitt.*
                                                            [G 1963
DK Kk

Op. 21. Six quartettos [F, B, Es, D, B, C],
three for the harpsichord, violin, tenor &
violoncello, and three for the harpsichord,
two violins & violoncello . . . opera 21. –
London, James Blundell. – St.   [G 1964
GB Lbm (kpl.: hpcd, vl I, vl II/vla, vlc) –
I Gi – **S** Skma – **US** Pu, R

— *ib.*, *Samuel, Anne & Peter Thompson,
No. 66.*   [G 1965
GB Lbm

Op. 22. Six quartetto's [F, D, Es, C, E, g]
for two violins, a tenor, & violoncello
obligato . . . opera 22. – *London, James
Blundell.* – St.   [G 1966
B Bc – **D-brd** Rp – **F** Pc – **GB** Lbm (2 Ex.),
Ltm, Mp (2 Ex.) – **US** CHH

— Six quatuors concertants pour deux
violons, alto et basse . . . œuvre XIV. –
*Paris, Bailleux (gravées par Mlle Olli-
vier).*   [G 1967
A Wgm – **B** Bc (2 Ex.) – **I** MOe, Tn (fehlt vl II)
– **S** Skma – **US** Wc

— Six quatuors concertants . . . œuvre 22.
– *ib., Lobry.* [G 1968
B Bc

Op. 23. Six quartetto's [Es, D, A, c, B, C]
two for a violin, two tenors & violoncello;
two for two violins, tenor & violoncello;
two for a violin, oboe, tenor & violoncello . . . op^a 23. – *London, James Blundell.* – St. [G 1969
B Bc (kpl.: vl I, vl II, vla, vlc) – **E** Mn – **GB**
Lbm (2 Ex.), Ltm, Mp (2 Ex.) – **I** BGi – **US** Wc

— *ib., William Napier, No. 127.* [G 1970
GB Lbm

— Six quatuors concertans [A, c, B, C, Es,
D] dont les quatre premiers sont pour deux
violons, alto et violoncelle, et les 5^e et 6^e
pour deux alto, violon et violoncelle . . .
œuvre XXIIIe. – *Paris, Boyer.* [G 1971
A Wgm (kpl.: vl I, vl II, vla, vlc) – **GB** Lbm –
I Tn (kpl.; vla [2 Ex.])

Op. 25. Six quartettos [C, F, D, Es, d, G]:
three for violin, oboe or flute, tenor &
violoncello . . . opera XXV. – *London,
Samuel, Anne & Peter Thompson, No. 3.* –
St. [G 1972
GB Gu (kpl.: vl I, vl II/ob/fl, vla, vlc), Lbm
(kpl. [4 Ex.]), Mp, Ob – **US** CHH, R, WGw

Op. 26. Six trios [C, G, D, F, B, C] for a
violin, tenor, and violoncello . . . opera
XXVI. – *London, Samuel, Anne & Peter
Thompson.* – St. [G 1973
D-brd Mbs (mit No. 7) – **F** Pmeyer – **GB** [alle
Ausgaben mit No. 7:] Ckc, Lbm (2 Ex.), Ob –
US MSu, Wc

— Six trios à violon, viola & violoncelle
. . . œuvre IV. – *Berlin, Johann Julius
Hummel; Amsterdam, grand magazin de
musique, No. 484.* [G 1974
A Wgm – **B** Bc

Op. 28. Six trios [D, G, C, F, G, A] for
two violins and a bass . . . op. 28. – *London, Robert Birchall.* – St. [G 1975
GB Lbm – **US** CHua, LAu, MSu, Wc

Op. 29. Six quartetts [C, F, B, g, Es, A]
for two violins, tenor and violoncello . . .
op. 29. – *London, Longman & Broderip,
for the author.* – St. [G 1976
B Bc – **CH** Bu – **GB** Cu, Gu, Lbm, Mp, Ob –
US Wc

— Six quatuors concertans pour deux
violons, alto et violoncelle . . . œuvre 29. –
Paris, Lobry. [G 1977
B Bc – **I** Tn (vl I) – **US** Wc

Op. 30. Six trios [Es, F, g, D, B, c] for two
violins & piano forte or violoncello . . .
opera 30. – *London, Thomas Skillern, for
the author.* – St. [G 1978
GB Cu, Lbm, Ob – **US** Wc

Op. 31. Two sonatas [F, G] for the piano
forte or harpsichord with an accompaniment for a violin . . . op. 31. – *London,
Thomas Skillern, for the author.* – P.
[G 1979
GB Lbm, Lgc – **I** Mc – **US** Wc

Instrumentalwerke (ohne Opuszahlen)

Giardini's miscell: works (Nr. 1–12). –
[London], s. n. (Caulfield). – P. und St.
[G 1980
GB Ckc (Nr. 6), Cu (Nr. 8 und 12), Gu (Nr. 1
[unvollständig], Nr. 2), Lbm (kpl. [3 Ex.],
Nr. 1 und 7 [4 Ex.], Nr. 2, 8 und 12 [5 Ex.]),
Ob (Nr. 1, 2, 7, 8 und 12) – **US** BE (Nr. 8), Cn
(Nr. 12)
vgl. [G 1885 (= Nr. 2), [G 1982 (= Nr. 6),
[G 1889 (= Nr. 7)

VI Trii [C, F, C, F, C, F] per cetra, violino e basso. – *s. l., s. n.* – St. [G 1981
GB Lbm

Trio No. 6 for a violin, tenor and violoncello (= Giardini's miscell: works [ohne
Titelblatt]). – *[London], s. n. (Caulfield).*
[G 1982
GB Ckc, Lbm (3 Ex.) – **US** BE
vgl. [G 1980

— Trio [B] per violino, viola, violoncello.
– *Venezia, Antonio Zatta e figli.* – St.
[G 1983
I Vnm, Vqs – **US** BE

Trio [B] per violino, viola e violoncello. –
Venezia, Antonio Zatta e figli. – St.
[G 1984
I Mc

Six favourite solos [C, F, G, D, B, A] for
the violin, with accompaniment for the
harpsichord or violoncello, expressly composed for the use of gentlemen perfor-

mers . . . book 2nd. – *London, Samuel,
Anne & Peter Thompson.*   [G 1985
NZ Ap

The Devonshire minuet, danced by Sig^r
Vestris [pf]. – *London, Samuel, Anne &
Peter Thompson.*   [G 1986
GB Lbm

— *s. l., s. n.*   [G 1987
US U

GIBAULT

Un dieu vient de naître. Noël, cantique
(in: Mercure de France, déc., 1743). –
[Paris], s. n., (1743).   [G 1988
GB Lbm

GIBB Alexander

A new collection of minuets, medlies,
high-dances, marches, strathspey and
other reels with entertaining tunes, &c.,
for the piano-forte, violin & violoncello. –
Edinburgh, for the author (Walker). – St.
                                 [G 1989
D-brd B (pf) – GB En (pf) – US Wc (pf)

GIBBON W.

A sonata for the piano forte with additional keys. – *London, Preston, for the
author.*   [G 1990
US Wc

GIBBONS Orlando

The hymns and songs of the church, divid-
ed into two parts, the first part com-
prehends the canonicall hymnes, and such
parcels of Holy Scripture, as may . . . be
sung, with some other ancient songs and
creeds, the second part consists of spiritual songs, appropriated to the severall
times and occasions . . . translated . . . by
G. W[ither]. – *London, George Wither,
1623.*   [G 1991
GB Cmc, En, Ge, Lbm, Lsc – US Lu, Pu (unvollständig)

— . . . [3 weitere Ausgaben]. – *ib., 1623.*
                                 [G 1992
GB Ckc, Cu, Ge (2 verschiedene Ausgaben)

— . . . [Ausgabe mit einer zusätzlichen
Hymne]. – *ib., s. d.*   [G 1993
GB En, Ge, Lbm (2 Ex.), Ob

The first set of madrigals and mottets of
5 parts: apt for viols and voyces. – *London, Thomas Snodham, the assigne of William Barley, 1612.* – St.   [G 1994
GB Cu (kpl.: S, A, T, B, 5), Lbm (2 Ex.), Lcm,
Ob, Och, Y – US CA (5), NYp (A, 5), Wc, Ws
(2 Ex.; 2. Ex.: S, A)

The silver swan. A catch for three voices
[adapted from O. Gibbons' madrigal]. –
London, Robert Falkener.   [G 1995
GB Lbm

— The silver swan. No. ([hs.:] 14) of a
series of madrigals . . . performed at the
Madrigal Society [5 st. mit pf]. – *London,
W. Hawes, No. 322.*   [G 1996
CH Zz

O! That the learned poets. Madrigal [5
st.]. – *London, Clementi & Co., No. 528.*
                                 [G 1997
CH Zz

Fantazies of III parts. – *s. l., s. n.* – St.
                                 [G 1998
GB Ge (kpl.: A, T, B), Och (unvollständig)

— Fantasies of three parts . . . cut in
copper, the like not heretofore extant. –
*London, at the bell in St. Pauls church-
yard.*   [G 1999
GB Lbm, Lcm

— IX Fantasien, met 3. fioolen. – *Amsterdam, Paul Matthysz, 1648.*   [G 2000
S Uu

GIBBS Joseph

Six quartettos for two violins, a tenor and
violoncello or harpsichord . . . opera II. –
London, for the author. – St. [G 2001
GB Cu (unvollständig)

Eight solos for a violin, with a thorough
bass for the harpsicord or bass violin. –

London, Peter Thompson, for the author. –
P.   [G 2002
GB Cfm, Lbm, LEc – **I** BGi – **S** Skma – **US** Wc

GIBEL(IUS) Otto

Seminarium modulatoriae vocalis, Das ist:
Ein Pflantzgarten der Singkunst, welcher
in sich begreiffet etliche Tirocinis, oder
Lehr-Gesänglein . . . Für alle Vier Men-
schen-Stimmen . . . Insonderheit aber für
Discantisten und Altisten; jetzo von neuem
wieder übersehen und auf unterschied-
liche Weise verbessert. – *Bremen, Jacob
Köhler, 1657.*   [G 2003
D-brd W

— . . . Von neuem wieder übersehen und
auff unterschiedliche weise verbessert,
Th. 1 (. . . etliche Tirocinia oder Lehr-Ge-
sänglein . . .), Th. 2 (. . . die fürnemsten
Praecepta und Regeln welche im Anfange
bey dem Singen zu wissen von nöhten . .).
– *Rinteln, Witwe Lucius, 1658.*   [G 2004
D-brd W

Die Eitelkeit der Welt (Es ist alles gantz
eitel [I: S, vla I, II, III; II: S, A, T, B;
bc]) . . . in eine musicalische Harmoni
gebracht, und nachdem . . . Herr Christoph von Kannenberg . . . den 12. Martii
des 1673.sten Iahrs . . . beygesetzet
worden, musiciret und abgesungen. –
Minden, Johann Piler, (1673). – St.
                                                [G 2005
D-brd Gs, W – **D-ddr** Bds (5 Ex.), MAl (2 Ex.)

Die Liebe Gottes (Ich hab dich je und je
geliebet [S, A, T, B; 2 vl, vlne, bc]) . . .
in einem Dialogo verfasset und nachdem
. . . Maria . . . von Kannenberg . . . den
9. Maji des 1673.sten Iahrs . . . beygesetzet worden, musiciret. – *Minden, Johann Piler, (1673).*   [G 2006
D-brd Gs, W – **D-ddr** Bds (4 Ex.), MAl (2 Ex.)

GIBELLINI Geronimo

Salmi vespertini domenicali a due, e tre
voci, per l'organo. – *Roma, Giovanni Battista Robletti, 1624.* – St.   [G 2007
D-brd MÜs (S I, S II, org) – **I** Fn (S II, org)

GIBELLINI Nicola

Motetti a 2. 3. e 4 voci . . . libro primo,
opera seconda. – *Venezia, stampa del
Gardano, appresso Francesco Magni, 1655.*
– St.   [G 2008
PL WRu (S I, S II, A, B; fehlt org)

GIBERT Paul César

Musik zu Bühnenwerken

Apelle et Compaspe

Airs détachés d'Appelle et Campaspe [!].
Pièce héroïque en deux actes. – *Paris,
s. n. (gravé par Mme Vendôme).* – P.
                                                [G 2009
GB Ckc

La fortune au village (Parodie von: Eglé)

La fortune au village. Parodie de l'acte
d'Eglé . . . avec les ariettes & airs notés. –
Paris, Duchesne, 1761.   [G 2010
F Po – **GB** Lbm

Airs choisis . . . avec les accompagnements
détachés pour la facilité de l'exécution. –
*Paris, Le Menu, aux adresses ordinaires
(gravées par Niquet).* – P.   [G 2011
D-brd Rtt (mit angebundenen St.) – **F** Pc

Soliman second, ou Les trois sultanes

Soliman second, ou Les trois sultannes [!]
Représenté sur le théâtre de la Comédie
italienne le 9ᵉ avril 1761, et remise au
théâtre le 19 décembre de la même année
. . . les paroles sont de M. Favart. – *Paris,
Le Menu, aux adresses ordinaires (gravé
par Mlle Vendôme).* – P. und St. [G 2012
D-ddr Bds (ohne Impressum; P. und 7 St.: vl I,
vl II, vla, b, ob/fl, cor I, cor II) – **F** AG (P.),
G (P.), Lm (P. und 3 St.: vl II, vla, b), Pc (P.
[3 Ex.] und 7 St.), TLc (P.) – **I** Tn (ohne Impressum; P. und 7 St.) – **US** Cn (P.)

Soliman second. Comédie en trois actes,
en vers. – *Paris, Vve Duchesne, 1766.*
                                                [G 2013
US Cn

Airs qui se chantent dans la comédie de
Soliman second et dans La fête turque
(in: Recueil d'ariettes . . . No. 9). – *Paris,
Duchesne, 1761.*   [G 2014
US CHH

241

Airs nouveaux avec la basse chiffrée. –
[Paris], auteur, aux adresses ordinaires.
[G 2015]
F Pa

La Sibille (Parodie von: Les fêtes d'Euterpe)
La Sybille. Parodie représentée pour la
première fois par les Comédiens italiens
ordinaires du Roi, le 21 octobre 1758 [mit
3 rondeaux und 1 vaudeville]. – *Paris,
Delormel, 1758.*
[G 2016]
F Pc

Airs de la Sibille. Parodie du 1er acte des
Fêtes d'Euterpe. – *Paris, auteur, aux adres-
ses ordinaires.*
[G 2017]
F Pc

VOKALMUSIK

Mélange musical. Premier recueil, contenant un duo, un trio, une scène, des airs,
des ariettes, des romances et des chansons,
avec différentes sortes d'accompagne-
mens, tant de harpe, ou clavecin en solo,
qu'à grand et petit orchestre. – *Paris,
auteur, aux adresses ordinaires (gravé par
Le Roy).* – P.
[G 2018]
F Pc (2 Ex.), Pn – **GB Lbm** – **US Cn**

IIme Recueil d'airs nouveaux avec ac-
compagnement de clavecin ou piano forté
et un violon ad libitum. – *Paris, auteur,
Cousineau, Salomon.* – St.
[G 2019]
F Pc (kpl.: v/pf, vl), Pn

Solfèges, ou Leçons de musique, sur toutes les clefs, dans tous les tons, modes et
genres, avec accompagnement d'une basse
chiffrée, très utile aux personnes qui veulent apprendre l'accompagnement de
clavecin, et qui désirent acquérir l'usage
de s'accompagner elles mêmes. – *Paris,
auteur, aux adresses ordinaires (Récoquilliée).*
[G 2020]
A L – **D-brd** Rtt – **F Pc** (2 Ex.) – **US R, Wc**

— *ib., Boyer.*
[G 2021]
F Pc

GIBSON Henry

Littleover march. Adapted for the harpsi-
cord, violin or german flute. – *s. l., s. n.*
[G 2022]
GB Lbm

GIEDDE W. H. R. R. → **GJEDDE**

GIGAULT Nicolas

Livre de musique dédié à la très Ste
Vierge . . . contenant les cantiques sacrez
qui se chantent en l'honneur de son divin
enfantement; diversifiez de plusieurs
manières à II. III. et IV. parties qui
peuvent estre touchez sur l'orgue et sur
le clavessin, comme aussi sur le luth, les
violes, violons, flûtes et autres instruments de musique . . . le tout divisé en
deux parties. – *Paris, auteur, (1682).* – P.
[G 2023]
F Pn, Psg

Livre de musique pour l'orgue . . . contenant plus de 180 pièces de tous les caractères du touché qui est présentement
en usage pour servir sur tous les jeux à
1. 2. 3. et 4 claviers et pedalles en basse
et en taille sur des mouvements inusitéz
à 2. 3. 4 et 5 parties, ce qui n'a point encore esté mis au jour que par l'auteur. –
Paris, auteur, 1685.
[G 2024]
F Pn

GIGLI Giovanni Battista

Sonate da chiesa, e da camera a 3. stru-
menti, col basso continuo per l'organo
. . . opera prima. – *Bologna, Pietro-Maria
Monti, 1690.* – St.
[G 2025]
GB Ob (kpl.: 4 St.) – **I Bc**

GIGLIO Napoletano

Libro primo di mottetti a quattro voci. –
Venezia, Antonio Gardano, 1563. – St.
[G 2026]
I Bc (kpl.: S, A, T, B) – **US R**

GIGLIO Thomaso

Il secondo libro di madrigali a sei voci. –
Venezia, Giacomo Vincenti, 1601. – St.
[G 2027]
A Wn (B)

GIGUET

Six sonates pour le clavecin ou le piano
forte avec accompagnement de violons ad

libitum . . . œuvre Iʳ. – *Paris, Frère, aux adresses ordinaires.* – St.   [G 2028
F Pc (kpl.: pf, vl)

GILDING Edmund

Ode on Masonry. The words by Brother Jackson . . . the music compos'd by Brother Gilding. – *s. l., s. n. (engraved by William Smith).*   [G 2029
GB Ckc

The character of a young lady . . . within the compass of common flute, or german flute. – *s. l., s. n.*   [G 2030
GB Ob

Spring . . . [Song]. – *s. l., s. n.*   [G 2031
GB Ge

— . . . (in: The Universal Magazine, vol. II). – *[London], s. n., (1748).*   [G 2032
GB Lbm

—Thou calm-ray'd spring whose blooming face. Spring. A song, set for the german flute. – *s. l., s. n.*   [G 2033
GB Lbm (2 Ex.)

Wou'd you think it my girl [Song]. – *s. l., s. n.*   [G 2034
GB Lbm, Lcm

GILLES Jean

Messe de morts . . . avec un carillon ajouté pour la fin de la messe par Mʳ Corrette. – *Paris, aux adresses ordinaires; Rouen, l'Aigle; Lyon, les frères Le Goux, Castaud, 1764.* – P.   [G 2035
D-brd B – F A, Pc – GB Lbm

GILLIER(S) (le fils)

MUSIK ZU BÜHNENWERKEN

Le bouquet du Roy (Zuweisung fraglich)
Opéra comique. Le bouquet du Roy [airs à 1 v]. – *[Paris, Ballard], (1730).*   [G 2036
F Pn

Les deux suivantes (Zuweisung fraglich)
Opéra comique. Vaudevilles [à 1 et 2 v] des Deux suivantes. Pièce nouvelle, re-

présentée le vingtième jour de juillet 1730. – *[Paris, Ballard], (1730).* – P.   [G 2037
F Pn

Quand de ses feux un jeune cœur. Vaudeville (in: Mercure de France, aug., 1730). – *[Paris], s. n., (1730).*   [G 2038
GB Lbm

L'Europe et la paix

Paris va revoir dans ses murs. Vaudeville (in: Mercure de France, nov., 1736). – *[Paris], s. n., (1736).*   [G 2039
GB Lbm

EINZELGESÄNGE

Jeune Iris, vos tendres charmes. Air (in: Mercure de France, déc., 1735). – *[Paris], s. n., (1735).*   [G 2040
GB Lbm

GILLIER(S) (the younger)

Eight sonatas [B, D, F, G, B, A, Es, C] for two violins, a violoncello, &c. and one concerto for the harpsichord. – *London, John Johnson.* – St.   [G 2041
GB Lbm (vl I, vl II, vlc/org; fehlt concerto für harpsichord)

Six setts of lessons [G, c, F, A, F, E] for the harpsichord, opera seconda. – *London, John Johnson.*   [G 2042
C Tm, Tu – GB Ckc, Lbm, LVp

Eight sonatas or lessons [G, F, A, F, D, B, E, C] for the harpsichord . . . opera terza. – *London, for the author (William Smith).*   [G 2043
GB Lbm, Ob

GILLIER(S) Jean-Claude (le jeune)

MUSIK ZU BÜHNENWERKEN

L'amour charlatan

Divertissemens de La comédie des comédiens ou L'amour charlatan. – *Paris, Pierre Ribou, 1710.*   [G 2044
F Pa

Céphale et Procris

Divertissemens de la comédie de Céphale
et Procris. – *s. l., s. n.* [G 2045
US Bp

Le charivary

Le charivary. Comédie ([mit 12 Seiten:]
Airs de la comédie du charivary). – *Paris,
Pierre Ribou, 1697.* [G 2046
F Psg (mit Impressum: imprimerie de musi-
que) – US LAuc

Colin-Maillard

[Airs de la comédie de Colin-Maillard]. –
[Paris, Ballard]. [G 2047
F Pc (fehlt Titelblatt)

Les curieux de Compiègne

Airs de la comédie des Curieux de Com-
piègne, pour le mois d'octobre 1698. –
Paris, Christophe Ballard, 1698. [G 2048
F Pa

Les eaux de Bourbon

Les eaux de Bourbon. Comédie de M^r
Dancourt (mit: Divertissement de la pe-
tite pièce des Eaux de Bourbon). – *Paris,
T. Guillain, 1697.* [G 2049
GB Lbm – US LAuc

La famille extravagante, ou Les proverbes

Les proverbes. Divertissement en musique de la comédie de La famille extravagante. – *s. l., s. n.* [G 2050
F Pa

Les festes du cours

Prologue de la petite pièce des Festes du
cours. – *s. l., s. n.* [G 2051
F Pa, Pn (2 Ex.)

Divertissement de la petite pièce des Festes du cours. – *s. l., s. n.* [G 2052
F Pn (2 Ex., davon 1 Ex. unvollständig)

La foire de Besons

La foire de Besons. Comédie ([mit 15 Seiten:] Airs de la comédie de La foire de Besons). – *Paris, T. Guillain, 1696.* [G 2053
US LAuc

Au bon papa d'une fillette. Vaudeville
(in: Mercure de France, oct., 1735). –
[Paris], s. n., (1735). [G 2054
GB Lbm

La foire St. Germain

Airs de la comédie de La foire St Ger-
main, représentée en janvier 1696. –
[Paris, Ballard]. [G 2055
F Pc

Airs . . . pour la comédie de La foire S.
Germain, représentée sur le théâtre des
Comédiens italiens. – *[Paris, Ballard].*
[G 2056
F Pn

L'hyménée royal

L'hyménée royal. Divertissement présenté à la Reyne des Romains . . . ce divertissement est composé de récits, duo
& trio, avec plusieurs bons airs pour les
violons, flûtes, haut-bois, trompettes,
tymballes & bassons. – *Paris, Christophe
Ballard, 1699.* – P. [G 2057
A Wn – F Pc (2 Ex.), Pn (2 Ex.) – GB Lbm

L'impromptu du Pont-Neuf

Au jardin de Versailles. Vaudeville (in:
Mercure de France, sept., 1729). –
[Paris], s. n., (1729). [G 2058
GB Lbm

Plein d'une ardeur extrême. Vaudeville
(in: Mercure de France, sept., 1729). –
[Paris], s. n., (1729). [G 2059
GB Lbm

L'inconnu (mit M. A. Charpentier)

[Divertissements nouveaux de la comédie
de L'inconnu]. – *s. l., s. n.* [G 2060
F Pc (2 verschiedene Ausgaben, ohne Titelblatt)

The ladies' visiting day

Chloe is divinely fair. A song in the comedy call'd The ladies visiting day. –
s. l., s. n. (engraved by Thomas Cross).
[G 2061
GB Lbm (unvollständig), Mch

For might love's unerring dart. A song
in the comedy call'd The ladies visiting
day. – *s. l., s. n. (engraved by Thomas
Cross).* [G 2062
GB Lbm

Le mary retrouvé

Le mary retrouvé. Comédie (mit: Airs de
la comédie du Mary retrouvé). – *Paris,
Pierre Ribou, 1699.*   [G 2063
F Pc (ohne Titelblatt) – US LAuc

Le mary sans femme

Airs de la comédie du Mary sans femme. –
s. l., s. n.   [G 2064
F Pc

Le moulin de Javelle

Le moulin de Javelle. Comédie ([mit 11
Seiten:] Airs de la comédie du moulin de
Javelle). – *Paris, T. Guillain, 1696.*
                                [G 2065
GB Lbm – US LAuc

L'opérateur Barry

L'opérateur Barry. Comédie. – *Paris,
Pierre Ribou, 1702.*   [G 2066
US LAuc

L'opérateur Barry . . . représentée pour
la première fois, le 11 octobre 1702 [mit
Airs und Duos ohne bc]. – *s. l., s. n.*
                                [G 2067
F Pc

[Airs [à 1 v] de la comédie de L'opérateur Barry]. – *s. l., s. n.*   [G 2068
F Pc (fehlt Titelblatt)

[Zuweisung fraglich:] La princesse de la
Chine

Ma foy! si Diamantine. Couplet (in: Mercure de France, juin, 1729). – *[Paris],
s. n., (1729).*   [G 2069
GB Lbm

La répétition interrompue, ou Le petit
maître malgré lui

Mars et l'Amour en tous lieux. Vaude-
ville (in: Mercure de France, aug., 1735). –
[Paris], s. n., (1735).   [G 2070
GB Lbm

The stratagem (The Beaux' stratagem)

Musick in the play call'd The stratagem. –
s. l., s. n. – St.   [G 2071
GB Lbm (kpl.: first treble, second treble, tenor,
bass)

Les trois cousines

Les trois cousines. – *Paris, Pierre Ribou,
1700.*   [G 2072
US LAuc

[Airs de la comédie des Trois cousines]. –
s. l., s. n.   [G 2073
F Pc (fehlt Titelblatt)

Les vendanges de Suresne (mit Grandval
père)

Les vendanges de Suresne. Comédie ([mit
11 Seiten:] Airs de la comédie des Vendanges de Suresne). – *Paris, Pierre Ribou,
1700.*   [G 2074
US LAuc

Airs de la comédie des Vendanges de Suresne. – *s. l., s. n.*   [G 2075
F Pn

VOKALMUSIK

Sammlungen und Einzelgesänge

Airs de la Comédie française. – *Paris,
Pierre Ribou, 1704.*   [G 2076
F Pc (2 Ex., davon 1 Ex. unvollständig)

Airs de la Comédie française [anderer In-
halt]. – *Paris, Pierre Ribou, 1704.* [G 2077
F Pc

Airs de la Comédie française. – *Paris,
Pierre Ribou, 1705.*   [G 2078
F Pc, Pa

Airs de la Comédie française à Paris. –
Paris, Pierre Ribou, 1713.   [G 2079
A Wn

Recueil d'airs françois, sérieux & à boire,
à une, deux, & trois parties, composé en
Angleterre . . . en MDCCXXIII. – *London, Thomas Edlin, 1723.* – P. [G 2080
B Br – D-brd Hs – GB Lbm

A collection of new songs: with a thorow-
bass to each song for the harpsichord,
theorbo, lute or spinet. – *London, John
Heptinstall, for Henry Playford, 1698.*
                                [G 2081
F Pc – GB Lbm, Lcm

Musick made for the Queens Theatre. –
s. l., s. n. – St.   [G 2082
GB Lbm (kpl.: first treble, second treble, tenor,
bass)

[Zuweisung fraglich:]

Farewell vaine Nymph. A two part song.
– *s. l., s. n.*　　　　　　　　　　　[G 2083
US Ws

I'm sorry dear lady's. The excuse or
preamble [Song]. – *s. l., s. n.*　　　[G 2084
[2 verschiedene Ausgaben:] **D-brd** Hs – **GB** Gm,
Lbm (2 verschiedene Ausgaben), Mp

One day when Damon with his Celia
walk'd. A song. – *s. l., s. n. (T. Cross).*
　　　　　　　　　　　　　　　　　　[G 2085
GB Lbm

Viens, mon aimable bergère. Pastourelle
dans le goust de musette (in: Mercure de
France, mai, 1733). – *[Paris], s. n.,
(1733).*　　　　　　　　　　　　　[G 2086
GB Lbm

GILLIER(S) Pierre (l'aîné)

Livre d'airs et de simphonies meslez de
quelques fragmens d'opéra. – *Paris, auteur, Foucault (gravé par H. Bonneuil),
(1697).*　　　　　　　　　　　　　[G 2087
F Pa, Pc (2 Ex.), Pn (2 Ex.) – **GB** Lbm

GILSON Cornforth

Lessons on the practice of singing with
an addition of the church tunes, in four
parts, and a collection of hymns, canons,
airs and catches. – *Edinburgh, R. Fleming,
1759.*　　　　　　　　　　　　　　[G 2088
GB DU, En, Gm, P

Twelve songs for the voice and harpsichord. – *Edinburgh, Gilson, Bremner,
1769.*　　　　　　　　　　　　　　[G 2089
GB Gu, Lbm, Ob

GINANNI Gaspare

Sinfonia [D] a due violini, viole, oboe,
corni e basso. – *Venezia, Antonio Zatta e
figli.* – St.　　　　　　　　　　　[G 2090
CH E (kpl.: vl I, vl II, vla I, vla II, b, ob I,
ob II, cor I/cor II)

GINGUENÉ

Galatée, ou Recueil de XII Petits airs
pour un dessus avec accompagnement de
clavecin ou de forte piano tirés du roman
de Galatée. – *Paris, Le Duc, aux adresses
ordinaires (gravée par Mlle Desjardin).*
　　　　　　　　　　　　　　　　　　[G 2091
F Pc

GINTZLER Simon

Intabolatura de lauto . . . de recercari,
motetti, madrigali, et canzon francese
. . . libro primo. – *Venezia, Antonio Gardano, 1547.*　　　　　　　　　　　[G 2092
SD 1547²²
A Wn – **D-brd** B (aus: Sammlung Cortot),
Ngm – **GB** Lbm – **I** Gu

— *ib., Ricciardo Amadino, 1589.*
　　　　　　　　　　　　　　　　　　[G 2093
GB Lbm

GIORDANI Domenico Antonio

Armonia sagra a due voci, quale contiene
tutti gli offertorj, principiando dalla Domenica della SS. Trinità, sino all'ultimo
dopo la Pentecoste. – *Roma, stamperia
del Chracas, presso S. Marco al Corso,
1724.* – St.　　　　　　　　　　　[G 2094
D-brd B (org), MÜs (kpl.: A, T, org), Rp (T) –
GB Lbm (fehlt A) – **I** Ac (A [2 Ex.], T [2 Ex.],
org [3 Ex.]), FEc, Nf, PEsp (kpl.; org unvollständig) – **US** Wc

GIORDANI Tommaso

*(Alle unter Giordani gemeldeten Werke
wurden Tommaso Giordani zugewiesen)*

Musik zu Bühnenwerken

Opern, Musik zu Pantomimen und Komö-
dien

Antigono

The favorite songs in the opera Antigono.
– *London, Welcker, for the author.* [G 2095
B Bc (2 Ex.) – **F** Pc – **GB** Lbm (2 Ex.), LEbc –
S Skma – **US** CHH, NYp, R, Wc

The favorite songs in the opera Antigono.
– *London, Robert Bremner.*   [G 2096
US CHH

Artaserse

The favourite songs in the opera Artaserse.
– *London, Robert Bremner.*   [G 2097
[2 verschiedene Ausgaben:] **B** Bc – **F** Pc –
GB Bu, Ckc, Er, Lbm (3 Ex., 2 verschiedene
Ausgaben, 1 Ex. unvollständig), Lcm, Lu,
Ob – **I** Rsc – **US** Cn, CHH, LAu, NYp, Wc, Ws

For thee I live my dearest. The favourite
duett [S, B] . . . in Artaxerxes. – *Dublin,
H. Mountain.*   [G 2098
I Rsc

The castle of Andalusia (Pasticcio)

The favourite additional rondo, sung by
Sigra Sestini . . . adapted for the harpsi-
chord, pianoforte or harp. – *London, J.
Preston.*   [G 2099
US AA

The critic

The favorite airs . . . in The critic . . .
adapted for the voice, harpsichord, violin, german flute & guittar. – *London,
Longman & Broderip.*   [G 2100
GB BA, Gm, Lam, Lbm, LEbc

The song and duet sung . . . in the enter-
tainment of The critic. – *London, Samuel,
Anne & Peter Thompson.*   [G 2101
US CA

The elopement

A select overture in 8 parts [D] . . . number II. – *London, John Johnston.* – St.
                                   [G 2102
GB Lbm (kpl.: 9 St.)

The overture [pf]. – *s. l., s. n.*   [G 2103
GB Lbm

— Overture . . . for the pianoforte (in:
Piano-Forte-Magazine, vol. VII, Nr. 8).
– *London, Harrison, Cluse & Co., No. 105.*
                                   [G 2104
D-brd Mbs

The enchantress

Dear image of the maid. A song. – *Dublin,
Anne Lee.*   [G 2105
EIRE Dn

— *ib., Hime.*   [G 2106
US Wc

— *London, Longman & Broderip.*
                                   [G 2107
GB Lbm, LEc

— *ib., J. Bland.*   [G 2108
GB Cu, P

Gibraltar

Adieu! my dear Ned. The admired duet in
Gibraltar. – *Dublin, Elizabeth Rhames.*
                                   [G 2109
EIRE Dn

The haunted castle

I blush in the dark. The celebrated song. –
Dublin, Anne Lee.   [G 2110
EIRE Dn

The isle of saints, or The landing of
St. Patrick

The much admired overture and Irish
medley to the entertainment of The isle
of saints, or The landing of St. Patrick
. . . for the piano forte or harpsichord. –
London, Longman & Broderip.   [G 2111
GB Gu, Lbm – **D-brd** Bmi

— *Dublin, Elizabeth Rhames.*   [G 2112
EIRE Dn

— *ib., John Lee.*   [G 2113
EIRE Dn

Einlage-Arien

Alessandro nell'Indie

Mio ben ricordati. Sig^r Manzoletto's favo-
rite song in the opera Alessandro nell'
Indie. – *London, Longman & Broderip.*
                                   [G 2114
D-brd Mbs

Amintas

My Eliza's dear charms . . . in the favourite opera of Amintas. – *Dublin, Elizabeth Rhames.*   [G 2115
EIRE Dn

L'arcinfanfano

Quegli occhietti. The favorite rondo in
the new comic opera L'arcinfanfano. –
London, S. Babb.   [G 2116
NL AN – **S** Skma

Armida (Pasticcio)

Silvio, Silvio ben mio. The much admired dance . . . in Armida adapted to Italian words. – *[London]*, *James Blundell.*
[G 2117
GB Lgc, Lbm

Il barone di Torre Forte (von Piccini)

Sento che in seno. – Tell me charming creature. Sestini's favorite rondo . . . adapted for the harpsichord, piano forte, or harp. – *[London]*, *S. Babb.* [G 2118
GB BA, Cpl, Lbm – **US** SFsc, Wc, Ws

—. . . Sestini's favorite rondo . . . adapted for the harpsichord, piano forte or harp. – *[London]*, *John Dale.* [G 2119
GB Lbm

—. . . the favorite rondo. – *ib.*, *S. Babb.*
[G 2120
F Pc – **GB** Cu, DU, Lbm, Ltm, Mp – **US** BRp, Ws

— Heart beating repeating vows in palpitation. – Sento che in seno mi batte il cor. A favorite rondo . . . with the original Italian words. – *s. l.*, *s. n.* [G 2121
US Bh

The castle of Andalusia (Pasticcio)

If I my heart surrender. Mi sento nel mio seno. The favourite additional rondo . . . in The castle of Andalusia. – *London*, *John Preston.* [G 2122
GB Gu, Lbm, Ob, P – **US** Wc

— *Dublin, Anne Lee.* [G 2123
EIRE Dn (2 Ex.)

Le due contesse (von Paisiello)

The favorite songs and rondeaus . . . in the comic opera of La [!] due contesse. – *London, John Welcker, for the author.* – P.
[G 2124
[2 verschiedene Ausgaben:] **D-brd** Hs – **GB** Mp, Ob – **NL** AN – **US** Cn, NYp

Ezio (Pasticcio)

Questo cor quest'alma mia. The favorite song . . . opera of Ezio. – *London, James Blundell.* [G 2125
D-brd Mbs – **GB** Ob – **US** Wc

Fontainbleau (von W. Shield)

Dear lovely maid [Song], compos'd . . . for Sig[ra] Sestini in the character of Col: Epaulet in: Fontainbleau. – *Dublin, John Lee.* [G 2126
EIRE Dn

La Frascatana (Pasticcio)

Non dubitare bell' idol mio. The favourite rondeau . . . in the opera La Fraschetana [!]. – *London, Longman & Broderip, for the author.* [G 2127
[2 verschiedene Ausgaben:] **GB** Ckc (2 Ex.), Lbm (3 Ex., 2 verschiedene Ausgaben), Lgc, Mp, Ob – **US** Bp, NYq, Wc

Il geloso in cimento (von Anfossi)

Ah per me non v'e piu bene. The additional rondo . . . in the comic opera Il geloso in cimento. – *[London]*, *William Napier.*
[G 2128
GB Lbm – **US** Wc, Ws

The jubilee (von Ch. Dibdin)

The overture to The jubilee, with the admired medley . . . for the piano forte or harpsichord. – *Dublin, John Lee.*
[G 2129
US MV

The lady of the manor (von J. Hook)

Oh stay, ah turn, my only dear. Rondo, introduced . . . in The lady of the manor. – *London, Preston.* [G 2130
GB Lbm

— . . . sung . . . in The lady of the manor, and originally sung in Gretna Green [von S. Arnold]. – *Dublin, Anne Lee.* [G 2131
EIRE Dn

— *ib., Elizabeth Rhames.* [G 2132
EIRE Dn

The maid of the mill (Pasticcio)

The fields were gay & sweet the hay. The gipsy's song, as introduc'd . . . in The maid of the mill. – *Dublin, Hime.* [G 2133
US PD

— The gipsy's song. – *London, Longman & Broderip.* [G 2134
GB Lbm

— The gipsy's song. – *s. l., s. n.* [G 2135
GB BA, Cu, P

La marchesa giardiniera (von Anfossi)

The favorite songs . . . in the comic opera
La marchesa giardiniera. – *London, Welcker, for the author.*   [G 2136
GB Bu, Ckc, Er, Lbm, Lcm, Ltm, Ob –
US LAu, NYp

No song no supper (von S. Storace)

Pretty maid your fortune's here. Sung . . .
in the favourite opera No song no supper. – *Dublin, Henry Mountain.*
                                [G 2137
GB Lbm

L'omaggio

Ride il monte. The favourite rondo . . . in
L'omaggio. – *London, John Preston.*
                                [G 2138
GB Lbm, Mp – S Skma – US Wc

Se un puro amor. The favourite song . . .
in L'omaggio. – *London, John Preston.*
                                [G 2139
GB Mp – US Wc

Sul mio l'abro [!]. The favourite rondo
. . . in L'omaggio. – *London, John Preston.*
                                [G 2140
GB Mp – US Wc

Les ombres chinoises

The storm, in the Ombres chinoise[s]'
adapted for the harpsichord or pianoforte. – *London, Longman & Broderip.*
                                [G 2141
GB Lbm – US NYp

La vera costanza (von Anfossi)

The favorite song . . . in the comic-opera
La vera costanza. – *[London], Longman & Broderip, for the author.*   [G 2142
GB Lbm, Ob

I viaggiatori felici (von Anfossi)

Di questo seno. The favorite rondo . . . in
the new comic opera I viaggiatori felici. –
London, John Preston.   [G 2143
GB Ckc, Lbm, LEbc, LVu, Mp – US Wc, LAu

Le vicende della sorte (Pasticcio)

Overture . . . [pf]. – *s. l., s. n.*   [G 2144
GB Lbm

The favourite songs in the opera Le vicende della sorte. – *London, Robert Bremner.*   [G 2145
SD S. 176
CH SO – GB Ckc, Er, Lbm, Lcm (2 Ex.) –
US LAu, Wc

The way to keep him (von Th. A. Arne)

Each love-wedded fair one. Miss Farren's
new song. – *Dublin, John Lee.*   [G 2146
GB Lbm

VOKALMUSIK

Sammlungen

A collection of favourite songs sung . . . at
Vauxhall 1772. – *London, William Napier.*
                                [G 2147
GB Lam, Ob

Three songs and a cantata sung . . . at
Vaux-Hall. – *London, John Johnston, (1772).*   [G 2148
GB Lbm

A collection of songs & cantatas sung at
Vauxhall Gardens . . . 1773. – *London, Welcker.*   [G 2149
GB Gm, Lbm

The favorite cantatas and songs sung at
Vaux-Hall. – *London, Welcker.* [G 2150
GB Lam, Lbm, LEbc – US SFsc

The favourite songs sung this season at
Vauxhall. – *London, Longman, Lukey & Broderip.*   [G 2151
GB Lbm – US Cu, SA (unvollständig)

The favorite songs sung this season . . . at
Vauxhall Gardens . . . book I(II). – *London, Longman & Broderip, (1778).*
                                [G 2152
I Gi (I) – US Wc (II)

Six favorite songs, the words taken from
the Reliques of ancient English poetry. –
London, Birchall & Andrews.   [G 2153
GB Lbm

Six duettini italiens . . . opera VI. –
[London], Peter Welcker.   [G 2154
GB Lam, Lbm

— *London, J. Betz.*   [G 2155
D-brd F – DK Kv

— Den Haag, Burchard Hummel.   [G 2156
B Bc

Six canzonets, with an accompaniment for a piano forte or harp . . . opera XI. – London, Longman, Lukey & Broderip.
[G 2157
GB Lbm, Lcm (2 Ex.)

Six Italian canzonets for one or two voices, with an accompanyment for the piano forte or harp . . . opera XIII. – London, Welcker.   [G 2158
D-brd Hs

— ib., William Napier.   [G 2159
D-brd Hs (2 verschiedene Ausgaben)

Eight English canzonets for two voices with a thorough bass for a piano forte, harpsichord or harp . . . opera 15. – London, Longman, Lukey, & Broderip.
[G 2160
GB Lbm, Lcm – US Wc, Ws

Six English canzonets with an accompaniment for a piano forte or harp . . . opera XVI. – London, Longman & Broderip.   [G 2161
GB Lbm, Lcm – US NYp

A fourth sett of English canzonetts . . . op. XXII. – London, Longman & Broderip.
[G 2162
GB Lbm

Six English canzonets, with an accompaniment for a piano forte or harp . . . opera 28. – London, John Preston. [G 2163
GB Lbm

Six canzonets for the voice, with an accompaniment for the piano forte. – London, Preston & son.   [G 2164
GB Gu, Lbm, Ob – US SFsc

— Dublin, Cooke.   [G 2165
GB Lbm – US Wc

Einzelgesänge

[Ariette avec accompagnement d'instruments et b.c. (in: Journal d'ariettes italiennes . . . abonnement année 1789, No 243)]. – [Paris, Bailleux, 1789]. – St.
[G 2166
F Psg (ob I/ob II)

Addio di Londra alla Signora Heinel il venerdì sera cinque giugno 1772, dopa avere ballato l'ultima volta in Hay Market. Cantata. – London, Welcker, (1772).
[G 2167
GB Lbm

A favorite canzonet of Alcanzor and Zayda. A Moorish tale . . . with an accompaniment for a piano-forte or harp. – London, Birchall & Beardmore.   [G 2168
GB Cu, En, Lbm, Gu

— ib., Robert Birchall.   [G 2169
GB Lbm

— ib., Preston & son.   [G 2170
GB Lbm

— Alcanzor & Zaida . . . adapted for two voices and a harpsichord. – London, Thomas Skillern.   [G 2171
US Wc

At the close of the day. The hermit. A favourite English ballad . . . set to music with an accompanyment for the piano forte or harp . . . op. XX. – [London], William Napier.   [G 2172
GB Bu, BA, Ckc, Gm, Lbm, LVu, P – S Skma – US Cu, SFsc (mit No. 74), Wc, Ws

— ib., J. Dale.   [G 2173
GB CDp – US SFsc (mit No. 74)

— Dublin, Anne Lee.   [G 2174
EIRE Dn

The continuation of The hermit . . . set to music with an accompanyment for the piano forte, violin or harp . . . op. 20. – [London], William Napier.   [G 2175
US Cu, Wc (mit No. 74)

— London, John Dale.   [G 2176
GB Bu, BA – I Rsc

Balow, my babe. A favorite Scotch ballad . . . adapted for the piano forte, german flute & violin. – London, Longman & Broderip.   [G 2177
GB Lbm

Beneath yon mountain's shaggy cliff. The village spire. A favorite ballad. – London, Goulding & Co.   [G 2178
GB Lbm – US SFsc

— ... a celebrated song. – *s. l., s. n.*
[G 2179
US PD

Betty. A favorite song. – *London, Robert Birchall.*   [G 2180
GB Gu, Lbm

Bryan and Pereene. A West India ballad. – *Dublin, Anne Lee.*   [G 2181
EIRE Dn

— ... for the piano forte, german flute, and violin. – *London, Robert Birchall.*
[G 2182
GB Lbm – US SFsc

Caro mio ben. The favorite song. – *London, John Preston, for the author.*   [G 2183
D-brd Mbs – EIRE Dn – GB Ckc, Lbm, P – US Lu, Wc

— ... a celebrated song. – *ib., John Preston.*   [G 2184
GB Bu, BA, Lbm, Lgc, Ltm – US R

Cold blew the wind [Song]. – *s. l., s. n.*
[G 2185
GB Lbm

Colin and Lucy. A favorite English ballad. – *London, William Napier.*   [G 2186
GB Lbm – US SFsc

— *ib., John Dale.*   [G 2187
[2 verschiedene Ausgaben:] GB Ep, Bu – I Rsc

— ... a very admired ballad. – *Dublin, Anne Lee.*   [G 2188
US SFsc

Damon and Delia. A favourite dialogue and duett for the piano-forte, violin, german flute, & guittar. – *London, Robert Birchall.*   [G 2189
GB Lbm

The dart of Izdabel prevails. The celebrated death song of the Cherokee Indian. – *Dublin, John Lee.*   [G 2190
EIRE Dn (2 verschiedene Ausgaben)

— *ib., Hime.*   [G 2191
US Bp

Did not tyrant custom guide me [Song]. – *[Philadelphia], Trisobio.*   [G 2192
US PHchs

— *ib., G. Willig.*   [G 2193
US PHf, Wc (2 Ex., davon 1 Ex. mit No. 85)

The fields were gay. Sung by Mrs. Billington. – *s. l., s. n.* – KLA.   [G 2194
I Rsc

Flora all thy beauties. A favorite duett. – *London, John Carr.*   [G 2195
GB Lcm

Gentle river. A favourite ballad, for the pianoforte, german flute, guitar & violin. – *London, editor.*   [G 2196
GB En, Lbm

— *Dublin, John Lee.*   [G 2197
EIRE Dn (2 Ex.)

— *ib., Hime.*   [G 2198
GB Lbm

— Gentle river. The bleeding hero. A favourite song. – *New York, J. & M. Paff.*   [G 2199
US Wc, WOa

The graces [Song]. – *London, Longman & Broderip.*   [G 2200
GB Lbm

— *Dublin, John Lee.*   [G 2201
EIRE Dn

The haunch of venison. A favorite rondeau. – *London, Longman & Broderip, 1779.*   [G 2202
GB Lbm

The hermit of Kilarney [Song]. – *London, John Bland.*   [G 2203
GB Lbm

— *Dublin, John Lee.*   [G 2204
EIRE Dn

How blithely pass'd &c. A favorite duet. – *Dublin, Hime.*   [G 2205
GB Lbm

In thy soft bewitching glances [Song]. – *[Dublin], Samuel Lee.*   [G 2206
GB Ckc

I prithee give me back my heart. – *Dublin, John Lee.*   [G 2207
EIRE Dn – GB Lbm

— *Dublin, J. Hill, 1787.*   [G 2208
EIRE Dn

I sigh and lament me in vain. Queen
Mary's Lamentation [Song]. – *Dublin,
John Lee.*   [G 2209
GB Lbm

— *ib., Elizabeth Rhames.*   [G 2210
EIRE Dn

— *[London], John Preston.*   [G 2211
GB Bu, BA (2 Ex.), Cu (2 Ex.), Gm, Lbm, Mp,
P – US Cu, Wc

— *ib., Bland & Weller.*   [G 2212
US Pu

— *London, Lewis, Houston & Hyde,
(1794).*   [G 2213
GB Lbm

— *[Edinburgh], R. Ross.*   [G 2214
GB P

— . . . with the new words adapted &
sung . . . in Pharnaces [von W. Bate]. –
Dublin, Hime.   [G 2215
GB Mp

Lady Jane Gray's lamentation to Lord
Guilford Dudley. A favourite Scotch
song as sung at Vauxhall. – *London,
Longman & Broderip.*   [G 2216
GB BA, Lbm

Lovely virgins in your prime. Let not
age. A favorite cantata. – *[London], M.
Whitaker.*   [G 2217
GB CDp, Gu, Lbm, Lcm, Lcs (unvollständig),
LEc – US Wc (2 Ex.)

— *[ib.], Longman & Broderip.*   [G 2218
GB Lbm

— *s. l., s. n.*   [G 2219
F Pc

Let the slave of ambition and wealth. A
favourite hunting song. – *Dublin, Benjamin Rhames.*   [G 2220
EIRE Dn – GB Lbm

— *s. l., s. n.*   [G 2221
GB Mp

Loose were her tresses seen. A favorite
song, the words from Collin's ode. – *London, Preston & son.*   [G 2222
GB Lbm

— *ib., A. Bland.*   [G 2223
GB Lbm

— *Dublin, Elizabeth Rhames.*   [G 2224
EIRE Dn

— *ib., Hime.*   [G 2225
GB Mp

— *Edinburgh, N. & M. Stewart.*   [G 2226
GB Lbm

— . . . (in: Walker's Hibernian Magazine,
oct., 1790). – *[Dublin], s. n., (1790).*
                                    [G 2227
GB Lbm

— *[New York], B. Carr.*   [G 2228
US PHf

— *[Philadelphia], G. Willig.*   [G 2229
US PHf, Wc

Thy mercy's beaming ray. A Hymn. For
two voices. From an air of Giordani's. –
London, Robert Falkener.   [G 2230
GB Lbm

The morn was fair. A favorite duet. –
Dublin, Edmund Lee.   [G 2231
US Wc

My lodging is on the cold ground. With
the favorite rondo on the same air. – *London, Longman & Broderip.*   [G 2232
US Cn

Nella Galeata [!] . . . a periodical Italian
song. – *London, William Napier.* [G 2233
GB Lgc – US BRp

The new Gilderoy. A favorite Scotch
ballad, for the piano-forte, violin, german
flute or guitar. – *London, Longman &
Broderip.*   [G 2234
GB Lbm

The power of innocence. A favourite
ballad. – *London, John Preston.*   [G 2235
GB Gu, Lbm – J Tn

Slave bear the sparkling goblet round
[Song], for the piano-forte, german-flute,

violin & guittar. – *London, Longman &
Broderip.*   [G 2236
GB Lbm

— . . . an admired song. – *Dublin, John
Lee, No. 70.*   [G 2237
D-brd Hs

Take, oh take those lips away. A favorite
glee for four voices. The words by the
immortal Shakespear. – *London, Birchall
& Beardmore.*   [G 2238
GB Gu, Lbm (2 Ex.), Ob

— . . . adapted for 1 voice and harpsi-
chord accompaniment. – *ib., Birchall &
Beardmore.*   [G 2239
GB Gu, Lam, Lbm (2 Ex.)

Teach me Chloe. A favorite song. – *London, Robert Birchall.*   [G 2240
GB Gu, Lbm

Tell me thou soul of her I love. A favorite
ballad. – *[London], Longman & Broderip.*
                              [G 2241
GB Bp, BA, Gu, Lbm (2 Ex.)

— *Dublin, Hime.*   [G 2242
GB Mp

When lovely woman. A much admired
new song. – *Dublin, Benjamin Cooke.*
                              [G 2243
US Bu, PD

— *ib., Hime.*   [G 2244
US Lu

While Eliza thus thou fly me. A favourite
rondo. – *Dublin, Hime.*   [G 2245
US Wc

Willow, willow, willow. A favorite ballad.
– *London, Robert Birchall.* [G 2246
GB En, Gu, Lbm (2 Ex.)

Winifreda. An address to conjugal love
[Song]. – *London, Robert Birchall.*
                              [G 2247
GB BA, En, Gu, Lbm (2 Ex.)

Ye crystal fountains, softly flow. A favo-
rite canzonet. – *[London], Longman &
Broderip.*   [G 2248
US PD

Youth and age. A favorite duett for two
voices. The words from Shakespear. –
London, Robert Birchall.   [G 2249
GB Gu, Lbm

INSTRUMENTALWERKE

Ouverturen und Konzerte

A favourite overture [Es] in eight parts
for clarinets or oboes obligato. – *London,
Longman & Broderip.* – St.   [G 2250
CH Zz (kpl.: 8 St.; ohne Impressum) – **GB** Ckc,
Lbm, Mp

Ouverture à deux violons, viola, fagotto,
basse, et deux cors de chasse, deux oboes
ou clarinettes obligées. – *Amsterdam,
S. Markordt.* – St.   [G 2251
B Br (kpl.: 9 St.)

Six chamber concerto's [D, C, G, F, D, G]
for the german flute accompanied by two
violins & a bass with a figured bass for
the harpsichord . . . opera III. – *London,
John Johnston & Longman, Lukey & Co.*
                              [G 2252
CH Zcherbuliez (fl, vl I, vl II, b) – **GB** Lbm (fl,
vl I, vl II, b)

— *ib., John Johnson.*   [G 2253
US Wc

— *ib., Longman & Broderip.* [G 2254
GB Lbm

Six concertos [F, B, C, Es, D, G] for the
pianoforte or harpsichord . . . op. XIV. –
London, Longman, Lukey & Broderip. –
St.   [G 2255
D-brd Bim (pf) – **F** Pmeyer (pf) – **GB** [alle Aus-
gaben unvollständig:] Cu, Gu, Lam, Lbm –
J Tn (pf) – **US** BE (pf), U (pf), Wc (pf)

— *ib., Longman & Broderip.* [G 2256
GB Ckc (pf, vl I, vl II, vlc), Cu (2 Ex. [unvoll-
ständig]), Gu (unvollständig), Lbm, Lu (unvollständig) – **US** BE (pf), CA

— *ib., s. n.*   [G 2257
US U (pf)

— Six concertos pour le clavecin ou le
forte-piano avec accompagnement de
deux violons et violoncelle . . . œuvre
XIV. – *Paris, Bouin, Mlle Castagnery;
Lyon; Lille; Bordeaux; Bruxelles.* [G 2258
F Pn (clav, vl I, vl II, vlc)

— *ib., Bailleux.*   [G 2259
F Pc (6 Ex., davon 5 Ex. kpl., 1 Ex.: pf), Pn

— Trois concerts [F, B, C] pour le clave-
cin ou le piano forte avec l'accompagne-
ment des deux violons et basse . . . œuvre
II. – *Berlin, Johann Julius Hummel;
Amsterdam, grand magazin de musique,
No. 147.*   [G 2260
D-ddr Dlb (clav, vl I, vl II, vlc), SWl, WRtl –
GB Ckc – **NL** DHa (fehlt pf) – **S** Skma (pf), SK
(fehlt vl II) – **SF** A

— Trois concerts [Es, D, G] . . . œuvre
III. – *ib., No. 380.*   [G 2261
D-ddr Dlb, SWl, WRtl

— [Nr. 5:] A concerto [D] for the piano
forte or harpsichord. – *Philadelphia, I. C.
Moller, No. 163.*   [G 2262
US Wc (pf)

Six concertos [D, F, C, G, D, C] for a ger-
man-flute, two violins and bass . . . op.
XIX. – *London, Longman & Broderip.* –
St.   [G 2263
GB Lbm (fl, vl I, vl II, vlc [je 2 Ex.]), Mp –
US Wc (2 Ex.)

— Concerto [Nr. 1] pour une flutte principale ou un hautbois, deux violons et
une basse. – *Paris, Bailleux.*   [G 2264
F BO (fl, vl I, vl II, vlc)

A second sett of six concertos [B, C, A, Es,
G, D] for the harpsichord or piano forte
with accompaniments . . . opera XXIII. –
London, Longman & Broderip. – St.
                                            [G 2265
F Pn (hpcd) – **GB** BA (unvollständig), Ckc (un-
vollständig), Cu (kpl.: hpcd, vl I, vl II, b), Gu,
Lbm, Ob – **S** Skma (fehlt hpcd) – **US** Wc (hpcd)

— Six concerts pour le clavecin ou le
piano forte, avec l'accompagnement des
deux violons et basse . . . œuvre V. –
*Berlin, Johann Julius Hummel; Amster-
dam, grand magazin de musique.* [G 2266
CH Bu (clav), E (fehlt vl II) – **D-ddr** Dlb (clav,
vl I, vl II, vlc), WRtl – **NL** DHa – **SF** A –
US Wc

— Six concertos . . . œuvre XX. – *Lyon,
Guera; Paris, bureau du journal de musi-
que, No. 65.*   [G 2267
A Wgm (clav, vl I, vl II, vlc) – **I** Tci (vl I, vl II)
– **YU** NM

Six concertos [D, C, G, F, D, G; vgl. op.
III] pour le clavecin ou le forte piano
avec accompagnement de deux violons
et basse. – *Paris, Henry (gravés par Mme
Lobry).*   [G 2268
GB Lbm (kpl.: clav, vl I, vl II, vlc)

Three concertos [Es, C, B] for the harpsichord or piano forte with an accompanyment for two violins & a bass . . . op. 33,
3rd set. – *London, Birchall & Andrews.* –
St.   [G 2269
GB Lbm (kpl.: hpcd, vl I, vl II, vlc)

— *ib., Robert Birchall.*   [G 2270
GB Ob (kpl.: hpcd, vl I, vl II, vlc)

Werke für 5 Instrumente

Sei quintetti [Es, F, A, B, C, G] per due
violini, viola, violoncello, e cembalo obligato. – *London, Welcker, (1771).* – St.
                                            [G 2271
D-brd Sl (kpl.: cemb, vl I, vl II, vla, vlc) –
GB Lbm (2 Ex.) – **US** BE, Wc

— Trois quintettes [Es, A, C] pour le
clavecin, deux violons, taille et violoncelle . . . œuvre premier. – *Frankfurt,
Wilhelm Nikolaus Haueisen.*   [G 2272
D-ddr Dlb – **S** Skma

— Trois quintettes [F, B, G] . . . œuvre
secondo. – *ib., Wilhelm Nikolaus Haueisen.*   [G 2273
D-ddr Dlb

Werke für 4 Instrumente

Six quartettos [B, F, Es, A, D, G], four
for two violins, a tenor and bass; and two
for a german flute, violin, tenor & bass
. . . opera II. – *London, John Johnston
(Flyn).* – St.   [G 2274
B Bc (kpl.: vl I, vl II, vla, vlc) – **CH** Bu –
F Pmeyer – **GB** Ckc (kpl. [2 Ex.]), Lbm (kpl.
[2 Ex.]), Mp – **S** Skma

— *ib., John Johnston & Longman, Lukey
& Co.*   [G 2275
GB Lbm (kpl.: vl I, vl II, vla, vlc)

— *ib., John Johnson.*   [G 2276
US Wc (kpl.: vl I, vl II, vla, vlc)

— Six quartetto concertante à deux violons, alto et basse . . . œuvre IIe. – *Paris,*

Sieber; Lyon, Castaud (gravés par Mme Sieber). – St.　　　　　　　　　[G 2277
F Pn (kpl.: vl I, vl II, vla, vlc) – I MOe

Sei quartetti [Es, F, C, A, B, d/D] per due violini, viola, e violoncello . . . opera VIII. – London, William Napier, No. 16. – St.　　　　　　　　　　　　　　　[G 2278
C Tu (kpl.: vl I, vl II, vla, vlc) – D-brd Tu – GB Ckc (kpl. [2 Ex.]), Lbm (unvollständig) – US R, Wc

— ib., Longman & Broderip, No. 16.
　　　　　　　　　　　　　　　　　[G 2279
B Bc (kpl.: vl I, vl II, vla, vlc) – GB Lbm

Six quatuor [G, D, A, F, C, G] pour le clavecin, flûte, violon, e basse . . . opera XVII. – London, William Napier, No. 72. – St.　　　　　　　　　　　　　[G 2280
D-ddr SWl (kpl.: clav, vl/fl, vl, b) – GB Lbm (vl/fl) – S Skma (fehlt clav) – US Cn (clav), Wc

— Trois quartettes [G, D, C] pour le clavecin, flûte, violon et violoncello . . . œuvre III. – Frankfurt, Wilhelm Nikolaus Haueisen.　　　　　　　　[G 2281
D-ddr Dlb, WRtl – GB Lbm – SF A

Werke für 3 Instrumente

Six trios [D, G, D, G, C, F] for a germanflute, tenor & violoncello . . . opera XII. – London, Longman, Lukey & Broderip. – St.　　　　　　　　　　　　　[G 2282
D-brd Tu (kpl.: fl, vla, vlc) – GB Ckc (unvollständig), Lam, Lbm (2 Ex.), Mp – US Wc

— Six trio pour une flutte, une quinte et un violoncelle, œuvre XII. – Paris, Bailleux (gravé par Mme Olivier).　　[G 2283
F Pc, Pn

— . . . œuvre IV. – ib., Mme Bérault; Metz, Kar.　　　　　　　　　　[G 2284
D-brd B – F A (vlc)

— Six trios [G, D, C, F, D, G] à flûte, alto et violoncello . . . œuvre première. – Berlin, Johann Julius Hummel; Amsterdam, grand magazin de musique, No. 145.
　　　　　　　　　　　　　　　　　[G 2285
S Skma – SF A

Three sonatas [G, D, B] for the pianoforte or harpsichord with obligato accompaniments for the flute or violin and viola de gamba or tenor . . . opera XXX. – London, John Preston. – St.　　[G 2286
GB Lbm (pf)

Three sonatas [c, D, B] for the piano-forte or harpsichord with accompanyments for a violin and violoncelle . . . op. 31. – London, Longman & Broderip. – St. [G 2287
S Skma (vlc)

Six trios . . . œuvre VIII. – Berlin, Johann Julius Hummel; Amsterdam, grand magazin de musique, No. 503. – St.
　　　　　　　　　　　　　　　　　[G 2288
NL AN (fehlt vlc)

Six trios [C, F, D, C, D, G] for a flute, violin and bass, selected from the favorite songs in the Italian operas. – London, William Napier, No. 101. – St.　　　　[G 2289
GB Ckc (unvollständig), Lam (kpl.: fl, vl, b), Lbm (4 Ex., davon 1 Ex. unvollständig)

— ib., Longman & Broderip.　　[G 2290
GB Ckc (unvollständig), Gu (kpl.: fl, vl, b)

Werke für 2 Instrumente

Six sonates [C, B, G, Es, A, F] de clavecin avec accompagnement de violon ou flûte . . . opera IV. – s. l., s. n. – P.　　[G 2291
GB Lbm

— . . . for the harpsichord with an accompanyment for the violin . . . opera V. – London, Welcker (Straight & Skillern).
　　　　　　　　　　　　　　　　　[G 2292
GB Lbm – US Cn, R

Six sonatas [C, F, B, D, G, A] for the harpsichord, piano forte, or organ with an accompanyment for a violin . . . op. IV. – London, John Johnston. – P.
　　　　　　　　　　　　　　　　　[G 2293
GB Ckc, Lbm (2 Ex.), T – US CHH, Wc, WGw

VI Sonatas [F, D, C, B, G, Es] for the piano-forte, harpsichord, or organ . . . opera X. – London, Longman, Lukey & Broderip. – St.　　　　　　[G 2294
GB Lbm (pf) – S Skma (kpl.: pf, vl) – US PHu (pf), R (pf), Wc (pf)

— ib., Longman & Broderip.　　[G 2295
B Bc

— Six sonatas ... (in: Piano-Forte Magazine, vol. V, Nr. 5). – *ib.*, *Harrison, Cluse & Co., No. 74–75.* [G 2296
D-brd Mbs (pf)

Six sonatas [Es, B, F, C, G, A] for the harpsichord or piano forte, with an accompanyment for a violin or flute ... opera 24. – *London, Longman & Broderip.* – St. [G 2297
B Bc (2 Sammlungen von 6 Sonaten, davon 1 Sammlung ohne Opuszahl) – **GB** Cu (unvollständig) – **I** Tci (vl) – **US** Wc (hpcd)

— Six sonatas ... op. 24 (in: Piano-Forte Magazine, vol. V, Nr. 2). – *ib.*, *Harrison, Cluse & Co., No. 68–69.* [G 2298
D-brd Mbs (pf)

— VI Sonates pour le clavecin ou le fortepiano avec accompagnement d'un violon ou une flutte ... œuvre 24me. – *Paris, Bailleux (gravé par Mme Olivier).*
[G 2299
F BO (clav), Pn (kpl.: clav, vl/fl) – **US** Wc (clav)

— Six sonates pour le clavecin ou piano forte avec l'accompagnement d'un violon ... œuvre VI. – *Berlin, Johann Julius Hummel; Amsterdam, grand magazin de musique, No. 507.* – St. [G 2300
B Bc (kpl.: clav, vl) – **D-ddr** Dlb, WRtl – **SF** A (fehlt clav)

Six easy solos [D, G, C, F, D, B] for the german flute ... opera 9th. – *London, John Johnston & Longman, Lukey & Co.* – P. [G 2301
GB Lbm

Six sonatas [C, B, D, F, D, Es] for the harpsichord or piano forte with an accompaniment for a violin ... opera XXVII. – *London, John Preston.* – P.
[G 2302
GB Gu, Lbm, Mp, Ob – **US** Wc

— Six favourite sonatas ... opera 27 (in: Piano-Forte Magazine, vol. VIII, Nr. 2). – *ib.*, *Harrison, Cluse & Co., No. 116–118.*
[G 2303
D-brd Mbs (pf)

— Six sonates pour le clavecin ou pianoforte avec accompagnement de violon ... opera XXVII. – *Paris, De Roullède; Lyon,* *Castaud; en province, chez tous les marchands de musique.* [G 2304
F Pc

Six grand lessons [D, F, Es, G, B, C] for the harpsichord or piano forte with an accompanyment for a violin ... op. 32. – *London, John Preston.* – P. [G 2305
GB Ckc, LEbc, Lbm – **US** Cn

— Three favorite sonatas [Es, B, D] for the harpsichord, or piano forte with an accompanyment for the violin ... op. 32. – *London, G. Goulding.* – P. [G 2306
GB Lbm

Three sonatas [B, Es, C] for the piano forte or harpsichord with an accompaniment for the violin ... op. 34. – *London, Longman & Broderip.* – St. [G 2307
GB Cu (kpl.: hpcd, vl), Gu, Lbm, LEbc, Ob

Six sonatas [B, A, C, G, F, Es] for the piano forte with an accompaniment for a violin ... op. XXXV. – *London, Preston & son.* – P. [G 2308
GB Cu, Gu, Lbm, Ob

Six solos for a guitar with a thorough bass for the harpsichord, and one trio for a guitar, violin and bass. – *London, Longman & Broderip.* – P. [G 2309
CS Bm

Favourite airs adapted for the harpsichord or piano forte and a german flute. – *London, Longman & Broderip.* [G 2310
SD S. 172
GB Lbm – **S** Skma

Six duets [D, G, C, A, F, B] for german flutes ... op. 7th. – *London, John Johnston, Longman, Lukey & Co.* – P.
[G 2311
GB Lbm – **US** Wc

— *ib.*, *Longman & Broderip.* [G 2312
GB Ckc

A second set of six sonatas [D, D, G, C, G, D] for two german flutes, or a german flute and violin. – *London, Longman & Broderip.* – P. [G 2313
F Pc – **GB** Lbm – **US** Wc

A third set of six duetts [C, G, D, C, F, D] for two german flutes. – *London, John Preston.* – P.   [G 2314
GB Gu, Lbm, Ob

— Six duos pour deux flûtes ... œuvre Iᵉ. – *Paris, Sieber; Lyon, Casteau; Bruxelles, Godefroy.* – St.   [G 2315
F Pc (fl I [unvollständig, Sonate 1 und Sonate 2 fragmentarisch])

Six duettos [B, F, C, G, D, A] for two violoncellos ... op. XVIII. – *London, Longman & Broderip.* – St.   [G 2316
GB Lbm (kpl.: vlc I, vlc II)

— Six duo pour deux violoncellos ... œuvre XVIII. – *Paris, Bailleux (gravé par Mme Olivier).*   [G 2317
F Pn – **NL** DHgm

— Six duos à deux violoncelles ... œuvre IV. – *Berlin, Johann Julius Hummel; Amsterdam, grand magazin de musique, No. 399.*   [G 2318
DK Kk – **S** J (fehlt vlc I), Skma (fehlt vlc II), **SK**

Six duettos [D, B, C, A, G, Es], four for a violin and violoncello, and two for two violins ... op. XXI. – *London, John Welcker.* – St.   [G 2319
GB Lbm (kpl.: vl, vlc)

Werke für Klavier

A first sett of three duetts [C, D, B] for two performers on one forte piano or harpsichord. – *London, S. Babb.*
[G 2320
GB Lbm – **US** NYp, R, Wc

— Trois sonates [C, D, B] à quatre mains pour le clavecin ou le piano forte ... œuvre IX. – *Berlin, Johann Julius Hummel; Amsterdam, grand magazin de musique, No. 431.*   [G 2321
A Wgm (fehlt Titelblatt) – **B** Bc – **F** Pn – **NL** DHgm – **USSR** Mk

A second sett of three duetts [G, Es, F] for two performers on one harpsichord or piano forte. – *London, S. Babb.* [G 2322
CH Fcu – **GB** Lbm – **US** NYp (Titelblatt handschriftlich), Wc

Four favorite duettinos [C, G, D, B] for two performers on one harpsichord or piano forte. – *London, John Preston.*
[G 2323
GB Ckc, Lbm

A duetto [C] for two performers on one piano forte or harpsichord. – *London, John Preston.*   [G 2324
GB Gu, Lbm, Ob (unvollständig)

Trois sonates [B, C, F] à quatre main [!] sur un clavecin ou forte-piano. – *Paris, Sieber.*   [G 2325
S Skma

Six sonatinas [G, F, D, B, C, D] for the piano-forte or harpsichord, composed in an easy familiar style, for the use of young performers. – *London, John Preston.*
[G 2326
GB Ckc (2 Ex.), Gu, Lbm, Ob – **J** Tn

Fourteen preludes for the harpsichord or piano forte in all the different keys. – *London, James Blundell.*   [G 2327
GB Lbm

— *ib., Preston & son.*   [G 2328
GB Ckc, Lcm – **NL** DHgm

— Preludes for the harpsichord or piano forte in all the keys flat and sharp. – *London, Welcker.*   [G 2329
US Wc

— The celebrated preludes for the pianoforte or harpsichord. – *Dublin, Hime.*
[G 2330
F Pn

Twelve progressive lessons for the harpsichord, piano forte or organ, composed for the improvement of young practitioners ... op. 25. – *London, Longman & Broderip.*   [G 2331
F Pc – **GB** Ckc, Lbm – **J** Tn – **S** Skma – **US** Bp, MV

— XII Leçons pour le clavecin ou le piano forte à l'usage des commençants ... œuvre VII. – *Berlin, Johann Julius Hummel, No. 522.*   [G 2332
D-ddr WRtl

257

Six progressive lessons [C, G, F, C, A, Es] for the harpsichord or piano forte. – *London, John Preston.*   [G 2333
GB Gu, Lbm

Fourteen preludes or capricio's and eight cadences for the piano forte, harpsichord, harp or organ, op. 33. – *London, Longman & Broderip.*   [G 2334
GB Ckc, Lbm – **I** OS – **US** AA, NBs, U, Wc

— Préludes et points d'orgue dans différens tons, pour le forte-piano ou le clavecin ... opera 33e. – *Paris, Boyer, Mme Le Menu.*   [G 2335
F Pc, Pn (2 Ex.)

Cadences for the use and improvement of young practitioners on the harpsichord, piano-forte, or organ. – *London, Longman & Broderip.*   [G 2336
GB Cu, Er, Lam, Lbm – **S** Skma – **US** AA, Wc

Six favorite flute concertos ... adapted for the harpsichord. – *London, John Johnston, Longman, Lukey & Co.*   [G 2337
GB Ckc

Six marches, six quick steps and two concertos militare for the harpsichord or piano forte. – *London, Longman & Broderip.*   [G 2338
GB Lbm

The favorite overture to The Prince of Wales' Ode as performed at the Rotunda in Dublin ... adapted for the harpsichord. – *[London], Longman & Broderip.*   [G 2339
GB Gu, Lbm, Ob

Countess of Antrim's minuet ... (Lady Letitia Macdonell's minuett). – *Dublin, Hime.*   [G 2340
GB Lbm

GIORGI Giuseppe

Six sonatas [C, D, A, F, G, B] for the harpsichord or piano forte, with the accompanyment of a violin obligato ... opera IV. – *London, Longman & Broderip.*   [G 2341
GB Lbm

GIORNOVICHI (JARNOWICK) Giovanni Mane
(Die Redaktion dankt Herrn Dr. Aristide Wirsta für seine Mitarbeit.)

KONZERTE

(Nr. I–XVI, ohne Hummel-Drucke)

I° Concerto [E] à violon principal, premier et second violons, alto et basse, deux hautbois, deux cors ad libitum. – *Paris, Sieber.* – St.   [G 2342
B Bc – **D-brd** Rp (vl I, vl II, vla, b) – **F** A (b), BO, Pc (5 Ex., davon 2 Ex. unvollständig, 1 Ex. mit No. 140), Pn (fehlt vla) – **I** Vc – **S** Skma (vl princip., mit No. 140) – **US** NYp, Wc (2 Ex., davon 1 Ex. mit No. 140)

II° Concerto [D] à violon principal, premier et second dessus, alto et basse, deux hautbois, deux cors ad libitum. – *Paris, Bailleux; Lyon, Castaud; Toulouse, Brunet (gravé par Mme Lobry).* – St.
[G 2343
F A (ob II), BO, Pc (7 Ex., davon 4 Ex. unvollständig), Pn (fehlt ob II) – **S** Skma (vl princip.) – **US** Wc

III° Concerto [G] à violon principal, deux violons, alto et basse, cors et hautbois ad-libitum. – *Paris, Imbault.* – St.
[G 2344
CH N – **D-brd** Mbs

— III° Concerto à violon principal, deux violons, alto et basse, deux hautbois, deux cors ad libitum. – *ib., Sieber.* – St.
[G 2345
CS Pnm – **D-brd** WO (vl princip.) – **F** A (unvollständig), BO (fehlt ob I/II), Pc (4 Ex., davon 3 Ex. unvollständig), Pn (2 Ex., davon 1 Ex. unvollständig [vl princip.]) – **S** Skma (vl princip.) – **US** Wc

IV° Concerto [D] à violon principal, premier et second violons, alto et basse, deux hautbois, deux cors ad libitum. – *Paris, Sieber.* – St.   [G 2346
F A (b), Pc (6 Ex., davon 2 Ex. unvollständig) – **GB** Ckc (unvollständig), Lbm – **I** Vc – **S** Skma (vl princip.) – **US** Wc

V° Concerto [E] à violon principal, premier et second violons, alto et basse, deux hautbois, deux cors ad libitum. – *Paris, Sieber fils, No. 282.* – St.   [G 2347
I Mc (vl princip., vl II, vla, b)

— V° Concerto pour le violon . . . œuvre V°. – *ib., Le Duc (gravé par Mme Lobry), No. 8.*   [G 2348
D-brd MÜu – F A (b), Lm, Pc (7 Ex., davon 3 Ex. unvollständig, 1 Ex. ohne No.), Pn – **I** Vc – **S** Skma (vl princip., mit No. 416) – **US** Wc (mit No. 406 und Impressum: écrit par Lefrançois)

— V° Concerto à violon principal, premier et second violons, alto et basse, deux hautbois, deux cors ad libitum. – *ib., Henry.*   [G 2349
F Pc (2 Ex.)

— V° Concerto à violon principal, premier et second violons, alto et basse, deux hautbois, deux cors ad libitum. – *London, Longman & Broderip.*   [G 2350
CS KRa

— [V° Concerto]. – *s. l., s. n.*   [G 2351
GB Ckc (fehlt Titelblatt, unvollständig)

VI° Concerto [G] à violon principal, premier et second violons, alto et basse, deux hautbois, deux cors ad libitum. – *Paris, Sieber. –* St.   [G 2352
D-brd MÜu, Rp (vl I, vl II, vla, b) – F BO (fehlen vl princip., vla), Pc (5 Ex., davon 4 Ex. unvollständig) – **S** Skma (vl princip.) – **US** Wc

VII° Concerto [G] pour le violon . . . – *Paris, Boyer (gravé par G. Magnian). –* St.   [G 2353
CH N (9 St.) – **S** V (vl princip.)

— VII° Concerto à violon principal, deux violons, alto et basse, deux hautbois et deux cors. – *ib., Sieber, No. 419.*
                        [G 2354
F Pc (2 Ex.; 2. Ex.: ob II) – **S** Skma (vl princip.)

— [VII° Concerto]. – *s. l., s. n.*   [G 2355
US Wc (fehlt Titelblatt)

VIII° Concerto [B] à violon principal, premier et second violons, alto et basse, deux hautbois, deux cors ad libitum. – *Lyon, Guera; Paris, Mme Le Menu, Boyer, No. 79.*   [G 2356
A Wgm – F Lm (fehlt vl princip.), Pc (5 Ex., davon 4 Ex. unvollständig), Pn (fehlt ob I) – **I** Vc – **GB** Lbm

— VIII° Concerto à violon principal, premier et second violons, alto & basse,

deux hautbois, deux cors ad libitum. – *Lyon, Toni Bauer.*   [G 2357
S Skma (vl princip.)

IX° Concerto [G] à violon principal, premier et second violons, alto et basse, hautbois, flûtes et cors. – *Paris, Sieber.* – St.   [G 2358
A Wgm – **CH** N (fehlt fl) – **D-brd** DO, Rp (vl I, vl II, vla, b), WO – F Pc (3 Ex., davon 2 Ex. unvollständig), Lm (fehlen vl princip., fl I, fl II) – **I** Vc – **S** Skma (vl princip.) – **US** Wc

— IX° Concerto à violon principal, deux violons, alto et basse, cors et hautbois ad libitum. – *ib., Imbault.*   [G 2359
D-brd Mbs

X° Concerto [F] à violon principal, premier et second violons, alto et basse, hautbois, flûtes et cors. – *Paris, Sieber.* – St.   [G 2360
D-brd LÜh (vl princip.) – F Lm, Pc (3 Ex., davon 2 Ex. unvollständig) – **S** Skma (vl princip.)

XI° Concerto [B] à violon principal, deux violons, alto et basse, cors et hautbois ad libitum. – *Paris, Imbault.* – St.   [G 2361
D-brd Mbs

— XI° Concerto pour violon . . . – *s. l., s. n.*   [G 2362
GB Lbm (vl II, b) – **US** NYp

— XI° Concerto pour violon principal, deux violons, alto et basse, deux hautbois, deux cors ad-libitum. – *Paris, Sieber, No. 1074.*   [G 2363
S Skma (vl princip.) – **US** Wc (Etikett: B. Viguerie)

XII° Concerto [E] à violon principal, premier et second violons, alto et basse, deux hautbois, deux cors ad libitum. – *Paris, Sieber.* – St.   [G 2364
S Skma (vl princip.) – **US** Wc – **YU** Zda

XIII° Concerto [A] à violon principal, premier et second violons, alto et basse, deux flûtes, deux cors. – *Paris, Sieber.* – St.   [G 2365
S Skma (vl princip.)

— XIII° Concerto [A] à violon principal, deux violon, alto et basse, deux hautbois,

deux cors. – *London, Longman & Brode-rip.*　　　　　　　　　　　　　[G 2366
GB Ckc (unvollständig), Lbm

— XIII° Concerto . . . à violon principal, avec accompagnement de deux violons, viola, deux flûtes, deux cors et basse. – *Offenbach, Johann André, No. 296.* [G 2367
D-brd OF (fehlen vl I, cor I und cor II) – **GB** Lbm (vl princ.)

XIV° Concerto [A] à violon principal, deux violons, alto et basse, cors et haut-bois ad libitum. – *Paris, Imbault.* – St.
　　　　　　　　　　　　　　　　　[G 2368
D-brd Mbs

— XIV° Concerto à violon principal, deux violons, alto et basse, deux hautbois, deux cors. – *Paris, Sieber, No. 1080.*　[G 2369
CS Pnm – **GB** Lbm (vl princ.) – **S** Skma (vl princ.) – **US** Wc

— XIV° Concerto à violon principal, deux violons, alto et basse, 2 hautbois, 2 cors ad libitum. – *London, J. Dale.*
　　　　　　　　　　　　　　　　　[G 2370
GB Ckc (unvollständig), Lbm (2 Ex., davon 1 Ex. unvollständig)

— A concerto, à violon principal, deux violons, alto et basse, 2 hautbois, 2 cors . . . (concerto XIV). – *London, C. Wheat-stone.*　　　　　　　　　　　　[G 2371
D-brd B (8 St.)

— Quatorzième concerto pour le violon, avec accompagnement de grand orchestre . . . second édition. – *Offenbach, Johann André, No. 2294.*　　　　　[G 2372
D-brd OF

XV° Concerto [E] à violon principal, deux violons, alto et basse, deux hautbois, deux cors. – *Paris, Sieber, No. 1085.* – St.
　　　　　　　　　　　　　　　　　[G 2373
A Wgm – **GB** Lbm – **S** Skma (vl princ.) – **US** Wc (Etikett: H. Naderman)

— XV° Concerto [E] à violon principal, deux violons, alto et basse, deux hautbois, deux cors. – *London, Longman & Brode-rip.*　　　　　　　　　　[G 2374
GB Lbm (vl princ.)

XVI° Concerto favori en sol pour violon, avec accompagnement de deux violons, alto et basse, cors et hautbois ad libitum . . . – *Paris, Pleyel, No. 12.* – St. [G 2375
D-brd LÜh – F Pc, Pn (andere Ausgabe mit gleicher No.; 3 Ex., davon 2 Ex. unvollständig) – **GB** Lbm, Lcm – **S** Skma (vl princ.), Uu – **US** Wc

— [XVI° Concerto à violon principal . . .]. – *s. l., s. n.*　　　　　　[G 2376
D-ddr ZI (b, ob I, ob II, cor I, cor II)

(Libro I–XVI, Hummel-Drucke)

Concerto [E] a violino principale, violino primo & secondo, alto & basso, deux hautbois & deux cors de chasse ad libitum . . . libro I. – *Berlin, J. J. Hummel; Amsterdam, grand magazin de musique, aux adresses ordinaires, No. 414.* – St.
　　　　　　　　　　　　　　　　　[G 2377
D-brd Mbs – **S** J (b, cor II), SK (vl princ. [unvollständig]), Uu – **SF** A (vl princ. [unvollständig], vl I [unvollständig], vl II, vla, b, cor I) – **US** Wc

Concerto [F] a violino principale, violino primo & secondo, alto & basse, deux haut-bois & deux cors de chasse ad libitum . . . libro II. – *Berlin, J. J. Hummel; Amsterdam, grand magazin de musique, No. 414.* – St.　　　　　　　　　　　[G 2378
A Wgm – **CS** KRa – **GB** Lbm – **S** Uu – **US** Wc

Concerto [A] a violino principale, violino primo & secondo, alto & basse, deux haut-bois & deux cors de chasse ad libitum . . . libro III. – *Berlin, J. J. Hummel; Amsterdam, grand magazin de musique, No. 414.* – St.　　　　　　　　　　　[G 2379
CS KRa – **S** ÖS, Skma, Uu

Concerto [D] a violino principale, violino primo, secondo, alto & basse, deux haut-bois & deux cors de chasse ad libitum . . . libro IV. – *Berlin, J. J. Hummel; Amsterdam, grand magazin de musique, No. 415.* – St.　　　　　　　　　　　[G 2380
A M – **S** Uu

Concerto [A] a violino principale, violino primo, secondo, alto & basse, deux haut-bois & deux cors de chasse ad libitum . . . libro V. – *Berlin, J. J. Hummel; Amsterdam, grand magazin de musique, No. 415.* – St.　　　　　　　　　　　[G 2381
S Uu

Concerto [G] a violino principale, violino primo, secondo, alto & basse, deux hautbois & deux cors de chasse ad libitum . . . libro VI. – *Berlin, J. J. Hummel; Amsterdam, grand magazin de musique, No. 415.* – St.   [G 2382
H KE – US Wc

Concerto [G] a violino principale, violino primo, secondo, alto & basso, deux hautbois et deux cors de chasse ad libitum . . . œuvre second, libro I [VII]. – *Berlin, J. J. Hummel; Amsterdam, grand magazin de musique, No. 545.* – St.   [G 2383
S Uu – YU Lu

Concerto [B] a violino principale, violino primo, secondo, alto & basso, deux hautbois et deux cors de chasse ad libitum . . . œuvre second, libro VIII. – *Berlin, J. J. Hummel; Amsterdam, grand magazin de musique, No. 545.* – St.   [G 2384
S Uu – SF A (fehlt Titelblatt) – US Wc (2 Ex.)

Concerto [G] a violino principale, violino primo, secondo, alto & basso, deux hautbois et deux cors de chasse ad libitum . . . œuvre second, libro IX. – *Berlin, J. J. Hummel; Amsterdam, grand magazin de musique, No. 545.* – St.   [G 2385
S Uu

Concerto [F] a violino principale, violino primo, secondo, alto & basso, deux hautbois & deux cors de chasse ad libitum . . . œuvre second, libro X. – *Berlin, J. J. Hummel; Amsterdam, grand magazin de musique, No. 704.*   [G 2386
D-brd Mbs (vl princip.) – GB Lbm (vl princip., fehlt Titelblatt) – SF A

Concerto [B] a violino principale, violino primo, secondo, alto & basso, deux hautbois, deux cors de chasse ad libitum . . . œuvre second, libro XI. – *Berlin, J. J. Hummel; Amsterdam, grand magazin de musique, No. 495.* – St.   [G 2387
A Wgm – D-brd W – GB Lbm (vl princip.) – S Uu – SF A

Concerto [E] a violino principale, violino primo, secondo, alto & basso, deux hautbois et deux cors de chasse ad libitum . . . œuvre second, libro XII. – *Berlin, J. J. Hummel; Amsterdam, grand magazin de musique, No. 726.* – St.   [G 2388

A Wgm – D-brd Mbs – GB Lbm (vl princip.; fehlt Titelblatt) – S Skma (vl princip.) – US Wc

Concerto [E] a violino principale, violino primo, secondo, alto & basso, deux hautbois & deux cors de chasse ad libitum . . . œuvre troisième, libro XIII. – *Berlin, J. J. Hummel; Amsterdam, grand magazin de musique, No. 744.* – St.   [G 2389
S Uu – US Wc

Concerto [A] a violino principale, violino primo, secondo, alto & basso, deux hautbois & deux cors de chasse ad libitum . . . œuvre troisième, libro X[IV]. – *Berlin, J. J. Hummel; Amsterdam, grand magazin de musique, No. 747.* – St.   [G 2390
CH N – D-brd MÜu – H Bn (vl princip., b [2 Ex.], ob I, ob II, cor I, cor II) – US Wc

Concerto [G] a violino principale, violino primo, secondo, alto & basso, deux hautbois & deux cors de chasse ad libitum . . . œuvre troisième, libro X[VI]. – *Berlin, J. J. Hummel; Amsterdam, grand magazin de musique, No. 964 ([Titelblatt:] 744).* – St.   [G 2391
S Skma

(Einzelne Konzerte, nach Tonarten)

Concerto [A] à violon principal, premier, second, alto et basse, deux hautbois, deux cors ad libitum. – *Paris, Sieber; Lyon, Casteau; Bruxelles, Godfroy.* – St.   [G 2392
D-brd MÜu – F Pc (3 Ex., davon 2 Ex. unvollständig) – I Vc–giustiniani

Concerto [A] à violon principal, premier et second violons, alto et basse, cors et hautbois, ad libitum. – *Paris, Imbault.* – St.   [G 2393
CH Bu – D-brd Mbs

Concerto [D] per il violino [2 vl, vla, b, 2 ob, 2 cor, timp]. – *Wien, Artaria & Co., No. 674.* – St.   [G 2394
CS Pnm – D-brd MÜu

— Concerto per il violino . . . – *ib., Johann Cappi, No. 674.* – St.   [G 2395
I Mc (vl princip., vl II, vla, b)

Violino concerto [G] as performed at most of the concerts in London, Bath & Edinburgh, with accompaniments for an or-

chestra. – *London, Corri, Dussek & Co.* –
St.   [G 2396
US NYp (vl princip., vl I, vl II, vla, b, ob I,
ob II)

Rondeau pour un violon principal, deux
violons, alto et basse, cor et hautbois ad
libitum. – *Paris, Imbault, No. 142.* – St.
[G 2397

D-brd Mbs – **US** Wc

Bearbeitungen

Two violin concertos [F, A] composed &
arranged by particular desire for the piano
forte or harpsichord with a violin accompaniment, by Mr. Giornovichi. – *London,
Longman & Broderip.* – P. und St. (vl)
[G 2398

D-brd B – **DK** Kk (P.), – **GB** Cu (P.), Gu (P.),
Lbm (P., 2 Ex., davon 1 Ex. unvollständig),
Ob – **US** Wc (P.)

Two violin concertos [F, A] composed &
arranged for the piano forte with accompanyment for the violin. – *London, Longman & Broderip.* – St.   [G 2399
GB Cu (vl), Lbm (vl), Ob (vl)

– Giornovichi's two favorite concertos
[F, G] arranged as sonatas for the piano
forte, with an accompaniment for a violin,
by J. L. Dussek. – *London, Corri, Dussek & Co.* – St.   [G 2400
D-brd Mbs (pf) – **GB** Lbm, Lcm (unvollständig)

17ème et 18ème concertos arrangés en sonates. – *Paris, Pleyel, No. 39.* – St.
[G 2401

I Nc, Tci

– 17me & 18me concertos . . . arrangés en
sonates pour le piano-forté avec accompagnement de violon . . . par Dusseck. –
Offenbach, Johann André, No. 1088. – St.
[G 2402

D-brd OF

A violin concerto [A] . . . adapted for the
harpsichord by Domenico Corri. – *Edinburgh, Corri & Co.*   [G 2403
DK Kk

Concerto . . . arrangé pour clavecin ou
forte piano avec deux violons et basse
par M. Lachnith. – *Paris, Sieber.* – St.
[G 2404

US R

Premier concerto [D] . . . arrangé pour
l'alto par J. B. Bréval. – *Paris, Imbault,
No. 703.* – St.   [G 2405
F A (b), BO (kpl.: vla oblig., vl I, vl II, vla/b,
fl I, fl II, cor I, cor II), Pn (2 Ex.) – **S** SK (fehlen cor I, cor II)

Giornovichi's concerto [F] . . . composed
for the opera concert, 1796, arranged for
the piano forte, with accompaniments for
violins, alto, flutes, horns, and bass, by
J. B. Cramer. – *London, Corri, Dussek &
Co.* – St.   [G 2406
GB Cu (unvollständig), Lbm (fehlen cor I und
cor II), Ob (fehlen cor I und cor II) – **US** Cn
(pf), Wc (fehlen fl I und fl II, cor I und cor II)

– The celebrated concerto [F] . . . arranged for the harp or piano forte with an
accompaniment for violin and bass, ad
libitum, by S. Dussek. – *London, D. Corri
& T. Jones.* – St.   [G 2407
US STu (pf)

WERKE FÜR 4 INSTRUMENTE

Trois quatuors concertants [F, Es, A]
pour deux violons, viola & violoncelle. –
*Berlin, J. J. Hummel; Amsterdam, grand
magazin de musique, No. 1109.* – St.
[G 2408

D-ddr GRu – **NL** Uim – **US** Wc

– Trois quatuor concertans pour deux
violons, alto et violoncelle . . . 1er livre
de quatuor. – *Paris, J. H. Naderman,
Lobry, No. 533.* – St.   [G 2409
F Pc, Pn (2 Ex.)

– Trois quatuors concertants pour deux
violons, alto et violoncelle . . . œuvre I de
quatuors. – *Hamburg, Günther & Böhme.* –
St.   [G 2410
A Wgm, Wn – **CS** K – **D-brd** Rtt – **GB** Ckc,
Lam, Lbm – **I** Vc – **S** L – **US** NYp, R

WERKE FÜR 2 INSTRUMENTE

Deux sonates pour le clavecin ou piano-
forte avec violon obligé tirées de deux
concertos . . . (in: Étrennes pour les dames, livre XXVI). – *Offenbach, Johann
André, No. 605.* – St.   [G 2411
D-brd AD, OF – **NL** DHa

A favorite sonata [F] with an accompaniment for a violin, composed and arranged ... for the piano forte or harpsichord. – *London, Longman & Broderip,
1792.* – St.   [G 2412
GB Cu, Lbm (2 Ex.) – **US** Wc

Sonate [D] pour violon et basse. – *Paris,
Sieber, No. 1597.* – St.   [G 2413
D-brd Mbs – **S** Skma – **US** Wc

A favorite rondo [A] ... for the piano
forte or harpsichord, with an accom-
paniment for a violin. – *London, Longman
& Broderip.* – P. und St.   [G 2414
DK Kk (P.) – **GB** Cu (P.), Gu (P.), Lbm (P.),
Ob (P.) – **P** Ln (P., vl) – **US** Cn (P.), Wc (P., vl)

Linen hall slow march ... adapted for
the piano forte by Doc^r Cogan. – *Dublin,
Hime.* – P. (pf, fl/vl).   [G 2415
US Wc

Six duo dialogués [B, A, B, F, D, Es] pour
deux violons. – *Paris, Bailleux.* – St.
                                          [G 2416
D-ddr Dlb

— VI Duos [B, F, A, D, B, Es] pour deux
violons ... œuvre 16me. – *Offenbach, Johann André, No. 357.*   [G 2417
NL AN (vl II) – **S** Skma

— ... seconde édition. – *ib., Johann
André, No. 2149.*   [G 2418
D-brd OF

— Trois duos [F, Es, A] pour deux violons ... 3e livre. – *Paris, Decombe, No. 72.*
                                          [G 2419
D-brd F

Six duo concertans [B, A, F, D, G, E] pour
deux violons ... 2e livre. – *Paris, Boyer,
1793.* – St.   [G 2420
F Pn – **US** Wc

— *ib., Naderman (gravé par la citoyenne
Michaud), No. 78.*   [G 2421
D-brd Mbs

— Six duos concertans pour deux violons
... œuvre 24me. – *Offenbach, Johann André, No. 877.*   [G 2422
A Wgm – **D-brd** OF – **GB** Lbm – **S** Skma

— ... seconde édition. – *ib., No. 2158.*
                                          [G 2423
D-brd OF – **S** Uu

— Six duos concertans pour deux violons
... op. 1. – *Wien, Artaria & Co., No. 699.*
                                          [G 2424
A Wgm, Wn (fehlt vl I), Wst – **CH** BEk –
D-ddr WRh – **YU** Zha

— Trois duos concertans [B, A, F] pour
deux violons ... livre 2me. – *Paris, Pleyel,
No. 78.*   [G 2425
F Pn – **I** Nc

— Trois duos concertantes [B, A, F] pour
deux violons ... book I. – *London, Preston.*   [G 2426
GB Lbm

— Three duo concertante pour deux violons ... [book I]. – *ib., Longman & Broderip.*   [G 2427
US Wc

— Three duo concertante pour deux violons ... book I. – *ib., W. Campbell.*
                                          [G 2428
DK Kk

Trois duos [F, Es, A] pour deux violons
tirés du premier œuvre de quatuors. –
Hamburg, Günther & Böhme, No. 62. – St.
                                          [G 2429
A Wn – **S** Skma

Duo [D] pour violon ou violoncel ou pour
deux violons. – *Paris, Imbault.* – St.
                                          [G 2430
F Pc, Pn (vl) – **US** Wc

— Duo favorit [D] pour violon et violoncelle. – *Berlin, J. J. Hummel; Amsterdam, grand magazin de musique, No. 668.*
                                          [G 2431
D-ddr LEm, SWl – **S** Skma (vl) – **SF** A

— A favorite duet for a violin and violoncello or two violins. – *London, W. Campbell.*   [G 2432
US Wc

An original duett for two violons. – *London,
Lewis Lavenu.* – St.   [G 2433
DK Kk

A favorite solo [A] for the violin with an accompaniment for a violoncello (ad libitum). – *London, J. Hamilton, No. 2.* – St. [G 2434

A Wgm

Jolis airs variés pour le violon et le violoncelle. – *Paris-Lyon, s. n.* – P.   [G 2435

F CN

WERKE FÜR KLAVIER

Fantasia in rondo [G] per cembalo, o piano-forte. – *Napoli, Luigi Marescalchi, No. 265 ([Titelblatt:] 262).*   [G 2436

D-ddr WRtl – **I** Mc, TSmt – **S** Skma

Mr Jarnovichi's reel . . . and four favorite tunes. – *Edinburgh, Gow & Shepherd.* [G 2437

GB En – **US** Wc

Linen hall slow march, adapted for the piano forte by Dr Cogan. – *Dublin, Rhames.*   [G 2438

GB Lbm

Linen hall quick march, adapted for the piano forte by Dr Cogan. – *Dublin, Rhames.*   [G 2439

GB Lbm

Linen hall quick step, adapted for the piano forte by Dr Cogan. – *Dublin, Rhames.*   [G 2440

GB Lbm

BEARBEITUNGEN

Airs variés pour violon et violoncelle. – *Paris, Sieber.*   [G 2441

SD S. 82

F Pc – **GB** Lbm

— Airs variés pour violon et violoncelle. – *Berlin, J. J. Hummel; Amsterdam, grand magazin de musique, No. 416.* – P. [G 2442

DK Kk – **E** Mn – **SF** A

Six favorite airs from French operas with variations for violin and violoncello. – *London, Preston.* – P.   [G 2443

SD S. 172

GB Lbm

— Six airs variées pour le violon [et violoncelle]. – *Amsterdam, J. Schmitt.* [G 2444

GB Lcm (Nr. 1–3, 5, 6) – **S** Skma – **US** Wc

The favorite songs, sung this season by Mrs. Weichsell at Vauxhall Gardens . . . book I. – *London, Longman & Broderip.* [G 2445

GB Lbm

GIOVANNELLI Ruggiero

GEISTLICHE VOKALMUSIK

1593. Sacrarum modulationum, quas vulgo motecta appellant, quae quinis, & octonis vocibus concinuntur, liber primus. – *Roma, Francesco Coattino, 1593.* – St. [G 2446

D-brd Rp (A) – **F** Pc (S, A, T, B, 5) – **I** Bc (S, A, T, B, 5)

— . . . secunda editio. – *Venezia, Giacomo Vincenti, 1598.*   [G 2447

D-brd Rp (S, A, T, B, 5, 8) – **E** V (fehlt 5) – **F** Pn (S, B, 6) – **I** Bc (S, A, T, B, 5, 6, 7, 8)

— *Roma, Nicolo Mutij, 1598.*   [G 2448

[vermutlich 2 verschiedene Ausgaben:] **I** Ls (S, A, T, B, 5), Rvat-casimiri (S, A, T, B, 5), Rvat-sistina (S, A, T, B, 5)

— Motecta partim quinis, partim octonis vocibus concinenda . . . liber primus. – *Venezia, Angelo Gardano, 1598.* [G 2449

D-brd As (S, A, T, B, 5, 6, 7, 8), Sl (8) – **I** Bc (S, A, T, B, 5, 6, 7, 8), Ls (S, A, T, B, 5, 6, 7, 8 [handschriftlich]) – **PL** GD (S, A, T, B, 5, 6, 7, 8)

— Motecta . . . nunc primum in Germania impressa. – *Frankfurt, Nikolaus Stein (Wolfgang Richter), 1608.*   [G 2450

D-brd Kl (T, 6, 7, 8), Ngm (5), Rp (S, A, T, B, 5, 6, 7, 8) – **GB** Lbm (S, A, T, B, 5, 6, 7, 8) – **PL** WRu (S, A, T, B, 5 [unvollständig], 6, 7, 8)

1598a → 1593
1598b → 1593
1598c → 1593

1604. Motecta quinque vocum . . . liber secundus. – *Venezia, Angelo Gardano, 1604.* – St.   [G 2451

D-brd As (kpl.: S, A, T, B, 5), Mbs – **GB** Lcm (T) – **I** CEc (A, 5), FEc, TVd (S, A, B, 5)

1608 → 1593

WELTLICHE VOKALMUSIK

1585. Gli sdruccioli . . . il primo libro de madrigali a quattro voci. – *Roma, Alessandro Gardano, 1585.* – St.   [G 2452
I Rc (S)

— *Venezia, Giacomo Vincenti, 1587.*
[G 2453
D-brd W (kpl.: S, A, T, B) – **F** Pn (T) – **I** Bc, Ps (fehlt A), Rvat-chigi (A)

— . . . terza impressione. – *ib., 1589.*
[G 2454
D-brd Rp (A,T) – **I** Bc (kpl.: S, A, T, B), Bca (T), Sac (A), SPE (S)

— *ib., Angelo Gardano, 1589.*   [G 2455
B Br (kpl.: S, A, T, B) – **I** Fn – **PL** GD

— *ib., 1598.*   [G 2456
I MOe (T), Vnm (kpl.: S, A, T, B) – **NL** DHgm (S, T)

— *ib., erede di Girolamo Scotto, 1602.*
[G 2457
I Fr (S) – **US** SFsc (A, T)

— *ib., 1613.*   [G 2458
I Bc (kpl.: S, A, T, B), PAc

1586. Il primo libro de madrigali a cinque voci. – *Venezia, Angelo Gardano, 1586.* – St.   [G 2459
GB Lbm (A) – **I** Rdp (S, A, B) – **PL** GD (kpl.: S, A, T, B, 5)

— *ib., 1588.*   [G 2460
GB Lbm (S, A, T, B) – **I** BRq (5)

— *Milano, Francesco & gli eredi di Simon Tini, 1589.*   [G 2461
CH Bu (kpl.: S, A, T, B, 5) – **NL** At (S, T) – **US** BE (A)

— *Venezia, Angelo Gardano, 1591.*
[G 2462
B Br (kpl.: S, A, T, B, 5)

— *ib., 1594.*   [G 2463
GB Lbm (S, A, T, 5)

— *ib., 1600.*   [G 2464
I Bc (kpl.: S, A, T, B, 5), Fc, Rsc, VEaf (5) – **NL** DHgm (A) – **US** Wc

— *ib., erede di Girolamo Scotto, 1603.*
[G 2465
I PAc (S, A, T, B)

1587 → 1585

1588a. Il primo libro delle villanelle et arie alla napolitana, a tre voci. – *Roma, Alessandro Gardano, 1588.* – St.   [G 2466
F Pmeyer (B) – **GB** Lbm (S [unvollständig]) – **I** Fc (A)

— *Venezia, Giacomo Vincenti, 1588.*
[G 2467
GB Lbm (B) – **I** Bc (S)

— *ib., 1591.*   [G 2468
A Wn (kpl.: S, A, B) – **F** Pn (A) – **I** Bc (B), Rsc (B)

— *ib., 1594.*   [G 2469
A Wn (kpl.: S, A, B) – **D-brd** MZp (B)

— *ib., Angelo Gardano, 1600.*   [G 2470
B Bc (S) – **GB** Lbm (kpl.: S, A, B) – **I** Bc (S) – **NL** DHgm (A, B)

— *ib., Giacomo Vincenti, 1600.*   [G 2471
I MAC (S)

— *ib., Bartolomeo Magni, 1624.*
[G 2472
D-brd Mbs (kpl.: S, A, B) – **I** Bc

1588b → 1586
1588c → 1588a

1589a. Gli sdruccioli . . . a quattro voci, con una caccia in ultimo a quattro, cinque, sei, sette & otto . . . libro secondo. – *Venezia, Angelo Gardano, 1589.* – St.
[G 2473
I Fn (kpl.: S, A, T, B), MOe – **PL** GD

— *ib., Giacomo Vincenti, 1590.*   [G 2474
D-brd W (kpl.: S, A, T, B)

— Il secondo libro de i sdruccioli . . . a quattro voci. – *ib., 1592.*   [G 2475
I Bc (kpl.: S, A, T, B)

— Gli sdruccioli . . . a quattro voci . . . – *ib., Angelo Gardano, 1596.*   [G 2476
I Bc (kpl.: S, A, T, B) – **NL** DHgm (S, T)

— *ib., erede di Girolamo Scotto, 1603.*
[G 2477
I Fr (A)

— *ib., 1613.*   [G 2478
I PAc (kpl.: S, A, T, B)

1589b → 1585
1589c → 1585
1589d → 1586

1590   → 1589a

1591a → 1586
1591b → 1588a

1592   → 1589a

1593. Il secondo libro de madrigali a cinque voci. – *Venezia, Angelo Gardano,
1593.* – St.   [G 2479
B Br (kpl.: S, A, T, B, 5) – CH Bu – GB Ge
(fehlen S und B) – I Bc

— *ib., 1599.*   [G 2480
[2 verschiedene Ausgaben:] EIRE Dm (S, 5) –
GB Lbm (im Titel: ... & ... corretti; S, A, T,
5) – NL DHgm (A)

— *ib., erede di Girolamo Scotto, 1600.*
                    [G 2481
I PAc (S, A, T, B)

— *ib., Angelo Gardano & fratelli, 1607.*
                    [G 2482
I Bc (kpl.: S, A, T, B, 5) – US Wc

1594a → 1586
1594b → 1588a

1596   → 1589a

1598   → 1585

1599a. Il terzo libro de madrigali a cinque
voci. – *Venezia, Giacomo Vincenti, 1599.* –
St.   [G 2483
I Fm (5), Rdp (T, 5), Vnm (T) – PL GD (kpl.:
S, A, T, B, 5)

— *ib., Angelo Gardano, 1599.*   [G 2484
GB Lbm (S, A, T, 5) – I Bc (kpl.: S, A, T, B, 5),
LOcl (B) – NL DHgm (A)

— *ib., erede di Girolamo Scotto, 1603.*
                    [G 2485
I PAc (S, A, T, B)

— *ib., Angelo Gardano & fratelli, 1609.*
                    [G 2486
I MOe (kpl.: S, A, T, B, 5)

1599b → 1593
1599c → 1599a

1600a → 1586
1600b → 1588a
1600c → 1588a
1600d → 1593

1602   → 1585

1603a → 1586
1603b → 1589a
1603c → 1599a

1605. Il primo libro de madrigali a tre
voci. – *Venezia, Angelo Gardano, 1605.* –
St.   [G 2487
GB Lbm (S [unvollständig], A, B) – I Bc (B) –
S Skma (A)

1606. Madrigali a cinque voci novamente
in un corpo ridotti [= libro 1–3, mit Aus-
nahme von 3 Madrigalen]. – *Antwerpen,
Pierre Phalèse, 1606.* – St.   [G 2488
DK Kk (kpl.: S, A, T, B, 5) – GB Ge – F Psg
(T, B, 5) – NL DHgm (T, B)

1607   → 1593

1609   → 1599a

1613a → 1585
1613b → 1589a

1624   → 1588a

GIOVANNI A-T-S → ANTES John

GIOVANNI MARIA da Crema

Intabolatura de lauto di recercari, canzon francese, motetti, madrigali, padoane,
e saltarelli ... libro primo. – *Venezia, Antonio Gardano, 1546.*   [G 2489
SD 1546[25]
A Wn – D-brd Ngm – F Pthibault – GB Lbm –
US Cn

Intabolatura di lauto di recerchari, canzon francese, motetti, madrigali, padoane,
e saltarelli ... libro terzo. – *Venezia, s. n.,
1546.*   [G 2490
SD 1546[26]
A Wn – S Uu

GIOVANNI Paduani

Institutiones ad diversas ex plurium vocum harmonia cantilenas sive modulationes ex variis instrumentis fingendas. –

Verona, Sebastiano & Giovanni a Donnis, 1578.   [G 2491
F Pc – I BGc, CEc

GIOVANNINI (Comte de St. Germain)

VOKALMUSIK

Musique raisonnée selon le bon sens aux dames angloises qui aiment le vrai goût en cet art [ital., mit Orchesterbegleitung]. – London, John Walsh. – P.
[G 2492
GB Lbm

Gentle love this hour befriend me. A new song. – s. l., s. n.   [G 2493
[3 verschiedene Ausgaben:] EIRE Dn – GB CDp, Ge, Lbm (2 verschiedene Ausgaben), Mp – US Wc

Jove, when he saw my Fanny's face. A new song (in: Gentleman's Magazine, vol. XVIII). – [London], s. n. (1748).
[G 2494
GB Lbm

— s. l., s. n.   [G 2495
GB Lbm

O wouldst thou know what kind of charm· The maid that's made for love & me. A new song (in: Gentleman's Magazine, vol. XVII). – [London], s. n., (1747).
[G 2496
GB Lbm

— ... (in: London Magazine, 1747). – [London], s. n., (1747).   [G 2497
GB Lbm

— ... (in: Universal Magazine, vol. IV). – [London], s. n., (1749).   [G 2498
GB Lbm

— s. l., s. n.   [G 2499
[3 verschiedene Ausgaben:] GB CDp, En, EL, Lbm (4 Ex., 3 verschiedene Ausgaben), Mp, P, T – US Wc

The self banish'd [Song]. – s. l., s. n.
[G 2500
EIRE Dn (2 verschiedene Ausgaben) – GB En (2 verschiedene Ausgaben), Lbm (2 verschiedene Ausgaben), Ge

INSTRUMENTALWERKE

Six sonatas [F, B, Es, g, G, A] for two violins with a bass for the harpsicord or violoncello. – London, John Walsh. – St.
[G 2501
F Pn (ohne Titel und ohne Impressum) – GB Lam (2 Ex.), Lbm, Lu, T – S L – US CHua

Seven solos [F, E, c, Es, Es, A, B] for a violin. – London, John Johnson. – P.
[G 2502
GB Ckc, Lbm

GIRAMO Pietro Antonio

Arie a piu voci. – Napoli, Ottavio Beltrano, 1630. – P.   [G 2503
I Fn

[Arie a piu voci (op. 2, lib. 1)]. – s. l., s. n. – P.   [G 2504
I Fn (unvollständig)

Il pazzo con la pazza ristampata, et uno hospedale per gl'infermi d'amore ... [Chöre zu 1 und 3 St.]. – (Napoli), s. n. – P.   [G 2505
I Fn

Hospedale de gl'infermi d'amore ... [Chöre zu 1–5 St.]. – (Napoli), s. n. – P.
[G 2506
I Fn

GIRAUD François-Joseph

MUSIK ZU BÜHNENWERKEN

Ballet des hommes

Suivez l'amour et la folie. Chanson vaudeville (in: Mercure de France, aug., 1753). – [Paris], s. n., (1753).   [G 2507
GB Lbm

Deucalion et Pyrrha (von Giraud und Berton)

Deucalion et Pirrha. Ballet mis en musique par messieurs Giraud ... & Le Berton. – Paris, Vve Delormel & fils, 1755. – P.   [G 2508
SD
F Lm, Pa, Pc (2 Ex.), Pn, TLc
vgl. [B 2357

La gageure de village

Colette l'on a beau dire. Romance (in: Mercure de France, juillet, 1756). – *[Paris], s. n., (1756).*   [G 2509
GB Lbm

INSTRUMENTALWERKE

[6] Sonates pour le violoncelle . . . œuvre première. – *Paris, auteur, Le Clerc, Vve Boivin.*   [G 2510
F Pc (3 Ex.) – **GB** Lbm

[6] Sonates pour un violon et violoncelle seul . . . œuvre II. Ces sonates s'exécutent également à deux violons seuls et en trio avec une basse ad libitum. – *Paris, Le Clerc (rue du Roule), Le Clerc (rue S^t. Honoré), Mme Boivin.* – St.   [G 2511
B Bc (vlc/vl, b) – **F** Pc

GIRAULT Auguste

Six duo concertans pour deux violons . . . opera 1, 2 livraison [F, G, E]. – *Paris, Pleyel, No. 416.* – St.   [G 2512
I Nc

GIRELLI Santino

Salmi di tutto l'anno, a otto voci, con doi Dixit, un Magnificat, concertati a l'uso moderno con il partito per l'organo. – *Venezia, stampa del Gardano, appresso Bartolomeo Magni, 1620.* – St.   [G 2513
I Bc (kpl.; capella: S, A, T, B; organo: S, A, T, B; org)

Salmi intieri a cinque voci con il basso continuo per l'organo . . . con un Dixit, & Magnificat, concertati. – *Venezia, Alessandro Vincenti, 1626.* – St.   [G 2514
I Bc (kpl.: S, A, T, B, 5 org), Rsmt, SPd (A, T, B [fehlt Titelblatt])

Messe . . . concertate a cinque & a otto voci, con una da morto, con li ripieni delle prime due a 5 a beneplacito, opera terza. – *Venezia, stampa del Gardano, appresso Bartolomeo Magni, 1627.* – St.   [G 2515
GB Cu (capella: S), Lbm (5, org) – **I** BRq (organo: S, A, T, B, 5; capella: S, A, T, B; org), VCd (organo: S, A, T, B, 5; capella: S, A, T, B; org) – **NL** DHgm (organo: T) – **PL** GD (organo: S, 5) – **S** Uu (organo: S, A, T, B; capella: S, A, T)

GIROLAMO da Monte dell'Olmo

Applausi ecclesiastici motetti a voce sola con il basso continuo per l'organo . . . libro primo . . . et alcuni del P. F. Tomaso da S. Agata. – *Venezia, Bartolomeo Magni, 1636.* – St.   [G 2516
SD 1636[3]
GB Och (kpl.: S, bc) – **PL** WRu (S [fehlt Titelblatt und letztes Blatt])

— *ib., 1637.*   [G 2517
SD 1637[1]
I Bc (kpl.: S, bc)

Sacri affeti, motetti a voce sola, con il basso continuo per l'organo . . . libro secondo. – *Venezia, stampa del Gardano, appresso Bartolomeo Magni, 1637.* – St.   [G 2518
GB Och (kpl.: S, bc)

GIROUST François

Allons gai! roulez tambours. Ronde des Versaillais, chanté autour de l'arbre de la liberté. – *[Paris], Frère.*   [G 2519
F Pn

Amis, la table est charmante. La fête civique, ou le banquet des cent couverts. Chansonnette. – *[Paris], Frère.* [G 2520
F Pn (4 Ex.) – **I** Rsc

C'est aujourdhui la décade. La décade du canonier. – *[Paris], Frère.*   [G 2521
F Pn (3 Ex.)

Du joug qui pesait sur vos têtes. Cantique de l'opinion. – *[Paris], Frère.*   [G 2522
F Pn

Français dont la vaillance. Le bon conseil. – *[Paris], Frère.*   [G 2523
F Pn (3 Ex.)

J'avais jadis sur ma table. J'ai tout perdu et je m'en f . . . Chanson nouvelle. – *[Paris], Frère]; Versailles, auteur.* [G 2524
F Pn

Le voici ce beau jour. Anniversaire de la chute du dernier roi des Français. Air: En détestant les rois. – *[Paris], Frère.*   [G 2525
F Pn

Ministres de l'erreur. Hymne à la raison. –
[Paris], Frère.   [G 2526
F Pn

Or écoutez gentils Français. Les déser-
teurs. Ronde dansante. – *[Paris], Frère;
Versailles, auteur.*   [G 2527
F Pn (2 Ex.)

Où sont-ils ces foudres de guerre. La for-
fanterie aux abois. Couplets héroïques. –
[Paris], Frère.   [G 2528
F Pn (3 Ex.) – I Rsc

Peuple soumis par le crime. Appel aux
nations. – *[Paris], Frère.*   [G 2529
F Pn (2 Ex.)

Prôneurs de l'âge d'or. Le procès de l'âge
d'or. Chanson nouvelle. – *[Paris], Frère;
Versailles, auteur.*   [G 2530
F Pn

Quels accens, quels transports. Hymne
des Versaillois, chantée sur différents
théâtres. – *Paris, Bonjour.*   [G 2531
F Pn

— ... avec accompagnement de gui-
tarre. – *ib., Imbault.*   [G 2532
GB Lbm

— ... avec accompagnement de gui-
tarre. – *[ib], Frère.*   [G 2533
F Pn (2 Ex.)

Que tout tremble à ma voix. Chanson
patriotique ... dialogue entre le despo-
tisme et la liberté. Air: En détestant les
rois. – *[Paris], Frère.*   [G 2534
F Pn

Salut public, dieu de la France. La victoire en permanence. Hymne du comité
de salut public de la Convention. – *[Pa-
ris], Frère.*   [G 2535
F Pc, Pn (2 Ex.)

Soldats, au nom de la patrie. Tyrtée aux
plaines de Fleurus. Hymne guerrier de-
mandé par la Convention et agréé par
elle. – *[Paris], Frère; Versailles, auteur.*
                                          [G 2536
F Pn

Soldats, soldats, vous dînerez demain. Les
volontaires en gaîté à la bataille de Fleurus. – *[Paris], Frère.*   [G 2537
F Pn

Tandis qu'à l'envi chacun chante l'audace. Cantique des mille forgerons de la
facture d'armes de Versailles. – *[Paris],
Frère.*   [G 2538
F Pn

Voici le premier de nos guides! Station
des Versaillais, devant le buste de Marat. – *[Paris], Frère.*   [G 2539
F Pn – GB Lbm

GISENHAGEN Nicolaus

Cum bono Deo in solemnem nuptiarum
festivitatem Antonii Vivenesti p. t. Athe-
naei quod Stargardiae Pomeranorum ...
sponsi ... Agnisam virginem in exemp-
lum natam viri. – *Stettin, Nicolaus Bar-
tholdi.* – St.   [G 2540
PL Tu (8 [octava vox])

GITTER Joseph

Trois quatuor [B, C, B] pour violon,
flut [!], alto et violoncelle ... œuvre I. –
Mannheim, Götz, No. 100. – St.   [G 2541
D-brd Mbs (fl, vla) – DK Kk (kpl.: fl, vl, vla, b)

Trois sonates pour deux violons ...
œuvre II. – *Mainz, Schott, No. 15.* – St.
                                          [G 2542
US Wc

Trois sonates [C, D, G] pour deux flûtes
traversières ... œuvre III. – *Mainz,
Schott, No. 35.* – St.   [G 2543
D-brd B

Trois sonates [B, C, B] à deux violons ...
œuvre IV. – *Mainz, Schott, No. 65.* – St.
                                          [G 2544
D-brd B, MZsch

GIULIANI Francesco detto il Cerato

Sacri concerti a I. 2. 3. & a 4. voci ... con
il suo basso per l'organo ... opera prima.
– *Venezia, Bartolomeo Magni, 1619.* – St.
                                          [G 2545
D-brd Rp (S I, S II, B, org)

269

Celeste ghirlanda di quaranta concerti a voce sola, divisi sopra le quattro parti principali della musica . . . con il suo basso continuo per l'organo, opera seconda, novamente ristampata. – *Venezia, stampa del Gardano, appresso Bartolomeo Magni, 1629.* – St.   [G 2546
D-brd F (kpl.: S/A/T/B, org) – **PL** WRu

GIULIANI Giovanni Francesco

VOKALMUSIK

Sei duetti notturni a due soprani con l'accompagnamento d'arpa, o cimbalo, o chitarra francese. – *Firenze, Niccolo Pagani & Giuseppe Bardi.* – P.   [G 2547
I Bc

INSTRUMENTALWERKE

Tre concerti [C, D, B] per cimbalo a piena orchestra . . . opera II. – *s. l., s. n.* – St.
                                    [G 2548
US NYp (cemb)

— . . . opera 4. – *London, J. Cooper.*
                                    [G 2549
GB Lbm (kpl.: cemb, vl I, vl II, vla, vlc/b, ob I, ob II, cor I, cor II) – **I** Fc

A concerto [D] for the violin in all its parts . . . (Concerto I). – *London, William Forster.* – St.   [G 2550
I Vc (vl princip., vl I, vl II, vla, b, cor I, cor II)

A concerto [B] for the violin in all its parts . . . (Concerto II). – *London, William Forster.* – St.   [G 2551
I Vc (vl princip., vl I, vl II, vla, b, vlc, ob I, ob II, cor I, cor II)

Concerto [F] à violon principal, premier et second violon, alto et basse, deux hautbois, deux cors. – *Paris, Sieber.* – St.
                                    [G 2552
A Wn (8 St.) – **F** BO (9 St.)

Primo quintetto per traversiere, due violini, viola e violoncello . . . op. XIII. – *Firenze, Nic(c)olo Pag(a)ni & Giuseppe Bardi.* – St.   [G 2553
I Bc

[Tre quintetti per flauto traversiere, due oboi o violini, viola & violoncello]. – *Firenze, Niccolo Pagani & Giovanni Chiari.* – St.   [G 2554
I MTventuri

Six quartettos [C, A, D, F, B, Es] for two violins, a tenor and violoncello . . . op. II. – *London, William Forster & son, No. 53.* – St.   [G 2555
DK Kk – **GB** Lbm – **S** L, Skma – **SF** A – **US** NYp

Sei quartetti [F, B, D, Es, G, E] a due violini, viola e violoncello . . . oᵃ VII. – *London, William Forster.* – St.   [G 2556
S Skma – **SF** A – **US** NYp

— *ib., Cooper.*   [G 2557
DK Kk – **US** Wc

— Three quartetti [F, B, D] a duoi violini, viola, e violoncello, book I, oᵃ VII. – *ib., J. Bland.*   [G 2558
GB Lbm

Tre quartetti [D, B, G] per due violini, viola e violoncello . . . opera X. – *Firenze, Niccolo Pag(a)ni & Giuseppe Bardi.* – St.
                                    [G 2559
I Bc, MTventuri

Sei quartetti per due violini, viola, e violoncello. – *Firenze, Giuseppe Poggioli.* – St.   [G 2560
GB Mp – **US** R

Quatuor périodique [C], Nº 1, pour deux violons, alto et violoncello. – *Offenbach, Johann André, No. 108.* – St.   [G 2561
S Skma

Six sonatas [A, F, C, D, B, Es] for the harpsichord with accompanyments for a violin, and a violoncello . . . op. 6. – *London, William Forster, for the author.* – St.
                                    [G 2562
GB Lbm – **US** BE

Tre sonate [F, A, G] a violino, viola, e violoncello . . . op. VIII. – *Firenze, Niccolo Pag(a)ni & Giuseppe Bardi, No. 12.* – St.   [G 2563
I Bc, Sac – **US** NYp

Tre sonate per cimbalo con violino obligato ... op. IX. – *Firenze, Niccolo Pag(a)ni & Giuseppe Bardi (Nicola Delia)*. – St.   [G 2564
I NT, Rsc (cemb)

Six duetts [A, D, G, C, F, B] for a violin and a violoncello ... op. III. – *London, William Forster & son, No. 55*. – St.
[G 2565
GB Lbm – I Sac, Vc

Six duetts [B, Es, A, D, C, F] for a violin and violoncello ... op. VIII. – *London, John Preston*. – St.   [G 2566
GB Lbm

Six duos [G, D, C, F, E, B] concertants pour deux violons. – *Paris, Sieber*. – St.
[G 2567
S SK

Sei duetti [F, B, G, c, G, A] per due violini. – *s. l., s. n.* – St.   [G 2568
I Sac

Trois duos [A, Es, G] à deux violons ... œuvre 1. – *Berlin, Johann Julius Hummel, No. 458*. – St.   [G 2569
GB Lbm – SF A (fehlt vl II) – US Wc

Six sonatas [A, F, C, D, B, Es] for the piano forte ... op. 6 (Piano-Forte-Magazine, vol. V, Nr. 4). – *London, Harrison, Cluse & Co., No. 71–73*.   [G 2570
B Bc – **D-brd** Mbs

GIU(G)LINI Giorgio, Conte

Sei sinfonie a quatro [G, B, A, F, E, G], due violini, violetta e basso ... opera prima. – *Paris, Le Clerc, aux adresses ordinaires*. – St.   [G 2571
CH EN (vl I, vl II, b; fehlt violetta)

GIULIO Romano (Romano da Siena)

Concentus spirituales ... una, duabus, tribus, quatuor, quinque, ac sex vocibus concinendi, una cum basso generali pro organo. – *Venezia, Giacomo Vincenti, 1612*. – St.   [G 2572
I CEc (A, T), Rsc (A, T)

GIUSBERTI EREMITA → EREMITA Giulio

GIUSTINI Lodovico

[XII] Sonate da cimbalo di piano e forte detto volgarmenti di martelletti ... opera prima. – *Firenze, s. n., 1732*.   [G 2573
F Pc – GB Ckc, Lbm – NL AN – US NH

— *Amsterdam, Gerhard Friedrich Witvogel, No. 83*.   [G 2574
S Skma

GJEDDE Werner Hans Rudolph Rosenkrantz

Ung Grethe. En Romanse af Frederik Høeg Guldberg; sat i Musik og indrettet for Klaveret. – *København, S. Sønnichsen*.
[G 2575
DK Kk, Km

XII Angloises pour le clavecin. – *København, N. Möller & fils, 1788*.   [G 2576
DK Kk, Sa

GLADWIN Thomas

EINZELGESÄNGE

By hope possess'd [Song]. – *s. l., s. n.*
[G 2577
GB Cpl, Lbm – US Ws

Charming Cloe [Song]. – *s. l., s. n.* [G 2578
GB CDp, Ge, Ob

The invitation to Mira [Song]. – *s. l., s. n.*
[G 2579
GB CDp

O Mary! soft in feature. Green-Wood-Hall, or: Colin's description (to his wife) of the pleasures of Spring Gardens. Made to a favourite gavot from an organ-concerto (in: The Gentleman's Magazine, vol. XII). – *[London], s. n., (1742)*. [G 2580
GB Lbm

— *s. l., s. n.*   [G 2581
[3 oder 4 verschiedene Ausgaben:] GB BENcoke, Ckc, Lbm (3 oder 4 verschiedene Ausgaben), Mp, Mch – US Ws (2 verschiedene Ausgaben)

— ... (in: The Universal Magazine, vol. VI). – *[London]*, *s. n.*, *(1750)*. [G 2582
GB Lbm

Whilst in the verdant spot we stray [Song]. – *s. l.*, *s. n.* [G 2583
GB Lbm

INSTRUMENTALWERKE

Eight lessons [F, C, F, D, G, e, Es, A] for the harpsichord or organ, three of which have an accompaniment for a violin. – *London, John Johnson, for the author, No. 2.* – P. [G 2584
GB Lbm

— *ib.*, *Welcker*. [G 2585
GB Ckc, Lbm – US Wc

Green-Wood-Hall. A favorite air with variations for the harpsicord or piano forte, german flute or violin. – *London, s. n.* [G 2586
GB Lbm

GLÄSER Carl Ludwig Traugott

Kurze Klavierstücke zum Gebrauch beym Unterrichte in Minuetts und Polonoisen aus allen Tönen. – *Weißenfels-Leipzig, Friedrich Severin, 1791.* [G 2587
B Bc – D-ddr Dlb – GB Lbm

GLANNER Caspar

Der Erste Theil, Neuer Teutscher Geistlicher und Weltlicher Liedlein, mit vier und fünff stimmen, welche nit allein lieblich zu singen, sonder auch auff allerley Instrumenten zu gebrauchen. – *München, Adam Berg, 1578.* – St. [G 2588
D-brd Mbs (S, A, T, B) – PL WRu

Der Ander Theil, Neuer Teutscher Geistlicher und Weltlicher Liedlein, mit vier stimmen, welche nit allein lieblich zu singen, sonder auch auff allerley Instrumenten zu gebrauchen. – *München, Adam Berg, 1580.* – St. [G 2589
D-brd Mbs (S, A, T, B)

GLASER J. P.

Six simphonies [D, G, C, Es, F, B] à deux violons, taille, et basse, deux hautbois et deux cornes de chasse ad libitum ... opera prima. – *Amsterdam, Johann Julius Hummel, No. 96.* – St. [G 2590
NL At (kpl.: vl I, vl II, vla, b [2 Ex.], ob I, ob II, cor I, cor II) – S SK (fehlt ob I)

GLEICH Andreas

Verba salvatoris consolatoria (Selig sind die Toden [!] [8v mit bc]) ... auf den ... Hintritt ... des ... Hn. Johann Stockelmans ... den 6. Mertz im 1651. Jahr. – *Leipzig, Timotheus Hönens Erben, (1651).* [G 2591
D-brd Gs – D-ddr GOl, Ju, WRiv

GLEISSNER Franz

GEISTLICHE VOKALMUSIK

VI. Missae, cum totidem symphoniis ac Offertoriis ... a canto, alto, tenore, basso, violino I., violino II., viola & organo, obligatis: cornu I., cornu II., & violoncello, non obligatis, opus I. – *Augsburg, Johann Jacob Lotter & Sohn, 1793.* – St. [G 2592
CH Bu (T), E (kpl.: 11 St.; S, A, T, B; vl I, vl II, vla, vlc, org, cor I, cor II), EN, FF (fehlt cor I), Fcu (fehlt org; ohne Titelblatt), Lz (fehlen B, vl II, vla, org), SAf (S), SO (fehlen vl II, org; ohne Titelblatt) – D-brd BB (fehlen vl I, vl II), Es (S; vl I, vl II, vlc, cor II; ohne Titelblatt), Ew (fehlen vl II, vla), HR, Mbs, Rp (org [2 Ex.]), Tmi (8 Ex., davon 6 Ex. unvollständig), WEY – PL Wu

VI. Missae breviores, cum totidem symphoniis et Offertoriis, ex quibus duae funebres, a canto, alto, tenore, basso, violino I., violino II., viola & organo, obligatis, cornu I., cornu II., & violoncello, non obligatis, opus II. – *Augsburg, Johann Jacob Lotter & Sohn, 1798.* – St. [G 2593
A Gd (kpl.: 11 St. [je 2 Ex.]; S, A, T, B; vl I, vl II, vla, vlc, org, cor I, cor II) – B Asa, LIg (vla) – CH E, EN, Fcu (fehlt vla), R, SAf, SO – CS Mms – D-brd BB (fehlen vl I, vl II), Mbm (kpl.; vl I und vl II in 2 Ex.), Mbs, Tmi (3 Ex., davon 1 Ex. unvollständig), WEY – F Pc – PL Wu

[Zuweisung fraglich; vgl. KV Anh. 234:]
Duae missae breves a IV Vocibus, II Violinis et organo obligatis, II Cornibus non obligatis. – *München, Macario Falter, No. 111.* – St.   [G 2594
D-ddr GOa (kpl.: S, A, T, B; vl I, vl II, org, cor I, cor II)

LIEDER UND ARIEN

12 Neue Lieder für's Klavier. – *München, s. n., 1796.*   [G 2595
CS K – **D-brd** Mbs

Aria, No. 6[–7] aus der Oper: Der Pachtbrief. – *Offenbach, Johann André, No. 1446(–1447).* – KLA.   [G 2596
CS K

INSTRUMENTALWERKE

VI Sinfonien, für zwey Fagotts, eine Flöte, zwey Oboen, zwey Hörner, zwey Trompetten und Paucken, welche nicht obligat, und für zwey Violins, Viole, und Bass, welche obligat sind ... (Sinfonia Ima [C]). – *München, Alois Senefelder, 1798.* – St.   [G 2597
D-brd LÜh (kpl.: 13 St.; dazu vl I, vl II und b handschriftlich)

— Sinfonia [C] a violino I., violino II., viola, basso con violoncello obl., due oboe, fagotti, flauto, due corni, trombe, e tympani ad libitum. – *([handschriftlich:] Gombart & Co).* – St.   [G 2598
D-brd Mbs (kpl.: 13 St.)

Sinfonie pour deux violons, viole & basse obligés, & une flûte, 2 hautbois &c. ad libitum ... œuvre 1, livre 1 [C] (2 [Es], 3 [D]). – *Offenbach, Johann André, No. 1453 (1454, 1455).* – St.   [G 2599
D-brd Es (livre 2; kpl.: 10 St.), DT (livre 2; kpl.: 10 St.), HL (livre 1–3; kpl.: 13 St., 10 St., 13 St.), MÜu (livre 2; kpl.: 10 St.) – **D-ddr** HAmi (livre 1; kpl.: 13 St.) – **DK** Kk (livre 1: vla, vlc, timp; vl I handschriftlich – livre 3: fag I, fag II, timp; vl I, vla, vlc handschriftlich) – **S** J (livre 2; fehlen vl I und cor II)

Sinfonie [B] pour deux violons, alto, et bahso[!] oblig: deux hautbois, et cors ad libitum ... œuv. XV. – *Wien, Chemische Druckerei.* – St.   [G 2600
D-brd Mbs (kpl.: 8 St.)

Journal de musique militaire, ou Pièces d'harmonie. – *München-Mannheim-Düsseldorf, Johann Michael Götz.* – St.   [G 2601
D-brd MÜu (8 St.)

Six pièces d'harmonie pour flûte, deux clarinettes, deux cors & basson. – *Offenbach, Johann André, No. 3890.* – St. [G 2602
D-brd OF (kpl.: fl, cl I, cl II, cor I, cor II, fag)

Trois quatuors [C, B, G] pour deux violons, alto et violoncelle ... œuv. XIII. – *Wien, Chemische Druckerei, (Lithographie von Senefelder).* – St.   [G 2603
A Wgm (kpl.; 2 verschiedene Ausgaben), Wn (vla, vlc)

Quatuor [F] pour la flûte, violon, viola et violoncelle. – *München, Lithographische Druckerei.* – St.   [G 2604
D-brd MT

III Leichte Sonaten [B, F, D] fürs Clavier mit willkührlicher Begleitung einer Violine ... N°. I. Auf Stein gedruckt. – *[Wien, Alois Senefelder].* – St.   [G 2605
A Wgm, Wn, Wst (pf)

Trois sonates pour le pianoforte avec accompagnement de violon ... œuvre 6, (Nr. III [B]). – *Wien, Alois Senefelder, No. 23.* – St.   [G 2606
A Wn (pf)

Six duos [C, G, F, G, D, G] pour deux flûtes ... œuv. XII. – *Wien, Chemische Druckerei (Lithographie von Alois Senefelder).* – St.   [G 2607
A Wgm

— ... œuv. 12, N° 1 [C, G, F] (2 [G, D, G]). – *ib., No. 32 (976).*   [G 2608
A Wn – **D-brd** Mbs

Vingt duos pour deux flûtes, tirés de l'opéra: Das Labyrinth. – *Offenbach, Johann André, No. 1427.* – St.   [G 2609
D-brd OF

30 leichte Klavierstücke für Angehende Spieler. – *Wien, Chemische Druckerei, No. 16.*   [G 2610
D-brd Mbs

Feldmarsch der Churpfalzbayer'schen
Truppen [pf]. – *[München, Senefelder]*.
[G 2611
D-brd Mbs

Wiener Studenten Marche [pf]. – *[Wien,
Senefelder, 1801]*.   [G 2612
D-brd Mbs

Vingt variations sur un thème de Msr.
Haydn pour une flûte traverse . . . op. 14.
– *Wien, Chemische Druckerei*.   [G 2613
H KE

— Vingt variations pour une flûte tra-
verse sur un thème de Mr. Haydn. – *ib.,
No. 30*.   [G 2614
A Wgm

GLETLE Johann Baptist

Deliciae sacrae, sive novem psalmi vespertini, a 9., canto, alto, tenore, basso,
2. violin in concert, 2. violae, 1. fagotto
ad libitum, cum duplici basso generali,
uno pro organo, altero pro violone. –
Krems, Christian Walter, 1687. – St.
[G 2615

D-brd Mbs (S[unvollständig])

GLETLE Johann Melchior

Op. 1. Expeditionis musicae classis I;
motettae sacrae concertatae XXXVI.
XVIII. vocales tantum absque instrumentis: XVIII vocales ac instrumentales
simul: potissimum a 2. 3. 4. 5., cum
nonnullis a 6: duabus 7: & una a 8: quae
ipsae tamen etiam a paucioribus concini
possunt . . . opus I. – *Augsburg, Autor
(Andreas Erfurt), 1667*. – St.   [G 2616
CH Zz (kpl.: S I, S II, A, T, B; vl I, vl II, vlc,
org) – **D-brd** DS (A, org), Mbs (fehlen S I, vl I,
vlc) – **F** Pn – **S** Skma (org)

Op. 2. Expeditionis musicae classis II;
psalmi breves, breviores, brevissimi; omnibus totius anni dominicis ac festis ad
vesperas concinendi a V. vocibus concertantibus, necessarijs: II. vel V. instrumentis concert: ad libitum, & V. vocibus
ripienis, seu chori pleni; cum duplici basso
continuo pro organo, violone . . . opus II.
– *Augsburg, Autor (Andreas Erfurt), 1668*.
– St.   [G 2617

CH Zz (kpl.: 17 St.; S I, S II, A, T, B; vl I, vl II,
a-vla, t-vla, fag; rip.: S I, S II, A, T, B; vlne,
org), Gpu (T rip. [unvollständig]) – **D-brd** F
(fehlen A rip., B rip.), OB (fehlen fag; rip.: S I,
A, T, B; S II nur handschriftlich) – **F** Pn
(fehlt org) – **PL** WRu (fehlen B, vl I, t-vla, A
rip., org) – **S** Skma (fehlt org)

Op. 3. Expeditionis musicae classis III;
missae concertatae a V. vocibus concertantibus necessarijs: V. instrumentis concertantibus ad libitum: V. ripienis, seu
pleno choro; addita una ab 8 vocibus,
& 7 instrumentis; cum duplici basso continuo pro organo, violone . . . opus III.
– *Augsburg, Autor (Andreas Erfurt),
1670*. – St.   [G 2618
D-brd FUp (T, S II, vlne, org), Mbs (T, a-vla,
t-vla, fag, vlne) – **S** Skma (vlne)

Op. 4. Musica genialis latino-germanica;
oder Neue Lateinisch- und Teutsche
Weltliche Musicalische Concert Von 1. 2.
3. 4. 5. Stimmen: Theils ohne Instrument,
theils mit 2 Violinen ad libitum . . .
Sambt 2. Sonaten und 36. Trombeter-
stücklen auff 2. Trombeten Marinen . . .
opus IV. – *Augsburg, Autor (Andreas
Erfurt), 1675*. – St.   [G 2619
CH Zz (kpl.: S I, S II, A, T, B, vl I, vl II, bc) –
D-brd Rp (B), Rtt (A, vl II) – **GB** Lbm (fehlt
vl II)

Op. 5. Expeditionis musicae classis IV;
motettae XXXVI. a voce sola, et 2. potissimum violinis, saepius necessariis, ali-
quoties ad libitum: cum aliis quoque instrumentis, graviori harmoniae efficien-
dae, passim additis . . . opus V. – *Augsburg, Autor (Johann Schönigk), 1677*. – St.
[G 2620
CH Zz (kpl.: S/T; vl I, vl II, a-vla, t-vla, fag,
org) – **D-brd** DS (a-vla), Mbs (fehlt S/T), OB
(fehlen vl I, vl II, org; S/T handschriftlich),
Rp (fehlt org)

Op. 6. Expeditionis musicae classis V;
litaniae B. V. Lauretanae, plerumque a V.
vocibus concertantibus necessariis; cum
V. instrumentis concertantibus ad libitum, & V. ripienis, seu pleno choro;
adjuncta quoque sunt aliquot Ave Maria,
&c. a 1. 2. 3. 4. 5. vocibus concertantibus,
omnia fere sine instrumentis . . . opus VI.
– *Augsburg, Autor (Johann Jakob Schönigk), 1681*. – St.   [G 2621

D-brd FUp (A rip., fag), Mbs (T, vl I), Rp (vlne) – **F** Pn (kpl.: 17 St.; S I, S II, A, T, B; vl I, vl II, a-vla, t-vla, fag; rip.: S I, S II, A, T, B; vlne, org)

Op. 8. Musicae genialis latino-germanicae classis II; oder: Neuer Lateinisch- und Teutscher Weltlicher Musicalischer Concerten Anderer Theil, von 2. 3. Stimmen, ohne Instrumenten, bey vornehmen Mahlzeiten zur Tafel-Music und andern frölichen Zusammenkunfften zugebrauchen . . . opus VIII, posthumum II. – *Augsburg, Autor's Erben (Jacob Koppmayer), 1684.* – St.   [G 2622
CH Zz (kpl.: vox I, vox II, vox III, org) – **NL** At (vox III, org)

GLÖSCH Karl Wilhelm

L'oracle, ou La fête des vertus et des grâces. Comédie lyrique en I acte. – *Berlin, Winter, 1773.* – KLA.   [G 2623
US Bp

Der Bruder Graurock und die Pilgerin. – *Berlin, Rellstab.* – KLA.   [G 2624
PL WRu – **US** PHu

Marche [D] des Deux avares, varié pour divers instruments, comme clavecin, flûte traversière, deux violons, taille & violoncello. – *Berlin, Johann Julius Hummel; Amsterdam, grand magazin de musique, No. 2.* – St.   [G 2625
CS Pnm (kpl.: clav, vl I, vl II, vla, vlc, fl) – **S** L

Concert pour la flûte traversière accompagné de deux violons, taille & basse . . . qui a pris le sujet de cette composition dans quelques airs français. – *Berlin, Johann Julius Hummel; Amsterdam, grand magazin de musique, aux adresses ordinaires, No. 5.* – St.   [G 2626
F Pc (kpl.: vl I, vl II, fl, vla, b)

Six trios, trois, à deux flûtes & violoncelle, et trois, à une flûte, violon & violoncelle . . . œuvre première. – *Berlin, Johann Julius Hummel; Amsterdam, grand magazin de musique, No. 7.* – St.   [G 2627
DK Kk – **US** Wc

Trois concerts [D, A, G] pour la flûte traversière, avec l'accompagnement de deux violons, taille & basse, deux haut-bois & deux cors de chasse ad libitum . . . œuvre second. – *Berlin, Johann Julius Hummel; Amsterdam, grand magazin de musique, aux adresses ordinaires, No. 164.* – St.   [G 2628
D-ddr Dlb (kpl.: 9 St.)

Six sonatines [C, G, D, A, F, B] pour le clavecin ou piano forte . . . œuvre troisième. – *Berlin, Johann Julius Hummel; Amsterdam, grand magazin de musique, No. 179.* – St.   [G 2629
D-ddr Dlb

GLOGER Bogislav von

Sechs deutsche Lieder, mit Begleitung des Pianoforte oder der Guitarre . . . Iste Sammlung. – *s. l., s. n.*   [G 2630
D-ddr HAu

GLUCK Christoph Willibald

GEISTLICHE WERKE

Alma sedes. Motet d'un nouveau genre, avec simphonie pour une voix de dessus. – *Paris, Lemarchand.* – KLA.   [G 2631
GB Lbm – **NL** DHgm

De profundis . . . ouvrage posthume, gravé sur le manuscrit original de l'auteur. – *Paris, conservatoire de musique.* – P.
                                              [G 2632
B Bc – **D-ddr** Dlb – **GB** Lbm (2 Ex.) – **F** Pc, Pn – **I** Bc, BGc, Vnm

— *ib., conservatoire de musique.* – St.
                                              [G 2633
F Pn

— *Paris, Janet & Cotelle.* – P.   [G 2634
CH N

— *London, Cianchettini & Sperati.*
                                              [G 2635
GB Lbm, Lcm, T – **I** BGi, Fc – **US** NYp, Wc

— . . . traduction de P. Porro, orgue ou piano de F. Dietrich. – *Paris, P. Porro, No. 185 u. G. 6. 185.* – P. und St. [G 2636
B Bc (ohne No.) – **D-brd** LÜh – **D-ddr** Bds – **GB** Lbm (ohne No.) – **S** Skma

— Partition et arrangement pour le piano forte ou orgue. – *Bonn-Köln, N. Simrock, No. 2171.* – KLA. und 4 Singst.   [G 2637
A Wgm – **B** Bc – **CH** BEl – **CS** Pk – **D-brd** DT, Gs – **D-ddr** MEIr – **GB** Lbm, Lcm – **NL** DHgm – **S** Skma, Sm, Ssr – **US** Wc

MUSIK ZU BÜHNENWERKEN

(Die Einzelgesänge in Übersetzungen stehen mit ihren Textanfängen in der alphabetischen Reihe der originalen Texte)

Alceste (frz.)

Alceste. Tragédie. Opéra en trois actes ... représentée pour la première fois par l'Académie royale de musique le 30 avril, 1776. – *Paris, au bureau d'abonnement musical; Lyon, Castaud.* – P.   [G 2638
A Wmi – **C** Tu – **CH** Bu – **D-brd** WII – **DK** Kk – **F** Pc (2 Ex.) – **GB** Lbm – **I** Rsc, Tu – **US** AA, BE, CHH, Dp, I, NH, Wc

— ... [seconde édition]. – *ib., au bureau d'abonnement musical.* – P.   [G 2639
A Sm, Wgm, Wn – **CH** BEsu – **D-brd** BK, HR, Mbs (2 Ex.) – **D-ddr** Bds, Dlb – **F** BO, Lm, Pa, Pc, Pn, Sn, TLm – **GB** Bu, Ckc, Lbm (2 Ex.), Lcm, Ltc – **I** Rvat, Tn – **US** Cn (unvollständig), PO, SB, Wc

— ... [troisième édition]. – *ib., au bureau d'abonnement musical.* – P.   [G 2640
I Tn – **US** PROu

— ... [quatrième édition]. – *ib., Des Lauriers.* – P.   [G 2641
A GÖ, Wn – **CH** Bu – **D-brd** Bhm, MZsch, Mbs, Rp, Tu, W – **D-ddr** Bds, Jmi, LEm – **DK** Kk – **F** A, Dc, LH, LYc, Pn (4 Ex.), Po (2 Ex), R – **GB** Er, Lbm, Mp, Ouf – **I** Bc, BGi, Nc – **H** KE – **NL** DHa, Uim – **PL** Wu – **S** Skma, Uu – **US** AA, BE, Bh, Bp, DT, PO, R, Su (mit No. 2 und Etikett: Imbault), U, WE, Wc

— ... [cinquième édition]. – *ib., Boieldieu jeune.* – P.   [G 2642
B Bc, Br – **CH** Gpu – **GB** Lcm, T – **NL** At – **US** Cn, NYp

Tragédie en trois actes par Mr. Calsabigi et Guillard ... arrangée pour le clavecin par Jean Charles Frédéric Rellstab. – *Berlin, Rellstab, No. 217.* – KLA.
[G 2643
D-brd B, HEms, KImi – **GB** Ge, Lbm, Ob – **I** Nc – **US** NH, WM

— *Bonn, N. Simrock, No. 1125.* – KLA.
[G 2644
A Wn (2 Ex.) – **B** Bc – **BR** Rn – **CH** BEl – **CS** Pk – **D-brd** AAst, DO, Kl, Km, KA (2 Ex.), LÜh, MGu, WL, W – **D-ddr** Bds, Dlb, Ell, GRu, MEIr – **J** Tma – **NL** At – **PL** Wu

Ouverture et airs ... arrangés pour le clavecin ou le forte-piano avec accompagnement de violon ad libitum par P. A. Morchal. – *Paris, Mmes Le Menu et Boyer.* – St.   [G 2645
F Pc

Suite d'airs ... en quatuors concertants avec l'ouverture pour deux violons, alto et basse ... arrangés par M. Alexandre. – *Paris, de La Chevardière.* – St.   [G 2646
F Pn

Ouverture ... arrangée en quatuor pour deux violons, alto & basse. – *Paris, Imbault, No. 16.* – St.   [G 2647
S Skma

— ... arrangée en trio pour deux violons et violoncelle par M. Meunier. – *Paris, Bignon, No. 40.* – St.   [G 2648
D-brd Rtt

— ... arrangée pour le clavecin. – *Stockholm, [Olaf Åhlström], 1784.*   [G 2649
S Skma, St, Ssr

— ... arrangée pour le clavecin ou le pianoforte avec accompagnement d'un violon et violoncelle ad libitum par Benaut. – *Paris, Mlle Le Vasseur, Mlle Castagnery.* – St.   [G 2650
F Pc (2 Ex.)

— ... arrangée à 4 mains par C. F. Rungenhagen. – *Berlin, Adolf Martin Schlesinger, No. 262.*   [G 2651
A Wgm – **D-ddr** HAu

— ... im Klavierauszuge. – *ib., F. S. Lischke, No. 842.*   [G 2652
D-brd Rs

— ... achevée et arrangée pour le pianoforte par C. E. F. Weyse. – *København, C. C. Lose.*   [G 2653
D-brd B – **DK** A, Kk

[Airs détachés . . .]. – *s. l., s. n.* – P.
[G 2654
F Po

Grands dieux! du destin. Scène du 1er
acte . . . arrangée pour le forte piano par
B. Mozin. – *Paris, Naderman, No. 616.* –
P.   [G 2655
F Pc

Ombre, larve. Air. – *London, Corri, Dussek & Co.* – P.   [G 2656
GB Lbm – **US** CA

Où suis-je? O malheureuse Alceste. Scène
Vme du 1er acte . . . arrangée pour le forte
piano par B. Mozin. – *Paris, Naderman,
No. 617.* – P.   [G 2657
F Pc

Se pur' cara è a me la vita [Je n'ai jamais
chéri la vie]. – *London, Corri, Dussek &
Co., 1795.* – P.   [G 2658
D-brd Hs – **GB** BA, Lbm – **US** CA, Cn, Wc

Vivre sans toi. Scène 4e du 3e acte, ac-
compt de piano par B. Mozin. – *Paris,
Naderman, No. 640.* – KLA.   [G 2659
CH Gc – **I** Mc

Marche . . . arrangée pour la harpe avec
violon par J. B. Krumpholtz, ouvrage
posthume. – *Paris, Naderman.* – P.
[G 2660
F Pc

Alceste (ital.)

Alceste. Tragedia. Messa in musica. –
Wien, Johann Thomas Trattner, 1769. – P.
[G 2661
A Sm, Wgm (2 Ex.), Wmi, Wn, Wst – **B** Bc
(2 Ex.), Br – **C** Vu (unvollständig) – **CH** Bm,
BEl – **CS** K (2 Ex.), Pk (2 Ex.), Pnm – **D-brd** B,
Cv, F, Hs, LÜh, Mbs, Rp – **D-ddr** Dlb, LEm –
DK Kmk, Kk (2 Ex.) – **E** Boc – **F** Pc (6 Ex.) –
GB Cpl, Er, Lbm, Lcm, Mp – **H** Bn – **I** Bc, Li,
MOe, Nc, Tn (2 Ex.), TScon – **S** Skma, St – **US**
Bc, BE, NH, NYcu, NYp, PRu, R, U, Wc

— *ib., Johann Thomas Trattner, 1777.* – P.
[G 2662
D-brd KNmi – **DK** Kk – **I** Mc

Ouverture . . . d'après la partition ita-
lienne par Mr. Edelmann. – *Mannheim,
Götz & Co., No. 35.* – KLA.   [G 2663
D-brd Mbs

Non vi turbate. Aria . . . cantata dalla
Sig^{ra} Bernasconi. – *London, Longman,
Clementi & Co.* – P.   [G 2664
S Skma

— . . . as sung by Sig^{ra} Banti. – *ib., Longman, Clementi & Co.* – P.   [G 2665
S Skma

— *ib., Longman & Broderip.* – P.
[G 2666
GB Lbm – **US** Wc

— A favorite song, sung by Madam Ban-
ti. – *ib., J. Dale.* – P.   [G 2667
GB BA, Lbm – **US** Ws

— . . . arranged with an accompaniment
for the piano forte. – *London, R. Birchall.*
– KLA.   [G 2668
GB BA, Lbm

— . . . arranged with an accompaniment
for the piano-forte. – *ib., Lewis, Houston
& Hyde.* – KLA.   [G 2669
D-brd Hs

— *Philadelphia, Trisobio.* – KLA.
[G 2670
US PHchs

Ombre, larve [Song]. As sung . . . by
Signora Banti. – *London, R. Birchall.* – P.
[G 2671
GB Lcm

— *ib., Corri, Dussek & Co.*   [G 2672
I Rsc

Se pur' cara è me la vita. Aria, as sung by
Signora Banti. – *London, R. Birchall.* –
KLA.   [G 2673
D-ddr WRgs

L'arbre enchanté

L'arbre enchanté. Opéra comique, en un
acte de Mr Vadé . . . mis en vers et en
ariettes par Mr Moline, représenté à Versailles devant leurs majestés le lundi
27 février 1775. – *Paris, Lemarchand.* –
P. und St.   [G 2674
B Bc (ohne St.) – **D-ddr** Bds (P. und 11 St.) –
D-brd HR – **DK** Kk (ohne St.), Kv (ohne St.) –
F Pc, Pn – **US** Wc (ohne St.)

— . . . [deuxième édition]. – *ib., Des Lauriers.* – P. und St.   [G 2675

A Wn – **B** Gc – **CH** BEl – **D-ddr** Dlb, LEm – **F** Dc, Pc (2 Ex.), Sim, TLc – **GB** Lbm (2 Ex., davon 1 Ex. ohne St.), Lcm, T (ohne St.) – **S** Skma (ohne St.) – **US** AA, NH, Wc

Ouverture . . . arrangée pour le clavecin ou le forte piano avec accompagnement d'un violon et violoncelle ad libitum par Benaut. – *Paris, auteur et aux adresses ordinaires.* – St.   [G 2676
F Pc

Armide

Armide. Drame héroïque. Mise en musique par . . . représenté pour la première fois, par l'Académie royale de musique le 23 septembre 1777. – *Paris, au bureau du journal de musique.* – P.   [G 2677
A Scroll, Wgm – **B** Bm, Bc – **CH** BEl – **D-brd** F, HR, Rp, WÜu – **D-ddr** Bds, Dlb – **DK** Kk (2 Ex.) – F BO, Pn, TLc – **GB** Cpl, Lbm, Lcm – **I** MOe, Tn – **S** St – **US** AA, BLu, Cn (unvollständig), I, NH, NYp, Wc, WA, WE

— . . . [deuxième édition]. – *ib., Lemarchand.*   [G 2678
F Pc

— . . . [troisième édition]. – *ib., Des Lauriers.* – P.   [G 2679
A GÖ, Wgm, Wmi, Wn, Wst – **B** Br, Gc – **C** Tu, Vu – **CH** BEk, E, Gc, Zcherbuliez, Zz – **D-brd** Bhm, Bmi, F, KImi, LÜh, Mbs, Mmb, Mms – **D-ddr** Bds, LEm, SWl – **DK** Kmm, Kv – **F** Lc, Lm, Pa, Pc, V – **GB** Bu, Ckc, Lam, Lbm, Lcm, Mp, Ob – **I** BGc, Rsc, Rvat – **NL** At, DHa – **PL** Wu – **S** Skma (2 Ex.), Uu – **US** BE, Bp, CHH, COu, DT, NH, NYcu, NYp, U, Wc

— . . . [quatrième édition]. – *ib., Boieldieu jeune.* – P.   [G 2680
A Wn – **D-brd** Bhm – **I** Bc – **NL** Uim – **US** IO, PRu

Tragédie en cinq actes par Mr. Quinault . . . arrangée pour le clavecin par Jean Charles Frédéric Rellstab. – *Berlin, Rellstab, No. 272.* – KLA.   [G 2681
D-brd Rp – **F** Pn – **J** Tma (ohne No.)

— Opéra en cinq actes avec accompagnement de piano forte . . . – *Paris, Mme Vve Nicolo, No. 1.* – KLA.   [G 2682
A Scroll – **CH** Bu

— . . . übersetzt von Julius von Voss, Klavierauszug bearbeitet von J. P. Schmidt. – *Berlin, Schlesinger, No. 75.* – KLA.
                                    [G 2683

A Wgm, Wn (2 Ex.) – **D-brd** AAst, Bhm (2 Ex.), BNba, BNms, DO, DT, F, HEms, Hmb, Kl, KNh, LÜh, Mbs (2 Ex.), MGu, W – **D-ddr** Dlb, GRu, MEIr – **J** Tma – **US** BLu, NYma

Ouverture . . . ariettes, et airs de danse . . . arrangés pour le clavecin, forté piano, ou harpe, avec accompagnement de violon, et flûte . . . par Camille Monteze. – *Paris, auteur.* – St.   [G 2684
CH Bu – **F** Pc

Ouverture et airs de danse . . . arrangés pour deux violons, deux alto et basse par M ***. – *Paris, Jolivet.* – St.   [G 2685
A Scroll – **GB** Lbm

Ouverture . . . arrangée pour le clavecin ou le piano forte avec accompagnement d'un violon et violoncelle ad libitum par Benaut. – *Paris, auteur.* – St.   [G 2686
F Pc

— Ouverture . . . en quatuor arrangée . . . par M. Gaultier. – *ib., Bouin, Mlle Castagnery, No. 12.* – St.   [G 2687
NL Uim

— . . . arrangée en duo pour deux violons. – *ib., Imbault, No. 14.* – St.   [G 2688
F Lm (vl I)

— . . . arrangée pour le forté piano avec un violon ad libitum par Mr Holaind. – *ib., auteur.* – St.   [G 2689
GB Lbm (fehlt vl I)

— . . . arrangée pour le clavecin ou le piano forte avec un violon ad libitum par H. Cesar. – *ib., Mmes Le Menu et Boyer.* – St.   [G 2690
F Pc, Pn

— . . . für das Piano-Forte zu vier Händen eingerichtet von F. W. Klein. – *Berlin, F. S. Lischke, No. 1163.* – KLA. [G 2691
D-brd Mbs

— Ouverturen till Armide . . . lämpad till piano-forte för fyra händer af Byström. – *Stockholm, Königl. privilegierte Notendruckerei.* – KLA.   [G 2692
DK Kk

— . . . im Klavierauszuge. – *ib., Concha & Co., No. 591.* – KLA.   [G 2693
D-brd Lr

— *ib., Schlesinger, No. 75.* – KLA.
[G 2694
D-brd BNba

— *ib., Schlesinger, No. 2127.* – KLA.
[G 2695
A Gk

— *[Berlin-Oranienburg, Heinrich Fröhlich, Rudolf Werckmeister].* – KLA.
[G 2696
A Wn – **D-ddr** Bds

— *Wien, Johann Cappi, No. 1315.* – KLA.
[G 2697
A GÖ (2 Ex.)

— *s. l., s. n.* – KLA.   [G 2698
CS Pk – **DK** Kk

Airs détachés. – *Paris, au bureau du journal de musique.* – P.   [G 2699
F Po

Airs et duos ... arrangés pour le piano par H. Jadin. – *Paris, frères Gaveaux.* – KLA.   [G 2700
D-brd Mbs

Ariettes ... à 1 voix et basse. – *s. l., s. n.* – P.   [G 2701
F V

The favorite songs in the opera ... – *London, R. Bremner.* – P.   [G 2702
D-ddr Bds

Ah, si la liberté me doit être ravie. Klavierauszug mit deutschem und französischem Text. – *Berlin-Oranienburg, Heinrich Fröhlich, Rudolf Werckmeister.* – KLA.   [G 2703
A Wn – **D-ddr** Bds – **DK** Kk

Ah quelle erreur. Favorit-Chor. – *[Oranienburg, Rudolf Werckmeister].* – KLA.
[G 2704
A Wn – **D-ddr** Bds – **DK** Kk

Aimons-nous, tout nous y convie. Favorit-Duett. – *[Oranienburg, Rudolf Werckmeister].* – KLA.   [G 2705
A Wn – **D-ddr** Bds – **DK** Kk

Armida du enteilst. Duetto ... für das Pianoforte. – *Wien, Johann Cappi, No. 1313.* – KLA.   [G 2706
D-brd Cl

Armide, vous m'allez quitter? Scène et duo du 5e acte ... arrangée pour piano par J. B. Auvray. – *Paris, Louis, No. 339.* – KLA.   [G 2707
D-brd Cl

— Armide, vous m'allez quitter? Première scène du 5e acte ... arrangée par N. Carbonel. – *Paris, Le Duc.* – KLA.
[G 2708
GB Lcm

Au printemps de votre âge. Air ... avec accompagnement de harpe. – *Paris, Frère.*
[G 2709
GB Lbm

Au temps heureux. Echo-Gesang der Najaden ... mit deutschem und französischem Text. – *Oranienburg, Rudolf Werckmeister.* – KLA.   [G 2710
A Wkann, Wn – **D-ddr** Bds, SWl – **DK** Kk

Auf Freund. Duetto ... für das Pianoforte. – *Wien, Johann Cappi, No. 1316.* – KLA.   [G 2711
D-brd Cl

Beklagt sei er. Favorit-Chor. – *Wien, Johann Cappi, No. 1316.* – KLA.   [G 2712
D-brd Cl

D'où vient, que vous vous détournez. Ihr wollt den heitern Rosenhain. Vierte Scene des vierten Akt's. – *[Oranienburg, Rudolf Werckmeister].* – KLA.   [G 2713
A Wn – **D-ddr** Bds – **DK** Kk

Enfin je vois l'amant. Erblick' ich endlicn dich. Zweite und dritte Scene des vierteh Akt's ... Klavierauszug mit deutschem und französischem Text. – *Oranienburg, Rudolf Werckmeister.* – KLA.   [G 2714
A Wn – **D-ddr** Bds – **DK** Kk

Esprits de haine et de rage. Der Rachlust nächtliche Geister. Beschwörungs-Duett ... Klavierauszug mit deutschem und französischem Text. – *Berlin-Oranienburg, Heinrich Fröhlich, Rudolf Werckmeister.* – KLA.   [G 2715
A Wn – **D-brd** Bhm (unvollständig) – **D-ddr** Bds – **DK** Kk

— *Berlin, F. S. Lischke, No. 1972.* – KLA.
[G 2716
A M

Fuions les douceurs dangereuses. Auf, Freund, laß uns fliehn. Schluß-Duett des vierten Akts ... Klavierauszug mit deutschem und französischem Text. – *Oranienburg, Rudolf Werckmeister.* – KLA.
[G 2717
A Wn – **D-ddr** Bds – **DK** Kk

Kehrt ohne Blumen. Ariette ... für das Pianoforte. – *Wien, Johann Cappi, No. 1316.* – KLA. [G 2718
D-brd Cl

On s'étonnerait moins. Solo-Gesang einer Najade. – *[Oranienburg, Werckmeister].* – KLA. [G 2719
A Wn – **D-ddr** Bds, SWl – **DK** Kk

Plus j'observe ces lieux. Favorit-Arie ... Klavierauszug mit deutschem und französischem Text. – *Oranienburg, Rudolf Werckmeister.* – KLA. [G 2720
A Wn – **D-ddr** Bds – **DK** Kk

Les ballets ... arrangés pour le pianoforte. – *s. l., s. n., No. 3122.* – KLA.
[G 2721
S St

Menuet d'Armide ... Gavotte [a 2v]. – *s. l., s. n.* – P. [G 2722
F Po

Artamene

The favorite songs in the opera call'd Artamene. – *London, John Walsh, 1746.* – P.
[G 2723
A Wn – **CH** BEl – **D-brd** Hs (2 Ex., davon 1 Ex. unvollständig), Mbs (unvollständig) – **EIRE** Dn (nur: Se crudeli) – **GB** Ckc, Lam, Lbm, Lcm, LVp – **US** Bp, NH, NYp, R, Wc, Ws

Rasserena il mesto ciglio. The favorite song ... sung by Mr. Harrison. – *London, J. Bland.* – P. [G 2724
GB Lbm – **US** Wc

– ... the favorite song sung by Sig^r Pacchierotti in the opera of Silla ... – *ib., Wright & Wilkinson.* – P. [G 2725
GB Lbm

– *ib., Wright.* – P. [G 2726
GB Ckc, Lbm

– The fond petition to Monimia [Song]. By Mr. Lockman, writ to a celebrated air in the opera of Artamene. – *London, s. n.* [G 2727
GB Lbm

La caduta de' giganti

The favorite songs in the opera call'd La caduta de' giganti. – *London, John Walsh.* – P. [G 2728
CH BEl – **D-brd** Hs – **EIRE** Dam – **GB** Lam, Lbm, Lcm – **US** Cn, Wc

Cythère assiégée

Cythère assiégée. Opéra. Ballet en trois actes, représentée par l'Académie royale de musique, le 1er aoust 1775 ... poème de M. Favart. – *Paris, au bureau d'abonnement musical; Lyon, Castaud.* – P.
[G 2729
A GÖ, Wgm (P. und 13 St. [Ouverture]) – **B** Br – **CH** BEsu – **D-brd** DS, Mbs – **D-ddr** GOl, Dlb, LEm – **F** Dc, Pc (2 Ex.) – **GB** Cpl, Lbm – **NL** Uim – **S** Skma – **US** AA, Bp, Cn (P. und 12 St.), NH (P. und 13 St.), U (P. und 14 St.), Wc (2 Ex.) – **USSR** Mk (P. und 12 St.)

– ... [deuxième édition]. – *ib., Des Lauriers, No. 7.* – P. [G 2730
A Wn (P. und 12 St.) – **B** Bc (2 Ex.) – **CH** BEl – **D-brd** W (P. und 13 St. der Ouverture) – **D-ddr** SWl – **DK** Kk – **F** Pc (2 Ex., davon 1 Ex. mit zusätzlichen 12 St.), TLc – **GB** Ckc, Lbm, Lcm, T – **US** AA, NYp, R, Wc

Ouverture. – *[Paris, au bureau d'abonnement musical, Lyon, Castaud].* – St.
[G 2731
F Pc

– Ouverture. – *[Paris, Des Lauriers], No. 7.* – St. [G 2732
A Wgm – **D-brd** W – **GB** Lbm, Lcm – **US** R, Wc

Airs (O Déesse, O Vénus, Que l'univers adore). – *s. l., s. n.* [G 2733
CH BEsu

Recueil d'airs de balets à grand orchestre par Mr Berton ... ajoutés dans ... mis au jour par M^r Le Marchand. – *Paris, Mme Le Marchand.* – St. [G 2734
D-ddr SWl (unvollständig)

Le diable à quatre

Le diable à quatre. Opéra comique représenté sur le théâtre de la foire St. Germain

... avec les parties séparées. – *Paris, de La Chevardière.* – KLA. u. St.   [G 2735
A Wgm, Wn

Don Juan

Il convitato di pietra. Grand ballet by Mr. Le Picq as performed with great applause at the King's theatre 1785 ... in which is introduced a favorite Pas de trois. Part of the music by the above author, and the whole adapted for the harpsichord, pianoforte, violin & flute, by F. H. Barthélémon. – *London, Longman & Broderip.* – P.
[G 2736
GB Lbm (2 Ex.), Ob – **US** R, Wc

Ballet in Musik gesetzt ... vollständiger Klavierauszug von Friedrich Wollank. – *Berlin, T. Trautwein.* – KLA.   [G 2737
A Wgm, Wn – **B** Bc – **CH** BEl – **D-brd** Mbs – **GB** Lbm (2 Ex.) – **F** Pc, Pn – **NL** DHgm

The favorite dances ... performed ... at the Royalty theatre under the direction of Mr. Delpini. – *London, Longman & Broderip.* – P. (reduziert)   [G 2738
GB Lbm (2 Ex.), Ob

Echo et Narcisse

Echo et Narcisse. Drame lyrique en trois actes avec un prologue par Mr. le Baron de T. ... représenté pour la première fois par l'Académie royale de musique le mardy 21 septembre 1779. – *Paris, Des Lauriers, No. 6.* – P.   [G 2739
A GÖ, Wn – **B** Bc, Br, Gc – **C** Tu – **CH** BEl, BEsu, Gc – **D-brd** F (2 Ex.), HR, Hs, KNmi, Mbs – **D-ddr** Bds, LEm, SWl – **DK** Kk (2 Ex.) – **F** BO, Dc, Lm, Pc (2 Ex.), Sim, TLc – **GB** Bu, Cpl, Er, Lbm, Ouf, T – **I** Rvat, Tn – **S** Skma, St – **US** AA, BE, Bh, Bp, Cn, CHH (Etikett: Emile Lombard), DT, IO, NH, NYp, Wc

Ouverture et airs de ballet ... arrangée p^r clavecin ou forte-piano avec accompagnement de violon et basse par M. Vion-Flevy. – *Paris, Sieber.* – St.   [G 2740
F Pc, Pn

Ouverture ... arrangée pour le clavecin ou le piano forte avec accompagnement d'un violon et violoncelle ad libitum par Benaut. – *Paris, auteur, Mlle Castagnery.* – St.   [G 2741
F Pc

— ... arrangée pour le clavecin ou le piano forte avec un accompagnement de violon par M***. – *Paris, Mmes Le Menu et Boyer.* – St.   [G 2742
F Pc

Le dieu de Paphos. Hymne à l'amour ... arrangée pour la harpe ou clavecin avec accompagnement de violon par M. J. L. Adam. – *Paris, Le Marchand.* – P.
[G 2743
F Pc

Ezio

Ah! non son io. Non je ne puis vous dire. Ariette ... chantée ... par Mme St Huberti. – *Paris, De Roullède, de La Chevardière; Lyon, Castaud.* – P.   [G 2744
GB Lbm

L'île de Merlin, ou Le monde renversé

Dieux, quel martire. [Kopftitel:] Airs choisis de ... – *s. l., s. n.* – KLA. und St.
[G 2745
D-ddr GOl

Toujours amants sans avoir. [Kopftitel:] Airs choisis de ... – *s. l., s. n.* – KLA. und St.   [G 2746
D-ddr GOl

Iphigénie en Aulide

Iphigénie en Aulide. Tragédie. Opéra en trois actes, dédié au Roy ... représenté pour la première fois par l'Académie royale de musique le mardi 19 avril 1774. – *Paris, Le Marchand.* – P.   [G 2747
A GÖ, Scroll, Wdtö, Wn – **CH** Gc, BEl – **D-brd** BAs, Bim, Mbs, Rp (2 Ex.) – **D-ddr** LEmi – **DK** Kk – **F** BO, Lm, Pc, Pn, V – **GB** Ckc, Cu, Lbm, Lcm, Ouf – **I** MOe, Tn – **NL** AN, DHgm, Uim – **US** AA, IO, Su, Wc

— ... [deuxième édition]. – *ib., bureau d'abonnement musical.* – P.   [G 2748
A Wgm, Wn – **B** Bc – **CH** Bm, Bu, Zz – **D-brd** Bmi, BNu, F, HR, Mbs – **D-ddr** LEm, SWl, WRdn, WRtl – **DK** Kk – **F** A, LYc, Pc, Pn, Po, Sim, TLc – **GB** Cpl, Eu, Lbm – **I** Mc, Rvat – **J** Tma – **NL** DHgm – **S** St – **US** BLu, Bp, Cn (2 Ex.), I, NH, PHu, PO, Su, Wc

— ... [troisième édition]. – *ib., Des Lauriers.* – P.   [G 2749
B Bc, Br, Gc – **C** Qu, Tu, Vu – **CH** BEl, Gc, Gpu – **D-brd** Bhm, Mbs (2 Ex.), Mmb – **D-ddr**

281

Bds – **DK** Kk – **F** CO, Dc, Pc (3 Ex.), Pn, Sn, TLc, V – **GB** Bu, Lbm, Lcm – **I** Nc, Rsc – **S** Skma, Uu, Ssr – **US** AA, Cn, CHH, NYp, PO, U, Wc, WE

— ... [quatrième édition]. – *ib., Boieldieu jeune.* – P.   [G 2750
A Wn – **B** Bc – **D-brd** Mbs – **DK** Kk – **F** Pc – **GB** Crc, Eu, Lcm, T – **I** Bc, Nc – **H** KE – **US** DT

— *ib., Mlle Castagnery (de l'imprimerie de Recoquilliée).* – P.   [G 2751
D-brd Bmi – **D-ddr** Bds, Dlb – **I** BGi, Li

— *St. Petersburg, Dalmas.* – P.   [G 2752
USSR Mk

Iphigénie ... arrangé pour le pianoforte par Mr: Grosheim. – *Bonn, Simrock, No. 602.* – KLA.   [G 2753
A Scroll, Wgm, Wn, Wst – **CH** BEl – **D-brd** AAst, DO, DT, F, Hs, KNh (2 Ex.), LÜh (4 Ex.), Mbs, W – **D-ddr** Dlb, EIl, HAu, LEm, LEmi – **GB** Lbm, Lcm – **J** Tma – **S** Skma

— ... arrangée pour le forte-piano. – *Paris, Auguste Le Duc.* – KLA.
      [G 2754
CH Gc

— ... tragédie lyrique en trois actes, mise en musique ... et arrangée pour le pianoforte ; frei übersetzt und in einen Auszug zum Singen bei dem Pianoforte gebracht von J. D. Sander. Erster Act. – *Berlin, Sander, 1808.* – KLA.   [G 2755
A Wgm, Wn – **D-brd** AAst, Bhm, Km – **D-ddr** Bds, ZEo

Airs détachés. – *Paris, Marchand.* – P.
      [G 2756
F Pa, Pn

Ouverture ..., ariettes & airs de danse ... arrangés pour le clavecin ou le forte piano, dédiés à Mademoiselle Gluck par Mr Edelmann. – *Paris, Mme Lemarchand.* – KLA. und vl-St.   [G 2757
CH Bu, Gpu – **F** BO – **GB** Ckc (unvollständig), Lbm (unvollständig) – **US** BAp

— ... [deuxième édition]. – *Paris, Des Lauriers.* – KLA. und vl-St.   [G 2758
F Pc, Pn – **S** Skma

(Ouverture. Verschiedene Bearbeitungen:)

Ouverture ... arrangée pour le clavecin ou le forte piano, dédiés à Mademoiselle Gluck par Mr Edelman. – *[Wien], Huberty & Krüchten Nr. 8.* – KLA.   [G 2759
A Wn

The overture ... with the trio (Que d'attraits) ... arranged for the piano-forte by Mr. Edelman. – *London, Longman & Broderip.* – KLA.   [G 2760
GB Cu, Lbm

Overture ... and the trio, arranged as a duett for two performers on the piano forte, by J. F. Burrowes. – *London, Robert Birchall.* – KLA.   [G 2761
CH Gc

The favorite overture to the celebrated tragic dance of Médée et Jason [= Iphigénie en Aulide] adapted to the harpsichord or pianoforte. – *London, J. Blundell.* – KLA.   [G 2762
A Smoroda – **GB** Lbm

— ... [second edition]. – *London, R. Birchall.* – KLA.   [G 2763
GB Lbm – **P** Ln

Ouverture ... à grand orchestre. – *Paris, Janet & Cotelle.* – St.   [G 2764
A Wn – **I** Mc

Ouverture ... à grand orchestre ... finale par Mozart. – *Offenbach, Johann André, No. 1982.* – St.   [G 2765
NL At – **S** Skma

Ouverture ... pour deux violons, alto et basse, deux hautbois, deux cors, une flûte et un basson, deux flûtes, deux clarinettes, deux trompettes et timballe ad lib. – *Paris, Sieber.* – St.   [G 2766
D-brd AB – **F** Pc

Ouverture ... pour clavecin ou forte-piano avec violon, arrangée par M. Edelmann. – *Paris, Sieber.* – KLA. und vl-St.
      [G 2767
US IO

— Ouverture ... arrangée pour le clavecin ou forte-piano avec accompagnement

de violon ad libitum par Mr Edelmann. – *ib., aux adresses ordinaires.* [G 2768
F Pn (clav)

Sinfonia LX . . . to . . . Midia and Jason. – *[London]*, R. Bremner. – St. [G 2769
GB Lbm

Overture in eight parts . . . (in: The periodical overture, No. 60). – *London, R. Bremner, 1783.* – St. [G 2770
GB Lbm

— . . . [second edition]. – *ib., Preston & son.* – St. [G 2771
GB Mp – **S** Skma

Ouverture . . . arrangée . . . à huit parties, mise au jour par Guillot. – *Paris, Le Duc.* – St. [G 2772
D-ddr SWl

Ouverture . . . arrangée en quintett pour flûte, 2 violons, viola & basse. – *Hamburg, J. A. Böhme.* – St. [G 2773
A Wn (Etikett: Copenhagen, C. C. Lose) – **GB** Lbm – **S** L, Skma

Ouverture . . . arrangée pour le forte piano avec une flûte ou violon. – *Hamburg, J. A. Böhme.* – St. [G 2774
D-brd LÜh – **D-ddr** SWl

Ouverture . . . en quatuor, arrangée pour le clavecin, ou le forte piano, avec accompagnement de violon, alto, et violoncelle ad libitum par M. Gaultier. – *Paris, bureau d'abonnement musical, No. 13.* – St. [G 2775
S Skma (clav)

Ouverture . . . arrangée pour le clavecin ou le piano forte avec accompagnement d'un violon et violoncelle ad libitum par Benault. – *Paris, Mlle Le Vasseur, Mlle Castagnery.* – St. [G 2776
F Pc

Ouverture . . . arrangée pour violons par Mr B. L., amateur. – *Paris, Savigny.* – St. [G 2777
F Pc

Ouverture . . . arrangée pour deux flûtes. – *Paris, Sieber fils, No. 4–III.* – St. [G 2778
CH Fcu (fl I)

Ouverture . . . arrangée pour clavecin ou fortepiano avec accompagnement de violon par B. Viguerie. – *Paris, B. Viguerie, No. 84.* – St. [G 2779
D-brd B, Mbs

Ouverture . . . pour le piano avec accompagnement de violon par [?]. – *[Paris], frères Gaveaux, No. 117.* – St. [G 2780
US Wc

Ouverture . . . arrangée pour le clavecin ou le forte-piano avec accompagnement de violon ad libitum par Mr. César. – *Paris, Le Menu & Boyer.* – St. [G 2781
A Wgm – **F** Pc, Pn, V – **US** R

Ouverture . . . arrangée pour le clavecin ou forte-piano avec accompagnement de violon ad libitum par M. Le Clerc. – *Paris, Frère, No. 2.* – St. [G 2782
F Pc (clav)

Ouverture . . . arrangée pour le clavecin ou le forte-piano avec accompagnement de violon [par M. Edelmann]. – *Paris, Mme Joly, No. 19.* – St. [G 2783
US R

Ouverture . . . et sa finale par Mozart, arrangée pour le clavecin ou piano forte avec un violon ad libitum par Kuci. – *Petersburg, F. A. Dittmar.* – St. [G 2784
SF A (clav)

Ouverture . . . en parodie comique pour 2 voix avec pianoforte. – *Leipzig, A. Kühnel, No. 909.* [G 2785
A Wgm

Duo de chant, parodié sur la musique de l'ouverture . . . avec accompagnement de clavecin. – *Paris, Imbault.* [G 2786
GB Lbm

Ouverture . . . arrangée à quatre mains pour le clavecin ou le forte piano. – *Paris, Boyer.* – KLA. [G 2787
D-ddr Bds

Ouverture . . . zu vier Händen für das Pianoforte arrangirt von Carl Klage. – *Berlin, Schlesinger, No. 142.* – KLA. [G 2788
A Wgm – **D-brd** MÜu – **D-ddr** DEl

Ouverture . . . für das Piano-Forte zu vier Händen. – *Frankfurt, G. H. Hedler, No. 46.* – KLA.   [G 2789
D-ddr Ju – **H** KE

Ouverture . . . mit beigefügtem Schluß von Mozart, zu vier Händen für das Piano-Forte eingerichtet von W. Hahn. – *Berlin, F. S. Lischke, No. (808).* – KLA.   [G 2790
D-brd BNba

Ouverture . . . arrangée pour le pianoforte par Grosheim. – *Bonn, N. Simrock, No. 21.* – KLA.   [G 2791
A Scroll, Wn – **D-brd** B – **S** Skma

Ouverture . . . arrangée pour piano forté par Edelman. – *Paris, Janet & Cotelle, O. P. 11.* – KLA.   [G 2792
A Wn

Ouverture . . . arrangée pour le clavecin. – *Stockholm, O. Åhlström.* – KLA.   [G 2793
S Skma, Sm, Ssr, St

Ouverture . . . arrangée pour le clavecin ou pianoforte par M. Despreaux. – *Paris, Le Duc.* – KLA.   [G 2794
F Pc

Ouverture . . . achevée et arrangée pour le piano-forte par C. E. F. Weyse. – *København, C. C. Lose.* – KLA.   [G 2795
A Wn – **D-brd** B – **DK** A, Kk (2 Ex.)

entfällt   [G 2796

Overtura per il clavicembalo. – *Wien, Artaria, No. 182.*   [G 2797
H Bn

Ouverture . . . pour le clavecin. – *Wien, Johann Cappi, No. 1160.* – KLA.   [G 2798
A Wst

Ouverture . . . pour le clavecin. – *Wien, Johann Cappi, No. 1369.* – KLA.   [G 2799
A GÖ

Ouverture . . . für das Piano-Forte. – *Wien, Cappi & Diabelli, No. 384.* – KLA.   [G 2800
A Wn

Ouverture . . . pour le forte-piano. – *Wien, Thadé Weigl, No. 470.* – KLA.   [G 2801
A Wn – **CS** KRa

Ouverture . . . arrangée pour le pianoforte par Louis Berger. – *Berlin, A. M. Schlesinger, No. 284.* – KLA.   [G 2802
D-brd Bim, F, Kl

Ouverture . . . für das Pianoforte eingerichtet. Neue Auflage. – *Berlin, J. Concha, No. 277.* – KLA.   [G 2803
CH Bchristen – **D-brd** B, Mbs

Ouverture . . . pour pianoforte par Charpentier. – *[Paris, Cousineau père].* – KLA.   [G 2804
F Pc

Ouverture d'Iphigénie. – *Philadelphia, G. Willig.* – KLA.   [G 2805
US PHf, PHu, Wc

Ouverture . . . arrangée pour le forte piano ou le clavecin d'une manière très intelligible pour en faciliter l'exécution avec la marche des Mariages samnites, variée par Pierre Antoine César. – *Paris, auteur.* – St.   [G 2806
F Pn

(Einzelne Stücke:)

[Air détaché . . . (16 Stücke, ein- und zweistimmig, beginnend mit Il faut de mon destin)]. – *s. l., s. n.*   [G 2807
CH DE (ohne Titelblatt in Konvolut)

[Airs No. 2 – 6 (a 1 v)]. – *s. l., s. n.*   [G 2808
F Pn

Conservés dans votre âme . . . accompagnement de guittare par M. Ducray. – *Paris, les frères Savigny.*   [G 2809
F Pn

Cruelle, non jamais . . . (in: Mercure de France, juin 1774). – *[Paris], s. n., (1774).*   [G 2810
GB Lbm

— Cruelle, non jamais . . . (in: The Lady's Magazine, Febr. 1775). – *[London], s. n., (1775).*   [G 2811
GB Lbm

Ne doutez jamais de ma flamme. Duo . . .
(in: Nouveau journal de chant composé de
vieux airs, scènes . . . arrangé avec un
nouvel accompagnement de piano . . .
No 4, 1ère année). – *s. l., s. n.* – P. [G 2812
F Pc

— Ne doutez jamais de ma flamme. Vous le
bannisés de mon âme. Duo d'Iphigénie en
Aulide. – *s. l., s. n., No. I. A. 4.* [G 2812a
US R

Pour prix de sang. A serious French glee. –
London, William Forster.   [G 2813
GB Lbm

Opfermarsch. – *Leipzig-Berlin, Kunst- u.
Industrie-Comptoir, No. 315.* – KLA.
[G 2814
D-brd F, HL

Iphigénie en Tauride

Iphigénie en Tauride. Tragédie en quatre
actes, par M. Guillard, mise en musique
et dédié à la Reine . . . représentée pour
la première fois par l'Académie royale de
musique le mardi 18 may 1779. – *Paris,
au bureau du journal de musique.* – P.
[G 2815
A Scroll, Wgm, Wn – B Gc – C Tu – CH Bu,
Lz – D-brd Bhm, Gs, HR, Mbs, Mmb – D-ddr
WRtl – F Pa, Pc, Pn, Sim, TLm – GB Bu, Ckc,
Lbm – I MOe, Nc, PAc, Tn – J Tma – PL Wn –
S L, Skma, Uu – US PO, WE, Wc

— . . . [deuxième édition]. – *ib., Des Lau-
riers.* – P.   [G 2816
A GÖ, Wgm, Wn – B Bc, Br – C Vu – CH BEl,
Gc (3 Ex., davon 2 Ex. unvollständig), Zcher-
buliez – D-brd Bhm, Hs, KNh, KNmi, Mbs,
MZsch, Tu – D-ddr Bds, Dla, LEm – DK A,
Kk (2 Ex.) – F A, Dc, Lm, LYc, Pc, Pn, Sn,
TLc, V – GB Bu, Ckc, Cpl, Er, Lcm, Mp, Ouf –
I BGi, BGc, Nc, Vc – H KE – NL DHa, Uim –
S Skma, Ssr – US AA, BE, Cn, CHH, I, IO,
NH, NYp, U, Wc

— . . . [troisième édition]. – *ib., Boieldieu
jeune, No. 4.* – P.   [G 2817
DK Kmk – D-brd Sh – I Nc – US AUS

— *ib., Mlle Castagnery.* – P.   [G 2818
F Pc, R

Iphigénie . . . tragédie en quatre actes par
M. Guillard . . . arrangée pour le clavecin

par Jean Charles Frédéric Rellstab. – *Berlin, Rellstab.* – KLA.   [G 2819
A Wst – D-brd F, Hs, WÜu – D-ddr Bds – DK
Kk – GB Lbm, Lcm, Ob – S Skma (unvollständig), STr (unvollständig) – US Bp

— Iphigenia . . . aus dem Französischen
des Gaillard frei übersetzt von J. D. San-
der. Vollständiger Klavierauszug mit
deutschem und französischem Texte. –
Berlin, A. M. Schlesinger, No. 50. – KLA
[G 2820
A M, Scroll, Wgm – CH Bchristen – D-brd
AAst, Dt, LÜh, Mbs, Mmb – D-ddr GÖs, LEu,
GRu

— . . . [deuxième édition]. – *ib., A. M.
Schlesinger, No. 50.* – KLA.   [G 2821
A Scroll, Wst – D-brd Bmi, F (2 Ex.), Hs,
Mbs – JL J – J Tma

Ouverture et morceaux, arrangés en quatuor pour deux violons, alto et violoncelle par Mr. Meunier. – *Paris, Bignon,
auteur, chez les marchands de musique.* – St.
[G 2822
F Pc

Ouverture à grand orchestre . . . et sa
finale par Mozart. – *Offenbach, Johann
André, No. 1982.* – St.   [G 2823
A Wn (unvollständig) – CS Bu – D-brd DT,
MÜu, OF – DK Kk (vl I, vla I, vla II, b, timp)

— Ouverture . . . arrangée en trio pour
deux violons et violoncelle par M. Meunier. – *Paris, Bignon, auteur, No. 10.190.* –
St.   [G 2824
D-brd Rtt

— Ouverture . . . arrangée pour le piano
et basse. – *Paris, aux adresses ordinaires,
No. 43.* – St.   [G 2825
I Nc (pf)

— Ouverture . . . pour le piano-forte. –
Wien, Thadé Weigl, No. 938. – KLA.
[G 2826
D-brd DO – D-ddr MEIr – F Pc – GB Lbm –
S L, J

— L'ouverture . . . arrangée pour le cla-
vecin. – *[Stockholm, O. Åhlström].*
[G 2827
S Skma (fehlt Titelblatt)

Donzelle semplici. Aria, introduced in the Opera of Iphigenia. – *London, Birchall & Co., No. 1584.* – KLA.					[G 2828
D-ddr WRgs

Les dieux appaisent leurs courroux. Trio. – *Paris, Lebeau.*					[G 2829
GB Lbm

Nur einen Wunsch. Aria . . . (in: Musikalisches Wochenblatt, No. XVI). – *Wien, Johann Cappi, No. 1231.* – KLA.					[G 2830
A Wgm

— . . . (in: Philomele. Eine Sammlung der beliebtesten Gesänge mit Begleitung des Pianoforte eingerichtet und herausgegeben von Anton Diabelli. No. 140). – *ib., Anton Diabelli & Co., No. 1634.* – KLA.					[G 2831
A Wgm

O! du, die mir das Leben gab. Aria . . . (in: Philomele. Eine Sammlung . . . herausgegeben von Anton Diabelli. No. 139). – *Wien, A. Diabelli & Co., No. 1633.* – KLA.					[G 2832
CH Bu

O Gottheit! du. Aria . . . für das Pianoforte . . . (in: Musikalisches Wochenblatt). – *Wien, Johann Cappi, No. 1231.* – KLA.					[G 2833
A Wgm – **D-brd** Cl

O toi qui prolongeas mes jours. The favorite song as sung by Madame Banti. – *London-Edinburgh, Corri, Dussek & Co.* – P.					[G 2834
GB Lbm – **US** CA, R

Und du behauptest. Duetto . . . (in: Musikalisches Wochenblatt). – *Wien, Johann Cappi, No. 1231.* – KLA.					[G 2835
A Wgm

Unverhofftes Glück. Duetto . . . (in: Musikalisches Wochenblatt). – *Wien, Johann Cappi, No. 1231.* – KLA.					[G 2836
D-brd Cl

La tempête . . . dans laquelle est la belle scène de Mlle Le Vasseur et les airs de danse des Scythes, arrangés pour le clavecin ou fortepiano, avec un accompagnement de violon . . . par M. Adam. – *Paris, auteur.* – KLA. und St.					[G 2837
A Scroll – **F** Pc

— *ib., Des Lauriers.*					[G 2838
US Wc

— . . . arrangée pour le clavecin ou le piano-forte avec accompagnement de violon par C. Fodor. – *Paris, Mmes Le Menu et Boyer.* – St.					[G 2839
F Pc, Pn

— . . . [deuxième édition]. – *Paris, Mme Boyer.* – St.					[G 2840
A Scroll (vl) – **F** Pn

Tanz der Scythen . . . für zwey Violinen. – *Wien, Chemische Druckerei, No. 576.* – St.					[G 2841
A Wst – **H** KE

Orfeo ed Euridice (ital.)

Orfeo ed Euridice. Azione teatrale . . . rappresentata in Vienna, nell' anno 1764. – *Paris, Duchesne, 1764.* – P.					[G 2842
A GÖ, Wn, Wst – **B** Bc, Br – **CH** BEl – **CS** Pu – **D-brd** Mbs, Rp – **D-ddr** Bds – **F** Pc, Pn – **GB** Ckc, Lam, Lbm, Mp – **I** Mc, Tci, Tn – **S** Skma – **US** NH, PHci

Ah, se in torno. [Parodie:] Ave verum, à quatre voix. – *s. l., s. n.* – KLA.					[G 2843
I Mc (fehlt Titelblatt)

Che farò senza Euridice. A favorite song. – *London, R. Bremner.*					[G 2844
D-brd Hs – **GB** Lbm – **US** Ws

— . . . sung by Mr. Tenducci at the Theatre royal in Covent Garden. – *[London], Welcker.* – P.					[G 2845
CH Zcherbuliez – **D-brd** Hs, Mbs – **GB** Ckc (2 Ex.), Lcm, Lbm – **US** U, Wc

— . . . cantato dal Sig^r Guardagni . . . (in: A select collection of songs . . .). – *Edinburgh, John Corri.* – P.					[G 2846
I Bc, Mc, Rsc

— . . . nach der Originalpartitur fürs Pianoforte eingerichtet von G. Reichardt. – *Berlin, E. H. G. Christiani.* – KLA.					[G 2847
D-brd W – **D-ddr** Bds

— ... arranged by Dr John Clarke. –
London, Birchall & Co., No. 1301. – KLA.
[G 2848
D-ddr WRgs – **GB** Lbm

Chiamo il mio ben cosi. Aria ... cantata
dal Sigr Guardagni (in: A select collection
of songs ...). – *Edinburgh, John Corri.* –
P.　　　　　　　　　　　　[G 2849
I Bc, Mc, Rsc

Deh placatevi con me. Aria ... cantata
dal Sigr Guardagni (in: A select collection
of songs ...). – *Edinburgh, John Corri.* –
P.　　　　　　　　　　　　[G 2850
I Bc, Mc, Rsc

Vieni a' regni. [Parodie:] Ave verum, à
quatre voix. – *s. l., s. n.* – KLA.　[G 2851
I Mc (fehlt Titelblatt)

Orphée et Euridice (frz.)

Orphée et Euridice. Tragédie. Opéra en
trois actes ... représenté pour la première
fois par l'Académie royale de musique le
mardi 2 aoust, 1774. – *Paris, Lemar-
chand.* – P.　　　　　　　　[G 2852
A Scroll, Sm, Wgm, Wn – **B** Bc, BRc – **C** Tu,
Vu – **CH** BEl, Bu, Gpu, Gc – **D-brd** BNu, F,
HEms, HR, Hs, Mmb – **D-ddr** Bds, GOl, SWl –
E Mn – **F** A, Dc, Pa, Pc, T, TLc, TLd, TLm –
GB Lbm, Ltm, Ouf – **I** Nc, Tn – **NL** AN – **S** M –
US AA, BE, Cn, NYcu, Su, Wc

— ... [deuxième édition]. – *ib., Des Lau-
riers.* – P.　　　　　　　　　[G 2853
B Bc, Br, Gc – **CH** BEsu – **D-brd** B, Bhm, Hs,
Mbs, Mmb – **D-ddr** Bds, Dlb – **DK** Kk – **F** A,
BO, Lm, LYc, LYm, Pa, Pc, Sn, TLc – **GB**
Lam, Lbm, Lcm – **I** Bc, BGi, MOe, Nc – **NL**
DHa, Uim – **S** Skma, Uu – **US** BE, CHu, CHH,
DT, IO, NO, NYp, U, Wc

— ... [troisième édition]. – *ib., Boieldieu
jeune, No. 5.* – P.　　　　　　[G 2854
B Bc – **D-brd** Bhm, Mbs – **D-ddr** Dlb – **DK** Kk

— *ib., (Mlle Castagnery).* – P.　[G 2855
I Li

Orphée. Tragédie en trois actes par Mo-
line ... arrangée pour le clavecin par Jean
Charles Frédéric Rellstab. – *Berlin, Rell-
stab.* – KLA.　　　　　　　　[G 2856
A Wst – **D-brd** Bhm – **F** Pn – **GB** Lbm – **NL**
DHgm – **US** NH, Wc

— ... arrangée pour le clavecin, forte
piano ou harpe ... par Mr Edelmann,
IIme recueil. – *Paris, Mme Le Marchand.*
– KLA. und St.　　　　　　　[G 2857
A Wn (clav) – **F** Pc – **GB** Lbm (vl) – **US** BApi

— ... [deuxième édition]. – *ib., Des Lauriers.* – KLA. und St.　　　　　[G 2858
GB Ckc (vl)

— Große lyrische Oper in drey Aufzügen
aus dem Französischen des Moline. Voll-
ständiger Klavierauszug mit deutschem
und französischem Text bearbeitet von
Carl Klage. – *Berlin, A. M. Schlesinger,
No. 451.* – KLA.　　　　　　　[G 2859
A Wgm – **CS** Pnm – **D-brd** AAst, DO, F, Mbs –
D-ddr GRu

Airs de chant, de symphonie et de danse. –
s. l., s. n. – KLA.　　　　　　[G 2860
F Pc

Airs détachés. – *Paris, Le Marchand.* – P.
　　　　　　　　　　　　　　[G 2861
D-brd BAs – **F** Po – **US** NYfuld

Ariettes. – *Paris, Mlle Girard.* – P.
　　　　　　　　　　　　　　[G 2862
F V

Drei der vorzüglichsten Arien ... für die
Altstimme mit Deutschen und Italiäni-
schen Worten im Klavierauszug von Hell-
wig. – *Berlin, F. S. Lischke, No. 1274.* –
KLA.　　　　　　　　　　　[G 2863
A Wn – **D-brd** F

Ouverture ... arrangée pour le clavecin
ou le piano-forte avec accompagnement
de violon ad libitum par M. Neveu. –
*Paris, de La Chevardière; Lyon, Castaud;
Bruxelles, Godefroy; Bordeaux, Bouillon,
Sandrier et Noblet.* – KLA.　　[G 2864
F Pn

— Ouverture ... pour le clavecin. – *[Pa-
ris], auteur (D'Arcis), aux adresses ordinaires.* – KLA.　　　　　　　[G 2865
B Bc

— Ouverture ... – *Berlin, F. S. Lischke,
No. 1070.* – KLA.　　　　　　[G 2866
D-brd B

— Ouverture . . . arrangiert von Carl Klage. – *ib.*, *A. M. Schlesinger, No. 451.* – KLA.   [G 2867
CS Pnm

J'ai perdu mon Euridice. Ariette . . . avec accompagnement de harpe par M. Boilly. – *Paris, Cousineau, 1774.* – P.   [G 2868
F Pn

— *s. l., s. n.* – KLA.   [G 2869
CH BEl – GB Lbm

— J'ai perdu mon Euridice. Air . . . ([sowie:] Objet de mon amour. Air). – *s. l., s. n.*   [G 2870
CH DE (ohne Titelblatt)

L'espoir venait dans mon âme. Air . . . avec accompagnement de clavecin. – *Paris, Louis, marchand de musique.* – KLA.
                                                [G 2871
F Pn

— *ib., Bonjour.* – P.   [G 2872
F Pc

— L'espoir d'Orphée. Ariette du pr. acte . . . avec les accompagnements. – *ib., Lemarchand.* – St.   [G 2873
D-ddr Bds

— Air d'Orphée . . . – *Liège, s. n.* – St.
                                                [G 2874
B Bc

Furien-Ballet . . . für 4 Hände eingerichtet von C. Klage. – *Berlin, E. H. G. Christiani.* – KLA.   [G 2875
D-brd Bhm, KIu

Paride ed Elena

Paride ed Elena. Dramma per musica. – *Wien, Johann Thomas von Trattner, 1770.* – P.   [G 2876
A Gk, KR, Sm, Wn (2 Ex.) – B Bc, Br – CH BEl, Gpu – CS K (2 Ex.), Pk (2 Ex.), Pu, Pnm – D-brd Mbs – D-ddr Bds, Bmi, Dlb, Ds, LEm – DK Kk – F Pc, Pn, Sim – GB Cpl, Lbm (3 Ex.) – I Fc, Rvat, Tn – US BE, Cn (2 Ex.), NH, R, Wc

The overture & chaconne . . . for the harpsichord or piano forte. – *London, Bland.* – KLA.   [G 2877
GB Lbm – S St

Ouverture für das Pianoforte. – *Leipzig, Friedrich Hofmeister, No. 707.* – KLA.
                                                [G 2878
D-brd F

Donzelle semplici. A favorite song . . . arranged with an accompaniment for the piano forte. – *London, Birchall.* – KLA.
                                                [G 2879
GB Lbm – US R

entfällt   [G 2880

Ma, chi sei. Duetto del . . . Paride con Amore. – *s. l., s. n.* – KLA.   [G 2881
I Nc

La rencontre imprévue

La rencontre imprévue. Opéra bouffon en trois actes et en prose, tiré des Pélerins de la Mecque, rédigé par M. Dancourt & mis en musique. – *Paris, Vve Duchesne, 1776.* – KLA.   [G 2882
GB Lbm

— Die unvermuthete Zusammenkunft, oder Die Pilgrimme von Mecca. Ein Singspiel in drey Aufzügen aus dem Französischen übersetzt, mit Musik [von Gluck: Ariette und 2 Airs in II/5, II/6 und III/1]. – *Frankfurt am Main, mit Andreäischen Schriften, 1772.* – KLA.   [G 2883
GB Lbm

Six ariettes nouvelles avec simphonie. – *Paris, Lemarchand.* – KLA. und St.
                                                [G 2884
F Pn

Je chérirai, jusqu'au trépas. Les regrets. Ariette à voix seule . . . avec accompagnement d'un violon obligé, de deux ripieno, d'une flûte, d'un basson, d'un alto, d'un cor anglois ou d'un hautbois, avec la basse. – *Paris, de La Chevardière, Le Menu, Cousineau.* – P.   [G 2885
F Pc

Ketten sind. Duetto . . . für das Pianoforte. – *Wien, Johann Cappi, No. 1280.* – KLA.   [G 2886
D-brd Cl

Maître des cœurs, achève ton ouvrage. Air . . . accompt par M. Vion (in: Feuilles de Terpsichore, ou Journal composé d'ou-

vertures, d'airs ... pour le clavecin, 3e année). – *Paris, Cousineau père et fils.* – KLA.   [G 2887
D-brd Mbs

— Maître des cœurs. Les dons de l'amour. Ariette à voix seule avec accompagnement de deux violons, violoncelle et basson. – *Paris, Lemarchand & Cousineau.* – KLA. und St.   [G 2888
F Pc (2 Ex.), Pn

Qu'il est doux de partager ses chaînes. Duo à deux dessus, avec symphonie. – *Paris, Lemarchand.* – St.   [G 2889
F Pc

Un ruisselet bien clair ... avec accompagnement de violon, de guitarre & de basse. – *Paris, Vve Simon & fils.* – P. und St.   [G 2890
D-ddr LEbh – **GB** Lbm – **F** Pa

— A favorite French song ... with an accompanyment for the harpsichord or piano-forte. – *London, F. Skillern.* – KLA.   [G 2891
F Pc

— A favorite French air adapted for the piano forte, or harp. – *ib., J. Preston.* – KLA.   [G 2892
GB BA

— Air de Mr Gluck. – *s. l., s. n.* – P. und 4 St.   [G 2893
F Pn

— Air ... avec un accompagnement de guitarre par Mr. Godard. – *s. l., s. n.*   [G 2894
F Pn

— Einen Bach der fließt. Cavatine aus der Oper: Die Pilgrimme auf Mecca, mit Begleitung des Piano-Forte. – *Berlin, E. H. G. Christiani.* – KLA.   [G 2894a
D-brd W

— Dans ce séjour, du tendre amour [= Un ruisselet bien clair]. L'isle de Cithère. Parodie ... par M. de la Grange. Mise en duo, avec accompagnement de deux flûtes ou violons, et basson ou basse. – *Paris, Mme Bérault.* – St.   [G 2895
S Skma

Vous ressemblez à la rose. Ariette ... l'accomp^{nt} par Sr Berchoni. – *[Paris], Mlle Girard, 1778.* – KLA.   [G 2896
GB Lbm

VOKALMUSIK

Klopstocks Oden und Lieder beym Clavier zu Singen, in Musik gesetzt. – *Wien, Artaria & Co., No. 73.*   [G 2897
A Wst, Wgm – **B** Bc – **D-ddr** Bds, LEm – **F** Pc (2 Ex.) – **GB** Lbm (2 Ex.) – **S** Sk – **US** Wc

— ... [zweite Ausgabe]. – *Dresden, Hilscher.*   [G 2898
B Bc – **D-ddr** LEm, SPF – **GB** Lbm

Amour en ces lieux. Ariette. – *[Paris], aux adresses ordinaires.* – P.   [G 2899
F Pc

Quand la beauté lance. Ariette nouvelle avec deux violons et basse. – *s. l., s. n.* – KLA. und St.   [G 2900
F Pc

INSTRUMENTALWERKE

Six sonatas for two violins & a thorough bass. – *London, J. Simpson.* – St. [G 2901
B Bc – **CH** BEl – **D-ddr** Bds – **F** Pc – **GB** Lam, Lbm, Mp – **US** CHua, Wc

— *ib., Bremner.* – St.   [G 2902
GB Lcm, Ob – **US** BE, Wc

Gerhard Croll

GLÜCK Johann

Heptalogus Christi musicus, musicae ecclesiasticae prodromus. Das ist: Musicalische Betrachtung der H. sieben Worte Christi am Creutz gesprochen, mit 5. Stimmen samt einem Basso Continuo, nach Madrigalischer Art gestellet und als ein Vortrab einer geistlichen Kirchen-Music herausgegeben. – *Leipzig, Johann Wittigau, 1660.* – St.   [G 2903
D-ddr SAh (4, 5)

GNECCO Francesco

Trois trios concertans [B, Es, Es] pour clarinette, violon et basse ... œuvre 2. – *Paris, Sieber père, No. 1699.* – St. [G 2904
A Wgm

289

Trois quatuors concertants [B, D, C] pour deux violons, alto et basse . . . œuvre 4e. – *Paris, Sieber, No. 375.* – St.   [G 2905
B Bc – **I** Gi, Mc (kpl.: 2 Ex.), PESc – **US** R

GNITLON G. C.

Recueil d'airs pour deux flûtes ou deux violons. – *Amsterdam, W. C. Nolting, No. 60.* – St.   [G 2906
D-brd MÜu (partie III, fl I)

GNOCCHI Giovanni Battista

Litaniarum Beatae Virg. Mariae quattuor, quinque, sex, septem, & octo vocibus, liber primus . . . nunc primum in lucem editus, cum litaniis de Venerabili Sacramento. – *Venezia, Ricciardo Amadino, 1597.* – St.   [G 2907
I Bc (S, T, B, 5)

Sacrarum cantionum cum quinque vocibus . . . liber primus. – *Venezia, Ricciardo Amadino, 1602.* – St.   [G 2908
I Nn (S, A, T, 5)

GNOCCHI Pietro

Salmi brevi a otto voci. – *Brescia, Gian-Maria Rizzardi, 1750.* – St.   [G 2909
I BRd (handschriftlich komplett erhalten [I: S, A, T, B; II: S, A, T, B; vl I, vl II, vlne, org]; Titelblatt und Widmung gedruckt)

GNÜGE Johann Christoph

Hertz-brechendes . . . Seuffzerlein . . . der . . . Frauen Annen Catharinen Rauschardtin . . . in ein 4. Stimmiches Liedchen gebracht (Süsser Breuttgam meiner Seele [a 4 v]). – *[Coburg], s. n., 1666.*   [G 2910
D-ddr GOl

Wo soll ich mich hinkehren [a 4v] (in: Christliche Leich-Predigt über den . . . Hintritt . . . der . . . Frauen Annae Hoffmanns . . . am 25. Septembr. dieses 1666sten Iahrs). – *Coburg, Johann Conrad Mönch, 1667.*   [G 2911
D-ddr GOl (3 Ex.)

Hertzsehnendes Verlangen (Nun empfind' ich daß es wil [a 4v]) einer . . . Seelen, nach dem besten Seelen-Schatz . . . in nachfolgendes Liedgen gebracht (in: Geistliche Schweige-Kunst . . . bey . . . Leich-bestattung des . . . Herrn Georgen Hoffmanns . . . den 12. Septembr. 1669). – *Coburg, Johann Konrad Mönch (Fürstliche Buchdruckerei), 1670.*   [G 2912
D-ddr Bds, GOl

GOBERT A.

Invitation aux poëtes français. Madrigal à la gloire de l'empereur et roi d'Italie Napoléon Ier. – *Paris, Le Moine.* – KLA.   [G 2913
CH AR

GOBERT Thomas

Paraphrase des pseaumes de David, en vers françois, par Antoine Godeau . . . et mis nouvellement en chant . . . cinquième édition . . . corrigée. – *Paris, Pierre Le Petit, 1659.* – Chb.   [G 2914
B Br (unvollständig) – **D-brd** OLl – **E** Mn – **F** MEL, AM, B, V – **GB** A, Cu (2 Ex.), Lbm – **I** Bc – **US** NYp (unvollständig)

— *ib., 1661.* – St.   [G 2915
A Wn (B) – **F** Pc (B), Pn (B), Pshp (B)

— *ib., 1672.*   [G 2916
F Pshp (S)

— *ib., 1676.*   [G 2917
B Br (S [unvollständig]) – **D-brd** W(S) – **GB** Ge (S) – **I** Rsc (S)

— *ib., Denys Thierry, 1686.*   [G 2918
A Wn (S) – **F** MEL, Dc (S), Pc (S), V (S) – **GB** A (S), En (S), Ge (S), Lbm (S)

Chaconne de l'union de l'amour et des arts, arrangée pour le piano forte, le clavecin ou la harpe avec accompagnement de violon ad libitum. – *Paris, auteur, aux adresses ordinaires.* – St.   [G 2919
F Pa (kpl.: pf, vl)

GODARD

Premier recueil d'airs choisis, avec accompagnement de guitarre. – *Paris, auteur.*   [G 2920
SD S. 301
F Pc, Pn

Recueil de chansons et d'ariettes choisies, avec accompagnement de harpe ou de piano forte . . . œuvre II. – *Paris, auteur.*
SD S. 323.   [G 2921
F Pn – **US** Cn

GODECHARLE Eugène-Charles-Jean

Sei sinfonie a 4 o 8 partite, due violini, alto, basso, oboe e corni . . . opera seconda (in: Raccolta dell'harmonia, collezzione quarta del Magazino musicale). – *Paris, Cousineau, Vve Daullé.* – St.   [G 2922
F Pn (kpl.: vl I, vl II, vla, b, ob I, ob II, cor I, cor II), Pc (fehlen ob II und cor II)

Sei quartetti per harpa o sia cimbalo, violino, viola e basso . . . op. 4. – *Paris, bureau d'abonnement musical.* – St.
                                                                   [G 2923
B Bc

Six quatuor pour deux violons, alto et violoncelle . . . œuvre VI. – *Bruxelles, Van Ypen & Mechtler; Paris, Cornouaille.* – St.   [G 2924
B Bc

GODEFRIDO F.

Fasciculus musicus e carmelo collectus, tribus, quinque, sex vocibus, et instrum. concertatus ac totidem replentibus adiunctis [Motetten]. – *Antwerpen, héritiers de Pierre Phalèse, 1652.* – St.   [G 2925
GB DRc (kpl.: S I, S II, A, T, B; S I/S II rip., A/T rip.; vl I, vl II, fag, bc)

GÖLDEL Johann

Der von Ihr Excellenz . . . Ersehene Leich-Text (Das ist gewißlich wahr [a 4v]) . . . mit 4. Stimmen gesetzt (in: Der Christen höchster Trost . . . bey . . . Leichbegängnis des . . . Herrn Johann

Breithaupten). – *Gotha, Christoph Reyher, 1682.*   [G 2926
D-ddr GOl (2 Ex.), MAl

GÖPFERT Carl Andreas

VOKALMUSIK

Kinderfragen, von F. W. Gleim, in Musik gesetzt. – *Offenbach, Johann André, No. 3288.*   [G 2927
A Wn

INSTRUMENTALWERKE

(mit Opuszahlen:)

Op. 11. Sonate pour deux guitarres & flûtes . . . œuvre 11. – *Offenbach, Johann André, No. 2570.* – St.   [G 2928
CS Bu – **D-brd** OF

Op. 13. Sonate pour guitarre & basson ou alto . . . œuvre 13. – *Offenbach, Johann André, No. 2504.* – St.   [G 2929
CS Bu (kpl.: chitarra, vla, fag) – **D-brd** As (nachträglich aufgedruckt: Augsburg, A. Gitter), OF

Op. 14. Concerto [Es] pour clarinette avec accompagnement de 2 violons, alto, basse, flûte, 2 hautbois, 2 cors, 2 bassons, 2 trompettes & timbales . . . œuvre 14. – *Offenbach, Johann André, No. 2553.* – St.
                                                                   [G 2930
CH Zz (kpl.: 15 St.) – **D-brd** OF

Op. 15. Sonate für Guitarre und Flöte . . . 15tes Werk. – *Offenbach, Johann André, No. 2565.* – St.   [G 2931
A Wgm

– *ib., No. 3943.*   [G 2932
CS Bu – **D-brd** OF

Op. 16. Deux quatuors [Es, B] pour clarinette, violon, alto & violoncelle . . . œuvre 16. – *Offenbach, Johann André, No. 2566.* – St.   [G 2933
A Wgm

– *ib., No. 2926.*   [G 2934
CS Bu – **D-brd** OF – **I** Mc

Op. 18. Air varié pour guitarre & flûte . . . œuvre 18. – *Offenbach, Johann André, No. 2564.* – St.   [G 2935
D-brd OF

Op. 19. Deux duos concertants [B, g] pour clarinette et basson ... œuvre 19. – *Offenbach, Johann André, No. 3125.* – St.
[G 2936
D-brd OF

— *ib., No. 3126.*   [G 2937
CH EN – **D-brd** OF – **I** Mc

Op. 20. Troisième concerto [B] pour la clarinette ... œuvre 20. – *Offenbach, Johann André, No. 3197.* – St.   [G 2938
CS Bu (kpl.: cl princip., vl I, vl II, vla, b, ob I, ob II, cor I, cor II, clno I, clno II, timp) – **D-brd** OF

— *Leipzig, Zimmermann.*   [G 2939
B Bc

Op. 21. Concerto [F] pour le cor accompagné de deux violons, alto, basse, 2 hautbois & 2 cors ... œuvre 21. – *Offenbach, Johann André, No. 3127.* – St. [G 2940
D-brd OF (kpl.: 9 St.)

Op. 22. Trois duos concertans [B, Es, Es] pour clarinette & basson ... œuvre 22. – *Offenbach, Johann André, No. 3277.* – St.
[G 2941
CH EN – **CS** Bu – **D-brd** WERl (Etikett: Frankfurt, J. C. Gayl)

Op. 23. Vingt-quatre duos pour deux cors ... œuvre 23. – *Offenbach, Johann André, No. 3128.* – St.   [G 2942
D-brd OF

Op. 26. Douze pièces pour deux clarinettes, deux cors & basson ... œuvre 26. No. 1(2). – *Offenbach, Johann André, No. 3129(30).* – St.   [G 2943
D-brd OF (kpl.: cl I, cl II, cor I, cor II, fag)

Op. 27. Quatrième concerto pour la clarinette avec accompagnement de deux violons, alto, basse, 2 hautbois, 2 cors, 2 bassons, 2 trompettes, & timbales ... œuvre 27. – *Offenbach, Johann André, No. 3205.* – St.   [G 2944
D-brd AB (kpl.: 14 St.), OF

Op. 28. Variations [D] pour la flûte, avec accompagnement de deux violons, alto, basse, 2 hautbois, 2 cors & bassons ... œuvre 28. – *Offenbach, Johann André, No. 3184.* – St.   [G 2945
D-brd OF (kpl.: 11 St.)

Op. 30. VI Duos faciles [B, g, Es, B, c, F] pour clarinette et basson ... œuvre 30. – *Leipzig, Friedrich Hofmeister, No. 308.* – St.   [G 2946
S Skma

Op. 33. Fantasia militare, per l'orchestra ... 33ˢ Werk. – *Leipzig, Friedrich Hofmeister, No. 314.* – St.   [G 2947
D-brd B (kpl.: 23 St.)

Op. 35. Cinquième concerto pour la clarinette avec accompagnement ... œuvre 35. – *Offenbach, Johann André, No. 3822.* – St.   [G 2948
CS Bu (kpl.: cl princip., vl I, vl II, vla, b, ob I, ob II, fag I, fag II, cor I, cor II, clno I, clno II, trb, timp) – **D-brd** OF

Op. 36. Trois quatuors [F, B, Es] pour clarinette, violon, alto & violoncelle ... œuvre 36. – *Offenbach, Johann André, No. 3832(–34).* – St.   [G 2949
D-brd B (Nr. 1), Mbs (Nr. 3), OF (Nr. 1–3) – **I** Mc (Nr. 1–3)

Op. 37. Trois duos [C, G, D] pour deux violons, à l'usage des commençans ... œuvre 37. – *Offenbach, Johann André, No. 3799.* – St.   [G 2950
D-brd OF

Op. 38. Deuxième pot-pourri [G] pour la clarinette avec accompagnement de deux violons, alto, basse, 2 hautbois, 2 cors, 2 bassons ... œuvre 38. – *Offenbach, Johann André, No. 3798.* – St.   [G 2951
CS Bu (kpl.: 11 St.) – **D-brd** B, OF

(ohne Opuszahlen:)

Sonate pour deux guitarres, avec accompagnement de flûte. – *Offenbach, Johann André, No. 2353.* – St.   [G 2952
D-brd OF (fehlt fl)

Dix-huit pièces pour deux clarinettes, 1 hautbois, 2 cors, 1 basson, 1 trompette & basse ou serpent. – *Offenbach, Johann André, No. 3198.* – St.   [G 2953
D-brd OF (kpl.: 8 St.)

Concertante für Clarinette und Fagott mit Begleitung von zwei Violinen, Bratsche, Bass, Flöte, 2 Hoboen, 2 Hörnern, Posaune, Trompeten und Pauken, über die Ouverture und mehrere Stücke der be-

liebten Weiglschen Oper Die Schweizerfamilie. – *Offenbach, Johann André, No.
3770.* – St.   [G 2954
CS Bu (kpl.: 15 St.) – **D-brd** LÜh, OF

Quatuor pour la clarinette, violon, alto &
violoncelle . . . No. 2. – *Bonn, Nikolaus
Simrock, No. 356.* – St.   [G 2955
A Wgm (im Impressum: . . .; Paris, Hans
Simrock) – **CS** Pnm – **D-brd** B

GÖRLITZ Johann Friedrich von

Fugarum libellus, Liebliche Fugen und
Geistliche Lieder . . . auff mancherley
art, mit Drey, Vier, Fünff, und mehr Stimmen componiret. – *Frankfurt/Oder, Johann Hartmann (Friedrich Hartmann),
1601.*   [G 2956
SD 1601[15]
D-brd HSk – **D-ddr** Dlb, WRtl – **GB** Lbm

GÖRNER Johann Valentin

Sammlung Neuer Oden und Lieder [für
Singstimme und bc]. – *Hamburg, Felgi-
ners Witwe, Johann Carl Bohn, (1742).*
                                          [G 2957
GB Lbm – **US** Bp, Cn

— . . . Erster Theil, Zweyte Auflage. –
*ib., Johann Carl Bohn (J. G. Piscator),
1744.*   [G 2958
B Bc – **D-brd** KIl – **US** AA

— . . . Dritte Auflage. – *ib., Johann Carl
Bohn, 1752.*   [G 2959
D-brd HEms, Mbs (2 Ex.) – **D-ddr** Bds, LEm –
DK Kk – **GB** Lbm – **NL** DHk – **US** Bp, I

— . . . Vierte Auflage. – *ib., Johann Carl
Bohn, 1756.*   [G 2960
A Wn – **B** Bc – **D-brd** Bhm, Gs, Hs – **D-ddr** LEm
(2 Ex.) – **US** Wc

Sammlung Neuer Oden und Lieder. Zweyter Theil. – *Hamburg, Johann Carl Bohn,
1744.*   [G 2961
B Bc – **D-brd** KIl, W – **D-ddr** LEm – **GB** Lbm –
US AA

— . . . Zweyte Auflage. – *ib., Johann Carl
Bohn, 1752.*   [G 2962
D-brd HEms, Mbs (3 Ex.) – **D-ddr** Bds, LEm –
DK Kk – **GB** Lbm – **NL** DHk – **US** Bp, I

— . . . Dritte Auflage. – *ib., Johann Carl
Bohn, 1756 ([am Ende:] gedruckt mit
Piscators Schriften).*   [G 2963
A Wn – **B** Bc – **D-brd** Bhm, Hs – **US** Wc

Sammlung Neuer Oden und Lieder. Drit-
ter Theil. – *Hamburg, Johann Carl Bohn,
1752.*   [G 2964
B Bc – **D-brd** HEms, KIl, Mbs (2 Ex.), OLl –
D-ddr Bds, LEm (2 Ex.) – **DK** Kk – **F** Pn –
GB Lbm – **NL** DHk – **US** Bp, I

— . . . Zweyte Auflage. – *ib., Johann Carl
Bohn, 1757.*   [G 2965
A Wn – **B** Bc – **D-brd** Bhm, Gs, Hs – **US** Wc

GOESSWEIN Dominicus

Missae communes a 2. 3. 4. 5. vocibus,
partim sine et partim cum violinis et instrumentis necessariis, adjunctis rippien:
pro libitu, quae a multis vel paucis musicis decantari possunt. – *Konstanz, Franz
Xaver Straub, 1693.* – St.   [G 2966
F Pn (I: S, S, A, T, B; II: S, A, T, B; vl I, vl II,
vla I, vla II, vlc, org) – **US** IO (vl I, S I, S II,
trb II)

GOETTING Valentin

Psalmus CXII. Melodia suavi octo vocum
ornatus . . . Ioanni Steurlino . . . 9. Maji,
anno Christi 1589. – *Erfurt, Georg Baumann, (1589).* – St.   [G 2967
D-brd Rp (S II, T II)

GOETZE Michael

Schuldige Freude und hertzliche Glück-
wünschung (O Prichsenstadt, O kleine
Stadt [S, 2 vl, vlne und bc]) dem . . . Herrn
Joh. Heinrico Baumgartnern. – *Nürnberg,
Wolf Eberhard Felßecker, 1669.*   [G 2968
D-ddr Z

Himmlisches Ruhm- und Triumpff- Lied
(Endlich bin ich durchgedrungen [S und
bc]) der . . . Fr. Dorotheen Sabinen . . .
Försters. – *Coburg, Johann Conrad
Mönch, 1662.*   [G 2969
D-ddr Bds, Ju

Ehren-Lob und Gedächtniß (Wer bey der
alten Welt) dem . . . Herrn Iohann Hein-

rich Baumgärtner . . . bey dessen . . .
Praesentation, mit diesen 2. Vocalstimmen und andern untermengten Symphonien . . . abgesungen. – *Nürnberg, Wolf Eberhard Felßecker, 1669.* [G 2970]
D-ddr Z

GOEZE Nicolaus

VI. Sonate a clavicembalo obligato, con violino . . . I [G]. – *Augsburg, Gottfried Jacob Haupt.* – St. [G 2971]
D-brd KA

GOLDE Johann Gottfried

Ode auf den Sterbe-Morgen der Höchstseeligen Herzogin zu Sachsen-Gotha und Altenburg, mit harmonischen Schilderungen durch das Clavecin begleitet. – *Gotha-Leipzig, Christian Mevius Erben, (Bernhard Christoph Breitkopf & Sohn), 1768.* – KLA. [G 2972]
B Bc – **D-brd** Lr – **D-ddr** LEb, SWl, WRtl

GOMBERT Nicolas

MESSEN

(mit Einbeziehung der Sammeldrucke)

1540. Gomberti, ac Jacheti cum quatuor vocibus missae . . . liber primus. – *Venezia, Girolamo Scotto, 1540.* – St. [G 2973]
SD 1540⁴
D-ddr Ju (kpl.: S, A, T, B) – **GB** Lbm (S, A, B)

1542. Sex missae cum quinque vocibus quarum tres sunt . . . Jacheti, reliquae . . . Gomberti. – *Venezia, Girolamo Scotto, 1542.* – St. [G 2974]
SD 1542²
D-brd Mu (S, A, 5) – **D-ddr** Ju (kpl.: S, A, T, B, 5) – **I** VEaf (fehlt B)

— [mit den 3 Messen Gomberts von 1542:] Sex misse dulcissime modulationis . . . vocibus quinque, quarum prima . . . Jacheti est, tres . . . Gomberti sunt, due . . . Jacheti Berchem. – *ib., Antonio Gardano, 1547.* – St. [G 2975]
SD 1547³
D-brd Hs (kpl.; St. beschädigt), W – **I** Nn, Rsg

1557. Missa cum quatuor vocibus, ad imitationem cantionis Ie suis deshéritée. – *Paris, Nicolas du Chemin, 1557.* – Chb. [G 2976]
A Wn – **CH** E – **F** Pn – **GB** Eu – **I** Bc

MOTETTEN

(mit Einbeziehung der Sammeldrucke)

1539a. Musica quatuor vocum, (vulgo motecta nuncupatur), lyris maioribus, ac tibijs imparibus accomodata . . . liber primus. – *([Venezia], Girolamo Scotto, [1539]).* – St. [G 2977]
D-brd Mbs (kpl.: S, A, T, B [je 2 Ex.]) – **I** PLn (fehlt S) – **US** NYp

— . . . [gekürzter und vermehrter Nachdruck]. – *ib., 1541.* [G 2978]
SD 1541⁴
D-brd Mu (kpl.: S, A, T, B) – **D-ddr** Bds (fehlt A), Ju – **F** Pc (T) – **I** Rvat-sistina

— . . . [Nachdruck von 1539a]. – *ib., Antonio Gardano, 1541.* [G 2979]
D-brd Mbs (A, T) – **E** V (A) – **GB** Lbm (S) – **I** Bc (A), Rvat (B [unvollständig]), VEaf (S, T, B)

— . . . [gekürzter Nachdruck von 1541]. – *ib., 1551.* [G 2980]
SD 1551²
D-brd Mbs (kpl.: S, A, T, B) – **I** Bc, Nc (T), TVca, Vnm – **P** C (A)

1539b. Musica . . . (vulgo motecta quinque vocum nuncupata) in qua facile comperies quantum in hac arte, inventione alijs omnibus praevaleat . . . liber primus. – *Venezia, [Girolamo Scotto], 1539.* – St. [G 2981]
D-brd Mbs (kpl.: S, A, T, B, 5) – **I** BRq (5), PLn (A, T, B), VEaf (fehlt A) – **US** Wc

1541a. Pentaphthongos harmonia, que quinque vocum motetta vulgo nominantur, additis nunc eiusdem quoque ipsius Gomberti, necnon Jachetti & Morales motettis . . . liber primus. – *Venezia, Girolamo Scotto, 1541.* – St. [G 2982]
SD 1541³
A Wn (kpl.: S, A, T, B, 5) – **D-brd** Mu (fehlt 5), Rp, W – **D-ddr** Bds, Ju – **F** Pc (T) – **GB** Lbm (S, 5)

— . . . [Nachdruck mit zwei zusätzlichen
Motetten]. – *ib., Antonio Gardano, 1552.*
SD 1552²   [G 2983
D-brd Mbs (kpl.: S, A, T, B, 5) – **D-ddr** Bds (A)
– F B (5), Pmeyer (S, T, 5) – **GB** Lbm (fehlt A) –
I Bc (S, T), Rc, TVca, Vnm – **YU** MAs

1541b. Motectorum quinque vocum . . .
liber secundus. – *Venezia, Girolamo
Scotto, 1541.* – St.   [G 2984
A Wn (kpl.: S, A, T, B, 5) – **CH** Zz – **D-brd** Mu
(fehlt 5), Mbs (A, T), Rp, W (kpl., 2 Ex.) –
D-ddr Ju – **GB** Lbm (S, 5) – **I** VEaf (fehlt A)

— . . . [gekürzter und vermehrter Nach-
druck]. – *ib., 1550.*   [G 2985
D-brd Mbs (kpl.: S, A, T, B, 5) – **I** Bc, Vnm (B)

— . . . [Nachdruck von 1541b]. – *ib., An-
tonio Gardano, 1552.*   [G 2986
SD 1552²
D-brd Mbs (kpl.: S, A, T, B, 5) – **D-ddr** Bds
(A) – F B (5) – **I** Mc, Rc, TVca, Vnm – **YU** MAs

1541c. Motectorum . . . liber secundus,
quatuor vocum. – *Venezia, Girolamo
Scotto, 1541.* – St.   [G 2987
A Wn (kpl.: S, A, T, B) – **D-brd** Mbs (A, T), Mu
– **D-ddr** Ju – **F** Pc (T) – **GB** Lbm (S) – **I** Vnm,
VEaf (fehlt A)

— . . . [Nachdruck von 1541c]. – *ib., An-
tonio Gardano, 1542.*   [G 2988
A Wn (kpl.: S, A, T, B) – **D-brd** LÜh, Mbs –
GB Lbm (B) – **I** Vnm

1541d → 1539a
1541e → 1539a

1542   → 1541c

1550   → 1541b

1551   → 1539a

1552a → 1541a
1552b → 1541b

GOMES DA SILVA Alberto José

Sei sonate [D, G, B, e, f, D] per cembalo
. . . opera I. – *s. l., s. n.*   [G 2989
B Bc – **GB** Lbm

Regras de acompanhar para cravo ou
orgão. – *Lisboa, F. L. Ameno, 1758.*
                                   [G 2990
US Wc

GOMÓŁKA Mikołaj

Melodiae ná psałterz polski [a 4v]. –
Krakau, Lazarus, 1580. – Chb.   [G 2991
PL Wn

GONETTI Victor

Siege of Gibraltar, and three grand sonatas [B, C, E] for the harpsichord & piano
forte. – *s. l., s. n.*   [G 2992
GB Lbm (fehlt Titelblatt) – **US** Cn (Titelblatt
beschädigt)

— Siege de Gibraltar pour clavecin ou
forte piano. – *s. l., s. n.*   [G 2993
CH Gc – **D-brd** DO

GONTIER Leonorio

Missa quatuor vocum ad basin [!] organi.
Audi et vide. Psal. XLIV. – *Paris, Chri-
stophe Ballard, 1686.* – Chb.   [G 2994
F Psg

GONZAGA Francesco

Il primo libro delle canzonette a tre voci,
con alcune arie poste nel fine del basso
continuo. – *Venezia, stampa del Gardano,
appresso Bartolomeo Magni, 1619.* – St.
                                   [G 2995
I Bc (S II, B, bc)

GONZAGA Guglielmo

[Zuweisung fraglich:] Sacrae cantiones
quinque vocum in festis duplicibus maio-
ribus ecclesiae Sanctae Barbarae. –
Venezia, Angelo Gardano, 1583. – St.
SD 1583¹   [G 2996
A Wn (B, 5) – **D-brd** Kl (kpl.: S, A, T, B, 5) –
I Mc – **GB** Lbm

[Zuweisung fraglich:] Madrigali a cinque
voci, novamente posti in luce. – *Venezia,
Angelo Gardano, 1583.* – St.   [G 2997
SD 1588¹³
GB Lbm (kpl.: S, A, T, B, 5) – **I** MOe

GONZENBACH Johann Jacob

[mit Gonzenbach, Bartholomäus:] Ils psalms da David, suainter la melodia francêsa, schantaeda eir in tudaisch, à 4. vuschs . . . eir alchüns da'ls medems psalms, cun bgerras bellas canzuns ecclesiasticas & spirituaelas, suainter la melodia, & vêglia versiun tudaisca da Dr. Martī Luther, & d'oters ôt illettrôs homẽs . . . 2. da editiun, augmentaeda da bgerras novas melodias. – *Straeda, Johan N. Janet, 1733.*   [G 2998
A Wn – B Br – **D-brd** Mbs – **GB** Cu (2 Ex.), Ge, Lbm, Lcm, Ob, T – **US** PHu

GOODWIN Starling

A collection of songs with a cantata from Anacreon . . . to which is added two favourite songs for two voices. – *London, Charles & Samuel Thompson.*   [G 2999
GB Lam (2 Ex.), Lbm

Could a man be secure. A favorite duet for two voices. – *London, Longman & Broderip.*   [G 3000
US Pu

— . . . (in: Walker's Hibernian Magazine, Sept., 1790). – *[Dublin], s. n., (1790).*
[G 3001
GB Lbm

— *London, Robert Birchall.*   [G 3002
GB Lbm

— *ib., S., A. & P. Thompson.*   [G 3003
GB Lbm

– *ib., A. Bland.*   [G 3004
GB Cfm

– *ib., H. Andrews.*   [G 3005
GB Lcm

— *ib., G. Walker.*   [G 3006
GB Lcm

— *Dublin, Hime.*   [G 3007
GB Lam

Fly, fly, false man. A song. – *s. l., s. n.*
[G 3008
GB Gm, Lbm

The origin of English liberty [Song]. — *s. l., s. n.*   [G 3009
GB Lbm

The complete organist's pocket companion, containing a choice collection of psalm-tunes with their givings-out, and interludes. – *London, Charles & Samuel Thompson.*   [G 3010
GB Lbm, Lcm, Mp – **J** Tn

Twelve voluntarys for the organ or harpsichord . . . book I. – *London, Charles & Samuel Thompson.*   [G 3011
GB BA, Lbm, Lcm, Mp – **US** NYp

Twelve voluntarys for the organ or harpsichord . . . book II. – *London, Charles & Samuel Thompson.*   [G 3012
GB BA

Twelve voluntarys for the organ or harpsichord . . . [2 Bände, vermutlich anderer Inhalt]. – *[s. l., s. n.].*   [G 3013
GB Lbm (Titelblatt aufgeklebt, Impressum beschnitten)

A favorite lesson [D] for the harpsichord. – *London, Charles & Samuel Thompson.*
[G 3014
GB Lbm

GOODWIN William

Content. A pastoral from Mr. Cunningham's collection . . . (in: The London Magazine, march, 1772). – *[London], s. n., (1772).*   [G 3015
GB Lbm

— *s. l., s. n.*   [G 3016
GB Cpl, Lbm – **US** Wc

Kate of the green [Song]. – *s. l., s. n.*
[G 3017
GB Cpl, Lbm

The triumph of Bacchus [Song] . . . (in: The London Magazine, june, 1772). – *[London], s. n., (1772).*   [G 3018
GB Lbm

Twelve voluntaries for the organ or harpsichord. – *London, Charles & Samuel Thompson.*   [G 3019
GB BA, Lbm – **US** AA, Wc

A favorite lesson [G] for the harpsichord or piano forte . . . No. I. – *London, Charles & Samuel Thompson.*   [G 3020
GB Lbm

A favorite lesson [C] for the harpsichord or piano forte . . . No. II. – *London, Charles & Samuel Thompson.*   [G 3021
GB Lbm – J Tn

A favorite lesson [F] for the harpsichord or piano forte . . . No. III. – *London, Charles & Samuel Thompson.*   [G 3022
GB Lbm

GOOLD William

Six solos for the german flute, hautboy, or violin, with a thorough bass for the harpsichord. – *London, John Rutherford.* – P.   [G 3023
GB Lbm

Six sonatas or duets for two german flutes or violins in an easy familiar stile, opera terza. – *Edinburgh, author, (engraved by James Johnson).* – P.   [G 3024
GB Ckc, CDp, Gu

GORCZYN Jan Alexander

Tabulatura muzyki, abo zoprawa muzykalna. – *Krakau, Piątkowski, 1647.*
                          [G 3025

PL Kj

GORDON Thomas

Nine songs for the german flute or violin. – *London, John Preston, for the author.*
                          [G 3026

GB Lbm, Ob

GORTON William

A choice collection of new ayres compos'd and contriv'd for two bass-viols. – *London, John Young, 1701.*   [G 3027
GB Cfm, DRc

Enticeing love. A song. – *s. l., s. n.*
                          [G 3028
GB Eu, Lbm – US Ws (vermutlich andere Ausgabe)

Here's a health to the Queen. A catch for 3 voc. on the Queen, her Allies and the Parliament. – *s. l., s. n.*   [G 3029
GB Lbm

In vain I strive. A song set within the compass of the flute. – *s. l., s. n. (Thomas Cross).*   [G 3030
GB Lgc

GORZANIS Giacomo

1561. Intabolatura di liuto . . . libro primo. – *Venezia, Antonio Gardano, 1561.*
                          [G 3031
I Gu

1563. Il secondo libro de intabulatura di liuto. – *Venezia, Girolamo Scotto, 1563 ([Kolophon:] 1562).*   [G 3032
I Gu

— *ib., Antonio Gardano, 1565.*   [G 3033
A Wn – I TSsc

1564. Il terzo libro de intabulatura di liuto. – *Venezia, Antonio Gardano, 1564.*
                          [G 3034
A Wn

1565 → 1563

1570. Il primo libro di napolitane ariose che si cantano et sonano in leuto. – *Venezia, Girolamo Scotto, 1570.*
SD 1570^{32} [G 3035
I Fn

1571. Il secondo libro di napolitane a tre voci. – *Venezia, Girolamo Scotto, 1571.* – St.   [G 3036
A Wn (kpl.: S, T, B) – **D-brd** As (S) – F Pc – GB Lbm (S) – I Bc (T, B)

(1579). Opera nova de lauto . . . messa in luce da suo figliolo Massimiliano, libro quarto. – *Venezia, Alessandro Gardano, (1579).*   [G 3037
A Wn (s. d.) – I Bc, TSsc (Titelblatt beschnitten)

GOSSEC (fils)

Six folies musicales graves, pathétiques et gaies composée [!] pour le piano-forte avec accompagnement de violon ad libi-

tum ... œuvre 1er. – *Paris, auteur, Big-non, Mme Mercier, Zimmermann.* – St.
[G 3038]

F Pn (pf, vl)

GOSSEC François-Joseph

GEISTLICHE WERKE

Messe des morts, avec la prose. – *Paris, Henry (gravée par G. Magnian).* – P.
[G 3039]
A Wn – **D-brd** BNba, Mbs, MÜs, TRb – **DK** Kv – **F** Lm, Pc (unvollständig), Pn – **GB** Lbm, Lgc – **US** AA, NYp, Wc

— *ib.*, Le Duc *(gravée par G. Magnian)*, No. 5.
[G 3040]
B Bc – **F** Dc, R, Pc, Po – **H** Bn – **US** BE, Bp

O salutaris hostia. Motet à trois voix sans accompagnement. – *Paris, Bailleux.* – P.
[G 3041]
F Pc

— ... Impromptu à trois voix sans accompagnement. – *Paris, auteur, au Conservatoire de Musique.*
[G 3042]
CH Fcu – **D-brd** MÜu – **F** Pc (3 Ex.)

MUSIK ZU BÜHNENWERKEN

Les agrémens d'Hylas et Silvie

Airs détachés [à 1 v] d'Hylas et Silvie. – *Paris, Mme Bérault.*
[G 3043]
F Po

Alexis et Daphné

Loin de ces bois charmans. Airs détachés d'Alexis et Daphné, de Baucis et Philémon. – *[Paris], Le Marchand, aux adresses ordinaires (gravé par Mme Lobry).*
[G 3044]
CH BEsu

— Romance d'Alexis et Daphenée [!]. – *s. l., s. n.*
[G 3045]
CH DE (ohne Titelblatt)

Le double déguisement

Airs détachés [à 1v] ... comédie en deux actes représentée à Paris par les comédiens italiens au mois de septembre 1767. – *Paris, la comédie italienne.*
[G 3046]
F Po

Le faux Lord

Airs détachés [à 1 v] de La chasse, ballet mêlé de chants de la comédie du Faux Lord, représenté pour la première fois ... le 27e de juin 1765. – *Paris, auteur, Le Jay.*
[G 3047]
F Po

La fête de village

Airs détachés [à 1v] de la fête de village. – *Paris, Baillon.*
[G 3048]
B Bc

Les pêcheurs

Les pêcheurs, Comédie en un acte représentée pour la première fois par les comédiens italiens ordinaires du roy, le 7 juin 1766 ... œuvre X^e. – *Paris, de La Chevardière; Lyon, Castaud, aux adresses ordinaires.* – P. und St.
[G 3049]
A Wn (P.) – **B** Bc (P.) – **CH** Gc (P.) – **DK** Kk (P.) – **F** A (P.), BO (P.), Dc (P.), G (P.), Pa (P. und St. [vl I, cor I, cor II]), Pc (P. [2 Ex.]) – **NL** At (P.), Uim (P.) – **S** Skma (P.), St (P.) – **US** AA (P. und 10 St.), Bp (P.), Wc (P.)

— *ib.*, auteur, Mme Bérault, aux adresses ordinaires. – P.
[G 3050]
C Tu (2 Ex., davon 1 Ex. ohne Titelblatt) – **D-brd** Mbs, Rtt – **D-ddr** Bds – **F** Lm (2 Ex., davon 1 Ex. ohne Titelblatt), R, Pc – **I** Nc

— *ib.*, Le Duc, No. 47. – P. (und St.)
[G 3051]
CH Gpu (8 St.; Etikett: Genève, Marcillac; s. No.) – **F** Pn (P.) – **GB** Lbm (P.)

Les pêcheurs. Comédie ... mêlée d'ariettes. – *Paris, Vente, 1771.*
[G 3052]
GB Lbm

Airs détachés de la pièce des Pêcheurs. – *Paris, Mme Bérault.* – P.
[G 3053]
F Pc

[Ouverture des Pêcheurs]. – *s. l., s. n.* – St.
[G 3054]
F Psg (vla, b; fehlt Titelblatt)

Rosine, ou L'épouse abandonnée

Aujourd'hui cesse la fête. Vaudeville ... accompagnement de guitarre par M. Lemoine. – *Paris, Camand.*
[G 3055]
GB Lbm

Près d'un ruisseau la charmante Rosine.
Parodie de Rosine, ou Les dangers de
connoître l'amour. Air: de Rosine. –
[Paris], Camand.   [G 3056
GB Lbm

— *[Paris], Frère.*   [G 3057
F Psg

— *s. l., s. n.*   [G 3058
GB Lbm

Sabinus

Airs des ballets de Sabinus, arrangés pour
le clavecin ou le forte piano avec accompagnement de violon ad libitum. – *Paris,
Henry (gravés par Mme Lobry).* – St.
                                    [G 3059
F Pc (v/pf, vl)

— *ib., auteur, aux adresses ordinaires.*
                                    [G 3060
F Pc (v/pf [2 Ex.], vl), Pn – **GB** Lbm

[Air, duo et trio]. – *s. l., s. n.* – P. [G 3061
F V (ohne Titelblatt)

Thésée

Ouverture, airs de chant et airs de ballets
de Thésée, arrangés pour le clavecin ou
le forte-piano . . . par Mr Gossec fils. –
*Paris, auteur, Mme Bignon, Mlle Ca-
stagnery, Le Duc, Baillon (gravés par Mlle
Villy).*   [G 3062
F Pc – **GB** Lbm

Si la belle Eglé m'est ravie. Air . . . (in:
Mercure de France, avril, 1782). – *[Paris],
s. n., (1782).*   [G 3063
GB Lbm

Toinon et Toinette

Toinon et Toinette. Comédie en deux
actes représentée à Paris par les comé-
diens italiens. – *Paris, de La Chevar-
dière; Lyon, Castaud.* – P.   [G 3064
A Wn – **B** Bc – **D-brd** Rtt – **D-ddr** Bds, Dlb,
LEm, WRz – **DK** Kk – **F** A, Dc, G, Lm, Pa (2
Ex.), Pc (4 Ex.), Pn, R, TLc – **GB** Lbm –
I MOe – **NL** At – **S** Skma – **US** AA, Bp, Cn,
NYp, R, Wc

Toinon et Toinette. Comédie en deux ac-
tes en prose, meslée d'ariettes [S. 41–47]. –
Paris, Vve Duchesne, 1767.   [G 3065
GB Lbm

Airs détachés. – *Paris, de La Chevardière.*   [G 3066
F BO, Pc – **GB** Lcm – **H** Bn

— *ib., 1770.*   [G 3067
A Wn

— *ib., à la comédie italienne, aux adresses
ordinaires.*   [G 3068
F Pa, Po

Avec une épouse chérie, on est heureux
soir et matin [Ariette]. – *s. l., s. n.*
                                    [G 3069
CH BEl

On doit en aimer davantage. Duo . . .
ajusté pour deux voix égales ou deux
violons. – *s. l., s. n.*   [G 3070
F V

Quand un amant est inconstant. Duo . . .
ajusté pour 2 voix égales et 2 violons. –
s. l., s. n.   [G 3071
CH BEl

Le Tonnelier

(Bearbeitung des gleichnamigen Werkes
von Audinot, vgl. [A 2841ff.)

Le Tonnelier. Opéra comique en un acte
mis en musique . . . représenté pour la
première fois sur le théâtre des comédiens
italiens ordinaires du Roy, le 16 mars
1765. – *Paris, de La Chevardière (gravé
par Gerardin).* – P.   [G 3072
B Bc – **F** Pc – **GB** Lbm – **US** CA

— *ib., Le Clerc.*   [G 3073
F Pn

Le triomphe de la République, ou Le
camp de Grand-Pré

Le triomphe de la République, ou Le
camp de Grand-Pré. Divertissement lyrique en un acte, représenté à l'opéra le
27 janvier l'an 2ème . . . les ballets du
citoyen Gardel. – *Paris, Mozin, J. H.
Naderman (gravé par Huguet).* – P.
                                    [G 3074
B Bc (unvollständig) – **F** Pc, Pn – **GB** Lbm –
US NH (Etikett: Imbault), NYp (Etikett:
Cochet)

Ouverture . . . arrangée en harmonie
pour quatre clarinettes, deux cors, deux

bassons et trompette par G. F. Fuchs. –
Paris, J. H. Naderman, No. 152. – St.
[G 3075
F Pn (kpl.: 9 St.; 2 verschiedene Ausgaben)

Ouverture, marche, nocturne et pas de
charge . . . en quatuor pour deux violons,
alto et basse par Gasseau. – *Paris, J. H.
Naderman, No. 161.* – St.   [G 3076
F Pn (kpl.: 4 St.; 2 Ex.)

Airs de ballet . . . faisant suite de l'ouverture en quatuor pour deux violons,
alto et basse par Gasseau. – *Paris, J. H.
Naderman, No. 169.* – St.   [G 3077
F Pn (kpl.: 4 St.; 2 Ex.)

Airs . . . arrangés en harmonie pour
quatre clarinettes, deux cors et deux bassons par G. F. Fuchs. – *Paris, J. H. Naderman, No. 158.* – St.   [G 3078
F Pc (kpl.: 8 St.), Pn (kpl.; 2 Ex.)

Airs . . . arrangés en duo pour deux clari-
nettes par G. F. Fuchs. – *Paris, J. H.
Naderman, No. 131.* – St.   [G 3079
F Pn (2 Ex.)

Ariettes et trio . . . arrangés avec accom-
pagnement de forte-piano par Benoit
Mozin le jeune. – *Paris, J. H. Naderman,
Benoit Mozin, No. 125.* – KLA.   [G 3080
CH Zz – **DK** Km, Kv

Ariettes et trio . . . arrangés en duo pour
deux flûtes par G. F. Fuchs. – *Paris, J. H.
Naderman, No. 128.* – St.   [G 3081
F Pn

Ariettes et trio du Triomphe de la République. – *Paris, Imbault.*   [G 3082
B Bc

A peine sur ces monts. Air. – *Paris, Imbault.*   [G 3083
GB Lbm

Dans le tems de notre jeunesse. Air. –
Paris, Imbault.   [G 3084
GB Lbm

— Nº 4 . . . du Triomphe de la liberté. –
[ib.], Frère.   [G 3085
F Pn

Dieu du peuple et des rois. Trio . . . à trois
voix seules sans accompagnement. –
Paris, Imbault. – St.   [G 3086
F Pc (kpl.: S I, S II, B) – **GB** Lbm

— Nº 1 . . . du Triomphe de la liberté [à
1 v]. – *[ib.], Frère.*   [G 3087
F Pn (2 Ex.)

— . . . Le chant du 14 juillet [à 3 v]. –
*[Paris], au magasin de musique à l'usage
des fêtes nationales.* – P.   [G 3088
F Pn (3 Ex.) – **GB** Lbm

— . . . Hymne . . . Nº 17. – *Paris, au magasin de musique à l'usage des fêtes nationales, No. 17.* – P. und St.   [G 3089
D-brd AB (kpl.: P. [haute-contre, taille, basse]
und 14 Instrumental-St.), Rtt (P.) – **F** Pc (kpl.;
3 Ex.)

Enfin, sur ces plaines funestes. Trio. –
Paris, Imbault.   [G 3090
GB Lbm

Les habitans de ces boccages. Air. – *Paris,
Imbault.*   [G 3091
GB Lbm

— Nº 3 . . . du Triomphe de la liberté. –
ib., Frère.   [G 3092
F Pn (2 Ex.)

Que devient l'ardeur intrépide. Air . . .
avec accompagnement de forte-piano. –
Paris, Imbault, No. # 153.   [G 3093
F Pc – **GB** Lbm

— Nº 6 . . . du Triomphe de la liberté [à
1 v]. – *[ib.], Frère.*   [G 3094
F Pn (2 Ex.)

Qu'une fête ici s'apprête. Air. – *Paris,
Imbault.*   [G 3095
GB Lbm

— Nº 5 . . . du Triomphe de la liberté [à
1 v]. – *[ib.], Frère.*   [G 3096
F Pn (2 Ex.)

Vous aimables fillettes. Ronde patrioti-
que . . . accompagnement de guitarre du
C. Lemoine. – *Paris, Imbault.*   [G 3097
F Pn – **GB** Lbm

— Ronde . . . avec accompagnement de
piano. – *ib., Imbault, No. # 149.* [G 3098
F Pc

— Ronde . . . avec accompag^t de guitarre.
– *[ib.], Frère.*   [G 3099
F Pn (2 Ex.)

Hymne pour trois voix . . . avec grand
orchestre tel qu'on l'exécute à l'opéra. –
Paris, J. H. Naderman, No. 168. – KLA.
                                                    [G 3100
DK Kk

VOKALMUSIK

Âge de l'aimable innocence. Ode sur l'enfance. – *[Paris], au magasin de musique
à l'usage des fêtes nationales.*   [G 3101
US Wc

— . . . arrangée pour le forte-piano ou la
harpe par Rigel fils. – *ib.*   [G 3102
CH BEsu

L'amour piqué par une abeille. XLme ode
grecque d'Anacréon. – *s. l., s. n. (gravé
par la C^{enne} Rousseau).* – P.   [G 3103
F Pc

Attentat sans exemple. Cantate funèbre
pour la fête du 20 prairial an 7. – *[Paris],
au magasin de musique à l'usage des fêtes
nationales.*   [G 3104
F Pn (2 Ex.) – **GB** Lbm

Auguste et consolante image. Hymne à la
liberté. – *Paris, au magasin de musique à
l'usage des fêtes nationales, No. 13.* – P.
und St.   [G 3105
D-brd AB (kpl.: Chor-P. und 11 Instrumental-St.)

Ce ne sont plus des pleurs. Hymne sur la
translation du corps de Voltaire au Panthéon. – *s. l., s. n.*   [G 3106
F Pn

— *[Paris], au magasin de musique à
l'usage des fêtes nationales.*   [G 3107
US Wc

Citoyens dont Rome. Chant patriotique
pour l'inauguration des bustes de Marat
et de Lepelletier . . . air pour une basse-
taille ou tenor. – *[Paris], au magasin de
musique à l'usage des fêtes nationales.*
                                      [G 3108
F Pn – **GB** Lbm

Citoyens suspendés vos jeux. Offrande à
la liberté . . . avec récitatif, chœurs, et
accompagnement à grand orchestre,
exécutée à l'opéra le 30 7bre l'an 1er de la
République, arrangée. – *Paris, Imbault,
No. 380.* – P. und St.   [G 3109
D-ddr WRgs (P. und 16 Instrumental-St.) –
DK Kk (P.) – **F** Pc (P. und 16 Instrumental-
St.) – **GB** Lbm (P.)

— . . . arrangée pour clavecin ou piano-
forte par L. Jadin. – *ib., Imbault, No. 387.*
– KLA.   [G 3110
CH EN – **D-brd** KIl – **DK** Km, Kv – **F** Pc, Pn –
S Skma

— . . . arrangée en pot-pourri pour musique militaire. – *ib., Imbault, No. 391.* – St.
                                      [G 3111
F Pn (kpl.: 12 St.)

Déesse d'un peuple intrépide. Hymne à
la victoire. – *[Paris], au magasin de musique à l'usage des fêtes nationales.*
                                      [G 3112
F Pn – **GB** Lbm

Déjà le génie et la gloire. Chant pour la
fête de la vieillesse. – *s. l., s. n.*   [G 3113
F Pa, Pn (2 Ex.) – **GB** Lbm (2 Ex.)

Dieu puissant daigne soutenir [Déjà de-
puis quatre ans]. Serment républicain à
grand chœur et à grand orchestre, parodie . . . sur le serment d'Athalie. – *Paris,
au magasin de musique à l'usage des fêtes
nationales, No. 11(14).* – P. und St.
                                      [G 3114
D-brd AB (kpl.: P. [dessus, haute contre, taille,
basse] und 16 [bzw. 19] Instrumental-St.) –
F Pc (No. 11: P. [6 Ex., 2 verschiedene Aus-
gaben], St.; No. 14: P. [3 Ex.], St.), Pn (No.
11: P. [2 Ex.]) – **GB** Lbm (No. 11: P.)

Divinité tutélaire. Hymne à l'égalité
exécuté à la fête du 10 août 1793. –
*Paris, au magasin de musique à l'usage des
fêtes nationales.* – P. und St.   [G 3115
F Pc (P. [7 Ex.] und 5 Instrumental-St. [je 5
Ex.])

Favoris de la gloire et de la liberté. Ronde
patriotique . . . air: Si vous aimez la
danse. – *Paris, Imbault.*   [G 3116
GB Lbm

301

Fuyez loin d'ici. O salutaris. Trio . . .
arrangé avec des paroles françaises. –
s. l., s. n.   [G 3117
GB Lbm

L' innocence est de retour. Ronde nationale [à 3 v] chantée à la fête de la liberté
. . . le dimanche 15 avril 1792. – *Paris,
imprimerie de Quillau, (1796).*   [G 3118
F Pn – **GB** Lbm

Martyr de la liberté. Chant funèbre sur
la mort de Ferraud, représentant du
peuple assassiné par les rebelles au sein
de la Convention nationale. – *[Paris],
imprimerie de musique de l'institut natio-
nal.* – P.   [G 3119
F Pn (4 Ex.) – **GB** Lbm

Ô Déité de ma patrie. Hymne à la liberté
. . . sur le chant de O salutaris, à trois
voix. – *Paris, au magasin de musique à
l'usage des fêtes nationales.* – P.   [G 3120
D-ddr LEm – **DK** Kk – **F** Pc, Pn

O mère des vertus. Hymne à l'humanité
en mémoire du IX thermidor. – *[Paris],
au magazin de musique à l'usage des fêtes
nationales.*   [G 3121
F Pn (3 Ex.) – **GB** Lbm

Parmi ces funèbres apprêts. Aux mânes
de la Gironde. Hymne élégiaque [à 3 v]
pour l'anniversaire du 3 octobre. – *[Paris],
au magasin de musique à l'usage des fêtes
nationales.* – P.   [G 3122
F Pn (2 Ex.) – **GB** Lbm

Père de l'univers. Hymne à l'Être suprême, envoié par le comité de Salut Public . . . pour être chanté à la fête du 20
prairial l'an 2me . . . paroles de Th. De-
sorgues. – *s. l., s. n., No. 4, (1794).* – P.
und St.   [G 3123
D-brd AB (P. und 17 Instrumental-St.) –
F Pc (P. und 32 [bzw. 19] Instrumental-St.; 4
Ex., davon 1 Ex. unvollständig).

— . . . [à 1 v/bc]. – *[Paris], au magasin
de musique à l'usage des fêtes nationales.*
                                                     [G 3124
F Pn (2 Ex.) – **GB** Cpl (andere Ausgabe, ohne
Impressum), Lbm

— *ib., Frère.*   [G 3125
F Pn

— . . . arrangé pour le piano-forte par
Hermann. – *ib., au magasin de musique à
l'usage des fêtes nationales.*   [G 3126
D-ddr Bds – **F** Pc – **US** Wc

Peuple éveille-toi. Chœur patriotique
exécuté à la translation de Voltaire au
Panthéon français en 1791. – *Paris, au
magasin de musique à l'usage des fêtes
nationales.* – P. und St.   [G 3127
D-brd AB (P. und 11 Instrumental-St.; ohne
Impressum) – **F** Pn (P.), Pc (P. und 13 Instrumental-St.)

Salut et respect à la loi. Le triomphe de
la loi. Chœur patriotique. – *Paris, au
magasin de musique à l'usage des fêtes
nationales, No. 2.* – P. und St.   [G 3128
D-brd AB (P. und 14 Instrumental-St.) – **F** Pc
(P. und 14 Instrumental-St.) – **GB** Cpl (P.) –
US Wc (P.)

Si vous voulés trouver la gloire. Chant
martial, pour la fête de la victoire. –
*[Paris], au magasin de musique à l'usage
des fêtes nationales.*   [G 3129
F Pn (3 Ex.) – **GB** Lbm

Toi qui d'Emile et de Sophie. Hymne à
Jean Jacques Rousseau . . . chanté au
Panthéon le 20 vendémiaire an 3 de la
République. – *[Paris], au magasin de
musique à l'usage des fêtes nationales,
(1795).* – P.   [G 3130
CH Gpu – **F** Pn (4 Ex., 2 verschiedene Ausga-
ben) – **GB** Lbm

Touchant réveil, calme enchanteur. Hymne à la nature . . . exécuté à la fête de la
Réunion du 10 août an Ier. – *Paris],
au magasin de musique à l'usage des fêtes
nationales, No. 5, (1793).* – P. und St.
                                      [G 3131
D-brd AB (P. und 13 Instrumental-St.)

— . . . [à 1 v/bc]. – *s. l., s. n. (gravé par
Vanjxen).*   [G 3132
GB Cpl

Vive à jamais, vive la liberté. Hymne à la
liberté. Chœur N° 15. – *Paris, au magasin
de musique à l'usage des fêtes nationales.* –
P. und St.   [G 3133
D-brd AB (P. und 13 Instrumental-St.) –
F Pc (P. und 14 Instrumental-St.; 5 Ex., davon
3 Ex. unvollständig)

Station au temple de Melpomêne, pour la translation de Voltaire [Singstimmen, pf, cl ad lib.]. – *s. l., s. n., No. 1.* – P.   [G 3134
US Wc

Hymnes à trois voix pour la fête de la Réunion célébrée le 10 aoust an 2ème de la République. – *Paris, Imbault, (1794).* – P.   [G 3135
F Pc (2 Ex.)

Hymnes destinés à être chantés par le corps de musique des aveugles-travailleurs. – *[Paris], impr. de l'institut national des aveugles travailleurs, (1794).*
                                    [G 3136
F Pn

Hymne à l'amour. Trio sans accompagnement. – *Paris, Bignon.* – P.   [G 3137
F Pa

Hymnus, von Herklotz, für drei Stimmen, ohne Accompagnement, nach der Musik von Gossec. – *Berlin, Böheim (G. F. Starcke).* – P.   [G 3138
D-brd Bhm, Mbs

INSTRUMENTALWERKE

Sinfonien und konzertante Sinfonien
(Sammlungen und Einzelausgaben)

Sei sinfonie [D, E, C, G, F, D] a più stromenti . . . opera terza. – *Paris, aux adresses ordinaires (Richomme l'aîné, gravé par Ceron).* – St.   [G 3139
CH EN (vla, b) – F Pmeyer (vl I, vl II, vla, b)

Sei sinfonie [D, E, F, C, E, d/D] a più stromenti . . . opera IV. – *Paris, de La Chevardière (gravées par Mme Bérault).* – St.   [G 3140
CH Bu (vl I) – D-brd MÜu (kpl.: vl I, vl II, b [2 Ex.], cor I, cor II; handschriftlich: fl I, fl II) – F BO (vl II, vla, b), Pc (kpl.; b, cor I und cor II in 2 Ex.)

— *ib., auteur.*   [G 3141
B Bc

Sei sinfonie [F, Es, D, E, Es, D] a più stromenti . . . opera V. – *Paris, Bailleux (gravé par Mme Bérault).* – St.   [G 3142
F Pc (kpl.: vl I, vl II, vla, b/fag, fl I/fl II, cor I, cor II [je 2 Ex.]; 3. Ex.: vl I, vl II, vla, b/fag, fl I/fl II) – GB Ob – I Gi, Vqs

— *ib., Bailleux; (Lyon-Bordeaux-Toulouse-Lille).*   [G 3143
[2 verschiedene Ausgaben:] CS KRa – D-brd MÜu, WD (fehlt cor II) – F BO, Pc – S Skma – US AA (fehlen fl/ob und cor I, cor II)

Six simphonies [D, A, c, D, B, B] dont les trois premières avec des hautbois obligés et des cors ad libitum et les trois autres en quatuor pour la commodité des grands et petits concerts . . . œuvre VI. – *Paris, Bailleux.* – St.   [G 3144
B Bc (kpl.: vl I, vl II, vla, b, ob I/ob II, cor I, cor II) – CS KRa – D-brd MÜu, WD – F Pc (3 Ex.; 2 Ex. kpl.; 1 Ex.: vl I, vl II, vla, b), Pn (vl I, vl II, vla, b, cor I, cor II) – S Skma

Trois grandes simphonies [Es, F, Es] avec deux alto, viola et hautbois ou clarinettes obligées et les cors ad libitum . . . œuvre VIII. – *Paris, Bailleux.* – St.   [G 3145
CS KRa (vl I, vl II, vla I/II, b, cor I, cor II) – D-brd WD (vl I, vl II, vla I/II, b, cl I/II, ob I/II) – F Pc (vl I, vl II, vla I/II, b, ob I/II, cor II) – S Skma (vl I, vl II, vla I/II, b, ob I/II, cl I/II, cor I, cor II)

— *ib., auteur, Bailleux.*   [G 3146
D-brd MÜu (vl I, vl II, vla I/II, ob I/II, b; handschriftlich: ob II, cor I und cor II, timp zu Nr. 3) – F BO (kpl.: 8 St.), Pc, Pn

Six simphonies [D, G, C, B, Es, F] à grande orchestre . . . œuvre XII. – *Paris, Venier, aux adresses ordinaires; Lyon, aux adresses de musique (Richomme).* – St.   [G 3147
B Bc (kpl.: vl I, vl II, vla, b, ob I/II, clno I/II, cor I, cor II) – CH Gpu (fehlt cor II), SO (kpl.; mit handschriftlichen St. zu Nr. 1, 2, 4 und 6) – D-brd Sh (cor I), W – F A (unvollständig), Pc (3 Ex.; b in 4 Ex.) – GB Lbm, Ob – I Vqs – S Skma (fehlt vl II) – US R

— *ib., éditeur, Mme Bérault.*   [G 3148
F Pc (vl I, vl II, vla, b, ob I/II, cor I, cor II)

— *ib., Mme Bérault, auteur.*   [G 3149
D-brd MÜu (7 St.)

— *ib., Boyer, Mme Le Menu (écrit par Ribière).*   [G 3150
S L (vl I, vl II, vla I/II, b, ob I/II, cor I, cor II, clno I/II)

Trois sinfonies à grande [!] orchestre . . .
œuvre XIIIe. – *Paris, Bailleux.* – St.
[G 3151
B Bc (vl I, vl II, vla, b, fl I/ob I, fl II/ob II,
cl I, cl II, fag, cor I, cor II, timp), Br(kpl.; mit
handschriftlichen St.)

Simphonie concertante [D] à plusieurs
instrument [!] . . . (No. 1). – *Paris, Sieber;
Lyon, Casteau; Bruxelles, Godefroy; Bordeaux, Seaunier.* – St. [G 3152
D-brd MÜu (kpl.: vl princip., vl I, vl II, vla,
vlc oblig., b, ob I, ob II, cor I, cor II) – **F** Pn

Simphonie concertante [D] à plusieurs
instruments . . . (No. 2). – *Paris, Sieber;
Lyon, Casteaud; Bruxelles, Godfroy; Bordeaux, Seaunier.* – St. [G 3153
D-brd MÜu (kpl.: vl I princip., vl II princip.,
vla/vlc oblig., vl I, vl II, vla, b, ob I, ob II,
cor I, cor II) – **F** Pn (fehlen vl I princip. und
vl I)

Simphonie concertante [D] du ballet de
Mirza pour un violon, une flûte, et un
alto viola récitans, deux violons ripieno,
un second alto, une basse, un basson,
deux hautbois, et deux cors ad libitum. –
Paris, Bailleux. – St. [G 3154
B Bc (keine näheren Angaben) – **F** BO (kpl.:
12 St.)

—— . . . arrangée pour deux harpes ou
deux clavecins, ou une harpe et un clavecin; avec accompagnement de deux violons, une basse, et deux cors ad libitum. –
ib., Bailleux. [G 3155
GB Lbm (kpl.: 7 St.)

Simphonie de chasse [D] à deux violons,
alto et basse, deux hautbois, deux clarinette, deux cors et deux basson. – *Paris,
Sieber.* – St. [G 3156
D-brd AB (vl I, vl II, vla [2 Ex.], b, ob I, ob II,
cl I, cl II, cor I, cor II, fag I, fag II), BE (vl I,
vl II, vla, b, ob I, ob II, cl I, cl II, cor I, cor II,
fag I, fag II), HR (12 St. und timp), MÜu (12
St.; sowie handschriftlich: ob I, ob II, cl I,
cl II, timp) – **F** BO (fehlen fag I, fag II, timp),
Lm (fehlt timp), Pc (kpl.: 13 St.; m. No. 32),
Pn (fehlen cl I, cl II, fag I, fag II, timp) –
US AA (kpl.: 13 St.; vl II unvollständig)

Simphonie militaire pour instruments à
vent . . . exécutée dans les fêtes nationales.
– *Paris, au magasin de musique à l'usage
des fêtes nationales, No. 2.* – St. [G 3157
D-ddr WRtl (kpl.: 14 St.) – **F** Pc

Simphonie [B] à deux violon [!], alto et
basse, deux hautbois, deux cors . . . [No.
1]. – *Paris, Sieber.* – St. [G 3158
D-brd MÜu (kpl.: 8 St.) – **F** Pc (fehlen vla, ob
I, ob II)

Simphonie [Es] à deux violon, alto et
basse, deux hautbois, deux cors . . . [No.
2]. – *Paris, Sieber.* – St. [G 3159
D-brd Mbs (vl II), MÜu (kpl.: 9 St.), WD –
F Pc (fehlen fl I/ob I, fl II/ob II, fag I/II) –
S L

Symphonie [D] a più stromenti . . . (No.
III). – *Paris, Le Duc (gravé par Mme
Lobry).* – St. [G 3160
D-brd AB (vl I, vl II, vla, b, ob I, ob II, cor I,
cor II)

Sinfonia periodique [D] a più strumenti. –
Paris, Bailleux. – St. [G 3161
CS KRa (vl I, vl II, vla, b) – **F** Pc (vl I, vl II,
vla, cor I, cor II), Pn (vl I, vl II, vla, b, cor I,
cor II)

Simphonie périodique [D] a più stromenti . . . N° 38. – *Paris, de La Chevardière; Lyon, les frères Le Goux.* – St. [G 3162
F Pc (vl I, vl II, vla, b, cl I/II)

Simphonie périodique [D] a più stromenti
. . . N° 48. – *Paris, de La Chevardière;
Lyon, les frères Le Goux.* – St. [G 3163
F Pc (vl I, vl II, vla, b)

Simphonie périodique [D] a più stromenti . . . N° 65. – *Paris, de La Chevardière;
Lyon, les frères Le Goux.* – St. [G 3164
D-brd MÜu (vl I, vl II, vla, b, ob I/cl I, ob II/
cl II, cor I, cor II; handschriftlich: fl I, fl II)

The periodical overture [B] in 8 parts . . .
number XXXII. – *London, Robert Bremner.* – St. [G 3165
F Pc (vl I, b, vl II, cor I) – **GB** Lbm (kpl.: vl I,
vl II, vla, b, ob I, ob II, cor I, cor II [je 2 Ex.]),
Mp

The periodical overture [G] in 8 parts . . .
number XXXIII. – *London, Robert Bremner.* – St. [G 3166
F Pc (vl I, b, ob II, cor I) – **GB** Lbm (unvollständig), Mp(kpl.: vl I, vl II, vla, b, ob I, ob II,
cor I, cor II)

The periodical overture [D; = op. 12,
No. 1] in 8 parts . . . number XXXIIII. –
London, Robert Bremner. – St. [G 3167

F Pc (vl I, b, ob II, cor I) – **GB** Lbm (unvollständig), Mp (kpl.: vl I, vl II, vla I/II, b, ob I, ob II, cor I, cor II) – **S** SK (kpl.; vl II handschriftlich), Skma (vla I/II, b, ob I)

The periodical overture [C; = op. 12, Nr. 3] in 8 parts . . . number XXXV. – *London, Robert Bremner*. – St.   [G 3168
F Pc (vl I, b, ob II, cor I) – **GB** Lbm (unvollständig), Mp (kpl.: vl I, vl II, vla, b, ob I, ob II, cor I, cor II) – **S** Skma, SK (kpl.; vla II handschriftlich)

The periodical overture [F] in 8 parts . . . number XXXVI. – *London, Robert Bremner*. – St.   [G 3169
F Pc (vl I, b, ob II, cor I) – **GB** Er (kpl.: 8 St.), Mp (unvollständig)

The periodical overture [Es; = op. 12, Nr. 5] in 8 parts . . . number XLVI. – *London, Robert Bremner*. – St.   [G 3170
B Bc (kpl.: 8 St.) – **GB** Lcm, Mp (unvollständig) – **US** Bhh (vl I), NYp, Wc

Marche funèbre à l'occasion de la mort du Gal Hoche. – *Paris, au magasin de musique à l'usage des fêtes nationales*. – St.   [G 3171
F Pc (kpl.: 15 St.)

Marche des Marseillois arrangée pour musique militaire d'après la partition. – *Paris, Imbault*. – St.   [G 3172
F Pn (11 St.)

Quartette

Six quatuor [C, Es, c, D, E, A] à deux violons, taille et basse . . . œuvre I. – *Amsterdam, Johann Julius Hummel, No. 239*. – St.   [G 3173
B Bc – **H** KE – **S** L, Skma

— Six quatuors à deux violons, alto & basso . . . œuvre XVe. – *Paris, Sieber; Lyon, Castaud*.   [G 3174
B Bc – **D-brd** MÜu – **F** Pc, Pn – **S** Skma – **US** NYp

— Six quatuors à deux violons, taille & basse . . . œuvre XV. – *London, Robert Bremner*.   [G 3175
E Mn – **F** Pmeyer – **GB** Ckc, Lbm – **US** BE (fehlt Titelblatt; Ausgabe unbestimmt), CHH

Sei quartetti [D, e, G, F, B, D] per flauto e violino o sia per due violini, alto e basso

. . . opera XIIII (in: Raccolta dell'harmonia, collezione quarantesima terza dell' magazino musicale). – *Paris, au bureau d'abonnement musical; Lyon, Castaud (gravé par Mlle Fleury)*. – St.   [G 3176
D-brd MÜu (vl I, vla, b) – **F** Pc (kpl.; 2 Ex.), Pa (vl I, vl II, vla) – **S** Skma – **US** Wc

Trios

Sei sonate a due violini e basso . . . opera prima. – *Paris, Le Clerc (gravé par Ceron)*. – St.   [G 3177
F Pn

Six trios pour deux violons, basse et cors ad libitum dont les trois premiers ne doivent s'exécuter qu'à trois personnes et les trois autres à grande orchestre . . . œuvre IX. – *Paris, auteur, Mme Bérault*. – St.   [G 3178
F Pc (vl I, vl II, b [je 3 Ex.])

— ib., *Bailleux*.   [G 3179
F Pc (vl I, vl II, b [je 2 Ex.]), Pn (vl I, vl II, b) – **GB** Lbm (vl I, vl II, b; Etikett: London, Longman & Broderip)

Duos

Sei duetti [Es, A, d, D, B, g] per due violini . . . opera VII^a. – *Paris, Bailleux; Lyon, Casteaux (gravés par Mme Leclair)*. –   [G 3180
F Pa (2 Ex.), Pc (2 Ex.) – **GB** Lbm

GOSSWIN Antonius

Neue Teutsche Lieder, mit dreyen Stimmen, welche gantz lieblich zu singen, auch auff allerley Instrumenten zu gebrauchen. – *Nürnberg, s. n., 1581*. – St.   [G 3181
D-brd Mbs (kpl.: S, A, T), HN (A), W (A) – **D-ddr** Bds (T), Dl (A) – **GB** Lbm (S)

GOSTENA Giovanni Battista dalla → DALLA GOSTENA Giovanni Battista

GOTSCHOVIUS Nicolaus

Centuriae sacrarum cantionum & motectarum (ut vocant) 4. 5. 6. 7. 8. 9. & plurimum vocum in gratiam ecclesiarum recens editarum . . . decas prima (-quinta). – *Rostock, Autor (Myliander), 1608(–1611)*. – St.   [G 3182

D-brd Rp (decas prima: S, A, T, 5, 6/8, B/7;
decas secunda: S, A, T, B, 5, 6) – **D-ddr** SSa
(decas prima: 5) – **PL** WRu (decas prima: S, A,
T, 5, 6/8, B/7), Tu (decas prima: S, 5, 6/8, B/7;
decas secunda: S, A, T, B, 5, 6; decas tertia-
quinta: S, 5) – **S** Skma (decas prima: S, A, T, 5,
6/8, B/7; decas secunda: S, A, T, B, 5, 6; decas
tertia: S, A, T, B, 5, 6)

Variarum cantionum 5. 6. 7. 8. 10. & plurium vocum, hactenus sparsim editarum
manipulus. – *Rostock, s. n. (Myliander),
1611.* – St.   [G 3183
S Skma (S, A, T, B, 5, 6)

Quadriga Harmoniarum sacrarum quinis
vocibus. – *Stettin, s. n. (Johann Duber),
1620.* – St.   [G 3184
PL Tu (S)

GELEGENHEITSGESÄNGE

Cantio sacra, in honorem nuptiarum . . .
Dn. Ioachimi Swartecopii . . . nec Annae
. . . Dn. Georgii Bohemi . . . filiae, spon-
sorum lectissimorum, 6. vocibus concin-
nata. – *Rostock, s. n. (Myliander), 1609.* –
St.   [G 3185
S L (kpl.: S I, S II, A, T I, T II, B)

Dialogismus latino-germanico musicus
decem vocum in gratiam amplissimi et
doctissimi viri D. Nicolai Wineken. –
Rostock, s. n. (Mylander), 1610. – St.
                                                    [G 3186
PL Tu (B)

Votum sponsale musicum (Ach Gott ich
thu dir danken), mit 12. Stimmen in
dreyen Choren, zu Hochzeitlichen Ehren
. . . Herrn Laurentio Stephani . . . Wie
dan auch . . . Annae . . . Cothmanni. –
Rostock, Stephan Müllmann, 1610.
                                                    [G 3187
D-ddr GRu

Invitatio Christi ad nuptias . . . quinis
vocibus musicis instituta. – *Rostock, s. n.
(Joachim Fuess), 1618.* – St.   [G 3188
PL Tu (B)

Zwo musicalische Lieder nach Villanellen
arth mit fünff Stimmen zur Hochzeit . . .
Rumbhelds. – *Rostock, s. n. (Joachim
Fuess), 1618.* – St.   [G 3189
PL Tu (unvollständig)

Harmonia musica (Jubilate deo) octonum
vocum in honorem nuptiarum viri . . .
Davidis Sandovii . . . et Annae. – *Rostock,
s. n. (Johann Richels Erben).*   [G 3190
PL Tu

GOUDIMEL Claude

MESSEN

Missa quatuor vocum, ad imitationem
cantionis Il ne se treuve en amitié. –
Paris, Nicolas du Chemin, 1552. – Chb.
                                                    [G 3191
D-brd Rp

Missae tres . . . cum quatuor vocibus, ad
imitationem modulorum: ut sequens
tabula indicabit. Audi filia . . . Tant plus
ie metz . . . De mes ennuys. – *Paris,
Adrian Le Roy & Robert Ballard, 1558.* –
Chb.   [G 3192
A Wn – **CS** Pnm – **F** Pc – **I** Bsp, MOe, Rsc,
Rsm, Rvat-capp. giulia, REm, Td – **S** Uu

PSALMEN

Premier livre, contenant huyct pseaumes
de David traduictz par Clément Marot
. . . dont alcuns vers (pour la commodité
des musiciens) sont à trois, à quatre, & à
cinq parties, & aussi à voix pareilles, plus
les commandements de Dieu à quatre
parties. – *Paris, Nicolas du Chemin, 1551.*
– St.   [G 3193
F Pn (S, T)

— Premier livre de psalmes de David,
avec les comandemens de Dieu . . . nouvellement par luy mesme revu, corrigé,
& augmenté du psalme, Quand Israel. –
ib., Adrian Le Roy & Robert Ballard, 1557.
                                                    [G 3194
A Wn (S, T, Contra-T)

Second livre de psalmes de David, mis en
musique au long (en forme de motetz) à
quatre, cinq, & six parties . . . nouvellement revu & corrigé par le dit auteur. –
*Paris, Adrian Le Roy & Robert Ballard,
1559.* – St.   [G 3195
A Wn (S, T, Contra-T)

Tiers livre contenant huit pseaumes de
David traduitz en rythme françoise (se-

lon la vérité hébraïque) par Clément Marot et mis en musique au long (en forme de motetz) à quatre & cinq parties. – *Paris, Adrian Le Roy & Robert Ballard, 1557.* – St.   [G 3196
F Pn (S, A, T, B)

— *ib., 1561.*   [G 3197
A Wn (S, T, Contra-T)

Quart livre contenant huit pseaumes de David, avec le cantique de Symeon, traduitz en rythme françoise . . . & mis en musique au long (en forme de motetz) à quatre, & cinq parties. – *Paris, Adrian Le Roy & Robert Ballard, 1560.* – St.
[G 3198
A Wn (S, T, Contra-T)

Sixième livre de pseaumes de David, mis en musique à quatre parties en forme de motetz. – *Paris, Adrian Le Roy & Robert Ballard, 1565.* – St.   [G 3199
F Psg (S, T, Contra-T, B)

Septième livre de pseaumes de David, mis en musique à quatre parties en forme de motetz. – *Paris, Adrian Le Roy & Robert Ballard, 1566.* – St.   [G 3200
F Psg (S, T, Contra-T, B)

Huitième livre de pseaumes de David, mis en musique à quatre parties en forme de motetz. – *Paris, Adrian Le Roy & Robert Ballard, 1566.* – St.   [G 3201
F Psg (S, T, Contra-T, B) – S Uu (B)

Les cent cinquante pseaumes de David nouvellement mis en musique à quatre parties. – *Paris, Adrian Le Roy & Robert Ballard, 1564.* – St.   [G 3202
D-brd B (T) – F Pc (A)

— *ib., 1565.*   [G 3203
F LYm (T), Pn (T), Pshp (Contra-T) – NL DHk (S, T, Contra-T)

— *ib., 1568.*   [G 3204
D-ddr Dl (T) – F Pn (S)

— *Genève, Pierre de Saint-André, 1580.*
[G 3205
D-brd Hs (S, T, B), Mbs (S, T, Contra-T, B) – F Pa (S, T, Contra-T, B)

Les pseaumes mis en rime françoise, par Clément Marot et Théodore de Bèze, mis en musique à quatre parties. – *[Lyon-Genève], les héritiers de François Jaqui, 1565.* – P.   [G 3206
B Br – F LYm, Pc, Pshp – GB En

— *Delf, Bruyn H. Schinckel, 1602.*
[G 3207
GB Lbm – NL Lu

— Les pseaumes de David . . . revus de nouveau sur le texte des derniers exemplaires imprimez à Paris, et acommodez[!] maintenant pour l'usage de ceux qui veulent chanter en partie dans l'église. – *Genève, J. Ant. & Samuel de Tournes, 1667.*   [G 3208
CH Bu – US Wc

— *ib., 1668.*   [G 3209
F Pshp – GB Ge

— *Nyort, Philippe Bureau, 1669.*
[G 3210
F V

GOUGE

Fond eccho forbear thy light strain. The forsaken maid. A new song in the tragedy call'd Double falsehood, by Shakespeare. – *s. l., s. n.*   [G 3211
F Pc (Einzelblatt)

GOUGELET

Méthode ou abrégé des règles d'accompagnement de clavecin, et recueil d'airs avec accompagnement d'un nouveau genre . . . œuvre IIIe. – *Paris, Cousineau.*
[G 3212
GB Lbm (ohne Recueil . . .)

Premier (-deuxième) recueil d'airs choisis avec accompagnement de guitarre. – *Paris, Gougelet, aux adresses ordinaires.*
SD S. 301   [G 3213
B Bc – F Pc (2 Ex.)

GOURIET (fils)

On rappelle, on bat. Marche des jeunes citoyens de la première réquisition. – *[Paris], Frère.*   [G 3214
F Pn (2 Ex.)

Toi dont la lumière éclatante. Hymne des Parisiens, chantée sur différents théâtres avec accompag^t de guithare. – *[Paris]*, *Frère*. [G 3215
F Pn

GOURILEFF L.

Vingt quatre préludes et une fugue pour le piano forte. – *Moskau, Karl Elbert, No. 1*. [G 3216
D-ddr MLHb

GOUY Jacques de

Estrennes pour Messieurs et Dames du concert de la musique almérique présentées par Mr Gouy, premier professeur en icelle: en l'année 1642. – *s. l., s. n., (1642)*. [G 3217
F Pn

Airs à quatre parties, sur la paraphrase des pseaumes de Messire Antoine Godeau . . . divisez en trois parties, première partie. – *Paris, Robert Ballard, 1650.* – St. [G 3218
B Br (Haute-Contre, Taille, Basse-Contre) – D-brd BAs (Basse-Contre), ERu (Basse-Contre), MÜu (Basse-Contre) – F G (Haute-Contre), Pc (Haute-Contre), Pn (Haute-Contre), R (Basse-Contre), T (Haute-Contre, Taille, Basse-Contre), Psg (kpl.: Dessus, Haute-Contre, Taille, Basse-Contre), Pshp (Basse-Contre) – GB Lbm (kpl.: [2 Ex.]) – I PAc – US Wc (Dessus, Haute-Contre, Basse-Contre)

— *Amsterdam, P. & J. Blaeu, 1691.* [G 3219
GB Ge (kpl.: Dessus, Haute-Contre, Taille, Basse-Contre)

— *ib., Estienne Roger.* [G 3220
CH ZU (Haute-Contre) – D-brd W (kpl.: Dessus, Haute-Contre, Taille, Basse-Contre) – F Pc (Dessus) – GB DRc – S N

— Le compagnon divin, ou les airs à quatre parties . . . esquels on a ajouté quelques airs de la composition de Monsieur Henri Dumont, et une nouvelle pièce. – *London, William Pearson.* [G 3221
SD S. 134.
B Br (kpl.: Dessus, Haute-Contre, Taille, Basse-Contre) – GB Ge, Lbm, Lcm

GOW John

12 favorite country dances, & 4 cotilions, for the violin, harpsichord, or harp . . . book Ist, for the year 1788. – *London, W. Campbell, (1788)*. [G 3222
GB Lbm

Fingal's cave, & Birnam wood. The much admir'd strathspeys [for the pianoforte]. – *Edinburgh, Neil Stewart & Co.* [G 3223
GB En

[mit Andrew Gow:] A collection of slow airs, strathspeys and reels, with a bass for the violincello [!], harpsichord or piano forte. – *London, W. Campbell*. SD S. 71 [G 3224
C Tu – GB DU, Lbm – US Wc

GOW Nathaniel

(Kompositionen und Bearbeitungen)

A collection of entirely original strathspey-reels, marches, quick steps &c. for the pianoforte, violin, german flute &c. . . . (parts 1, 2). – *Edinburgh, Gow & Shepherd (John Johnson)*. [G 3225
US Pu, Wc

A complete collection of originall German valtz [!], for the piano forte or violin, and violoncello with a second violin accompaniment. – *Edinburgh, Gow & Shepherd.* – P. [G 3226
US NYp, Wc

New strathspey reels for the piano forte, violin, and violoncello. – *Edinburgh, Neil Stewart & Co.* – P. [G 3227
US Nf

Callar, Herring . . . from the original cry of the Newheaven fish wives . . . to which is added three favourite tunes [pf]. – *Edinburgh, Gow & Shepherd.* [G 3228
GB En (2 Ex.), P

Capt Fletcher's favorite march . . . to which are added a favorite valtz, two reels and a quick step [pf]. – *Edinburgh, Gow & Shepherd.* [G 3229
GB En, Lbm, P

Colonel Drummond of the 8th (or Kings own) Regts march [pf]. – *Edinburgh, Gow & Shepherd.* [G 3230
US Cn

Delven house, composed (in imitation of Irish) . . . [pf]. – *Edinburgh, Gow & Shepherd.* [G 3231
GB En, Lbm – US Cn

The Honble Mrs F. Gray's strathspey . . . and four favorite country dances [pf]. – *Edinburgh, Gow & Shepherd.* [G 3232
US NYp, Cn

The mad (or poor) boy, from the original as sung by him in the streets of Edinburgh . . . [pf]. – *Edinburgh, Gow & Shepherd.* [G 3233
GB En, Lbm (2 verschiedene Ausgaben), P – US NYp

March. Coll Graham of Balyowan's Perthshire volunteers . . . and two original Scotish tunes for quick steps [pf]. – *Edinburgh, Neil Stewart & Co.* [G 3234
GB En, Lbm

The Hon: Mr Ramsey Maule of Panmure's march & quick step [pf]. – *Edinburgh, Neil Stewart & Co. – P.* [G 3235
GB En, Ep

Miss Heron of Heron's reel . . . and Mrs Garden of Troup's strathspey . . . and two favorite Welsh airs, the bugle dance &c. . . . [pf]. – *Edinburgh, Gow & Shepherd.* [G 3236
D-brd B – GB En, P – S Skma – US Cn

The Prince of Wales's strathspey . . . to which is added the Cumberland reel . . . &c . . . [pf]. – *Edinburgh, Gow & Shepherd.* [G 3237
GB DU, P – US Cn

Master F. Sitwell's strathspey . . . and Lord Eglintoun's reel danced as a medly to which is added three favorite country dances . . . [pf]. – *Edinburgh, Gow & Shepherd.* [G 3238
US Cn

Miss Sitwell's strathspey . . . and the Isle of Sky . . . to which are added two much

admired quick steps . . . [pf]. – *Edinburgh, Gow & Shepherd.* [G 3239
GB Lbm, P

Mr Frank Walker's strathspey . . . to which is added four favourite dances &c. . . . [pf]. – *Edinburgh, Gow & Shepherd.* [G 3240
US Cn

The union, composed from . . . God save the King . . . to which are added four favorite tunes . . . [pf]. – *Edinburgh, Gow & Shepherd.* [G 3241
GB En

GOW Niel

A collection of strathspey reels, with a bass for the violoncello or harpsichord. – *Edinburgh, author. – P.* [G 3242
SD S. 76
GB [mindestens 2 verschiedene Ausgaben:] DU, En (2 Ex.), Ep, Es, Gm, Gu, Lbm, P (3 Ex.) – US Nf, Wc

— *ib., Corri & Co., for the author.* [G 3243
EIRE Dn – F Pn – US Wc (unvollständig)

— *ib., Corri, Dussek & Co.* [G 3244
EIRE Dn – GB Ep, Ge, Gu, Lbm, Lcs, P – US Pc, PHu, Wc (2 Ex., davon 1 Ex. mit No. 587)

— *ib., Neil Stewart, for the author.* [G 3245
C Tu

— *London, W. Boag.* [G 3246
NL DHk

A second collection of strathspey reels &c. with a bass for the violoncello or harpsichord. – *Edinburgh, author. – P.* [G 3247
GB Ckc, Ep, Lbm – US Wc

— *ib., Corri & Sutherland, for the author.* [G 3248
F Pn – GB DU, En, Gm, Mp – US Nf

— *ib., Corri & Co.* [G 3249
GB En, Es, Gm, Gu, Lbm, P (2 Ex.)

— *ib., Corri, Dussek & Co.* [G 3250
EIRE Dn (2 Ex.) – GB En, Ep, Gm, Gu, Lcs, P – US Wc (mit No. 583 und Etikett: Gow & Shepherd), STu

A third collection of strathspey reels &c. with a bass for the violoncello or harpsichord. – *Edinburgh, author.* – P. [G 3251
C Tu – GB DU, En, Ep, Ge, Gm, Gu, Lam, Lbm, P (2 Ex.) – US Nf, Wc

— *ib., N. & M. Stewart.* [G 3252
EIRE Dn – GB En, Es, Gm, Gu, Lbm (2 verschiedene Ausgaben), Lcs, P – US Pc, Wc (Etikett: Gow & Shepherd)

— *ib., Gow & Shepherd.* [G 3253
EIRE Dn

A fourth collection of strathspey reels, &c. for the piano forte, violin & violoncello. – *Edinburgh, Gow & Shepherd.*
[G 3254
EIRE Dn (3 Ex.) – GB Ckc, DU, En, Es, Gm (2 Ex.), Ge, Gu (2 Ex.), Lbm (2 Ex.), Lcm, Lcs, P (4 Ex.) – US PHu, Wc

A fifth collection of strathspeys, reels &c. for the piano forte, harp, violin & violoncello. – *Edinburgh, Gow & Shepherd.*
[G 3255
US Wc

A sixth collection of strathspeys, reels &c. for the piano forte, harp, violin & violoncello. – *Edinburgh, Gow & Shepherd.*
[G 3256
US Wc

A complete repository of original Scots slow strathspeys and dances (the dances arranged as medleys) for the harp, pianoforte, violin and violoncello . . . by Niel Gow & son's. – *Edinburgh, Gow & Shepherd.* – P. [G 3257
GB DU, En, Gm, P – US Nf, Wc (2 Ex.)

—Part first (-fourth) of the complete repository of original Scots slow strathspeys and dances . . . for the harp, piano-forte, violin and violoncello. – *ib., Gow & Shepherd.* [G 3258
SD S. 282
[verschiedene Ausgaben:] C Tu (part 1, 2 [second edition]) – EIRE Dn (kpl. [3 Ex.]) – F Pc (part 1, 2) – GB DU, En, Ge, Gm, Lbm, Lcs, P – US PHu (part 1 [second edition]), Wc (part 1 [2 Ex.], 3; part 1 [second edition]; part 2, 3 [third edition, mit Impressum: Edinburgh, Robert Purdie])

GRABBE Johann

Il primo libro de madrigali a cinque voci. – *Venezia, Angelo Gardano & fratelli, 1609.* – St. [G 3259
D-brd Kl (kpl.: S, A, T, B, 5)

GRABU Louis (Lewis)

Albion and Albanius. An opera, or representation in musick. – *London, author, 1687.* – P. [G 3260
B Br – F Pc – GB Cmc, Eu, Ge, Gm, HAdolmetsch, Lbm (3 Ex.), Lcm, Lgc (2 Ex.), Ob (2 Ex.), Och – US Bp, LAuc, Wc

Pastoralle. A pastoral in French beginning with an overture & some aires for violins adorn'd with several retornels in three parts for violins & several chorus's for voices in four parts & five parts for violins, besides other aires & some English songs. – *s. l., s. n.* – P. [G 3261
GB Cmc

GRADENIGO Paolo

Il primo libro de madrigali a cinque voci. – *Venezia, li figliuoli di Antonio Gardano, 1574.* – St. [G 3262
I Bc (T)

**GRADENTHALER Hieronymus →
KRADENTHALLER Hieronymus**

GRAEF(EN) C. L.

Gesang von C. L. Graefen (I[tes], II[tes] Heft.) – *s. l., s. n.* [G 3263
D-ddr Bds

GRÄFE Johann Friedrich

Sam(m)lung verschiedener und auserlesener Oden zu welchen von den berühmtesten Meistern in der Music eigene Melodeyen verfertiget worden . . . I. Theil. – *Halle, s. n., 1737.* [G 3264
SD S. 348
B Bc – D-brd Rp – D-ddr Bds – F Pc – GB Lbm – S LB

— *ib., 1740.*   [G 3265
SD S. 348
B Bc – **D-brd** Bhm, Rp, W – **D-ddr** Bds (unvollständig) – **F** Pc – **GB** Lbm – **US** R

— *ib., 1743.*   [G 3266
SD S. 348
A Wn – **D-brd** Bhm, KIl, Mbs, Rp – **D-ddr** Bds (3 Ex.), LEm (2 Ex.) – **GB** Lbm (2 Ex.) – **NL** DHgm (unvollständig) – **S** L, Skma, VX – **US** NYp

Sam(m)lung verschiedener und auserlesener Oden . . . II. Theil. – *Halle, s. n., 1739.*   [G 3267
SD S. 348
[verschiedene Ausgaben:] **D-brd** Rp, W – **D-ddr** Bds, LEm – **F** Pc – **GB** Lbm (2 Ex.) – **US** R

— *ib., 1740.*   [G 3268
SD S. 348
[verschiedene Ausgaben:] **D-brd** Bhm, KIl – **D-ddr** Bds, LEm – **GB** Lbm (2 Ex.) – **NL** DHgm (unvollständig)

— *ib., 1752.*   [G 3269
SD S. 349
A Wn – **S** Skma, VX

Sam(m)lung verschiedener und auserlesener Oden . . . III. Theil. – *Halle, s. n., 1741.*   [G 3270
SD S. 348
[verschiedene Ausgaben:] **A** Wn – **D-brd** Bhm, KIl, Rp, W – **D-ddr** Bds, LEm – **F** Pc – **GB** Lbm (4 Ex.) – **NL** DHgm – **S** L, Skma, VX – **US** R

Sam(m)lung verschiedener und auserlesener Oden . . . IV. Theil. – *Halle, s. n., 1743.*   [G 3271
SD S. 348
[verschiedene Ausgaben:] **A** Wn – **D-brd** Bhm, KIl, W – **D-ddr** LEm – **F** Pc – **GB** Lbm (3 Ex.) – **NL** DHgm – **S** L, Skma, VX – **US** R

Oden und Schäfergedichte. – *Leipzig, Bernhard Christoph Breitkopf, 1744.*   [G 3272
B Bc (2 Ex.) – **D-brd** Bim – **D-ddr** HAu – **F** Pc – **GB** Lbm

Sonnet auf das von ihrer Königl. Hoheit der Churprinzessinn zu Sachsen selbst verfertigte, in Musik gesetzte und abgesungene Pastorell Il Trionfo della Fedel-tà. – *Leipzig, Breitkopfische Officinen, 1755.*   [G 3273
B Bc – **D-brd** A – **D-ddr** Dl, LEm, SWl – **F** Pc – **GB** Lbm – **US** R, Wc

Funfzig Psalmen, geistliche Oden und Lieder, zur privat und öffentlichen Andacht in Melodien mit Instrumenten gebracht. – *Braunschweig, Waysenhaus-Buchhandlung (Leipzig, Johann Gottl. Breitkopf), 1760.*   [G 3274
B Bc (2 Ex.) – **D-brd** Cl, W – **D-ddr** Dl – **DK** Kk – **N** Ou – **US** NYp (mit vl I und vl II), R, Wc

Sechs auserlesene geistliche Oden und Lieder in Melodien gesetzet. – *Leipzig, Johann Gottlob Immanuel Breitkopf, 1762.*   [G 3275
B Bc – **DK** Kk

Sechs Oden und Lieder des Herrn von Hagedorn. In Melodien gesetzt . . . [erster](-zweyter Theil). – *Hamburg, Michael Christian Bock, 1767 (1768).*   [G 3276
A Wgm

GRAEFF Johann Georg

WERKE MIT OPUSZAHLEN

Op. 1. Three sonatas [D, G, C] for the harpsichord or piano forte with an accompanyment for the german-flute or violin . . . op. 1. – *London, J. Bland.* – P.   [G 3277
GB Lbm

Op. 2. Six duetts [C, G, D, A, F, C] for two german flutes . . . op. II. – *London, J. Bland.* – St.   [G 3278
D-brd Tu (fl I, fl II) – **GB** Ckc (unvollständig), Lbm – **SF** A

Op. 4. Three sonatas [F, D, C] for the piano forte or harpsichord, with an accompanyment for the german flute . . . op. 4. – *London, J. Bland.* – P.   [G 3279
D-brd AD, Tu – **D-ddr** HAmi – **GB** BA, Gu, Lbm, Ob

Op. 5. Six solos [G, C, D, A, F, G] for a german flute, with a figur'd bass, for the harpsichord or violoncello . . . op. 5. – *London, J. Bland.* – P.   [G 3280
D-brd Tu – **GB** Ckc

— *ib., Robert Birchall.* – P.   [G 3281
GB Lbm

— *Amsterdam, J. Schmitt.* – St.   [G 3282
SF A (fl)

Op. 6. Six songs, with an accompaniment for a piano forte . . . op. 6. – *London, author.*   [G 3283
GB Ckc, Cu, Gu, Lbm, Ob

Op. 7. Twenty-four progressive divertimentos, & seven preludes for the pianoforte or harpsichord . . . op. 7. – *London, author.*   [G 3284
EIRE Dn – **GB** Lbm, Lcm, Ob

Op. 8. Three quartets for a flute, violin, tenor, and violoncello . . . dedicated to Dᵣ Haydn, by his late pupil . . . op. 8. – *London, F. Linley.* – St.   [G 3285
GB Gu, Lcm, Mp

Op. 9. Three sonatas [a, F, G] for the piano forte, with an accompaniment for the german flute, or violin . . . op. 9. – *London, author.* – P.   [G 3286
GB Er, Lbm, Ob

Op. 12. Three duets [C, F, D] for the piano forte . . . op. 12. – *London, Longman, Clementi & Co.*   [G 3287
GB Cu, Lbm, Ob

Op. 14. A favorite duet [G], for two performers on the piano forte . . . op. 14. – *London, Clementi, Banger, Hyde, Collard & Davis.*   [G 3288
US PHu

Werke ohne Opuszahlen

Adieu to delight. A favorite song. – *London, Robert Birchall.*   [G 3289
GB Lbm

I have heard the wise ones say. A favorite ballad. – *London, L. Lavenu.* [G 3290
GB Lbm

Lisbia live to mirth. A new canzonet, with an accompaniment for the harp or piano forte. – *London, L. Lavenu.* [G 3291
GB Gu, Lbm

— *New York, J. Hewitt.*   [G 3292
US Wc

The poor boy. A favorite song. – *London, William Hodsoll.*   [G 3293
GB Lbm, Ob

What is the language of the eye. A favorite song. – *London, author.*   [G 3294
GB Lbm, Ob

Twelve original German waltz's for the piano forte. – *London, L. Lavenu.* [G 3295
GB Lbm

Seven preludes for the piano forte. – *London, Robert Birchall.*   [G 3296
GB Lbm

A favourite waltz composed & arranged as a rondo [A] for the piano forte. – *London, William Hodsoll.*   [G 3297
GB Lbm

The favorite song of Per vivere contento, arranged as a rondo for the piano forte. – *London, L. Lavenu.*   [G 3298
I Nc

GRÄSER Heinrich

Erster Theil, von allerhand neuen und anmütigen Musicalischen Sachen, mit drey Stimmen, und einem Basso Continuo. – *Nürnberg, Wolfgang Endter d.Ä., 1655.* – St.   [G 3299
D-brd Mbs (vlne)

GRÄSER Johann Christian Gottfried

Gesänge mit Clavier Begleitung für Frauenzimmer. – *Leipzig, C. G. Hilscher.*   [G 3300
B Bc – **D-ddr** SPF

Drey Sonaten für das Clavier oder Piano Forte . . . [Part. I]. – *Leipzig, C. G. Hilscher, (1786).*   [G 3301
B Bc – **D-ddr** BD, SWl

Drey Sonaten für das Clavier oder Piano Forte . . . (Part. II). – *Leipzig, C. G. Hilscher, (1786).*   [G 3302
B Bc – **D-ddr** SWl, REU

Drey Sonaten für das Clavier oder Piano Forte . . . (Part. III). – *Leipzig, C. G. Hilscher, (1787).*   [G 3303
B Bc – **D-ddr** LEm (2 Ex.)

Sonate für das Clavier mit obligater Violin-Begleitung. – *Dresden, P. C. Hilscher.* – St.   [G 3304
D-ddr Dl

GRAETERUS Georg Friderich

Ach! wie schmertzlich wir begleiten [a 4v]. Wehmütiges Traur-sinnen (in: Gloria Lackorniana ... Leich-Predigt ... bey ... Bestattung deß ... Herrn Iacob Lackorns ... welcher ... den 21. Tag Maij ... 1655 ... sein Leben ... beschlossen). – *[Schwäbisch-Hall], Hans Reinhard Laidigen, (1655).*   [G 3305
D-ddr Bds

GRAF (GRAAF) Christian Ernst

(vgl. auch Graf, Friedrich Hartmann; Zuweisung der Werke nicht in allen Fällen gesichert)

VOKALMUSIK

Vingt cinq fables dans le goût de M. de la Fontaine, en musique pour le chant et clavecin ... tome premier, livre I, œuvre XXI. – *Den Haag, Wittelaer.*   [G 3306
CH Bchristen – **D-brd** Mbs – **GB** Lbm – **NL** At, DHgm, Uim

— *Berlin, Johann Julius Hummel; Amsterdam, au grand magazin de musique, aux adresses ordinaires.*   [G 3307
D-ddr HAu

Kleine Gedigten voor Kinderen ... in Muziek gezett. — *Amsterdam, Markordt.*   [G 3308
NL DHgm

— Kleine Gedigten voor Kinderen ... II. deel. – *ib., Markordt; Den Haag, Spangenberg.*   [G 3309
NL DHgm

— Kleine Gedigten voor Kinderen ... in Muziek gezett ... derde deel. – *ib., Vve Markordt & fils.*   [G 3310
NL At

Laat ons juichen, Batavieren! [1 v/bc]. Op de installatie van zyn Doorluchtige

Hoogheid Willem den Vyfden ... 1766. – *Amsterdam, Johann Julius Hummel.*   [G 3311
NL DHk, DHgm, R – **S** Skma

INSTRUMENTALWERKE

Sinfonien

Sei sinfonie [F, C, G, D, A, B] a violino primo, secondo, viola, e basso ... opera 1. – *Middelburg, S. Mandelgreen.* – St.   [G 3312
CH Zz (kpl.: vl I, vl II, vla, b)

Sei sinfonie [C, G, F, D, Es, F] a violino primo e secondo, viola, basso e cembalo, con due oboe, flauti traversi e corni ad libitum ... opera terza. – *s. l., s. n.* – St.   [G 3313
CH Zz (vl I, vl II, vla, b, ob I, ob II, cor I, cor II) – **NL** At (vl I, vl II, vla, b [2 Ex.], ob I, ob II)

Six sinfonies [F, C, G, D, Es, A] à deux violons, taille et basse, deux hautbois ou flûtes trav: et deux cornes ad libitum ... œuvre sixième. – *Den Haag, s. n.* – St.   [G 3314
D-ddr Bds (vl I, vl II, vla, b [2 Ex.], fl/ob, cor I, cor II)

Six simphonies [D, Es, G, A, F, B] à deux violons, taille & basse, deux hautbois et deux cornes de chasse ad libitum ... œuvre VII. – *Amsterdam, Johann Julius Hummel, No. 99.* – St.   [G 3315
B Bc (vl I, vl II, vla, b, ob I, ob II, cor I, cor II) – **CH** Zz – **NL** At – **S** Skma, V (fehlt ob II) – **US** BE (fehlen ob I, cor II)

Six simphonies [D, G, F, Es, B, D] à deux violons, taille & basse, deux flûtes & deux cornes de chasse ... œuvre IX. – *Amsterdam, Johann Julius Hummel, No. 152.* – St.   [G 3316
CH Zz (vl I, vl II, vla, b [2 Ex.], fl I, fl II, cor I, cor II) – **S** Skma, SK (2 Ex.; im 1. Ex. fehlt cor II, im 2. Ex. fehlt fl I)

— Sei sinfonie con flauti e corni. – *Firenze, Luigi Marescalchi & Carlo Canobbio.*   [G 3317
CS K (8 St.) – **CH** Gpu (8 St.)

Six simphonies [D, G, C, F, Es, G] à deux violons, taille, basse, deux flûtes et deux

cors de chasse . . . œuvre XI. – *Den Haag,
s. n.* – St.　　　　　　　　　　[G 3318
D-brd Rtt (vl I, vl II, vla, b, fl I, fl II, cor I,
cor II)

— *Amsterdam, Johann Julius Hummel,
No. 231.*　　　　　　　　　　[G 3319
S Sm (cor I), St (fl I, fl II, cor I, cor II), SK
(fehlt cor II)

— *London, Longman, Lukey & Co.*
　　　　　　　　　　　　　　　[G 3320
GB Lbm (8 St. [je 3 Ex.]) – **US** PRu

Six sinfonies [D, B, G, C, F, A] à deux violons, taille, basse, deux hautbois ou flûtes
et 2. cors de chasse . . . œuvre XIV. –
*Berlin, Johann Julius Hummel; Amster-
dam, au grand magazin de musique, No. 7.*
– St.　　　　　　　　　　　　[G 3321
CH Lz (vl I, vl II, vla I, vla II, vlc [2 Ex.], b,
fl I, fl II, trb I/trb II, cor I, cor II, timp) –
DK Kk (vl I, vl II, vlc, b, ob I, ob II [zum Teil
handschriftlich]) – **S** L (14 St.), St (fehlen vl I,
vl II, vla I, vla II, b), SK

Six simphonies [D, B, G, D, F, Es] à divers instrumens . . . œuvre XVI. – *Berlin,
Johann Julius Hummel; Amsterdam, au
grand magazin de musique, aux adresses
ordinaires, No. 45.* – St.　　　　[G 3322
A SF (10 St.) – **CH** Zz (vl I, vl II, vla, b [2 Ex.],
ob I, ob II, cor I, cor II, cl oblig., trb I, trb II,
timp) – **D-brd** AB (14 St.) – **D-ddr** Dl (14
St.), RUh (12 St.-Hefte m. 16 St.) – **GB** Cu
(unvollständig), Cpl (unvollständig), Lbm (14
St. [je 2 Ex.]) – **NL** DHgm (11 St.) – **S** SK (fehlt
cor II)

Trois simphonies [D, G, C] à grand orchestre . . . œuvre XX. – *Berlin, Johann
Julius Hummel; Amsterdam, au grand
magazin de musique, aux adresses ordinaires, No. 556.* – St.　　　　　　[G 3323
B Br (vl I, vl II, vla I, vla II, b, ob/fl I, ob/fl II,
trb/cor I, trb/cor II, timp) – **CH** Lz, Zz –
D-ddr RUh (fehlt vla II) – **DK** Kk (17 St.,
einschließlich mehrfach und handschriftlich
vorhandener St.) – **S** St (vl I, vl II, vla I, vla
II, b)

Sinfonie périodique [F] à plusieurs instruments . . . No. (5). – *Den Haag, s. n.,
(gravé par G. S. Facius).* – St.　　[G 3324
CH Zz (vl I, vl II, vla, vlc, b, fl I, fl II, cor I,
cor II)

Sinfonie périodique [A] à plusieurs instruments . . . No. (VI). – *Den Haag, s. n.,
(gravé par G. S. Facius).* – St.　　[G 3325
CH Zz (vl I, vl II, vla, b [2 Ex.], ob I, ob II, cor
I, cor II)

Sinfonie périodique [B] à plusieurs instruments . . . [s. No.]. – *Den Haag, s. n.* –
St.　　　　　　　　　　　　　[G 3326
D-ddr RUh (vl I, vl II, vla, b [2 Ex.], fl I,
fl II, cl I, cl II, cor I, cor II)

Werke für 5 Instrumente

Sei quintetti a flauto traverso, violino,
viola, violoncello e basso . . . op. 4. –
Paris, Mme Bérault. – St.　　　[G 3327
D-brd MÜu

Sei quintetti [D, G, C, B, A, D] a flauto
traverso, violino, viola, violoncello e basso
. . . opera VIII. – *Amsterdam, Johann
Julius Hummel.* – St.　　　　　[G 3328
DK Kk – **N** Ou – **NL** At (vlc [unvollständig]) –
S Skma

— *Den Haag, Hummel & Spangenberg.*
　　　　　　　　　　　　　　　[G 3329
EIRE Dam – **US** Wc

Sei quintetti per flauto, violino, alto e
basso . . . op. 2. – *Paris, Mme Bérault.* –
St.　　　　　　　　　　　　　[G 3330
D-brd MÜu

Werke für 4 Instrumente

Sei quartetti [D, G, C, A, D, C] per flauto,
violino, alto e basso . . . op. 2. – *Paris,
Mme Bérault.* – St.　　　　　　[G 3331
D-brd MÜu (kpl.: fl, vl, vla, b)

Sei quartetti concertanti [B, D, G, C, F,
Es] per due violini, alto et violoncelle
. . . op. 3. – *Paris, Mme Bérault.* – St.
　　　　　　　　　　　　　　　[G 3332
D-brd MÜu (kpl.: vl I, vl II, vla, vlc) – **US** Wc

— *ib., Durieu, aux adresses ordinaires;
Metz, Kar (Bernard).*　　　　　[G 3333
D-brd Mbs – **D-ddr** Bds (vl I)

Sei quartetti [C, B, d, Es, G, D] a flauto,
violino, viola e basso . . . opera XII. –
Amsterdam, Johann Julius Hummel, No. 6.
– St.　　　　　　　　　　　　[G 3334
NL DHgm – **S** Skma, SK – **SF** A

— Sei quartetti . . . opera XII. – *Den Haag, s. n.*   [G 3335
NL At

— Six quartettos for a german flute, violin, tenor and bass . . . opera 12. – *London, Welcker.*   [G 3336
B Bc – GB Ckc, Lam, Lbm – US Wc

Sei quartetti [C, Es, B, D, A, F] per due violini, alto e violoncello obligato. – *Paris, Mme Bérault.* – St.   [G 3337
B Bc – D-brd MÜu

— Six quatuor à deux violons, taille & violoncello obligés . . . œuvre XV. – *Berlin, Johann Julius Hummel, No. 47.* – St.   [G 3338
D-ddr HER (vl I) – GB Lbm

— Sei quartetti per due violini, alto e violoncello obligato. – *Paris, Durieu, aux adresses ordinaires; Metz, Kar (Bernard).*   [G 3339
D-brd F

Six quatuors [g, A, G, D, F, B] à deux violons, taille et basse . . . œuvre XVII. – *Berlin, Johann Julius Hummel.* – St.   [G 3340
GB Lbm – I MOe – SF A

— *Amsterdam, Markordt; Den Haag, Spangenberg.*   [G 3341
NL Uim

(ohne Opuszahl:)

Sei quartetti [C, Es, F, D, A, F] per due violini, alto e violoncello obligato. – *Paris, Durieu, aux adresses ordinaires; Metz, Kar (Bernard).* – St.   [G 3342
D-brd Mbs

Six quatuors à deux violons, taille et violoncelle obligés. – *Berlin, Johann Julius Hummel.* – St.   [G 3343
I MOe

Werke für 3 Instrumente

Sei sonate [A, B, G, Es, D, F] a violino primo, violino secondo e basso . . . opera seconda. – *Den Haag, P. van Os.* – St.   [G 3344
CH Zz – D-brd WIl (b)

Sei sonate [A, F, G, Es, B, C] a tre, due violini e basso continuo . . . opera quinta. – *Den Haag, aux adresses ordinaires.* – St.   [G 3345
GB Lbm

Six sonates [A, G, D, Es, B, F] à deux violons et violoncello . . . œuvre X. – *Den Haag, s. n. (gravé par F. H. Wassenbergh).* – St.   [G 3346
DK Kk – NL At (b [unvollständig])

— *Amsterdam, Johann Julius Hummel (gravé par F. H. Wassenbergh), No. 232.*   [G 3347
D-ddr RUh – GB Lbm – S Skma

— Six sonatas for two violins and a violoncello with a thorough bass for the organ or harpsichord, op. 10. – *London, Longman, Lukey & Co.*   [G 3348
US CHua

Trois sonates [F, B, G] pour le clavecin avec l'accompagnement d'un violon et de la basse . . . œuvre XIII. – *Den Haag, s. n.* – St.   [G 3349
NL At (clav[unvollständig])

— *Berlin, Johann Julius Hummel; Amsterdam, au grand magazin de musique, No. 6.*   [G 3350
D-ddr Dl

Werke für 2 Instrumente

VI Sonate [G, D, B, F, Es, A] a cembalo obligato e violino . . . opera IV. – *Amsterdam, Johann Julius Hummel.* – P.   [G 3351
D-ddr Bds (P., vl handschriftlich), Dl (P., vl handschriftlich) – F Pc

Six sonates [C, D, A, G, F, B] pour le clavecin ou forte et piano avec un violon . . . œuvre XIX. – *Berlin, Johann Julius Hummel; Amsterdam, au grand magazin de musique.* – St.   [G 3352
D-brd B – D-ddr Dl – S J

Six duos concertans pour violon et alto. – *Basel, Gombart.* – St.   [G 3353
B Bc

Leçons pour la basse générale suivant l'ordre des degrez de ses accords en sona-

tines pour un violon avec la basse chiffrée.
– *Amsterdam, A. Olofsen (F. J. Walter)*.
[G 3354
NL DHgm (2 Ex., davon 1 Ex. ohne Vorwort,
Titelblatt handschriftlich)

Ally Croaker; with variations for the
harpsichord or piano forte, and an accompaniment for the violin. – *London,
Welcker*. – P.   [G 3355
GB Cu, Lbm

Werke für 1 Instrument

Duo économique pour un violon à deux
mains et deux archets [!] . . . œuvre
XXVII. – *Den Haag, s. n.* – St.   [G 3356
I Mc

II Sonates pour le clavecin à quatre
mains . . . œuvre XXIX. – *Den Haag,
s. n.*   [G 3357
DK Kmk – **B** Bc – **NL** DHgm (Sonate in F [2
Ex.]), At (unvollständig)

Petites pièces aisées pour le clavecin à
quatre mains . . . œuvre XXX. – *Den
Haag, s. n.*   [G 3358
DK Kmk

GRAF (GRAFF) Friedrich Hartmann

*(vgl. auch Graf, Christian Ernst; Zuwei-
sung der Werke nicht in allen Fällen gesichert)*

Konzerte

Concerto [D] à violoncelle principal, deux
violons, alto et basse, deux hautbois,
deux cors. – *Paris, Sieber, No. 1262 ([ob
II, cor:] s. No.).* – St.   [G 3359
D-ddr Dl (vl princ., vl I, vl II, vla, b, ob I,
ob II, cor I, cor II; Etikett: Frankfurt, J. J.
Gayl), SWl

A favorite concerto [B] for the german
flute, with instrumental parts. – *London,
J. Betz.* – St.   [G 3360
US Wc (fl, vl I, vl II, vla, b [2 Ex.])

Werke für 4 Instrumente

Six grand quartettos [C, Es, B, D, A, F]
for two violins, a tenor and violoncello
obligato. – *London, J. Betz.* – St. [G 3361
GB Lbm – **US** CA

– Sei quartetti per due violini, alto e
violoncello obligato. – *Paris, Mme Bérault; Metz, Kar.*   [G 3362
F Lm (fehlt vl I), Pn

Six quartettos [Es, B, C, F, C, B] for two
violins, a violin and hoboy or tenor
bassoon and violoncello. – *London, J.
Freeman, for the proprietor.* – St.   [G 3363
B Bc – **GB** Lbm

Six favourite quartettos [D, G, C, A, D, C]
for a german flute, violin, viola and violoncello. – *London, Longman, Lukey &
Broderip.* – St.   [G 3364
GB Lam, Mp (unvollständig) – **US** BE, Wc

Six quatuor [G, B, D, A, C, G] à flûte,
violon, viola et basse. – *Berlin, Johann
Julius Hummel; Amsterdam, au grand
magazin de musique.* – St.   [G 3365
D-brd HR, MÜu, Rtt – **D-ddr** SWl – **GB** Lbm –
S Skma

A third sett of six quartettos [G, B, D, A,
G, C] for a german flute or two violins,
tenor and violoncello. – *London, John
Welcker.* – St.   [G 3366
B Bc (andere Ausgabe) – **GB** Lam, Lbm, Ltm
(unvollständig) – **US** Wc

Six quatuor pour flûte et violon, ou deux
violons, alto et violoncelle . . . œuvre V. –
*Paris, au bureau du journal de musique,
1779.* – St.   [G 3367
F Pc

Deux quatuor [C, G] à flûte traversière,
violon, viola et violoncell; deux quatuor
[B, F] à deux violons, viola et violoncell; deux trios [D, C] à flûte traversière,
violon ou deux violons et violoncell; deux
quintets [Es, D] à violon, flûte traversière,
hautbois, cor de chasse, ou viola, et violoncell. – *s. l., s. n.* – St.   [G 3368
CH Zz (vl, vla, vlc, vl/fl, ob [je 2 Ex.]) –
D-brd As, DT (vl, vlc, ob), HR (vl/fl, ob),
MÜu – **DK** Kk – **D-ddr** Bds (fehlt ob) – **GB** Mp
– **S** L – **US** Wc

Werke für 3 Instrumente

Trio (Sonate) [G] pour le clavecin ou
forte-piano, la flûte ou violon et violoncelle. – *Basel, J. C. Gombart.* – St.
[G 3369
US Wc

A grand . . . sonata for the piano forte with an obligato accompaniment for a german flute & violoncello. – *London, Monzani.* – St.   [G 3370
GB Gu

VI Sonate a due flauti traversi e basso . . . opera terza. – *Den Haag, s. n.*   [G 3371
GB Gu (Impressum teilweise unleserlich)

— *Amsterdam, Johann Julius Hummel.*
                                                                  [G 3372
DK Kk

Deux trios [G, C] pour deux flûtes ou deux violons et un violoncelle. – *Basel, J. C. Gombart, aux adresses ordinaires.* – St.   [G 3373
CH Bu

A sonata or trio for two german flutes and a bass. – *London, P. Hodgson.* – St. [G 3374
US R

GRAF (GRAFF) Johann

6 Soli [B, D, G, A, g, E] dal Sig^r Graf [vl/bc]. – *s. l., s. n.* – P.   [G 3375
D-ddr Bds – S L

VI. Sonata [D, c, A, E, B, G] a Violino Solo, Mit Accompagnirung Des Basses, Zweytes Opus. – *Rudolstadt, Autor, (Johann Heinrich Löwen).* – P.   [G 3376
D-brd Mbs, WD – **D-ddr** Bds

VI. Sonate a Violino Solo, Mit Accompagnirung Des Basses, Nebst Einer aufrichtigen Erläuterung derer darinnen befindlichen Applicaturen, Drittes Opus. – *(Rudolstadt), Autor, (1737).* – P. [G 3377
D-ddr RUh (2 Ex.)

VI. Kleine Partien, con II. violini, viola e basso . . . fünfftes opus. – *Augsburg, Johann Jacob Lotter's Erben, 1739.* – St.
                                                                  [G 3378
B Bc (kpl.: 4 St.)

GRAGNANI Filippo

Trois duos [A, D, F] pour deux guitares . . . op. 4. – *Paris, Richault, Momigny, No. 533.* – St.   [G 3379
I Nc

Sestetto per flauto, clarinetto, violino, due chitarre, e violoncello . . . op. 9. – *Paris, Richault, Momigny, No. 726.* – St.
                                                                  [G 3380
D-ddr HER (kpl.: fl, cl, vl, guitarre I, guitarre II, vlc)

Le déluge. Sonate sentimentale pour guitare seule . . . op. 15. – *Paris, Richault, Momigny.*   [G 3381
I Nc

Sinfonia [d] per chitarra sola. – *Milano, Giovanni Ricordi, No. 49.*   [G 3382
CH Bu (Etikett: F. J. Weygand)

GRAM Hans

Sacred lines, for Thanksgiving Day, November 7, 1793 . . . to which are added, several psalm tunes, of different metres. – *Boston, Isaiah Thomas & Ebenezer T. Andrews, 1793.*   [G 3383
US Bhs, BU (unvollständig), SLkrohn, WOa

[auch in: Sacred lines . . . enthalten:] Resurrection, an anthem for Easter Sunday. – *Charlestown, s. n., 1794.*   [G 3384
US Bhs

[mit Samuel Holyoke und Oliver Holden:] The Massachusetts compiler of theoretical and practical elements of sacred vocal music, together with a musical dictionary and a variety of psalm tunes, chorusses, &c., chiefly selected or adapted from modern European publications. – *Boston, Isaiah Thomas & Ebenezer T. Andrews, 1795.* – P.   [G 3385
C Tu – **US** AA, AB, Bbs, Bco, Bp, BU, Cn (2 Ex.), Hm, MI, NH, Ps, PROu, SLkrohn, WOa

On the top of a mountain. Ode for the New Year, January 1, 1791 [für Singstimme und Klavierbegleitung] (in: The Massachusets Magazine, January, 1791). – *s. l., s. n., (1791).*   [G 3386
US Wc

Rear'd midst the war – empurpled plain. The death song of an Indian chief [für Singstimme und Instrumente] (als Supplement zu: The Massachusetts Magazine, March, 1791). – *s. l., s. n.* – P.   [G 3387
US Wc

America. A new march [vermutlich für 3 Instrumente] (in: The Massachusetts Magazine, July, 1791). – *s. l., s. n., (1791)*. – P.   [G 3388
US Wc

GRAMAGNAC

1er Concerto à violon principal, deux violons, alto et basse, deux hautbois, deux cors. – *Paris, Sieber, No. 1190.* – St.
[G 3389
F BO (7 St.)

GRANATA Giovanni Battista

[Op. 1]. Capricci armonici sopra la chittarriglia spagnuola. – *Bologna, Giacomo Monti, 1646.*   [G 3390
F Pn – GB Lbm – I Bc, Fn

[Op. 2]. Nuove suonate di chitarriglia spagnuola piccicate, e battute . . . con vera regola e distintione de' tempi musicali intieramente compartite . . . [opera seconda]. – *s. l., s. n.*   [G 3391
I Bc

Op. 3. Nuova scielta di capricci armonici e suonate musicali in vari tuoni . . . opera terza. – *[Bologna], s. n., (1651)*. [G 3392
I Bc

Op. 4. Soavi concenti di sonate musicali per la chitarra spagnuola . . . opera quarta. – *Bologna, Giacomo Monti, 1659.*
[G 3393
E Mn – I Bc, VIb

Op. 5. Novi capricci armonici musicali in varj toni per la chitarra spagnola, violino, e viola concertati, et altre sonate per la chitarra sola, opera quinta. – *Bologna, Giacomo Monti, 1674.* – P.   [G 3394
D-ddr Bds – I Bc

Op. 6. Nuovi sovavi [!] concenti di sonate musicali in varij toni per la chitarra spagnola, et altre sonate concertate a due violoni, e basso, opera sesta. – *Bologna, Giacomo Monti, 1680.* – P.   [G 3395
I Bc

Op. 7. Armoniosi toni di varie suonate musicali concertate, a due violini, e

basso, con la chitarra spagnola, opera settima. – *Bologna, Giacomo Monti, 1684.* – P.   [G 3396
GB Lbm – I Bc

GRANCINO (GRANCINI) Michel'Angelo

1622. Partitura dell'Armonia ecclesiastica de concerti a 1, 2, 3, e 4 voci, con una messa, Magnificat, letanie, falsibordoni, & canzoni francese, parimente a quattro. – *Milano, Giorgio Rolla, 1622.*   [G 3397
SD 1622[5]
I Fc

1624. Il secondo libro de concerti a 1, 2, 3 e 4 voci, con una messa e doi Magnificat, con le letanie della Madonna . . . et altri concerti di Gio. Domenico Rognoni Taeggio, con una messa da morti, raccolti da Giovan Lopez. – *Milano, Filippo Lomazzo, 1624.* – St.   [G 3398
SD 1624[6]
I Nf (kpl.: S I, S II, T, B)

1627. Messe, motetti et canzoni a otto voci, con la partitura per l'organo . . . opera quarta. – *Milano, Filippo Lomazzo, 1627.* – St.   [G 3399
I Mcap (partitura), VCd (S I, B I)

1628. Concerti a una, due, tre, & quattro voci, con le letanie della Madonna, libro terzo. – *Milano, Filippo Lomazzo, 1628.* – St.   [G 3400
I ASc (kpl.: S, A, T, B, org)

1631. Sacri fiori concertati a 1, 2, 3, 4, 5, 6 et 7 voci, con alcuni concerti in sinfonia d'istromenti, & due canzoni a 4, opera sesta . . . libro quarto. – *Milano, Giorgio Rolla, 1631.* – St.   [G 3401
I Mb (S, B, org), Mcap (S, A, T, B, 5, org), VCd (B, org)

1632. Messa, e salmi ariosi, con le letanie della Madonna, concertati a quattro, con la quinta parte a beneplacito, et mancando qual si voglia delle parti serviranno a tre . . . con il basso per l'organo, opera settima. – *Milano, Giorgio Rolla, 1632.* – St.   [G 3402
I ASc (kpl.: S, A, T, B, 5, org)

— . . . nuovamente ampliata con le antifone della B. Vergine et altro. – *ib.*, *1637*.
[G 3403
I Bc (5, org), Mcap (S, T, B, 5, org)

1636. Il quinto libro de concerti ecclesiastici, a una, due, tre, e quattro voci, con una messa, Magnificat, & letanie della B. V. . . . opera ottava. – *Milano, Giorgio Rolla, 1636.* – St.   [G 3404
GB Lbm (S) – I Bc (S, A), LOcl (org)

1637 → 1632

1643. Novelli fiori ecclesiastici concertati nell' organo all' uso moderno . . . divisi in messa, salmi, motetti, Magnificat, & letanie della Madonna a quattro voci, opera nona. – *Milano, Giorgio Rolla, 1643.* – St.
[G 3405
F Pn (S, A, T, B) – I Bc (kpl.: S, A, T, B, org), LOc, PCd – US R

1645. Musica ecclesiastica da capella, a quattro voci divisa in messe, motetti, Magnificat et letanie, con il Te Deum laudamus, & Pange lingua gloriosi, aggiontovi il basso continuo a beneplacito per l'organo, opera decima. – *Milano, Giorgio Rolla, 1645.* – St.   [G 3406
I ASc (B), Mcap (S), Rvat-casimiri (S) – US R (A, T, B, org)

1646a. Il primo libro de'madrigali in concerto a 2. 3. 4 voci . . . opera undecima. – *Milano, Giovanni Battista Bidelli (Carlo Camagno), (1646).* – St.   [G 3407
I Mb (S I, B), Rsc (org)

1646b. Il sesto libro de sacri concerti a due, tre, e quattro voci . . . opera duodecima. – *Milano, Giorgio Rolla, 1646.* – St.
CH Zz (kpl.: S, A, T, B [jeweils unvollständig], org) – GB Lbm (T) – I LOc (kpl.; S [fehlt Titelblatt]) – US R (fehlen T und org)

1649. Corona ecclesiastica, divisa in due parti, parte prima, nella quale si contengono motetti, messe, Domine, Dixit, Magnificat a cinque voci, con altri salmi a 2. 3. 4. in varij modi concertati; parte seconda, nella quale si contengono messa, salmi, Magnificat, con le letanie della B. V. M. concertati brevi a 5. & a 4. a

beneplacito . . . opera decima terza. – *Milano, Carlo Camagno, (1649).* – St.
[G 3409
I ASc (S II, A, T, org), Bc (kpl.: S I, S II, A, T, B, org)

1650. Il settimo libro de sacri concerti a due, tre, e quattro voci . . . opera decima quarta. – *Milano, Carlo Camagno, 1650.* – St.   [G 3410
D-brd Rp (B, org) – I ASc (S, A, T, org), Bc (S, A, T, B), COd (T, B, org), Ls (kpl.: S, A, T, B; org)

1652. Varii concerti a otto voci di messe, motetti et Magnificat, con le lettanie di Nostra Signora, opera decima quinta. – *Milano, Carlo Camagno, 1652.* – St.
[G 3411
GB Lbm (kpl.; I: S, A, T, B; II: S, A, T, B; org), T – I Bc, Sac (A II [unvollständig])

1655. Giardino spirituale de varii fiori musicali concertati a quattro voci, nel qual si contiene messa, salmi, motetti, antifone, & letanie della B. V. M. . . . opera decima sesta. – *Milano, Carlo Francesco Rolla, 1655.* – St.   [G 3412
CH Zz (kpl.: S, A, T, B, org) – GB Lcm – I Bc, COd (S, A [nur Titelblatt], T, org), Mcap, PCd (A, B)

1664a. Sacri concerti espressi in otto messe a quattro voci, et un'altra de morti a cinque, secondo il rito ambrosiano . . . opera decima settima. – *Milano, Giovanni Francesco, & fratelli Camagni, 1664.* – P.   [G 3413
I ASc, Bc, BGc, Mcap, Td (unvollständig)

1664b. Sacri concerti espressi in quattro messe a 5, et 6 voci secondo il rito ambrosiano . . . opera decima ottava. – *Milano, Giovanni Francesco & fratelli Camagni, 1664.* – P.   [G 3414
I ASc, BGc, Mcap

1666. Ottavo libro de concerti ecclesiastici a due, tre e quattro voci, con le litanie della B. V. M. a quatro, & a tre se piace . . . opera decima nona. – *Milano, Giovanni Francesco & fratelli Camagni, (1666).* – St
[G 3415
CH Lz (A, B, org) – US R (S I, S II/T, org)

1669. Sacri concerti espressi in otto Magnificat, et otto Pater a 4 voci, secondo il

ritto Ambrosiano . . . opera vigesima. –
*Milano, Giovanni Francesco & fratelli
Camagni, (1669).* – P.   [G 3416
I Bc, Mcap

GRANDI Alessandro (I)

GEISTLICHE WERKE

1610. Il primo libro de motetti a due, tre,
quatro, cinque, & otto voci, con una
messa a quatro accommodati per cantarsi
nell'organo, clavecimbalo, chitarone, o
altro simile stromento con il basso per
sonare. – *Venezia, Giacomo Vincenti,
1610.* – St.   [G 3417
SD 1610[6]
I Bc (S, A, T, B), Bsp (B), PAc (S [unvollstän-
dig, ohne Titelblatt; Auflage unbestimmt])

— . . . novamente ristampati, et con di-
ligentia corretti. – *ib., 1617.*   [G 3418
SD 1617[4]
GB Och (kpl.: S, A, T, B, org) – **I** Bc (org), Bsp
(S, A, T)

— . . . in questa terza impressione con
ogni diligenza corretti et ristampati. –
ib., 1618.   [G 3419
SD 1618[8]
D-brd Rp (kpl.: S, A, T, B, org) – **I** Bc (A), FEc

— . . . in questa quarta impressione . . .
corretti et ristampati. – *ib., Alessandro
Vincenti, 1621.*   [G 3420
SD 1621[6]
B Br (kpl.: S, A, T, B, org) – **D-brd** MÜs – **I** Bc

— . . . in questa quinta impressione . . .
corretti & ristampati. – *ib., 1628.*
SD 1628[4]   [G 3421
F Pn (kpl.: S, A, T, B, org) – **GB** Och – **I** Bc,
Nf, Rsg – **PL** WRu (kpl.; S unvollständig)

1613. Il secondo libro de motetti, a due,
tre, et quatro voci, con il basso per sonar
nell'organo. – *Venezia, Giacomo Vincenti,
1613.* – St.   [G 3422
I Bc (B)

— . . . novamente corretti & ristampati. –
ib., 1617.   [G 3423
D-brd Rp (kpl.: S, A, T, B, org) – **I** Bc (S, org)

— . . . in questa terza impressione corretti & ristampati. – *ib., Alessandro Vincenti, 1619.*   [G 3424
B Br (kpl.: S, A, T, B, org) – **D-brd** MÜs (B) –
I CEc (S, B, org)

— . . . in questa quarta impressione . . .
corretti & ristampati. – *ib., 1623.* [G 3425
D-brd MÜs (S, A, T, org) – **GB** Lbm (S) – **I** Bc
(kpl.: S, A, T, B, org), Sac (S, A, T, org) – **US**
NH

— . . . in questa quinta impressione . . .
corretti et ristampati. – *ib., 1628.*
                                  [G 3426
F Pn (kpl.: S, A, T, B, org) – **GB** Och – **I** Nf –
PL WRu

1614a. Motetti a cinque voci, con le letanie
della Beata Vergine . . . raccolti da Placido Marcelli. – *Ferrara, Vittorio Baldini,
1614.* – St.   [G 3427
I Bc (T, B, 5)

— . . . novamente stampati. – *Venezia,
stampa del Gardano, appresso Bartolomeo
Magni, 1620.*   [G 3428
I PCd (A, T, B, 5, org)

— . . . con l'aggionta di motetti di diversi
auttori a 2.3.4.5. & otto voci con il basso
continuo per sonar nell'organo, raccolti
da Alessandro Vincenti. – *ib., Alessandro
Vincenti, 1620.*   [G 3429
SD 1620[6]
I Bc (kpl.: S, A, T, B, 5, org), PCd (A, T, B, 5,
org), Sac (T), SPE (org), VCd (S, A, T, B, 5) –
S Uu (A, B, 5)

— Motetti a cinque voci, con le letanie
della Vergine. – *ib., Bartolomeo Magni,
1640.*   [G 3430
I Nf (kpl.: S, A, T, B, 5, org) – **PL** WRu (S,A)

1614b → 1618

1616. Il quarto libro de motetti a due,
tre, quattro et sette voci, con il basso
continuo per sonar nell'organo. – *Venezia,
Giacomo Vincenti, 1616.* – St.   [G 3431
GB Lwa (kpl.: S, A, T, B, org) – **I** Bc, VEcap
(B)

— . . . novamente . . . corretti & ristampati. – *ib., 1618.*   [G 3432
D-brd Rp (kpl.: S, A, T, B, org) – **I** Bc (A, T,
org)

— . . . in questa quinta impressione . . .
corretti & ristampati. – *Palermo, Giovanni
Battista Maringo, 1620.* [G 3433
I Nf (kpl.: S, A, T, B, org)

— . . . in questa quinta impressione . . .
corretti & ristampati. – *Venezia, Ales-
sandro Vincenti, 1621.* [G 3434
D-brd MÜs (S, A, T, org) – **F** Pc (org) – **GB**
Lbm (S) – **I** Bc (S, T), CEc (A, T, org [2 Ex.]),
FEc (kpl.: S, A, T, B, org) – **US** Wc (fehlt org)

— . . . in questa quinta impressione . . .
coretti [!] & ristampati. – *ib., 1628.*
　　　　　　　　　　　　　　　　　　[G 3435
D-brd Mbs (T) – **GB** Och (kpl.: S, A, T, B, org) –
I VCd – **PL** WRu (A, B)

1617a → 1610
1617b → 1613

1618a. [2. Auflage. 1. Auflage von 1614
nicht nachweisbar]. Il terzo libro de motetti a due, tre, et quattro voci, con le
letanie della B. V. a cinque voci & il suo
basso per l'organo . . . novamente . . .
corretti & ristampati. – *Venezia, Giacomo
Vincenti, 1618.* – St. [G 3436
D-brd Rp (kpl.: S, A, T, B, org) – **I** FEc, Bc

— *ib., Alessandro Vincenti, 1621.* [G 3437
B Br (kpl.: S, A, T, B, org) – **D-brd** MÜs – **GB**
Lbm (S) – **I** Nf

— . . . in questa terza impressione . . .
corretti et ristampati. – *ib., 1636.* [G 3438
F Pn (kpl.: S, A, T, B, org) – **I** Bc – **PL** WRu
(A, T, B)

1618b → 1610
1618c → 1616

1619a. Celesti fiori . . . libro quinto de
suoi concerti a 2.3.4. voci, con alcune
cantilene nel fine, raccolti da Lunardo
Simonetto. – *Venezia, stampa del Gardano,
appresso Bartolomeo Magni, 1619.* – St.
　　　　　　　　　　　　　　　　　　[G 3439
D-brd Rp (kpl.: S, A, T, B, org) – **I** Bc, CEc
(B, org)

— . . . a 1.2.3.4. voci . . . novamente ristampati. – *ib., 1620.* [G 3440
I Bc (A, T, org)

— *ib., 1625.* [G 3441
F Pc (org) – **GB** Lbm (kpl.: S, A, T, B, org), Och
– **I** Bc

— *ib., 1638.* [G 3442
GB Och (kpl.: S, A, T, B, org) – **I** Nf – **PL** WRu
(fehlt T)

1619b → 1613

1620a → 1614a
1620b → 1614a
1620c → 1616
1620d → 1619a

1621a. Motetti a voce sola. – *Venezia,
stampa del Gardano, 1621.* – P. [G 3443
GB Lbm

— . . . novamente ristampati. – *ib., Bartolomeo Magni, 1628.* [G 3444
GB DRc, Och – **I** TSci – **PL** WRu

1621b. Motetti a una, et due voci, con
sinfonie d'istromenti, partiti per cantar,
& sonar co'l chittarrone. – *Venezia, Alessandro Vincenti, 1621.* – St. [G 3445
I Bc (S I, S II, org), Mc (vl I, vl II)

— . . . nuovamente ristampati et corretti
. . . libro primo. – *ib., 1626.* [G 3446
D-brd Mbs (S II) – **F** Pn (vl I, vl II, org) –
GB Lbm (S I) – **I** PCd (vl I, vl II) – **PL** WRu
(vl I, vl II)

— *ib., 1637.* [G 3447
I Bc (vl I, vl II)

1621c → 1610
1621d → 1616
1621e → 1618a

1623 → 1613

1625a. Motetti a una, due et quattro voci,
con sinfonie d'istromenti, partiti per cantar, & sonar co'l chitarrone . . . novamente ristampati & corretti . . . libro secondo.
– *Venezia, Alessandro Vincenti, 1625.* –
St. [G 3448
D-brd Mbs (S II) – **I** LOcl (vl I, vl II), Mc (vl I,
vl II) – **PL** WRu (vl I)

— *ib., 1637.* [G 3449
I Bc (kpl.: S I, S II, vl I, vl II, org)

1625b → 1619a

1626 → 1621b

1628a → 1610
1628b → 1613
1628c → 1616
1628d → 1621a

1629a. Motetti a una, et due voci, con sinfonie di due violini, et il basso continuo per l'organo ... libro terzo. – *Venezia, Alessandro Vincenti, 1629.* – St.
SD 1629³   [G 3450
GB Lbm (S I), Och (kpl.: S I, S II, vl I, vl II, org) – **I** Bc, VCd (vl I, vl II)

— *ib., 1637.*   [G 3451
I Bc (kpl.: S I, S II, vl I, vl II, org), Nf

— Cantiones sacrae una, duabus, quatuor, quinque vocibus, et duobus violinis, cum basso continuo ad organum ... liber tertius. – *Antwerpen, les héritiers de Pierre Phalèse, 1639.*   [G 3452
NL DHgm (S II) – **US** Wc (S II)

1629b. Salmi a otto brevi, con il primo choro concertato ... raccolti ... da Alessandro Vincenti. – *Venezia, Alessandro Vincenti, 1629.* – St.   [G 3453
A KR (kpl.; I: S, A, T, B; II: S, A, T, B; org) – **I** Bc, Bsp, SPd (I: B; II: A, T, B; org), PCd (org), VCd (I: A, T, B; II: S, A, T; org)

— *ib., 1640.*   [G 3454
I Nf (kpl.; I: S, A, T, B; II: S, A, T, B; org), Rsg – **PL** WRu (I: B; II: S, A, B)

1630a. Il sesto libro de motetti a due, et quattro voci, con il basso per l'organo ... opera vigesima. – *Venezia, Alessandro Vincenti, 1630.* – St.   [G 3455
GB Och (kpl.: S, A, T, B, org) – **I** Bc (A, T, B, org), Od (B)

— *ib., 1637.*   [G 3456
I Bc (S), Nf (kpl.: S, A, T, B, org), Od (B) – **PL** WRu (fehlt S)

— Liber sextus motectorum duabus, tribus, et quatuor vocibus cantandorum, cum basso continuo ... opus vigesimus. – *Antwerpen, les héritiers de Pierre Phalèse, 1640.*   [G 3457
GB Lbm (T)

1630b. Messa, e salmi concertati, a tre voci. – *Venezia, Alessandro Vincenti, 1630.* – St.   [G 3458
I Bc (kpl.: S I, S II, B, org), Rvat-casimiri (B)

— ... nuovamente ristampati. – *ib., 1637.*   [G 3459
PL WRu (S I, S II) – **US** CHH (S II)

1630c. Raccolta terza di Leonardo Simonetti ... de messa et salmi del sig. Alessandro Grandi et Gio. Croce Chiozotto a 2, 3, 4 con basso continuo, aggiontovi li ripieni a beneplacito. – *Venezia, stampa del Gardano, appresso Bartolomeo Magni, 1630.* – St.   [G 3460
SD 1630¹
I Bc (kpl.: S, A, T, B, org, 6 St. rip.)

— Messa et salmi ... a 2.3.4. con il basso continuo & con li ripieni a beneplacito, raccolta terza di Leonardo Simonetti. – *ib., [S, org:] 1636; ([A, T, B:] 1635; [rip.:] 1647.*   [G 3461
SD 1636¹
A Wgm (kpl.: S, A, T, B, org, 6 St. rip.) – **GB** Ge (S) – **PL** WRu (S, org)

1636a → 1618a
1636b → 1630c

1637a. Messe concertate a otto voci ... raccolte da Alessandro Vincenti. – *Venezia, Alessandro Vincenti, 1637.* – St.   [G 3462
F Pn (kpl.; I: S, A, T, B; II: S, A, T, B; org) – **I** Nf (fehlen T I, S II, org) – **PL** WRu (kpl.; S II [unvollständig])

1637b → 1621b
1637c → 1625a
1637d → 1629a
1637e → 1630a
1637f → 1630b

1638 → 1619a

1639 → 1629a

1640a → 1614a
1640b → 1629b
1640c → 1630a

WELTLICHE WERKE

1615. Madrigali concertati a due, tre, e quattro voci per cantar, e sonar nel clavicembalo, chitarrone, o altro simile stromento. – *Venezia, Giacomo Vincenti, 1615.* – St.   [G 3463
GB Lbm (kpl.: S, A, T, B, bc), LI

— ... nuovamente ristampati & corretti. – *ib., 1616.*   [G 3464
I Bc (kpl.: S, A, T, B, bc), Bsp

— ... nuovamente ristampati & corretti. – *ib., 1617.*   [G 3465
A Wn (kpl.: S, A, T, B, bc) – **F** Pc (bc) – **I** Bc (S, A, B)

— ... in questa terza impressione corretti & ristampati. – *ib., Alessandro Vincenti, 1619.*   [G 3466
I Bc (kpl.: S, A, T, B, bc)

— ... in questa quarta impressione corretti & ristampati. – *ib., 1622.*   [G 3467
D-brd Hs (kpl.: S, A, T, B, bc) – **I** Bc (A), FEc (kpl.; T [2 Ex.]), MOe

— ... nuovamente in questa quarta impressione corretti & ristampati. – *ib., 1626.*   [G 3468
F Pc (S, A, T, B) – **GB** Och (kpl.: S, A, T, B, bc) – **I** Bc, BGc (B) – **PL** WRu (fehlt S)

1616 → 1615

1617 → 1615

1619 → 1615

1622a. Madrigali concertati a due, tre, & quattro voci per cantar e sonar nel clavicembalo, chitarrone, o altro simile stromento ... libro secondo, opera XI. – *Venezia, Alessandro Vincenti, 1622.* – St.
[G 3469
I Bc (bc), FEc (S, A, T, B), MOe (kpl.: S, A, T, B, bc)

— ... nuovamente ristampati & corretti. – *ib., 1623.*   [G 3470
D-brd Hs (kpl.: S, A, T, B, bc) – **GB** Lbm (B) – **PL** WRu

— *ib., 1626.*   [G 3471
GB Och (kpl.: S, A, T, B, bc) – **I** Bc

1622b → 1615

1623 → 1622a

1626a. Cantade et arie a voce sola, commode da cantarsi nel clavicembalo, chitarrone, & altro simile stromento, con le lettere dell'alfabetto per la chitarra spagnola ... raccolte, & date in luce da ... Andrea Ziotti, libro terzo. – *Venezia, Alessandro Vincenti, 1626.* – P.   [G 3472
GB Lbm

1626b. Arie, et cantade a doi, et tre voci concertate con doi violini. – *Venezia, Alessandro Vincenti, 1626.* – St.
[G 3473
I VCd (vl II)

1626c → 1615
1626d → 1622a

GRANDI Alessandro (II)

Salmi per i vesperi della Madonna e delle Vergini, con gl'inni e littanie a otto voci pieni & a tre voci concertati con stromenti ... opera prima. – *Bologna, Giacomo Monti, 1680.* – St.   [G 3474
F Pc (S II) – **GB** Lwa (kpl.; I: S, A, T, B; II: S, A, T, B; org) – **I** Ls (2 Ex., im 2. Ex. fehlt B I), PESd (I: T; II: A, T, B), PIa, Rc (T I [2 Ex.], B I), RA (unvollständig), RIM (fehlt T I)

Salmi per i vesperi di tutto l'anno, con le letanie della B. V., Te Deum, e Tantum ergo a quattro voci pieni ... opera seconda. – *Bologna, Marino Silvani (Pier-Maria Monti), 1692.* – St.   [G 3475
I Ac (fehlt org), Bof (kpl.: S, A, T, B, org), Ls, Rsm (A), Rsmt, Sc, Sd (kpl.; A [2 Ex.])

— *ib., Marino Silvani, 1707.*   [G 3476
D-brd WD (kpl.: S, A, T, B, org) – **I** Ac, Bc, Bof (fehlt org), MAC (A), Sd (kpl.; S, A, T und org je 2 Ex.), Vlevi

Messe a 3. & a 4. voci concertate, con strumenti ... opera terza. – *Bologna, Marino Silvani (Pier-Maria Monti), 1693.* – St.
[G 3477
F Pn (kpl.: S, A, T, B; vl I, vl II, vlne, org) – **I** FOc (fehlt T; S ohne Titelblatt), PIa, Sd

— *ib., Pier-Maria Monti; Amsterdam, Estienne Roger.*   [G 3478
GB Och (S)

GRANDI Ottavio Maria

Sonate per ogni sorte di stromenti, a I. 2.3.4. & 6, con il basso per l'organo ... opera seconda. – *Venezia, stampa del Gardano, appresso Bartolomeo Magni, 1628.* – St.   [G 3479
GB Lbm (S, seconda parte) – **I** Bc (org [fehlt Titelblatt]) – **PL** WRu (B, terza parte)

GRANDIS Vincenzo de

Psalmi ad vesperas, et motecta octonis vocibus quorum aliqua concertata cum litaniis B.M.V . . . liber primus. – *Roma, Luca Antonio Soldi, 1604.* – St.   [G 3480
D-brd Rp (II: A, T, B) – **I** Rvat-barberini (A)

— *ib., Luca Antonio Soldi, 1624.*
                        [G 3481
I Rsc (I: S, B; II: A, T, B), Rvat-barberini (I: S, A, T, B; II: S, T, B; org)

Sacrae cantiones binis, ternis, quaternis et quinis vocibus, cum organo concinendae, liber primus. – *Roma, Luca Antonio Soldi, 1621.* – St.   [G 3482
SD 1621⁷
I Bc (kpl.: S, A, T, B, org)

Alcuni salmi et motetti . . . posti in spartitura da Filippo Kesperle. – *Venezia, Alessandro Vincenti, 1625.*   [G 3483
I Bc, Rli

GRANDMAISON F.

Air russe . . . varié pour le piano-forte. – *Moskau, s. n. (C. F. Schildbach).*
                        [G 3484
CH Bu

GRANDVAL Nicolas Racot de

MUSIK ZU BÜHNENWERKEN

L'amant, comme ses traits, déguise son langage. Air . . . chanté dans Le bal d'Auteuil (in: Mercure de France, aug., 1743). – *[Paris], s. n., (1743).*   [G 3485
GB Lbm

Vaudeville [aus:] Le consentement forcé . . . (in: Petite bibliothèque des théâtres . . .). – *Paris, Bélin, Brunet, 1787.*
                        [G 3486
CH Bu

Du bel esprit au vrai génie. Vaudeville du divertissement de la comédie de L'isle sauvage (in: Mercure de France, juillet, 1743). – *[Paris], s. n., (1743).*   [G 3487
GB Lbm

Vaudevilles [aus:] Je vous prends sans vert. Comédie . . . (in: Petite bibliothèque des théâtres). – *Paris, au bureau [!], 1785.*
                        [G 3488
CH Bu

Divertissement de la comédie du Mariage fait par lettre de change. – *Paris, Le Breton, Massé (gravé par Mme Leclair).* – P.
                        [G 3489
F Pa, Pn

— . . . (in: Petite bibliothèque des théâtres). – *ib., au bureau de la petite bibliothèque des théâtres, 1784.*   [G 3490
CH Bu

[Zuweisung fraglich:] Vaudeville des Trois Gascons . . . Vaudeville du Port de mer . . . (in: Petite bibliothèque des théâtres). – *Paris, Bélin, Brunet, 1787.*   [G 3491
CH Bu

[Divertissement de la petite comédie de L'usurier gentilhomme]. – *s. l., s. n.* – P.
                        [G 3492
F A (fehlt Titelblatt)

Quand la beauté seule séduit. Vaudeville [de Zéneide] . . . (in: Mercure de France, juin, 1743). – *[Paris], s. n., (1743).*
                        [G 3493
GB Lbm

KANTATEN, AIRS

Cantates françoises à I et II voix . . . livre premier. – *Paris, Foucault, Bélangé, Vve Ribou (gravé par Roussel), 1720.* – P.   [G 3494
F Pc, Pn

Six cantates sérieuses et comiques à voix seule, et simphonie, œuvre posthume. – *Paris, Lambert, Mangean (gravé par Labassée).* – P.   [G 3495
F Pn

Orphée. Cantate, avec simphonie. – *Paris, Boivin, Le Clerc (gravée par Mlle Louise Roussel), 1729.* – P.   [G 3496
F Pc (2 Ex.) – **GB** Lbm – **S** Ssr – **US** Wc

La belle Eglé veut un bouquet. Air . . . (in: Mercure de France, juin, 1743). – *[Paris], s. n., (1743).*   [G 3497
GB Lbm

Le nectar qu'Hébé verse aux Dieux. Air
... (in: Mercure de France, oct., 1743). –
[Paris], s. n., (1743).   [G 3498
GB Lbm

Que chacun ici gambade. Branle ... (in:
Mercure de France, sept., 1744). – *[Pa-
ris], s. n., (1744).*   [G 3499
GB Lbm

GRANIER François

Six sonates [C, F, Es, D, A, E] pour un
violoncelle avec la basse continue ...
premier œuvre. – *Lyon, de Brotonne;
Paris, aux adresses ordinaires.* – P.
                                             [G 3500
GB Lbm

GRANO John Baptist

No more Florilla when I gaze. A song. –
s. l., s. n.   [G 3501
GB Cfm

Young Damon once the happiest swain.
A ballad. – *s. l., s. n.*   [G 3502
GB Ckc, CDp, Ge, Lbm, Mch

Solos [D, e, B, a, C, G] for a german flute,
a hoboy or violin, with a thorough bass
for the harpsicord or bass violin. – *London, John Walsh & Joseph Hare.* – P.
                                             [G 3503
GB Lbm – US Wc

GRANOM Lewis Christian Austin

VOKALMUSIK

XII New songs and ballads, with their
symphonies, for the german flute, or
violin ... opera quarta. – *London, Richard Bennett & Co.* – P.   [G 3504
GB Ckc, Lbm

A second collection of the favourite English songs ... opera VI. – *London, Richard Bennet & Co.* – P.   [G 3505
US Wc

A second collection of favourite English
songs, with their full accompanyments

... opera XIII. – *London, Thomas Ben-
nett.* – P.   [G 3506
GB Lbm, LVp – US Wc (2 Ex.)

The musical miscellany; or, Monthly
magazine, consisting of duetts for german-
flutes, violins, and guittars, airs, and
songs; with figur'd-basses for the harpsichord. – *London, author.*   [G 3507
GB Lbm (unvollständig) – US Wc

Advance each true brother. A new Ma-
sons song. – *[London], Thomas Bennett.*
                                             [G 3508
GB Lbm – I Rsc (ohne Impressum)

Forgive, fair creature form'd to please.
A song. – *s. l., s. n.*   [G 3509
[2 verschiedene Ausgaben:] GB Lbm (2 verschiedene Ausgaben), Mp, Ob, Ouf

Fy my dear fy ... [Song]. – *s. l., s. n.*
                                             [G 3510
GB Lbm

Long had the French navy with that of
proud Spain. Anson and Warren [Song]. –
[London], John Simpson.   [G 3511
GB Lbm

— *s. l., s. n.*   [G 3512
GB Lbm

— ... (in: London Magazine, 1753). –
[London], s. n., (1753).   [G 3513
GB Lbm

Lord Winkworth: or, The Westminster
election. A new toast ... sung in the new
Guild-Hall on the day of election (in:
Royal Magazine, vol. VIII). – *[London],
s. n., (1763).*   [G 3514
GB Lbm

The snows from the mountains. A favorite duet. – *London, H. Andrews.* – P.
                                             [G 3515
GB Lbm

To sooth my Cloe's pensive grief. A song.
– *s. l., s. n.*   [G 3516
GB Lbm, Lcm, Mp, Ouf

When charming Cloe gently walks. A
(new) song. – *s. l., s. n.*   [G 3517
GB Lbm (3 verschiedene Ausgaben), Ouf – US
Cu (Teil einer Sammlung)

— ... (in: Universal Magazine, vol. XI). –
[London], s. n., (1752).   [G 3518
GB Gm, Lbm

While joyful here we meet. An anniver-
sary hymn ... (in: The Universal Magazine, vol. XXX). – *[London], s. n., (1762).*
                                          [G 3519
GB Lbm

Would you taste the morning air. A song.
– *s. l., s. n.*   [G 3520
GB Lbm, Mp, Ouf

— *[London], Thomas Skillern.*   [G 3521
GB Lbm

— ... (in: The Universal Magazine, vol.
XI). – *[London], s. n., (1752).*   [G 3522
GB Lbm

INSTRUMENTALWERKE

XII Sonate per flauto traversiere solo e
basso continuo ... opera prima. – *Lon-*
don, s. n. – P.   [G 3523
GB Ckc, CDp, Lbm

— XII Solos for a german flute with a
thorough bass for the harpsichord or
violoncello ... opera prima. – *London,*
John Simpson.   [G 3524
GB CDp, Lbm – **US** NYp

Sei sonate a tre, due flauti o due violini
col basso ... opera seconda. – *London,*
s. n. – St.   [G 3525
S Skma (kpl.: fl I, fl II, bc)

— Six sonatas for two german flutes or
two violins, with a thorough bass for
the harpsicord or violoncello ... opera
seconda. – *London, John Simpson.*
                                          [G 3526
C Tu – **GB** Lbm

XXIV Duets for two german flutes adapted to the capacity of all degrees of performers ... opera terza. – *London, John*
Simpson. – P.   [G 3527
GB Lbm – **US** Wc

— *ib., Robert Bremner.*   [G 3528
US Wc

— ... the second edition, with additions,
corrections & method of playing them. –
ib., author, (1752).   [G 3529
GB Lbm

Six grand concertos in eight parts for a
german flute, four violins, tenor, violoncello, and harpsichord, opera quinta. –
London, Richard Bennett & Co. – St.
                                          [G 3530
GB Ckc

Six solos or sonatas for a german flute,
with a thorough bass for the harpsicord or violoncello ... opera VII. –
London, Robert Bremner, (1752). – P.
                                          [G 3531
GB Lbm

Six solos or sonatas for a german flute,
with a thorough bass for the harpsichord or violoncello ... opera VIII. –
London, Robert Bremner, (1752). – P.
                                          [G 3532
GB Lbm

Six sonatas or duets for two german flu-
tes, or violins ... opera IX. – *London,*
Bennett. – P.   [G 3533
GB Lbm

XXIV Duets for two german flutes or
violins, being a third collection and se-
quel to Mr. Granom's first set, opera XI.
– *London, Thomas Bennett.* – P.   [G 3534
GB Lbm

Plain and easy instructions for playing
on the german-flute ... the fourth edition with additions. – *London, Thomas*
Bennett, 1766.   [G 3535
GB Lbm

GRASSET Jean-Jacques

Premier concerto [D] à violon principal. –
Paris, Imbault, No. 674. – St.   [G 3536
D-brd MÜu (kpl.: vl princip., vl I, vl II, vla,
b, fl, ob I, ob II, cor I, cor II) – **F** Pc (vl I,
vl II, vla [2 Ex.], b), Pn (kpl. [2 Ex.])

Second concerto [B] à violon principal. –
Paris, Imbault, No. 678. – St.   [G 3537
F Pn (kpl.: vl princip., vl I, vl II, vla, b, ob I,
ob II, cor I, cor II [je 2 Ex.])

— Concerto à violon principal, op. 2. –
Offenbach, Johann André, No. 1169.
[G 3538]
D-brd MÜu (kpl.: 9 St.)

3e Concerto [a] à violon principal, deux
violons, alto et basse, deux hautbois,
deux cors, basson, flûte, trombone et timbales ad lib. – *Paris, Sieber, No. 1495.* –
St.   [G 3539]
D-brd F (kpl.: 14 St.) – **F** BO

— Troisième concerto [a] pour le violon
. . . œuvre 4e. – *Offenbach, Johann André,
No. 1435.* – St.   [G 3540]
B Bc (kpl.: 14 St.) – **D-brd** LÜh (vl princip.),
MÜu, OF

Six duos concertants pour deux violons
. . . œuvre 1er. – *Paris, Sieber, No. 998.* –
St.   [G 3541]
F Pn

Six duos concertans pour deux violons
. . . œuvre 2e. – *Paris, Imbault, No. 151.* –
St.   [G 3542]
F Pn (ohne No.) – **GB** Lbm – **US** Wc (ohne No.)

Trois duos [a, G, c] pour deux violons . . .
œuvre ([handschriftlich:] A). – *Paris, au
magazin de musique à l'usage des fêtes
nationales.* – St.   [G 3543]
D-brd B, Mbs (Etikett: Le Duc) – **F** Pc

Trois duos concertants [D, d, f] pour
deux violons . . . œuvre 9e (4e livre de
duos). – *Paris, Sieber fils, No. 96.* – St.
[G 3544]
D-brd B – **F** Pn (2 Ex.)

GRASSI Florio

Six sonatas [D, G, A, C, B, c] for two ger-
man flutes . . . opera II. – *London, author.*
– P.   [G 3545]
D-ddr Dlb

GRASSINI Francesco Maria

Motetti concertati a due, tre, quattro, e
cinque voci parte con instromenti, e
senza, con le litanie della B. V. nel fine. –
*Venezia, stampa del Gardano, appresso
Francesco Magni, 1653.* – St.   [G 3546]
I Bc (kpl.: S I, S II/A, T, B, org) – **PL** WRu
(fehlt org)

GRATIA Pietro Nicola

[3] Messe concertate a quattro voci, con
violini, e ripieni. – *Bologna, Marino Sil-
vani, 1706.* – St.   [G 3547]
CH Zz (S rip., A rip., T rip., B rip., org) – **D-brd**
WD (2 Ex.; 1. Ex.: S I, A I, T I, B I, S rip., A
rip., B rip., vl I, vl II, vlc, org; 2. Ex.: S I, B I,
S rip., B rip., vl I, vl II, vlc, org) – **I** LOc (S rip.,
A rip., T rip., vl I, vl II, vlc)

GRAUN Johann Gottlieb

Eight sonatas [G, e, C, a, G, D, D, G] for
two german flutes or violins with a bass
for the violoncello or harpsicord. –
London, John Walsh. – St.   [G 3548]
B Bc (kpl.: fl I, fl II, b] – **GB** Cu, Gu, Lbm (2
Ex. [unvollständig])

Sei sonate [D, E, A, F, g, G] per il violino,
e cembalo. – *s. l., s. n.* – P.   [G 3549]
B Bc – **D-ddr** Dl

GRAUN Carl Heinrich

Vokalmusik

Te Deum

Te Deum laudamus, posto in musica
[S, A, T, B (Soli und Chor); vl I, vl II,
vla, b, fl I, fl II, fag, cor I, cor II]. – *Leip-
zig, Johann Gottlob Immanuel Breitkopf,
1757.* – P.   [G 3550]
A GÖ, Gk, M, Wgm, Wn – **B** Bc – **CH** E –
D-brd B, Bmi, BNu, EU, F, Gs, KNmi, LÜh
(2 Ex.), Lr, Mbs, Mbm, MZgm, W, WIbh –
D-ddr Bdso, Dlb, GOa, LEm, RUh (mit hand-
schriftlichen St.), SWl – **DK** Kmk, Kk (2 Ex.),
Km, Kv – **EIRE** Dtc – **F** Pc (3 Ex.), Pn, Sim,
Ssp – **GB** CDp, Lbm (2 Ex.), Lcm, Ouf – **I** BGc,
Fc, Nc – **N** Ou – **NL** At – **PL** Wn, WRu – **S** L,
Skma, Ssr, Uu – **US** AA, Bh, BE, CA, I, NYp,
Wc – **USSR** Mk

Te Deum laudamus . . . aggiustato pel
clavicembalo da Giovanni Carlo Federi-
go Rellstab. – *Berlin, Rellstab.* – KLA.
[G 3551]
A Wn – **D-brd** Bhm, Mbs – **D-ddr** Dl – **GB**
Lgc – **US** PO

— . . . neue Ausgabe. – *ib., Breitkopf &
Härtel, No. 1376.*   [G 3552]

[2 verschiedene Ausgaben:] **A** M, Wgm, Wn –
CH Bu (2 Ex.), Zz (2 Ex.) – **D-brd** BEU, Gs,
KImi, LÜh, Mbs (2 Ex.), MÜs, MZmi – **D-ddr**
Bds, Bdso, Dl, GOa, LUC, ROu – **DK** Kk –
I BGc – **NL** At (2 Ex.) – **US** Bp, PO

Der Tod Jesu

Der Tod Jesu, eine Cantate, in die Musik
gesetzt. – *Leipzig, Johann Gottlob Im-*
manuel Breitkopf, 1760. – P.   [G 3553
A GÖ, Wgm (2 Ex.), Wn – **B** Bc – **CH** Lz (unvollständig), Zz – **CS** Bu, Pnm, Pu – **D-brd**
B, BOCHs, LÜh (2 Ex.), Mbs, Mmb, Rp, Rtt,
W, WIbh, WÜu – **D-ddr** Bds, Dl, GOa, HER
(mit 17 Einzelst. in Handschriften des 19. Jahrhunderts), LEm, LEu, MLHb, ROu – **DK** Kk
(2 Ex.) – **F** Pc (3 Ex.), Ssp – **GB** Lbm, Mp –
N Ou – **NL** At, DHgm, Uim – **PL** Wn, WRu –
S Skma, St – **US** AA, Bp, Cn, CA, NYp, PHu,
R, Wc, WS

Herrn Carl Heinrich Grauns . . . Passions-
Cantate: Der Tod Jesu, in einem Clavier-
auszuge herausgegeben von Johann Adam
Hiller. – *Breslau, Gottlieb Löwe, 1785.* –
KLA.   [G 3554
A Wn (2 Ex.), Wst – **B** Bc – **CH** Bu, SO (mit
handschriftlich gesetzten Chorälen und 8 hand-
schriftlichen St.) – **D-brd** BOCHs, DT, LÜh,
NBss, Rp, WL – **D-ddr** Bds, Dl, HAu, HER,
LEm (2 Ex.), LÖ, Q, SWl – **F** CO, Pc (2 Ex.),
Sn – **GB** Lbm – **J** Tma – **NL** At – **PL** Tu, WRu –
S L – **US** CA, NH, Wc

— . . . neue Ausgabe. – *Leipzig, Breitkopf*
& Härtel, No. 1813.   [G 3555
A Wgm – **CH** Bu, E – **D-brd** BNba, Hmb,
HEms – **D-ddr** Bds, LEbh, LEm, RUl, SWl –
NL At

— . . . neue Ausgabe. – *ib., Breitkopf &*
Härtel, No. 2295.   [G 3556
D-brd Gs, HEms, LÜh, Mbs, W – **D-ddr** HER
– **US** Wc

— J. C. F. Rellstabs Clavierauszug der
Ramlerschen Passionscantate . . . – *Ber-*
lin, Rellstab, (1793).   [G 3557
A Wn – **CH** Zz – **D-brd** BOCHs, KIu, Mbs –
D-ddr Bds, Bmi, Dl, HER – **US** Cn, Wc

— . . . im vollständigen Klavierauszuge
. . . von Carl Klage. – *Berlin, E. H. G.*
Christiani (Trowitzsch & Sohn), No. 130.
                                          [G 3558
A Wgm, Wp – **D-brd** DT, Kl, LÜh, Mh, Mbs –
D-ddr Bds, GRu, LEu, ROu – **DK** A – **J** Tma –
US Pc

— . . . Vollständiger Klavierauszug von
Xav. Gleichauf. – *Bonn, Nikolaus Sim-*
rock, No. 2497. – KLA. und St.   [G 3559
B Bc (KLA.) – **CH** Bu (KLA.), E (KLA.), Zz
(S [8 Ex.]) – **D-brd** LÜh (KLA.) – **D-ddr** Bds
(KLA.), Dl (KLA.), HER (S, A, T, B), MEIr,
ZI (KLA., S, A, T, B) – **NL** At (KLA. [4 Ex.])

— . . . Clavier Auszug von Portmann. –
s. l., s. n.   [G 3560
D-brd DS (2 Ex.), F – **GB** Lbm – **US** NH

Sonnet for the 14th of October, 1793,
when were entombed the remains of His
Excellency, John Hancock, Esq. [S, A,
T, B; Musik aus: Der Tod Jesu]. – *s. l.,*
s. n., (1793). – P.   [G 3561
US Bp

Trauer-Music

[Deckeletikett:] Grauns Trauer Music
des höcst-seel[!]: Königs Fr: Willh: von
Preussen. 1740. – *s. l., s. n., (1740)* – P.
                                          [G 3562
D-brd B

Lavinia a Turno

Cantata, Lavinia a Turno, a soprano solo,
due violini, viola e basso . . . cantata I. –
Leipzig, Johann Gottlob Immanuel Breit-
kopf, 1762. – P. und St.   [G 3563
A Wgm (P. und 3 St.) – **B** Bc (P.) – **D-brd** Bhm
(P., vl I, vla), Bim (P., vl I, vl II, vla), DS (P.),
ERms (P.), Ngm (P., vl I, vla), W (P., vl I,
vl II, vla), WIl (P., vl I, vl II, vla) – **D-ddr** LEm
(P.) – **DK** Kk (P., vl I, vl II, vla, b [handschrift-
lich]) – **F** Pc (P.) – **GB** Lbm (P.) – **US** Bp (P.
und 3 St.), NH (P., vl I, vl II, vla [je 2 Ex.]),
Wc (P. und St.)

Oden

Auserlesene Oden zum Singen beym Clavier . . . Erste Sammlung. – *Berlin, Ar-*
nold Wever, 1761.   [G 3564
B Bc – **D-brd** HEms, KNmi, Rp – **US** Bp

— *ib., 1764.*   [G 3565
B Bc – **CH** Bu – **D-brd** Bim, Mbs – **GB** Lbm

— . . . dritte Auflage. – *ib., 1774.*
                                          [G 3566
A Wn

Auserlesene Oden zum Singen beym Clavier, vom Herrn Capellmeister Graun und
einigen andern guten Meistern, zweyte

Sammlung. – *Berlin, Arnold Wever, 1764.*
SD S. 109   [G 3567
B Bc – **CH** Bu, SO – **D-brd** Mbs – **DK** Kk –
GB Lbm – **US** Wc

— ... dritte Auflage. – *ib., 1774.*
SD S. 110   [G 3568
B Bc

Lied. Auferstehn, ja auferstehn wirst Du
mein Staub etc: in Musik gesetzt fürs
Forte-Piano [aus: Geistliche Oden in Melodien ... 1758 (= SD S. 185)]. – *Hamburg, Johann August Böhme.* – KLA.
                                                   [G 3569
D-ddr LEmi

Verschiedene Vokalwerke

Duetti, terzetti, quintetti, sestetti, ed
alcuni chori ... volume I (II, III, IV). –
*Berlin-Königsberg, Georg Jacob Decker &
Gottlieb Leberecht Hartung, 1773 (1773,
1774, 1774).* – P.   [G 3570
A Wn (kpl.: I–IV) – **B** Bc – **CH** Zz (I–III) –
D-brd Bim (I, II, IV), Bhm (I, II), BNu (I, II),
Gs (I–III), F (I), Hs (IV), Mbs – **D-ddr** Bds
(kpl. [2 Ex.]), HAu (II–IV), LEm (I, II),
RUh (III), WRtl (I, II, III [unvollständig]),
WRgs – **F** Pc, Sn (I, II, IV) – **GB** Ge (unvoll-
ständig), Lbm (2 Ex.), T – **I** Rsc (I) – **N** Ou –
PL Wn, WRu – **US** AA, Bp, Cn, PO, R, Wc

INSTRUMENTALWERKE

Sinfonia [D] a 2 corni, 2 violini, viola,
2 fagotti obligati, e basso [= Sinfonia zur
Oper: Il giudicio di Paride]. – *Leipzig,
Johann Gottlob Immanuel Breitkopf, 1757.*
– St.   [G 3571
B Bc (kpl.: 8 St.) – **D-ddr** SWl – **S** L

The King of Prussia's victorie by Ros-
bach [for the pianoforte]. – *London, S. A.
& P. Thompson.*   [G 3572
GB Lbm

— 'The battle of Rosbach. A favourite
sonata [F] for the pianoforte (in: Piano-
Forte Magazine, vol. III, Nr. 5). – *ib.,
Harrison & Co.*   [G 3573
B Bc – **D-brd** Mbs – **GB** Lbm

— *Dublin, John Lee.*   [G 3574
EIRE Dn

— The battle of Rosbach, composed for
the King of Prussia. – *[London], Long-
man & Broderip.*   [G 3575
DK Kk – **EIRE** Dn – **GB** Lbm – **US** Cn

[Zuweisung fraglich:] A favorite lesson
[C] for the harpsichord or piano forte. –
London, P. Hodgson.   [G 3576
GB Lbm

— *ib., Wright & Wilkinson.*   [G 3577
GB Ckc

GRAUPNER Christoph

Partien auf das Clavier, bestehend in
Allemanden, Couranten, Sarabanden,
Giguen ... erster Theil. (Part: I–VIII). –
*Darmstadt, Autor (Frankfurt, Johann Da-
vid Gerhard), 1718.*   [G 3578
B Bc – **D-brd** DS – **N** Ou

Monatliche Clavir Früchte, bestehend in
Praeludien, Allemanden, Courranten, Sa-
rabanden, Menuetten, Giguen &c., mei-
stentheils vor Anfänger heraus gegeben
... Januarius (–December). – *Darmstadt,
Autor, 1722.*   [G 3579
A Wm (September) – **D-ddr** ROu (Januar) –
US NYp (Januar–Juni), NH (kpl.: Januar–De-
zember)

[4 Partien auf das Klavier, unter der Benennung der Vier Jahreszeiten Winter,
Frühling, Sommer und Herbst. Bestehend aus Praeludien, Allemanden, Couranten, &c. – *Darmstadt, s. n., 1733.*]
                                                  [G 3580
D-brd DS (Part: I. Unter der Benennung
Vom Winter [f]; fehlt Titelblatt)

GRAVE Johannes Hieronymus

Auspicatissimas nuptias ... humillima
animi subjectione tenues hasce musas
offero Joh. Hieron. Gravius ... [zur Hochzeit Leopolds I.; Symphonia, Aria (Caesar
Augustum sapiens propago)]. – *s. l.,
s. n., (1676).* – P.   [G 3581
D-brd W

Geistliche Sabbats Freude, Das ist, Heilige, Zur Erweckung der Andacht die-
nende Lieder ... meist nach denen im
Gesangbuch bekandten Melodeien. Mit

zween Discanten nebst dem Basso Continuo. – *Bremen, Herman Brauer, 1683.* –
P.   [G 3582
D-brd HVl, LÜh, Mbs, W

GRAVES James

A beautious face, fine shape, ingageing [!]
air. A song. – *s. l., s. n.*   [G 3583
GB Lbm, Mch – S Skma

Advice to Mirtilla [Song]. – *s. l., s. n.*
                                    [G 3584
GB Gm, Lbm

A question and answer. In the British
Apollo . . . [Song]. – *s. l., s. n.*   [G 3585
GB Lbm

A trip to Northern Fallgate [Song]. –
s. l., s. n.   [G 3586
GB Lbm

Brisk clarret and sherry. A song in praise
of good wine. – *s. l., s. n.*   [G 3587
GB Lbm (2 verschiedene Ausgaben)

The charming silvia. A song. – *s. l., s. n.*
                                    [G 3588
GB Gm (2 Ex.), Lbm

Come here honest Tim. A drinking song. –
s. l., s. n.   [G 3589
GB Lbm

The coy mistress . . . [Song]. – *s. l., s. n.*
                                    [G 3590
GB Lbm

The danceing match [Song]. – *s. l., s. n.*
                                    [G 3591
GB Lbm

Fill all your glasses. King George's health.
A song. – *s. l., s. n.*   [G 3592
GB Mch

Gen'rous wine and a friend. The boon companion. [Song] for two voices. – *[London]*,
s. n. (T. Cross).   [G 3593
GB Lbm, Mch (2 Ex.)

Go soft spell . . . [Song]. – *s. l., s. n.*
                                    [G 3594
GB Lbm (2 verschiedene Ausgaben)

High day no body here. A new dialogue
between a rakeish husband and a scolding wife. – *s. l., s. n.*   [G 3595
GB Lbm (2 verschiedene Ausgaben)

In praise of musick all delight. A song in
praise of musick. – *s. l., s. n.*   [G 3596
GB Lbm

Let it be stout old hock. Prince Eugenes
health . . . (in: A collection of the choicest
songs & dialogues, Nr. 91). – *[London]*,
s. n.   [G 3597
GB Lbm
vgl. [G 3604

Love and loyalty [Song]. – *s. l., s. n.*
                                    [G 3598
GB Lbm (2 Ex.)

Lucinda Mira. A song. – *s. l., s. n.*
                                    [G 3599
GB Lbm

The maiden's dream . . . [Song]. – *s. l.,*
s. n.   [G 3600
GB Gm, Lbm (2 verschiedene Ausgaben)

The marriage whim . . . [Song]. – *s. l.,*
s. n.   [G 3601
GB Lbm

My pritty lovely charming fair. A song. –
s. l., s. n.   [G 3602
GB Lbm

The pleasures of a country life . . . [Song].
– *s. l., s. n.*   [G 3603
GB Lbm

Prince Eugene's health. A song on the
late glorious victory over the Turks. –
s. l., s. n.   [G 3604
GB Lbm
vgl. [G 3597

Some say women are like the seas. A new
song. – *s. l., s. n.*   [G 3605
GB Lbm (2 verschiedene Ausgaben), Mch

The tea table . . . [Song]. – *s. l., s. n.*
                                    [G 3606
GB Lbm

'Tis he's an honest fellow. The boon companion. – *s. l., s. n.*   [G 3607
GB Lbm

— ... [Song], set to musick. – *[London]*, *s. n. (T. Cross)*. [G 3608
GB Cfm, Mch (2 Ex.)

To proclaim King George the Second. A song, on His Majesty King George ye Second being proclaimed. – *[London]*, *s. n. (T. Cross)*. [G 3609
GB Cfm, Mch

When Chloe on the spinnet plays. A song on Chloe's singing & playing on the spinnet. – *s. l., s. n.* [G 3610
GB Lbm (2 Ex.)

When the shrill trumpet's pleasing sound. A martiall song on Prince Eugene. – *s. l., s. n.* [G 3611
GB Lbm

GRAVIER (Abbé)

Six sonates pour le clavecin. – *Paris, de La Chevardière, Bayard, Mlle Castagnery, Le Menu*. [G 3612
F Pn

GRAVRAND Joseph (l'aîné)

Op. 1. Trois duos concertans pour deux violons ... œuvre Ier. – *Paris, les frères Gaveaux*. – St. [G 3613
I Nc – **US** STu

Op. 2. Trois duos concertants pour deux violons ... œuvre 2me. – *Paris, Gaveaux l'aîné*. – St. [G 3614
D-ddr LEmi (Etikett: Louis) – **US** STu (Etikett: J. H. Naderman)

Op. 3. Trois duos concertans pour deux violons ... œuvre 3me. – *Paris, les frères Gaveaux, No. 58*. – St. [G 3615
I Nc (ohne No.) – **US** STu (kpl.; vl II ohne Titelblatt)

Op. 4. Trois duos concertans pour deux violons ... œuvre 4e. – *Paris, les frères Gaveaux, No. 60*. – St. [G 3616
I Nc (ohne No.) – **US** STu (kpl.; vl II ohne Titelblatt)

— *ib., [überklebt], No. 173*. [G 3617
I Nc (Etikett: Pacini)

— *ib., Ph. Petit, No. 60*. [G 3618
A Wn

— Tres duos concertantes para dos violines ... op. 4^a. – *Barcelona, Gambaro; Cadiz; Sevilla; Madrid; Bilbao; Burgos; Malaga; Granada, No. 6*. [G 3619
D-brd B

Op. 6. Trois trios concertants pour deux violons et basse ... œuvre 6e et 1er livre de trios. – *Paris, les frères Gaveaux, No. 200*. – St. [G 3620
B Bc – **CH** N (vl I, vl II; fehlt b)

Op. 7. Trois duos concertants pour deux violons ... œuvre 7. – *Leipzig-Berlin, bureau des arts et d'industrie, No. 276*. – St. [G 3621
D-ddr LEm

Op. 8. Trois duos concertans pour deux violons ... 7e livre de duos, œuvre 8^e. – *Paris, Ph. Petit, No. 253 P*. – St. [G 3622
US STu (kpl.; vl II ohne Titelblatt)

GRAY

Twenty four country dances for the year 1799 ... adapted for the violin, flute, houtboy [!], &c., with figures. – *London, author*. [G 3623
GB Lbm, Lcs

Twenty four country dances for the year 1800 ... adapted for the violin, flute, houtboy. – *London, author*. [G 3624
GB CDp

GRAY Thomas Brabazon

VOKALMUSIK

As blushing Phœbus. A favorite ballad. – *London, Longman & Broderip*. [G 3625
GB Lbm, Ob

Bon jour Mister Richard. A favorite new song. – *London, G. Goulding*. [G 3626
US Pu

Bright lustre. A new song. – *London, Henry Holland*. [G 3627
US Pu

Come true loyal Britains. A song. –
Westminster, author.   [G 3628
GB Lbm

The death of Maria. A favorite song. –
London, William Hodsoll, for the author.
                                          [G 3629
GB Lbm

The dying lover. A favorite song. – *London, J. Buchinger.*   [G 3630
GB Lbm, Ob

Fill a bumper to Bacchus. A favorite
song. – *London, F. Linley.*   [G 3631
GB Lbm

God of the winds . . . [Song]. – *[London]*,
John Fentum.   [G 3632
GB Lbm

The happy tar. A favorite song. – *London, G. Goulding.*   [G 3633
GB Lbm

How comes it neighbour Dick. A favorite
song. – *London, J. Buchinger.*   [G 3634
GB Lbm

In summer time when all is gay. A favorite Scotch ballad. – *[London]*, *Longman & Broderip.*   [G 3635
GB Lbm

The insolvent debtor. A pathetic ballad. –
London, Longman & Broderip.   [G 3636
US PHu, U

The lark had proclaim'd the new day.
A favorite ballad. – *[London]*, *Longman
& Broderip.*   [G 3637
US Wc

Laura. A favorite ballad. – *[London]*,
Longman & Broderip.   [G 3638
GB Lbm

Oh give me a cot at the foot of a hill. A
favorite ballad. – *London, Longman &
Broderip.*   [G 3639
GB Lbm

The poor blind beggar boy. A favorite
ballad. – *London, Longman & Broderip.*
                                          [G 3640
GB Lbm – US PHu

Poor Tom. A favorite song. – *London,
A. Bland.*   [G 3641
GB Lbm

The quarrelling duett . . . in the panto-
mime of Harlequin invincible. – *London,
Longman & Broderip.*   [G 3642
GB Lbm

Strephon and Maria. A favorite rondo. –
London, Longman & Broderip.   [G 3643
GB Lbm

Sweet maiden a kiss [Song]. – *London,
Thompson.*   [G 3644
GB Lbm

When the rough north forgets to howl.
Blue ey'd Ann. A favorite song. – *Lon-
don, Cahusac.*   [G 3645
US Wsc

Young Donald. A favorite Scotch ballad.
– *[London]*, *Longman & Broderip.*
                                          [G 3646
US Wc

INSTRUMENTALWERKE

A lesson for the harpsichord or piano
forte with an accompaniment for the violin or german flute. – *London, Thomas
Skillern.*   [G 3647
GB DU

McPherson's collection of ancient music
in the poems & songs of Ossian . . . (Nr. 1:
Fingal's grand march). – *[London]*,
I. Macpherson.   [G 3648
GB Lbm, Ob

**GRAZIA Pietro Nicola → GRATIA Pietro
Nicola**

GRAZIANI (GRATIANI) Bonifacio

[Op. 1]. Motetti a due, tre, quattro,
cinque, e sei voci. – *Roma, Vitale Mascardi, 1650.* – St.   [G 3649
D-brd MÜs (kpl.: S I, S II, T, B, org) – **I** Bc,
Rsgf (B), Rc (S II [unvollständig])

— Motetta . . . duabus, tribus, quatuor,
quinque & sex vocibus decantanda. –

Antwerpen, Magdalène Phalèse & cohéritiers, 1652.   [G 3650
B Br (T)

— Motetti a due, tre, quattro e cinque voci . . . [teilweise Neudruck der Motetten von 1650]. – *Roma, Vitale Mascardi, 1654.*   [G 3651
I Bc (kpl.: S I, S II, T, B, org), Ls (fehlt B)

[Op. 2]. Il secondo libro de motetti a due, tre, quattro, cinque e sei voci. – *Roma, Vitale Mascardi, 1652.* – St.
[G 3652
D-brd Mbs (S I, org), MÜs (S I, S II, T, B, org) – I Bc (kpl.: S I, S II, A, T, B, org), Ls, Rsgf, Rsmt, Rv (S I, S II, T, B), Sac (S I, S II, A, B, org)

Op. 3. Motetti a voce sola . . . opera terza. – *Roma, Vitale Mascardi, 1652.* – P. und St.   [G 3653
I Bc (kpl.: S/org, S) – US Bc

— Il primo libro de motetti a voce sola . . . [vermehrte Ausgabe]. – *ib., Maurizio Balmonti, 1655.*   [G 3654
I Bc, FA (S)

— *ib., Ignazio de Lazzari, 1661.*   [G 3655
B Bc (S/org) – D-brd MÜs (S/org)

— Mottecta singulae voci concinenda, liber primus, opus tertium. – *ib., Amadeo Belmonte, 1669.* – P. und St.   [G 3656
I Ls (kpl.: S/org, S)

— Il primo libro de mottetti a voce sola . . . opera terza. – *ib., Giovanni Battista Caifabri (per il successor' al Mascardi), 1677.*   [G 3657
I Bc (S/org) – GB Lbm (S/org)

Op. 4. Psalmi vespertini quinque vocibus cum organo, & sine organo decantandi . . . lib. I, opus quartum. – *Roma, Nicolo Germani (Vitale Mascardi), 1652.* – St.
[G 3658
GB Lwa (kpl.: S, A, T I, T II, B, org) – I Bc, FA (org [unvollständig]), Ls, Rc (T I)

— *ib., Mascardi, 1674.*   [G 3659
D-brd MÜs (kpl.: S, A, T I, T II, A, B, org) – GB DRc – I Bc, Bof, FEc, Ls, Rsc, Rsmt

Op. 5. Psalmi vespertini quinque vocibus concinendi, opus quintum. – *Roma, Vitale Mascardi, 1653.* – St.   [G 3660

D-brd MÜs (kpl.: S I, S II, A, T, B, org) – I Bc, COd, Ls, Rsc (S I, A), Rsg (kpl. [2 Ex.]), Rsgf (S I, B, org), Rvat-chigi

— *ib., A. Belmonte (Giacomo Fei d'A. F.), 1666.*   [G 3661
GB Lbm (S I, S II, B) – I Bc (kpl.: S I, S II, A, T, B, org), Ls (kpl. [2 Ex.]), Rsmt (kpl.; ein 2. Ex. mit anderer Dedikation), Rvat-casimiri (S I, A, org), Rvat-giulia – US Cn (org)

Op. 6. Il secondo libro de motetti a voce sola . . . opera sesta. – *Roma, Maurizio Balmonti, 1655.* – P. und St.   [G 3662
I Bc (kpl.: S/org, S)

— *ib., 1659.*   [G 3663
GB Ge (kpl.: S/org, S), Lbm, Och (unvollständig) – I Bc (S), Ls

Op. 7. Motetti a due, tre, e cinque voci . . . libro terzo, opera settima. – *Roma, Maurizio Balmonti, 1656.* – St.   [G 3664
D-brd MÜs (kpl.: S I, S II, B, org) – I Rvat-barberini (S I, S II, org)

— *ib., 1657.*   [G 3665
GB Och (S I, S II, org) – I Ls (kpl.: S I, S II, B, org) – US BE (kpl.; S I und S II unvollständig)

— *ib., 1658.*   [G 3666
GB Lbm (kpl.: S I, S II, B, org) – I Bc, Rc (S I), Rvat-chigi (S II, org)

Op. 8. Il terzo libro de motetti a voce sola . . . opera ottava. – *Roma, Giacomo Fei, 1658.* – P.   [G 3667
I Bc

— *ib., 1664.*   [G 3668
F Pc

— *ib., Giacomo Fei d'A. F., 1665.* – P. und St.   [G 3669
GB Ge (S), Och (S/org) – I PS (S [unvollständig])

— *ib., Giovanni Battista Caifabri (Amadeo Belmonte), 1668.*   [G 3670
A Wn (S/org) – B Bc – GB Lbm (S/org) – I Bc (kpl.: S/org, S), Ls (S)

— Sacra mottecta, una cantu voce cum organo decantanda . . . liber tertius, opus VIII. – *ib., Giovanni Battista Caifabri (success. Mascardi), 1677.*   [G 3671
I Nc (S)

333

[Op. 9]. Responsoria hebdomadae sanctae, quatuor vocibus concinenda, una cum organo si placet. – *Roma, Ignazio de' Lazari, 1663.* – St.   [G 3672
B Bc (kpl.: S, A, T, B, org) – **I** Bc, Ls (fehlt S), Rsc, Rsg, Rvat-giulia, Rsmt (kpl. [2 Ex.]) – **US** BE (S), Wc

— *ib., Giovanni Battista Caifabri (Mascardi), 1691.*   [G 3673
I Rli (kpl.: S, A, T, B, org), Sc (kpl. [2 Ex.])

(Op. 10. Del quarto libro de' motetti a voce sola... opera decima. – *Roma, Giacomo Fei d'A. F., 1665.* – P.) [spätere Ausgabe].   [G 3674
A Wn – **I** Rsc (fehlt Titelblatt)

— Il quarto libro... [nach der Dedikation: 3. Auflage]. – *ib., Giovanni Battista Caifabri (per il successor' al Mascardi), 1677.*   [G 3675
I Bc, Nc

Op. 11. Litanie a quattro, cinque, sette, e otto voci... opera undecima. – *Roma, Giacomo Fei d'A. F., 1665.* – St.   [G 3676
D-brd MÜs (kpl.: S I, S II, A, T, B, org) – **GB** Lwa – **I** ASc (S II), Od (S II), Rc, Rsmt, Rv

— ... a tre, quattro, cinque e otto voci... opera undecima. – *ib., Mascardi, 1675.*   [G 3677
GB Ob (S I, S II, T, B, org), Och (S I, S II, T, B, org) – **I** Bc (S I, S II, T, B, org), Ls (S I, S II, A [!], B, org)

Op. 12. Mottetti a due, tre, quattro, e cinque voci per ogni tempo... opera XII. – *Roma, per il successore al Mascardi, 1673.* – St.   [G 3678
I Bc (kpl.: S I, S II, T/B, org), Ls, Rsc (fehlt org), Rvat-giulia, Sac (fehlt S II), SPE (S II)

Op. 13. Antifone della Beatissima Vergine Maria, solite ricitarsi tutto l'anno doppo l'offizio divino, cioè: sette Salve Regina, due Alma Redemptoris Mater, due Ave Regina caelorum, et due Regina caeli, composte in musica, a quattro, cinque e sei voci... opera decima terza. – *Roma, Giacomo Fei d'A. F., 1665.* – St.   [G 3679
D-brd MÜs (kpl.: S I, S II, A, T, B/S III, org) – **I** ASc, Bc, Ls (kpl. [2 Ex.], Rsmt, Rv

Op. 14. Antifone per diverse festivita di tutto l'anno, a due, tre, e quattro voci... parte prima, opera decima quarta. – *Roma, Ignazio de' Lazari, 1666.* – St.   [G 3680
D-brd MÜs (S II, T, B, org; S I handschriftlich) – **GB** Lbm (kpl.: S I, S II, T, B, org) – **I** ASc, Bc (fehlt S II), Ls (kpl. [2 Ex.]), Rsg, Sd (kpl. [2 Ex.])

Op. 15. Sacri concerti... a due, tre, quattro e cinque voci... opera decimaquinta. – *Roma, Amadeo Belmonte, 1668.* – St.   [G 3681
GB Lwa (kpl.: S I, S II, T, B, org) – **I** Ls, Rvat-giulia

Op. 16. Partitura del quinto libro de' mottetti a voce sola... opera XVI. – *Roma, Amadeo Belmonte, 1669.*   [G 3682
GB Lbm – **I** Bc

— Canto et organo del quinto libro de' mottetti a voce sola... opera XVI. – *Roma, Mascardi, 1684.*   [G 3683
I Bc

Op. 17. Psalmi vespertini, binis choris, una cum organo certatim, suaviterque decantandi... opus XVII. – *Roma, Amadeo Belmonte, 1660.* – St.   [G 3684
D-brd MÜs (kpl.; I: S, S, A, T, B; II: S, A, T, B; org) – **E** Bc (S II [unvollständig]) – **GB** Lbm (B II) – **I** Bc, Ls, Nf, Rc (S I, B I; S II, A II), Rsg, Rf

Op. 18. Il primo libro delle messe a quattro, e cinque... opera decima ottava. – *Roma, Angelo Mutii, 1671.* – St.   [G 3685
D-brd Mbs (kpl.: S I, S II, A, T, B, org), MÜs (fehlt A) – **I** Bc, Bsp, Ls, Rsg, Rsmt, Rvat-giulia, Sd

Op. 19. Sacrae cantiones una tantum voce cum organo decantandae... liber sextus, opus XIX. – *Roma, excudebat successor Mascardi, 1672.* – P.   [G 3686
D-brd MÜs – **I** Sac

— Il sesto libro de mottetti a voce sola... opera XIX. – *ib., Giovanni Battista Caifabri (per il successor' al Mascardi), 1676.*   [G 3687
I Bc, Ls, Nc

Op. 20. Mottetti a due, tre, quattro, e cinque voci . . . lib. VI, opera XX. – *Roma, per il successor' al Mascardi, 1672.* – St.   [G 3688
D-brd MÜs (S II, T/B, org) – **E** Bc (org) – **I** Ls (kpl.: S I, S II, T/B, org), Rvat-casimiri (fehlt org)

Op. 21. Hinni vespertini per tutte le principali festivita dell'anno, composti in musica a tre, quattro, e cinque voci, alcuni con li ripieni . . . opera XXI. – *Roma, per il successor' al Mascardi, 1673.* – St.   [G 3689
D-brd HVl (S I, A, T, B, org), MÜs (A, T, B) – **I** Ls (kpl.: S I, S II, A, T, B, org), Rsc (fehlen S II, A), Rsmt (fehlt org)

— *ib., 1674.*   [G 3690
D-brd Rp (A, T) – **I** Bc (kpl.: S I, S II, A, T, B, org), Ls, Rsc (S II, A)

Op. 22. Il secondo libro delle messe a quattro, cinque, e otto voci . . . opera XXII. – *Roma, per il successor' al Mascardi, 1674.* – St.   [G 3691
GB Lbm (fehlt A) – **I** Bc (S II), Ls (kpl.: S I, S II, A, T, B, org), Rli, Rsmt

Op. 23. Mottetti a due, tre e quattro voci . . . opera XXIII. – *Roma, per il successor' al Mascardi, 1674.* – St.   [G 3692
I Ls (S I, S II, A, org), Rsmt (S I, S II, B, org)

Op. 24. Mottetti a due, tre, quattro, e cinque voci . . . opera XXIV. – *Roma, Mascardi, 1676.* – St.   [G 3693
D-brd Mbs (S II) – **E** Bc (A, S III/T) – **GB** Lbm (unvollständig), Lwa (unvollständig), Och (kpl.: S I, S II, S III/T, A, B, org) – **I** Bc (fehlt B), Ls (fehlt B), Nc (fehlen S II, B)

Op. 25. Musiche sagre, e morali composte ad'una, due, tre, e quattro voci . . . opera XXV. – *Roma, per il successor' al Mascardi, 1678.* – St.   [G 3694
GB Lwa (kpl.: S I, S II, T/B, org) – **I** Bof (kpl. [2 Ex.]), Nc (S II), Rv

[Auswahl aus verschiedenen Werken:] Motetti a due, e tre voci. – *Roma, Giacomo Fei d'A. F., 1667.* – St.   [G 3695
GB Lcm (kpl.: S I, S II, T/B, org), Och – **I** Bc, Ls, PIa, Rsc, Sd

GRAZIANI Carlo

Sei sonate [G, C, B, C, A, D] a violoncello solo e basso . . . opera prima. – *Paris, Mlle Vendôme.* – P.   [G 3696
F Pc – **I** Vnm

Six sonates [C, D, e, F, G, A] à violoncelle et basse . . . opera II. – *Paris, Le Menu (gravé par Mme Oger).* – P.   [G 3697
F Pc

— *ib., aux adresses ordinaires (gravé par Mme Oger).*   [G 3698
D-brd Mbs – **F** Pc – **GB** Lbm – **I** Mc

Six sonates [G, A, B, F, D, Es] à violoncello & basso . . . œuvre troisième. – *Berlin, Johann Julius Hummel; Amsterdam, au grand magazin de musique, aux adresses ordinaires, No. 9.* – P.   [G 3699
B Bc – **D-brd** Bhm – **GB** Lbm – **I** Mc

entfällt   [G 3700

GRAZIANI (GRATIANI) Tommaso

Geistliche Werke

1587a. Missa cum Introitu, ac tribus motectis, duodecim vocibus canenda, tribus choris distincta. – *Venezia, Angelo Gardano, 1587.* – St.   [G 3701
I Bc (fehlt S I), Ls (kpl.; I: S, A, T, B; II: S, A, T, B; III: S, A, T, B), Vnm

1587b. Psalmi omnes ad vesperas cum Magnificat, quatuor vocibus decantandi. – *Venezia, Angelo Gardano, 1587.* – St.   [G 3702
I Bc (kpl.: S, A, T, B)

1594. Messa e mottetti a otto voci. – *Venezia, Ricciardo Amadino, 1594.* – St.   [G 3703
I PEc (A I)

1599. Missarum quinque vocibus, liber primus. – *Venezia, Ricciardo Amadino, 1599.* – St.   [G 3704
I Bc (kpl.: S, A, T, B, 5)

1601. Completorium romanum octonis vocibus. – *Venezia, Ricciardo Amadino, 1601.* – St.   [G 3705
I Bc (kpl.; I: S, A, T, B; II: S, A, T, B)

1603. Vesperi per tutto l'anno . . . a otto voci. – *Venezia, Ricciardo Amadino, 1603.* – St.   [G 3706
SD
I Bc (kpl.; I: S, A, T, B; II: S, A, T, B), Bsp

1617. Symphonia Parthenici litaniarum modulaminis coelestis aulae reginae quaternis, quinis, sexcenis [!], octonisque vocibus concinenda, una simul basso pro organis adnexo. – *Venezia, Giacomo Vincenti, 1617.* – St.   [G 3707
I Bc (kpl.: S, A, T, B, 5, 6, org)

1627. Responsoria in solemnitate Patris Seraphici Francisci quatuor vocibus concinenda, una cum basso ad organum pro libito, adiuncta antiphona Salve S. Pater concertate . . . opera decima. – *Venezia, Alessandro Vincenti, 1627.* – St.   [G 3708
I Bc (kpl.: S, A, T, B, org)

WELTLICHE WERKE

Il primo libro de madrigali a cinque voci. – *Venezia, Angelo Gardano, 1588.*
                                            [G 3709
I Bc (kpl.: S, A, T, B, 5)

GRAZIOLI Alessandro

Tre sonate [B, C, G] per cembalo, o piano forte coll'accompagnamento del violino a piacere . . . opera I. – *Venezia, s. n., 1796.* – St.   [G 3710
I Vc (kpl.: cemb [2 Ex., davon 1 Ex. im Fondo Correr], vl), Vmarcello, Vnm (cemb [unvollständig im Fondo Sta. Maria Formosa])

GRAZIOLI Giambattista

Sei sonate [F, G, B, C, A, D] per cembalo . . . opera prima. – *Venezia, Innocente Alessandri & Pietro Scattaglia.*   [G 3711
D-brd MÜs

— *ib., Antonio Zatta & figli.*   [G 3712
I OS

Sei sonate [F, B, C, A, G, F] per cembalo . . . opera seconda. – *Venezia, Innocente Alessandri & Pietro Scattaglia.*   [G 3713
D-brd MÜs

— *ib., Antonio Zatta & figli.*   [G 3714
CH Bu – I Ac, MC, OS

[Op. 1 und op. 2:] XII Sonate per cembalo. – *Venezia, s. n.*   [G 3715
D-brd MÜs – GB Lbm – I Vc-ospedaletto

Sei sonate [B, G, D, F, C, A] da cembalo con violino obbligato . . . opera terza. – *Venezia, Innocente Alessandri & Pietro Scattaglia.* – P.   [G 3716
D-brd MÜs – GB Lbm (Etikett: Venezia, Giuseppe Benzon) – I Vc-correr (2 Ex.)

— *ib., Antonio Zatta & figli.*   [G 3717
I Bc, BRs, Mc

GREAVES Thomas

Songes of sundrie kindes: first, aires to be sung to the lute, and base violl, next, songes of sadnesse, for the viols and voyce, lastly, madrigalles, for five voyces. – *London, John Windet, 1604.*   [G 3718
GB Lbm

GREEN

Wanton shepherd prithee leave me. A new song. – *s. l., s. n.*   [G 3719
GB Lbm, Mch

When all thy mercies, O my God. An hymn for two voices. – *London, G. Walker.*   [G 3720
GB Lbm

GREEN George

Neptune's command [Song]. – *[London], Preston.*   [G 3721
GB Lbm

Six voluntarys [Es, A, Es, E, Es, B] for the organ, piano forte, or harpsicord. – *London, Longman, Lukey & Co.*   [G 3722
GB Lbm – US NYp

A favorite lesson for the harpsicord. –
s. l., s. n.　　　　　　　　　　　　[G 3723
US CHum

GREEN James

[mit Green John]: A collection of choice
psalm-tunes in three and four parts: with
... hymns, anthems, and spiritual
songs ... with the contra and treble in
the same cliff that the tenor is in ... the
third edition. – *Nottingham, Joseph Tur-
ner (William Ayscough); London, J.
Sprint, 1715.*　　　　　　　　　[G 3724
SD
GB Ob

— A collection of psalm-tunes ... the
fourth edition: with the addition of many
new tunes. – *London, William Pearson,
for the author, 1718.*　　　　　[G 3725
SD
GB Lbm

— A book of psalmody ... the sixth edi-
tion with additions. – *ib., s. d.*　[G 3726
SD
GB Lbm – J Tn

— ... the seventh edition, corrected and
enlarged. – *ib., 1732.*　　　　[G 3727
SD
US NORts

— ... the eighth edition, corrected and
enlarged. – *ib., 1734.*　　　　[G 3728
SD
GB Lbm, Lcm – US RI, WC, Wc

— ... the ninth edition, corrected and
enlarged. – *ib., 1738.*　　　　[G 3729
SD
GB En, Lbm (2 Ex.) – US Ps

— ... the tenth edition, corrected and
enlarged. – *ib., Robert Brown, for C. Hitch,
1744.*　　　　　　　　　　　[G 3730
SD
GB Lbm

— ... the eleventh edition, corrected and
enlarged. – *ib., Robert Brown, for C. Hitch
& L. Hawes, 1751.*　　　　　[G 3731
SD
B Br – GB En, Gtc, Lbm (2 Ex.) – US NH, Ps

GREEN Thomas

Blest were the days. Song ... for 3 voices
(in: Gentleman's Magazine, vol. XXI). –
[London], s. n., (1751).　　　[G 3732
GB Lbm

Damon [Song] (in: B. Martin's Miscellaneous Correspondence, vol. I). – *[London],
s. n., (1755).*　　　　　　　　[G 3733
GB Lbm

Who can Dorinda's beauty view. A song,
for three voices ... (in: Gentleman's Magazine, vol. XXI). – *[London], s. n.,
(1751).*　　　　　　　　　　[G 3734
GB Lbm

Young Strephon, by a lonely grove. A
song (in: B. Martin's Miscellaneous Correspondence, vol. II). – *[London], s. n.,
(1757).*　　　　　　　　　　[G 3735
GB Lbm

GREENE Maurice

GEISTLICHE VOKALMUSIK

Forty select anthems in score, composed
for 1, 2, 3, 4, 5, 6, 7, and 8 voices ...
volume first (second). – *London, John
Walsh, 1743.* – P.　　　　　[G 3736
D-brd Hs – EIRE Dcc, Dtc – GB Bu, Cfm, Ckc,
Ctc (4 Ex.), Lbm (3 Ex.), Lcm, Lgc, Ob (2 Ex.),
Och, Ouf, T, WO – US Bm (oder Bth), BE,
Cn, CA, LAuc, R, U, Wc, WC (vol. I)

— *ib., s. d.*　　　　　　　　[G 3737
C Lu (vol. II), Qc (kpl.; vol. I unvollständig) –
D-brd Hs – GB Lam, Lbm (2 Ex.), Lwa, Mp,
Onc, Ooc, Ouf (unvollständig), W (3 Ex.) –
US NH, NYp (2 Ex.)

— *ib., William Randall.*　　　[G 3738
C Tp – GB Lbm, W (unvollständig) – US Pu

— Cathedral music, or Forty select anthems. – *ib., Thomas Bennett.*　[G 3739
C Tu (unvollständig) – GB Ouf – US PHu

— *ib., J. French.*　　　　　[G 3740
GB Lam (unvollständig), Lgc – US Wc

— A new & elegant edition of Dᴿ Greene's Forty select anthems. – *ib.*, *H. Wright.*
[G 3741
C Mm – **EIRE** Dcc – **GB** Lbm, WC – US Pu

— A new and correct edition of forty select anthems. – *ib.*, *Robert Birchall.*
[G 3742
GB Lcm, LVu, SH – US CHH, FW

Six solo anthems perform'd . . . at the Chapel Royal for a voice alone with a thorough bass for the harpsichord or organ. – *London, John Walsh.* – P. [G 3743
GB Bp, Cu, Ge, Lbm, Lcm – S St – US NH, Pu, PHu, Wc, Ws

Blest is the man whose constant feet. Anthem [1 v und bc]. – *London, George Walker.* – P. [G 3744
F Pc

Bow down thine ear, O Lord. Anthem for six voices. – *[London], s. n.* [G 3745
GB Lbm

WELTLICHE VOKALMUSIK

Sammlungen

Catches and canons for three and four voices, to which is added a collection of songs for two and three voices, with a through bass for the harpsichord. – *London, John Walsh.* – P. [G 3746
B Bc – **GB** Ckc, Cu, Cpl, Lam, Lbm, Lcm, Mp, Ob – US AA, Bp, BE, Cn, Wc (2 Ex.)

A cantata and four English songs . . . [1 v/bc, book 1/2]. – *London, John Walsh.* – P. [G 3747
B Bc, Br – F Pc (book 1) – **GB** Bp (unvollständig), Bu, Cu (2 Ex.), Lam (2 Ex.), Lbm, Lcm, Mp (2 Ex.), Ob, Ouf, R – I BGi (book 2) – US Cn (book 1), CA (book 1), NH (book 1), SLug (book 1), Wc (book 2), Ws (book 1)

— [book 2, second edition:] A cantata and English songs . . . book II. – *ib.* [G 3748
F Pc – **GB** Bp – US Cu, NYp, Ws

Cantatas and songs, for the voice, harpsichord, and violin. – *London, Harrison & Co., No. 96.* – P. [G 3749
C Vmclean – **GB** Ckc, Gm, Lbm, Mp, Ouf, T – US MSu

Spenser's Amoretti . . . [25 Sonnette, 1 v/bc]. – *[London], John Walsh.* – P. [G 3750
EIRE Dn – F Pc – **GB** BRp, Ckc, Cu, Ge, Gm, Lbm (3 Ex., davon 1 Ex. unvollständig), Lcm, Lgc, Mp, Ob – S Ssr – US Cu, BE, CA, IO, LAuc, NH, PRu, SLug, Tm, Wc, Ws

— Spenser's Amoretti . . . for the voice, harpsichord, and violin. – *ib.*, *Harrison & Co., No. 86 (–87).* [G 3751
B Bc – **GB** Ckc, Cpl, Gm, Lbm, Lcm, Mp – US CHH, NYp

Einzelgesänge

An ode compos'd for the publick commencement, at Cambridge . . . (in: Quaestiones, una cum carminibus, in magnis comitiis Cantabrigia celebratis). – *Cambridge, s. n., 1730.* [G 3752
US LAuc

After so long a race as I have run. Sonnet (in: The Lady's Magazine, Sept./Oct., 1794). – *[London], s. n., (1794).* [G 3753
GB Lbm

Ah! Syrene charmer. A song. – *s. l., s. n.* [G 3754
GB Lbm, LEbc, Ob – US Ws

[Beneath a beach as Strephon laid. Cantata. – *s. l., s. n.*] [G 3755
GB DRc (fehlt Titelblatt)

Celadon's Iugg [Song], set . . . for the german flute. – *s. l., s. n.* [G 3756
GB CDp, Ge (2 Ex.), Lbm, Ob, Ouf

— Celadon's Jugg [Song]. – *s. l., s. n.* [G 3757
GB Lbm

Charming Silvia [Song]. – *s. l., s. n.* [G 3758
GB Ckc (2 verschiedene Ausgaben), Gm, Lbm (2 verschiedene Ausgaben), Lcm (2 verschiedene Ausgaben), Ob, Ouf – US Ws

Cloe's resolves [Song]. – *s. l., s. n.* [G 3759
GB Lbm (3 verschiedene Ausgaben), Mp, Ob

— . . . (in: London Magazine, 1745). – *[London], s. n., (1745).* [G 3760
GB Lbm

— ... (in: Universal Magazine, vol. II). – *[London], s. n., (1748).* [G 3761
GB Lbm

The departure [Song]. – *s. l., s. n.* [G 3762
GB Lbm, Ob

Did ever swain a nymph adore. Robin's complaint [Song]. – *s. l., s. n.* [G 3763
GB Gm, Lbm (3 Ex., 2 verschiedene Ausgaben) Mch, T

— ... Ungrateful Nancy (in: Edinburgh Magazine, Oct., 1785). – *[Edinburgh], s. n., (1785).* [G 3764
GB Lbm

Faire eyes, myrrour of my mazed heart. Sonnet (in: The Lady's Magazine, Febr., 1795). – *[London], s. n., (1795).* [G 3765
GB Lbm

Fair Sally. – *s. l., s. n.* [G 3766
GB Lbm

Florimel [Song]. – *s. l., s. n.* [G 3767
GB Ckc, CDp, Ge, Lbm, Ob

The fly [two-part song]. – *s. l., s. n.* [G 3768
GB Lbm (2 verschiedene Ausgaben), Ob

— ... (in: The New Universal Magazine, 1752). – *[London], s. n., (1752).* [G 3769
GB Cu

— *London, Robert Falkener.* [G 3770
GB Lbm

Good advice [Song]. – *s. l., s. n.* [G 3771
GB CDp, Ge (2 Ex.), Lbm (2 verschiedene Ausgaben), Lcm (2 verschiedene Ausgaben), Ob

Go rose. A favourite song. – *s. l., s. n.*
[G 3772
GB Cfm, Lbm (2 Ex.), LEc – S Skma – US Cu

— *London, Robert Falkener.* [G 3773
GB Lbm – US U

Hail green fields and shady woods. A favourite catch (in: Lady's Magazine, Aug., 1775). – *[London], Bigg & Cox, (1775).*
[G 3774
GB Lbm – US UP

The happy shepherd [Song]. – *[London], T. Wright (Cross).* [G 3775
GB Cfm, Gm – US Ws (2 Ex.)

Happy ye leaves. Sonnet (in: The Lady's Magazine, Jan., 1795). – *[London], s. n., (1795).* [G 3776
GB Lbm

Henry and Katharine [Song]. – *s. l., s. n.*
[G 3777
GB Lbm

In vain the force of female arms. Chloe [Song] (in: Gentleman's Magazine, vol. VIII). – *[London], s. n., (1738).* [G 3778
GB Lbm

— ... a new song. – *s. l., s. n.* [G 3779
[2 verschiedene Ausgaben:] GB Lbm, Ckc – US Ws

Life is chequer'd [Song]. – *s. l., s. n.*
[G 3780
GB Ckc, Lbm (2 verschiedene Ausgaben) – US NYp

The merry cuckoo, messenger of spring. Favourite sonnet (in: The Lady's Magazine, May, 1795). – *[London], s. n., (1795).* [G 3781
GB Lbm

O Princess Amelia [Song]. – *s. l., s. n.*
[G 3782
GB Lcm

The pangs of forsaken love [Song]. – *s. l., s. n.* [G 3783
GB Lbm

Prythee foolish boy, give o'er. Favourite catch (in: Lady's Magazine, June, 1794). – *[London], s. n., (1794).* [G 3784
GB Lbm

The rolling wheele, that runneth often round. Sonnet (in: The Lady's Magazine, April, 1795). – *[London], s. n., (1795).*
[G 3785
GB Lbm

The snow drop [Song]. – *s. l., s. n.*
[G 3786
A Wgm – GB CDp, Ge, Lbm – US Cu

Sweet Annie, fra' the sea beach came. Scots sang. – *s. l., s. n.* [G 3787

GB Ckc, Lbm (3 verschiedene Ausgaben), Mp, Ob – US Bp, Wc

True love [Song]. – *s. l., s. n.*   [G 3788
GB Ge, Lbm (2 verschiedene Ausgaben), Ob

While blooming youth. An ode. – *s. l., s. n.*   [G 3789
GB CDp, Ge, Lbm (2 verschiedene Ausgaben), Ob

Ye nymphs of Bath prepare the lay. On Princess Emilia [Song] (in: Bickham's Musical Entertainer, vol. I). – *[London], G. Bickham, (1737).*   [G 3790
GB Lbm

Ye tradeful merchants, that with weary toyle. Sonnet (in: The Lady's Magazine, March, 1795). – *[London], s. n., (1795).*
[G 3791
GB Lbm

You bid me, charming Cælia [Song]. – *s. l., s. n.*   [G 3792
GB CDp, Lbm

— . . . a song. – *London, s. n.*   [G 3793
GB Ge, Lbm

INSTRUMENTALWERKE

Six overtures [D, G, C, E, D, Es] for violins, german flutes, hoboys &c. in seven parts. – *London, John Walsh.* – St.
[G 3794
GB Lam (kpl.: 7 St.), Lbm (2 Ex.), Mp – US LOu, NYp (vl II, vlc)

— Six overtures for the harpsicord or spinnet . . . being proper pieces for the improvement of the hand. – *London, John Walsh.*   [G 3795
GB Lbm, T – S Skma

A collection of lessons for the harpsicord [15 Sonaten]. – *London, John Johnson.*
[G 3796
B Bc – C Vu – CH Gpu – GB Cfm, Ckc, Cu, CDp, Lbm (2 Ex.), LVu, O, R, T – J Tn – US BE, NH, NYp, R, Wc, Ws, WGw

A collection of lessons for the harpsicord . . . 2ᵈ book. – *London, John Walsh.*
[G 3797
GB Cfm – US U (s. n.)

Twelve voluntarys for the organ or harpsichord. – *London, John Bland.*   [G 3798
C Tu – GB Lbm, Lcm – US AA

A favourite lesson for the harpsichord. – *London, Thompson.*   [G 3799
B Bc

[Lesson for the harpsichord. – *s. l., s. n.*]
[G 3800
B Bc (fehlt Titelblatt)

GREETING Thomas

The pleasant companion: or, new lessons and instructions for the flagelet [mit 46 Melodien]. – *London, John Playford, 1672.*
SD   [G 3801
GB Cu

— . . . [mit 59 Melodien]. – *ib., 1673.*
SD 1673⁵   [G 3802
GB Ob – S Skma – US Wc

— . . . [mit 70 Melodien]. – *ib., 1680.*
SD   [G 3803
GB Cu, Lcm – US Ws

— . . . [mit 79 Melodien]. – *ib., 1682.*
SD   [G 3804
GB Lbm

— . . . the seventh edition [mit 79 Melodien]. – *ib., 1688.*   [G 3805
SD
GB Ge

GREGOR Christian

Choral-Buch, enthaltend alle zu dem Gesangbuche der evangelischen Brüder-Gemeinen vom Jahre 1778 gehörige Melodien [für Singstimme mit bc]. – *Leipzig, Breitkopfische Buchdruckerei, 1784.*
[G 3806
D-brd KImi, Mbs (2 Ex.), Sl – D-ddr HER, WRh – DK Kk (2 Ex.) – NL DHgm – US BETm, HA, Pu

— . . . [veränderte Auflage für die Schweiz]. – *Tübingen, Ludwig Friedrich Fues, 1794.*
[G 3807
D-ddr HER

— *Barby, s. n. (Buchdruckerei), 1799.*
[G 3808
D-brd Bhm, Mbs, Rp, Tu – **D-ddr** HER – **US**
BETm, Cn, Hm

— . . . dritte und neu revidirte Auflage. –
*Gnadau, Christoph Ernst Senft (Oschatz,
Friedrich Oldecop), 1820.*   [G 3809
D-brd Bhm – **D-ddr** HER

Die gewöhnlichsten Choral-Melodien der
Brüdergemeinen, vierstimmig ausgeschrieben. – *Barby, s. n., 1802.*   [G 3810
D-ddr HER (2 übereinstimmende Ausgaben,
davon 1 Ausgabe ein undatierter Vorabdruck
ohne Impressum mit dem Titel: . . . als Mspt
[!] vierstimmig ausgeschrieben . . . von Conrad Schilling)

GREGORI Annibale

GEISTLICHE WERKE

Cantiones ac sacrae lamentationes singulis vocibus concinendae cum basso continuo praesertim ad clavicymbalum . . .
opus V. – *Siena, s. n. (S. Sottile), 1620.* – P.
[G 3811
GB Lbm

Sacrarum cantionum, quae binis, ternis,
quaternis vocibus concinuntur, liber secundus, opus septimum. – *Roma, Giovanni Battista Robletti, 1625.* – St.
[G 3812
I Sc (S II, org)

Sacrarum cantionum, quae binis, ternis,
quaternis vocibus concinuntur, liber tertius, opus VIII . . . cum basso ad organum. – *Venezia, Bartolomeo Magni, 1635.*
– St.   [G 3813
GB Ge (S I)

WELTLICHE WERKE

Il primo libro de madrigali a cinque voci.
– *Venezia, stampa del Gardano, appresso
Bartolomeo Magni, 1617.* – St.   [G 3814
I Bc (kpl.: S, A, T, B, 5)

Ariosi concenti cioè la ciaccona, ruggieri,
romanesca, più arie a 1 & 2 voci da cantarsi nel gravicembalo o tiorba . . . ope-

ra IX. – *Venezia, Bartolomeo Magni, 1635.*
[G 3815
I Sc

GREGORI Giovanni Lorenzo

[Op. 1]. Arie in stil francese a una e due
voci. – *Lucca, Bartolomeo Gregori, 1689.* –
P.   [G 3816
B Bc – **GB** Lbm – **I** Bc, Fc

Op. 2. Concerti grossi a più stromenti, due
violini concertati, con i ripieni, se piace,
alto viola, arcileuto, o violoncello, con
il basso per l'organo . . . opera seconda. –
Lucca, Bartolomeo Gregori, 1698. – St.
[G 3817
GB Lbm (kpl.: vl I, vl II, vla, vlc, org) – **I** Bc

Op. 3. Cantate da camera a voce sola . . .
opera terza. – *Lucca, Bartolomeo Gregori,
1699.* – P.   [G 3818
I Fc, Lg

— *ib., 1709.*   [G 3819
GB Lbm (unvollständig)

[Op. 5]. Concerti sacri per ogni tempo a
una, e due voci con stromenti, e senza . . .
opera quinta. – *Lucca, Bartolomeo Gregori, 1705.* – St.   [G 3820
I Sd (vl I, vlc)

GREINER Johann Theodor

Six sonates [D,D,G,G,C,C] pour deux flûtes traversières . . . opera prima. – *Amsterdam, G. Schwäbe & D. Diller.* – St.
[G 3821
CH Zcherbuliez (fehlt fl I) – **S** Skma

— [Übereinstimmung und Zuweisung
fraglich:] VI Duetto per flauto traverso. –
Paris, Mme Bérault; Metz, Kar. [G 3822
F Pn

Six simphonies [G, D, F, B, G, Es] à
deux violons, taille et basse, deux hautbois et flûtes, deux cornes de chasse . . .
opera seconda. – *Amsterdam, Johann
Julius Hummel, No. 297.* – St.   [G 3823
D-ddr Dl (kpl.: 8 St.) – **S** Skma, St, SK (vl I,
bc [2 Ex.])

Simphonie périodique [G] à deux violons, taille, & basse, flûtes ou hautbois & cornes de chasse ... N° XIX. – *Amsterdam, Johann Julius Hummel, No. 218.* – St.
[G 3824
S L (kpl.: 9 St.)

GRENERIN Henry

Livre de guitarre et autres pièces de musique meslées de symphonies avec une instruction pour jouer la basse continue. – *Paris, Bonneuil (gravé par Hierosme Bonneuil), (1680).*   [G 3825
F Pc

GRENET François-Lupien

Le triomphe de l'amitié. Divertissement ... chantés ... à Fontainebleau le 15 octobre 1714. – *Paris, Robineau, Roussel, Blezimar (gravé par Roussel).* – P.
[G 3826
F Pn

Le triomphe de l'harmonie. Ballet héroïque ... représenté pour la Ière fois par l'Académie royale de musique le 9e may 1737. – *Paris, auteur, Mme Boivin, Le Clerc (gravé par De Gland), (1737).* – P.   [G 3827
A Wn – F AG, LYm, Pa, Pc, Pmeyer, Pn (2 Ex.), Po (2 Ex., davon 1 Ex. ohne Titelblatt), TLm, V (2 Ex.) – GB Lbm – US Wc

Apollon, berger d'Admette. Nouvel acte adjouté au Triomphe de l'harmonie. – *Paris, Vve Boivin, Le Clerc; Lyon, auteur, de Bretonne, (1745).* – P.   [G 3828
F LYm, Pc, Pn – US Wc

GRENIER

L'amour se plaît dans les allarmes [Air] (in: Mercure de France, oct., 1772). – *[Paris], s. n., (1772).*   [G 3829
GB Lbm

GRENINGER Augustin

Cantiones sacrae, una, duabus, tribus vocibus, cum et sine instrumentis ...

opusculum tertium. – *Augsburg, [Gottlieb Göbel], 1681.* – St.   [G 3830
F Sgs (vox II, vox III, vl I, vl II)

GRENSER Johann Friedrich

Six trios [C, G, D, A, C, B], quatre à deux flûtes & basse, deux à flûte, violon & basse ... œuvre premier. – *Berlin, Johann Julius Hummel; Amsterdam, grand magazin de musique, No. 144.* – St.   [G 3831
B Bc (kpl.: fl I, fl II/vl, b) – DK Kk – S Skma

GRENVILLE

O Lord our God our songs to thee. A hymn for two voices. – *London, G. Walker.*
[G 3832
GB Lbm

GRESHAM William

Psalmody improved, containing upwards of seventy portions of the psalms of David, and thirteen hymns ... also Te Deum, Jubilate Deo, Cantate Domino, and Deus misereatur, (composed by the editor). – *London, Preston & son, for the editor.*
[G 3833
GB Lbm – US Wc (2 Ex.)

— ... [andere Ausgabe]. – *ib., Preston, for the editor.*   [G 3834
GB Lbm, Mp

The cypress wreath. A song from Rokeby. – *London, Preston.*   [G 3835
C Qu

GRESNICH Antoine-Frédéric

Musik zu Bühnenwerken

Alceste

Ah! ti lascio amato bene. Duetto. – *[London], Longman & Broderip.* – P.
[G 3836
B Bc – GB Gu, Lbm, Ob – US Wc

Deh risplendi. Duettino. – *[London], Longman & Broderip.* – P.   [G 3837
GB Gu, Lbm, Ob – US BE

Deh t'affretti, astri tiranni. – *[London]*, *Longman & Broderip*. – P.   [G 3838
GB Gu, Lbm, Ob

Quando sarà quel di. – *[London]*, *Longman & Broderip*. – P.   [G 3839
GB Gu, Lbm, Ltm, Ob – **I** Gi

Quel labro adorato. – *[London]*, *Longman & Broderip*. – P.   [G 3840
GB Gu, Lbm, Ob

Scherza il nocchier talora. – *[London]*, *Longman & Broderip*. – P.   [G 3841
GB Lbm, Ob – **I** Gi

Se libera non sono. – *[London]*, *Longman & Broderip*. – P.   [G 3842
GB Gu, Lbm, Ob

Le baiser donné et rendu

Le baiser donné et rendu. Comédie en un acte et en prose, représenté à Paris sur le Théâtre des amis de la patrie, le 27 pluviose l'an 4ᵉ ou le 16 février 1796.   – *Paris, Cochet.* – P.   [G 3843
B Bc – **F** Pc – **US** Wc

L'enfant prodigue

[L'enfant prodigue]. – *s. l., s. n.* – P.
                 [G 3844
F Pc (fehlt Titelblatt)

Les faux mendians

Les faux mendians. Opéra en un acte. – *Paris, Vogt, Vve Goulden (gravé par Van Jxem).* – P.   [G 3845
[2 verschiedene Ausgaben:] **B** Bc – **D-ddr** Dl – **F** Pc (2 verschiedene Ausgaben, davon 1 Ausgabe ohne Titelblatt), Pn – **GB** Lbm – **US** Wc (mit mehreren Etiketten)

Ouverture . . . arrangée pour deux violons par M. J. Gebauer. – *Paris, Vogt, Vve Goulden.* – St.   [G 3846
F Pn (kpl. [2 Ex.])

— . . . arrangée en duo pour deux clarinettes par G. Gebauer. – *ib., Vogt, Vve Goulden.* – St.   [G 3847
F Pn (kpl. [2 Ex.])

— . . . arrangée pour le fortepiano, avec accompagnement d'une flûte, ou violon et violoncelle ad libitum par Walter. – *ib., Vogt, Vve Goulden.* – St.   [G 3848
F Pn (kpl.: pf, vl, vlc)

La femme, je le savons bien [!]. Air . . . avec accompagnement de piano-forte par Walter. – *Paris, Vogt, Vve Goulden.*
                 [G 3849
F Pn

Il n'est pas jour encore. Air . . . arrangé pour piano ou harpe par J.-B. Auvray. – *Paris, Vogt, Vve Goulden.*   [G 3850
F Pn

Maint écrivain d'un grand talent. Air . . . arrangé pour le piano par Walter. – *Paris, Vogt, Vve Goulden.*   [G 3851
F Pn

Nous n'avons pas en partage. Air . . . arrangé pour piano ou harpe par J. B. Auvray. – *Paris, Vogt, Vve Goulden.*   [G 3852
F Pn

Vous qui passés dans l'abondance. Romance . . . arrangé pour le piano par Walter. – *Paris, Vogt, Vve Goulden.*   [G 3853
F Pn

Voyez-vous ce parasite. Vaudeville . . . avec accompagnement de piano-forte par Walter. – *Paris, Vogt, Vve Goulden.*
                 [G 3854
F Pn

La forêt de Sicile

La forêt de Sicile. Opéra en deux actes. – *Paris, Vogt (gravé par Michot), (1798).* – P.   [G 3855
B Bc – **F** Pc (2 Ex.) – **US** BE (Etikett: Montpellier, Pujolas), Wc

Ouverture . . . arrangée pour le piano avec accompagnement d'un violon . . . par Sehnal. – *Paris, Vogt.* – P.   [G 3856
F Pn

L'heureux procès, ou Alphonse et Léonore

L'heureux procès, ou Alphonse et Léonore. Opéra en un acte, représenté sur le Théâtre Feydeau. – *Paris, Vogt, (Vve Goulden).* – P.   [G 3857
[2 verschiedene Ausgaben:] **B** Bc – **D-ddr** Dl – **F** Pc (3 Ex., 2 verschiedene Ausgaben), Pn – **US** Bp, Wc

L'amant jure d'aimer. Air ... avec ac-
comp^{nt} de piano par Walter. – *Paris,
Vogt, Vve Goulden.* – KLA.   [G 3858
DK Kk

Ce jeune homme. Duo ... accompagne-
ment de piano par Walter. – *Paris, Vogt,
Vve Goulden.* – KLA.   [G 3859
CH Bchristen – **DK** Kk

C'est une femme. Duo ... accompagne-
ment de piano par Walter. – *Paris, Vogt,
Vve Goulden.* – KLA.   [G 3860
DK Kk

De vous plaindre. Air ... avec accom-
pagnement de piano par Walter. – *Paris,
Vogt, Vve Goulden.* – KLA.   [G 3861
DK Kk

L'eau qui fuit. Air ... avec accompagne-
ment de piano par Walter. – *Paris, Vogt,
Vve Goulden.* – KLA.   [G 3862
DK Kk

Heureux transport des vrais amants.
Rondo ... avec accompagnement de piano par Walter. – *Paris, Vogt, Vve Goulden.* – KLA.   [G 3863
DK Kk – **F** Pn

— ... accompagnement de guittare par
Chauvet. – *ib., Vogt.*   [G 3864
S Skma

Le sage Ariste. Vaudeville ... accom-
pagnement de piano par Walter. – *Paris,
Vogt, Vve Goulden.* – KLA.   [G 3865
DK Kk

Scène de L'heureux procès, ou Alphonse
et Léonore. – *Paris, Vogt, Vve Goulden.* –
KLA.   [G 3866
DK Kk

Le savoir-faire

C'est toi qu'il faut chérir. Rondeau [à 1 v]
du Savoir-faire. – *Paris, Cochet.* [G 3867
F Pc

VOKALMUSIK

Sammlungen und Einzelgesänge

Recueil d'airs, romances et duo, avec accompagnement de clavecin ou forte pia-

no. – *Lyon, auteur, Castaud; Paris, aux
adresses ordinaires, Beraud.* – KLA.
        [G 3868
F G

La Créole d'Artibonide. Nouvelle romance avec accompagnement de piano ou
harpe et violon ou flûte ad libitum. –
Paris, Vogt. – P.   [G 3869
F Pn

Espoir doux et trompeur. Nouvelle romance avec accompagnement de piano
ou harpe et violon ou flûte ad libitum. –
Paris, Vogt, No. 7. – P.   [G 3870
F Pn

Hier au soir à ma Thémire. Le petit bruit.
Romance avec accompagnement de forte
piano ou harpe et violon ou flûte ad libitum. – *Paris, Vogt.* – P.   [G 3871
F Pn

Je croyais mes beaux jours perdus. Nouvelle romance avec accompagnement de
piano ou harpe et flûte ou violon ad libitum. – *Paris, Vogt.* – P.   [G 3872
F Pn

Je vais revoir la beauté. Romance avec
accompagnement de forte-piano ou harpe
et violon ou flûte ad libitum. – *Paris,
Vogt.* – P.   [G 3873
F Pc, Pn

Mouvons, mouvons. Romance [1 v/hf/pf].
– *Paris, Pleyel, No. 32.* – KLA. [G 3874
S Skma

Questa è la bella face. Nouveau duo italien avec accompagnement de forte-
piano ou harpe et violon ou flûte ad
libitum. – *Paris, Vogt, No. 5.* – P.
        [G 3875
F Pn

Rien n'est si doux. La nécessité d'aimer.
Nouveau rondeau avec accompagnement
de forte-piano ou harpe et violon ou flûte
ad libitum. – *Paris, Vogt.* – P.   [G 3876
F Pc, Pn

Plaisir d'amour, trio. – *Paris, Vogt, Vve
Goulden.* – P.   [G 3877
F Pn

Le portrait de Rosette. Romance avec accompagnement de piano ou harpe et flûte ou violon ad libitum. – *Paris, Vogt, No. 8.* – P.   [G 3878
F Pn

Se tutti mali miei. Nouvelle ariette italienne avec accompagnement de forte-piano ou harpe et violon ou flûte ad libitum. – *Paris, Vogt.* – P.   [G 3879
F Pn

Le véritable amant. Ariette nouvelle avec accompagnement de forte-piano ou harpe et violon ou flûte ad libitum. – *Paris, Vogt.* – P.   [G 3880
F Pn

Rondo . . . chanté . . . au concert spirituel 1782. – *s. l., s. n. (gravé par Mme Morin).* – St.   [G 3881
US Wc (Singstimme und Instrumentalstimmen)

INSTRUMENTALWERKE

Simphonie concertante [B] pour clarinette et basson principale. – *Paris, Pleyel (écrit par Ribière), No. 89.* – St.   [G 3882
D-brd HR (vl I, vl II, vla, b, ob I, ob II, cor I, cor II, fag) – D-ddr Dl (cl, fag, vl I, vl II, vla, vlc, ob I, ob II) – S Skma (vl I, b)

GRESSET Jean-Baptiste-Louis

Ah! que n'es-tu ma minette! Ariette nouvelle avec accompt de guitare pr Mr. Alberti. – *Paris, Camand.*   [G 3883
GB Lbm

[Bergers fidèles, sans les amours. Aria (für Singstimme und 2 Streichinstrumente)]. – *s. l., s. n.* – P.   [G 3884
CH DE (ohne Titelblatt)

Chantés . . . petits oiseaux. Les petits oiseaux. Ariette. – *s. l., s. n.*   [G 3885
CH BEl

— *s. l., Le Fort.*   [G 3886
GB Lbm

— *[Paris], Bignon.*   [G 3887
GB Lbm

La constance. Ariette en symphonie. – *Paris, Le Menu (gravée par Ribart).* – St.   [G 3888
F Pa (vl I, vl II)

Ecoute un amant. Ariette avec simphonie. – *Paris, Hugard de St. Guy.* – St. [G 3889
F Pa (vl I, vl II)

[J'entends gémir dans ce séjour. Pastoralle (à 1 v)]. – *[Paris], Bignon, No. II.*   [G 3890
CH DE (ohne Titelblatt)

La jeune Iris. L'amour désarmé. – *Paris, Hugard de St. Guy.* – St.   [G 3891
F Pc (kpl.: v/b, vl I/vl II)

Le soleil baise sans nuage. Air . . . avec accompagnement de guitare par Alberti. – *Paris, Camand.*   [G 3892
GB Lbm

Sous un riant et verd feuillage. Romance nouvelle [à 1 v/b]. – *Paris, Hugard de St. Guy.*   [G 3893
F Pa, Pc

Venés petits oiseaux. Les petits oiseaux. Pastoralle en rondeau. – *Paris, Hugard.* – St.   [G 3894
F Pa (kpl.: v/b, vl, b), Pc

Vivre sans amour, c'est hâter la vieillesse [Air]. – *[Paris], Bignon.*   [G 3895
GB Lbm

GRESSLER Friedrich Salomon

Gesänge edler deutscher Patrioten. – *s. l., s. n., No. 114.*   [G 3896
D-ddr WRtl

Sechs Sonaten [F, a, Es, B, G, D] für das Klavier. – *Leipzig, Schwickert.*   [G 3897
B Bc (2 Ex.) – D-brd KNmi – D-ddr GOl – GB Ckc – US AA

GRÉTRY André-Erneste-Modeste

MUSIK ZU BÜHNENWERKEN

L'amant jaloux (Les fausses apparences)

L'amant jaloux. Comédie en trois actes, représentée . . . le 20 novembre 1778 . . .

œuvre XV. – *Paris, Houbaut (Huguet)*. –
P. (und St.) [G 3898
A Gk, M, Wn (St.) – **B** Bc (2 Ex.), Br – **BR**
Rem, Rn – **CH** Bu, C, Gc (2 Ex.; Etikett: Le-
jeune), Gpu (St.) – **CS** Pnm – **D-brd** B, F (St.),
BOCHmi, Hs, KNh, Mbs, MÜs – **D-ddr** Dl,
LEm, SWl, WRtl – **DK** Kk (2 Ex.) – **F A** (3
Ex.), Lc, Lm (St.), LYc, NS, Pc (5 Ex., davon
1 Ex. unvollständig; St.), Pn (2 Ex.), R, Sim,
TLc – **GB** Lbm (3 Ex., davon 1 Ex. unvoll-
ständig), LVu – **I** BGi, MOe, Nc, Vgc – **NL**
Uim – **PL** Wu – **S** St – **US** Bp, BE, Cn, CHH,
I (2 Ex.), R (2 Ex.), U, Wc – **USSR** Mk

— . . . (N° 14 de la collection des opéras
de Grétry). – *ib., J. Frey*. – P. [G 3899
A Wgm, Wn – **CH** BEk

Ouverture . . . arrangée en quatuor pour
deux violons, alto et violoncelle, par M.
Meunier. – *Paris, Bignon, auteur, No. 20.*
– St. [G 3900
F Pc (fehlt vlc) – **S** Skma (kpl.: vl I, vl II, vla,
vlc)

— Ouverture . . . arrangée en quatuor
pour violons, alto et basse ou pour tout
l'orchestre par C. Stumpff. – *ib., Le Menu*
& Boyer. – St. [G 3901
US Wc

— Ouverture . . . arrangée pour le clavecin . . . avec accompagnement d'un violon
et violoncelle ad libitum, par Benaut. –
ib., Levasseur, Castagnery. – St. [G 3902
F Pc (clav [2 Ex.], vl, vlc [2 Ex.])

— Ouverture . . . arrangée pour le clave-
cin et un violon par J. L. Adam. – *ib.,*
Le Marchand. – P. [G 3903
F Pc

— Ouverture . . . arrangée pour le clavecin . . . avec accompagnement de violon
ad libitum par M. Neveu. – *ib., de La Che-*
vardière. – St. [G 3904
F Pc (clav), Pn (clav [2 Ex.])

— Ouverture . . . [pf, vl]. – *s. l., s. n.* – St.
[G 3905
GB Lbm (vl)

— Ouverture . . . arrangée pour deux vio-
lons . . . par M^{xxx}, amateur. – *Paris,*
Thomassin. – St. [G 3906
F Pn (vl I, vl II)

— Ouverture . . . arrangée en duo pour
deux violons par M. Vanhecke. – *ib.,*
Frère. – St. [G 3907
F BO (vl I, vl II, vlc)

— Ouverture . . . accommodée pour le
clavecin par l'Abbé Starck. – *Mainz,*
Schott, No. 7. [G 3908
D-brd MÜu

Ouverture et morceaux arrangés en duo
pour deux violons ou pour flûte et violon
par M. Meunier. – *Paris, Bignon, No. 20.* –
St. [G 3909
F Pn (vl I, vl II)

Ariettes et duo détachés. – *Paris, Bignon.*
[G 3910
A Wgm – **F** V

Airs détachés. – *Paris, Houbaut*. – P.
[G 3911
F Pc (2 Ex.)

Airs à une voix. – *s. l., s. n.* [G 3912
F V

[Zwei einstimmige Airs:] (in: Petite biblio-
thèque des théâtres). – *Paris, Bélin,*
Brunet, 1787. [G 3913
CH Bu

D'abord amants soumis et doux. Ariette.
– *s. l., s. n.* [G 3914
CH BEl, Zcherbuliez

Je romps la chaîne. Ariette . . . accom-
modée pour le clavecin par l'Abbé
Starck. – *Mainz, Schott, No. 9.* – KLA.
[G 3915
CH En – **D-brd** LA

[Je sens bien que votre hommage . . .
Duo]. – *s. l., s. n.* [G 3916
CH Zcherbuliez (ohne Titelblatt)

[Q'une fille de quinze ans. Andantino]. –
s. l., s. n. [G 3917
CH DE (ohne Titelblatt, mit Etikett: Mlle
Castagnery; mit 3 weiteren Stücken)

— . . . Ariette . . . accommodée pour le
clavecin par l'Abbé Starck. – *Mainz,*
Schott. – KLA. [G 3918
CH Zz

Tandis que tout sommeille dans l'ombre de la nuit. Ariette. – *Paris, s. n.*   [G 3919
CH BEl – **GB** Lbm (2 Ex.)

L'ami de la maison

L'ami de la maison. Comédie en trois actes et en vers mêlée d'ariettes, représentée . . . le 26 octobre 1771. – *Paris, Houbaut; Lyon, Castaud (Dezauche, Montulay).* – P. (und St.)   [G 3920
A Wgm, Wn – **B** Bc (2 Ex.), Br, Gc – **CH** Bu, C, Gc – **D-brd** B, BNba, BOCHmi, DO, Hs, HR, KNh, Rp, Mbs (2 Ex.) – **D-ddr** Dl, GOl, SWl – **DK** Kk, Kv (fehlt Titelblatt) – **F** A (2 Ex.), G, Lc, Lm (P. und St.), LYm, NAc, Pc (7 Ex.; P. und St.: vl I, ob II, cor I, cor II), Pn (2 Ex.; P. und St. [fehlt fag]), Po, R, Sn, TLc, V (2 Ex.; P. und St. [fehlt ob I]) – **GB** Ckc, Lbm – **I** MOe, Nc, Sac – **NL** Uim – **S** Skma, St, Ssr – **US** Bp, BE, Cn, CHH, I, NYq, PHu, PO, R (2 Ex.; P. und St.), Su, SLC, SLug, Wc (2 Ex.) – **USSR** Mk

— . . . (N° 8 de la collection des opéras de Grétry). – *ib., J. Frey.* – P.   [G 3921
A Wgm, Wn

— . . . par M. Marmontel [Libretto mit 7 p. Arien]. – *ib., Vente, 1771.*   [G 3922
F Pc

— *ib., 1772.*   [G 3923
CH Wn – **F** Pc

— . . . [Libretto]. – *ib., 1782.*   [G 3924
A Wn

Ouverture et morceaux, arrangée en quatuor pour deux violons, alto et violoncelle, par M. Meunier. – *Paris, Bignon, auteur, No. 18.* – St.   [G 3925
S Skma (vl I, vl II, vla, vlc)

— Ouverture . . . arrangée pour le clavecin avec accompagnement d'un violon et violoncelle ad libitum, par Benaut. – *ib., Levasseur, Castagnery.* – St.   [G 3926
F Pc (kpl.: clav [3 Ex.], vl, vlc [2 Ex.])

— Ouverture . . . arrangée pour le clavecin avec un violon ad libitum, par Clément. – *ib., Le Menu & Boyer.* – St. [G 3927
F Pc (clav [2 Ex.]), Pn

— Ouverture . . . arrangée pour deux violons, par Vanhecke. – *ib., Frère.* – St.
  [G 3928
F Pn (vl I, vl II)

— Ouverture . . . arrangée en duo pour deux violons. – *ib., Imbault.* – St.   [G 3929
F Lm (vl I)

Recueil d'ariettes et duo. – *s. l., s. n.* – P. (72 p.)   [G 3930
F V

Recueil d'airs. – *s. l., s. n.* – P. (46 p.)
  [G 3931
F Pc

[Airs à une voix:] Si quelque fois tu sais; Rien ne plaît tant aux yeux des belles; Ah! dans ces fêtes que de conquêtes; Quand un cœur sort de l'esclavage. – *s. l., s. n.*   [G 3932
F Pc

Ah! dans ces fêtes que de conquêtes. Ariette. – *s. l., s. n.*   [G 3933
CH BEl

Ah je triomphe de son cœur, je suis aimé. Ariette. – *s. l., s. n.*   [G 3934
CH BEl

Je suis de vous très mécontent. Ariette. – *s. l., s. n.*   [G 3935
CH BEl, DE (mit 3 weiteren Stücken)

Rien ne plaît tant aux yeux des belles. Air avec accompagnement de clavecin . . . – *s. l., s. n.* – P. (und St.).   [G 3936
CH BEl – **F** V – **GB** Lbm – **S** St (v/vlc, vl I, vl II, vlc obl., fl I, fl II, cor I, cor II)

Si quelque fois tu sais ruser amour. Ariette. – *Paris, Girard.* – St.   [G 3937
S St (v/vlc, vl I, vl II, vla, fl I, fl II, cor I, cor II)

Ariette pour une basse taille ou bas dessus. – *Paris, Girard.*   [G 3938
F Pc
vgl. auch [G 4577

L'amitié à l'épreuve

L'amitié à l'épreuve. Comédie en deux actes mêlée d'ariettes, représentée . . . le 13 novembre 1770. – *Paris, aux adresses ordinaires; Lyon, Castaud (Dezauche, Montulay).* – P. (und St.)   [G 3939
A Wn – **B** Bc (3 Ex.) – **C** Tu – **CH** Gc – **D-brd** Bim, HR, KNh, Mbs (2 Ex.), MZsch, W – **D-ddr** Dl, LEm, SWl – **DK** Kk – **F** A, BO, G,

Lc, NAc, Pc (11 Ex.), Pn (2 Ex.), R, TLc, V –
GB Er, Lbm, Ltm (St.), LVu – I Nc, Mc, MOe –
NL At, Uim – S Skma, St – US BE, Bp, I,
LAusc, R, U, Wc

— . . . en trois actes. – *ib., (1786).* – P.
(und St.)   [G 3940
B Bc, Br, Gc – CH Gc – D-brd BOCHmi,
MZsch (St.) – DK Kk – F Lm (St.) – GB Cpl,
Ltm – S St (St.) – US Cn

— . . . (N° 6 de la collection des opéras de
Grétry). – *ib., J. Frey.* – P.   [G 3941
A Wgm, Wn

— . . . les paroles sont de MM^xxx & Favart
[Libretto]. – *ib., Vve Simon & fils, 1777.*
                                             [G 3942
GB Lbm

— . . . [Libretto]. – *ib., 1782.*   [G 3943
A Wn

— . . . en trois actes. – *ib., Imbault.* – P.
                                             [G 3944
USSR Mk

Ouverture . . . à deux violons, viola,
fagotta et basse . . . – *Amsterdam, Markordt.* – St.   [G 3945
D-brd AM (vl I, vl II, vla, vlne, ob/ fl I, fl
II, cor I, cor II, fag), MÜu

— Ouverture . . . arrangée pour le clavecin . . . avec accompagnement d'un violon
et violoncelle ad libitum, par M. Benault.
– *Paris, auteur.* – St.   [G 3946
D-brd DO – F Pc (clav [2 Ex.], vlc)

— Ouverture . . . arrangée pour le clavecin . . . avec accompagnement de violon,
par M. Mezger. – *ib., Boyer, Le Menu.* –
St.   [G 3947
F BO

— Ouverture . . . arrangée en duo pour
deux violons, par M. Vanhecke. – *ib.,
Frère.* – St.   [G 3948
F Pn

— Ouverture . . . pour le clavecin avec
l'accompagnement d'un violon, arrangée
par M. G. Neumann. – *Amsterdam, Vve
Markordt & fils.* – St.   [G 3949
NL At (clav) – S Skma

Ariettes et duos. – *s. l., s. n.* – P. [G 3950
F V

Airs détachés. – *Paris, Houbaut (Dezauche, Montulay).*   [G 3951
F Pn

Du dieu d'amour. Ariette. – *Paris, Girard.* – St.   [G 3952
F Pc (v/vlc, vl I, vl II, fl I, fl II, cor I, cor II,
vla, hf), Pn – GB Lbm – S St (fehlt vl II)

— *Edinburgh, C. Elliot (J. Corri).* – P.
                                             [G 3953
I Mc

Je part [!] rien ne m'arrête. Terzetto. –
Amsterdam, S. Markordt, No. E. – P.
                                             [G 3954
CH Zcherbuliez

Mon âme est dans un trouble extrême.
Ariette. – *s. l., s. n.*   [G 3955
F Pn

Non jamais, jamais. Ariette. – *s. l., s. n.*
                                             [G 3956
F Pn

Oui, noir mais pas si diable. Air avec accompagnement de harpe ou clavecin. –
Paris, Frère.   [G 3957
D-brd BNu – D-ddr RU1 – F Pn – GB Lbm
(3 Ex.)

— Air . . . avec accompagnement de guitarre par M^xxx. – *ib., Imbault.*   [G 3958
GB Lbm (2 Ex.)

— *ib., les frères Savigny.*   [G 3959
GB Lbm

— *London, Longman & Broderip.*
                                             [G 3960
GB Lbm, Ob

— Juif n'être pas si tiaple. Air de la Con-
fédération du Parnasse (Air: Oui noir
mais pas si diable.) Avec accompagnement de guittare. – *Paris, Imbault.*
                                             [G 3961
GB Lbm

Qu'il est doux de passer sa vie. Ariette du
jour. – *s. l., s. n.*   [G 3962
F Pn

Sans amour lorsque l'on s'enchaîne on ne
connoit pas son malheur. Air. – *s. l., s. n.*
                                             [G 3963
CH BEl

Si je pense c'est votre ouvrage. Ariette. –
Paris, Girard. – St.   [G 3964
CH BEl – **S** St (v/vlc, vl I, vl II, vla, ob I, ob II,
cor I, cor II)

[Romance ... Air ...]. – *s. l., s. n.* – St.
                                          [G 3965
CH Zcherbuliez (ob I/ fl I, ob II/fl II, vl I, vl II,
v/clav [unvollständig, fehlt Titelblatt])
vgl. auch [G 4575

Amphitryon

A Vénus disoit Junon. Air (in: Mercure de
France, mai 1786). – *[Paris], s. n., (1786).*
                                          [G 3966
GB Lbm

— ... avec accompagnement de guittare.
– *Paris, Imbault.*   [G 3967
GB Lbm

Ingrat! ingrat. Air avec accompagnement
de guittare. – *Paris, Imbault.*   [G 3968
F Pn

Anacréon chez Polycrate

Anacréon chez Polycrate. Opéra en trois
actes, représenté ... le 28 nivôse, an 5
(1797), paroles de J. H. Guy ... œuvre
XXXIV. – *Paris, auteur (Huguet).* – P.
                                          [G 3969
A Wn – **B** Bc, Br (2 Ex.) – **D-brd** BOCHmi, F –
D-ddr LEm – **F** A, Lm, NS, Pc (2 Ex.), Pn –
GB Lbm – **NL** Uim – **S** St – **US** Bp, BE, Eu,
PHu, R, U, Wc

— ... (N° 31 de la collection des opéras
de Grétry). – *ib., J. Frey.* – P.   [G 3970
A Wgm, Wn

De ma barque légère. Air. – *Paris, Sieber, No. 301.*   [G 3971
D-brd Cl

Si des tristes cipres. Air. – *Paris, Cousineau.* – P.   [G 3972
F Pc

Andromaque

Andromaque. Tragédie lyrique en trois
actes, représentée ... le mardi 6 juin 1780
... œuvre XVII. – *Paris, Houbaut.* – P.
(202 p.)   [G 3973
A Wn – **B** Br – **D-brd** HR – **D-ddr** LEm – **GB**
Lbm – **S** Skma – **US** Wc

— *ib., Houbaut.* – P. (219 p.)   [G 3974
B Bc – **F** Pc (3 Ex.), Pn, Po – **GB** Lbm – **I** MOe
– **NL** Uim – **S** Skma – **US** Bp – **USSR** Mk

— ... (N° 17 de la collection des opéras
de Grétry). – *ib., J. Frey.* – P.   [G 3975
A Wgm, Wn – **B** Bc

Airs et duos. – *s. l., s. n.* – P.   [G 3976
F V

Je te laisse ce gage. Air (in: Mercure de
France, juillet 1780). – *[Paris], s. n.,
(1780).*   [G 3977
GB Lbm

Aspasie

Ouverture, arrangée ... par César. –
Paris, Bouin.   [G 3978
B Bc

— Ouverture ... arrangée en quatuor
pour deux violons, alto et basse. – *ib.,
Imbault.*   [G 3979
F BO (vl I, vl II)

— Ouverture ... arrangée pour clavecin,
par M. Lachnith. – *ib., Imbault, No. 107.*
                                          [G 3980
D-brd Rp (clav, vl)

— Ouverture ... arrangée en duo pour
deux violons. – *ib., Imbault.* – St. [G 3981
F Lm (vl I)

Aucassin et Nicolette, ou Les mœurs du bon vieux temps

Aucassin et Nicolette, ou Les mœurs du
bon vieux temps. Comédie en trois actes,
représentée le 30 décembre 1779 ...
œuvre XX. – *Paris, Houbaut (Huguet,
Basset).* – P. (und St.)   [G 3982
B Bc (2 Ex.), Br – **C** Tu – **D-brd** BNu, Hs (St.),
KNh, Mbs – **D-ddr** Dl – **F** A, Lm (St.), TLc,
V, (St. [fehlt timp]) – **GB** Cpl, Lbm – **I** MOe,
Rvat – **IL** J – **NL** Uim – **S** Skma, St (St.), Ssr –
US Bp, BE, Cn (2 Ex.), R (2 Ex.), STu, U, Wc –
USSR Mk

— ... (N° 16 de la collection des opéras
de Grétry). – *ib., J. Frey.* – P.   [G 3983
A Wgm, Wn

Ouverture ... arrangée pour le clavecin
avec accompagnement de violon par C. F.
Fodor. – *Paris, Boyer, Le Menu.*   [G 3984
F Pc (clav, vl), Pn

Duos et ariettes. – *s. l., s. n.* – P. [G 3985

F V

Deux airs (Noble rejeton du sang; Au sein de la tendresse). – *s. l., s. n.*   [G 3986
F Pn

Ariettes détachées. – *Paris, Houbaut (Huguet).* – P.   [G 3987
F Pc, Pn

Allez, allez qu'on apporte mes armes. Aria . . . [mit Begleitung von 2 vla, a-vla, b, 2 ob, 2 cor, tr, timp]. – *s. l., s. n.* – St. [G 3988

NL DHgm (10 St.)

Non je ne puis vivre. Ariette. – *s. l., s. n.* [G 3989

F Lm

Pucelle avec un cœur franc . . . Ariette [a l v]. – *s. l., s. n.*   [G 3990
F Psg

Simple et naïve et joliette Nicolette. Ariette [a l v]. – *s. l., s. n.*   [G 3991
F Psg

Barbe Bleue

Barbe Bleue. Comédie en prose et en trois actes, paroles de M. Sedaine . . . représentée . . . le lundi 2 mars 1789 . . . œuvre XXVIII. – *Paris, auteur (Huguet).* – P. (und St.)   [G 3992
B Bc, Br, Gc – **C** Tu – **CH** Gc – **D-brd** BNu, KNh, KNmi, Mbs – **D-ddr** Dl, LEm – **F** G, Lm (St.), LYm, R, TLc, V (St.) – **GB** Lbm – **I** PAc – **NL** Uim – **S** Skma, St – **US** Bp, BE, DN, I (3 Ex.), PHu, R, Wc

— *ib., Imbault, 1789.* – P.   [G 3993
USSR Mk

— . . . (N° 27 de la collection des opéras de Grétry). – *ib., J. Frey.* – P.   [G 3994
A Wgm, Wn – **CH** BEk

Ouverture . . . arrangée pour le clavecin . . . accompagnement d'un violon. – *Petersburg, Gerstenberg & Dittmar, No. 195.* – St.   [G 3995
S St (clav, vl)

— Ouverture . . . arrangée pour le pianoforte avec accompagnement d'un violon ou flûte. – *Hamburg, J. A. Böhme.* [G 3996
A Wgm (pf)

— Ouverture . . . arrangée pour clavecin . . . par M. Lachnith. – *Paris, Imbault, No. 125.* – St.   [G 3997
D-brd Rp (clav, vl)

— Ouverture und Favorit Duo (Ah je vous rends charmante) fürs Klavier eingerichtet. – *Bonn, Nikolaus Simrock, No. 44.*   [G 3998
CS K – **D-brd** Mmb (Etikett: Hamburg und Altona, L. Rudolphus) – **D-ddr** BD, LEmi

— Ouverture . . . pour le piano forte seul. – *Hamburg-Altona, Rudolphus.* [G 3999
A Wn – **I** Mc

— Ouverture . . . pour le forte piano. – *Wien, Thadé Weigl.*   [G 4000
CS KRa

Ha Falsche! die Thüre offen. Arie mit Begleitung des Piano-Forte (in: Favorit-Gesänge für eine Bass-Stimme ausgewählt und herausgegeben von Joseph Czerny, 3tes Heft). – *Wien, Czerny, No. 573.* [G 4001
A Wgm – **I** MOe

Ja, ja ich gebe deine Schwüre. Duett. – *Wien, Thadé Weigl, No. 640.* [G 4002
A Wst

— *ib., Cappi, No. 243.*   [G 4003
D-brd Cl

Vergib ach theure Schwester sieh'st du nichts? Terzett. – *Wien, Thadé Weigl, No. 646.*   [G 4004
A Wgm – **D-brd** DS

Ausgewählte Stücke für das Forte-Piano. – *Wien, Thadé Weigl, No. 638.*   [G 4005
CS Pu, KRa – **H** Gc

Duette für das Clavier. – *Wien, Cappi, No. 243.*   [G 4006
A Wgm

Aria für das Clavier. – *Wien, Cappi, No. 244.*   [G 4007
A Wgm

March for the pianoforte, violin or flute. –
s. l., s. n.   [G 4008
US Wc

—— Marsch für zwey Flöten. – *Wien, Hoffmeister, No. 358.* – St.   [G 4009
H KE (fl I, fl II)

—— Marche für das Piano Forte. – *ib., Artaria & Co. (J. Seyfried).*   [G 4010
A Wst

—— Marsch mit sieben Variazionen ein-
gerichtet für das Forte-Piano von J.
Posch. – *ib., Eder, No. 364.*   [G 4011
A Wn – CH E – CS Pnm

—— Marche für das Piano-Forte. – *ib.,
T. Mollo, No. M. 1445.*   [G 4012
D-brd Mbs

—— Marsch per piano forte. – *ib., S. Weigl.*
                                               [G 4013
I MOe

—— Marsch [pf]. – *Hamburg, J. A. Böhme.*
                                               [G 4014
D-ddr Dl

La caravane du Caire

La caravane du Caire. Opéra-Ballet en
trois actes, représenté . . . le 30 octobre
1783 . . . œuvre XXII. – *Paris, aux adres-
ses ordinaires; Lyon, Castaud (Huguet,
Basset).* – P.   [G 4015
A Wn – B Bc, Br, Gc – CH Bu – D-brd HR,
KNmi, Mbs – D-ddr Dl, LEm, WRtl – DK
Kk, Kv – F BO, G, Lm, Pc (5 Ex.), Pn, Po,
TLc, TLm – GB Lbm – I MOe, Nc, Rvat – J
Tmc – NL At, Uim – S Skma, St, Ssr – US Bp,
BE, Cn, Eu, I, NYp, R (2 Ex.), Su, U, Wc
(2 Ex.) – USSR Mk

—— *ib., Mlle Jenny Grétry.* – P.   [G 4016
CH Gc

—— . . . (N° 19 de la collection des opéras
de Grétry). – *ib., J. Frey.* – P.   [G 4017
A Wgm, Wn

—— . . . paroles de Morel de Chedeville. –
ib., Morris père & fils. – KLA.   [G 4018
US Cn

Ouverture . . . arrangée pour clavecin
avec accompagnement de violon ad libitum par M. Anderman. – *Paris, Frère.* –
St.   [G 4019
F Pc (clav)

—— Ouverture . . . arrangée pour le clavecin avec violon ad libitum par M. Cesar. –
ib., Le Menu, Boyer, No. 92. – St.
                                               [G 4020
B Bc – F V (vl)

—— Ouverture . . . pour clavecin ou piano
avec accompagnement de violon. – *ib.,
Imbault.* – St.   [G 4021
B Bc

—— Ouverture . . . [Riduzione per flauto o
violino e piano]. – *s. l., s. n.* – P.
                                               [G 4022
I Nc

—— Ouverture . . . pour le pianoforte, avec
accompagnement d'une flûte. – *Hamburg-
Altona, L. Rudolphus; Altona, A. Cranz.*
                                               [G 4023
D-brd LÜh (pf)

—— Ouverture . . . arrangée pour le forte-
piano, avec accompagnement d'une flûte
ou violon. – *Hamburg, Joh. Aug. Böhme.* –
St.   [G 4024
A Wgm (pf) – S Skma

—— Ouverture . . . [pf, vl]. – *s. l., s. n.,
No. 72 P.* – St.   [G 4025
CH E (pf, vl)

—— Ouverture . . . arrangée en duo pour
deux violons par M. Vanhecke. – *Paris,
Frère.* – St.   [G 4026
F Pn

—— Ouverture . . . arrangée en duo pour
deux fluttes. – *ib., Imbault.* – St.
                                               [G 4027
GB Lbm

—— Ouverture . . . [pour 2 violons]. – *s. l.,
s. n.* – St.   [G 4028
F V (vl I, vl II)

—— Ouverture . . . arrangée à quatre mains
pour le piano forté, par Philippe Schenck.
– *Paris, Bonjour, No. 0. 4. I.*   [G 4029
BR Rn

— Ouverture . . . arrangée pour le clavecin ou piano forte. – *Paris, Le Duc.*
[G 4030
NL At

— Ouverture . . . par G. Boulogne pour pianoforte. – *s. l., s. n.*   [G 4031
F Pc

— Ouverture . . . pour clavecin, par Fodor. – *Paris, Imbault, No. # 50.* [G 4032
D-brd KNh – **DK** Kk

— Ouverture . . . pour le pianoforte. – *Köln, P. J. Simrock, No. 19.*   [G 4033
D-ddr Dl

— Ouverture . . . [pf]. – *London, J. Dale.*
[G 4034
GB Lbm, Ob

— Ouverture . . . [pf]. – *Philadelphia, G. Willig.*   [G 4035
US PHf, Wc

— Ouverture . . . [pf]. – *s. l., s. n., No. 44.*
[G 4036
CH Bu (pf)

Après un long voyage. Air. – *s. l., s. n.*
[G 4037
GB Lbm

C'est la triste monotonie. Air arrangé pour le clavecin avec accompagnement de violon obligé par M. Pouteau. – *Paris, Bouin, Castagnery.* – P.   [G 4038
F V – **GB** Lbm

Il amène des Hollandaises. Air arrangé pour le clavecin avec accompagnement de violon obligé par M. Pouteau. – *Paris, Bouin.* – P.   [G 4039
F V – **GB** Lbm

J'abjure la haine cruelle. Air (in: Mercure de France, mars, 1784). – *[Paris], s. n., (1784).*   [G 4040
GB Lbm

J'ai des beautés piquantes. Duo. – *s. l., s. n.*   [G 4041
F Psg, V (2 Ex.) – **GB** Lbm

Ne suis-je pas aussi captive. Ariette. – *s. l., s. n.*   [G 4042
F Psg, V – **GB** Lbm

— . . . arrangé pour le clavecin avec accompagnement de violon obligé . . : par M. Pouteau. – *Paris, Bouin, Castagnery.* – P.   [G 4043
F V

Nous sommes nés pour l'esclavage. Air. – *s. l., s. n.*   [G 4044
GB Lbm

Plus de combats. Le casque et les colombes. Couplet. – *Paris, Momigny.*
[G 4045
S Skma

Vainement Almaïde encore. Ariette. – *s. l., s. n.*   [G 4046
F V – **GB** Lbm

— . . . arrangé pour le clavecin avec accompagnement de violon obligé . . . par M. Pouteau. – *Paris, Bouin, Castagnery.* – P.   [G 4047
F V

— *London, Birchall & Andrews.* [G 4048
GB Ckc

Air de danse dans le bazard . . . arrangé pour le clavecin . . . avec accompagnement de violon obligé par M. Pouteau. – *Paris, Bouin, Castagnery.* – St.   [G 4049
F Pn (clav, vl)

Aria alla Polacca für das Klavier. – *Wien, Johann Cappi, No. 247.*   [G 4050
A M

Finale arrangée [!] pour le clavecin ou le forte-piano avec accompagnement de violon par Mlle Caroline Vuiet. – *Paris, Boyer, Le Menu.* – St.   [G 4051
F Pn (clav)

Céphale et Procris

Céphale et Procris. Ballet héroïque, représenté . . . l'année 1773. – *Paris, aux adresses ordinaires (Dezauche, Basset).* – P.   [G 4052
B Bc, Br, Gc – **D-brd** F, Hs, HR – **D-ddr** LEm – **F** LYm, Pc (4 Ex.), Po (unvollständig), TLc – **GB** Lam – **I** MOe – **NL** Uim – **US** BE, CHua, PHu, R

— . . . (N° 12 de la collection des opéras de Grétry). – *ib., J. Frey.* – P.   [G 4053
A Wgm, Wn

— ... représentée pour la première fois par l'Académie royale de musique, le mardi 2 mai 1775. – *Paris, s. n., 1775.* – P.
[G 4054
USSR Mk

Ouverture ... arrangée pour le clavecin avec accompagnement d'un violon et violoncelle ad libitum, par M. Benaut. – *Paris, auteur, aux adresses ordinaires.* – St.
[G 4055
F Pc (clav, vl, vlc)

— Ouverture ... arrangée pour le clavecin ... avec l'accompagnement d'un violon. – *Amsterdam, J. Covens & fils.* – St.
[G 4056
US NYp (clav, vl)

Ariettes à une voix. – *s. l., s. n.* [G 4057
F V

Ariettes (Naissantes fleurs; Plus d'ennemis dans mon empire; Va crois-moi, va sans plus attendre; Que je suis à plaindre). – *s. l., s. n.* [G 4058
F Pc

Naissantes fleurs. Air (in: Mercure de France, juillet, 1775). – *[Paris], s. n., (1775).* [G 4059
GB Lbm

Ne vois-tu pas ce qui m'engage. Ariette. – *s. l., s. n.* [G 4060
F Pc

Colinette à la cour, ou La double épreuve

Colinette à la cour, ou La double épreuve. Comédie lyrique en trois actes, représentée ... le mardy 1 janvier 1782 ... œuvre XIX. – *Paris, Houbaut (Huguet, Basset).* – P. [G 4061
A Wn – **B** Bc (3 Ex.), Br – **CH** BEsu – **D-brd** Hs, HR – **D-ddr** Bmi, LEm – **DK** Kv – **F** A, Dc, G, Lc, Lm (2 Ex.), Pc (4 Ex.), Pn (2 Ex.), R, TLc – **GB** Ckc, Lbm – **I** MOe – **NL** Uim – **S** Skma – **US** Bh, Bp, BE, Cn, CA, DN, Eu, I (2 Ex.), NYp, Su, Wc – **USSR** Mk

— ... (No 18 de la collection des opéras de Grétry). – *ib., J. Frey.* – P. [G 4062
A Wgm, Wn – **CS** Pk – **D-brd** KNh – **US** R

Ouverture ... arrangée pour le clavecin ... avec un violon ad libitum par M.

Cesar. – *Paris, Le Menu & Boyer.* – St.
[G 4063
F Pc (clav, vl)

Airs détachés. – *s. l., s. n.* [G 4064
F Pn

L'amitié vive et pure. Air. – *s. l., s. n.*
[G 4065
GB Lbm

— ... (in: Mercure de France, janv., 1782). – *[Paris], s. n., (1782).* [G 4066
GB Lbm

Dans un riant asile. Air. – *s. l., s. n.*
[G 4067
F Psg

On trouve un objet charmant. Couplet. – *s. l., s. n.* [G 4068
GB Lbm

Que la cour doit être charmante. Duo. – *s. l., s. n.* – St. [G 4069
F Pc (v/vlc, vl I, vl II, vla, ob I, ob II, cor I, cor II, b)

Venés tous dancer une ronde. Ronde. – *Paris, Bignon.* [G 4070
GB Lbm

Double chœur. – *Mainz, B. Schott's Söhne.* – P. [G 4071
US NYp

Le comte d'Albert

Le comte d'Albert. Drame en deux actes, et la suite, opéra comique en un acte, par M. Sedaine ... représentés ... le 13 novembre 1786 ... œuvre XXV. – *Paris, Houbaut (Huguet).* – P. (und St.).
[G 4072
B Bc, Br, Gc – **D-brd** KNh – **D-ddr** LEm, WRtl – **DK** Kk – **F** A, Lm (St.), LYm, Pc (2 Ex.), Pn, R, TLc, V (St.) – **GB** Lbm – **NL** Uim – **S** Skma, St – **US** Bp, BE, Cn, Eu, I, PHu, R, Wc – **USSR** Mk

— ... (No 24 de la collection des opéras de Grétry). – *ib., J. Frey.* – P. [G 4073
A Wgm, Wn – **D-brd** BOCHmi

Ouverture, arrangée en quatuor, pour deux violons, alto et basse par M. Vanhecke. – *s. l., s. n.* – St. [G 4074
S Skma (vl I, vl II, vla, vlc)

— Ouverture . . . arrangée en duo pour deux violons. – *Paris, Imbault.* – St.
[G 4075
F Lm

La prise de tabac. Air. – *s. l., s. n.*
[G 4076
GB Lbm

Denys le Tyran, maître d'école à Corinth

Buvons géronte à notre république. Air avec accompagnement de guitarre. – *Paris, Imbault.*
[G 4077
F Pn

Il était une fois un roi. Ronde. – *Paris, Imbault.*
[G 4078
GB Lbm

Les deux avares

Les deux avares. Opéra bouffon en deux actes, représenté . . . le 27 octobre 1770. – *Paris, aux adresses ordinaires; Lyon, Castaud (Dezauche, Montulay).* – P. (155 p.)
[G 4079
A Wn – **B** Bc (3 Ex.), Br, Gc – **CH** BEk – **D-brd** B, BOCHmi, Mbs, MZsch – **D-ddr** LEm, WRz – **F** Lm, Pc, V – **H** Bn – **I** Bc, Rvat – **S** St – **US** BE, Cn, I (2 Ex.), NYcc, R, Wc

— *ib.* – P. (134 p.)
[G 4080
CH Gc (2 Ex.) – **CS** Pk – **D-brd** KNh – **D-ddr** Dl – **DK** Kk – **F** A, G, Lm, Pc (9 Ex.), Pn (2 Ex.), Po, R, Sn, Sim, TLc, V – **GB** Lbm – **I** MOe – **NL** Uim – **US** Bp, Su

— . . . (N° 5 de la collection des opéras de Grétry. – *ib., J. Frey.* – P.
[G 4081
A Wgm, Wn

— . . . [Libretto mit 4 p. Noten]. – *ib., Pierre-Robert-Christophe Ballard, 1774.*
[G 4082
A Wn

— *ib., E. Girod, No. E. G. 4001.* – KLA.
[G 4083
US R

— . . . en deux actes [Libretto, mit 8 p. Arien]. – *ib., Delalain, 1770.*
[G 4084
F Pc

Ouverture arrangée en quatuor pour deux violons, alto et basse. – *Paris, Imbault, No. 23.* – St.
[G 4085
S Skma (vl I, vl II, vla, vlc)

— Ouverture . . . en simphonie pour le forte piano ou le clavecin avec accompagnement de deux violons et basse ad libitum par M. Tapray. – *ib., auteur (Desjardin).* – St.
[G 4086
F Pc (pf, vl I, vl II, vlc), Pn

— Ouverture . . . arrangée pour le clavecin avec accompagnement d'un violon et violoncelle ad libitum par M. le Baron de Pxxx. – *ib., Benaut, aux adresses ordinaires.* – St.
[G 4087
F Pc (clav)

— Ouverture . . . arrangée pour le clavecin avec accompagnement de violon ad libitum par M. Clement. – *ib., Le Menu & Boyer.* – St.
[G 4088
F Pc (clav, vl), Pn (clav)

Airs détachés . . . [z. T. mit Begleitung]. – *Paris, aux adresses ordinaires (Dezauche, Montulay).* – P.
[G 4089
CH Zz – **F** V

Du rossignol pendant la nuit. Air. – *s. l., s. n.*
[G 4090
GB Lbm

— . . . (in: Mercure de France, avril 1771). – *Paris, (Récoquilliée), 1771.*
[G 4091
GB Lbm

Fuyons, fuyons ce triste rivage; Ah! qu'il est bon . . . qu'il est devin. Ariette . . . suivie d'un duo. – *s. l., s. n.* – P. [G 4092
F V

La garde passe, il est minuit. Duo. – *s. l., s. n.*
[G 4093
GB Lbm

— . . . Marche. – *s. l., s. n.*
[G 4094
CH DE (ohne Titelblatt)
vgl. auch [G 4580

Nièces, neveux. Ariette. – *s. l., s. n.*
[G 4095
F V

Sans cesse auprès de mon trésor. Ariette. – *s. l., s. n.*
[G 4096
GB Lbm

Saute gripon. Ariette. – *s. l., s. n.* [G 4097
F V

Duo. – *Berlin-Amsterdam, Johann Julius
Hummel.* – St.   [G 4098
D-ddr SWl (pf, vl I, vl II, vla, vlc, ob I, ob II,
cor I, cor II)

Elisca, ou L'amour maternel (. . . ou
L'habitante de Madagascar)

Elisca, ou L'habitante de Madagascar.
Drame lyrique en trois actes, paroles de
MM. Favières et Grétry neveu . . . œuvre
55. – *Paris, auteur (Huguet).* – P. [G 4099
B Bc, Br, Gc – **D-brd** KNh – **D-ddr** Bds – **NL**
Uim – **US** Bp, Cn, I, NYp, Wc

— . . . (N° 32 de la collection des opéras de
Grétry). – *ib., J. Frey.* – P.   [G 4100
A Wn – **US** R

Ouverture en sinfonie pour deux violons,
alto et basse, cor et hautbois ad libitum. –
Paris, Imbault. – St.   [G 4101
F Pn (kpl.: vl I, vl II, vla, fag, vlc, trb, timp,
ob, petite fl, fl, contra-b, tr I/II, cor I, cor II)

Ouverture et airs arrangés pour deux violons. – *Paris, Imbault.* – St.   [G 4102
F Pn

— Ouverture et airs arrangés pour deux
clarinettes par Frédéric Chalon. – *ib., Imbault.* – St.   [G 4103
F Pn

J'ai triomphé la plus belle victoire. Air
arrangé pour le forte piano (par N. Carbonel). – *Paris, Le Duc.* – KLA. [G 4104
S Skma

Oui dans les flots de l'élément terrible.
Air arrangé pour le forte piano (par N.
Carbonel). – *Paris, Le Duc.* – KLA.
[G 4105
F Pc

Pitié tendre et touchante. Couplet. – *Paris, Imbault.*   [G 4106
GB Lbm

Viens Limeo, viens cher époux. Air arrangé pour le forte piano (par N. Carbonel). – *Paris, Le Duc.* – KLA.   [G 4107
F Pc

L'embarras des richesses

L'embarras des richesses. Comédie lyrique
en trois actes, représentée . . . le mardy

26 novembre 1782. – *Paris, aux adresses
ordinaires (Huguet, Basset).* – P. [G 4108
A Wn – **B** Bc (2 Ex.), BRc – **CH** BEsu – **D-brd**
HR – **F** Pc (2 Ex.), Psg (2 Ex.) – **GB** Lbm
(2 Ex.) – **I** MOe – **NL** Uim – **S** Skma, St – **US**
Bp, I, R, Su, Wc

Ouverture arrangée pour le clavecin avec
accompagnement de violon par M. Cesar.
– *Paris, Boyer, Le Menu (Thurin).* – St.
[G 4109
F Pc (vl), Pn (clav)

Quoi pour toujours ton cœur s'engage.
Duo avec les accompagnements des violons, viola et violoncelle, hautbois ou
flûtes et cors ad libitum. – *Amsterdam,
Johann Julius Hummel, No. 456.* – KLA.
und St.   [G 4110
D-ddr SWl (kpl.: KLA., vl I, vl II, vla, vlc, ob/
fl, cor I, cor II) – **DK** Sa

Sur la rose fraîche et vermeille. Ariette. –
s. l., s. n.   [G 4111
F Psg

— . . . (in: Mercure de France, déc., 1782).
– *[Paris], s. n., (1782).*   [G 4112
GB Lbm

La tristesse, l'ennui. Air avec les accompagnements des violons, viola et violoncelle, hautbois, cors de chasse et fagotte
ad libitum. – *Berlin, Johann Julius Hummel; Amsterdam, grand magazin de musique, No. 457.* – St.   [G 4113
D-ddr SWl

L'épreuve villageoise (Théodore et Paulin)

L'épreuve villageoise. Opéra bouffon en
deux actes en vers, par M. Desforges, re-
présenté . . . le jeudi 24 juin 1784 . . .
œuvre XXIII. – *Paris, Houbaut (Huguet,
Basset); Lyon, Castaud.* – P. (und St.)
[G 4114
A Wn (St.) – **B** Bc, Br – **C** Tu – **CH** AR, Gc
(Etikett: Genève, Marcillac dit Le Jeune) –
D-brd B, BOCHmi, BNba, F, KNh, Mbs,
MÜs – **D-ddr** LEm, SWl (2 Ex.) – **DK** Kk
(2 Ex.; St.) – **F** A, Lc, Lm (2 Ex.; St.), Pc
(4 Ex.), Pn (2 Ex.), Po, R, TLc, V (St.) – **GB**
Lbm, Ltm – **I** MOe, Rvat – **NL** Uim – **S** Skma,
St (St.), Su, Uu – **US** BE, Cn, CHH (Etikett:
Imbault), NH, PHu, R, U, Wc (2 Ex.)

— . . . (N° 20 de la collection des opéras
de Grétry). – *ib., J. Frey.* – P.   [G 4115
A Wgm, Wn

— *ib., Choudens.* – KLA.   [G 4116
US Cn

— . . . par M. Desforges [Libretto]. – *ib.,*
Houbaut.   [G 4117
US DN

[Ouverture . . .]. – *s. l., s. n.* – St. [G 4118
CH Gpu (cor I, cor II; weitere St. handschriftlich)

— Ouverture arrangée en quatuor pour
deux violons, alto et basse. – *Paris, Frère,*
No. 54. – St.   [G 4119
S Skma (kpl.: vl I, vl II, vla, vlc)

— Ouverture arrangée pour le clavecin . . .
avec violon ad libitum par M. Mezger. –
ib., Boyer, Le Menu, No. 117. – St.
                                   [G 4120
F Pn (clav), V (vl) – S Skma (clav, vl)

— Ouverture arrangée pour le clavecin
avec accompagnement de violon (à volonté) par A. H. Wenck. – *ib., Bignon,*
Castagnery (Renault). – St.   [G 4121
S Skma (clav, vl)

— Ouverture arrangée en duo pour deux
violons. – *ib., Imbault.* – St.   [G 4122
F Lm (vl I) – GB Ckc (vl I, vl II)

— Ouverture arrangée pour le clavecin,
le forte piano ou pour la harpe par M.
Dreux le jeune. – *ib., Girard.*   [G 4123
F Pc

Ouverture et morceaux, arrangés pour
une flûte seule, avec accompagnement
d'un second violon, à volonté, par M.
Abraham. – *Paris, Imbault.* – St.
                                   [G 4124
GB Lbm (fl, vl)

Recueil des airs avec accompagnement de
harpe par Cousineau fils. – *Paris, Cousi-*
neau, Salomon.   [G 4125
A Wmi

Adieu Marton, adieu Lisette. Air. – *s. l.,*
s. n.   [G 4126
F V

Bon Dieu com' hier à c'te fête. Air. Accompagnement par M. Porro. – *s. l., s.*
n., 1784.   [G 4127
GB Lbm

— . . . arrangé pour le clavecin avec ac-
compagnement de violon obligé par M.
Pouteau. – *Paris, Bouin, Castagnery.*
                                   [G 4128
CH BEsu – F V

— . . . accompagnement de guitare par
M. Alberti. – *ib., Carmand.*   [G 4129
GB Lbm

— . . . avec accompagnement de harpe,
ou de piano forte, par M. Compan. – *ib.,*
Frère.   [G 4130
CH E – F V – GB Lbm

— . . . avec accompagnement de clavecin
ou harpe. – *ib., Toulan.*   [G 4131
D-brd BNu

— . . . (in: Mercure de France, juillet,
1784). – *[Paris], s. n., (1784).*   [G 4132
GB Lbm

— . . . arrangé pour le clavecin avec ac-
compagnement de violon obligé par M.
Pouteau. – *London, Birchall & Andrews.* –
P.   [G 4133
GB Ckc, Lbm

J'commence à voir que dans la vie. Air. –
s. l., s. n.   [G 4134
F V

J'n avions pas encor quatorze ans. Air.
– *s. l., s. n.*   [G 4135
F V

— . . . accompagnement de M. Doisy. –
Paris, Baillon, 1784.   [G 4136
GB Lbm

Tu vois qu' c'est toi qu' j'aime. Ariette. –
Paris, Camand.   [G 4137
F Lm, V

No. 21 . . . arrangée en duo pour deux violons par M. Alberti. – *Paris, Camand.*
                                   [G 4138
F Pc (vl I)

Les événements imprévus

Les événements imprévus. Comédie en
trois actes, représentée . . . le 11 novembre
1779 . . . œuvre XVI. – *Paris, Houbaut*
(Huguet, Basset). – P. (und St.) [G 4139
A Wgm, Wn (St.) – B Bc (2 Ex.), Br, Gc – CH
Gc, Gpu (St.) – D-brd BOCHmi, HR, Hs,

KNmi (Etikett: Bruxelles, Weissenbruch), KNh, MÜs, MZsch – **D-ddr** Bds, LEm – **DK** Kk – **F** A (2 Ex.), Dc, G, Lm (St.), LYm, Pc (6 Ex.; St.), Pn (2 Ex.), NAc, R, Sim, TLc – **GB** Lbm – **I** Bc, MOe – **NL** Uim – **S** Skma, St – **US** Bp, BE, Cn (2 Ex.), I (2 Ex.) R, U, WC, Wc

— . . . (N° 15 de la collection des opéras de Grétry). – *ib., J. Frey.* – P.   [G 4140
A Wgm, Wn

Ouverture et morceaux . . . arrangés en quatuor pour deux violons, alto et violoncelle par M. Meunier. – *Paris, Bignon, auteur.* – St.   [G 4141
F Pc (vl I, vl II, vla)

Ouverture . . . arrangée en quatuor pour deux violons, alto et basse. – *Paris, Imbault, No. Q. 26.* – St.   [G 4142
S Skma (kpl.: vl I, vl II, vla, vlc)

— Ouverture . . . arrangée en trio pour deux violons et basse par M. Vanhecke. – *ib., Frère.* – St.   [G 4143
F BO (kpl.: vl I, vl II, vlc)

— Ouverture . . . arrangée pour le clavecin avec accompagnement de violon ad libitum par M. Neveu. – *ib., de La Chevardière; Lyon, Castaud; Bruxelles, Godefroy; Bordeaux, Bouillon, Saulnier & Noblet.* – St.   [G 4144
F Pc (clav), Pn (clav)

— Ouverture . . . arrangée pour le clavecin avec accompagnement de violon ad libitum par M. César. – *ib., Thomassin.* – St.   [G 4145
F Pc

— Ouverture . . . – *s. l., s. n.* – KLA.   [G 4146
S Ssr

— Ouverture . . . – *s. l., s. n.* – St.   [G 4147
F BO (vl)

[Zwei einstimmige Airs] (in: Petite bibliothèque des théâtres . . .). – *Paris, Bélin, Brunet, 1787.*   [G 4148
CH Bu

Ah! dans le siècle où nous sommes. Air. – *Paris, Bignon.*   [G 4149
CH BEl – **GB** Lbm

J'aime Philinte tendrement. Duo. – *s. l., s. n.*   [G 4150
CH BEl – **F** V

Je vais vous dire. Ariette. – *Paris, Frère.*   [G 4151
F V

Oui c'en est fait. Air. – *s. l., s. n.*   [G 4152
F V

Qu'il est cruel d'aimer. Air. – *Paris, Frère.*   [G 4153
CH BEl – **F** V – **GB** Lbm

Serviteur, à monsieur la fleur. Duo. – *s. l., s. n.*   [G 4154
CH BEl – **F** V

La fausse magie

La fausse magie. Comédie en un acte, représentée . . . le mercredi 1 février 1775. – *Paris, Houbaut; Lyon, Castaud (Dezauche, Basset).* – P. (und St.)   [G 4155
A Wn – **B** Bc, Br – **CH** Gc, Gpu (St.) – **D-brd** AM (St.), B, BOCHmi, F, DO, KNmi (fehlt Titelblatt), Mbs, MZsch, Sl – **D-ddr** WRz – **DK** Kk – **F** Lm (St. [unvollständig]), Pc (St.), Pn (St.), V (St.) – **GB** Ckc, Lbm – **I** MOe, Rvat – **NL** Uim – **S** Skma (2 Ex.), St, Ssr – **US** AA, BE, Cn, CHH, PHu, R, U, Wc – **USSR** Mk

— . . . en deux actes. – *ib., Houbaut.* – P.   [G 4156
B Br – **D-brd** DS – **D-ddr** LEm, SWl – **F** A, Dc, LYc, Pc (6 Ex.), Pn (2 Ex.), R, Sim, TLc – **GB** Lbm, Lcm, Ltm – **I** Bc – **S** Skma – **US** BE, CHH (Etikett: Imbault), I, MNp, NYp, Wc

— . . . (N° 11 de la collection des opéras de Grétry). – *ib., J. Frey.* – P.   [G 4157
A Wgm, Wn – **C** Tu

— *ib., Launer.* – KLA.   [G 4158
US Cn

Ouverture . . . arrangée pour le clavecin avec accompagnement d'un violon et violoncelle ad libitum, par Benaut. – *Paris, Le Vasseur, Castagnery (Laurencin).* – St.   [G 4159
F Pc (clav, vlc)

— Ouverture . . . – *ib., auteur.* – St.   [G 4160
D-ddr SWl (kpl.: clav, vl, vlc)

— Ouverture . . . arrangée pour le clavecin avec accompagnement de violon, par M. Cesar. – *ib., Boyer, Le Menu.* – St.
[G 4161

F Pc (clav, vl), Pn (clav)

— Ouverture . . . arrangée en duo pour deux violons, par M. Vanhecke. – *ib., Frère.* – St.   [G 4162
F BO (vl I)

— Ouverture . . . – *s. l., s. n.* – St.
[G 4163

F BO (vla)

Airs détachés. – *Paris, Houbaut (Dezauche).* – P.   [G 4164
F Pc

Ah le beau jour. Air. – *s. l., s. n.* [G 4165
GB Lbm

Autour d'elle sans dessein. Duo. – *s. l., s. n.*   [G 4166
F V

C'est un état bien pénible . . . Air (in: Mercure de France, avril, 1775). – *[Paris], s. n., (1775).*   [G 4167
GB Lbm

Ceux que trahit une infidèle. Ariette. – *s. l., s. n.*   [G 4168
GB Lbm

Comme un éclair. Air avec les parties des violons, hautbois, cors de chasse, taille et basse. – *Den Haag, B. Hummel & fils.* – St.   [G 4169
D-brd LCH (vl I, vl II, vla, vlc, ob I, ob II, cor I, cor II) – **CH** BEl

En conscience c'est bien à vous. Air. – *s. l., s. n.*   [G 4170
GB Lbm

Il vous souvient de cette fête. Duo. – *Amsterdam, S. Markordt.* – KLA.
[G 4171

D-brd LCH – **F** Pc, Psg

Quand l'âge vient l'amour nous laisse. Ariette. – *s. l., s. n.*   [G 4172
CH BEl, DE (ohne Titelblatt) – **F** Psg – **GB** Lbm

Quoi! quoi! c'est vous qu'elle préfère. – *s. l., s. n.*   [G 4173
F Lm

Veut-on que la bonne aventure. Vaudeville. – *s. l., s. n.*   [G 4174
GB Lbm

— . . . (in: Mercure de France, mars, 1775). – *[Paris], s. n., (1775).*   [G 4175
GB Lbm

[Vous auriés à faire à moi. Trio]. – *Amsterdam, S. Markordt.* – P.   [G 4176
CH Zcherbuliez (ohne Titelblatt)

Ariette. – *Paris, aux adresses ordinaires.*
[G 4177

F V

Marche des Bohémiens . . . Marche de Cypris. – *[Paris], Savigny.* – P. [G 4178
F Pn
vgl. auch [G 4577

Guillaume Tell

Guillaume Tell. Drame en trois actes, en prose et en vers, par le citoyen Sedaine, représenté . . . au mois de mars 1791 . . . œuvre XXXI. – *Paris, auteur (Huguet).* – P.   [G 4179
B Bc (2 Ex.), Br, BRc – **C** Tu – **D-brd** Mbs – **D-ddr** Bds – **F** A, LYm, Pc – **GB** Cpl, Lbm – **US** STu, Wc (2 Ex.)

— . . . (N° 19 de la collection des opéras de Grétry). – *ib., J. Frey.* – P.   [G 4180
A Wgm, Wn – **NL** Uim – **US** I, R

A Roncevaux dans ces clairs vaux. Air. – *Paris, Frère.*   [G 4181
GB Lbm

Le Huron

Le Huron. Comédie en deux actes, et en vers . . . représentée . . . le 20 aoust 1768. – *Paris, Mme Beraux, Haubaut [!] (Basset, Montulay).* – P.   [G 4182
A Gk – **B** Bc, Br, Gc – **C** Tb – **CH** Gc (fehlt Titelblatt) – **D-brd** HR, KNmi (Etikett: Mlle Castagnery), LM, Mbs (2 Ex.), Rp, Rt, Sl – **D-ddr** Bds, Dl, LEm, SWl – **DK** Kk (2 Ex.) – **F** A (2 Ex.), Dc, G, Lc, Lm (2 Ex.), LYm, Pc

(10 Ex.), Pn (2 Ex., davon 1 Ex. unvollstän-
dig), Po, R, Sim, TLc, V (2 Ex.) – **GB** Lbm,
LVu, Ouf – **I** Mc (2 Ex.), MC, MOe – **J** Tmc –
NL Uim – **PL** Wu – **S** Skma, St – **US** Bp, BE,
BLu, Cn (2 Ex.), DN, Eu, I, NYp, PHu, R,
Su, Wc (2 Ex.) – **USSR** Mk

— . . . (N° 1 de la collection des opéras de
Grétry). – *ib., J. Frey.* – P.   [G 4183
A Wgm, Wn

— . . . [Libretto mit einzelnen Arien]. –
ib., Merlin, 1768.   [G 4184
GB Lbm

— *ib., 1770.*   [G 4185
A Wn

— *ib., 1779.*   [G 4186
A Wn

Ouverture . . . arrangée pour le clavecin
avec accompagnement d'un violon et
violoncelle ad libitum, par M. le baron de
Pxxx. – *Paris, Benaut, aux adresses ordinaires.* – St.   [G 4187
F Pc (kpl.: clav, vl, vlc)

— Ouverture . . . accommodée pour le cla-
vecin avec l'accompagnement d'un violon
ad libitum, par G. Neumann. – *Berlin,
Johann Julius Hummel, No. 353.* – St.
[G 4188
CS Pu – **D-brd** HEms (clav, ohne Titelblatt) –
D-ddr Dl (clav, vl), SWl (clav, vl) – **NL** At
(clav) – **US** NYp (clav), Wc (clav)

— Ouverture . . . arrangée en duo pour
deux violons, par M. Vanhecke. – *Paris,
Frère.* – St.   [G 4189
F Pn (vl I, vl II)

Airs détachés. – *Paris, auteur, aux adresses ordinaires.* – P.   [G 4190
F Pc (3 Ex.) – **GB** Lbm

L'amour naissant n'a pas encore appris.
Air. – *s. l., s. n.*   [G 4191
GB Lbm

Comme il y va. Ariette du jour. – *s. l.,
s. n.*   [G 4192
F Pn

Si jamais je prends un époux. Ariette. –
Paris, Girard. – St.   [G 4193
F AG (v/vlc, vl I, vl II), Lm, Pc (v/vlc, vl I,
vl II, vla, ob I, ob II), Pn

— *[Paris], Frère.*   [G 4194
F Pn

— . . . (in: Mercure de France, oct., 1768).
– *[ib.], (Recoquilliée), 1768.*   [G 4195
GB Lbm

Toi que j'aime plus que ma vie. Ariette. –
Paris, Girard. – St.   [G 4196
CH BEl – **F** AG (v/vlc, vl I, vl II, ob I/ob II),
Pc (v/vlc, vl I, vl II, ob I/ob II)

Vaillans François courés aux armes. Air. –
s. l., s. n.   [G 4197
GB Lbm

Ariette . . . [1 v/b]. – *Paris, Girard.* [G 4198
F Pc (2 Ex.)

Concert d'airs (d'après les airs du Huron,
et de Lucile) en quatuor pour deux violons, alto et basse, ou une flutte en place
du premier violon, arrangés par M. Alexandre. – *Paris, Bérault (Annereau).* –
St.   [G 4199
F Pc (b)

Marche . . . – *s. l., s. n.* – St.   [G 4200
CH BEl (Ier dessus, IIème dessus)

Le jugement de Midas

Le jugement de Midas. Comédie en trois
actes, représentée . . . le 27 juin 1778 . . .
œuvre XIV. – *Paris, Houbaut (Dezauche,
Basset).* – P. (und St.)   [G 4201
A M, Wn – **B** Bc (2 Ex.), Br, Gc – **CH** Gc (Eti-
kett: Genève, Marcillac), Gpu – **D-brd** BOCHmi,
HR, KNh, Mbs, MZsch (2 Ex.; St.) – **D-ddr**
LEm – **F** A, Lm (St.), LYm, NAc, Pc (4 Ex.),
Pn (St.; fehlt ob), Po, R, Sim, TLc (2 Ex.), V
(St.) – **GB** Lbm (2 Ex.), Ltm – **I** MOe, Mc, Nc,
Rvat – **J** Tmc – **NL** Uim – **S** Skma, St (St.) –
US Bp, BE, Cn (2 Ex.), I, NYp, R, Su (Etikett:
Bouin), SLug, Wc – **USSR** Mk

— *ib., Jenny Grétry.* – P.   [G 4202
D-brd KNmi

— . . . (N° 13 de la collection des opéras de
Grétry). – *ib., J. Frey.* – P.   [G 4203
A Wgm, Wn

Ouverture . . . à deux violons, viola, fagotti, et basse, oboe, flauto traversière,
et deux cors de chasse. – *Amsterdam,
S. Markordt.* – St.   [G 4204
B Br (kpl.: vl I, vl II, vla, vlc, fag I, fag II,
ob I (fl), ob II (fl), cor I, cor II)

— Ouverture . . . arrangée en quatuor pour deux violons, alto et basse par M. Roeser. – *Paris, aux adresses ordinaires.* – St.   [G 4205
F BO (vl I, vl II)

— Ouverture . . . arrangée pour le clavecin avec accompagnement d'un violon et violoncelle ad libitum par Benaut. – *ib., Le Vasseur, Castagnery (Laurencin).* - St.   [G 4206
F Pc (clav, vlc)

— Ouverture . . . arrangée pour le clavecin avec accompagnement de violon par M. Cesar. – *ib., Le Menu & Boyer.* – St.   [G 4207
F Pc (clav, vl)

— Ouverture . . . arrangée pour le clavecin avec accompagnement de violon ad libitum par M. Neveu. – *ib., de La Chevardière.* – St.   [G 4208
D-brd AD (clav, vl) – **F** Pn (clav)

— Ouverture . . . arrangée pour le clavecin avec l'accompagnement d'un violon ad libitum par J. L. Dussik. – *Den Haag, B. Hummel & fils.*   [G 4209
D-ddr LEm

— Ouverture . . . pour le clavecin avec l'accompagnement d'un violon par Mr G. Neumann. – *Amsterdam, S. Markordt.* – St.   [G 4210
S Skma (clav, vl)

— Ouverture . . . – *s. l., s. n.* – St.
[G 4211
F BO (vl, vlc)

Airs et duos. – *s. l., s. n.* – P.   [G 4212
F V

Airs détachés. – *Paris, aux adresses ordinaires.* – P.   [G 4213
F Pc

Duos. – *s. l., s. n.* – P.   [G 4214
F V

[Duo und 1-st. Stücke] (in: Petite bibliothèque des théâtres). – *Paris, Belin, Brunet, 1787.*   [G 4215
CH Bu

Deux airs (Du destin qui t'opprime; Toi qui fais naître dans mon âme). – *Amsterdam, Johann Julius Hummel.* – KLA.
[G 4216
D-ddr MEIr

Certain coucou certain hibou au rosignol dans un boccage disputoient. Air. – *s. l., s. n.*   [G 4217
CH BEl

[Dans mes regards. Duo . . . (in: Extraits d'airs choisies des opéras nouveaux, vol. XV)]. – *Amsterdam, S. Markordt.* – KLA.
[G 4218
CH Zcherbuliez (ohne Titelblatt)

[Doux charme de la vie divine (und 5 weitere Airs a 1 v)]. – *s. l., s. n.*   [G 4219
CH DE (ohne Titelblatt)

Toi qui fais naître dans mon âme. Air avec les parties des violons, hautbois, cors de chasse, taille et basse. – *Den Haag, B. Hummel & fils.* – St.   [G 4220
D-ddr MEIr (v/vlc, vl I, vl II, vla, b, cor I, cor II)

Lisbeth

Lisbeth. Drame lyrique en trois actes et en prose, paroles de Favières, représenté . . . le 21 nivôse, an 5 (1797). – *Paris, auteur (Huguet), No. 1.* – P. (und St.)
[G 4221
B Bc, Br, Gc – **F** G, Lm (St.), Pc (3 Ex.), Po (St.), R, TLc – **GB** Lbm – **S** Skma – **US** Bp, BE, I, R, Wc – **USSR** Mk

— . . . (N° 30 de la collection des opéras de Grétry). – *ib., J. Frey.* – P.   [G 4222
A Wgm, Wn – **CH** Bu – **NL** Uim

Je sais un cœur. Air . . . accompagnement par Gros. – *Paris, Cousineau, No. 258.*
[G 4223
S Uu (v/cemb)

Quand on ne dort pas. Air . . . accompagnement par Gros. – *Paris, Cousineau, No. 258.*   [G 4224
S Uu (v/cemb)

Lucile

Lucile. Comédie en un acte et en vers . . . représentée . . . le 5 janvier 1769. – *Paris, aux adresses ordinaires; Lyon, Castaud (Dezauche, Montulay).* – P.   [G 4225

A Wgm, Wmi, Wn, Wst – **B** Bc (2 Ex.), Br –
C Tu – **CH** Bchristen, Bu, Gc (3 Ex.), Zz – **CS**
Pk (2 Ex.) – **D-brd** B, BOCHmi, F, Hs, HR,
KNh, Mbs, W – **D-ddr** Dl, LEm, SWl – **DK**
Kc (fehlt Titelblatt), Kk, Kv – **F** A, Dc (2 Ex.),
G, Lc, LYc, LYm, NAc, Pc (10 Ex.), Pn
(2 Ex.), Po, R, TLc (2 Ex.), V – **GB** Lbm, Lcm,
Ltm – **H** Bn (2 Ex.) – **I** MOe, PAc, Rsc – **IL**
J – **J** Tmc – **NL** Uim – **PL** Wu – **R** Bc – **S** Skma,
St (2 Ex.) – **US** Bc, Bp, Cn, CHH, Dp, I (2 Ex.),
NYcu, NYp, PHu, R, Su, U, Wc – **USSR** Mk

— . . . (N° 2 de la collection des opéras de
Grétry). – *ib., J. Frey.* – P.   [G 4226
A Wgm, Wn

— . . . [Libretto]. – *Paris, Merlin, 1770.*
             [G 4227
GB Lbm (2 Ex.)

Ouverture . . . arrangée pour le clavecin
avec accompagnement d'un violon et violoncelle ad libitum, par M. Benaut. –
Paris, auteur, aux adresses ordinaires. – St.
             [G 4228
F Pc (clav, vlc)

— Ouverture . . . arrangée pour le clavecin avec un violon ad libitum par M. Clément. – *ib., Le Menu & Boyer.* – St.
             [G 4229
F Pn (clav)

—- Ouverture . . . arrangée pour le clavecin avec accompagnement de violon ad
libitum, par M. Damoreau. – *ib., bureau
d'abonnement musical (Mercier).* – St.
             [G 4230
F Pc (clav)

Recueil d'ariettes et duos. – *s. l., s. n.* – P.
             [G 4231
F V

Airs détachés. – *Paris, Mme Bérault, aux
adresses ordinaires (Montulay).* – P.
             [G 4232
CH Gpu – **F** Pc (4 Ex.)

Ariettes. – *s. l., s. n.*   [G 4233
GB Lbm

Ariettes (Qu'il est doux de dire; Autour
de moi j'entens je veux; Tout ce qui peut
toucher; Au bien suprême hélas je tu-
chois[!]; N'est il pas vrai qu'elle est charmante; Chantons deux époux que sous

ses lois; On dit qu'à quinze ans on plaît
on aime). – *s. l., s. n.*   [G 4234
D-ddr ROu

Ah ma femme qu'avez vous fait. Ariette.
– *s. l., s. n.*   [G 4235
GB Lbm

Chantons deux époux. Ronde . . . (in:
Mercure de France, aug., 1773). – *[Paris],
s. n., (1773).*   [G 4236
GB Lbm

Où peut-on être mieux qu'au sein de sa
famille. Quatuor. – *s. l., s. n.* – St.
             [G 4237
[verschiedene Ausgaben:] **F** Pc (guitarre/vl),
Pn (vl I, vl II, vlc) – **GB** Lbm

— . . . arrangé en quatuor à quatre mains
pour le piano par Desprez. – *Paris, auteur.*
             [G 4238
F Pn (2 Ex.)

— . . . avec l'accompagnement des deux
violons, viola, violoncello, deux flûtes et
deux cors de chasse. – *Amsterdam, Johann Julius Hummel.* – KLA. und St.
             [G 4239
CH Zcherbuliez (kpl.: 9 St.) – **D-ddr** SWl – **I**
MOe

— *Amsterdam, S. Markordt.*   [G 4240
D-brd Mbs (v/b)

Qu'il est doux de dire en aimant. Ariette.
– *Paris, Girard.* – St.   [G 4241
F Pc (v/b, vl I, vl II, vla, fl I/II)

— . . . (in: Mercure de France, mai, 1769).
– *ib., (Recoquilliée), 1769.*   [G 4242
GB Lbm

— . . . ([und:] Chantons deux époux). –
s. l., s. n.   [G 4243
CH DE (ohne Titelblatt)

Tout ce qui peut toucher. Ariette. – *s. l.,
s. n.*   [G 4244
GB Lbm

Concerto de Lucille. – *s. l., s. n.* – St.
             [G 4245
F Pc (vl I, vl II, vla, vlc, ob I/II, cor I, cor II)

Le magnifique

Le magnifique. Comédie en trois actes, mêlée d'ariettes, représentée ... le 26 mars 1773. – *Paris, Houbaut; Lyon, Castaud (Dezauche, Montulay)*. – P. (und St.) [G 4246
A Wn – **B** Bc, Br, Gc – **CH** Gc, Gpu (P. und 7 St.) – **D-brd** BOCHmi, BNu, HR (2 Ex.), KNh, Mbs (2 Ex.), MZsch (St.; fehlen vl I, vl II, vla), W – **D-ddr** Dl, LEm, MEIr (St.; fehlt vl II) – **DK** Kk (St.) – **F** A (St.), Lm (2 Ex.; St.), LYm, NAc (unvollständig), Pc (6 Ex., davon 2 Ex. unvollständig; St.: vl I, ob II, cor I, cor II), Pn (St.), Po (2 Ex., davon 1 Ex. unvollständig), R, TLc, V (St.: vl I, vl II, vla, b) – **GB** Lbm, Ltm – **I** MOe, Rvat – **NL** Uim – **S** Skma, St, Ssr – **US** Bp, BE, Cn (2 Ex.), Dp, I (2 Ex.), R, Su, U, Wc

— ... (N° 9 de la collection des opéras de Grétry). – *ib., J. Frey.* – P. [G 4247
A Wgm, Wn

Ouverture ... arrangée pour le clavecin avec accompagnement d'un violon et violoncelle ad libitum par M. le baron de Pxxx. – *Paris, Bénaut, aux adresses ordinaires*. – St. [G 4248
F Pc (clav, vlc)

— Ouverture ... arrangée pour le clavecin avec un violon ad libitum par M. Clément. – *ib., Le Menu & Boyer*. – St. [G 4249

F Pn (clav)

Airs détachés. – *Paris, aux adresses ordinaires (Dezauche)*. – P. [G 4250
F Pc

Ariettes à une et deux voix. – *Paris, Girard*. – P. [G 4251
F V

Ah! c'est un superbe cheval. Air. – *s. l., s. n.* [G 4252
F Pn

Ah! que je me sens coupable. Ariette. – *Paris, Girard*. – St. [G 4253
S St (v/vlc, vl I, vl II, vla, fl I, fl II, fag obl.)

Pour quoi donc ce magnifique. Air avec l'accompagnement des violons etc. – *Den Haag, B. Hummel*. – KLA. und St. [G 4254
D-brd LCH (KLA., vl I, vl II, vla, vlc [je 2 Ex.])

[Quelle contrainte je vais le voir. Air ... (und:) Te voilà donc, oui me voilà. Duo]. – *s. l., s. n.* [G 4255
CH Zcherbuliez (ohne Titelblatt)

Tour heureux, douce espérance. Ariette. – *s. l., s. n.* [G 4256
F Pn

Le mariage d'Antonio

Le mariage d'Antonio. Divertissement en un acte et en prose, représenté ... le samedi 29 juillet 1786. – *Paris, Houbaut; Lyon, Castaud (Huguet)*. – P. (und St.) [G 4257
B Br, Gc – **CH** Gc – **D-brd** BNba – **F** A (St.), AI, Dc, G, Lm (St.)

— ... (N° 23 de la collection des opéras de Grétry). – *ib., J. Frey.* – P. [G 4258
A Wgm, Wn

Les mariages samnites

Les mariages samnites. Drame lyrique en trois actes et en prose, représenté ... le 12 juin 1776. – *Paris, Houbaut; Lyon, Castaud (Dezauche, Basset)*. – P. [G 4259
A Wn – **B** Bc (3 Ex.), Br, Gc – **C** Tu – **CH** Gc – **D-ddr** LEm, WRz – **DK** Kk – **F** A (2 Ex.), BG, G, Lm (3 Ex.; St.), LYm, Pc (4 Ex.; St.), Pn (2 Ex.), R – **GB** Lbm – **I** MOe, Rvat – **NL** Uim, Skma, St – **US** AA, Bp, BE, I, R, Su, Wc – **USSR** Mk

— ... [Libretto]. – *ib., Vve Duchesne, 1776.* [G 4260
A Wn

Ouverture et la marche ... arrangés pour le clavecin avec accompagnement d'un violon et violoncelle ad libitum, par M. Benaut. – *Paris, auteur, aux adresses ordinaires*. – St. [G 4261
F Pc (clav, vlc)

— Ouverture ... arrangée pour le clavecin avec accompagnement de violon par M. Cesar. – *ib., Le Menu & Boyer, (Desjardin)*. – St. [G 4262
F Pc (clav, vl)

— Ouverture ... arrangée pour la harpe de clavecin, le forte-piano avec accompagnement d'un violon ad libitum. – *ib., Girard*. – St. [G 4263
D-ddr SWl (clav, vl)

Ariettes . . . à une et plusieurs voix. – *Paris, Girard*. – P.   [G 4264
F V

L'amour folâtre alors qu'il blesse. Ariette. – *s. l., s. n.*   [G 4265
CH BEl – **GB** Lbm

Dieu d'amour. Chœur et marche. – *s. l., s. n.*   [G 4266
GB Lbm (2 Ex.)

— . . . (in: Mercure de France, juillet, 1776). – *[Paris], s. n., (1776)*.   [G 4267
GB Lbm

— *Dublin, J. Lee*.   [G 4268
GB Lbm

— *London, Babb*.   [G 4269
GB Lbm

Où vais-je, quel transport m'égare. Une scène (Aria, Duo) de l'opéra Les mariages samnites. – *Amsterdam, S. Markordt*. – KLA.   [G 4270
CH Zcherbuliez

Pour les placer dans mes cheveux. Ariette. – *s. l., s. n.*   [G 4271
CH BEl

— . . . (in: Mercure de France, aug., 1776). – *[Paris], s. n., (1776)*.   [G 4272
GB Lbm

Quand mon cœur vole à la victoire. Ariette. – *s. l., s. n.*   [G 4273
CH BEl

Vous qui voyez un cœur éclore. Ariette. – *s. l., s. n.*   [G 4274
CH BEl

Amor kam mit Mars. Duetto samt Chor aus der Oper: Die Samniterinnen. – *Wien, Chemische Druckerei, No. 269.*   [G 4275
D-brd Cl

Marche et menuet de la cour avec des variations pour le clavecin arrangée par M. Cesar. – *Paris, auteur (Dupré)*.
      [G 4276
F Pn

Marsch für 2 Flöten. – *Wien, Chemische Druckerei, No. 456.* – St.   [G 4277
H KE (fl I, fl II)

— Marsch für Piano-Forte. – *Wien, Johann Cappi, No. 298.*   [G 4278
A Wn

Les méprises par ressemblance

Les méprises par ressemblance. Comédie en trois actes par M. Patrat, représentée . . . le jeudi 16 novembre 1786 . . . œuvre XXVII. – *Paris, auteur (Huguet)*. – P. (und St.)   [G 4279
B Bc, – **Br** F A, Lm (St.), LYm, Pc (2 Ex.) – **GB** Lbm (2 Ex.) – **S** Skma – **US** Bp, Wc – **USSR** Mk

— . . . (N° 26 de la collection des opéras de Grétry). – *ib., J. Frey*. – P.   [G 4280
A Wgm, Wn – **D-brd** F – **NL** Uim – **US** R

— . . . (in: Collection complète publiée par le gouvernement belge). – *Leipzig, Breitkopf & Härtel*. – P.   [G 4281
NL At

Panurge

Panurge dans l'Isle des Lanternes. Comédie lyrique en trois actes, représentée . . . le mardi 25 janvier 1785 . . . œuvre XXIII. – *Paris, Houbaut & Huguet; Lyon, Castaud (Huguet)*. – P.   [G 4282
B Bc, Br, BRc, Gc – **CH** Gc (2 Ex.) – **D-brd** BOCHmi, HR, Mbs (2 Ex.) – **D-ddr** Dl, LEm – **F** A, BO, Lm (2 Ex.), LYm, Pc (5 Ex.), Pn, Po, R – **GB** Ckc, Lbm – **I** Bc, MOe, Rsc, Rvat – **J** Tmc – **NL** Uim, St – **S** Skma, St – **US** Bp, BE, Cn (2 Ex.), DN, I (3 Ex.), PHu, PROu, R, Wc – **USSR** Mk

— *[ib.], Mlle Castagnery*. – P.   [G 4283
I BGc

— . . . (N° 22 de la collection des opéras de Grétry). – *ib., J. Frey*. – P.   [G 4284
A Wgm, Wn – **DK** Kk

Ouverture . . . à deux violons, alto et basse, deux hautbois, deux cors et timpani ad libitum. – *s. l., s. n.* – St. [G 4285
CH Zz (kpl.: vl I, vl II, vla, vlc, ob I, ob II, cor I, cor II, timp) – **F** Pc (fehlt vla)

Pièces d'harmonie contenant des ouvertures, airs, et ariettes . . . arrangées pour deux clarinettes, deux cors et deux bassons par Amand Vanderhagen (N° 14: Panurge). – *Paris, Le Duc (écrit par Ribière)*. – St.   [G 4286
S Uu (cl I, fag I, fag II, cor I)

XXVIIIe Suite d'airs ... en quatuor concertants avec l'ouverture pour deux violons, alto et basse choisis dans l'opéra de Panurge, arrangés par M. Alexandre. – *Paris, Le Duc.* – St.   [G 4287
F Pn (vl I, vl II, vla)

Ouverture et morceaux ... arrangés en quatuor pour deux violons, alto et violoncelle par M. Abraham. – *Paris, Bignon.* – St.   [G 4288
F Pc (vl I, vl II, vla, vlc)

— Ouverture et morceaux ... arrangés pour une flûte seule, avec accompagnement d'un second violon, à volonté, par M. Abraham. – *ib., Bignon.* – St.
                                          [G 4289
GB Lbm (vl, fl)

Ouverture et airs de danse ... arrangés en quatuor pour deux violons, alto et violoncelle par M. Wenck. – *Paris, Boyer, Le Menu.* – St.   [G 4290
F Pc (vl I, vl II, vla)

— Air de danse et ouverture ... pour le clavecin, un violon et violoncelle ad libitum. – *s. l., s. n.* – St.   [G 4291
F BO (vl, vlc)

— Ouverture et quatre airs de danse ... arrangés pour le clavecin avec accompagnement de violon par Hulmandel. – *Paris, Louis, No. 35.* – St.   [G 4292
S SK (clav)

— Ouverture et quatre airs de danse ... arrangés pour le clavecin avec accompagnement de violon. – *ib., Boyer.* – St.
                                          [G 4293
F Pc (clav, vl), Pn

— *ib., auteur, aux adresses ordinaires.*
                                          [G 4294
F Pc (clav)

— Ouverture et airs ... arrangés en duo pour deux clarinettes (Ouverture arrangée par M. Anicot). – *ib., Louis.* – St. [G 4295
GB Lbm (cl I, cl II)

— Ouverture et airs ... arrangés pour le clavecin ou le forte-piano avec violon et basse ad libitum par M. Mezger. – *ib., Boyer, Le Menu, No. 136.* – St. [G 4296
B Bc (clav, vl, vlc) – **GB** Lbm (clav)

— *ib., Naderman, No. 136.*   [G 4297
J Tmc (clav, vl, b)

Ouverture ... arrangée en quatuor pour deux violons, alto et basse par M. Vanhecke. – *Paris, Erard.* – St.   [G 4298
F V (vl I, vl II, vla, b)

— Ouverture ... arrangée en quatuor. – *ib., Janet & Cotelle.* – St.   [G 4299
S Skma (vl I, vl II, vla, vlc)

— Ouverture ... arrangée en trio pour deux violons, et basse par M. Vanhecke. – *ib., Frère.* – St.   [G 4300
F BO (vl I, vl II, vlc)

— Ouverture ... arrangée pour le clavecin avec accompagnement de violon ad libitum, par M. Anderman. – *ib., Frère, No. 13.* – St.   [G 4301
F Pc (clav, vl) – **US** Wc (vl)

— Ouverture ... arrangée pour la harpe (avec accompagnement de violon) par M. Deleplanque. – *ib., Le Duc (écrit par Ribière), No. 13.* – St.   [G 4302
F Pc (hf, vl) – **S** Skma

— Ouverture ... arrangée pour le clavecin avec accompagnement de violon par M. xxx. – *ib., aux adresses ordinaires.* – P.   [G 4303
F Pc

— Ouverture ... arrangée en duo pour deux violons par M. Vanhecke. – *ib., Frère.* – St.   [G 4304
F BO (vl I)

— Ouverture ... arrangée pour deux violons par B. Viguerie. – *ib., B. Viguerie.* – St.   [G 4305
F V (vl I, vl II)

— Ouverture ... arrangée en duo pour deux violons. – *ib., Imbault.* – St.
                                          [G 4306
F Lm (vl I)

— Ouverture ... arrangée pour piano forte. – *ib., Janet & Cotelle.*   [G 4307
D-brd BNu

— Ouverture ... arrangée pour le piano-forte. – *s. l., s. n.*   [G 4308
US Wc

Airs de ballet. – *s. l., s. n.*   [G 4309
D-ddr LEm

Chacun soupire dans ce séjour. Air avec accompagnement de guittare. – *s. l., s. n.*
            [G 4310
F Pn

Du choix que l'amour. Air avec accompagnement de clavecin ou de harpe. – *Paris, Le Beau.*   [G 4311
D-brd BNu – **F** Pn (2 Ex.) – **GB** Lbm

Entre un heureux amant. Duo. – *s. l., s. n.*   [G 4312
F Pn

Les voyages sont à la mode. Air avec accompagnement de guittare. – *Paris, Le Beau.*   [G 4313
F Pn

— *ib., Borrelly.*   [G 4314
F Pn

Marche . . . arrangée par Ficher. – *[Paris], Savigny.* – St.   [G 4315
F Pn (Primo, Secondo)

Pierre le Grand

Pierre le Grand. Comédie en prose et en trois actes, paroles de M. Bouilly, représentée . . . le mercredi 13 janvier 1790 . . . œuvre XXIX. – *Paris, auteur (Huguet).* – P. (und St.)   [G 4316
B Bc, Br, Gc – **D-brd** MZsch – **D-ddr** LEm – **DK** Kk – **F** A (St.), G, Lm (St.; fehlt tr II), Pc (2 Ex.), R, TLc, V (St.) – **GB** Lbm – **NL** Uim – **S** Ssr – **US** Bp, BE, I, R, Su, Wc – **USSR** Mk

— . . . (N° 28 de la collection des opéras de Grétry). – *ib., J. Frey.* – P.   [G 4317
A Wgm, Wn – **D-brd** BOCHmi

Ouverture . . . pour piano forte et violon par Henrickx. – *Paris, Bouin.* – St.
            [G 4318
B Bc

— Ouverture . . . arrangée pour clavecin ou forte-piano avec violon ad libitum [par F. Mezger]. – *ib., Boyer.* – St.
            [G 4319
GB Lbm (clav)

— Ouverture . . . arrangée pour le clavecin avec l'accompagnement d'un violon

par W. C. Nolting. – *Amsterdam, W. C. Nolting.* – St.   [G 4320
NL DHa (clav, vl)

— Ouverture . . . arrangée pour clavecin. – *Paris, Imbault, No. # 116.*   [G 4321
S Skma

Des martyrs de la liberté. Air. – *Paris, Frère.*   [G 4322
F Pn

En célébrant un empereur. Air avec accompagnement de guitarre. – *Liège, Andrez.*   [G 4323
D-brd LCH

Oui tes services. Duo. J'étois au bord de la fontaine. Ariette. [Teil einer unbekannten Serie]. – *Amsterdam, Johann Julius Hummel.*   [G 4324
D-brd MÜu

Richard Cœur-de-Lion (Richard Loewenherz)

Richard Cœur-de-Lion. Comédie en trois actes en prose et en vers par M. Sedaine, représentée . . . le 2 octobre 1784 . . . œuvre XXIV. – *Paris, Houbaut (Huguet).* – P.   [G 4325
A Wn (St.) – **B** Bc – **C** Tu – **CH** Bu, Gc (Etikett: Imbault) – **D-brd** BOCHmi, BNba, Hs, HR – **D-ddr** Dl – **DK** Kk (2 Ex.) – **F** A, BO, Dc, Lm (St.), NAc, Pc (4 Ex.; St.), Pn, R, TLc, V (St.) – **GB** Cfm, Cpl, Lcm, Lbm, LVu, Ouf – **H** Bn – **I** Bc, MOe, PAc (Etikett: Imbault), Rvat – **NL** Uim – **S** Skma, St – **US** AA, BE, Cn (2 Ex.), I (2 Ex.), NYp, NYq, PHu, R, Wc

— . . . (N° 21 de la collection des opéras de Grétry). – *ib., J. Frey.* – P.   [G 4326
A Wgm, Wn – **CH** BEk

Richard Löwenherz. Oper in drei Aufzügen . . . nebst der zu dieser Oper componirten Ouverture von Joseph Weigl, vollständiger Klavierauszug von Friedrich Ludwig Seidel. – *Berlin, Schlesinger, No. 76.* – KLA.   [G 4327
A Wgm – **D-brd** Bhm (2 Ex.), B, BNms, BNu, DO, Hs, Hmb, HEms (2 Ex.), KNh, Mbs (2 Ex.), Mmb – **D-ddr** Dl, HAmi, MEIr – **J** Tmc

— Richard Löwenherz . . . Clavir-Auszug von Carl Zulehner. – *Mainz, Schott, No. 85.* – KLA.   [G 4328

A Wgm, Wst – **D-brd** Bhm, F (3 Ex., davon 2 Ex. unvollständig), Mh, Mmb, MZsch – **GB** Lbm

— ... composed by the celebrated Gretry, Anfossi, Bertoni, Dr Hayes, Dr Wilson, Carolan and William Shield; almost the whole of the original French music is printed in this work. – *London, Longman & Broderip*. – KLA.   [G 4329
US Wc, Ws

— ... ([Teilabdruck] in: Piano-Forte Magazine, vol. XIV, Nr. 7). – *ib., Harrison, Cluse & Co., No. 220–221*. – KLA.   [G 4330
D-brd Mbs

Richard Coeur-de-Lion ... adapted for the german flute. – *London, Longman & Broderip*.   [G 4331
D-brd Hs – **GB** Lbm

Richard Cœur-de-Lion ... adapted for the guitar. – *London, Longman & Broderip*.   [G 4332
GB Gm, Lbm

Extrait de Richard Cœur–de–Lion arrangé pour le clavecin ou piano forte avec l'accompagnement d'un violon par Mr. Colizzi. – *Den Haag-Amsterdam, B. Hummel & fils*. – KLA.   [G 4333
NL DHa

Richard Löwenherz ... neu bearbeitet von Hrn. Kapellmeister von Seyfried. Eine Auswahl der vorzüglichsten Stücke im Klavier Auszug mit oder ohne Singstimmen. – *Wien, Chem. Druckerei, No. 1646–1652*. – KLA.   [G 4334
A Wgm, Wn, Wst

Suite d'airs d'opéra comiques en quatuor concertants avec l'ouverture pour deux violons, alto et basse arrangés par M. Alexandre. – *Paris, Le Duc*. – St.   [G 4335
F Pn (vl I, vl II, vla, vlc)

Ouverture et airs ... arrangés en quatuor pour deux violons, alto et basse par A. H. Wenck. – *Paris, Boyer, Le Menu*. – St.   [G 4336
F Pc (vl I, vl II, vla, vlc) – **US** Wc

Ouverture et morceaux ... arrangés en duo pour deux violons par M. Abraham. – *Paris, Bignon*. – St.   [G 4337
F Lm (vl I)

Ouverture und Chor ... fürs Clavier. – *Mainz, Schott, No. 85*.   [G 4338
CH Bu – **D-brd** MZsch

The overture and favorit songs ... with English and French words. – *London, Preston*.   [G 4339
GB Bu, Lbm, Ob

Ouverture ... arrangée en quatuor pour deux violons, alto et basse. – *Paris, Frère*. – St.   [G 4340
S Skma (vl I, vl II, vla, vlc)

— Ouverture ... arrangée pour le clavecin avec accompagnement de violon ad libitum par M. Anderman. – *Paris, s. n.* – St.   [G 4341
F Pn (clav, vl)

— Ouverture ... arrangée pour pianoforte et violon. – *ib., Janet & Cotelle*. – St.   [G 4342
US NYp (pf, vl)

— Ouverture ... arrangée en duo pour deux violons par M. Vanhecke. – *Paris, Frère*. – St.   [G 4343
F Pn (vl I, vl II)

— Ouverture ... pour clavecin. – *Paris, Imbault, No. # 65*.   [G 4344
S Skma

— Ouverture ... arrangée pour le fortepiano avec accompagnement d'un violon. – *Hamburg, J. A. Böhme*. – St.   [G 4345
S Skma (pf, vl)

Songs, duets, trios & chorusses ... adapted to the English words by M. Linley. – *London, S., A. & P. Thompson*. – KLA.   [G 4346
C Tp, Tu – **D-brd** Hs – **EIRE** Dn – **GB** Bu, BA, Gm, Lbm, Lcm, Mp – **US** Bh, Bp, Cn, NYp, Su, U (mit No. 11), Wc, Ws

La danse n'est pas ce que j'aime. Romance ... (und: O Richard o mon roi. Ariette). – *Amsterdam, Johann Julius Hummel*.   [G 4347
NL At

Un bandeau couvre les yeux. Une fièvre brûlante. Airs ... avec accompagnement de guitarre. – *Paris, s. n.*   [G 4348
D-brd MÜu

Air ... arrangé pour le piano par N. Carbonel. – *Paris, Le Duc, No. 716.* [G 4349
D-ddr B

Chantons, célébrons ce bon ménage. Chœur. – *Paris, Camand.*   [G 4350
GB Lbm

La danse n'est pas ce que j'aime. Air. – *Paris, Aubry.*   [G 4351
GB Lbm

— *ib., Camand.*   [G 4352
GB Lbm (3 Ex.)

— *ib., Mme Duhan, No. 431.*   [G 4353
CH Bchristen

— *s. l., s. n.*   [G 4354
GB Lbm

— The merry dance I dearly love. Song. – *[Paris], Bignon.*   [G 4355
GB Lbm

— ... (in: Aberdeen Magazine, sept., 1791). – *[Aberdeen], s. n., (1791).*
          [G 4356
GB Lbm

— ... adapted for harpsichord, piano forte or harp. – *London, Longman & Broderip.*   [G 4357
GB Lbm – **US** Pu

Hé zic et zac. Air. – *Paris, Camand.*
          [G 4358
F V – **GB** Lbm (2 Ex.)

Je crains de lui parler. Air. – *s. l., s. n.*
          [G 4359
F V

— ... accompagnement de M. Riguel. – *[Paris], (Cousineau père & fils), No. 225.*   [G 4360
CH Bchristen

O Richard, o mon roi. Air arrangé pour le piano forte ou pour la harpe. – *Paris, Le Menu.*   [G 4361
F Pn

— *[Paris], Mlle Lebeau.*   [G 4362
F Pn

— *ib., Bignon.*   [G 4363
GB Lbm

— *ib., Momigny.*   [G 4364
S Skma

— *ib., Mme Duhan, No. 432.*   [G 4365
CH Bchristen

— ... pour le forte-piano. – *Hamburg, J. A. Böhme.*   [G 4366
DK Kk

— ... Oh! Richard oh! my love. Song. – *Dublin, E. Rhames.*   [G 4367
EIRE Dn

On devoit encore attendre. Air. – *Paris, Imbault.*   [G 4368
F Pn

— ... pour le forte-piano. – *Hamburg, J. A. Böhme.*   [G 4369
D-ddr HAu

Que le sultan Saladin. Air. – *Paris, Camand.*   [G 4370
GB Lbm (3 Ex.)

— *ib., Imbault.*   [G 4371
GB Lbm

— *ib., Mme Duhan, No. 437.*   [G 4372
CH Bchristen

Si l'univers entier. Ariette. – *Paris, Camand.*   [G 4373
GB Lbm

Un bandeau couvre les yeux. Ariette. – *Paris, Camand.*   [G 4374
GB Lbm

— ... avec accompagnement de guitarre. – *s. l., s. n.*   [G 4375
F V

— ... with French and English words. – *London, Preston.*   [G 4376
GB Cfm

Une fièvre brûlante. Air. – *s. l., s. n.*
          [G 4377
F Pc, V

— *Paris, Camand.*   [G 4378
GB Lbm

— ... accompagnement de guitarre par
M. de Morlonne. – *ib., les frères Savigny.*
                                      [G 4379
F Pn

The answer to Antonio's favorite song. –
London, Fentum.   [G 4380
GB Lbm

— *ib., Preston.*   [G 4381
US Wc

(Ausgaben in deutscher Übersetzung:)

Arien aus Richard Loewenherz. – *Berlin,
Rellstab.*   [G 4382
D-brd EU

Amor scheut des Tages Licht. Duetto. –
Mainz, Schott, No. 85.   [G 4383
D-brd F, MZsch

Gesteh es nur. Chor und Finale. – *Mainz,
Schott, No. 85.*   [G 4384
D-brd MZsch

Der Gouverneur kömmt her zum Danze.
Terzetto. – *Mainz, Schott, No. 85.*
                                      [G 4385
D-brd MZsch

Ja Ritter dort in jener Burg. Chor. –
Mainz, Schott, No. 85.   [G 4386
D-brd MZsch

Mag der Sultan Saladin. Chor. – *Mainz,
Schott, No. 85.*   [G 4387
CH Bu – D-brd Bhm, F, MZsch

Mich brannt ein heises [!] Fieber. Duetto.
– *Mainz, Schott, No. 85.*   [G 4388
CH Bu – D-brd MZsch

Nein Nachts wär es zu viel gewagt. Aria. –
Mainz, Schott, No. 85   [G 4389
D-brd F, MZsch

Richard sei seiner Freiheit nicht länger
beraubt. Chor und Finale. – *Mainz,
Schott, No. 85.*   [G 4390
D-brd MZsch

Sonst mocht ich wohl das Tanzen leiden.
Aria. – *Mainz, Schott, No. 85.*   [G 4391
D-brd F

Und Tick und Tack. Chor. – *Mainz, Schott,
No. 85.*   [G 4392
A Wn – D-brd MZsch

Verläst [!] dich jedermann. Aria. – *Mainz,
Schott, No. 85.*   [G 4393
D-brd F, MZsch – S Skma

— *Hamburg, Johann August Böhme.*
                                      [G 4394
D-ddr Bds – DK Kmk

Was sagst du hat der Gouverneur. Quartett. – *Mainz, Schott, No. 85.*   [G 4395
D-brd F, MZsch (2 Ex.)

Duetto ... für das Pianoforte. – *Wien,
Cappi, No. 1229.*   [G 4396
A Wgm

Le rival confident

Le rival confident. Comédie en deux actes
et en prose par M. Forgeot, représentée
... le jeudi 26 juin 1788 ... œuvre XXVI.
– *Paris, Houbaut (Huguet).* – P. (und St.)
                                      [G 4397
B Bc (2 Ex.), Br – D-brd B – F A, Lm (St.),
LYm, Pc (2 Ex.), Pn, R, TLc – GB Lbm – NL
Uim – S St – US Bp, Cn

— ... (N° 25 de la collection des opéras
de Grétry). – *ib., J. Frey.* – P.   [G 4398
A Wgm, Wn – US R – USSR Mk

Ouverture ... arrangée en harmonie pour
deux clarinettes, deux cors et deux bassons. – *Paris, Imbault, No. 89.* – St.
                                      [G 4399
S Uu (cl I, fag I, fag II, cor I)

— Ouverture ... arrangée pour le clavecin ou le forte piano et violon ad libitum
par Mr Mezger. – *ib., Boyer.* – St. [G 4400
GB Lbm (clav)

L'âge a sçu borner nos désirs. Ronde. –
Paris, Imbault.   [G 4401
D-brd DÜk – GB Lbm

— ... accompagnement de harpe, ou
piano forte par M. M^xxx. – *ib., Toulan.*
                                      [G 4402
D-brd BNu

La rosière de Salenci (Das Rosenmäd-
chen)

La rosière de Salenci. Pastorale en trois
actes, représentée ... le lundi 28 février
1774. – *Paris, Houbaut (Dezauche, Bas-
set)*. – P. (und St.)   [G 4403
A Wn – **B** Bc (2 Ex.), Br, BRc, Gc – **CH** Gc,
Gpu (St., zum Teil handschriftlich) – **D-brd**
BOCHmi, BNu (St.), DO, F, HR, Mbs (2 Ex.)
– **D-ddr** GOl (St.), LEm, SWl – **DK** Kk – **F** A
(2 Ex.), AI, BO, CAH (St.; fehlen fag, ob I),
G, Lm (2 Ex.; St.), LYm, Pc (8 Ex.), Pn, R,
TLc (2 Ex.), V (St.; fehlt cor I) – **GB** Lbm
(3 Ex.) – **I** Bc, Mc, MOe, Rvat – **NL** Uim, AN –
S Skma, St – **US** AUS, Bp, BE, Cn, CHH, I,
PHu, R, Su, U, Wc – **USSR** Mk

— ... (N° 10 de la collection des opéras
de Grétry). – *ib., J. Frey.* – P.   [G 4404
A Wgm, Wn

— *ib., de La Chevardière.* – P.   [G 4405
F Pc (2 Ex.)

— ... [Libretto mit Arien]. – *ib., Delalain, 1775.*   [G 4406
A Wn

— ... précédée de réflexions sur cette
pièce, mêlée de quelques observations
générales sur les spectacles [Libretto]. –
ib., Vve Duchesne, 1775.   [G 4407
US AUS

Ouverture ... à deux violons, taille et
basse, hautbois et cors de chasse. – *Berlin, Johann Julius Hummel; Amsterdam,
au grand magazin de musique, No. 349.* –
St.   [G 4408
B Br (kpl.: 8 St.) – **D-brd** LA – **PL** Wu – **S** SK

— Ouverture. – *Paris, Boyer.* – St.
                                          [G 4409
F BO (vl II, vla, vlc)

— Ouverture ... accomodée pour le clavecin avec l'accompagnement d'un violon ad libitum, par G. Neuman. – *Berlin,
Johann Julius Hummel; Amsterdam,
grand magazin de musique, No. 370.* – St.
                                          [G 4410
S SK (clav)

— Ouverture ... mise pour le clavecin
par Grosheim. – *Mainz, Schott, No. 202.*
                                          [G 4411
D-brd MZsch

Recueil d'ariettes, duos et trios. – *s. l.,
s. n.* – P.   [G 4412
F V

Aime les yeux noirs si tu veux. Air. –
Paris, Bignon.   [G 4413
GB Lbm

Chantez, dansez. Vaudeville. – *s. l., s. n.*
                                          [G 4414
GB Lbm (6 Ex.)

— *Paris, Camand.*   [G 4415
GB Lbm

— *ib., les frères Savigny.*   [G 4416
GB Lbm

— ... (in: Mercure de France, déc.,
1774). – *[Paris], s. n., (1774).*   [G 4417
GB Lbm

— ... Vaudeville ... avec accompagnement de guitare ... avril 1778. – *s. l.,
s. n., (1778).*   [G 4418
F Psg

Colin quel est mon crime. Duo. – *s. l.,
s. n.*   [G 4419
GB Lbm

Du poids de la vieillesse. Air. – *s. l., s. n.*
                                          [G 4420
GB Lbm

Et que me fait l'orage. Ariette. – *s. l.,
s. n.*   [G 4421
F Lm

Écoute moi Lucile. Duo. – *s. l., s. n.*
                                          [G 4422
F Pn

— *Amsterdam, S. Markordt.*   [G 4423
CH Zcherbuliez

J'ai tout perdu. Air. – *s. l., s. n.*   [G 4424
F Pn – **GB** Lbm

Ma barque légère. Ariette. – *s. l., s. n.*
                                          [G 4425
CH BEl – **GB** Lbm

— ... pour la harpe par M. D. V. – *s. l.,
s. n.*   [G 4426
A Wmi

— . . . avec accompagnement de guittare
par Guichard. – *Paris, Frère.*   [G 4427
F Pc

— . . . accompagnement de guitarre par
M. de Morlanne l'aîné. – *ib.*, *les frères
Savigny.*   [G 4428
F Pn

Oui j'adopte ton sentiment. Air avec accompagnement de guitare. – *Paris, Camand.*   [G 4429
GB Lbm

Quand le rossignol du boccage. Ariette. –
s. l., s. n.   [G 4430
CH BEl – F Pn – GB Lbm

— . . . avec les parties des violons, flûte,
hautbois, cors de chasse, taille et basse. –
Den Haag, B. Hummel. – St.   [G 4431
D-ddr Bds (vl I, vl II, vla, vlc, fl, ob, cor I,
cor II)

Quel beau jour se dispose. Ariette. – *s. l.,
s. n.*   [G 4432
CH DE (zusammen mit: Du poids de la vieillesse) – F Pn, Psg – GB Lbm

— *Paris, Camand.*   [G 4433
GB Lbm

— *Amsterdam, S. Markordt.*   [G 4434
CH Zcherbuliez

Reconnais ton amant fidèle. Duo. – *s. l.,
s. n.*   [G 4435
F Lm

Un cœur tout neuf. Ariette. – *s. l., s. n.*
                                      [G 4436
F Psg

De Jean Jacques prenons le ton. D'une
jolie femme à son mari. Air de La rosière.
– *s. l., s. n.*   [G 4437
GB Lbm (2 Ex.)
vgl. auch [G 4579

Silvain

Silvain. Comédie en un acte et en vers. –
*Paris, aux adresses ordinaires (Dezauche,
Montulay).* – P. (und St.)   [G 4438
A Gk, Wn, Wst – B Bc (2 Ex.), Br, Gc – CH
Bu, Gc (fehlt Titelblatt) – D-brd B, BOCHmi,
DO, KNh, Mbs (2 Ex.), MZsch – D-ddr Dl,
GOl (St.), LEm, SWl – DK Kk – F A (2 Ex.),

Dc, G, Lc, Lm (2 Ex.), LYc, LYm (2 Ex.), Pc
(7 Ex. und folgende St.: vl I [2 Ex.], vl II, vla,
ob I, ob II [2 Ex.], cor I, cor II [2 Ex.], b),
Pn (3 Ex.), V – GB Ckc, Cpl, Lbm, Lgc, Ltm
– I MOe, Nc, PAc – J Tmc (2 Ex.) – NL Uim
– S Skma, Ssr – US Bp, BE, Cn (2 Ex.), CHH,
I (3 Ex.), PHu, PO, R, Su, U, Wc – USSR Mk

— . . . (N° 4 de la collection des opéras de
Grétry). – *ib., J. Frey.* – P.   [G 4439
A Wgm, Wn

— . . . transporté sur le clavecin par
A^xxx. – *ib., s. n., 1773.* – KLA.   [G 4440
D-brd W – S Skma

— . . . [Libretto mit 8 p. Ariettes]. – *ib.,
Merlin, 1770.*   [G 4441
A Wn – DK Kv – GB Lbm (2 Ex.)

— . . . [Libretto]. – *ib., 1774.*   [G 4442
A Wn

Ouverture . . . à deux violons, taille et
basse, deux hautbois ou flûtes, et deux
cors de chasse. – *Den Haag-Amsterdam,
B. Hummel & fils.* – St.   [G 4443
B Br (kpl.: vl I, vl II, vla, vlc, ob I, ob II,
cor I, cor II)

— Ouverture . . . arrangée pour clavecin
avec accompagnement d'un violon et
violoncelle ad libitum, par Benaut. –
*Paris, Le Vasseur, Castagnery (Lauren-
cin).* – St.   [G 4444
F Pc (clav, vlc)

— Ouverture . . . en trio arrangée pour
deux violons et basse par M. Hugard de
St. Guy. – *Paris, Bignon; Nantes, Hugard.* – St.   [G 4445
F Pc (vl I, vl II, vlc [je 2 Ex.])

— Ouverture . . . arrangée pour le clavecin avec un violon ad libitum par M. Clément. – *Paris, Le Menu & Boyer.* – St.
                                      [G 4446
F Pn (clav)

— Ouverture . . . arrangée en duo pour
deux violons. – *Paris, Imbault.* – St.
                                      [G 4447
F Lm (vl I)

Ariettes de Silvain, du Huron et du
Tableau parlant, avec accompagnement

pour le clavecin par M. Tapray. – *Paris,*
auteur; Lyon, Castaud (Desjardin).
[G 4448
F Pc

Airs détachés. – *Paris, aux adresses ordi-*
naires (Dezauche).   [G 4449
F Pc (2 Ex.), V

Ariettes (Nos cœurs cessent de s'entendre;
Je ne sais pas si ma sœur aime; Hé comment ne pas le chérir; Tout le village me
l'envie; Duo Avec ton cœur s'il est fidèle).
– *s. l., s. n.*   [G 4450
F Pc

Dans le sein d'un père. Duo. Veillons mes
sœurs. Trio de Zémire et Azor. Ariette de
la dernière pièce en sonate pour le forte
piano avec un accompagnement de violon
par M. Tapray. – *Paris, De Roullède;*
Lyon, Castaud (Desjardin). – St.
[G 4451
F Pc (pf, vl), Pn

The favorite songs, set for the harpsi-
chord, violin or german flute. – *London,*
H. Thorowgood.   [G 4452
GB Lbm

Dans le sein d'un père. Ariette; Ne crois
pas qu'un bon ménage. Duo. – *s. l., s. n.*
[G 4453
F Pc

— Dans le sein d'un père. Duo. – *Amster-*
dam, S. Markordt.   [G 4454
CH Zcherbuliez

— ... avec accompagnement de piano ou
harpe. – *[Paris], Ph. Petit, No. 22.* P.
[G 4455
D-brd KNmi

Hé comment ne pas le chérir. Ariette. –
s. l., s. n.   [G 4456
CH BEl, DE (enthält auch: Avec ton cœur s'il
est fidelle) – GB Lbm (2 Ex.)

Je puis braver les coups du sort. Air. –
s. l., s. n.   [G 4457
CH BEl

— *Paris, Bignon.*   [G 4458
GB Lbm

Ne crois pas qu'un bon ménage. Air. –
s. l., s. n.   [G 4459
CH BEl – GB Lbm

— *Amsterdam, S. Markordt.*   [G 4460
CH Zcherbuliez (ohne Titelblatt, enthält auch:
Air de La rencontre imprévue)

— *Paris, Girard.* – St.   [G 4461
F Pc (v/vlc, vl I, vl II, vla, fl I/II, cor I/II)

Tout le village me l'envie. Ariette. – *s. l.,*
s. n.   [G 4462
CH BEl

— *Paris, Bignon.*   [G 4463
GB Lbm

Duo. – *Paris, Girard.*   [G 4464
F Pc

Ariette. – *s. l., s. n.* – St.   [G 4465
F BO (vl I, vl II, vla, cemb, ob I/II)

Le tableau parlant

Le tableau parlant. Comédie parade en
un acte et en vers, représentée ... le
20 septembre 1769. – *Paris, aux adresses*
ordinaires; Lyon, Castaud (Dezauche,
Montulay). – P.   [G 4466
A Gk (2 Ex.), Wn (2 Ex.) – B Bc (3 Ex.), Br –
C Tu – CH Gc – CS Pk (2 Ex.) – D-brd BOCHmi,
Cl, KNh, Mbs, Mì, Rp, Rt – D-ddr Bim, Dl,
GOl, ROu – DK Kk, Kv (Et kett: Mme
Bérault) – F A (2 Ex.), BO, Lm (2 Ex.), NAc,
NS, Pc (4 Ex.), Pn (2 Ex.), Po, TLc, V (2 Ex.) –
GB Cpl, Lbm, Ltm – I Bc, Mc, MOe, Nc – NL
Uim – S Skma, St, Ssr – US Bp, Cn, I (2 Ex.),
NYp, R, Su, U, Wc – USSR Mk

— ... (N° 3 de la collection des opéras de
Grétry). – *ib., J. Frey.* – P.   [G 4467
A Wgm, Wn

— *St. Petersburg, Dalmas.*   [G 4468
USSR Mk

— ... opéra comique en un acte. – *Paris,*
E. Girod. – KLA.   [G 4469
US Cu

— ... [Libretto]. – *ib., Vve Duchesne,*
1769.   [G 4470
CH SGv – GB Lbm

Ouverture ... arrangée en quatuor pour
deux violons, alto et basse. – *Paris, Im-*
bault, No. Q 1. – St.   [G 4471

F BO (vl I, vl II) – S Skma (kpl.: vl I, vl II, vla, vlc)

— Ouverture ... à deux violons, viola, fagotta et basse, deux flûtes ou oboes et deux cors de chasse. – *Amsterdam, S. Markordt.* – St.   [G 4472
B Br (kpl.: 9 St.)

— Ouverture ... arrangée pour le clavecin avec accompagnement d'un violon et violoncelle ad libitum par M. Benaut. – *Paris, aux adresses ordinaires.* – St.
     [G 4473
D-brd DO (kpl.: clav, vl, vlc) – F Pc (clav, vlc)

— Ouverture ... en trio arrangée pour deux violons et basse par M. Hugard de St. Guy. – *ib., Bignon.* – St.   [G 4474
US Wc

— Ouverture ... arrangée pour le clavecin avec un violon ad libitum par M. Clément. – *ib., Le Menu & Boyer.* – St.
     [G 4475
F Pn (clav)

— Ouverture ... arrangée pour le clavecin avec accompagnement de violon ad libitum par M. D. Damoreau. – *ib., bureau d'abonnement musical (Mercier).* – St.
     [G 4476
F Pc (clav, vl)

— Ouverture ... accomodée pour le clavecin avec l'accompagnement d'un violon, ad libitum, par G. Neumann. – *Berlin, Johann Julius Hummel; Amsterdam, grand magazin de musique, No. 354.* – St.   [G 4477
CS Pu (clav, vl) – D-ddr Dl – S Sm (clav)

Ariettes et duos. – *s. l., s. n.* – P.
     [G 4478
F V

Airs détachés. – *Paris, aux adresses ordinaires.*   [G 4479
F Pc

Quatuor et ariettes pour le clavecin. – *Paris, auteur; Lyon, Castaud (Desjardin).* – St.   [G 4480
F Pc (kpl.: clav, vl I, vl II, vlc)

Ah! laisse moi. Trio. – *s. l., s. n.*   [G 4481
F V

Cet aveu charmant répand dans mon âme. Ariette. – *s. l., s. n.*   [G 4482
CH BEl, DE (ohne Titelblatt; enthält auch: Vous étiés ce que vous n'êtes plus)

Le dieu de la tendresse. Vaudeville avec accompagnement de guitarre. – *s. l., s. n.*
     [G 4483
F Pc – GB Lbm

Il est certains barbons. Air. – *s. l., s. n.*
     [G 4484
GB Lbm

— ... accompagnement de piano ou harpe par Charles Bochsa fils. – *Paris, Duhan & Co., No. 786.*   [G 4485
D-ddr Dl

Je brûlerai d'une ardeur. Duo arrangé pour le piano forte et un violon par M. Colizzi. – *Den Haag-Amsterdam, B. Hummel & fils.* – St.   [G 4486
S Skma (pf, vl)

Je suis jeune, je suis fille. Ariette. – *s. l., s. n.*   [G 4487
F Pc, V

— ... accompagnement de piano ou harpe par Charles Bochsa fils. – *Paris, Duhan & Co., No. 788.*   [G 4488
D-ddr Dl

Notre vaisseau dans une paix profonde. Ariette ... avec ses parties détachez tel quel sont dans la partition. – *Paris, Girard.* – St.   [G 4489
F Pc (kpl.: vlc, vl I, vl II, vla, fag I/II, ob I/II, cor I/II – S St

La nuit dans les bras du sommeil. Air. – *s. l., s. n.*   [G 4490
GB Lbm

— ... (in: Mercure de France, nov., 1770). – *Paris, (Recoquilliée), 1770.*
     [G 4491
GB Lbm

Pour tromper un pauvre vieillard. Ariette. – *s. l., s. n.*   [G 4492
F Pn – GB Lbm

Vous étiés ce que vous n'êtes plus. Air. – *s. l., s. n.*   [G 4493
CH BEl – GB Lbm

— ... arrangé pour le piano ou la harpe par Vˣˣˣ Dˣˣˣ. – *Paris, Boieldieu, No. 46.*
[G 4494
D-ddr Dl

Tiens ma reine. Ariette avec toutes les parties d'accompagnement telle quelle sont dans la partitions [!]. – *s. l., s. n.* – St.
[G 4495
F Pc (v/vlc, vl I, vl II, vla, ob I, ob II, cor I, cor II [je 2 Ex.])

Zaïre

Zaïre. March [!] fürs Clavier. – *Wien, Artaria & Co., No. 1765.*
[G 4496
A Wst

Zémire et Azor

Zémire et Azor. Comédie-ballet en vers et en quatre actes, représentée ... le 9 novembre 1771. – *Paris, Houbaut (Dezauche, Montulay).* – P. (und St.)
[G 4497
A Wgm (2 Ex.), Wn (2 Ex.) – **B** Bc (2 Ex.), Br, BRc, Gc – **C** Tu – **CH** C, Bu, Gc (2 Ex.), Zz (2 Ex.) – **CS** K – **D-brd** BOCHmi, B, F (2 Ex.), Hs, HR, (St.; fehlt fl I, fl II), KNh (2 Ex.), KNmi, Mbs (2 Ex.), Mh, MZsch (St.; fehlen fag, fl I, fl II), Rtt, W (fehlen Titel und erste Noten-Seite; St.) – **D-ddr** Dl (2 Ex.), LEm, RUl, SWl (St.) – **DK** Kk (St.) – **F** A, Lm (St.; fehlen fl I, fl II), Pc (10 Ex., St. ohne vl II, vla, b, ob I, fag, fl I, fl II), Pn (3 Ex.; St. ohne fl I, fl II), Po (2 Ex.), Sim, TLc, V (2 Ex.; St. ohne fl I, fl II) – **GB** Ckc, Lam, Lbm (2 Ex.), Lcm, Ltm – **I** MOe, Nc, Pca, Rsc (fehlt Titelblatt), Rvat, Tci – **NL** Uim – **S** Skma (2 Ex.; St. ohne vla, fl I, fl II), Ssr – **US** Bp, BE, Cn, CA, CHH, I (2 Ex.), LAusc, LOu, MSp, NH, NYp, PHu, R, Su, SLug, U, Wc – **USSR** Mk (Impressum: aux adresses ordinaires)

— ... (N° 7 de la collection des opéras de Grétry). – *ib., J. Frey.* – P.
[G 4498
A Wgm, Wn – I Bc

— Des Herrn Gretri Zemire und Azor ... mit einer deutschen Übersetzung in einem Clavier-Auszug herausgegeben von Johann Adam Hiller. – *Leipzig, Schwickert.* – KLA.
[G 4499
A Gk – B Bc – CH Bu, SO – CS Pu, Pnm – **D-brd** DT, F, Gs, LB, W – **D-ddr** Dl, LEm – DK Kk – F Pc – **GB** Ckc, Lbm – S Ssr – US Bp, Wc

— ... [Libretto]. – *Paris, Vente, 1772.*
[G 4500
GB Lbm

Ouverture de Zémire et Azore, de La rosière, ariette de la dernière pièce, en simphonie pour le clavecin avec un violon ad libitum par M. Tapray. – *Paris, auteur, aux adresses ordinaires (Richomme).* – St.
[G 4501
D-brd BE (clav, vl) – **F** Pc, Pn (clav) – **US** Cn

— Ouverture ... à premier et second violons, alto et basso, deux hautbois e flaute, deux cors ad libitum. – *Amsterdam, S. Markordt.* – St.
[G 4502
B Br – **GB** Ob

— Ouverture ... arrangée en quatuor, pour deux violons, alto et basse, par M. Vanhecke. – *Paris, Frère, No. 10.* – St.
[G 4503
S Skma (kpl.: vl I, vl II, vla, vlc)

— Ouverture ... arrangée pour le clavecin avec accompagnement d'un violon et violoncelle ad libitum, par Benaut. – *ib., Le Vasseur, Castagnery (Laurencin).* – St.
[G 4504
F Pc (clav, vlc)

— *ib., auteur, aux adresses ordinaires.* – St.
[G 4505
F Mc (clav), Pc (clav), Pn (clav)

— Ouverture ... – *ib., Girard.* – St.
[G 4506
F BO (vl; fehlt Titelblatt)

— Ouverture ... arrangée pour le clavecin avec un violon ad libitum par M. Clément. – *ib., Le Menu & Boyer.* – St.
[G 4507
DK Kk – **F** Pc (clav), Pn

— Ouverture ... arrangée pour le clavecin avec l'accompagnement d'un violon ad libitum par J. L. Dussik. – *Den Haag, B. Hummel & fils.* – St.
[G 4508
NL At (clav, vl)

Ariettes de Zémire et Azor et Silvain. Second recueil avec accompagnement pour le clavecin ou le forte piano par M. Tapray. – *Paris, auteur; Lyon, Castaud (Desjardin).* – P.
[G 4509
F Pc

Airs détachés. – *Paris, Houbaut, aux adresses ordinaires (Dezauche, Montulay).*
[G 4510

F Pc

Ariettes (Amour, amour; La fauvette avec ses petits; Rose chérie; Du moment qu'on aime; Azor, Azor, Azor). – *s. l., s. n.* – P.   [G 4511
F Pc

Airs (Ah quel tourment d'être sensible; Les esprits dont on nous fait peur). – *Amsterdam, S. Markordt.*   [G 4512
NL At

Airs (Azor! Azor; Rassure mon père). – *Amsterdam, S. Markordt.*   [G 4513
NL At

The favourite songs. – *London, W. Napier.*
[G 4514

GB Ckc, Lbm – **US** MSu, Wc, Ws

The much admired songs in the opera Zémire et Azor. – *London, Babb's musical circulating library.*   [G 4515
GB Gm – **US** LAu

Arien und Duetten . . . 1. Theil. – *Leipzig, Breitkopf.*   [G 4516
D-ddr Dl

Airs (Zoo dra men voeld de minne; Gy die ik aenbidde). – *Amsterdam, S. Markordt.*
[G 4517

NL At

Ah laisses moi la pleurer. Trio. – *London, S. Babb.*   [G 4518
GB Lbm

Ah! Quel tourment d'être sensible. Ariette. – *Paris, Girard.* – St.   [G 4519
F Pc (v/vlc, vl I, vl II, vla, fl I/II, cor I/II) – **CH** BEl

— . . . pour une voix et vlc. – *ib., Girard.*
[G 4520

F Pc

Amour amour quand ta rigueur. Duo concertant. – *Amsterdam, S. Markordt.* – KLA.   [G 4521
CH Zcherbuliez (ohne Titelblatt; enthält auch: Couplets sur la marche de Huron)

Azor, Azor, Azor. Ariette. – *s. l., s. n.*
[G 4522
CH BEl, DE (ohne Titelblatt, mit Verlags-No. 73; enthält auch: La fauvette avec ses petits), Zcherbuliez (ohne Titelblatt; enthält auch: Rassure mon père) – **F** Pn

— Azor, Azor vergeeß 'k wensch. – *Amsterdam, S. Markordt.*   [G 4523
US Wc

Du moment qu'on aime. Air. – *London, S. Babb.*   [G 4524
GB Lbm

— . . . accompagnement de piano ou harpe par M. E. Berton fils. – *Paris, Duhan (Garbet), No. 643.*   [G 4525
S Skma

Les esprits dont on nous fait peur. Air. – *London, S. Babb.*   [G 4526
GB Lbm

La fauvette avec ses petits. Ariette. – *s. l., s. n.*   [G 4527
CH BEl – **F** Psg – **GB** Lbm

— *Paris, Girard.* – St.   [G 4528
F Pc (v/vlc, vl I, vl II, vla, fl I/II, cor I/II)

— . . . pour une voix et vlc. – *ib., Girard.*
[G 4529

F Pc

J'en suis encor tremblant. Air. – *s. l., s. n.*
[G 4530

GB Lbm

Je veux le voir, je veux lui dire. Duo. – *Amsterdam, S. Markordt.*   [G 4531
CH Zcherbuliez (ohne Titelblatt; enthält auch: La pauvre enfant ne savait pas.)

Le malheur me rend intrépide. Ariette. – *s. l., s. n.*   [G 4532
CH BEl

La pauvre enfant ne savait pas. Air. – *s. l., s. n.*   [G 4533
F Psg

Plus de voyage qui me tente. Air. – *s. l., s. n.*   [G 4534
F Psg – **GB** Lbm

Rose chérie, aimable, fleur. Air. – *s. l.,
s. n., No. 14.*   [G 4535
CH BEsu

— ... (in: Mercure de France, janv.,
1772). – *[Paris], s. n., (1772).*   [G 4536
GB Lbm

— *London, S. Babb.*   [G 4537
GB Lbm

Senza te bell idol. Rondeau. – *Dublin,
E. Rhames.*   [G 4538
EIRE Dn

Veillons mes sœurs. Trio. – *s. l., s. n.*
                                   [G 4539
F Psg

— *London, S. Babb.*   [G 4540
GB Cu

— *ib., Dale.*   [G 4541
GB Cu

— ... approprié pour une flûte, violon et
violoncello. – *Den Haag, B. Hummel.* – St.
                                   [G 4542
S SK (fl, vlc)

— Scène du père et des sœurs ... arrangée pour 6 instruments à vent. – *s. l.. s.
n.* – St.   [G 4543
F Pc (kpl.: cl I, cl II, cor I, cor II, fag I, fag II,
fl I, fl II)

Six duettinos ... pour deux flûtes accommodés par M. Vendling. – *Amsterdam, S. Markordt.* – St.   [G 4544
US Wc (fl I, fl II)

Trio détachés de Zémire et Azor, avec la
basse chiffrée; trio des trois sœurs et du
Tableau magique. – *Paris, Houbaut
(Dezauche).* – P.   [G 4545
F Pc (2 Ex.), Pn

Sonates tirées des meilleues [!] opera français arrangées pour le clavecin avec l'accompagnement d'un violon, No. 2 de
Zémire & Azor. – *Offenbach, Johann André, No. 43.*   [G 4546
D-ddr Dl

Zemire und Azore ... sei pezzi per piano-
forte. – *Wien, K.-K. Hoftheater-Musik-
verlag.*   [G 4547
I MOe

VOKALMUSIK

Sammlungen und Einzelausgaben

Collection de la musique de M. Grétry
avec accompagnement de clavecin et d'un
violon ad libitum par M. Corbelin, vol.
1(–10). – *Paris, Corbelin.* – St.   [G 4548
F Pn (kpl.: 1–10; clav, vl)

— ... vol. 1 contenant l'ouverture et le
vaudeville du Mariage d'Antonio [von
Lucile Grétry]. – *ib., Corbelin.*   [G 4549
D-brd F (clav)

— ... vol. 2 contenant l'air du nègre
Oui noir de L'amitié à l'épreuve, et le duo
Auprès d'Antonio du Mariage d'Antonio.
– *ib., Corbelin.*   [G 4550
D-brd F (clav)

— ... vol. 3 contenant l'air Que ce cha-
peau du Mariage d'Antonio, et le duo Vive
la liberté des Méprises par ressemblance. –
ib., Corbelin.   [G 4551
D-brd F (clav)

— ... vol. 4 contenant l'air de La prise de
tabac; Quand j'entends du Comte d'Albert, celui Non je veux rester fille des
Méprises par ressemblance; et l'air de
fraîcheur de L'amitié à l'épreuve. – *ib.,
Corbelin.*   [G 4552
D-brd F (clav)

— ... vol. 5 contenant l'air O Blanfort,
et celui Ah quel plaisir de L'amitié à
l'épreuve, et la romance Mon père avoit
des Méprises par ressemblance. – *ib., Corbelin.*   [G 4553
D-brd F (clav)

— ... vol. 6 contenant l'air Je suis heureux, et celui Non laissez moi de la suite
du Comte D'Albert, et le duo Je veux
qu'on ne m'en gêne en rien de L'amitié à
l'épreuve. – *ib., Corbelin.*   [G 4554
D-brd F (clav)

— ... vol. 7 composé de l'air Assuré de
ton innocence du Comte d'Albert, de celui
De mes tendres vœux de la suite du Comte d'Albert, et d'un duo de L'amitié à
l'épreuve. – *ib., Corbelin.*   [G 4555
D-brd F (clav)

Collection de la musique de M. Grétry avec accompagnement de harpe et d'un violon ad libitum par M. Corbelin, vol. 1(–10). – *Paris, Corbelin.* – St.   [G 4556
A Wkann (1, 2, 3, 5; nur clav) – **D-ddr** LEm – F Pc (4), Pn (1, 10)

Collection de la musique de M. Grétry avec accompagnement de guitarre et d'un violon ad libitum par M. Corbelin, vol. 1(–6). – *Paris, Corbelin.* – St.   [G 4557
F Pn (1–6)

Collection de la musique de M. Grétry . . . pour deux violons, vol. 1(–3). – *Paris, Corbelin.* – St.   [G 4558
D-ddr LEm (3; vl I, vl II) – F Pn (1, 2)

Airs choisis tirés de divers opéra-comiques tant anciens que nouveaux. – *Amsterdam, M. M. Rey.* – P.   [G 4559
F V

Six nouvelles romances . . . paroles d'André Grétry . . . avec accompagnement de piano ou harpe. – *Paris, Marie.*   [G 4560
F Pn (2 Ex.) – I Nc

Trois romances avec accompagnement de forte-piano . . . œuvre II. – *Paris, H. J. Godefroy.*   [G 4561
A Wgm

Diana ed Endimione. Cantata a due voci, coll' accompagnamento del pianoforte, composta da Ferdinand Paer. – *Leipzig, Breitkopf & Härtel.* – KLA.   [G 4562
D-ddr SWl

Hymne à l'éternel . . . accompagnement de guitare par Bédard. – *Paris, Marie.*
                [G 4563
F Pn

Les caprices. Romance de M. de Saint-Lambert (in: Mercure de France, nov., 1774). – *[Paris], s. n., (1774).*   [G 4564
GB Lbm

Doux plaisir, l'amour te rapelle [!] Air (in: Mercure de France, déc., 1775). – *[Paris], s. n., (1775).*   [G 4565
GB Lbm

Entre un amant triste et sauvage. Duo . . . accompagnement de M. F. Fodor. – *s. l., s. n.*   [G 4566
GB Lbm

Fière indifférence. Les Nymphes de Diana. Menuet (in: Mercure de France, juin, 1775). – *[Paris], s. n., (1775).*   [G 4567
GB Lbm

Quand on est belle. Romance du Roman du Chevalier du soleil (in: Mercure de France, déc., 1779). – *[Paris], s. n., (1779).*   [G 4568
GB Lbm

Unissez vos cœurs et vos bras. Ronde pour la plantation de l'arbre de la liberté. – *Paris, magasin de musique à l'usage des fêtes nationales.*   [G 4569
F Pn (3 Ex.) – **GB** Lbm

Vous connoissez, mes amis. Air pour la fête de Madame Pxxx (in: Mercure de France, fév., 1776). – *[Paris], s. n., (1776).*   [G 4570
GB Lbm

I thought our quarrels ended. A favorite song. – *London, Longman & Broderip.*
                [G 4571
F TLc – **US** Pu

Nichts von Klage mehr. Arie für Gesang und Pianoforte. – *Wien, Thadé Weigl, No. op. 642.*   [G 4572
A Wgm

INSTRUMENTALWERKE

Le philosophe imaginaire. Ouverture arrangée en quatuor pour deux violons, alto et basse. – *Paris, Imbault, No. Q 100.* – St.
                [G 4573
S Skma (vl I, vl II, vla, b)

Sei quartetti per violini, alto et basse . . . op. III. – *Paris, Borrelly.* – St.   [G 4574
F Pc (vl I, vla, vlc) – **US** Wc (vl I, vl II, vla, b [je 2 Ex.])

Deux sonates pour le clavecin, accompagné de la flûte traversière, du violon et de la basse, tirées de L'amitié à l'épreuve, œuvre 1. – *Offenbach, Johann André.* – St.
                [G 4575
B Bc

Six sonates chantantes ou ariettes de différens opéras nouveaux dialoguées pour deux violons. – *Paris, Bailleux.* [G 4576
F Pc

Trois ariettes d'opéra-comique (La fausse magie, L'ami de la maison) arrangées en duo pour deux harpes par M. Cardon. – *Paris, Cousineau (gravés par Le Roy)*. – St. 　　　　　　　　　　　　　　[G 4577
F Pc (hf I, hf II)

Ma barque légère. Thème favori ... rondeau pour le piano, intercalé dans l'œuvre posthume de J. L. Dussek, nouvelle édition. – *Paris, Dufaut & Dubois, No. VD (D 1361)*. 　　　　　　　　　[G 4578
CH Bu

Marche des Amazones ... marche de La rosière. – *[Paris], Savigny*. – P. [G 4579
F Pn

Marche des Deux avares ... marche de St Sauveur. – *[Paris], Savigny*. – P. [G 4580
F Pn

LEHRWERKE

Méthode simple pour apprendre à préluder en peu de temps avec toutes les ressources de l'harmonie. – *Paris, imprimerie de la république, 1801.* 　　　　[G 4581
B Br – **F** Pc – **GB** Lbm – **I** Bc, Mc
　　　　　　　　　　　　　　Ingo Schultz

GRÉTRY Lucile

Le mariage d'Antonio. Divertissement en un acte et en prose. – *Paris, auteur, (1786)*. – P. 　　　　　　　[G 4582
B Bc (2 Ex.) – **GB** Lbm (mit Impressum: Paris, Houbaut, 2 verschiedene Ausgaben)

Ah, quel plaisir. Air ... arrangé pour le forté piano par M. Beauvarlet Charpentier fils. – *Paris, Leduc, No. 109.* – KLA. 　　　　　　　　　　　　　　[G 4583
S Skma

Dès les premiers jours du printems. Vaudeville. – *[Paris], Frère*. [G 4584
GB Lbm

GREUTER Conrad

Bündnerlieder, mit Melodien [für 2–4 Singstimmen und bc]. – *Chur, Autor (Bernhard Otto), 1785.* [G 4585

A Wgm – **B** Bc – **CH** Bu, C (2 Ex.), SGv, Zz, Zcherbuliez

GREVIN (l'aîné)

Recueil de Polymnie avec accompagnement de basse dont plusieurs arrangés pour le clavecin ou le fortepiano, paroles de différens auteurs. – *Paris, auteur, Mme Le Menu*. – P. 　　　　[G 4586
F Pn

GREZNER Johann Friedrich

Six trios, quatre à deux flûtes & basse, deux à flûte, violon & basse ... œuvre I. – *Berlin, Johann Julius Hummel.* [G 4587
US CHua (kpl.: fl I, fl II/vl, bc)

GRIENINGER Augustin

Suspiria Mariana, seu Cantiones sacrae, una, duabus, tribus voc: & violinis, item psalmi & antiphonae ... opusculum secundum. – *Augsburg, s. n. (Andreas Erfurt), 1672.* – St. 　　　　[G 4588
D-brd Rp (vl I [unvollständig], vl II)

Salomonischer Scepter, das ist: Über Salomons Hof-Haltung ... Poeterey ... [mit 5 Melodien]. – *Landsberg, Wolfgang Khrön (Augsburg, Johann Jacob Schönigk), (1685)*. 　　　　　　　　[G 4589
CH E

GRIESBACH Charles

Twelve military divertimentos for a full band which ... may be played by a small band of two clarinetts, two french horns & bassoons. – *London, Smart*. – St. 　　　　　　　　　　　　　　[G 4590
GB Lbm (kpl.: 11 St.), Ob

Three concertante duetts [D, G, C] for two flutes. – *London, J. Fentum*. – St. 　　　　　　　　　　　　　　[G 4591
GB Lbm (fl I, fl II)

Three progressive duetts [D, G, C] for 2 flutes ... op. 4. – *London, T. G. Williamson*. – St. 　　　　[G 4592
GB Cn (fl I, fl II), Lbm, Ob

Twelve German quadrilles, waltzes, and country dances compiled and arranged for the piano or harp. – *London, T. G. Williamson.*   [G 4593
GB Lbm

GRIESBACH Heinrich

Three duetts [D, G, C] for a violin and violoncello or two violoncellos ... op. 1. – *London, William Forster, for the author.* – St.   [G 4594
DK Kk (vl/vlc, vlc) – GB Lbm – US NYp

GRIESBACH William

Three quartetts [C, F, C] for the flute or oboe, violin, tenor, and violoncello, op. I. – *London, Robert Birchall, for the author.* – St.   [G 4595
D-brd B (kpl.: fl, vl, vla, b) – F Pc – GB Ckc, Lbm, Ob – US Wc

GRIESBACH(ER) Antony

Six sonatinas [D, C, G, C, F, D] for a violoncello and basso. – *London, Robert Birchall.* – P.   [G 4596
GB Lbm

GRIFFES Charles

A favorite sonata [C] for the piano forte. – *London, Preston & son.*   [G 4597
GB Lbm – US U

A favourite march [pf]. – *[London], John Preston.*   [G 4598
GB P

GRIFFES Edward

Whilst you to lovely Arabel. Arabel [Song] (in: London Magazine, 1751). – *[London], s. n., (1751).*   [G 4599
GB Lbm

— *s. l., s. n.*   [G 4600
GB Cfm (unvollständig), Lbm

GRIFFI Silvestro

Motetti a due, tre, e quattro voci, con le laudi della B. Vergine, libro primo. – *Venezia, stampa del Gardano, appresso Bartolomeo Magni, 1629.* – St.   [G 4601
I Bc (S I/T, A, B, bc; fehlt S II)

GRIFFONI Antonio

Suonate da camera a due violini, con il violoncello, e cembalo ... opera prima. – *Venezia, Giuseppe Sala, 1700.* – St.
[G 4602
CH Zz (vl II) – I Bc (kpl.: vl I, vl II, vlc, cemb)

GRIGG Samuel

Ode to harmony [Hymn] (in: The Gospel Magazine, June, 1775). – *[London], s. n., (1775).*   [G 4603
GB Lbm

GRIGNON DE MONTFORT Louis Marie

Cantiques des missions [à 1 v]. – *Poitiers, J. F. Faucon & F. Barbier, 1779.* [G 4604
US NYp

GRIGNY Nicolas de

Premier livre d'orgue contenant une messe et les hymnes des principalles [!] festes de l'année. – *Paris, Pierre Augustin Le Mercier; Reims, auteur, 1699.* [G 4605
F Pn

— Livre d'orgue contenant une messe et quatre hymnes pour les principales festes de l'année. – *ib., Christophe Ballard, 1711.*
[G 4606
F Pn

GRILL Franz

Trois quatuors [B, Es, C] pour deux violons, viola et violoncelle, composés et dédiés à Monsieur J. Haydn ... œuvre 3me. – *Offenbach, Johann André, aux adresses ordinaires, No. 322.* – St.
[G 4607

B Bc – **D-brd** Es (fehlt vl I), Rtt – **S** J (kpl.; vl I unvollständig), Skma

Sei quartetti a due violini, viola, et violoncello [No. I (A)]. – *Wien, Franz Anton Hoffmeister, No. 182.* – St.   [G 4608
A Wgm – **D-brd** B, Rtt – **D-ddr** SWl – **GB** Lbm – **H** SFm (kpl.; vla unvollständig) – **YU** Zha

— [Quartetto II° (F)]. – *ib., Franz Anton Hoffmeister, No. 209.*   [G 4609
A Wgm – **D-ddr** SWl (ohne Impressum)

— III Quatuors [F, B, A] à deux violons, viola et violoncelle . . . œuvre 5me. – *Offenbach, Johann André, No. 329.* – St.
[G 4610
B Bc – **D-brd** OF, Rtt – **DK** Kc – **F** Pc – **S** Uu

Six quatuors [C, Es, B, g, D, A] pour deux violons, viola et violoncelle . . . œuvre VII. – *Offenbach, Johann André, No. 407.* – St.   [G 4611
B Bc – **CS** K – **D-brd** Mbs, OF, Rtt – **H** SFm – **I** Vc-giustiniani

Six duos concertants [Es, C, B, G, D, F] pour le fortepiano, ou clavecin et violon. – *Wien, Franz Anton Hoffmeister, No. 160 (163, 192, 196, 204 [für Duos Nr. I, II, III/IV, V, VI]).* – St.   [G 4612
A Wn – **CH** Zz (I) – **D-ddr** Dl, SWl (kpl.; II und VI in zwei Ausgaben) – **S** Uu (I, VI) – **US** Wc (I, II)

— III Sonates [Es, C, B] pour le clavecin ou pianoforte avec violon obligé . . . œuvre Ier. – *Offenbach, Johann André, No. 287.*   [G 4613
D-brd OF – **DK** Kk (2 Ex.) – **S** Skma

— III Sonates [D, G, F] pour le clavecin ou pianoforté avec violon obligé . . . œuvre 2me. – *ib., Johann André, No. 320.*
[G 4614
D-brd MÜu, OF – **S** Skma (fehlt vl) – **US** IO

Trois sonates [B, Es, A] pour le clavecin ou pianoforté avec violon obligé . . . œuvre 4me (Nr. 40/41 du Journal de musique . . .). – *Offenbach, Johann André, No. 321.* – St.   [G 4615
D-brd MÜu, OF – **S** Skma (fehlt vl)

Six sonates [C, F, B; G, D, A] pour le clavecin, ou forté-piano, et violon . . .

œuvre 6me, livre 1 (2). – *Offenbach, Johann André, No. 391 (392).* – St.   [G 4616
D-brd B (livre 2), OF (livre 2) – **D-ddr** WRgs (livre 1 und 2: vl), WRh (livre 1 und 2: clav), Dl (livre 2) – **N** Ou (livre 1)

II Sonate [B, G] per clavicembalo o pianoforte con violino. – *Wien, Artaria & Co., No. 564.* – St.   [G 4617
D-ddr SWl

IX Variations pour le clavecin ou forte piano. – *Heilbronn, Amon.*   [G 4618
B Bc

Caprice [B] pour le forte-piano. – *Wien, Franz Anton Hoffmeister, No. 231.*
[G 4619
A Wst (2 Ex.) – **D-brd** AB – **H** Bn – **I** Nc

GRILLO (GRYLLUS) Giovanni Battista

Sacri concentus ac symphoniae . . . 6. 7. 8. 12. voc. – *Venezia, sub signo Gardani, appresso Bartolomeo Magni, 1618.* – St.
[G 4620
GB Lbm (kpl.: S, A, T, B, 5, 6, 7, 8, org)

GRIMM Heinrich

1618. Threnodia, Das ist: Der klägliche und doch trostreiche Bet-Psalm des Königlichen Propheten Davids: Ach Herr straff [!] mich nicht in deinem zorn . . . Auff die . . . Christliche Leich Begängniß Des . . . Herrn Petri Thilen . . . Mit VI. Stimmen Gesetzt. – *Magdeburg, Joachim Böel, (1618).* – St.   [G 4621
D-brd Cm (7 [nur Titelblatt])

1624a. Psalmorum melodiae, ad simplicis contra-puncti formam quatuor vocibus concinnata (in: Valent. Cremcovi Cithara Davidica Luthero-Becceriana . . .). – *Magdeburg, Andreas Betzel, 1624.*
[G 4622
A Wgm – **D-brd** BMs, HR, W – **D-ddr** Bds, LEm, Z, ZI

1624b. Vota Magdeburgia (Elegi gratiam Christi salvatoris mei [a 7 v]) ad. nuptias . . . Domini Eliae Greimii . . . et . . . Mariae Steiners . . . anni M.DC.XXIV. – *Magdeburg, Andreas Betzel, (1624).*   [G 4623
D-ddr Z

1628a. Missae aliquot V. et VI. voc: una cum psalmis nonnullis germanicis. – *Magdeburg, Andreas Betzel, 1628.* – St. SD 1628[1]   [G 4624
A Wgm (kpl.: S I, S II, A, T I, T II, B), Wn (A) – **D-brd** Cm (T I, B) – **D-ddr** Dl, LEm (fehlt T II) – F Pn – **GB** Lbm (S I, S II, B)

(1628b). Anmutiges Lieb-Gespräch (Sihe mein Freund) zwischen Bräutgamb und Braut . . . zur hochzeitlichen Ehrenfreud des . . . Herrn Nicolai Klacken . . . Mariae Schoffin . . . am 11. Maij, jetzigen 1628. Jahres . . . Mit ZweyChöriger Concertation zu 4. oder 5. Stimmen. – *[Magdeburg], Andreas Betzel, (1628).* – St.
[G 4625
S Uu (b)

(1629). Vis ignea amoris. Geistlicher Liebe Flamm (Setze mich wie ein Siegel) . . . auff . . . Hochzeitlichen Ehren . . . M. Danielis Monchmeieri . . . dann auch Euphrosynen . . . Hanen . . . Mit VIII. stimmiger Harmoni. – *Magdeburg, Andreas Betzel, (1629).* – St.   [G 4626
S Uu (bc, mit unterlegtem Text)

1632. Tyrocinia, seu exercitia tyronum musica, concertationibus variis, tam ligatis quam solutis, ad tres voces. – *Leipzig, Johann Francks Erben, Samuel Scheib, 1632.* – St.   [G 4627
D-ddr WGp (vox II, vox III; fehlt vox I)

1633. Achtstimmiges Trost Gesänglein (Wer in der Welt wol leben wil) auff die . . . Leichbegängnüs . . . Künegundae Büsselbergs . . . Andreae Singeri . . . Haussfrauen. – *Celle, Elias Holwein, 1633.* – St.   [G 4628
S Uu (B, bc)

1636. Prodromus musicae ecclesiasticae, Das ist: Vortrab Geistlicher Kirchen Music: Nemblich: Zwölff Concertirende Fest-Bicinia, Nebst dem General-Baß. – *Braunschweig, Balthasar Gruber, 1636.* – St.   [G 4629
A Wgm (kpl.: 1. Stimme, andere St., bc) – **D-brd** Bhm (andere St.), Hs – **D-ddr** BD (1. St.) – S Uu (bc), VX (bc)

1637. Christliches Leich Gesänglein uber das denckwürdige Sprüchlein Moysis. Un-

ser Leben wehret Siebentzig Jahr [a 8 v]. – *Celle, Elias Holwein, 1637.* – St.
[G 4630
D-brd W (kpl.: 8 St.)

1643. Vestibulum hortuli harmonici sacri, hoc est: fasciculus triciniorum sacrorum, partim pro libitu sine basso continuo, partim ad eundem in concerto apte concinendorum . . . adjecta sunt et alia nonnulla incertorum autorum. – *Braunschweig, Andreas Duncker, 1643.* – St. SD 1643[4]   [G 4631
D-brd Bhm (vox 2), F (kpl.: vox 1, vox 2, vox 3/B, bc) – F Pn

s. d. Singt dem Herrn ein neues Lied. A X. . . . & XXI. voc: cum capella a VII. – *s. l., s. n.* – St.   [G 4632
D-ddr Dl (chori superioris: S I, A, T; chori inferioris: S, A, T I, trb basis)

s. d. Ach Herr, strafe mich nicht in deinem Zorn, a 6. – *s. l., s. n.* – St.   [G 4633
D-ddr Dl (S I, S II, A, T I, T II)

GRIMSHAW John

The hunting morn. A favorite song. – *London, Preston & son.*   [G 4634
GB Lbm, Ob

When first upon thy tender cheek. A favorite song [with orchestra]. – *London, Preston & son.* – P.   [G 4635
GB Lbm

GRISWOLD Elijah

[mit Th. Skinner:] Connecticut harmony. Containing a collection of psalm tunes, anthems, and favourite pieces, many of which were never before published; to which are added concise rules of singing. – *s. l., s. n.*   [G 4636
US WOa

GROENE Anton Heinrich

Religiöse Lieder historischen Inhalts, von L. F. A. von Cölln. – *Rinteln, Anton Henrich Bösendahl, 1791.*   [G 4637
D-brd As

Zwey Sonaten und sechzehn Singstücke
für das Klavier. – *Rinteln, Anton Henrich
Bösendahl, 1788.*   [G 4638
D-brd DT, MÜu (4 Ex., davon 2 Ex. unvollständig)

Zwölf Serenaden für das Klavier oder
Fortepiano mit einer theils obligaten,
theils begleitenden Violin oder Flöte,
auch Bratsche oder einem Violoncell. –
Rinteln, Anton Henrich Bösendahl, 1791. –
St.   [G 4639
D-brd MÜu (kpl.: kl, vl/fl, vla, vlc [je 2 Ex.;
2. Ex. kl unvollständig])

GRØNLAND Peter

Kompositionen und Sammlungen

Melodien zu Liedern mit oder ohne Be-
gleitung des Claviers zu singen . . . erstes
Heft. – *København-Leipzig, Christian
Gottlob Proft, 1791.*   [G 4640
D-brd LÜh

Lieder, Balladen und Romanzen von
Göthe mit Begleitung des Pianoforte. –
Leipzig, Breitkopf & Härtel, No. 2261.
                                     [G 4641
A Wgm

Zwey Sonette von A. W. Schlegel für vier
Singstimmen mit Begleitung des Piano-
Forte. – *Leipzig, Breitkopf & Härtel, No.
2700.*   [G 4642
A Wgm – **DK** A

Osterfeyer, Worte aus Göthes Faust,
Gesang mit Begleitung eines Positivs oder
Pianoforte. – *Leipzig, Breitkopf & Härtel,
No. 2714.*   [G 4643
A Wgm – **D-brd** DÜk

Die erste Walburgisnacht [!], Lied von
Göthe, Gesang mit Begleitung des Piano-
forte. – *Leipzig, Breitkopf & Härtel, No.
2715.*   [G 4644
A Wgm, Wn – **D-brd** DÜk, NM – **D-ddr** Bds

Holdy und Hulda. Poesie von Kosegarten
(Gesang und kl). – *Hamburg, Gebrüder
Meyn.*   [G 4645
DK Km

Alte Schwedische Volks-Melodien ge-
sammlet von E. G. Geijer und A. A. Afze-
lius; für das Piano-Forte harmonisch
bearbeitet. – *København, C. C. Lose,
(1818).*   [G 4646
D-brd Mbs

Melodien zu den [!] gesellschaftlichen Lie-
derbuche herausgegeben von Grönland. –
Leipzig-Altona, I. H. Kaven, 1796. [G 4647
DK Kk (4 Ex.)

— Notenbuch zu des akademischen Lie-
derbuchs erstem Bändchen . . . zweyter
Theil. – *ib., 1796.*   [G 4648
B Bc – **D-brd** DÜk, HVl – **GB** Lbm – **US** Wc

GROH Heinrich

Kleiner Doch Nützlich- und Geistreicher
Andachts-Wecker, Darinnen Eine Christ-
gleubige Seele zu stetem Lobe Gottes . . .
auffgemuntert wird . . . In Melodeyen
mit 4. Stimmen [und bc] übersetzet. –
Leipzig, Johann Wittigau, 1662. [G 4649
D-brd Mbs, Sl – **D-ddr** Dl

GROH Johann → GHRO Johann

GROHMANN G. C.

Neun englische Tänze und drey Quadril-
len mit Touren und vollstimmiger Musik,
von G. C. Grohmann und C. A. Hennig. –
Freiberg-Annaberg, Craz, 1792. – St.
                                     [G 4650
D-brd MÜu (vl I, vl II, b, ob/fl/cl I, ob/fl/cl II,
cor I, cor II; zusätzlich ein Heft mit Tanz-
figuren)

GROLL Evermodus

Sex missae brevissimae cum totidem offertoriis, a canto, alto, tenore, basso, violino primo, violino secundo, et organo,
cornu, vel clarino primo, cornu, vel clarino secundo, et violoncello, non obligatis,
opus I. – *Augsburg, Johann Jakob Lotter
& Sohn, 1790.* – St.   [G 4651
A Gd (4 Ex., davon 1 Ex. kpl. mit 10 St.; 2. Ex.:
fehlen vl I, vl II; 3. Ex.: fehlt vl I; 4. Ex.: vlc),
N – **CH** E, EN, Fcu, SO – **D-brd** BGD (2 Ex.;
1. Ex.: kpl.; 2. Ex.: fehlt vlc), HR (kpl. [2 Ex.],
Mbs (vlc, org) – **F** Pc – **PL** Wu (kpl.; org
[2 Ex.]) – **US** R (kpl.; mit vl I und b handschriftlich) – **YU** Zha

Quatuor missae solenniores, attamen breves, cum totidem offertoriis pro omni
festo, et tempore, quatuor benedictioni-
bus sacris, a canto, alto, tenore, basso,
violino primo, violino secundo, altoviola
& organo obligatis, cornu, vel clarino
primo, cornu, vel clarino secundo, tympano, & violoncello non obligatis, opus II.
– *Augsburg, Johann Jakob Lotter & Sohn,
1798.* – St.   [G 4652
A Gd (4 Ex., davon 2 Ex. kpl. mit 14 St.;
3. Ex.: vl II, a-vla, cor I, cor II, timp; 4. Ex.:
fehlt cor II) – **B** D (fehlt timp) – **CH** EN (fehlt
timp), Fcu (fehlen a-vla und timp), R, SO –
CS Mms – **D-brd** BB (fehlen vl I, vl II, timp),
HCHs (fehlt timp), TEI (fehlt vlc), Tmi (3 Ex.,
davon 1 Ex. kpl.) – **F** Pc – **H** Gc – **PL** Wu

GRONEMAN Antoine

Six sonates à violon seul et basse ...
œuvre II. – *Paris, auteur, Chobert Peaus-
sier, aux adresses ordinaires (gravées par
Mlle Vendôme chez M. Moria).* – P.
                                        [G 4653
F Pc, Pn – **NL** At

— *ib., de La Chevardière.*   [G 4654
B Bc

GRONEMAN Johann Albert

VI Sonate [G, D, e, C, G, D] a due flauti,
overo due violini ... opera prima. –
*Paris, Le Clerc le cadet, Le Clerc, Mme
Boivin (gravées par Mlle Michelon).* – P.
                                        [G 4655
B Bc – **F** Pc, Pn

— *ib., Le Clerc, Boivin.*   [G 4656
A Wn – **F** Pc

— *ib., de La Chevardière.*   [G 4657
F Pc

— Six sonatas for two german flutes. –
London, John Simpson.   [G 4658
GB Lbm – **US** Wc

Sei sonate [G, e, D, G, D, e] a due flauto
overo due violino [!] ... opera secunda. –
*Paris, Le Clerc le cadet, Le Clerc, Mme
Boivin (gravées par De Gland).* – P.
                                        [G 4659
F Pc (2 Ex.), Pn

— *ib., Le Clerc, Boivin.*   [G 4660
A Wn

— Six sonatas or duets for two german-
flutes or two violins ... opera 2^d. – *London, Thompson & son.*   [G 4661
GB Lbm

— Sei sonate [G, e, D, G, e, D] a due
flauti traversieri e basso o violini ...
opera seconda. – *Amsterdam, Johann Julius Hummel.*   [G 4662
NL DHgm

XII Minuetti a violino o flauto traversière
e basso ... opera seconda. – *Leyden,
autore.* – P.   [G 4663
F Pc

GRONNENRADE → BLOIS Charles-Gui-Xavier van Gronnenrade

GROPPENGISSER Johann

Epicedium oder Grablied (Was mein Gott
will) bey der LeichBegängnis ... Doro-
theae Marien ... Hertzogin zu Sachsen
... Welche ... den 18. Iulii dieses 1617.
Iahres ... abgeschieden ... mit 6. Stim-
men nach Orlandischer Art componiret. –
Jena, Johann Weidner, (1617). – St.
                                        [G 4664
D-ddr SAh (B)

GROS Antoine-Jean

Quatre sonates pour la harpe avec accompagnement de violon et basse ad libitum
... œuvre IIIe. – *Paris, Cousineau, auteur
(gravé par Le Roy).* – St.   [G 4665
F Pc (kpl.: hf, vl, b) – **US** CHum (kpl.; vl unvollständig), Wc

Trois duo [Es, F, c] pour le piano-forte et
la harpe ... œuvre IV. – *Paris, auteur,
Cousineau, Salomon (gravé par Le Roy).* –
St.   [G 4666
F Psg (hf) – **S** Sm (pf)

Trois grands duos pour harpe et piano ...
œuvre XI. – *Paris, Jean Henri Naderman
(gravés par Richomme), No. 225.* – St.
                                        [G 4667
F Pn (hf, pf)

GROSCH Thomas

Christliche Walfahrt, Der nothleydenten Catholischen Christenheit ... Darinnen Sie das gantze Himmlische Heer durch drey treuhertzige Anmahnungen ... ersuchen ... thuet [mit 4-stimmigen Gesängen; Thomas Grosch am Ende der Dedikation]. – *Neuburg, Lorenz Danhauser, 1621 ([Kolophon:] 1622)*.
[G 4668

D-brd HR

GROSE Michael Ehregott

Samling af lette claveer, harpe, og syngestykker for libhabere og begyndere (1. [-4de] Hefte). – *København, S. Sønnichsen, (1791)*.
[G 4669

DK Kc, Kk (2 Ex.), Sa

Klaveerudtog af cantaten opført i det kongelige musikalske Academie den 1ste december 1792, i anledning af hendes Kongelige Høiheds Kronprindsessens nedkomst. Texten af P. H. Haste. – *København, S. Sønnichsen*.
[G 4670

DK Kk, Sa

Sang i anledning af den 26 februari 1794 af Christian Hertz. – *København, S. Sønnichsen*.
[G 4671

DK Kk

Six sonates faciles pour le clavecin ou pianoforte ... seconde édition ... op. II. – *Berlin, Rellstab*.
[G 4672

D-brd F – DK Kk

GROSHEIM Georg Christoph

MUSIK ZU BÜHNENWERKEN

Das heilige Kleeblatt

Ouverture und Gesänge aus dem Heiligen Kleeblat [!]. Oper. – *Bonn, Nikolaus Simrock, No. 60*. – KLA.
[G 4673

D-brd WII – D-ddr Bds, Dl – F Pc – GB Lbm – NL At, DHgm – US Bp, Wc

Ouverture aus der Oper: Das Heilige Kleeblatt. – *Bonn, Nikolaus Simrock, No. 60 ([Titelblatt:] 22)*.
[G 4674

D-brd Mmb – D-ddr Bds

Adelheid ans Herz zu drücken. Duetto. – *[Bonn, N. Simrock]*, No. 60.
[G 4675

D-brd MÜu

Lispelt Töne sanfter Klage ... Arie ... mit Guitarrebegleitung. – *Mainz, Bernhard Schott, No. 843*.
[G 4676

D-brd MZsch

Sanft und schmeichelnd lockt das Täubchen. Arie ... (in: Auswahl von Arien mit Guitarre Begleitung, N° 102). – *Mainz, Bernhard Schott, No. 979*.
[G 4677

D-brd MZsch

Die Sympathie der Seelen

Davids Lobgesang aus dem Drama Die Sympathie der Seelen von L. A. von Münchhausen mit Musik von G. C. Grosheim. – *Kassel, Wöhler & Grosheim, No. 49*.
[G 4678

D-ddr Dl

Titania, oder Liebe durch Zauberei

Ouverture à grand orchestre de l'opéra Titania. – *Kassel, Wöhler & Grosheim, No. 28*. – St.
[G 4679

D-brd BE (19 St.), DO (17 St.), MÜu (17 St.), W (14 St.) – D-ddr LEmi (17 St.)

— Ouverture ... arrangée pour le clavecin avec un violon ad lib. – *Bonn, Nikolaus Simrock, No. 101*. – St.
[G 4680

D-brd B (clav), Kl (clav) – D-ddr Dl (clav, vl) – S Skma (clav, vl)

Weiber tändeln in der Liebe. Aria. Rondo ... Nr. 6. – *Mainz, Bernhard Schott*.
[G 4681

CS K

GEISTLICHE VOKALMUSIK

Drei vierstimmige Psalmen ... [mit Klavier oder Orgel]. – *Braunschweig, Musik-Comptoir*.
[G 4682

B Bc – D-brd Mbs – GB Lbm

Vier und zwanzig dreystimmige Choräle. – *Leipzig, C. F. Peters, No. 1535*.
[G 4683

A Wgm

Die zehn Gebote, Ein-Zwey-und Dreystimmig zu singen, mit Begleitung des Claviers oder der Orgel. – *Leipzig, C. F.*

Peters (bureau de musique), No. 1394. – P. [G 4684
D-brd B, DT (2 Ex.)

Choralbuch der reformirten Kirche in Kur-Hessen. – *Leipzig, C. F. Peters, No. 1447.* [G 4685
D-brd Kl (2 Ex.)

WELTLICHE VOKALMUSIK

Sammlungen und Einzelgesänge

Sammlung teutscher Gedichte ... op. 4 [Lieder mit Klavierbegleitung]. – *Mainz, Bernhard Schott, No. 73.* [G 4686
CS K – **D-brd** LÜh, MZsch (2 Ex.) – **GB** Lcm – **US** Wc

Sammlung teutscher Gedichte ... [2. Teil]. – *Mainz, Bernhard Schott, No. 131.* [G 4687
D-brd LÜh, MZsch – **D-ddr** Bds, RUl – **GB** Lcm – **US** Wc

Sammlung teutscher Gedichte ... III^{ter} Theil. – *Kassel, Waisenhaus-Buchdruckerei.* [G 4688
D-brd LCH

— *Mainz, Bernhard Schott, No. 188.* [G 4689
D-brd MZsch (3 Ex.) – **D-ddr** Bds – **US** Wc

Sammlung teutscher Gedichte ... IV^{ter} Theil. – *Kassel, Waisenhaus-Buchdruckerei.* [G 4690
D-brd LÜh – **GB** Lcm

— *Mainz, Bernhard Schott, No. 332.* [G 4691
D-brd DÜk, MZsch (2 Ex.) – **D-ddr** Bds

Sammlung teutscher Gedichte ... 5ter Theil. – *Kassel, Wöhler & Grosheim.* [G 4692
D-brd LÜh

— ... op. 5. – *Mainz, Bernhard Schott, No. 430.* [G 4693
D-brd MZsch

Sammlung teutscher Gedichte ... sechster Theil. – *Braunschweig, Autor (Musik-Comptoir), No. 88.* [G 4694
D-brd LÜh – **D-ddr** Bds – **US** Wc

Sammlung deutscher Gedichte ... [7. Theil]. – *Mainz, Bernhard Schott, No. 722.* [G 4695
D-brd MZsch

Zehen Gedichte des Freyherrn E. F. von der Malsburg in Musik gesezt und dem Herrn Kapellmeister Ludwig van Beethoven zugeeignet ... Liedersammlung, VIII^{ter} Theil. – *Mainz, Bernhard Schott, No. 1071.* [G 4696
D-brd DT (2 Ex.), MZsch (2 Ex.)

Erheiterungen für die Jugend. Lieder für die Schulen und häusliche Zirkel [7 Hefte]. – *Mainz, Bernhard Schott, 1831.* [G 4697
B Bc

Liederkränze ... gewunden von ... – *Mühlhausen-Eschwege, Roebling, 1831.* [G 4698
B Bc

Volkslieder, gesammelt und herausgegeben ... Theil I (–II). – *Bonn-Köln, Nikolaus Simrock, No. 1247.* – KLA. [G 4699
D-brd DT (II, 3 Ex., davon 1 Ex. unvollständig), Kl (I), Mmb

Der Bienenstich. Nach dem italienischen von Valentini, mit Musik. – *Kassel, Wöhler & Grosheim, No. 14.* – KLA. [G 4700
CS K – **D-brd** MGmi

Der Edelknabe und die Müllerin, fürs Clavier. – *Mainz, Bernhard Schott, No. 258.* [G 4701
A Wgm

Der erste Kuss. Ein Gedicht von Hölty, mit Musik. – *Braunschweig, Musikalisches Magazin auf der Höhe, No. 4.* – KLA. [G 4702
D-brd Rp – **D-ddr** SWl

Hektors Abschied (Will sich Hektor ewig von mir wenden). Gedicht von Schiller, in Musik gesetzt. – *Kassel, Wöhler & Grosheim, No. 44.* – KLA. [G 4703
D-brd LÜh

— ... mit Guitarre oder Clavier Begleitung. – *Mainz, Bernhard Schott's Söhne, No. 429.* [G 4704
D-brd MZsch

Der kurze Frühling [für Singstimme und Klavier]. – *s. l., s. n.* [G 4705
CS K

Das Mädchen aus der Fremde (in einem Thal bei armen Hirten). Lied . . . für's Forte-Piano. – *Hamburg, Johann August Böhme.* [G 4706
D-brd W – S Skma

— *Altona, L. Rudolphus.* [G 4707
S Uu

Die todte Clarissa. Eine Ode von Klopstock, in Musick gesetzt. – *Kassel, Wöhler & Grosheim, No. 41.* [G 4708
CS K – D-brd LÜh

Das Willkommen des Vaterlandes an die Hessen . . . Kriegsgesang. – *Kassel, Waisenhaus-Buchdruckerei, 1795.* [G 4709
B Bc

Der Wunsch (O möchte mein Liebchen ein Rosenstock seyn), (in: Auswahl von Arien mit Begleitung des Piano-Forte . . . Nr. 66). – *Mainz, Bernhard Schott, No. 722.* [G 4710
D-brd MZsch
vgl. [D 709

INSTRUMENTALWERKE

Vorspiele zu sämmtlichen Chorälen der reformirten Kirche in Kurhessen . . . Th: 1 (–5). – *Mainz, Bernhard Schott, No. 743 (780, 879, 922, 958).* [G 4711
B Bc (1–5) – D-brd BEU (1–5), DT (5), Kl (1–5), Mbs (2, mit Etikett: München, Falter & Sohn), MZsch (1–5)

Six petites fantaisies [C, G, D, F, a, d] pour le piano forte. – *Bonn-Köln, Nikolaus Simrock, No. 1883.* [G 4712
A Wgm – D-brd Mbs (Etikett: Karlsruhe, I. Velten) – D-ddr Dl, GOl

Trois fantaisies [Es, E, g] pour le pianoforte. – *Mainz, Bernhard Schott's Söhne, No. 2161.* [G 4713
A Wgm

GROSSE

Six duo dialogués avec des variations à la fin de chaque duo pour deux flûtes ou deux bassons par le moyen de la transposition . . . œuvre 1er. – *Paris, Bailleux; Lyon, Casteaud.* – St. [G 4714
F Pc (fl I, fl II)

GROSSE Johann Heinrich

Melodeyen so wol alter als neuer Lieder [für Singstimme mit bc] welche bey den [!] öffentlichen Gottesdienst pflegen gebraucht zu werden. – *Halle, im Verlag des Waisenhauses.* [G 4715
D-brd As, Mbs, Rp – D-ddr TO – PL WRu

GROSSE Markus Christfried

Sechs Sonaten für das Clavier oder Fortepiano. – *Dessau, Gelehrten Buchhandlung, 1784.* [G 4716
D-brd Bim

GROSSE Samuel Dietrich

Simphonie concertante [E] pour deux violons principaux, deux violons ripieni, alto, & basse, deux flûtes, et cors de chasse . . . œuvre II. – *Berlin, Johann Julius Hummel; Amsterdam, au grand magazin de musique, No. 606.* – St. [G 4717
D-brd B (fehlt vl II princip.), MÜu (kpl.: 11 St.) – SF A

Concert pour le violon principal avec l'accompagnement de deux violons, alto & basse, deux oboes & deux cors de chasse (ad libitum) ([II und III:] . . . accompagnés des diverses instruments) . . . œuvre I, libro I (II, III). – *Berlin, Johann Julius Hummel; Amsterdam, grand magazin de musique, No. 558 (622, 731).* – St. [G 4718
NL DHgm (I [D], 10 St.) – US Wc (I, II; kpl.: 10 St.) – S Uu (III)

Six quatuors [B, D, F, A, g, Es] pour deux violons, alto et basse. – *Paris, Sieber.* – St. [G 4719
A Wgm (vl I, vl II, vla, b) – D-brd B, WD – GB Lbm

Six duos [A, B, E, G, Es, D] dont quatre à deux violons et deux [3/6] pour violon et alto . . . œuvre III. – *Paris, Imbault, No. 173.* – St. [G 4720
CH Bu (vl I, vl II/vla)

— *Berlin, Johann Julius Hummel; Amsterdam, Grand magazin de musique, No. 628.* [G 4721
D-brd B

Trois trios à deux violons ou flûte, violon, violoncelle . . . œuvre IV, libro I. – *Berlin, Johann Julius Hummel.* – St. [G 4722
PL Wn (kpl.: fl/vl, vl II, vlc)

GROSSE Wilhelm

Sechs Choral-Vorspiele für die Orgel. – *Rudolstadt, Bergmann, 1787.* [G 4723
B Br

GROSSI Andrea

Balletti, correnti, sarabande, e gighe a tre, due violini, e violone, overo spinetta, opera prima. – *Bologna, Giacomo Monti, 1678.* – St. [G 4724
GB Ob

Balletti, correnti, sarabande, e gighe a tre, due violini, e violone, overo spinetta, opera seconda. – *Bologna, Giacomo Monti, 1679.* – St. [G 4725
GB Ob – **I** Bc

Sonate a due, tre, quattro e cinque istromenti . . . opera terza. – *Bologna, Giacomo Monti, 1682.* – St. [G 4726
I Bc (kpl.: 6 St.)

Sonate a tre, due violini, e violone, con il basso continuo per l'organo . . . opera quarta. – *Bologna, Giacomo Monti, 1685.* – St. [G 4727
D-brd MÜs (kpl.: 4 St.) – **I** Bc

GROSSI Carlo

Op. 1. Concerti ecclesiastici con alcune suonate a due e tre. – *Venezia, Francesco Magni, 1657.* – St. [G 4728
I Baf (kpl.: S I, S II, B, org), Bc – **PL** WRu

Op. 2. Armoniosi accenti cioè messe a 4. & a cinque voci, con' istromenti obligati e secondo choro, o ripieni ad libitum, salmi a due, a tre, a quattro, a sei, & a otto voci, parte con istromenti, e ripieni, e parte senza, con le litanie brevi, della

Beata Vergine, a otto voci . . . opera seconda. – *Venezia, Francesco Magni, 1657.* – St. [G 4729
D-brd OB (B II/vlne) – **I** PS (kpl., jedoch alle St. unvollständig; I: S, A, T, B; II: S, A, T, B; vl I, vl II, org) – **PL** WRu (I: A, T; II: S [unvollständig], A, T, B; vl II, org)

Op. 3. Libro secondo de concerti ecclesiastici a 2 e 3 voci . . . opera terza. – *Venezia, Francesco Magni, 1659.* – St. [G 4730
GB Lbm (S, S/T) – **I** Baf (kpl.: S, S/T, A/B, org) – **PL** WRu (fehlt org)

Op. 4. Sacre ariose cantate a voce sola . . . opera quarta. – *Venezia, Francesco Magni detto Gardano, 1663.* – P. [G 4731
I Baf – **PL** WRu

Op. 6. La cetra d'Apollo, alla Sacra Augustissima Cesarea Maesta di Leopoldo primo . . . opera sesta [62 Kantaten mit bc]. – *Venezia, Francesco Magni detto Gardano, 1673.* – P. [G 4732
I Bc, Vnm

Op. 7. L'Anfione musiche da camera o per tavola all'uso delle Regie Corti, a due e tre voci con introduttioni, bizzarie e ritornelli di tre stromenti a piacimento . . . opera settima. – *Venezia, stampa del Gardano, 1675.* – St. [G 4733
F Pc (S I, vl II, vla, org) – **I** Bc (kpl.: S I, S II, B, vl I, vl II, vla, org). MOe

Op. 8. Moderne melodie a voce sola, con due, tre, quattro e cinque stromenti, e partitura per l'organo . . . opera ottava. – *Bologna, Giacomo Monti, 1676.* – St. [G 4734
I Bc (S/T, vl I, vl II, a-/t-vla, vla, org), Sac (S/T, vl II, a-/t-vla, vla)

— *Antwerpen, Luca de Potter, 1680.* [G 4735
F Pn – **GB** Lbm, Lcm (unvollständig) – **US** AA (kpl.; a-/t-vla und vla in Fotokopie)

Op. 9. Il divertimento de' grandi. Musiche da camera, o per servizio di tavola, all' uso delle Reggie Corti, a due, e tre voci, con un' dialogo amoroso, & uno in idioma ebraico, a 4, libro secondo . . . opera IX. – *Venezia, Giuseppe Sala, 1681.* – St. [G 4736
F Pn (kpl.: S, A, T, B, org) – **GB** Lbm

([fehlt Titelblatt, Druckbogenbezeichnung:] Motetti a voce sola con violini, di Carlo Grossi). – *s. l., s. n.* – St.   [G 4737
I Sd (S [fehlt Titelblatt])

GROSSI Giovanni Antonio

Op. 1. Messa, et salmi bizarri, con le letanie della B. Vergine concertati a quattro voci, et l'hinno Ave maris stella a 6, con il suo basso continuo . . . opera prima. – *Milano, Giorgio Rolla, 1640.* – St.
[G 4738
I COd (S, A, T, B, org)

Op. 3. Sacri concenti a 2, 3, e 4, con una messa concertata a 5 . . . opera III. – *Milano, Carlo Camagno, 1653.* – St.
[G 4739
I Md (S)

Op. 4. Orfeo pellegrino ne sacri cantici a due, tre, e quattro voci, & alcuni a voce sola, & a due voci, con sinfonia di due violini . . . opera quarta. – *Milano, Giovanni Francesco & fratelli Camagni, 1659.* – St.   [G 4740
I NOVd (S, A, T, B, org)

— *Antwerpen, les héritiers de Pierre Phalèse, 1667.*   [G 4741
GB Lbm (S, A, T, B, org), Y

Op. 5. Celeste tesoro. Composto in musica di messe concertate a cinque, & otto voci, con sinfonia, & senza, & motetti, Te Deum, & letanie della Santissima Vergine Maria . . . opera quinta. – *Milano, Giovanni Francesco & fratelli Camagni, (1664).* – St.   [G 4742
F Pn (I: S, A, T, B; II: S, A, T, B; org) – I Md (org), NOVd (I: S, A, T, B; II: A, B; org)

Op. 7. Il terzo libro de concerti ecclesiastici a 2. 3. e 4. voci ed' alcuni con sinfonie . . . opera VII. – *Milano, fratelli Camagni, (1670).* – St.   [G 4743
CH Zz (kpl.: S, A, T, B, org) – US R (fehlt B)

Op. 8. Terzo libro di motetti ecclesiastici a voce sola, et una Salve Regina con sinfonia . . . opera ottava. – *Milano, fratelli Camagni, (1674).* – P.   [G 4744
US Wc

Op. 9. Libro primo de Magnificat et Pater noster a 4, 5, e 6 voci per capella secondo il ritto ambrosiano . . . opera nona. – *Milano, Giovanni Francesco & fratelli Camagni.*   [G 4745
I Md

Op. 10. Quarto libro de concerti ecclesiastici, a due, tre, e quattro voci . . . opera decima. – *Milano, fratelli Camagni, (1677).* – St.   [G 4746
D-brd BEU (S, A) – GB Lbm (B) – I ASc (kpl.: S I, S II, A, B, org), LOc, NOVd (S I)

[6 Messe a 4 voci]. – *[Milano, fratelli Camagni].*   [G 4747
I Md (fehlt Titelblatt)

GROSSI Giovanni Battista

Sacri concenti a due e tre voci . . . opera prima. – *Bologna, Giacomo Monti, 1682.* – St.   [G 4748
F Pn (S I)

GROSSI Lodovico da Viadana →
VIADANA Lodovico Grossi da

GROT P.

Six duos pour un alto et un violon . . . œuvre I. – *Paris, de La Chevardière.* – St.
[G 4749
F Psg (alto)

GROTH Frederik Christian

Sex nye engelske dandse, satte for 2 violiner, 2 fløiter eller clarinetter og basse. – *København, N. Møller & søn, 1795.* – St.
[G 4750
DK Kk

GROTHUSIUS Arnold

Missa cum adiuncto Patrem &c., ad imitationem suavissimae et gravissimae motetae Orlandi di Lasso, Deus misereatur nostri, VIII. vocum harmonia concinnata. – *Helmstedt, Jacob Lucius, 1588.* – St.   [G 4751
PL WRu (I: S, A, T; II: S, T, B; fehlen B I, A II)

GROTZ Dionysius

Deutsche Gesänge zur heiligen Messe.
Bestehend aus Kanto [!], Alt, Tenor und
Baß, Orgel, 2. Violinen, Alt-Viol, 2. Wald-
horn, und Violon. – *Augsburg, Johann
Jakob Lotter & Sohn, 1791.* – St.   [G 4752
A L (kpl.: 11 St.) – CH Fcu (kpl.; a-vla unvoll-
ständig), Lz, SAf, SO – CS Mms – D-brd LA

GROUNER → GRUNER Nathanael Gott-
fried

GROVES

I made love to Kate. A medley. – *[Lon-
don], Thomas Skillern.*   [G 4753
A Wn

GRUBER Benno

[Op. 1]. XXIV. Antiphonae Marianae,
nimirum VI. Alma. VI. Ave. VI. Regina.
VI. Salve Regina. a 4. vocibus ordinariis,
concinentibus 2. violinis et organo obligatis. 2. cornibus & violoncello non obligatis. – *Augsburg, Johann Jakob Lotter &
Sohn, 1793.* – St.   [G 4754
A Gd (B) – CH EN (kpl.: 10 St.), Fcu (fehlt
Titelblatt; fehlt org), SO (fehlt vlc) – CS BRnm
(cor I), Mms, BSk – D-brd BB, BGD (fehlt
vlc), MT (B), Mbs, Mcg (S, A, B, vl I, vlc, cor I),
SDF (fehlen vl I, vl II, vlc), Tmi (fehlt org;
2. Ex.: T, vl II, cor II, org; 3. Ex.: cor I) –
NL At

— ... editio secunda. – *ib., 1806.*
                                   [G 4755
A Gd (kpl.: 10 St.) – D-brd Ahk, Mbs (2 Ex.,
im 2. Ex. fehlen S, A, T, B und cor II; Etikett:
Rotterdam, L. Plattner), Tmi – YU Zha

Op. 2. Stabat Mater, a 4. vocibus ordinariis, concinentibus 2. violinis & organo
obligatis, alto-viola, 2. cornibus & violoncello non obligatis, opus II. – *Augsburg,
Johann Jakob Lotter & Sohn, 1794.* – St.
                                   [G 4756
A Gd (2 Ex.; 1. Ex. kpl. in 11 St., mit Etikett:
Augsburg, A. Böhm; 2. Ex.: fehlt vl II) – CH
EN – D-brd BB (fehlen vl I, vl II), HR (fehlt
a-vla), Mbs (fehlt vlc) – YU Zha

Op. 3. VI. Lytaniae Marianae breves a 4.
vocibus ordinariis, 2. violinis & organo
obligatis, 2. cornibus, vel clarinis & violoncello ad libitum, opus III. – *Augsburg,
Johann Jakob Lotter & Sohn, 1794.* – St.
                                   [G 4757
A Gd (fehlen vl II, cor I, cor II) – CH Fcu
(fehlt vl I), SAf (kpl.: 10 St.) – D-brd BB
(fehlt vl II), BGD (fehlt vl I), HR, Mbs, RE
(S, A, B, vl II), SDF (fehlen vl I, vl II, vlc),
WEL (fehlt vlc) – YU Zha

GRUBER Georg Wilhelm

VOKALMUSIK

Des Herrn Gottfried August Bürgers Gedichte für das Klavier und die Singstimme
gesezt ... erste (zweyte) Sammlung. –
*Nürnberg, Autor (Annert [2. Sammlung:]
J. C. de Mayr), 1780.*   [G 4758
A Sca – B Bc – D-brd Gs, Mbs, Ngm, Nst – DK
Kk (1. Sammlung) – GB Lbm – NL DHgm
(2. Sammlung) – PL Wu – US Bp, R (2. Sammlung)

Lieder von verschiedenen Lieblingsdich-
tern für die Singstimme und das Klavier
gesetzt. – *Nürnberg, Autor; Wien, Christoph Torricella.*   [G 4759
B Bc – D-brd Mbs

Die Hirten bey der Krippe zu Bethlehem
[Kantate]. – *[Nürnberg], Autor; Wien,
Christoph Torricella.* – KLA.   [G 4760
D-brd Mbs – GB Lbm

INSTRUMENTALWERKE

Due concerti a cembalo obligato, violino
primo, violino secondo, viola, flauto traverso primo, flauto traverso secondo, corno primo, corno secondo e violono o violoncello. – *Nürnberg, Autor.* – St.
                                   [G 4761
D-brd Mbs (kpl.: 9 St.)

Due sonate a tre cioè cembalo obligato,
violino o traverso obligato e violoncello
accompagnato ... parte Iᵐᵃ (IIᵈᵃ, IIIᶻᵃ
[= 6 Sonaten]). – *Nürnberg, Autor, Georg
Peter Monath (Paul Küffner).* – St.
                                   [G 4762
D-brd Mbs (kpl.: cemb, vl, vlc)

Sonata [G] a cembalo obligato, traverso o violino concertato con violoncello accompagnato. – *Nürnberg, Balthasar Schmids Witwe, No. 58.* – St.　　　　[G 4763
D-brd Mbs (kpl.: cemb, fl/vl, vlc)

GRUEBER Christoph

Sacrae cantiones, hoc est missae, Magnificat, et motectae octo vocum, cum duplici basso ad organum. – *Augsburg, Johann Praetorius, 1625.* – St.　[G 4764
D-brd Rp (8)

GRÜGER Joseph

Hass und Aussöhnung. Ein Schauspiel mit Gesang im Clavierauszuge. – *Glatz, E. F. Rordorf.*　　　　　　　[G 4765
D-ddr HAu

GRÜNBERGER Theodor

Sex missae breves, faciles, cuique choro accommodatae a quatuor vocibus ordinariis, 2. violinis, alto-viola & organo plerumque obligatis; 2. cornibus vero, 2. flautis vel hobois & violoncello, non obligatis, opus I. – *Augsburg, Johann Jakob Lotter & Sohn, 1792.* – St.　[G 4766
A Gd (kpl.: 14 St. [2 Ex.]) – **B** LIg – **CH** EN (fehlt timp), Fcu (fehlen org und timp), SO – **D-brd** AAm (S [unvollständig], T [unvollständig], B, vl II, cor I, fl/ob/cl II, org), BB (fehlen vl I, vl II), EB, Ew, HCHs (fehlen vlc und org), Po, Tmi (fehlt vlc), WEY – **F** Pc (vl I, vl II, vla, vlc, fl I, fl II, cor II)

Erste deutsche Messe ... für Sopran, Alto, Basso ad libitum, et Organo. – *München, Th. Senefelder, No. 17, 1802.* – St.　　　　　　　　　　　[G 4767
D-brd Mbs (kpl.: S, A, B, org)

Zweite deutsche Messe ... für Sopran, Alto, Basso ad libitum et Organo. – *München, Th. Senefelder, No. 18, 1802.* – St.
　　　　　　　　　　　　　　[G 4768
D-brd Mbs (kpl.: S, A, B, org), Mmb

Neue Pastorel-Orgelstücke ... 1tes Heft. – *München, Falter, No. 17.*　　　　　[G 4769
CH E (2 Ex.) – **D-brd** Bhm (mit Impressum: Mainz, B. Schott's Söhne, No. 17), Mbs

Neue Orgelstücke nach der Ordnung Unter dem Amte der heil. Messe zu spielen, IItes (–6tes) Heft. – *München, Falter, No. 2(–6).*　　　　　　　　[G 4770
A Wgm (2. Heft) – **CH** E (2., 3., 5. und 6. Heft) – **D-brd** Bhm (3., 4. und 6. Heft)

GRUENDLING Christian Gottlob

Religions-Gesänge ... für das Klavier. – *Leipzig, Autor, 1786.*　　　　　[G 4771
B Bc

VI Variations pour le clavecin sur l'air: Der Vogelfänger bin ich ja. – *s. l., s. n.*
　　　　　　　　　　　　　　[G 4772
D-brd BDBs

GRÜNENWALD Jacob von

Gott geheiligter Andachts-Hayn, Oder Heilig-Lobschallender Grünenwald, In welchem funfftzig Geistliche Morgen-Abend-Catechismus-Psalmen-Beicht-Buß-Nachtmahls-Lebens-Sterbens- und HimmelsLieder ... auffgesetzet [für Singstimme mit bc; die Lieder sind mit C. G. gezeichnet]. – *Wittenberg, Johann Christoph Föllinger (Christian Kreusig), 1693.*
　　　　　　　　　　　　　　[G 4773
A Wn – **D-ddr** Bds

GRÜNINGER Peter Paul

Psalmi cum Salve Regina, Alma redemptoris mater, Ave Regina, Ave Maria, Regina coeli a 2 voc. & voce sola cum 2 violinis. – *Innsbruck, Michael Wagner, 1663.* – St.　　　　　　　　　　　　[G 4774
A Gmi (vox II, vl I, vl II)

GRÜNWALD J. J.

Erste Sammlung Zwölf deutscher Lieder für das Klavier oder Fortepiano. – *Wien, s. n., 1785.*　　　　　　　　　[G 4775
A Wgm – **CS** Bm – **H** Bn

GRUNDMANN S. G.

Zehn Variationen fürs Piano Forte auf das Thema: Der König rief, und alle alle kamen. – *s. l., s. n.*　　　　　[G 4776
PL WRu

GRUNER (GROUNER) Nathanael Gottfried

Divertissement concertant [C] pour le clavecin, flûte, violon, alto, violoncelle et cors de chasse ad libitum ... œuvre Ier. – *Lyon, Guéra; Paris et en province, aux adresses ordinaires (gravé par Charpentier).* – St.   [G 4777
B Bc (kpl.: 7 St.) – **CH** Zz – **CS** KRa

Divertissement [D] pour le piano-forté ou clavecin, violon, flûte, violoncelle obligé, basse et cors de chasse ad libitum ... œuvre IIe. – *Lyon, Guéra; Paris et en province, aux adresses ordinaires (gravé par Charpentier).* – St.   [G 4778
B Bc (kpl.: 7 St.) – **GB** Lbm

Concert [B] pour le clavecin ou fortépiano avec accompagnement de deux violons, baße, et deux cors de chasse ad libitum ... œuvre IIIe. – *Lyon, Guéra; Paris et en province, aux adresses ordinaires, No. 16.* – St.   [G 4779
CS KRa (kpl.: 6 St.) – **D-ddr** Dl

III. Quatri concertanti [A, C, G] per il cembalo, flauto traverso, violino e violoncello ... opera IV. – *Lyon, Guéra; Paris et en province, aux adresses ordinaires, No. 20.* – St.   [G 4780
A Wgm (kpl.: 4 St.) – **D-ddr** Dl

Sechs Sonaten [G, A, B, Es, F, D] für das Klavier. – *Leipzig, Autor, Johann Gottlob Immanuel Breitkopf, 1781.*   [G 4781
A Wgm – **B** Bc (2 Ex.) – **CH** E – **D-brd** BNms – **D-ddr** Dl, HAu, ZI – **F** Pc – **GB** Ckc (2 Ex.), Er, Lbm – **US** AA, NYp, Wc

Sechs Sonaten [D, Es, B, F, C, a] für das Klavier ... Zweeter [!] Theil. – *Leipzig, Autor, Johann Gottlob Immanuel Breitkopf, 1783.*   [G 4782
B Bc – **D-brd** BNms – **F** Pc – **GB** Lbm

GUAITOLI Francesco Maria

GEISTLICHE WERKE

Psalmi ad vesperas in omnibus totius anni solemnitatibus decantandi ... quinque vocibus cunctibus quoque canticis Beatae Virginis Mariae: itemque Ave maris stella

hymnus eiusdem. – *Venezia, Giacomo Vincenti, 1604.* – St.   [G 4783
B Br (kpl.: S, A, T, B, 5) – **I** Bc

Motecta, quae tum viva voce, tum variis musicis instrumentis concini possunt, octo, novem, decemque vocibus modulata ... liber primus. – *Venezia, Giacomo Vincenti, 1604.* – St.   [G 4784
I Bc (fehlt S I), PCd (kpl.; I: S, A, T, B; II: S, A, T, B; org) – **US** BE (A I)

WELTLICHE WERKE

Il primo libro de madrigali a cinque voci. – *Venezia, Giacomo Vincenti, 1600.* – St.   [G 4785
I Bc (kpl.: S, A, T, B, 5)

Canzonette a 3 e 4 v ... libro primo. – *Venezia, Giacomo Vincenti, 1604.* – St.   [G 4786
I Bc (kpl.: S, A, T, B)

GUALDO DA VANDERO Giovanni

Six sonatas for two german flutes or two violins with a thorough bass for the harpsichord or violoncello ... opera seconda. – *London, Charles & Samuel Thompson.* – St.   [G 4787
GB Lbm (fl I, fl II, b) – **US** Wc

Six easy evening entertainments for two mandolins or two violins with a thorough bass for the harpsichord or violoncello, opera terza. – *London, Charles & Samuel Thompson, author.*   [G 4788
GB Ckc

GUALTIERI Alessandro

Motetti a una, due, tre et quattro voci ... libro secondo ... opera terza. – *Venezia, Giacomo Vincenti, 1616.* – St.   [G 4789
I Bc (kpl.: S I, S II, B, org)

Missarum octonis vocibus concinendis, liber primus, ac in fine, litanie Beate Mariae Virginis, una cum basso ad organum, opus quartum. – *Venezia, Alessandro Vincenti, 1620.* – St.   [G 4790
D-brd Mbs (B I, S II) – **I** Bc (B I), Sac (S I, A II, T II, B II), SPd (T I [unvollständig], B I, A II

[unvollständig], B II, org), SPE (S II [unvollständig], org), VEcap (I: S, A, T; II: A, T, B; org)

GUALTIERI Antonio

GEISTLICHE WERKE

Motecta octonis vocibus . . . liber primus. – *Venezia, Giacomo Vincenti, 1604.* – St.
SD 1604⁶   [G 4791
D-brd Mbs (kpl.; I: S, A, T, B; II: S, A, T, B)

Il secondo libro de mottetti, a una e due voci . . . con li salmi . . . a tre voci con il basso per l'organo . . . opera quinta. – *Venezia, erede di Angelo Gardano, 1612.* – St.   [G 4792
GB Lwa (kpl.: S I, S II, B, org)

Mottetti a una, doi, tre, & quatro voci con le littanie della B. Vergine a 4, libro terzo, opera X. – *Venezia, Bartolomeo Magni, 1630.* – St.   [G 4793
GB Och (kpl.: S, A, T, B, org)

WELTLICHE WERKE

Amorosi diletti a tre voci. – *Venezia, Angelo Gardano & fratelli, 1608.* – St.
     [G 4794
A Wn (kpl.: S I, S II, B) – GB Lbm – I Bc (fehlt B)

Il secondo libro de madrigali a cinque voci . . . opera sesta. – *Venezia, aere Bartolomei Magni, 1613.* – St.   [G 4795
GB Lbm (S, A, 5)

Madrigali concertati a una, due, et tre voci . . . opera ottava. – *Venezia, Alessandro Vincenti, 1625.* – St.   [G 4796
PL WRu (S II, org)

GUAMI Francesco

Il primo libro de madrigali a quattro et cinque voci, con due a otto. – *Venezia, Angelo Gardano, 1588.* – St.   [G 4797
PL GD (kpl.: S, A, T, B, 5)

Ricercari a due voci. – *Venezia, Angelo Gardano, 1588.* – St.   [G 4798
A Wn (S, T)

Il secondo libro de madrigali a 4. 5. et 6. voci con un dialogo a otto. – *Venezia, Angelo Gardano, 1593.* – St.   [G 4799
I Bc (kpl.: S, A, T, B, 5)

Il terzo libro de madrigali a 4. & 5 voci, con un dialogo a 10. – *Venezia, Angelo Gardano, 1598.* – St.   [G 4800
I Vnm (T)

GUAMI Gioseffo

GEISTLICHE WERKE

Sacrae cantiones quae vulgo motecta appellantur, quinque, sex, septem, octo, & decem vocibus, liber primus. – *Venezia, Giacomo Vincenti & Ricciardo Amadino, 1585.* – St.   [G 4801
SD 1585³
D-brd Kl (S, A, T, B, 5) – I Bc (5), Vnm (S [unvollständig], A, T, 5, 6; fehlt B)

Lamentationes Hieremiae prophetae, una cum Benedictus, et Miserere, sex vocum. – *Venezia, Giacomo Vincenti, 1588.* – St.
     [G 4802
I VEcap (kpl.: S, A, T, B, 5, 6, 7, 8)

Sacrarum cantionum variis, et choris, et instrumentorum generibus concinendarum liber alter. – *Milano, eredi di Agostino Tradate, 1608.* – St.   [G 4803
SD 1608³
D-brd Rp (S, A, B, 5, 6, org) – I Tci (S, A, T, B, 6, 7, 8, org; fehlt 5), Tn (fehlt 5)

WELTLICHE WERKE

Il primo libro di madrigali a cinque voci. – *Venezia, Antonio Gardano, 1565.* – St.
     [G 4804
D-brd Mbs (kpl.: S, A, T, B, 5) – GB Lbm (S, A, B) – I Bc (T), Fc (kpl.; S [unvollständig])

Il quarto libro de madrigali a cinque & sei voci, con alcuni dialoghi a otto & a dieci. – *Venezia, Angelo Gardano, 1591.* – St.
     [G 4805
B Bc (S, B, 6) – US BE (A)

INSTRUMENTALWERKE

Partidura [!] per sonare delle canzonette alla francese. – *Venezia, Giacomo Vincenti, 1601.*   [G 4806
I Bc

— Canzonette francese a quattro, cinque, e otto voci per concertare con più sorte strumenti, con un madrigale passegiato. – *Antwerpen, Pierre Phalèse, 1612.* – St.
                                                 [G 4807
GB Och (S, A, T, B)

GUARINONI Paride

Hymni qui ad vesperas diebus tantum festivis toto anno decantantur, cum quinque vocibus ... liber primus. – *Venezia, Giacomo Vincenti, 1587.* – St.   [G 4808
I CEN (kpl.: S, A, T, B, 5 [unvollständig])

GUAZZI Eleuterio

Spiritosi affetti a una e due voci, cioè arie, madrigali & romanesca da cantarsi in tiorba, in cimbalo & chitariglia & altri istromenti, con l'alfabetto per la chitara spagnola, libro primo. – *[Venezia, stampa del Gardano, appresso Bartolomeo Magni],* *(1622).* – P.   [G 4809
I Bc

GUEDON DE PRESLES Honoré-Claude

Cantates françoises à voix seule ... premier livre. – *Paris, auteur, Boivin (gravées par L. Hue), 1723.* – P.   [G 4810
F Pc, Pn

— *ib., 1724.*   [G 4811
F Dc, Pc

GUEDON DE PRESLES (Mlle)

L'amour d'un air doux et flatteur. Chansonnette (in: Mercure de France, juin, 1742). – *[Paris], s. n., (1742).*   [G 4812
GB Lbm

La bergère indifférente. Musette (in: Mercure de France, sept., 1742). – *[Paris], s. n., (1742).*   [G 4813
GB Lbm

C'est en vain qu'on veut se défendre. Ariette (in: Mercure de France, mai, 1744). – *[Paris], s. n., (1744).*   [G 4814
GB Lbm

Le dieu du mystère. Rondeau (in: Mercure de France, aug., 1742). – *[Paris], s. n., (1742).*   [G 4815
GB Lbm

D'un tendre amant, l'objet qui règne. Air sérieux (in: Mercure de France, oct., 1742). – *[Paris], s. n., (1742).*   [G 4816
GB Lbm

Petits oiseaux, qui sous ces verds feuillages. Air sérieux (in: Mercure de France, mars, 1742). – *[Paris], s. n., (1742).*
                                                 [G 4817
GB Lbm

Le retour du printemps. Musette (in: Mercure de France, mai, 1742). – *[Paris], s. n., (1742).*   [G 4818
GB Lbm

GUEDRON Pierre

Airs de court [!] mis à quatre & à cinq parties. – *Paris, Vve Ballard, Pierre Ballard, 1602.* – St.   [G 4819
F Pc (haute-contre, basse-contre, taille, 5)

Airs de cour à quatre et cinq parties ... [premier livre]. – *Paris, Pierre Ballard, 1608.* – St.   [G 4820
F R (taille), Pc (basse-contre [2 Ex., davon 1 Ex. ohne Titelblatt und Widmung]), Psg (kpl.: dessus, haute-contre, taille, basse-contre, 5) – GB Lbm (haute-contre) – I Rc (basse-contre [unvollständig])

Second livre d'airs de cour à quatre & cinq parties. – *Paris, Pierre Ballard, 1613.* – St.   [G 4821
F R (taille), Pc (dessus, haute-contre, taille, 5), Pn (5) – I Fn (taille), Rc (basse-contre [unvollständig])

Troisi[ème] livre d'airs de cour à quatre et cinq parties. – *Paris, Pierre Ballard, (1617).* – St.   [G 4822
F Pn (5)

— *ib.*, *1618*.   [G 4823
B Br (dessus, haute-contre, taille, basse-contre)
– F R (taille), Pn (dessus, haute-contre, basse-
contre) – GB Lbm (dessus)

Quatr[ième] livre d'airs de cour à quatre
& cinq parties. – *Paris, Pierre Ballard,
1618.* – St.   [G 4824
B Br (dessus, haute-contre, taille, basse-contre) – F R (taille), Pn (dessus, haute-contre,
basse-contre) – GB Lbm (dessus)

Cinqui[ème] livre d'airs de cour à quatre
et cinq parties. – *Paris, Pierre Ballard,
1620.* – St.   [G 4825
F R (taille)

GUELFI Antonio

Madrigali. Da concertarsi con cinque voci
et il basso continuo per il clavicembalo
. . . opera prima. – *Firenze, Zanobi Pignoni, 1631.* – St.   [G 4826
I Fn (T, 5 [unvollständig])

GUENÉE L.

Trois duos concertants [Es, D, B] pour
deux violons . . . œuvre 2me. – *Paris,
Cochet.* – St.   [G 4827
CH Bu (Etikett: Imbault)

GUENIN Marie-Alexandre

Op. 1. Six trios dont les trois premiers ne
doivent s'exécuter qu'à trois et les autres
avec tout l'orchestre . . . œuvre 1er. – *Paris,
auteur (gravés par Bouré).* – St.   [G 4828
F Pc (kpl.: vl I, vl II, b), Pn (vl I [2 Ex.], vl II,
b)

Op. 3. Six duos [A, G, F, D, A, G] pour
deux violons . . . œuvre IIIe. – *Paris,
auteur (gravés par Mme Annereau).* – St.
                                                [G 4829
CH Bu (vl I) – E Mn – F Pc (vl I [3 Ex.], vl II
[4 Ex.]), V – US Wc

Op. 4. Trois simphonies [D, C, d] à premier et second dessus, alto, basse, deux
hautbois obligés et deux cors ad libitum
. . . œuvre IV. – *Paris, auteur (gravées par
Mme Annereau).* – St.   [G 4830

CH Gpu (fehlt cor II) – F Pc (4 Ex., davon
1 Ex. kpl.: vl I, vl II, vla, b, ob I, ob II, cor I,
cor II; 3 Ex. unvollständig), Psg (ob I, cor I,
cor II, b) – GB Lbm

Op. 5. Trois sonnates [D, F, D] pour le
clavecin ou le piano forte, avec accompagnement de violon . . . œuvre V. –
Paris, auteur. – St.   [G 4831
B BRc (clav) – D-ddr Dl (clav) – F Pc (clav
[4 Ex.], vl [4 Ex.]), Pn (clav [3 Ex.], vl [2 Ex.])
– I Mc (clav) – US BE (clav)

— *Mannheim, Götz, No. 70.*   [G 4832
D-brd LB (clav, vl)

Op. 6. Trois simphonies [D, A, C] à pre-
mier et second dessus, alto, basse, deux
hautbois, & deux cors . . . œuvre VI. –
*Paris, auteur (gravées par Richomme),
No. 8.* – St.   [G 4833
F Pc (vl I, vl II, vla, ob I, ob II, cor I, cor II
[je 3 Ex., ob in 4 Ex.]) – US BE (vl I, b, ob I, ob
II, cor I, cor II), CA (kpl.: 8 St.)

— *ib., Imbault, No. 181.*   [G 4834
D-ddr HAmi (kpl.: 8 St.)

Op. 7. Trois quatuors pour deux violons,
alto et basse . . . œuvre VII, premier livre
de quatuors. – *Paris, Louis, No. 100.* – St.
                                                [G 4835
F V (vl I, vl II, vla, b)

Op. 10. Trois sonates [D, G, B] pour le
violon avec accompagnement de basse ou
violon . . . œuvre 10 . . . troisième livre de
sonates. – *Paris, Sieber, No. 1986.* – St.
                                                [G 4836
US Wc

— Trois sonates pour le violon avec accompagnement d'un second violon (ad
libitum) . . . œuvre 10. – *Mainz, Bernhard
Schott's Söhne, No. 1962.*   [G 4837
A Wgm

Op. 13. Trois duo pour deux violons . . .
œuvre 13 (3me livre de duo). – *Paris,
Sieber, No. 1977.* – St.   [G 4838
US Wc

Op. 15. Trois duo d'une exécution facile
pour violon et violoncelle . . . œuvre 15. –
Paris, Sieber, No. 1992. – St.   [G 4839
D-brd Mmb

Werke ohne Opuszahlen:

Trois simphonies [A, D, G] à premier et second violons, alto, basse, deux flûtes, dont la première obligée, et deux cors, ad libitum. – *Paris, auteur, No. 5.* – St.
[G 4840
CH AR (fl I, fl II, vl I, vl II, vla, b)

Trois sonates pour le violon avec accompagnement de basse ou violon. – *Paris, Sieber & fils, No. 1975.* – St.   [G 4841
US Wc

Une simphonie [C] à plusieurs instruments. – *Mainz, Bernhard Schott, No. 153.* – St.   [G 4842
D-brd DO (kpl.: vl I, vl II, vla, b, ob I, ob II, cor I, cor II), MZsch (vl I) – **D-ddr** HAmi

GÜNTHER Carl Friedrich

Sammlung von Kriegs-Märschen der Churfürstlich Sächsischen Armee, aufs Clavier gesetzt. – *Leipzig, Breitkopfische Buchhandlung.*   [G 4843
A Wn – **D-ddr** HAu (fehlt Titelblatt)

Zwanzig Märsche der Königlich Preußischen Armee, fürs Clavier. – *Leipzig, Fleischersche Buchhandlung.*   [G 4844
A Wgm – **GB** Lbm

GÜNTHER G. C.

Erste Lieferung der gewöhnlichsten Kirchengesänge nebst Vorspielen zum gottesdienstlichen Gebrauch. – *Leipzig, Schwickert, 1785.*   [G 4845
B Br – **D-brd** Bhm, BEU

GÜNTSCH Johann Christian

Trauer-Ode (Liebste Mutter weinet nicht [für Singstimme mit bc und 2 Violinen]) zwischen der . . . Mutter und dem sterbenden Kinde . . . Nach einer bekandten nur ein wenig veränderten Melodie, Nebst nachfolgender kurtzen Symphonie oder Lament (in: Einfältige Todes-Gedancken, Welche Bey dem Leich-Begangnüß Iungfer Iustiana Güntschin . . . am 29. De-

cembr. Anno 1698 . . . vorgestellet). – *Kölln/Spree, Ulrich Liebpert, (1698)*
[G 4846
D-ddr Bs

GUERAU Francisco

Poema harmonico compuesto de varias cifras por el temple de la guitarra española. – *Madrid, Manuel Ruiz de Murga, 1694.*   [G 4847
GB Lbm (Abschrift)

GUÉRILLOT Henri

Premier concerto à violon principal, premier, second violon, alto et basse, deux hautbois, et cor, ad libitum. – *Paris, Le Duc (gravée par Mlle Ferrières).* – St.
[G 4848
F Pn (kpl.: 9 St.) – **US** Wc

GUERINI Francesco

Op. 1. VI Sonate a violino con viola di gamba o cembalo . . . opera prima. – *Amsterdam, Gerhard Frederik Witvogel.* – P.   [G 4849
GB LEbc – **I** Tn

— *London, B. Fortier.*   [G 4850
F Pc – **GB** Lbm – **US** BE, NH, R, Wc

— *Paris, Le Clerc le cadet, Le Clerc, Mme Boivin (gravées par de Gland).*   [G 4851
F Pn – **US** Wc

Op. 2. Sonate a violino solo col basso . . . opera seconda. – *Paris, Le Clerc (rue St Honoré), Le Clerc (rue du Roule), Bayard (gravé par le Sr Hue).* – P.   [G 4852
F Pn

Op. 3. Six sonates à deux flûtes ou deux violons . . . œuvre III. – *Paris, Le Clerc.* – P.   [G 4853
F Pn

Op. 4. Six sonates à deux violons ou pardessus de viole . . . opera IV. – *Paris, aux adresses ordinaires de musique (gravées par Mlle Bertin).* – St.   [G 4854
F Pc (vl I, vl II [je 2 Ex.]) – **GB** Lbm – **I** Nc – **NL** Uim – **US** Wc

— *Amsterdam, Johann Julius Hummel.*
[G 4855
GB Lbm – S Skma, Sm – US Wc

Op. 5. Six duos pour deux violons ou par-
dessus de viole . . . opera Vª. – *Paris, de
La Chevardière; Lyon, les frères Le Goux.* –
St.   [G 4856
A Wn (vl I, vl II) – F Bo, Pc (kpl. [2 Ex.]), Pn

— Six sonates à deux violons. – *Den
Haag, Guerini; Amsterdam, Johann Ju-
lius Hummel.*   [G 4857
GB Lbm – I Nc – S Skma (im Impressum nur:
Amsterdam, J. J. Hummel)

— Six sonatas or duets for two violins. –
London, A. Hummell.   [G 4858
C Tu – GB Lbm – US Wc

Op. 6. Six trio à deux violons et la basse
. . . opera VI. – *Amsterdam, Johann Ju-
lius Hummel (gravé par Mme Oger).* – St.
[G 4859
F Pc (kpl.: vl I, vl II, b) – GB Lbm – S L, Skma,
SK (fehlt b) – US CHua, R, Wc

Op. 7. Six trio à deux violons et la basse
. . . opera VII. – *Amsterdam, Johann Julius Hummel.* – St.   [G 4860
F Pc (kpl.: vl I, vl II, b) – GB Lbm – S Skma –
US CHua

Op. 8. Six sonatas for two violins with a
thorough bass for the harpsichord . . .
opera VIII. – *London, A. Hummell.* – St.
[G 4861
B Bc (kpl.: vl I, vl II, b) – F Pc – S Sk (fehlt b)

— *ib., Welcker.*   [G 4862
GB Lbm

Op. 9. Six solos for a violoncello, with a
thorough bass for the harpsichord . . .
opera IX. – *London, John Johnson.* – P.
[G 4863
GB Ckc, Lbm – US Wc

Op. 10. Six sonatines pour deux violons à
l'usage des commençants, op. X. – *Amsterdam, Johann Julius Hummel.* – St.
[G 4864
B Bc (vl I, vl II)

[ohne Opus-Nr.:] Six solos for the violin,
with a bass for the violoncello and

through bass for the harpsichord. – *Edinburgh, Neill Stewart.* – P.   [G 4865
GB Lbm, Lcm

GUERRERO Francisco

1547. Motecta . . . quae partim quaternis,
partim quinis, alia senis, alia octonis et
duodenis concinuntur vocibus. – *Venezia,
Giacomo Vincenti, 1547.* – St.   [G 4866
E Bim (S [2 Ex.], A, B)

1555. Sacrae cantiones, vulgo moteta nun-
cupata, quatuor et quinque vocum. –
[Sevilla], Martinus a Montesdoca, 1555. –
St.   [G 4867
D-brd B (T) – E MO (unvollständig)

1563. Canticum Beatae Mariae, quod
Magnificat nuncupatur, per octo musicae
modos variatum. – *Leuven, Pierre Pha-
lèse, 1563.* – Chb.   [G 4868
A Wn – B Br – D-brd As, AN (unvollständig),
Mbs – D-ddr ROu – P C (unvollständig)

— *Venezia, Angelo Gardano, 1583.*
[G 4869
E CZ (fehlt Titelblatt)

1566. Liber primus missarum [a 4–5 v]. –
Paris, Nicolas du Chemin, 1566. – Chb.
[G 4870
A Wn – CH E – D-ddr ARk – E MA, TE –
F Pn – I Rvat-sistina

1570. Motteta . . . quae partim quaternis,
partim quinis, alia senis, alia octonis concinuntur vocibus. – *Venezia, figliuoli di
Antonio Gardano, 1570.* – St.   [G 4871
B Br (S, A, T, B) – E GRc (kpl.: S, A, T, B, 5,
6), GRcr (unvollständig), TU (kpl.; B ohne
Titelblatt), V (fehlt T), Zac (A) – I Rvat-
sistina – P C (unvollständig)

1582. Missarum liber secundus. – *Roma,
Domenico Basa ([Kolophon:] Francesco
Zanetto), 1582.* – Chb.   [G 4872
CO B – E C, GRc, GRcr, P, SA, Tc (unvoll-
ständig), TZ, VAcp (unvollständig) – F Pc –
I Ac, Bc, LT, Od, Rvat, Rvat-giulia, Rvat-
sistina, Td (fehlt Titelblatt)

1583 → 1563

1584. Liber vesperarum. – *Roma, Domenico Basa, 1584 ([Kolophon:] Alessandro
Gardano, 1584).* – Chb.   [G 4873

E MA, P, SE (unvollständig), **V** – **I** Ac, Pc, Rvat, Rvat-sistina

1585. Passio secundum Matthaeum et Joannem more hispano. – *Roma, Alessandro Gardano, 1585.*   [G 4874
I LT, Rvat

1589a. Mottecta . . . quae partim quaternis partim quinis, alia senis, alia octonis concinuntur vocibus, liber secundus. – *Venezia, Giacomo Vincenti, 1589.* – St.
                [G 4875
B Br (S, A) – **D-brd** Kl (kpl.: S, A, T, B, 5/6) – **E** GRc (fehlt A), GRcr (fehlt 5/6 und Titelblatt), Mn (fehlt S), VAcp

1589b. Canciones y villanescas espirituales . . . a tres y a quatro [!] y a cinco vozes. – *Venezia, Giacomo Vincenti, 1589.* – St.
                [G 4876
B Br (S) – **E** VAcp (kpl.: S, A, T, B, 5)

1597. Motecta . . . quae partim quaternis, partim quinis, alia senis, alia octonis et duodenis concinuntur vocibus [mit den Motetten der vorausgehenden Sammlungen, erweitert um 6 neue Motetten und 1 Messe]. – *Venezia, Giacomo Vincenti, 1597.* – St.   [G 4877
B Br (S, A, B, 5) – **E** PAS (B), Sco (S, A, T, B, 5), TZ (S, A, T, B, 5 [fehlt Titelblatt]), V (B [fehlt Titelblatt])

GUERRIERI Agostino

Sonate di violino a 1. 2. 3. 4. per chiesa, & anco aggionta per camera . . . opera prima. – *Venezia, Francesco Magni detto Gardano, 1673.* – St.   [G 4878
SD 1673[7]
GB Ob (kpl.: vl I, vl II, vl III, vla, b) – **I** Bc (vl I, vl II, vl III)

GÜRRLICH Joseph Augustin

MUSIK ZU BÜHNENWERKEN

Die Braut (von Körner)

Die Braut. Lied aus dem Lustspiel: Die Braut, von Theod. Körner. – *Berlin, Gröbenschütz & Seiler.*   [G 4879
US Wc

Die Laune des Verliebten (von Goethe)

Musik zum Schäferspiele Die Laune des Verliebten vom Herrn von Göthe; in Musik gesetzt, für das Pianoforte eingerichtet [Ouverture, Tanz und Lied]. – *Berlin, Gröbenschütz & Seiler.*   [G 4880
D-brd B, DÜk

Die Rückkehr des Mars

Sämmtliche Tänze aus dem beliebten militairischen Ballet Die glückliche Rükkehr, componirt und fürs Pianoforte arrangirt. – *Berlin, Adolph Martin Schlesinger, No. 168.*   [G 4881
D-brd Sl

VOKALMUSIK

Neun Deutsche Lieder mit Begleitung des Piano Forte. – *Berlin, Autor (Johann Friedrich Starcke).*   [G 4882
D-ddr SWl – **US** Wc

INSTRUMENTALWERKE

Grande sonate pour le clavecin ou piano forte avec l' accompagnement d'un violon . . . œuvre IIIme. – *Zerbst, C. C. Menzel, No. 2.* – St.   [G 4883
US Wc

VI Petites pièces pour le piano-forté. – *Mainz, Karl Zulehner, No. 51.*   [G 4884
D-brd B, MZsch – **US** Wc

Allegretto pour le clavecin ou pianoforte. – *Berlin, Rellstab.*   [G 4885
D-brd Bhm

Variations pour le clavecin sur la romance de Nina (Quand le bien aimé reviendra). – *Berlin, Rellstab, No. op. CXX.*   [G 4886
DK Kv

GUEST Jane Mary

Six sonatas [A, D, B, G, Es, B] for the harpsichord or piano forte, with an accompanyment for a violin or german flute . . . opera prima. – *[London], s. n. (T. Harmar).* – P.   [G 4887
D-ddr SWl – **F** Pc – **GB** Ckc, Lam, Lbm (2 Ex.) – **US** NYp, Wc

— Six sonates pour le clavecin ou forte-
piano avec accompagnement d'un violon. – *Paris, Imbault, Siebert.* – St.
[G 4888
F Pn (clav, vl [unvollständig])

— Quatre sonates [G, A, B, Es] pour le
clavecin ou piano forte, accompagnée
d'un violon ... œuvre premier. – *Berlin,
Johann Julius Hummel; Amsterdam,
grand magazin de musique, aux adresses
ordinaires, No. 472.* – P.   [G 4889
D-ddr Dl

GUGEL George

Simphonie périodique [C] à deux violons,
taille et basse, 2 flûtes, 2 cors, 2 trompettes et timbale. – *Mannheim-München,
Götz, No. 143.* – St.   [G 4890
D-brd MÜu (kpl.: 11 St.)

Six quatuor concertants [Es, B, E, C, B,
D] pour deux altos, violon et basse ...
œuvre Ier. – *Paris, Durieu, aux adresses
ordinaires; Lille, Sifflet; Bruxelles, God-
frois; Metz, Kar (Gram).* – St.   [G 4891
D-brd Mbs (kpl.: vl, vla I, vla II, vlc) – F Pc –
I MOe

GUGGUMOS Gallus

Mottecta III. V. et VI. vocum. – *Venezia,
erede di Angelo Gardano, aere Bartolomei
Magni, 1612.* – St.   [G 4892
D-brd Usch (kpl.: S, A, T, B, 5, 6, org)

GUGL Matthaeus

Corona stellarum duodecim, id est totidem litaniae Lauretano-Marianae, spe-
cialibus encomiis matris & virginis intitu-
latae, partim a IV. partim a V. vocibus,
& II. violinis in concerto cum duplici
basso ... opus I. – *Salzburg, Autor (Johann Joseph Mayr), 1710.* – St.   [G 4893
D-brd B (S I, A, T, B, vl I, vl II, org [2 Ex.];
fehlt S II)

Fundamenta partiturae in compendio
data, Das ist: Kurtzer und gründlicher
Unterricht, den General-Bass, oder Partitur, nach denen Reglen recht und wohl

schlagen zu lernen. – *Salzburg, Johann
Joseph Mayr, 1719.*   [G 4894
A LIm

— *ib., s. d.*   [G 4895
D-brd Rp

— *Augsburg, Matthias Wolff (Johann
Michael Labhart), 1727.*   [G 4896
A Sca – D-brd As – D-ddr Bds, LEm – GB Ge,
Lbm

— *Augsburg-Innsbruck, Joseph Wolff,
1757.*   [G 4897
A Gl, GÖ, Iu, Sca, Sn – CH Bu – CS Pu – D-brd
FRu, HVth, Mbs, MT, MZs, Rp (2 Ex.), Us –
D-ddr Bds – GB Lbm – NL Uim – US Cn, CHua,
NYp, Wc

— *Augsburg, Joseph Wolff, 1777.* [G 4898
A Sca, Wgm, Wmi, Wn – CS Bm – D-brd As,
Bim, BOCHs, F, Mbs, Us – D-ddr Bds – GB
Lbm – NL DHgm – US AA, BE, Cn, CHH, NH,
NYp, R, Wc

— *Augsburg,   Johann   Jakob   Lotter &
Sohn, 1805.*   [G 4899
CH SGs

GUGLIELMI Pietro (Pier Alessandro)

GEISTLICHE MUSIK

Gratias agimus tibi &. Motette ... gesun-
gen von Madame Catalani in ihrem dritten
Concerte zu Wien, eingerichtet für Ge-
sang und Piano-Forte. – *Wien, S. A.
Steiner & Co., No. 2838.*   [G 4900
A M, Wn, Wgm – D-brd B – US SFsc

MUSIK ZU BÜHNENWERKEN

Amor fra le vendemmie

Mesta mi lagno qual tortorella. The favorite duett. – *London, L. Lavenu.* [G 4901
GB Lbm

Socorso totomos salios biala. The favorite
duett. – *London, L. Lavenu.*   [G 4902
GB Lbm

La bella pescatrice

La bella pescatrice ... [Ouverture und
3 Arien]. – *Wien, Artaria & Co.* – KLA.
[G 4903
CS KRa

Overtura per clavicembalo. – *Wien, Artaria & Co., No. 350.* [G 4904
A Wst

— The overture . . . adapted for the harpsichord or piano forte. – *London, G. Goulding, Thomas Skillern.* [G 4905
GB Lbm – **US** Wc

Al suon soave. The favorite organ quintetto. – *London, Thomas Skillern, G. Goulding.* [G 4906
US R, Wc (2 Ex.)

Che silenzio! alcun non vedo. Duetto . . . (Raccolta d'arie . . . Nr. 93). – *Wien, Artaria & Co. – KLA.* [G 4907
A Wgm (2 Ex., davon 1 Ex. ohne Titelblatt), Wn

Donne qui vuol vedere. Qui de vous veut voir. Air . . . accompt par Mr Hausmann. – *Paris, Sieber, No. 15. – KLA.* [G 4908
S Skma

— *ib., Mlle Lebeau.* [G 4909
F Pn

Mi parea che sola passegiavo. Aria . . . per clavicembalo (Raccolta d'arie . . . Nr. 90). – *Wien, Artaria & Co.* [G 4910
A Wgm, Wst – **D-brd** Rp

Sento agitarmi il core. Con recitativo per clavicembalo . . . (Raccolta d'arie . . . Nr. 91). – *Wien, Artaria & Co.* [G 4911
A Wgm – **CS** KRa – **F** Pmeyer

Vado si vado. Aria N° 3 . . . (in: Le répertoire italien, ou Journal d'ariettes tirées du Théâtre de Monsieur, arrangées pour clavecin et violon ad libitum par Mr Mezger). – *[Paris], Boyer.* [G 4912
CH Gc

Le cantatrici villane (von Fioravanti)

V'era un certo maestrino lungo. Duetto delle Cantatrici villane . . . avec accompagt de piano ou harpe. – *Paris, Mme Duhan & Co., No. 418.* [G 4913
CH Gpu (unvollständig, fehlt Titel) – **D-brd** Mbs (2 Ex., mit Etikett: Paris, Imbault) – **I** Mc – **N** Ou

Il carnovale di Venezia

Il carnovale di Venezia, osia La virtuosa. A new comic opera. – *London, for T. Becket, 1772.* [G 4914
PL GD

The favourite songs . . . [book I (II)]. – *London, Robert Bremner.* [G 4915
GB Ckc (II), Lbm, Lcm (II), Ob (II) – **I** Rsc – **US** Cn (II), LAu

Overture . . . [for the pianoforte]. – *[London], s. n.* [G 4916
GB Lbm

La clemenza di Scipione (von Joh. Chr. Bach)

Se ti perdo o caro bene. The favorite rondo . . . with the graces & embellishments . . . in the opera of La clemenza di Scipione. – *London, Robert Birchall. – KLA.* [G 4917
S Skma

— Se ti perdo. The favorite rondo . . . to which are added English words. – *ib., M. Kelly.* [G 4918
I Nc

— Se ti perdo . . . sung to the English words. – *Dublin, Hime.* [G 4919
EIRE Dn – **GB** Lbm (2 Ex.)

[Zuweisung fraglich:] La conte [!]

Sposo amato, amato bene. Duettino . . . nella La conte [!], rappresentata nel teatro di S. Carlo in Napoli. – *Napoli, Antonio Hermil, Giuseppe Maria Porcelli (Luigi Marescalchi).* – P. [G 4920
A Wn – **D-ddr** WRtl – **F** Pc (mit No. 75) – **GB** Lcm – **I** Nc

Debora e Sisara

Al mio contento in seno. Duettino. – *Napoli, si vende per tutte le città principali d'Europa, (No. 53).* – P. [G 4921
F Pn – **I** Li (ohne Impressum), Nc – **S** Sm

— *[London]-Edinburgh, Corri, Dussek & Co.* [G 4922
GB Lbm

Perfido! A questo eccesso. Quartetto serio . . . con recitativo. – *Napoli, si vende per tutte le città principali d'Europa, (No. 71).* – P. [G 4923

D-ddr WRtl – F Pn – GB Lbm (2 Ex.) – I Mc, Nc – S Sm – US Cn

— [London]-Edinburgh, Corri, Dussek & Co.   [G 4924
GB Lbm

Il desertore

The favourite songs in the opera Il desertore. – London, Robert Bremner. – P.
[G 4925

F Pc – GB Lbm, Lcm – US LAu

Le due gemelle → L'inganno amoroso

[Zuweisung fraglich:] Li due prigionieri

Quell'occhietto coccoletto. Duetto ... nell' opera: Li due prigionieri. – München, Falter & Sohn.   [G 4926
D-brd Hs

[Zuweisung fraglich:] L'épouse persane

Pas de deux ... L'épouse persanne [!] [for the piano forte]. – London, Robert Birchall.   [G 4927
GB Ob

Pas de trois ... [for the pianoforte]. – London, Robert Birchall.   [G 4928
GB Ob

Ezio (Pasticcio)

The favourite songs in the opera Ezio [book 1–3]. – London, Robert Bremner. – P.   [G 4929
SD S. 175
D-brd B (fehlt Widmung), Hs (unvollständig) – F Pc (2 Ex. [unvollständig]) – GB Ckc, Lbm, Lcm (2 Ex.), Lgc, Lu (unvollständig) – I Nc – US Wc

Ifigenia in Aulide

The favourite songs in the opera Ifigenia. – London, Robert Bremner. – P. und St.
[G 4930
[2 verschiedene Ausgaben:] D-brd DS (kpl.: P., cor I/cor II, fl/cl/ob) – GB Lbm (2 verschiedene Ausgaben, 2. Ausgabe nur P.), Lcm (P.), Lu (P.) – US U, Wc (P.)

L'impresario in angustie (von Cimarosa)

Vaga mano e sospirata. Trio ... nell' Impressario [!] in angustie ... arrangé avec accompagnement de piano par Pacini. – Paris, Lelu, No. 41.   [G 4931
D-ddr SWl

L'inganno amoroso (Le due gemelle)

Gli due gemelli [!]. Ouverture à grand orchestre. – Paris, Imbault, No. 0.5.193. – St.   [G 4932
D-brd Tes (12 St.) – F Pn (15 St. [je 2 Ex.])

Cavatina ... avec accompt de piano ou harpe. – Paris, Mme Duhan & Co.
[G 4933
CH Gpu (Etikett: Imbault, No. 154)

Ei mi guarda. Duetto buffo. – Napoli, Antonio Hermil, Giuseppe Maria Porcelli, appresso Luigi Marescalchi, No. 70. – P. und St.   [G 4934
D-brd B (kpl.: P., ob I, ob II, cor I/cor II) – S Sm, St

— Ei mi guarda. Duetto buffo ... per il clavicembalo (Raccolta d'arie ... Nr. 31). – Wien, Artaria & Co. – KLA.   [G 4935
CS Pk – D-brd BNu, Rtt – D-ddr Dl

Fate largo a madamina prima sposa del paese. Duo ... arrangé pour le piano forte par N. Carbonel (in: Journal hebdomadaire composé de pièces de chant de différens genres ... 36e année, No. 6–9). – Paris, Auguste Le Duc & Co.   [G 4936
CH E

— ... avec accompagnement de piano, et des paroles françaises. – ib., Imbault, No. A. ♯ 307.   [G 4937
CH Gc

L'idol mio che dolce in petto. Duo ... avec accompt de piano. – Paris, Carli, No. 311.   [G 4938
CH E

— ... avec accompagnement de piano, et des paroles françaises. – ib., Imbault, No. A. ♯ 264.   [G 4939
CH Gc

Infelice in tal momento. Rondo. Con recitativo ... per il clavicembalo del Sigr Paisiello (Raccolta d'arie ... Nr. 6). – Wien, Artaria & Co.   [G 4940
DK Kk

La pastorella nobile

La pastorella nobile [Ouverture und einzelne Stücke, 7 Hefte]. – Wien, Artaria & Co. – KLA.   [G 4941

A Wst – CS K (auch unter den einzelnen Stücken aufgenommen)

Ouverture ... arrangée en harmonie pour deux clarinettes, deux cors et deux bassons. – *Paris, Imbault.* – St.　　[G 4942
D-brd MÜu (kpl.: cl I [unvollständig], cl II, fag I, fag II, cor I, cor II)

— Ouverture ... arrangée pour clavecin ou fortepiano avec accompagnement de violon ad libitum par Mr Anderman. – *Paris, Frère.* – St.　　[G 4943
F Pc (clav)

— Ouverture ... arrangée pour clavecin ou fortepiano avec violon ad libitum par Mr. Mezger. – *ib., Boyer.* – St.　　[G 4944
GB Lbm (clav) – US R (clav)

— Overtura per il clavicembalo. – *Wien, Artaria & Co., No. 314.*　　[G 4945
A Wgm, Wn – CS K – F Pmeyer – GB Lbm – I MOe

Ah se un core all' infedele. Rondo, con recitativo Misera me, per il clavicembalo del Sigr. Weigl (Raccolta d'arie ... Nr. 74). – *Wien, Artaria & Co.*　　[G 4946
A Wgm – CS K – F Pmeyer – GB Lbm

Cara mia sposa amata. Aria per il clavicembalo (Raccolta d'arie ... Nr. 78). – *Wien, Artaria & Co.*　　[G 4947
CS K – D-brd Rp – F Pmeyer – GB Lbm

La mia pastorella. Duetto ... per clavicembalo (Raccolta d'arie ... Nr. 76). – *Wien, Artaria & Co.*　　[G 4948
A Wgm (unvollständig) – CS K – D-brd Rp, Rtt – F Pmeyer – GB Lbm – NL At

— ... a favorite duet. – *London, Robert Birchall.*　　[G 4949
D-brd Hs – GB Lbm

La mia tenera agnellina ... Duett. A favorite duett. – *London, Lewis Lavenu.* – P.　　[G 4950
GB Lbm – I Rsc

Mezzo mondo ho visitato. Aria ... per il clavicembalo del Sigr. Cimarosa ... (Raccolta d'arie ... Nr. 79). – *Wien, Artaria & Co.*　　[G 4951
A Wn – CS K – F Pmeyer

Tutto amabile e galante. Cavatina ... per clavicembalo ... (Raccolta d'arie ... Nr. 75). – *Wien, Artaria & Co.*　　[G 4952
A Wgm – CS K – D-brd Rp, Tu – F Pmeyer – GB Lbm

Va pure in malora. Duetto per il clavicembalo del Sigr. Conti ... (Raccolta d'arie ... Nr. 77). – *Wien, Artaria & Co.* [G 4953
A Wn – CS K – F Pmeyer – I Vc

Le pazzie d'Orlando

The favourite songs in the opera Le pazzie d'Orlando ... [book I–IV]. – *London, Robert Bremner.* – KLA.　　[G 4954
CH Gc – F Pc – GB Ckc – US PRu (unvollständig), Wc

— The favorite songs in the comic opera Le pazzie d'Orlando. – *ib., Robert Bremner.*　　[G 4955
EIRE Dam – GB Lbm, Lcm, Ob

Overture [for the pianoforte]. – *[London, Robert Bremner].*　　[G 4956
GB Lbm – I Rsc

Il poeta di campagna

S'è pena, s'è affanno. Duettino con recitativo. – *Napoli, Luigi Marescalchi, No. 284.* – KLA.　　[G 4957
GB Lcm – S St

[Zuweisung fraglich:] Il pretendente burlato

Ah cara d'amore. Duo ... nell' opera Il pretendente burlato. – *Paris, Carli, No. 59.* – KLA.　　[G 4958
H KE

La quakera spiritosa

Quanti scherzi quanti vezzi. Aria ... per il clavicembalo de Sigr. Piticchio ... (Raccolta d'arie ... Nr. 80). – *Wien, Artaria & Co.*　　[G 4959
D-brd Rp – H KE

La sposa fedele (La Rosinella; La sposa costante; La fedeltà in amore; La costanza di Rosinella; Die getreue Braut; Robert und Kalliste, oder Der Triumph der Treue)

The favourite songs in the opera La sposa fedele. – *London, Robert Bremner.* – KLA.
SD S. 176　　[G 4960
GB Ckc, Lbm, Lcm – US Wc

Robert und Kalliste, oder: Der Triumph
der Treue. Eine Operette in drey Aufzügen. Nach dem Inhalt und der Kompo-
sition der Sposa fedele. – *Berlin-Leipzig,
Friedrich Wilhelm Birnstiel, 1777.* – KLA.
                                                   [G 4961
B Bc – CS Pu – **D-brd** Bhm (1. Akt) – **D-ddr**
Dl (1. Akt), HAu (1. Akt) – F Pc – US Bp
(1. Akt), Wc

— . . . 2. Auflage. – *ib., Schöne.*   [G 4962
US BE

La serva innamorata

Ah cara d'amore son cotto avvampato.
Duo . . . avec paroles françaises et ac-
compt de piano ou harpe. – *Paris, Carli &
Co., No. 59.* – KLA.   [G 4963
CH E

Fuggio mai dagli occhi miei. Duo. – *Paris,
Carli & Co., No. 88.* – KLA.   [G 4964
CH E

Oh che donna oh che portento. Terzetto
. . . avec paroles françaises et accompt de
piano ou harpe. – *Paris, Carli & Co. (gravé par Michot).* – KLA.   [G 4965
D-brd KNmi

Tigrane (Pasticcio)

The favourite songs in the opera Tigrane.
– *London, Robert Bremner.* – P. und St.
SD S. 177   [G 4966
D-brd F, Ds – **GB** Lbm (P. [2 Ex.]), Lcm (P.) –
US PO (P.), U, Wc

Gli uccellatori (I cacciatori) (Pasticcio)

The favorite songs in the comic opera
Gl'uccellatori. – *London, Robert Bremner.*
– P.   [G 4967
GB Ckc (2 Ex.), Lbm (unvollständig), Lcm (un-
vollständig) – US Wc (2 verschiedene Aus-
gaben)

I viaggiatori ridicoli tornati in Italia

The favourite songs in the comic opera I
viaggiatori ridicoli (vol. I–III). – *London,
Robert Bremner.* – P.   [G 4968
D-brd DS (I), Hs (I), Mbs (I, II) – F Pc – **GB**
Ckc (I, II), Cpl (I, II), Er (I, II), Lbm (I, II),
Lcm (I, II) – I Rsc (mit: Ouverture per cla-
vicembalo) – US Bp, Cn, NYp, PRu (I), R (I,
II), U (I, II), Wc, Ws

Overture. – *[London, Robert Bremner].* –
KLA.   [G 4969
D-brd DS – **GB** Ckc, Cpl, Er, Lbm, Lcm – US
Cn, NYp

Se pieta de il ciel. The favourite song
with the flute accompanyment. – *Soho,
Welcker.*   [G 4970
GB Lbm

— *[London], Welcker.*   [G 4971
GB Ckc, Lcm, Lgc – US NYp

I zingari in fiera (von Paisiello)

Cara Borza . . . Terzetto. – *London, J.
Dale.* – KLA.   [G 4972
GB Gu, Lbm, Ob

VOKALMUSIK

(und Arien aus nicht genannten Bühnenwerken)

Agitata mi par di sentire. Terzetto buffo.
– *Venezia, Antonio Zatta & figli.* – P. und
St.   [G 4973
D-brd KNmi (kpl.: P., fl I, fl II, cor I, cor II) –
GB Lcm (unvollständig)

Già tu sai che questo core. Aria . . . con
recitativo. – *Venezia, Cattarino Aglietti &
Co., (1794).* – P.   [G 4974
I Vc-giustiniani

Io sono in selva. A periodical Italian song.
No. 3. – *London, William Napier.* – P.
                                              [G 4975
GB Lgc

La Macedone. Canzonette a 3 v . . . coll'ac-
compto di cembalo o pianoforte, oppure
chitarra, da Luigi Marescalchi. – *[Na-
poli], stamperia di musica al Largo del
Castello.* – P.   [G 4976
I Mc (2 Ex.) – US BE

Mio ben per te quest'anima. Rondo (in:
Philomele. Eine Sammlung der beliebte-
sten Gesänge mit Begleitung des Piano-
forte eingerichtet und herausgegeben von
Anton Diabelli, Nr. 16). – *Wien, Cappi &
Diabelli, No. 183 (168).*   [G 4977
A Wgm

Se il mio tesor perdei. A periodical Italian
song. No. 2. – *London, William Napier.* –
P.   [G 4978
US BRp

Senza il caro amato bene. Rondo con recitativo. – *Venezia, Cattarino Aglietti & Co.,
(1793).* – P.   [G 4979
I Vc-giustiniani

Un soave gentil campanello. Terzetto buffo. – *Venezia, Antonio Zatta & figli.* – P.
und St.   [G 4980
D-ddr WRtl (kpl.: P., fl I, fl II, cor I, cor II) –
GB Lbm – **I** PESc (P. [unvollständig])

INSTRUMENTALWERKE

The periodical overture [D] in 8 parts,
number XXXI. – *London, Robert Brem-
ner.* – St.   [G 4981
E Ma (kpl.: 8 St.) – **GB** Er, Mp, Ob

Sei quartetti [C, B, D, G, F, Es] per il
cembalo, due violini e violoncello . . .
[op. 1.]. – *London, for the author, (1768).* –
St.   [G 4982
D-brd Mbs (cemb) – **GB** Lbm (kpl.: vl I, vl II,
vlc, cemb), Lcm, Ob – **US** BE

— Six quartettos for the harpsichord or
piano forte and two violins and a violoncello. – *ib., Robert Bremner.*   [G 4983
D-brd Mbs (fehlt hpcd) – **D-ddr** SWl (kpl.: vl I,
vl II, vlc, hpcd) – **GB** Cu (unvollständig) –
S Skma

A conversation quartetto [F] for an oboe
or flute, violin, tenor, and violoncello. –
London, J. Shield. – St.   [G 4984
US BE (kpl.: 4 St.)

Six divertiments [C, A, D, F, G, B] for the
harpsichord, and violin . . . [op. 2]. – *London, author, Robert Bremner, (1770).* – P.
                                                 [G 4985
B Bc – **D-ddr** Dl – **GB** Ckc, Lbm (2 Ex.), Lcm,
Ob – **US** PHu, Wc

Six sonatas [C, G, D, B, F, Es] for the
harpsichord or forte piano . . . opera III. –
London, Robert Bremner.   [G 4986
B Bc – **GB** Ckc, Lbm (2 Ex.), Lcm – **J** Tn –
S SK – **US** CHH, U, Wc

The four favourite Italian overtures . . . Il
viaggiatore, Il carnovale di Venezia, Orlando, Il desertore . . . (in: Piano-Forte
Magazine, vol. II, Nr. 4). – *London, Harrison & Co.*   [G 4987
B Bc – **D-brd** Mbs

A favourite overture . . . [for the piano-
forte]. – *London, Longman & Co.*
                                                 [G 4988
GB Ckc (2 Ex.)

The favorite Scotch divertisement . . . ar-
ranged for the piano forte. – *London,
Robert Birchall.*   [G 4989
B Bc – **GB** Gu, Ob

GUGLIELMI Pietro Carlo

MUSIK ZU BÜHNENWERKEN

Amor tutto vince

Penar per chi non sai. Cavatina . . . ridotta
con accomp. di piano forte. – *Napoli,
Giuseffo Girard, No. 419.*   [G 4990
D-brd B

Son bellina e son padrona. Cavatina . . .
arrangé pour le forté-piano par Mr. Bel-
lot . . . (in: Le Troubadour d'Odessa). –
[Odessa, Maurice Seitz].   [G 4991
I Mc

Atalida

Dunque tu andrai dal figlio. The favorite
duett. – *London, Robert Birchall.* – KLA.
                                                 [G 4992
D-brd LÜh

Se perdo il mio bene. The favorite cavatina. – *London, Robert Birchall.* – KLA.
                                                 [G 4993
D-brd Hs

Se pieta de un fiero affanno. The trio. –
London, Robert Birchall. – KLA.
                                                 [G 4994
D-brd Hs (2 Ex.) – **F** Pc

Si, ti leggo nel volto. A song. – *London,
Robert Birchall.* – KLA.   [G 4995
D-brd Hs

Due nozze e un sol marito

Sa che sa chi sa, che sa. The favorite aria.
– *[London]*, M. Kelly. – KLA.   [G 4996
D-brd Hs

Ernesto e Palmira

Miei Signori vedete. Alla tua bella venere.
Scena e rondo [a 3 v] . . . (in: Giornale di

musica 11° pezzo, anno 3°). – *Milano,*
Giovanni Ricordi, No. 159. – P. und KLA.
[G 4997
S Skma

L'isola di Calipso

D'affanno l'anima qui mai non geme. Ter-
zetto. – *Milano, Carlo Bordoni, Luigi*
Scotti, No. 5. – P.   [G 4998
D-brd Mbs

I raggiri amorosi

Io cerco uno sposino. Aria . . . avec ac-
comp^t de piano ou harpe. – *Paris, Mme*
Duhan & Co.   [G 4999
S Skma

Romeo e Giulietta

Ah! che mancar mi sento. Duett. – *Lon-*
don, Robert Birchall. – KLA.   [G 5000
D-brd Hs

Dio che sei giudice. The favorite preghiera
for three voices. – *London, Robert Bir-*
chall. – KLA.   [G 5001
D-brd Hs

Dolce speranza in seno. Trio. – *London,*
Robert Birchall. – KLA.   [G 5002
D-brd Hs

Parti da questo addio. Duett. – *London,*
Robert Birchall. – KLA.   [G 5003
D-brd Hs

[Zuweisung fraglich:] La scommessa

Ah! qual voce lusinghiera. Song. – *Lon-*
don, Robert Birchall. – KLA.   [G 5004
D-brd Hs

Amor è furbetto. Duett. – *London, Robert*
Birchall. – KLA.   [G 5005
D-brd Hs

Qual farfalla amorosetta. Cavatina. –
London, Robert Birchall. – KLA. [G 5006
D-brd Hs

Sull'onor mio lo giuro. The favorite ter-
zettino. – *London, Robert Birchall.* – KLA.
[G 5007
D-brd Hs

Vedete la vedete. Duett. – *London, Robert*
Birchall. – KLA.   [G 5008
D-brd Hs – F Pc

Sidagero

Alma grande, eccelso eroe. The favorite
cavatina. – *London, Robert Birchall.* –
KLA.   [G 5009
D-brd Hs

Audace che chiedi. A favorite duett. –
London, Robert Birchall. – KLA.
[G 5010
D-brd Hs

Calma l'affan(n)o. The favorite chorus, &
air: Che calmi il mio dolor? – *London,*
Robert Birchall. – KLA.   [G 5011
D-brd Hs

Caro sposo a te vicina. A favorite duett. –
London, Robert Birchall. – KLA.
[G 5012
D-brd Hs

Digli che non pavento. The favorite reci-
tative & song. – *London, Robert Birchall.* –
KLA.   [G 5013
D-brd Hs

Nel mio sen la dolce calma. The favorite
recitative & air. – *London, Robert Bir-*
chall. – KLA.   [G 5014
D-brd Hs

Pietoso Dio che vedi. The favorite pre-
ghiera . . . with the chorus. – *London,*
Robert Birchall. – KLA.   [G 5015
D-brd Hs

La vendetta di Nino (von F. Bianchi)

A compir già vo l'impresa. Recitative
and air, with a violin obligato . . . arranged for the piano forte, with ornaments
by D. Corri. – *London-Edinburgh, Corri,*
Dussek & Co. – P.   [G 5016
GB Lbm – US Cn

GUGLIELMO (GUILHELMUS) VENEZIANO

Cœlum armonicum concentus singulis,
binis, ternisque vocibus, cum sua parti-
tione pro organorum pulsatore. – *Venezia,*
Ricciardo Amadino, 1616. – St.   [G 5017
I Bc (T)

GUGLIETTI Francesco

Salmi e litanie a cinque, con il basso continuo ... opera prima. – *Napoli, Ottavio Beltrano, 1640.* – St.   [G 5018
I Nf (kpl.: S I, S II, A, T, B, org)

GUICHARD François

Essais de nouvelle psalmodie, ou Fauxbourdons, à une, deux ou trois voix, divisés en sept tons majeurs & mineurs [Magnificat-Sätze a 3 v]. – *Paris, Nyon l'aîné, 1783.* – P.   [G 5019
F Pa, Pc, Psg – GB Ge (2 Ex.) – US NYp, Wc

Supplément transposé en plain-chant, pour faciliter l'exécution des Essais de nouvelle psalmodie à une, deux ou trois voix, à l'usage des églises cathédrales, collégiales, paroisses, séminaires, couvents etc. – *Paris, Bignon.*   [G 5020
F Psg – GB Ge (2 Ex.)

Les loisirs d'Apollon, ou Nouveau recueil d'ariettes, romances, chansons nouvelles &c., avec accompagnement de guitarre et basse chiffrée pour le clavecin ou pianoforte ... œuvre VII. – *Paris, Bignon.*
[G 5021
F Pc

Nouvelles chansons, romances, ariettes &c., avec accompagnement de guitarre et basse chiffrée pour le clavecin ou pianoforte pour servir de suite aux Loisirs d'Apollon ... œuvre VIII. – *Paris, Bignon.*   [G 5022
F Pc

Loisirs bachicoharmoniques, ou Desserts anacréontiques. Recueil de solos, duos, trios, quatuor. – *Paris, Mercier.* – P.
[G 5023
F Pn

Les délices de la société. Recueil de chansons, romances, ariettes, &c. avec la basse chiffrée. – *Paris, Bignon.*   [G 5024
S Sk

Premier livre de chansons nouvelles avec accompagnement de harpe ou piano-forte. – *Paris, De Roullède, de La Chevardière; Lyon, Castaud; en province, chez tous les*

marchands de musique (gravé par Le Roy).
[G 5025
F Pn

Recueil de chansons avec accompagnement de basse chiffrée pour le clavecin [2 fasc.]. – *Paris, Borrelly.*   [G 5026
I MOe

Petits airs arrangés pour une gitarre [!] seule. – *Paris, Thomassin.*   [G 5027
SD S. 285
F Pc (Nr. 1)

Avec deux envoyés d'hymen. Couplets anacréontiques, chanté ... à une fête de mariage (in: Mercure de France, févr., 1786). – *[Paris], s. n., (1786).*   [G 5028
GB Lbm

L'bon seigneur de not' village. La veillée villageoise ... air: Au coin du feu. – *s. l., s. n.*   [G 5029
GB Lbm

— Une couleur charmante. Coquelicot ... sur l'air: Au coin du feu. – *[Paris], les frères Savigny.*   [G 5030
GB Lbm

— L'homme qui n'est pas bête. Les innocens ... air: Au coin du feu. – *s. l., s. n.*
[G 5031
GB Lbm

— L'hyver ... l'air [Le coin du feu]. – *[Paris], Bignon.*   [G 5032
GB Lbm

Le joueur du luth [Air]. – *s. l., s. n.*
[G 5033
GB Lbm (2 Ex.)

Les riens. Chanson. – *[Paris], Bignon.*
[G 5034
GB Lbm

GUICHARD Louis Joseph

[Zuweisung fraglich:] Hymne à la liberté (Ô toi que tout Français adore). – *Paris, Imbault, No. A. ♯ 267.* – P.   [G 5035
F Pc

Airs du couvent, no. 1: L'attrait qui fait chérir ces lieux ...; no. 2: Nos plaisirs

sont légers, avec accompagnement de piano ou harpe. – *Paris, les frères Savigny.*
                         [G 5036
US BE

GUIDO Giovanni Antonio

Motetti ad una e più voci con sinfonia . . . opera prima. – *Paris, Foucault (gravés par H. de Baussen), 1707.* – P.   [G 5037
F LYm, Pn – I Rsc

Sonates à violon seul avec accompagnement de basse et clavecin . . . livre I. – *Paris, auteur, Boivin (gravées par du Plessy), 1726.* – P.   [G 5038
F Pn

Scherzi armonici sopra le quattro staggioni dell'anno, concerti a 3 violoni, flauti, hautbois, cimbalo, bassi di viola e violoncello . . . opera terza. – *Versailles, auteur.* – St.   [G 5039
B Bc (kpl.)

GUIDUCCI Girolamo

Letanie della Madonna a due, tre, quattro, e cinque voci. – *Roma, successor'al Mascardi, 1677.* – St.   [G 5040
D-brd MÜs (kpl.: S I, S II, A, T, B, org [mit Ausnahme von T und B je 2 Ex.]) – I Bc, Bsp, Ls (kpl. [2 Ex.]), Rsc (fehlen A und org), Rv, Sd

GUIGNON (GHIGNONE) Jean-Pierre (Giovanni-Pietro)

Op. 1. XII Sonate a violino solo e basso . . . opera prima. – *Paris, Vve Boivin, Le Clerc, Castagnery (gravés par Mlle de Caix).* – P.   [G 5041
F Pc, Pn – US Wc

— *ib., Le Clerc, Castagnery (gravé par Mlle de Caix).*   [G 5042
A Wn – CH Zz – F Pn

Op. 2. VI Sonates à deux violoncelles, basses de viole ou bassons . . . second œuvre. – *Paris, Le Clerc, Castagnery; Versailles, auteur (gravé par Mlle de Caix), (1737).* – P.   [G 5043
F Pc, Pn

Op. 3. Six sonates à deux violons, flûte allemande et violon, et toutes sortes d'instrumens égaux . . . troisième œuvre. – *Paris, Le Clerc, Castagnery; Versailles, auteur (gravé par Mlle de Caix).* – P.   [G 5044
F Pc

— Sonates à deux violons . . . seconde édition. – *ib., Le Clerc, Mlle Castagnery, Mme Boivin (gravée par Mlle Bertin).*
                         [G 5045
A Wn – US Wc

Op. 4. Six sonates en trio . . . œuvre IV. – *Paris, Vve Boivin, Le Clerc, Mlle Monnet, (1737).* – St.   [G 5046
A Wn (kpl.: vl I, vl II, vlc) – F Pc – US AA

Op. 5. VI Sonates en trio . . . V œuvre. – *Paris, Mme Boivin, Le Clerc.* – St.
                         [G 5047
F Pmeyer (kpl.: vl I/fl I, vl II, vlc)

Op. 6. Six sonates à violon seul et basse . . . œuvre VIᵉ. – *Paris, Mme Boivin, Le Clerc (gravées par Mlle Bertin).* – P.
                         [G 5048
A Wn – F Pc, Pn – US Wc

Op. 7. Six duo à deux violons . . . œuvre VIIe. – *Paris, Mme Boivin, Le Clerc; Lyon, De Brotonne (gravés par Mlle Bertin).* – P.   [G 5049
A Wn – CH Zz – DK Kk – F Pc, Pn – GB HAdolmetsch – US Wc

Op. 8. Pièces de différens auteurs à deux violons amplifiées et doublées . . . œuvre VIIIe. – *Paris, Mme Boivin, Le Clerc; Lyon, De Brotonne (gravées par Mlle Bertin).* – P.   [G 5050
SD S. 287
A Wn – DK Kk – F Pc – US Wc

Op. 9. Nouvelles variations [pour 2 violons] de divers airs et les Folies d'Espagne amplifiés . . . œuvre IXe. – *Paris, Mme Boivin, Le Clerc, Mlle Castagnery (gravées par Mlle Bertin).* – P.   [G 5051
SD
A Wn – DK Kk – F Pc

Op. 10. Six trio pour trois flûtes, pardessus de violons; on peut les exécuter aussi avec trois dessus de différens instrumens

... œuvre X^e. – *Paris, aux adresses ordinaires.* – St. [G 5052
F Pc (kpl.: fl I, fl II, fl III)

GUIGUE

Déclaration d'amour [Air]. Musique et accompagnement de piano par Guigue. – *Paris, Janet.* – KLA. [G 5053
GB Lbm

GUILAIN Jean-Adam Guillaume

[25] Pièces de clavecin d'un goût nouveau. – *Paris, auteur (gravées par De Gland), 1739.* [G 5054
GB Lbm

GUILBERT Eugène

Quatre sonates pour la harpe avec accompagnement de violon ... œuvre III. – *London, s. n. (engraved by T. Scherer).* – St. [G 5055
GB Gu (hf, vl), **Lbm**

entfällt [G 5056

Trois sonates pour la harpe avec accompagnement de violon et basse ... œuvre V. – *London, J. Dale, for the author.* – St. [G 5057
GB Lbm (hf, vl, b)

Concerto pour la harpe avec accompagnement de deux violons, alto, et basse ... op. VIII. – *London, J. Dale, for the author.* – St. [G 5058
GB Lbm (kpl.: hf, vl I, vl II, vla, b)

GUILLAUME

Epoux imprudent; Le magistrat irréprochable. Air ... avec accompagnement de guitarre du C^{en} Lintant. – *Paris, Frère.* [G 5059
F Pc

Fuyant et la ville et la cour. Air ... avec accompagnement de guitarre du C^{en} Lintant. – *Paris, Frère.* [G 5060
F Pc

Que l'aspect de la nature. Air ... avec accompagnement de guittare du C^{en} Lintant. – *Paris, Frère.* [G 5061
F Pc

Un jour il est agriculteur. Air ... avec accompagnement de guittare du C^{en} Lintant. – *Paris, Frère.* [G 5062
F Pc

GUILLAUME L.

Sonate extraite de l'œuvre 22 de Clementi arrangée pour la harpe avec accompagnement de violon ou flûte et violoncelle. – *Paris, Mme Duhan & Cie, No. 58.* – St. [G 5063
CH AR (vl/fl, b)

GUILLAUME Simon

Positions et attitudes de l'allemande ... [4] contredanses nouvelles propres à être dansées en allemande. – *Paris, auteur, Crepy, (1768).* [G 5064
CH Gpu

Almanach dansant, ou positions, et attitudes de l'allemande, avec un discours préliminaire sur l'origine et l'utilité de la danse ... pour l'année 1770; où se trouve un recueil de contredanse et menuets nouveaux. – *Paris, auteur, Valade & Dufour, (1770).* [G 5065
B Br, Lc – F Pn, Po – US NYp

— ... pour l'année 1771. – *ib., auteur, Valade & Dufour, (1771).* [G 5066
GB Lbm

Caractères de la danse allemande ... telle qu'elle s'exécute au Wauxhall, avec l'explication des pas et enchaînemens, où se trouve un recueil de contredanses et menuets ... (recueil de contredanses et menuets nouveaux et choisis, de la composition des Sieurs Sauton, Lahante & autres, avec la description des figures ... par le Sieur Guillaume). – *Paris, auteur, Dufour, Guillaume (Coulubrier).* [G 5067
D-brd HR – GB Lbm – US NYp

La Pierrette, contredanse française. – *Paris, Bouin, Mlle Castagnery; Versailles, Blaisot.*   [G 5068
F Pn

GUILLEMAIN Louis-Gabriel

[Op. 1]. Premier livre de [12] sonates à violon seul avec la basse continue . . . il y a quelq'unes de ces sonates qui peuvent se jouer sur la flûte traversière. – *Paris, Vve Boivin, Le Clerc (gravées par Nicolas Baillieul), 1734.* – P.   [G 5069
F NS, Pa, Pc, Pn – **GB** Lbm – **US** Wc

— *Dijon, Desventes.*   [G 5070
I BGi

— . . . nouvelle édition. – *Paris, Le Clerc le cadet (gravées par le Sr Hue).*   [G 5071
US NYp, Wc

Op. 2. XII Sonates en trio pour les violons et flûtes . . . second œuvre. – *Paris, Le Clerc le cadet, Le Clerc, Vve Boivin (gravés par Joseph-Louis Renou).* – St.
                                                [G 5072
F Pc (vl I [2 Ex.], vl II [3 Ex.])

Op. 3. Deuxième livre de sonates à violon seul avec la basse continue . . . œuvre IIIe. – *Paris, Le Clerc le cadet, Le Clerc, Vve Boivin.* – P.   [G 5073
B Bc – **US** Wc

Op. 4. VI Sonates à deux violons sans basse . . . œuvre IV. – *Paris, Le Clerc le cadet, Le Clerc, Mme Boivin (gravé par Labassé).* – St.   [G 5074
CH Zz (vl I, vl II) – **F** Pc, V (vl I)

Op. 5. IIe Livre de sonates à deux violons sans basse ou deux flûtes traversières . . . œuvre Ve. – *Paris, Le Clerc le cadet, Mme Boivin, Le Clerc; Lyon, De Brotonne (gravé par Mlle de Caix).* – St.   [G 5075
CH Zz (vl II) – **F** Pc (vl I, vl II), Pn – **US** Wc

— *ib., Mme Boivin, Le Clerc; Lyon, De Brotonne.*   [G 5076
F Pc (vl I, vl II)

— *ib., Le Clerc; Lyon, De Brotonne.*
                                                [G 5077
F Pn

Op. 6. Premier livre de simphonies dans le goût italien en trio . . . œuvre VI. – *Paris, Le Clerc le cadet, Le Clerc, Vve Boivin (gravées par Mlle Michelon).* – St.   [G 5078
F Pc (vl I)

— VI Simphonies dans le goût italien en trio . . . œuvre VI. – *ib., Le Clerc le cadet, Le Clerc, Vve Boivin (gravées par Mlle Michelon).*   [G 5079
F Pc (kpl.: vl I, vl II [4 Ex.], b)

Op. 8. Premier amusement à la mode pour deux violons ou flûtes et basse . . . œuvre VIII. – *Paris, Le Clerc le cadet, Le Clerc, Mme Boivin (gravé par Mlle Vendôme).* – St.   [G 5080
F Pc (kpl.: vl I [2 Ex.], vl II [4 Ex.], b [2 Ex.])

Op. 10. Six sonates en trio pour deux violons et basse continue . . . œuvre Xe . . . le 1er dessus de la 2e et de la 4e sonate peut s'exécuter sur la flûte traversière. – *Paris, Le Clerc le cadet, Le Clerc, Mme Boivin (gravé par Labassée).* – St.
                                                [G 5081
F Pc (vl II, bc)

Op. 11. Troisième livre de sonates à violon seul, avec la basse continue . . . XIe œuvre. – *Paris, Le Clerc (gravé par Mlle Michelon).* – P.   [G 5082
F Pmeyer – **US** Wc

Op. 12. Six sonates en quatuors, ou conversations galantes et amusantes entre une flutte traversière, un violon, une basse de viole et la basse continue . . . œuvre XIIe. – *Paris, Mme Boivin, Le Clerc (gravé par Mlle Bertin), 1743.* – St.
                                                [G 5083
F Pc (kpl.: vl, fl, vla da gamba, bc [je 3 Ex.]) – **GB** Lbm

Op. 13. Pièces de clavecin en sonates avec accompagnement de violon . . . œuvre XIIIe. – *Paris, Mme Boivin, Le Clerc; Lyon, De Brotonne (gravé par Mlle Bertin).* – P.   [G 5084
F Pc (4 Ex.) – **GB** Lbm

Op. 14. Second livre de simphonies dans le goût italien en trio . . . œuvre XIV. – *Paris, Le Clerc, Mme Boivin, Le Clerc.* – St.   [G 5085
F Pc (kpl.: vl I [2 Ex.], vl II [3 Ex.], b)

Op. 15. Divertissement de simphonies en trios ... œuvre XVe. – *Paris, Bertin; Lyon, De Brotonne (gravé par Mlle Bertin).* – St.
[G 5086
F Pc (kpl.: vl I [2 Ex.], vl II [3 Ex.], b) – **US** Wc (fehlt vl II)

Op. 17. Second livre de sonates en quatuors, ou conversations galantes et amusantes entre une flutte traversière, un violon, une basse de viole et la basse-continue ... œuvre XVII. – *Paris, Le Clerc (gravées par Mme Pradat).* – St.
[G 5087
F Pc (kpl.: vl, fl, vla da gamba, bc)

Op. 18. Amusement pour le violon seul composé de plusieurs airs variés de différens auteurs ... avec douze caprices ... œuvre XVIIIe. – *Paris, Le Clerc.*
SD S. 88   [G 5088
GB Lbm – **US** Wc

[3] Caprices [F, C, D] ou études du violon. – *Paris, Cochet, No. 49.*   [G 5089
CS Pnm

GUILLEMANT Benoît

Op. 1. Sei sonate en quatuor pour deux flûtes, un violon obligé et la basse continue ... œuvre I^r. – *Paris, auteur, Mme Boivin, Le Clerc (gravé par Mlle Estien), 1746.* – St.   [G 5090
F BO (kpl.: vl, fl I, fl II, bc), Pn

Op. 2. VI Sonates pour deux flûtes traversières sans basse qui peuvent se jouer à deux violons ou deux pardessus de viole ... deuxième œuvre. – *Paris, auteur, Le Clerc, Mme Boivin, Mlle Castagnery (gravé par Chambon).* – P.   [G 5091
F Pn

Op. 3. Pièces à deux bassons ou violoncelles ... œuvre IIIe. – *Paris, auteur, Le Clerc, Mme Boivin, Mlle Castagnery, (1746).* – P.   [G 5092
F Pc, Pn

Op. 4. VI Sonates en trio pour deux violons et la basse; le premier dessus peut se jouer sur la flûte et le hautbois ... œuvre IVe. – *Paris, auteur, Boivin, Le Clerc,*

Mlle Castagnery (gravé par Chambon), (1746). – St.   [G 5093
F Pc (kpl.: vl I, vl II, b [je 2 Ex.]), Pn

Op. 5. Deuxième livre de VI Sonates en trio pour deux violons et la basse ... œuvre V^e. – *Paris, auteur, Mme Boivin, Le Clerc, Mlle Castagnery.* – St.   [G 5094
F Pn (kpl.: vl I, vl II, b)

Op. 6. Trois suittes d'airs harmonieux et chantant pour la flûte traversière avec un accompagnement de violon obligé ... œuvre VIme. – *Paris, auteur.* – P.
[G 5095
F Pc

Deux petites suites pour deux flûtes qui peuvent se jouer sur le hautbois et le violon et font un bon essai sur les flûtes à la tierce. – *Paris, Boivin, Le Clerc (gravées par Mlle Estien).* – P.   [G 5096
F Pn

GUILLET (l'aîné)

La petite pantoufle. Contredanse française. – *Paris, Boivin, Mlle Castagnery; Versailles, Blaizot.*   [G 5097
F Pn

GUILLET (le jeune)

La Mirza. Contredanse française. – *Paris, Boivin, Mlle Castagnery; Versailles, Blaizot.*   [G 5098
F Pn

GUILLET Charles

Vingt-quatre fantasies à quatre parties disposées selon l'ordre des douze modes. – *Paris, Pierre Ballard, 1610.* – St.
[G 5099
F Pn (kpl.: dessus, haute-contre, basse-contre, taille)

GUILLON (DE GUILLON)

Op. 1. Six duo pour violon et alto ... œuvre I^e. – *Paris, Bignon, 1776.* – St.
[G 5100
D-brd B (vl, a-vla) – **F** Pn – **S** Skma

Op. 2. Quatuor pour deux violons, alto et violoncelle ... œuvre II. – *Lyon, Guera; Paris, bureau du journal de musique, No. 38.* – St.   [G 5101
B Bc (kpl.: vl I, vl II, vla, vlc) – **US** Wc

Op. 3. Six simphonies à grand orchestre pour deux violons, deux hautbois ou flûtes, deux cors, alto-viola et basse ... œuvre IIIe ... la seconde, la troisième et la sixième peuvent s'exécuter à 4 parties. – *Paris, Bailleux.* – St.   [G 5102
D-brd MÜu (kpl.: 8 St.) – **F** Pc

Op. 4. Six quattuors pour deux violons, quinte et violoncelle ... œuvre IV. – *Lyon, Guera.* – St.   [G 5103
I Tn (vl I, vl II)

GUILLON Henri Charles

Céphale et l'Aurore. Cantate à deux voix avec la basse continue. – *Paris, Vve Boivin, Le Clerc (gravé par le Sr Hue).* – P.
[G 5104
F Pn

Le retour d'Hébé sur la terre. Cantate à voix seule avec simphonie. – *Paris, auteur, Vve Boivin, Le Clair, 1736.* – P.   [G 5105
F Pn

Amis bénissons le lieu. Air (in: Mercure de France, oct., 1732). – *[Paris], s. n., (1732).*   [G 5106
GB Lbm

Dans une paix enchanteresse. Air de basse (in: Mercure de France, juin, 1735). – *[Paris], s. n., (1735).*   [G 5107
GB Lbm

Je n'ay jamais appris fa mi ré ut si la. Air (in: Mercure de France, févr., 1726). – *[Paris], s. n., (1726).*   [G 5108
GB Lbm

Ne nous préférons point aux belles. Vaudeville (in: Mercure de France, juillet, 1733). – *[Paris], s. n., (1733).*   [G 5109
GB Lbm

Papillon. [Air] (in: Mercure de France, déc., 1734). – *[Paris], s. n., (1734).*
[G 5110
GB Lbm

Le Rhume. [Air] (in: Mercure de France, déc., 1733). – *[Paris], s. n., (1733).*
[G 5111
GB Lbm

Une rencontre, amy, nous mène au cabaret. Duo (in: Mercure de France, oct., 1733). – *[Paris], s. n., (1733).*   [G 5112
GB Lbm

Vous qui croyez qu'à la science. Vaudeville (in: Mercure de France, juillet, 1734). – *[Paris], s. n., (1734).*   [G 5113
GB Lbm

GUINARD

Andromède. Cantate à voix seule avec simphonie. – *Paris, Jean-Baptiste Christophe Ballard, 1720.* – P.   [G 5114
F Pmeyer

GUISLAIN Pierre Joseph

Premier concerto [A] pour le violon. – *Paris, Boyer.* – St.   [G 5115
A Wgm (9 St.) – **US** Wc

GUMPEL(T)ZHAIMER Adam

1591a. Compendium musicae, pro illius artis tironibus. A. M. Heinrico Fabro latine conscriptum, & a M. Christophoro Rid in vernaculum sermonem conversum, nunc praeceptis & exemplis auctum [mit: Neue Teutsche Geistliche Lieder ...]. – *Augsburg, Valentin Schönigk, 1591.*
SD 1591^26   [G 5116
B Bc, Amp – **CH** E – **D-brd** MMs – **D-ddr** Dl – **GB** Lbm – **US** NH

— Compendium musicae latino-germanicum ... nunc altera hac editione alicubi mutatum & auctum [mit: Neue und taugliche Exempel, auch etliche Fugen, Bicinien, Contrapuncte mit 4 und 5 St. ...]. – *ib., 1595.*   [G 5117
SD 1595^14
D-brd DIp, Lr, Mbs – **F** Pmeyer

— ... nunc editione hac tertia non nusquam correctum, & auctum. – *ib., 1600.*
SD 1600^10   [G 5118
A Gu – **D-brd** DÜl, Es, Rp – **GB** Lbm

— . . . nunc editione hac quarta non nusquam correctum, & auctum. – *ib., 1605.*
SD 1605[21]   [G 5119
A Sn – **D-brd** Ngm

— . . . nunc editione hac quinta non nusquam correctum, & auctum. – *ib., 1611.*
SD 1611[22]   [G 5120
D-brd B, HEms, Mbs, Rp, Rs, Usch – **F** Pc –
GB T – **I** Bc, Fc, Rsc

— . . . nunc editione hac sexta non nusquam correctum, & auctum. – *ib., 1616.*
SD 1616[23]   [G 5121
A Wgm – **D-brd** B, Mbs (unvollständig), Rp,
W – **D-ddr** LEm – **GB** Lbm – **I** FEc, Rsc – **NL**
DHgm – **US** Wc – **YU** Lu

— . . . nunc editione hac septima non nusquam correctum, & auctum. – *ib.,*
1618.   [G 5122
SD 1618[19]
D-brd Mbs (unvollständig), Tes

— . . . nunc editione hac octavus non nusquam correctum, & auctum. – *ib.,*
1625.   [G 5123
SD 1625[13]
A Gu, KR, Wn – **D-ddr** Dl, LEm

— . . . nunc editione hac nona non nusquam correctum, & auctum. – *ib., 1632.*
SD 1632[9]   [G 5124
B Br – **CH** Zz – **D-brd** Mbs, MZgm, RE, TRs –
NL At – **US** Bp, R, Wc

— . . . nunc editione hac decima non nusquam correctum, & auctum. – *Ingolstadt,*
W. Eder (J. Weh), 1646.   [G 5125
SD 1646[15]
D-brd KNh, Mbs (unvollständig) – **US** R

— . . . nunc editione hac undecima non nusquam correctum, & auctum. – *Augsburg, A. Erfurt (J. Weh), 1655.*   [G 5126
SD 1655[7]
A SF – B Br – **CH** E – **D-brd** B, Mbs, F, Rs –
D-ddr GOl – **US** Cn – **USSR** Mk

— . . . nunc editione hac duodecima non nusquam correctum, & auctum. – *ib.,*
1675.   [G 5127
SD 1675[8]
D-brd As, Mbs – **F** Pn

— . . . nunc editione hac decimatertia non nusquam correctum, & auctum. – *ib.,*
J. Enderlin, 1681.   [G 5128
SD 1681[6]
F Pc (unvollständig) – **US** CA

1591b. Neue Teutsche Geistliche Lieder,
mit dreien Stimmen, nach art der Welschen Villanellen, welche nit allein lieblich zusingen, sondern auch auff allerlei Instrumenten zugebrauchen. – *Augsburg, Valentin Schönigk, 1591.* – St.   [G 5129
D-brd Usch (kpl.: S, T, B), W – **GB** Lbm (S) –
PL Wu, Wn (T)

— Lustgärtlins Teutsch und Lateinischer Geistlicher Lieder Erster Theil . . . mit drey Stimmen componiert und nun zum andernmal in Truckh verfertigt [= 3. Auflage von Neue Teutsche Geistliche Lieder . . . 1591]. – *ib., Valentin Schönigk, 1611.* – St.   [G 5130
D-ddr Dl (T, B)

— *ib., Johann Ulrich Schönigk, 1619.*
                                               [G 5131
D-brd F (kpl.: S, T, B)

— Lustgärtlins Teutsch und Lateinischer Geistlicher Lieder Ander Theil . . . mit drey Stimmen Componiert und jetzt zum erstenmal in Truckh geben. – *ib., Valentin Schönigk, 1611.* – St.   [G 5132
D-ddr Bds (S [unvollständig]), Dl (T[unvollständig], B [unvollständig])

— *ib., Johann Ulrich Schönigk, 1619.*
                                               [G 5133
D-brd F (kpl.: S, T, B)

1594. Neue Teutsche Geistliche Lieder, nach art der Welschen Canzonen, mit vier Stimmen componirt. – *Augsburg, Valentin Schönigk, 1594.* – St.   [G 5134
GB Lbm (S)

— Wirtzgärtlins, Teutsch und Lateinischer Geistlicher Lieder, Erster Theil, nach art der Welschen Canzonen, mit vier Stimmen componirt, und nun zum andernmal inn Truck verfertiget [= 3. Auflage von Neue Teutsche Geistliche Lieder . . . 1594]. – *ib., Johann Ulrich Schönigk, 1619.*   [G 5135
D-brd Kl (kpl.: S, A, T, B) – **GB** Lbm (A) – **PL**
Wu – **S** V

— Wirtzgärtlins, Teutsch und Lateinischer Geistlicher Lieder, Ander Theil, Mit vier Stimmen Componiert. – *ib., 1619.*
[G 5136
GB Lbm (A) – **PL** Wu (kpl.: S, A, T, B) – **S** V

1595a. Contrapunctus quatuor & quinque vocum. – *Augsburg, Valentin Schönigk, 1595.* – St.   [G 5137
GB Lbm (S)

— *ib., Johann Ulrich Schönigk, 1625.*
[G 5138
D-brd Mbs (B)

1595 b → 1591a

1600   → 1591a

1601. Sacrorum concentuum octonis vocibus modulandorum . . . liber primus. – *Augsburg, Valentin Schönigk, 1601.* – St.
[G 5139
B Br (kpl.; I: S, A, T, B; II: S, A, T, B) – **D-brd** F (fehlen S I und B II), Hs, Rp (fehlt A II), W, WH (fehlen S I, A I, T I, B I und B II) – **D-ddr** KMs (fehlt A I) – **F** Pc (S I), Sg (fehlen T II und B II) – **GB** Lbm (B I) – **PL** GD (fehlt A I), Wu (A I) – **US** R

1604. Psalmus LI. Octo vocum. – *Augsburg, Valentin Schönigk, 1604.* – St.
SD 1604[1]   [G 5140
D-brd F (fehlen S I und B II), WH (S II) – **GB** Lbm (B I)

— *ib., Johann Ulrich Schönigk, 1619.*
SD 1619[7]   [G 5141
D-brd Rp (kpl.; I: S, A, T, B; II: S, A, T, B)

1605 → 1591a

1611a. Crux Christi cum titulo. 6. vocum. Quatuor evangelistae. 8. vocum . . . ([Canon:] Ecce lignum crucis [auch in: Contrapunctus . . . 1625; sowie Canon:] Domine memento mei). – *Augsburg, s. n. (W. Kilian), 1611.*   [G 5142
D-brd Mbs (Einblattdruck, St. in Kreuzform angeordnet)

1614. Sacrorum concentuum octonis vocibus modulandorum cum duplici basso ad organorum usum . . . liber secundus. – *Augsburg, Valentin Schönigk, 1614.* – St.
[G 5143

D-brd Cl (S I), F (S II, A II, T II), Mbs (I: S, A, T, B; II: S, A, T, B), Rp (I: S, A, T, B; II: S, A, T [St. von II in 2 Ex.]), WH (S II, A II, T II) – **D-ddr** Dl (T I [unvollständig], B I [unvollständig], org) – **PL** WRu (fehlen A I und org) – **US** NYp (org), R (kpl.; I: S, A, T, B; II: S, A, T, B; org)

1611b → 1591a
1611 c → 1591b
1611d → 1591b

1616   → 1591a

1617a. Zehen Geistliche Lieder mit 4. stimmen, Jungen Singknaben zu gut auff etliche Fest gericht. – *Augsburg, Johann Ulrich Schönigk, 1617.* – St.   [G 5144
D-brd Mbs (B)

1617b. Fünff geistliche Lieder zu 4. Stimmen: Von der Himmelfart Jesu Christi. Auff das Fest. Der H. Pfingsten. Der H. Trifaltigkeit. Deß H. Ertzengels Michaelis. – *Augsburg, Johann Ulrich Schönigk, 1617.* – St.   [G 5145
D-brd Mbs (B)

1617c. Zwey Geistliche Lieder, zu vier Stimmen, von dem H. Leiden und Auferstehung unsers Herren und Heilands Jesu Christi. – *Augsburg, Johann Ulrich Schönigk, 1617.* – St.   [G 5146
D-brd Mbs (B)

1618a. Zwai Schöne Weihenächt Lieder . . . Das Erste: Gelobet seistu Jesu Christ . . . Das Ander: Vom Himmel hoch da komm ich her . . . Mit vier Stimmen componiert . . . Item das alte Gelobet, Fit porta Christi und alte Joseph mit V. Stimmen, Incerti autoris. – *Augsburg, Johann Ulrich Schönigk, 1618.* – St.
[G 5147
GB Lbm (A)

1618b → 1591a

1619a → 1591b
1619b → 1591b
1619c → 1594
1619d → 1594
1619e → 1604

1620. Christliches Weihenacht Gesang Zu Ein und Außgang eines Fried und Freudenreichen Neuen Jahrs . . . mit 4 Stim-

men Componiert. – *Augsburg, David Francke, 1620.* – P.   [G 5148
A Wn

1625a → 1591a
1625b → 1595a

1632 → 1591a
1646 → 1591a
1655 → 1591a
1675 → 1591a
1681 → 1591a

[Beilagen zu „Allgemeine Musikalische Zeitung", 1812, Januar, N° 4:] Da pacem domine. Fantasia a 5v [S I, S II, A, T, B, 1595]; Eil mit Weil. Canon a 4v [1595]; Seyd frölich. Fuga a 3v [S, T, B]. – *Leipzig, Breitkopf & Härtel, 1812.* – P.
                                        [G 5149

I Mc

GUNDELWEIN Friederich

Der Psalter Das ist: Lob'- oder Liedebuch [!] Davids. So nach deß Herren Lutheri verteutschtem Psalterio, in Reime und Gesangweise auff die bekante Melodien der üblichen Teutschen Evangelischen Kirchengesänge und Geistlichen Lieder verfertiget, Auch mit neuen Melodien auff 4. Stimmen, da der Discant die rechte Melodiam oder Choralstimme führet, in contra puncto simplici, schlecht gegen einander ubersetzet. – *Magdeburg, Andreas Betzel, 1615.*   [G 5150
D-brd KPk, Sl, W

GUNN Barnabas

Vokalmusik

Two cantata's, and six songs [1 v/bc]. – *Gloucester, R. Raikes, 1736.*   [G 5151
F Pc – GB Lam, Lbm, Lcm, T (2 Ex.) – US LAuc, Wc

Twelve English songs, serious and humourous, with the thorough bass for the harpsichord, set to musick by the new-invented method of composing with the spruzzarino, to which is prefixed an oc-casional ballad by way of preface. – *London, John Johnson, for the author.*
                                        [G 5152
GB Lbm – US Bp, Wc

Fairest of all the lights above. A lyrick poem. – *Birmingham, T. Aris (engraved by M. Broome), 1742.*   [G 5153
GB Bp, Ckc, Lbm, T

While pensive on the lonely plain. A favourite song. – *s. l., s. n.*   [G 5154
GB Lbm

Instrumentalwerke

Six solos [B, A, e, h, c, D] for the violin and violoncello, with a thorough bass for the harpsichord. – *Birmingham, M. Broome, 1745.* – P.   [G 5155
GB Lbm, T

— *London, author, Johnson (Birmingham, M. Broome), 1745.*   [G 5156
C Vu – GB Bp, Lcm (unvollständig) – US Wc (andere Ausgabe)

Six setts of lessons [D, g, D, A, F, E] for the harpsichord. – *London, John Johnson.*
                                        [G 5157
GB Bp, Ckc (2 Ex.), Lbm (2 Ex.), Lcm, T – US NYp

GUNN John

The art of playing the german flute, on new principles, calculated to increase its powers . . . to which are added copious examples. – *London, author, Birchall.*
                                        [G 5158
GB En, Lbm, Lcm – US CA, IO, Wc

The theory and practice of fingering the violoncello, containing rules & progressive lessons for attaining the knowledge & command of the whole compass of the instrument. – *London, author.*   [G 5159
B Br – BR Rn – GB Cu, Lbm, Ob – US BAp, CHH, NYp, Wc

— . . . the second edition. – *ib., s. n.*
                                        [G 5160
S Skma – US BE, Wc

Forty favorite Scotch airs, adapted for a violin, german flute, or violoncello ... being a supplement to the examples in the theory & practice of fingering the violoncello. – *London, editor*.   [G 5161
GB DU (2 Ex.), En, Lbm – **S** Skma (andere Ausgabe)

GUSOWIUSZ Jan Godfr.

Zbiór nowy pieśni świątecznych gdańskich na dwie części podzielony. – *Krolewez, Gottlieb Lebrecht Hartung, 1780*.
                                                       [G 5162
PL GD

Zbiór nowy dogmatycznych y moralnych pieśni gdańskich ... (I–III). – *Danzig, Daniel Ludwig Wedel, 1781 (–1783)*.
                                                       [G 5163
PL GD (I–III)

GUSSAGO Cesario

1604. Sacrarum cantionum octonis vocibus ... liber primus. – *Venezia, Ricciardo Amadino, 1604*. – St.   [G 5164
I Bc (S I, A I, A II, part.), BRd (I: A, T, B; II: S, A, T, B; part.), PCd (I: A, T, B; II: S, A, T, B), Rvat-casimiri (S I)

1608. Sonate a quattro, sei et otto, con alcuni concerti a otto, con le sue sinfonie da suonare avanti, & doppo, secondo il placito ... de sonatori. – *Venezia, Ricciardo Amadino, 1608*. – St.   [G 5165
D-brd As (kpl.; I: S, A, T, B; II: S, A, T, B) – **GB** Ob (fehlt A I)

1610. Psalmi ad vesperas solemnitatum totius anni octonis vocibus decantandi, una cum litanijs integerrimae ac sacratiss. Virginis Mariae, ac etiam litaniae, B. M. V. una cum Magnificat duodenis vocibus. – *Venezia, Ricciardo Amadino, 1610*. – St.   [G 5166
D-brd BAs (A I), Rp (I: S [2 Ex.], A [2 Ex.], T, B [2 Ex. davon 1 Ex. unvollständig]; II: S [2 Ex.], A [2 Ex.], T; org) – **GB** Lbm (A I, S II) – **I** Bc (org)

1612. Sacrae laudes in Christi Domini Beatae Mariae Virginis omniumque sanctorum solemnitatibus, tribus vocibus concinendae cum sectione partium ... liber primus. – *Venezia, Ricciardo Amadino, 1612*. – St.   [G 5167
D-brd Rp (B) – **I** Bc (S I, S II, B; fehlt org)

GUSTO J. Z.

Auserlesene Geistliche Lieder, aus den besten Dichtern, mit ganz neuen leichten Melodieen versehen [1–3 v/bc; Auszug aus einer Sammlung von Georg Joachim Zollikofer, herausgegeben von Johann Caspar Lavater]. – *Zürich, Johann Kaspar Ziegler, 1769*.   [G 5168
CH Bu (2 Ex.), BEl, Gc, Gpu, SGv, Zz (2 Ex.), ZO – **D-brd** As, B, KZs, Mbs – **D-ddr** Bds (2 Ex.)

GUTH Johannes

Novitas musicalis, das ist Allerhand canones und fugen von 2, 3 und 4 stimmen sampt dem Generalbass ... in zweyen partibus. – *Frankfurt, Autor (Balthasar Christoph Wust), 1675*. – St.   [G 5169
F Pn (vl, bc)

GUTHMAN Friedrich

Six duos à deux violons. – *Paris, Imbault*. – St.   [G 5170
A Wn (vl I) – **CH** Bu (vl I) – **GB** Lbm (kpl.: vl I, vl II) – **NL** Uim

Six duo dialogués pour deux violons ... œuvre 3me. – *Paris, auteur (gravés par Mme Brichet)*. – St.   [G 5171
F Pc (vl I, vl II [je 2 Ex.]), Pn – **I** Gi

GUYON Jean

Missa cum quatuor vocibus, ad imitationem cantionis Ie suis deshéritée, condita. – *Paris, Nicolas du Chemin, 1556*. – Chb.
                                                       [G 5172
A Wn – **CH** E – **F** Pn, Pm – **GB** Eu – **I** Bc, Td

GUYOT Cl.

Les chansons pour danser et pour boire [a 1–2 v]. – *Paris, Robert Ballard, 1654*.
                                                       [G 5173
D-brd Mbs – **US** Wc

— ... (in: Recueil de différens livres de chansons ... livre VI). – *ib., Jean Baptiste Christophe Ballard, 1699.*   [G 5174
GB Lbm

GYLDENSTOLPE Michael O.

Melos metrico-harmonicum (Connubium praesens auctor Jehova; Ibland alt timmeligit) in honorem nuptiarum ... M. Israelis Bringii ... cum ... Catharina ... Ionae ... 5. Idus Jan. anni 1631. – *Uppsala, Eschillus Matthiae, 1631.* – St.
[G 5175
S Uu (kpl.: S, A, T, B)

GYROWETZ Adalbert

MUSIK ZU BÜHNENWERKEN

Agnes Sorel

Agnes Sorel. Eine grosse Oper in drey Akten von ... Klavierauszug. – *Wien, Thadé Weigl, No. 910 (–930).* – KLA.
[G 5176
A Wgm – **BR** Rn – **D-brd** DO, Mbs, Rp, Sl – **D-ddr** WRtl – **US** NYp

Agnes Sorel. Grand opéra en quatuor pour deux violons, alto et violoncelle. – *Wien, Thadé Weigl, No. 1021.* – St.
[G 5177
A Wn

Agnes Sorel ... Ouverture [C] à grand orchestre. – *Mainz, Charles Zulehner, No. 155.* – St.   [G 5178
[alle Ausgaben mit Etikett: Mainz, B. Schott:]
B Bc (kpl.: 18 St.) – **D-brd** AM, MZsch – **D-ddr** RUl

Ouverture de l'opéra Agnes Sorel, composée et arrangée pour le pianoforte avec accompagnement d'une flûte ou violon. – *København, C. C. Lose.* – St.   [G 5179
DK Kk – **S** Skma

Agnes Sorel. Eine grosse Oper in drey Akten von ... Klavierauszug. No. 1: Ouverture [C]. – *Wien, Thadé Weigl, No. 910.* – KLA.   [G 5180
A Sca, Wst

— Ouverture aus der Oper Agnes Sorel für das Pianoforte (in: Ouverturen für das Pianoforte eingerichtet ... No. 16). – *Wien, Cappi & Co., No. 1256.*   [G 5181
A Wst

Er drückt mit leisem Beben. Aria aus der Oper Agnes Sorel ... mit Begleitung des Pianoforte. – *Wien, Chemische Druckerei, No. 547.* – KLA.   [G 5182
A Wgm

— *ib., Thadé Weigl, No. 916.*   [G 5183
CS Bm

— ... (in: Auswahl der vorzüglichsten Arien ... 1. Jg., Heft 2). – *München, Falter.*   [G 5184
D-brd Mbs

Den Fleck hab' ich getroffen. Duetto ... aus der Oper Agnes Sorel ... No. 3. – *Wien, Thadé Weigl, No. 914.* – P. [G 5185
CS Bm

— Romanze „Er drückt mit leisem Beben" aus der Oper Agnes Sorel für's Forte-Piano. – *Hamburg, Johann August Böhme.*   [G 5186
D-brd LÜh

Ich muss es euch bekennen. Duett, dann Terzett ... aus der Oper Agnes Sorel. – *Wien, Thadé Weigl, No. 917.* – KLA.
[G 5187
A SF, Wgm – **CS** Pu – **H** SFm

— *Hamburg, Johann August Böhme.*
[G 5188
A Wkann

Ich war wohl nicht gefasst darauf. Terzett ... aus der Oper Agnes Sorel ... No. 9. – *Wien, Thadé Weigl, No. 920.* – KLA.
[G 5189
CS Bm

Ja, die Hand der sanften Schönen. Duett, dann Terzett ... aus der Oper Agnes Sorel ... No. 12. – *Wien, Thadé Weigl, No. 923.* – KLA.   [G 5190
A Wst

O nein, O Agnes nein! Duett ... aus der Oper Agnes Sorel für's Forte-Piano. – *Hamburg, Johann August Böhme.* – KLA.
[G 5191
D-ddr SWl

Recht gut, recht gut, Herr Kastellan. Erster Schlußgesang. – *Wien, Thadé Weigl, No. 918.* – KLA.   [G 5192
CS Pk

Vergebens will die Liebe. Duetto [A] aus der Oper Agnes Sorell . . . mit Begleitung des Pianoforte. – *Wien, Chemische Drukkerei, No. 548.* – KLA.   [G 5193
A Wgm – **D-brd** FRu, MÜu

— *ib., Thadé Weigl, No. 915.* – P.
[G 5194
CS Bm

— Duetto aus der Oper Agnes Sorel für das Pianoforte. – *ib., Johann Cappi, No. 1230.* – KLA.   [G 5195
A Wgm – **D-brd** LÜh, MÜu

— . . . (in: Auswahl der vorzüglichsten Arien . . . 1. Jg., Heft 1). – *München, Falter.*   [G 5196
CH Bu – **D-brd** Mbs

— . . . (in: Auswahl von Arien und Duetten mit Guitarre-Begleitung, No. 79). – *Mainz, Bernhard Schott, No. 861.* [G 5197
D-brd HR, MZsch

Der Augenarzt

Der Augenarzt. Ein Singspiel in zwey Aufzügen, im vollständigen Clavier-Auszug. – *Wien, Pietro Mechetti qdm. Carlo, No. 60 (–76).* – KLA.   [G 5198
A Wgm (3 Ex.), Wn (2 Ex.), Wst (3 Ex., 2 verschiedene Ausgaben) – **CS** K, Pnm, Pu – **D-brd** Mbs, Mmb, MÜu – **H** PH – **I** Mc

— *Leipzig, Breitkopf & Härtel, No. 1815.*
[G 5199
A Wn – **CS** Pu – **D-brd** F, KNh, Sl – **S** Skma

— Der Augenarzt. Eine Oper in zwey Aufzügen . . . mit Hinweglassung der Singstimmen für das Piano-Forte eingerichtet . . . von Joh. Bapt. von Frier. – *Wien, Thadé Weigl, No. 1250 (1271–5).*
[G 5200
A Wst – **CS** Pu

— Der Augenarzt. Ein Singspiel . . . Eingerichtet für das Pianoforte in 2 Abtheilungen mit Auslassung der Singstimmen von P. J. Riotte. – *Wien, Pietro Mechetti qdm. Carlo, No. 118.*   [G 5201
A Wst

Der Augenarzt. Eine Oper in 2 Abteilungen . . . für Harmonie . . . bearbeitet von Fr. Starke. – *Wien, Pietro Mechetti qdm. Carlo, No. 78.* – St.   [G 5202
CS Bm (kpl.: cl I, cl II, ob I, ob II, fag I, fag II, cor I, cor II, clno)

Der Augenarzt. Eine grosse Oper . . . für zwey Violinen. – *Wien, Chemische Drukkerei, No. 1859.* – St.   [G 5203
A Wst (vl I, vl II)

Ouverture [A] aus der Oper: Der Augenarzt, ein Singspiel in zwey Aufzügen. – *Wien, Pietro Mechetti, qdm. Carlo, No. 60.* – KLA.   [G 5204
A Wst – **CS** Bu, Pu

— *Eltville (im Rheingau), Georg Zulehner, No. 216.* – KLA.   [G 5205
D-brd MZsch – **S** Ssr

— *Mainz, Bernhard Schott's Söhne, No. 216.* – KLA.   [G 5206
CS Pu – **D-brd** Bu, MZsch

— Ouverture aus dem Singspiel: Der Augenarzt. – *Leipzig, Breitkopf & Härtel.*
[G 5207
D-ddr LEmi (unvollständig)

entfällt   [G 5208

— . . . (in: Sammlung von 100 der beliebtesten Ouverturen in den besten Arrangements für das Piano-Forte, 13tes Heft). – *Hannover, C. Bachmann.*   [G 5209
CS Pu

— Ouverture aus der Oper Der Augenarzt für das Pianoforte componirt. – *Mainz, Bernhard Schott's Söhne, No. 216.*
[G 5210
A Wst – **D-brd** Km, MZsch

— Ouverture aus der Oper: Der Augenarzt . . . für das Pianoforte auf 4 Hände übersetzt von Ignaz Moscheles. – *Wien, Artaria & Co., No. 2270.*   [G 5211
A Wst

Ouverture für zwei Violinen aus der Oper: Der Augenarzt. – *Berlin, Lischke, No. 1196.* – St.   [G 5212
D-brd MÜu (vl I, vl II)

Ouverture de l'opéra L'oculiste – Der Augenarzt . . . arrangée pour deux flûtes. – *Mainz, Bernhard Schott, No. 641.* – St.
[G 5213
D-brd MZsch (fl I, fl II)

Ausgewählte Singstücke mit Begleitung der Guitarre aus der Oper: Augenarzt . . . (Nr. 2: Duetto „O süsse Himmelsfreude"; Nr. 5: „Was sagt uns wohl der Spiegel"; Nr. 13: „Die Ruh ist mir verschwunden"). – *Wien, Chemische Druckerei, No. 1816 (1819, 1824).* [G 5214
A Wn (Nr. 2) – **D-brd** Bu

Der Augenarzt. Introduction No. 1. – *Wien, Pietro Mechetti qdm. Carlo, No. 61.* – KLA. [G 5215
CS Pnm

Dem gütigen Himmel lasst uns danken. Terzett . . . Nr. 3. – *Wien, Pietro Mechetti qdm. Carlo, No. 71.* – KLA. [G 5216
CS Pnm

Drey Wanderer, doch zwey Augen nur. Quintett . . . Klavierauszug. – *Wien, Pietro Mechetti qdm. Carlo, No. 63.* – KLA. [G 5217
CS Pu

Es schmolz der Schnee. Romanze . . . Nr. 4. – *Wien, Pietro Mechetti qdm. Carlo, No. 64.* – KLA. [G 5218
CS Bu

Hier an dem grossen Ringe. Arie . . . Nr. 2. – *Wien, Pietro Mechetti qdm. Carlo, No. 70.* – KLA. [G 5219
CS Pnm

Hoch beglückt ist der Mann. Arie . . . No. 5. – *Wien, Pietro Mechetti qdm. Carlo, No. 73.* – KLA. [G 5220
CS Pnm

Kann ich froh die Hoffnung nähren. Duett . . . No. 4. – *Wien, Pietro Mechetti qdm. Carlo, No. 72.* – KLA. [G 5221
CS Pnm

— Duett im Klavierauszuge aus der Oper Der Augenarzt. – *Berlin, F. S. Lischke, No. 617.* [G 5222
A Wkann

— . . . (in: Auswahl von Arien). – *München, Falter.* [G 5223
CH Bu – **D-brd** Mbs

— Duett . . . (in: Auswahl von Arien und Duetten mit Guitarre Begleitung, Nr. 77). – *Mainz, Bernhard Schott, No. 854.* [G 5224
D-brd MZsch

Mir leuchtet die Hoffnung. Cavatine. – *Leipzig, Kunst & Industrie Comptoir, No. 445.* – KLA. [G 5225
CS Bm

— *Wien, Pietro Mechetti qdm. Carlo, No. 66.* – KLA. [G 5226
A Wgm (2 Ex.) – **CS** Pk, Pu

— . . . (in: Auswahl von Arien). – *München, Falter.* [G 5227
A Sca – **D-brd** Mbs

— . . . für die Guitarre und Gesang eingerichtet von J. N. Huber. – *Wien, Johann Traeg, No. 514.* [G 5228
A Wst

— Cavatina . . . (in: Auswahl von Arien mit Guitarre Begleitung, Nr. 116). – *Mainz, Bernhard Schott's Söhne, No. 1113.* [G 5229
D-brd MZsch

— . . . (in: Sammlung von Liedern mit Begleitung der Guitarre, Nr. 6). – *Eltville, Georg Zulehner, No. 233.* [G 5230
D-brd Mbs

O süsse Himmelfreude. Duett . . . Nr. 2. – *Wien, Pietro Mechetti qdm. Carlo, No. 62.* – KLA. [G 5231
CS Pnm

Die Ruh' ist mir entschwunden. Romanze. – *Wien, Pietro Mechetti qdm. Carlo, No. 74.* – KLA. [G 5232
A Wn – **CS** Bu, Pnm

— . . . Romanze, Nr. 11. – *ib., Thadé Weigl, No. 1393.* [G 5233
A Wn

— . . . (in: Auswahl von Arien). – *München, Falter.* [G 5234
CH Bu – **D-brd** Mbs

— ... (in: Auswahl von Arien mit Guitarre Begleitung, Nr. 117). – *Mainz, Bernhard Schotts' Söhne, No. 1114.*   [G 5235
D-brd MZsch

— ... (in: Sammlung von Liedern mit Begleitung der Guitarre, Nr. 117). – *Eltville, Georg Zulehner, No. 239.*   [G 5236
D-brd MZsch

Was sagt uns wohl der Spiegel. Arie ... Nr. 5. – *Wien, Pietro Mechetti qdm. Carlo, No. 65.* –KLA.   [G 5237
CS Pnm

Wir wandeln beseligt. Duett ... Nr. 7. – *Wien, Pietro Mechetti qdm. Carlo, No. 75.* – KLA.   [G 5238
CS Bu

— Duett im Klavierauszuge aus der Oper Der Augenarzt. – *Berlin, F. S. Lischke, No. 720.* – KLA.   [G 5239
A Wkann

Der Augenarzt. Finale I^mo. – *Wien, Pietro Mechetti qdm. Carlo, No. 68.* – KLA.   [G 5240
CS Pnm

Der Augenarzt. Finale No. 2. – *Wien, Pietro Mechetti qdm. Carlo, No. 76.* – KLA.   [G 5241
CS Pnm

Andantino aus der Oper: Der Augenarzt ... arrangé pour la guitarre avec accompagnement d'une flûte ou violon par Leonard de Call (in: Pot-Pourri ou choix d'airs, romances et marches des opéras allemandes et italiennes les plus applaudies ... Heft 1). – *Wien, T. Mollo, No. 1538.* – St.   [G 5242
CS Bm (guitarre)

Andante aus der Oper: Der Augenarzt ... arrangé pour la guitarre avec accompagnement d'une flûte ou violon par Leonard de Call (in: Pot-Pourri ou choix d'airs, romances et marches des opéras allemandes et italiennes les plus applaudies ... Heft 2). – *Wien, T. Mollo, No. 1539.* – St.   [G 5243
CS Bm (guitarre)

Andante aus der Oper: Der Augenarzt ... arrangé pour la guitarre avec accompagnement d'une flûte ou violon par Leonard de Call (in: Pot-Pourri ou choix d'airs, romances et marches des opéras allemandes et italiennes les plus applaudies ... Heft 3). – *Wien, T. Mollo, No. 1541.* – St.   [G 5244
CS Bm (guitarre)

Moderato aus der Oper: Der Augenarzt ... arrangé pour la guitarre avec accompagnement d'une flûte ou violon par Leonard de Call (in: Pot-Pourri ou choix d'airs, romances et marches des opéras allemandes et italiennes les plus applaudies ... Heft 1). – *Wien, T. Mollo, No. 1538.* – St.   [G 5245
CS Bm (guitarre)

Quartett aus der Oper: Der Augenarzt ... für Violino primo, Violino secondo, Viola und Violoncello, übersetzt von Herrn F. Pössinger. – *Wien, Pietro Mechetti qdm. Carlo, No. 77.* – St.   [G 5246
A Wn (vl I, vl II, vla, vlc)

Deutsche Tänze mit Trios und Coda, für das ganze Orchester arrangirt aus der Oper: Der Augenarzt ... Nr. 1 (2).– *Wien, Chemische Druckerei, No. 1826 (1827).* – St.   [G 5247
D-brd WE (11 bzw. 9 St.)

(Weitere Titel werden im Supplement-Bd. enthalten sein)

VOKALMUSIK

Lieder und Gesänge (mit Opuszahl)

Op. 1. Gedanken nach der Schlacht, für Gesang und Klavier ... op. I. – *Wien, Johann Traeg, No. 1.* – KLA.   [G 5248
A Wgm – **D-brd** BNba

Op. 6. Sei ariette italiane [G, E, F, G, A, B] con accompagnamento di cembalo o arpa ... opera VI. – *Wien, Artaria & Co., No. 446.* – KLA. und Sing-St.   [G 5249
A Wn, Wst – **CS** K, Pk – **D-brd** F, Mbs – **D-ddr** Dl – **I** Nc

— Six Italian ariettes with accompaniment for the harp or piano-forte ... op. 5 [= 6]. – *London, J. Dale.* – KLA.   [G 5250
A Wmi – **GB** Cu, Gu, Lbm

Op. 13. Six Italian duetts, for two voices, with an accompaniment for the harp, or piano-forte . . . op. XIII. – *London, J. Dale.* – KLA.   [G 5251
GB Cu, Gu, Lbm, Ob

Op. 17. VIII Ariette italiane con accompagnamento di cembalo o arpa . . . opera 17. – *Wien, Artaria & Co., No. 665.* – KLA.   [G 5252
A Wst – **CS** Pk – **D-brd** MÜu – **S** St

— *Wien, T. Mollo & Co.; Milano, Ferd. e Franc. Artaria, No. 88.*   [G 5253
D-brd Mbs

Op. 22. IX Deutsche Lieder für das Klavier oder Harfe . . . op. 22. – *Wien, T. Mollo & Co., No. 92.* – KLA.   [G 5254
A Wgm, Wn

Op. 34. VII Deutsche Lieder beim Klavier zu singen . . . op. 34. – *Augsburg, Gombart, No. 313.* – KLA.   [G 5255
A Wn – **DK** A

Op. 38. VI Lieder [F, G, G, B, A, Es] mit Begleitung des Klaviers oder Harfe . . . 38tes Werck. – *Offenbach, Johann André, No. 1263.* – KLA.   [G 5256
D-brd Tu

Op. 44. Lieder mit Begleitung des Klaviers . . . Werk 44. – *Offenbach, Johann André, No. 1495.* – KLA.   [G 5257
A Wmi – **D-brd** OF – **CS** K

Lieder und Gesänge (ohne Opuszahl)

Eight Italian arietts with an accompaniment for the piano forte. – *London, Lewis, Houston & Hyde.* – KLA.   [G 5258
GB Cu, Gu, Lbm, Ob

Sechs Lieder von Ch. Ludwig Reissig . . . für eine Singstimme mit Begleitung des Pianoforte, in Musik gesetzt . . . (1. Kriegslied, 2. Schwermuth, 3. Trinklied, 4. Beruhigung, 5. An die Auserwählte, 6. An Lina). – *Wien, Ant. Diabelli & Co.* – KLA.   [G 5259
CS Pu

— Sechs Lieder von Ch. Ludwig Reissig mit Begleitung des Pianoforte. – *ib., Johann Traeg, No. 397.*   [G 5260
A Wgm, Wn – **CS** Pk

No. I(–VI). Italiänisch u. Deutscher Gesang zum Piano Forte (I: O nume, che quest'anima; II: Spuntar il sol; III: La tortorella amante; IV: Tenerino e tutto amore; V: Voi che sapete; VI: Sento l'amica speme). – *Augsburg, Gombart, No. 137.* – KLA.   [G 5261
D-brd Mbs (I–VI) – **GB** Lbm (II)

— Sei canzonette italiane e tedesche per il cembalo. – *ib., No. 137.*   [G 5262
CS K

Six romances avec accompagnement de pianoforte. – *Paris, Boyer.* – KLA.
                                                                         [G 5263
F BO

Vier Gedichte von Janitschka für eine Singstimme mit Begleitung des Pianoforte. – *Prag, Johann Hoffmann, No. 210.* – KLA.   [G 5264
A Wn (2 Ex.), Wst

IV Ariette italiane . . . accomodate per la chitarra. – *Braunschweig, „in stamparia nella strada nuova", No. 107.*   [G 5265
D-ddr SWl

Die Träume. Die Verlassene. Gebet. Drei Gedichte in Musik gesetzt für eine Singstimme mit Begleitung des Piano-Forte. – *Wien, Pietro Mechetti qdm. Carlo, No. 3516.* – KLA.   [G 5266
A Wst

Canzonetta dedicata dall' orchestra d' amore alle belle per l'anno nuovo. Ein Ständchen von Amors Hofsängern Allen Schönen zum neuen Jahre. – *s. l., s. n. (Pl.-Bezeichnung: K).*   [G 5267
A Wn

Lied: Es säuselt ein Lüftchen im Morgengrau . . . ([Umschlagtitel:] Philomele. Eine Sammlung der beliebtesten Gesänge mit Begleitung des Pianoforte eingerichtet und herausgegeben von Anton Diabelli . . . No. 401). – *Wien, Anton Diabelli, No. 7445.*   [G 5268
CH Bu

Die Feyer der Vermählung Sr. k.k. Majestät Franz des Ersten mit Ihrer königl. Hoheit der Erzherzogin Maria Ludovica Beatrix . . . ein Wechselgesang in Sonet-

ten von Carl Philipp, mit Clavier Begleitung in Musik gesetzt. – *s. l., s. n.* – KLA.
und St. (S, T, B).   [G 5269
A M, Wgm, Wn (2 Ex.) – CS Pnm – H Gc

Friedens-Trinklied. Gedichtet von Gu-
stav Fellinger (in: 2te Musikbeilage zu den
Friedens Blättern, No. 26). – *[Wien], s. n.,
No. 2266.*   [G 5270
A Wgm

Cavatina: Giurai dal primo istante. – *s. l.,
s. n. (Pl.-Bezeichnung: No. 1).*   [G 5271
A Wgm

Lied: Nimm diess kleine Angedenken, in
Musik gesetzt . . . (in: Auswahl von Arien
mit Guitarre Begleitung, No. 37). – *Mainz,
Bernhard Schott, No. 625 (605).*   [G 5272
D-brd MZsch

Arie: Die Ruhe, mit Begleitung des Piano-
forte. – *s. l., s. n. (Pl.-Bezeichnung: 5tes
Heft, No. 22).*   [G 5273
A Wgm

Die Rückkehr aus Westphalen. Ein Gedicht vom Verfasser des Häuschen von
drey Zimmern, in Musik gesetzt für Gesang, mit Begleitung des Piano-Forte. –
Wien, Johann Cappi, No. 2320. – KLA.
                                      [G 5274
A M, Wgm, Wst

Die Trennung. Ein Wechselgesang von
C. L. Reissig, in Musik gesetzt. – *Wien,
Th. Weigl, No. 1023.* – KLA.   [G 5275
D-brd BNba

Vierstimmiger Gesang [F]. – *Wien, Chemische Druckerei, No. 924.* – St.   [G 5276
A M (kpl.: S, T, B I, B II), Wgm – CS K

Volkslied am Rhein . . . ([Umschlagtitel:]
Philomele. Eine Sammlung der beliebte-
sten Gesänge mit Begleitung des Piano-
forte eingerichtet und herausgegeben von
Anton Diabelli . . . No. 381). – *Wien,
Anton Diabelli, No. 7133 (168).*   [G 5277
A Wgm

Die Wonne der Nationen. Ein Acrostichon
von Carl Philipp . . . in Musick gesetzt. –
Wien, Chemische Druckerei, No. 1422. –
KLA.   [G 5278
A Wgm – I PAc (2 Ex.)

SINFONIEN

(mit Opuszahl:)

Op. 3. Sinfonie [F] à oboe ou clarinette
principale, deux violons, taille, basse,
(deux oboes & deux cors ad libitum). . .
œuvre III. – *Amsterdam, J. Schmitt.* – St.
                                      [G 5279
B Bc – D-brd Tu
vgl. [G 5289

Op. 6. Grande sinfonie à plusieurs instruments . . . œuvre 6me, livre 1 ([C; 2 vl,
2 vla, 2 b, 2 ob, 2 clno, 2 cor, timp], 2 [Es;
2 vl, vla, 2 b, 2 ob, fag solo, 2 cor], 3 [F;
2 vl, vla, 2 b, 2 ob, fag, 2 cor]). – *Offenbach, Johann André, No. 368 (370, 399).* –
St.   [G 5280
CS Pnm (kpl.: 1–3) – D-brd Bu, HR (1,3), MÜu
(1, 2), Rtt (2), T (2), Tmi (1), W (1, 3) – D-ddr
Dl (1) – DK Kk (1) – I Nc (1, 3) – S L (1),
SK (1), V – SF A

— Grande sinfonie pour 2 violons, alto,
basse, 2 hautbois, 2 cors, 2 trompettes et
timbales . . . œuvre 6, liv. 1–3 [C, Es, F],
2de édition. – *ib., No. 2766 (2767, 2768).*
– St.   [G 5281
CH E (1) – CS Pu – D-brd OF – NL At – S VII

Op. 8. Grande sinfonie à plusieurs instruments . . . œuvre 8me, livre 1 ([C; 2 vl,
2 vla, 2 b, fl, 2 ob, 2 cor], 2 [Es; 2 vl, vla,
2 b, 2 ob, 2 cor], 3 [Es; 2 vl, vla, 2 b, 2 ob,
2 cl, fag, 2 cor]). – *Offenbach, Johann
André, No. 413 (414, 415).* – St.   [G 5282
CS Pk (3) – D-brd Es (3), HL (kpl.: 1–3), HR
(1), LÜh (1), Tes (1, 2) – D-ddr RÜl (1, 3) –
PL WRu (1) – S V (1) – SF A (1, 2)

— Sinfonie [C] pour deux violons, alto,
basse, 1 flûte, 2 hautbois & 2 cors . . .
œuvre 8, liv. 1, 2de édition. – *ib., No. 2771.*
                                      [G 5283
D-brd OF

— Sinfonie [Es] à grand orchestre . . .
œuvre 8, liv. 2, 2e édition. – *ib., No. 2412.*
                                      [G 5284
D-brd OF

— Grande sinfonie [Es] pour deux violons, alto, basse, 2 clarinettes, 2 hautbois,
2 bassons et 2 cors . . . œuvre 8, liv. 3,
2e édition. – *ib., No. 3869.*   [G 5285
D-brd OF

                                                       419

Op. 9. Sinfonie à grand orchestre . . .
œuvre 9me, livre 1 [D] (2 [B], 3 [F]). –
*Offenbach, Johann André, No. 416 (417,
418).* – St.   [G 5286
CS Pnm (3) – **D-brd** MÜu (1), Tes (3), Tmi (1),
W (1) – **D-ddr** HAmi (2) – **DK** Kk (1, 3) – **S**
Skma (3) – **SF** A (1, 2)

— Sinfonie pour 2 violons, alto, basso,
2 flûtes, 2 hautbois, 2 bassons et 2 cors
. . . œuvre 9me, liv. 1 [D]. – *ib., No. 2650.*
     [G 5287
D-brd OF – **S** J

— Sinfonie pour 2 violons, alto, basso,
1 flûte, 2 hautbois, 2 clarinettes et 2 cors
. . . œuvre 9me, liv. 2 [B]. – *ib., No. 2654.*
     [G 5288
D-brd DT, OF

— Sinfonie pour 2 violons, alto, basse,
hautbois obligé, 2 hautbois et 2 cors . . .
œuvre 9, liv. 3 [F]. – *ib., No. 2769.* [G 5289
D-brd OF – **NL** At
vgl. [G 5279

Op. 12. Sinfonie à grand orchestre . . .
œuvre 12me, liv. 1 ([D; 2 vl, vla, b, 2 clno,
2 cor], 2 [Es; 2 vl, vla, b, 2 clno, 2 cor],
3 [Es; 2 vl, vla, 2 b, fl, 2 ob, fag, 2 cor]).
– *Offenbach, Johann André, No. 495 (496,
497).* – St.   [G 5290
D-brd Bu (1), DO (3), Es (2, 3), HL (3), MÜu
(3), Tmi (3 [unvollständig]), W (3 [unvollstän-
dig]) – **D-ddr** RU1 (2, 3) – **S** Skma (2)

— Sinfonie pour deux violons, alto, basse,
2 flûtes, 2 hautbois, 2 cors, 2 trompettes
& timbales . . . œuvre 12, liv. 1 [D], seconde édition. – *ib., No. 3384.*   [G 5291
CH E – **D-brd** OF – **S** J

— Sinfonie pour deux violons, alto, basse,
deux clarinettes et deux cors . . . œuvre
12, liv. 2 [Es], seconde édition. – *ib., No.
3385.*   [G 5292
D-brd OF

— Sinfonie [Es] pour deux violons, alto,
basse, flûte, 2 hautbois, 2 cors & basson . . .
œuvre 12, liv. 3 [Es], seconde édition. –
ib., No. 3386.   [G 5293
D-brd OF

Op. 13. Sinfonie à grand orchestre . . .
œuvre 13me, liv. 1 ([D; 2 vl, vla, 2 b, fl,
2 ob, fag, 2 cor, 2 clno, timp], 2 [F; 2 vl,

vla, 2 b, 2 ob, fag, 2 cor], 3 [C; 2 vl, vla,
2 b, fl solo, 2 ob, fag, 2 cor]). – *Offenbach,
Johann André, No. 505 (506, 507).* – St.
     [G 5294
A Wn (2) – **D-brd** Bu (1, 3), BE (1), DO (kpl.:
1–3), Es (2), WE (2), W (2, 3) – **D-ddr** Dl (2, 3),
RU1 – **DK** Kk (1, 3) – **PL** WRu (3) – **S** L (1,2),
V (3)

— Three symphonies [D, F, C] for a full
orchestra . . . dedicated to . . . the Prince
of Wales. – *London, Longman & Broderip.*
     [G 5295
GB Ckc, Lbm (2 Ex.) – **I** Bc – **US** Bhh (vl I)

— Trois simphonies [D, F, C] à grand
orchestre. – *Paris, Le Duc.*   [G 5296
I Sac (1)

— Trois simphonies [D, F, C] à grand
orchestre. – *ib., Imbault.*   [G 5297
B Geb (3)

Op. 14. Sinfonie à grand orchestre . . .
œuvre 14me, livre 1 [G; 2 vl, vla, b, fl,
2 ob, fag, 2 cor]. – *Offenbach, Johann
André, No. 519.* – St.   [G 5298
D-brd Bu, Es, HL – **D-ddr** RU1 – **S** L – **SF** A

Op. 18. Grande sinfonie [Es] à plusieurs
instruments . . . œuvre 18me. – *Offenbach,
Johann André, No. 722.* – St.   [G 5299
CH Bu, Zz – **CS** Bm, TR – **D-brd** F, LB, MÜu,
Tes, W – **D-ddr** RU1 – **S** L, Skma, St

— Grande sinfonie [Es] pour 2 violons,
alto, basse, flûte, 2 hautbois, 2 clarinettes,
2 cors, 2 bassons, 2 trompettes et timbales
. . . œuvre 18, 2de édition. – *ib., No. 2773.*
     [G 5300
D-brd OF – **S** J

Op. 23. Sinfonie à grand orchestre . . .
œuvre 23me, liv. 1 ([G; 2 vl, vla, b, 2 fl,
2 ob, 2 fag, 2 cor, 2 clno, timp], 2 [Es;
2 vl, 2 vla, b, 2 fl, 2 ob, 2 cl, 2 fag, 2 cor,
2 clno, timp], 3 [C; 2 vl, vla, b, fl, 2 ob,
fag, 2 cor, 2 clno, timp]). – *Offenbach, Johann André, No. 894 (895, 896).* – St.
     [G 5301
CH Bu (1), E (1), GLtschudi (1), Zz (2) – **CS** Bm
(kpl.: 1–3), Pnm (1, 2), TR (1–3; 2 auch mit
handschriftlichem Titelblatt und handschriftlichen Duplikaten der St.) – **D-brd** Bu (3), BAR
(1, 2), Es (2), F (2), LÜh (2), Mbs (3), MÜu (2,3),
OF (2), Tes (1, 3) – **D-ddr** Dl (1), HAmi (3),
LEm (3) – **DK** Kk (3) – **H** Bn (1) – **NL** At –
PL WRu (3)

— Sinfonie à grand orchestre . . . œuvre 23, 2de édition. – *ib.*, *No. 2417 (2418, 2419)*.   [G 5302
B Bc (1, 2) – **D-brd** OF – **NL** At (1)

Op. 33. Sinfonie concertante pour deux violons et alto obligés avec accompagnement de grand orchestre . . . œuvre 33 [D; 2 vl, vla princip., 2 vl, vla, b, 2 fl, 2 ob, fag, 2 cor, 2 clno, timp]. – *Offenbach, Johann André, No. 1109.* – St.   [G 5303
A Gk – **B** Bc – **CS** Pnm – **D-brd** BAR, HR, LÜh, MÜu, W – **D-ddr** SWl – S M, SK

— Simphonie concertante pour deux violons, alto obligés, avec accompagnement de grand orchestre. – *Paris, Vogt.* [G 5304
B Bc – **F** Pc – **US** Wc

— Sinfonie à grand orchestre. – *ib.*, *Sieber fils, No. 68.*   [G 5305
D-brd Bu

— Simphonie périodique à plusieurs instruments . . . œuvre 33. – *Augsburg, Gombart & Co., No. 310.*   [G 5306
CS Pnm – **D-brd** Bu, DO, LB, Tes, W (vla, ob I, cor I, cor II) – **DK** Kk

Op. 34. Sinfonie concertante pour violon, violoncelle, flûte, hautbois et basson obligés avec accompagnement de grand orchestre . . . œuvre 34 [G; vl princip., 2 vl, vla, b, vlc oblig., 2 fl, 2 ob, 2 fag, 2 cor, 2 clno, timp]. – *Offenbach, Johann André, No. 1110.* – St.   [G 5307
A Gd (unvollständig), Gk – **CS** Pnm – **D-brd** Bu, HL, HR, MÜu, OF, Tu, W – **D-ddr** Dl, SWl – S M – **US** DT

— Sinfonie concertante . . . œuvre 34, 2de édition. – *ib.*, *No. 2288.*   [G 5308
CS Bm, Pnm – **D-brd** OF

Op. 47. Sinfonia in D à plusieurs instruments . . . œuvre 47 [D; 2 vl, vla, b, 2 ob, 2 cor]. – *Offenbach, Johann André, No. 1553.* – St.   [G 5309
CS Pnm – **D-brd** HL, OF, W (vl II, b, ob II) – **NL** At – S L, V, VIs

(ohne Opuszahl:)

Trois simphonies [Es, B, D] à grand orchestre . . . 1er livre de simphonies. – *Paris, Boyer.* – St.   [G 5310
DK Kk (20 St.)

Symphonie concertante pour harpe et piano avec accompagnement de violon ou flûte et violoncelle ou basson obligé, avec deux violons, alto et basso ad libitum, arrangé par Mme Clery [G; hf, pf, fl, fag, 2 vl, vla, b]. – *Paris, Mme Duhan & Co., No. 325.* – St.   [G 5311
CH Gc – **I** Nc

1ère sinfonie périodique à divers instruments [C; 2 vl, vla, b, 2 ob, 2 cor, 2 clno, timp]. – *Paris, Imbault, No. 190.* – St.   [G 5312
B Bc – **CH** R (fehlen cor II, clno I, clno II) – **GB** Lbm

2e sinfonie périodique à divers instruments [Es; 2 vl, vla, b, 2 ob, 2 cl, fag, 2 cor]. – *Paris, Imbault, No. 193.* – St.   [G 5313
B Bc – **CH** R (fehlt cl II) – **GB** Lbm

3e sinfonie périodique à divers instruments [C; 2 vl, vla, b, fl, 2 ob, fag, 2 cor]. – *Paris, Imbault, No. 196.* – St.   [G 5314
B Bc – **CH** Zz – **GB** Lbm – **US** BE

4e sinfonie périodique à divers instruments [Es; 2 vl, vla, b, 2 ob, 2 cl, fag, 2 cor]. – *Paris, Imbault, No. 197.* – St.   [G 5315
B Bc – **CH** R (fehlen ob I und fag) – **D-brd** MÜu, WE – **DK** Kk – **GB** Mp – **I** Rvat

5e sinfonie périodique à divers instruments [F; 2 vl, vla, b, fag, 2 ob, 2 cor]. – *Paris, Imbault, No. 198.* – St.   [G 5316
B Bc – **CH** Zz – **D-brd** BAR – **GB** Lbm – **US** Cn

6e sinfonie périodique à divers instruments [D; 2 vl, vla, b, 2 fl, 2 ob, 2 fag, 2 cor]. – *Paris, Imbault, No. 199.* – St.   [G 5317
B Bc – **CH** Zz – **D-brd** MÜu – **GB** Lbm – **NL** Uim

7e sinfonie périodique à divers instruments [B; 2 vl, vla, b, fl, 2 ob, 2 cl, 2 cor]. – *Paris, Imbault, No. 200.* – St.   [G 5318
B Bc – **D-brd** Mbs, MÜu, WE – **GB** Lbm

8e sinfonie périodique à divers instruments [F; 2 vl, vla, b, ob princip., 2 ob, 2 cor]. – *Paris, Imbault, No. 201.* – St.   [G 5319
B Bc – **CH** Zz – **D-brd** MÜu

421

9ᵉ sinfonie périodique à divers instruments [D; 2 vl, vla, b, fl, 2 cl, fag/vlc, 2 cor]. – *Paris, Imbault, No. 238.* – St.
[G 5320
B Bc – **DK** Kk – **GB** Mp – **I** Rvat

— Sinfonie périodique No. 9 . . . – *Lisboa, Casa de Weltin.*   [G 5321
P Lf

10ᵉ sinfonie périodique à divers instruments [Es; 2 vl, vla, vlc, 2 ob, 2 cor]. – *Paris, Imbault, No. 239.* – St.   [G 5322
B Bc – **CH** Zz – **D-brd** MÜu – **GB** Mp

11ᵉ sinfonie périodique à divers instruments [Es; 2 vl, vla, b, fl solo, 2 ob, fag, 2 cor]. – *Paris, Imbault, No. 240.* – St.
[G 5323
B Bc – **CH** Zz – **D-brd** MÜu – **GB** Mp

12ᵉ sinfonie périodique à divers instruments [G; 2 vl, vla, b, fl solo, 2 ob, fag, 2 cor]. – *Paris, Imbault, No. 241.* – St.
[G 5324
A Wn – **B** Bc – **CS** Pu – **D-brd** MÜu, WE – **DK** Kk – **GB** Mp – **P** Lf

13ᵉ sinfonie périodique à divers instruments [F; 2 vl, 2 vla, vlc, 2 fl, 2 cor]. – *Paris, Imbault, No. 242.* – St.   [G 5325
B Bc – **CH** Bu – **D-brd** MÜu – **GB** Lbm

14ᵉ sinfonie périodique à divers instruments [Es; 2 vl, vla, b, 2 cl, 2 cor]. – *Paris, Imbault, No. 248.* – St.   [G 5326
B Bc – **CH** Bu – **D-brd** WE

15ᵉ sinfonie périodique à divers instruments [D; 2 vl, vla, b, 2 fl, 2 ob, 2 cl, 2 cor, timp (nicht erhalten)]. – *Paris, Imbault, No. 249.* – St.   [G 5327
B Bc – **CH** Bu, Zz – **CS** Pk – **D-brd** MÜu

16ᵉ sinfonie périodique à divers instruments [D; 2 vl, vla, b, fl solo, 2 ob, 2 fag, 2 cor, 2 tr, timp]. – *Paris, Imbault, No. 317.* – St.   [G 5328
CH Zz

— 16ᵉ sinfonie périodique . . . – *Lisboa, Casa de Weltin.*   [G 5329
P Lf (vl I, vl II, vla, b, fl, ob I, ob II, cor I, cor II)

17ᵉ sinfonie périodique à divers instruments [F; 2 vl, vla, b, 2 ob, 2 fag, 2 cor]. – *Paris, Imbault, No. 318.* – St.   [G 5330
B Bc – **I** Rvat

18ᵉ sinfonie périodique à divers instruments [C; 2 vl, 2 vla, b, fl solo, 2 fag, 2 ob, 2 cor]. – *Paris, Imbault, No. 323.* – St.
[G 5331
B Bc – **CH** Zz – **SF** A

KONZERTE

Op. 26. Concerto pour le forte-piano avec accompagnement . . . œuvre 26ᵐᵉ [F; pf, 2 vl, vla, vlc, 2 fl/cl, 2 cor]. – *Offenbach, Johann André, No. 968.* – St.   [G 5332
A Wn – **B** Bc – **D-brd** F, HL, LB – **US** Wc

— Concerto pour le piano-forté . . . œuvre 26, seconde édition. – *ib., No. 2078.*
[G 5333
D-brd OF

Op. 39. Concert [B] pour le piano forte avec accompagnement de 2 violons, 2 altes, 2 hautbois, flûte, 2 clarinettes, 2 bassons, 2 cors, 2 trompettes & basse . . . œuvre 39. – *Augsburg, Gombart & Co., No. 347.* – St.   [G 5334
D-brd As, F, Mbs

Op. 49. Concerto pour le piano-forté avec accompagnement de grand orchestre . . . œuvre 49 [B; pf, 2 vl, vla, b, fl, 2 ob, 2 cl, 2 fag, 2 cor, 2 clno]. – *Offenbach, Johann André, No. 1625.* – St.   [G 5335
CS Pk – **D-brd** Lr, Mbs (2 Ex.), OF – **S** Skma

SERENADEN

Op. 2. Sérénate [!] à dix instruments . . . œuvre II [D; 2 vl, vla, b, fl oblig., 2 cl, fag, 2 cor]. – *Offenbach, Johann André, No. 260.* – St.   [G 5336
D-brd BE, Bu, Mh, MÜu, Tu, W – **E** Mn – **GB** Lbm – **PL** WRu – **S** Uu

Op. 3. Deux sérénates [!] [F, C] pour 2 clarinettes, 2 cors et basson . . . œuvre 3ᵐᵉ. – *Offenbach, Johann André, No. 315.* – St.   [G 5337
D-brd Bu – **D-ddr** Dl – **USSR** Lsc

Op. 5. Deux sérénates [!] [Es, B] pour deux clarinettes, deux cors et un basson

...œuvre V. – *Berlin, Johann Julius Hummel; Amsterdam, grand magazin de musique, No. 819.* – St.   [G 5338
D-brd Mmb

Op. 7. Sérénate [!] à plusieurs instruments ... œuvre 7me [F; 2 vl, 2 vla, vlc, 2 fl, 2 cor]. – *Offenbach, Johann André, No. 403.* – St.   [G 5339
A Sca – **B** Bc – **D-brd** OF, Tu, W

QUINTETTE

Op. 27. Quintetto per flauto, violino, due viole e violoncello ... op. 27. – *Wien, Artaria & Co., No. 794.* – St.   [G 5340
A Wgm – **NL** At

Op. 28. Quintetto [E] pour flûte, violon, deux altes & violoncelle ... œuvre 28. – *Augsburg, Gombart & Co., No. 270.* – St.   [G 5341
D-brd WE – **DK** Dschoenbaum – **S** SK

Op. 36. Grand quintetto [C] pour deux violons, deux altes et violoncelle ... œuvre 36. – *Paris, Sieber, No. 343.* – St.   [G 5342
B Bc – **F** Pc

— Grand quintuor [C] pour deux violons, deux altes et violoncelle ... œuvre 36. – *Augsburg, Gombart & Co., No. 326.*   [G 5343
A Wn – **CS** K – **D-brd** DO, F, MT, Mmb

Op. 39. Quintetto [e] pour flûte, violon, 2 altos & violoncelle ... œuvre 39me. – *Offenbach, Johann André, No. 1272.* – St.   [G 5344
D-ddr Dl

Op. 45. Grand quintetto [C] pour deux violons, deux altos & violoncelle ... œuvre 45. – *Offenbach, Johann André, No. 1534.* – St.   [G 5345
A Wn (2 Ex.) – **CS** Bu, Pnm – **D-brd** HL, MÜu, OF

STREICHQUARTETTE

(nach Opuszahlen; auf Sammlungen mit gleicher Tonarten-Folge wird verwiesen)

Op. 1a [vgl. op. 3]. Six quatuors [C, G, B, A, Es, D] pour deux violons, alto et basse

... œuvre 1er. – *Paris, Imbault, No. 156.* – St.   [G 5346
B Bc (2 Ex.) – **CH** Bu – **CS** Pk – **D-brd** Bu – **F** Pc – **GB** Ckc, Lbm (2 Ex.), Ltc – **I** Vc – **NL** Uim

— *Paris, Janet & Cotelle, No. 156.*   [G 5347
US R

— Sei quartetti per due violini, viola e violoncello ... opera [1]. – *Wien, Artaria & Co., No. 276.*   [G 5348
A Wgm (2 Ex.), Wn, Wst – **CH** E – **CS** BRnm, Pnm (unvollständig) – **D-brd** F – **H** Bn – **NL** Uim – **YU** Zha

— Trois quatuors [C, G, B (A, Es, D)] concertants pour deux violons, viola et violoncelle ... œuvre premier, livre 1 (2). – *Offenbach, Johann André, No. 212 (214).*   [G 5349
A HE (2 Ex.) – **D-brd** Mbs – **H** KE (liv. 2) – **J** Tma (liv. 1)

— ... 2me édition. – *ib., No. 1393 (1394).*   [G 5350
CH AR (fehlt vlc) – **D-brd** Bhm, MÜu (liv. 1), OF – **S** Skma (liv. 1)

— *Amsterdam, J. Schmitt.*   [G 5351
D-brd Mbs (liv. 1), Tu (liv. 2) – **S** Skma (liv. 1) – **SF** A – **US** Wc

Op. 1b. Trois quatuors [F, C, A] à deux violons, taille et violoncelle ... œuvre I. – *Berlin, Johann Julius Hummel; Amsterdam, grand magazin de musique, No. 679.* – St.   [G 5352
S Skma

Op. 2 [vgl. op. 4b]. Sei quartetti [C, G, D, B, F, A] per due violini, viola e violoncello ... œuvre 2. – *Wien, Artaria & Co., No. 309.* – St.   [G 5353
A Wgm (liv. 1) – **CS** Bm, JIa, Pnm – **DK** Dschoenbaum – **H** P – **USSR** Lsc

— Six quatuors concertants pour deux violons, alto et basse, dédiés au célèbre Haydn, 2e livre de quatuors. – *Paris, Imbault, No. 189.*   [G 5354
B Bc – **CH** Bu – **CS** Pu – **D-brd** Bu, Mbs – **F** Pn – **GB** Lbm, Ltc, Mp – **I** BGi, Vc – **J** Tma – **S** Skma – **US** AA

Op. 3a [vgl. op. 5a]. Six quatuors [D, A, F, G, C, Es] pour deux violons, alto et basse ... 3ᵉ livre de quatuors. — *Paris, Imbault, No. 195.* — St.   [G 5355
B Bc — CH Bu — CS Pu — D-brd Bu — GB Lbm — I Vc

— *ib., Janet & Cotelle, No. 195.*   [G 5356
US R

— Tre quartetti [D, A, F] per due violini, viola e violoncello ... opera 3. — *Wien, Artaria & Co., No. 332.*   [G 5357
A HE, Wgm, Wn — CS Bm, Pk, Pnm — I Vc

— Tre quartetti [G, C, Es] per due violini, viola e violoncello ... opera [4]. — *ib., No. 425.*   [G 5358
A Wgm, Wst — CS Pnm — D-brd BNba — DK Dschoenbaum — H Bn — I Vc

Op. 3b. Three quartettos [D, G, E] for two violins, tenor and violoncello ... opera IIIᶻᵃ. — *London, for the author.* — St.   [G 5359
GB Ckc, Cu, Gu, Lbm, Ltc, Mp, Ob — US CHH, IO, Wc

Op. 3c [vgl. op. 1a]. Trois quatuors concertants [C, G, B] à deux violons, taille et violoncelle ... œuvre III. — *Berlin, Johann Julius Hummel, No. 751.* — St.
                                         [G 5360
US AA

Op. 4a. Six quatuors concertants [F, G, C, A, G, Es] pour deux violons, alto & violoncello ... œuvre IV. — *Amsterdam, J. Schmitt.* — St.   [G 5361
CS Bm — D-brd Tu — D-ddr HAmi

Op. 4b [vgl. op. 2]. Six quatuors concertants [C, D, G (B, F, A)] pour deux violons, alto et basse ... dédiés à Mʳ J. Haydn ... œuvre 4ᵐᵉ, livre 1 (2). — *Offenbach, Johann André, No. 327 (328).*
                                         [G 5362
D-brd Bhm (unvollständig), Mbs (liv. 2), F, OF — D-ddr Dl (liv. 2), GBR — I MOe — NL At — S J (liv. 1), L, Skma (liv. 2) — US R

Op. 5a [vgl. op. 3a]. Trois quatuors [D, A, F (G, C, Es)] pour deux violons, viola et violoncelle ... œuvre 5, livre 1 (2). — *Offenbach, Johann André, No. 331 (332).* — St.   [G 5363

A HE — CS Pnm (liv. 1) — D-brd Bhm (2 Ex.), F, Mbs (2 Ex.), OF — DK Dschoenbaum — GB Gm (unvollständig) — H KE — S L, Skma — US AA, Wc

Op. 5b [vgl. op. 16b und 17]. Tre quartetti [C, D, A] per due violini, viola e violoncello ... opera [5]. — *Wien, Artaria & Co., No. 442.* — St.   [G 5364
A Wgm — CS Bm — H Bn — I Gi — US NYcu, NYp

Op. 9 [vgl. op. 17 und op. 19]. Tre quartetti [F, g, G] per due violini, viola e violoncello ... op. 9 [No. 4—6]. — *Wien, Artaria & Co., No. 472.* — St.   [G 5365
CS KRa — H P, Bn — I Gi, Vc

Op. 13 [vgl. op. 25a und op. 28]. Tre quartetti [D, C, Es] per due violini, viola e violoncello ... opera [13]. — *Wien, Artaria & Co., No. 618.* — St.   [G 5366
A M, Wgm (2 Ex.) — CS Bm, JIa, Pnm (unvollständig) — D-brd Mbs — DK Dschoenbaum — H Bn, KE — I Vc (2 Ex.)

— Three quartetts for two violins, alto and basse. — *London, Corri, Dussek & Co., No. 693.*   [G 5367
GB Lbm

Op. 16a [vgl. op. 25b und op. 27]. Tre quartetti [B, G, A] per due violini, viola e violoncello ... opera 16. — *Wien, Artaria & Co., No. 662.* — St.   [G 5368
A M, Wgm (3 Ex.), Wst (2 Ex.) — CH N — GB CDp — H Bn — US NYp

— Trois quatuors concertans pour deux violons, alto & violoncelle ... œuvre XVI. — *Augsburg, I. C. Gombart & Co., No. 134.*
                                         [G 5369
A Sca, Wgm — CH EN — CS Bm — D-brd DO, Es — D-ddr Dl — DK Dschoenbaum — GB Lbm — I Vc — S Skma — US R

Op. 16b [vgl. op. 5b]. Trois quatuors pour deux violons, alto e violoncelle ... œuvre 16ᵐᵉ. — *Offenbach, Johann André, No. 655.*   [G 5370
CH AR (fehlt vlc) — CS Pnm (unvollständig) — D-brd Bhm (unvollständig), DO, WE — NL At

— Trois quatuors pour deux violons, alto et basse ... œuvre 16. — *Paris, Sieber, No. 1367.*   [G 5371
I Mc

Op. 17 [vgl. op. 5b, op. 9 und op. 19]. Six quatuors concertants [C, D, A, F, g, G] pour deux violons, alto et basse . . . 4e livre de quatuors, œuvre 17, 1e et 2e partie. – *Paris, Imbault, No. 494.* – St. [G 5372

B Bc – CH Bu – CS Pu – I Sac, Vc

— Six quatuors concertants pour deux violons, alto et basse . . . 4e livre de quatuors, œuvre 17, 1e partie [C, D, A]. – *ib., Janet & Cotelle, No. 494.* [G 5373
US R

— Trois quatuors pour deux violons, alto et basse, œuvre 17. – *ib., Sieber fils, No. 7.* [G 5374
US R

Op. 19 [vgl. op. 9 und op. 17]. Trois quatuors pour deux violons, alto et violoncelle . . . œuvre 19me. – *Offenbach, Johann André, No. 745.* [G 5375
D-brd Bhm (unvollständig), DO, F, Mmb, OF, WE – D-ddr Dl – DK Kk – NL At – US CHH

Op. 21 [vgl. op. 30 und op. 31]. Tre quartetti [A, F, D] per due violini, viola e violoncello . . . opera 21. – *Wien, Artaria & Co., No. 734.* – St. [G 5376
A SF, M, Wgm, Wn, Wst – CS Bm – DK Kk – H Bn – I Sac, Vc – US Wc

— Trois quatuors pour deux violons, alte & violoncelle . . . œuvre XXI. – *Augsburg, Gombart & Co., No. 216.* [G 5377
D-brd HR, MÜu – DK Dschoenbaum – I Vc

Op. 25a [vgl. op. 13 und op. 28]. III Quatuors [D, C, Es] pour deux violons, alto et violoncelle . . . œuvre 25me. – *Offenbach, Johann André, No. 931.* – St. [G 5378
D-brd Bhm (unvollständig), F, Mmb, OF, WE, WO – I Mc – S Skma

— Trois quatuors pour deux violons, alto et basse . . . œuvre 25e, 5e livre de quatuors. – *Paris, Pleyel (gravés par Richomme), No. 36.* [G 5379
B Bc – CS Pu – F Pc, Pn – GB Lbm – US R

— *ib., Le Duc, No. 36.* [G 5380
I Sac

— Trois quatuors concertans pour deux violons, alto et violoncelle . . . œuvre 25e.

– *ib., B. Viguerie; Zürich, Johann Georg Nägeli, No. 33.* [G 5381
I Vc

Op. 25b [vgl. op. 16a und op. 27]. Trois quatuors concertants [B, G, A] pour deux violons, alto et violoncelle . . . opera XXV, 5e livre de quatuors, 2me partie. – *Paris, Imbault, No. 669.* – St. [G 5382
CS Pu – F Pn

Op. 27 [vgl. op. 25b und op. 16a]. III Quatuors concertants [B, G, A] pour deux violons, alto et violoncelle . . . œuvre 27me. – *Offenbach, Johann André, No. 1014.* – St. [G 5383
CH AR (fehlt vlc), Bu – CS Bm – D-brd F, LB, OF – US PHu – YU Zha

Op. 28 [vgl. op. 13 und op. 25a]. Trois quatuors concertants [D, C, Es] pour deux violons, alto et basse . . . œuvre 28, livre 1er. – *Paris, Sieber fils, No. 8.* – St. [G 5384

D-brd LÜh – GB Lbm

Op. 29 [vgl. op. 42b]. Tre quartetti [Es, G, B] per due violini, viola e violoncello . . . opera 29. – *Wien, Artaria & Co., No. 853.* – St. [G 5385
A M, Wgm (5 Ex.), Wn, Wst – GB Ckc – H Gm – I Sac – US BE

Op. 30 [vgl. op. 21 und op. 31]. Trois quatuors concertants [A, F, D] pour deux violons, alto et basse . . . œuvre XXX. – *Paris, Sieber fils, No. 10.* – St. [G 5386
B Bc – CS Pu – S M

Op. 31 [vgl. op. 21 und op. 30]. Trois quatuors concertants [A, F, D] pour deux violons, alto et basse . . . œuvre [31]. – *Paris, Sieber, No. 1488.* – St. [G 5387
GB Lbm

Op. 42a [vgl. op. 56]. Trois quatuors concertans [F, D, c] pour deux violons, alto & violoncelle . . . œuvre 42. – *Augsburg, Gombart & Co., No. 418.* – St. [G 5388
A Wgm – DK Kmk – US R

— Trois quatuors [D, F, c] pour deux violons, alto et violoncelle . . . op. 42. – *Wien, bureau des arts et d'industrie, No. 268.* – St. [G 5389
CS Bu – D-brd HR

— Trois grands quatuors concertans pour deux violons, alto et violoncelle . . . op. 42. – *Paris, Sieber père, No. 1684.* [G 5390 **US** R

Op. 42b [vgl. op. 29]. Trois quatuors [Es, G, B] pour deux violons, alto, violoncelle . . . œuvre 42me, édition faite d'après le manuscrit original de l'auteur. – *Offenbach, Johann André, No. 1440.* – St. [G 5391 **B** Bc – **CH** Bu – **CS** Bm, K – **D-brd** Es, F, Mbs, OF – **D-ddr** SWl – **NL** At – **S** V – **US** Cn

Op. 44. Trois quatuors [G, B, As] pour deux violons, alto et violoncelle . . . op. 44. – *Wien, bureau des arts et d'industrie, No. 328.* – St. [G 5392 **A** M, Wgm, Wst – **CS** Bu – **D-brd** Bhm – **YU** Zha

Op. 56 [vgl. op. 42a]. Trois quatuors [D, F, c] pour deux violons, alto et violoncelle . . . œuvre 56. – *Offenbach, Johann André, No. 1977.* – St. [G 5393 **B** Bc – **CH** Bu – **D-brd** F, Mbs, OF – **I** Nc – **S** Uu

QUARTETTI, DIVERTIMENTI, NOTTURNI

(mit Flöte oder Klarinette)

Op. 11 [vgl. op. 20a]. Tre quartetti [D, G, C] per flauto o violino primo, violino secondo, viola e basso . . . opera XI. – *Wien, Artaria & Co., No. 540.* – St. [G 5394 **DK** Kk

Op. 20a [vgl. op. 11]. Trois quatuors [D, G, C] pour flûte, violon, alto et violoncelle . . . œuvre 20me. – *Offenbach, Johann André, No. 758.* – St. [G 5395 **CS** Bu, K, Pu – **D-brd** Bhm, Mbs – **DK** Dschoenbaum (fehlen vl und vlc) – **H** SFm – **S** Skma

Op. 20b. Notturno per flauto, violino, viola e basso . . . op. 20. – *Wien, Artaria & Co., No. 704.* – St. [G 5396 **I** Bc

Op. 25. Trois quatuors pour flûte, violon, alto et violoncelle . . . op. 25. – *Heilbronn, Amon & Co., No. 165.* – St. [G 5397 **YU** Zha

Op. 26. Divertimento [G] per flauto, violino, viola e basso . . . op. 26. – *Wien, Artaria & Co., No. 781.* – St. [G 5398 **A** Wst – **I** Nc

Op. 36. Divertissement [G] pour flûte, violon, alto & violoncelle . . . œuvre 36me. – *Offenbach, Johann André, No. 1251.* – St. [G 5399 **A** HE, Wn – **CS** Bu – **D-ddr** Dl

Op. 37. Trois quatuors [C, G, D] pour flûte, violon, alto et violoncelle . . . œuvre 37me. – *Offenbach, Johann André, No. 1262.* – St. [G 5400 **A** HE – **CS** Bu – **D-brd** OF – **US** R

Op. 40. Divertissement [D] pour flûte, violon, alto & vlle . . . œuvre 40me. – *Offenbach, Johann André, No. 1372.* – St. [G 5401 **CS** Bu – **D-brd** Mbs, OF vgl. [G 5503

Quatuor [Es] pour clarinette, violon, viola et violoncelle . . . No. 5. – *Bonn, N. Simrock, No. 732.* – St. [G 5402 **CH** N

Notturno [D] per un flauto, violino, alto & violoncello . . . op. [20]. – *Augsburg, Gombart & Co., No. 201.* – St. [G 5403 **A** Gk – **CS** Bm, K, Pnm – **D-brd** Es, LÜh, Mbs – **D-ddr** Dl – **GB** Ckc – **I** Bc – **S** V

Notturno [D] per un flauto, violino, alto & violoncello . . . op. 25. – *Augsburg, Gombart & Co., No. 251.* – St. [G 5404 **D-brd** AM, Es, Mbs – **D-ddr** Dl – **S** Skma

— IIme Notturno pour flûte, violon, viola et violoncelle . . . œuvre 25. – *Wien, T. Mollo & Co., No. 107.* [G 5405 **A** HE, SCH, Wgm, Wn

Notturno [G] pour flûte, violon, alto & violoncelle . . . œuvre 26. – *Augsburg, Gombart & Co., No. 254.* – St. [G 5406 **A** Wgm – **CS** Bm – **D-brd** Es, WE – **D-ddr** Dl – **H** SFm

Notturno [F] pour flûte, violon, alte & violoncelle . . . œuvre [(handschriftlich:) 32]. – *Augsburg, Gombart & Co., No. 305.* – St. [G 5407 **A** M, Wgm, Wn – **CS** Bm – **D-brd** WE – **S** Skma

Notturno [Es] pour flûte, violon, alte & violoncelle ... œuvre [(handschriftlich:) 38 (oder 34)]. – *Augsburg, Gombart & Co., No. 338.* – St.   [G 5408
A Wgm – **CS** Bm – **D-brd** WE – **S** Skma

TRIOS

(nach Opuszahlen; auf Sammlungen mit gleicher Tonarten-Folge wird verwiesen)

Op. 4 [vgl. op. 11 und op. 6]. Three [Six] trios [G, D, C; A, F, D] for a german flute, violin and violoncello ... op. 4, book 1 [2]. – *London, J. Bland.* – St.   [G 5409
GB Gu, Lbm – **US** R

— *ib., A. Hamilton.*   [G 5410
US Wc

— Six trios à flûte, violon et violoncelle ... œuvre IV. – *Berlin, Johann Julius Hummel; Amsterdam, grand magazin de musique, No. 806.*   [G 5411
D-brd BOCHa

Op. 5. Sonate [G] pour le clavecin ou piano forte avec l'accompagnement d'un violon & violoncelle ... œuvre V. – *Amsterdam, J. Schmitt.* – St.   [G 5412
CH En – **D-brd** Tu – **D-ddr** HAmi – **S** St (pf, vl)

Op. 6 [vgl. op. 4 und op. 11]. Trois [Six] trios [G, D, C; A, F, D] pour la flûte traversière, violino & violoncelle ... œuvre VI, liv. I (II). – *Amsterdam, J. Schmitt.* – St.   [G 5413
A Wgm (II) – **D-brd** KNh (II), Tu – **DK** Kk – **GB** Ckc (I)

Op. 7 [vgl. op. 9 und op. 10b]. Trois trios [A, B, Es] pour le clavecin ou forte piano avec l'accompagnement d'un violon & violoncelle. – *Amsterdam, J. Schmitt.* – St. [G 5414
D-brd Tu

— *ib., Vve W. C. Nolting & fils, No. 3.*   [G 5415
NL DHgm (1 [A]) – **S** Skma (1 [A])

— *ib., Vve W. C. Nolting & fils, No. 111 bis 113.*   [G 5416
CS Bm (1 [A], 2 [B]) – **NL** At (1 [A], 3 [Es]), Uim (1 [A], 2 [B])

Op. 8 [vgl. op. 14a und op. 15a]. Trois sonates [C, F, D] pour le clavecin ou fortepiano avec un violon ou flauto et violoncello ... œuvre 8. – *Wien, Artaria & Co., No. 435.* – St.   [G 5417
A Wgm, Wn – **B** Bc – **CS** Pk – **I** Mc, MOe – **YU** Zha

Op. 9 [vgl. op. 7 und op. 10b]. Trois sonates [A, B, Es] pour clavecin ou fortepiano avec violon et basse ... œuvre 9me. – *Paris, Sieber, No. 1324.* – St.   [G 5418
CH BEk (pf) – **F** Pc (vl) – **CS** Pnm

— *ib., Imbault, No. 352.*   [G 5419
B Bc (pf)

— *ib., Boyer; Lyon, Garnier.*   [G 5420
D-brd MÜu – **F** V – **I** CMbc (clav)

— Three sonatas for the piano forte or harpsichord, with accompaniments for a violin & violoncello ... op. IX. – *London, Longman & Broderip.*   [G 5421
CS Bm (vl) – **GB** Cu, Lbm, Mp, Ob – **I** Rsc

Op. 10a. Trois sonates [D, G, D] pour le clavecin ou forte-piano avec violon ou fleute [!] et violoncelle ... œuvre X. – *Wien, T. Mollo & Co., No. 65.* – St.   [G 5422
I Mc (pf), Nc

— Trois sonates pour le clavecin ou fortepiano avec un violino et violoncello. – *ib., Artaria & Co., No. 529.*   [G 5423
A Wn – **CS** Pk – **D-brd** MÜu (unvollständig)

— *Paris, Sieber, No. 92.*   [G 5424
D-brd Rp

Op. 10b [vgl. op. 7 und op. 9]. Trois sonates [A, B, Es] pour le clavecin ou pianoforte, avec violon et violoncelle ... œuvre 10me. – *Offenbach, Johann André, No. 485.* – St.   [G 5425
B Bc – **D-brd** Bhm, Mmb, OF, Rp, WE – **NL** DHa – **S** Skma – **US** BE, R, Wc

— Trois sonates pour piano-forte avec violon et violoncello ... œuvre 10, seconde édition. – *ib., Johann André, No. 1951.*   [G 5426
CS Bm

Op. 10c [vgl. op. 40a und op. 55]. Trois sonates [G, F, D] pour le piano forte avec l'accompagnement d'un violon ou flûte et violoncelle . . . œuvre 10. – *Augsburg, Gombart & Co., No. 399.* – St.   [G 5427
D-brd Mmb

Op. 11 [vgl. op. 4 und op. 6]. Six trios [G, D, C, A, F, D] pour flûte, violon et violoncelle . . . œuvre 11me. – *Offenbach, Johann André, No. 488.* – St.   [G 5428
D-brd BOCHa

— . . . 2e édition. – *ib., Johann André, No. 2293.*   [G 5429
CS Bu – **D-brd** OF

— Six trios pour flûte, violon et violoncel. – *Paris, Imbault, No. 232.* – St.   [G 5430
CH Fcu – **D-brd** MÜu – **D-ddr** Dl

Op. 12 [vgl. op. 20, op. 24a und op. 62]. Trois sonates [A, F, c] pour le clavecin ou forte-piano avec un violon ou flauto et violoncello . . . œuvre 12. – *Wien, Artaria & Co., No. 604.* – St.   [G 5431
A Wgm (2 Ex.) – **CS** Bm, Pu (unvollständig) – **D-brd** MÜu – **D-ddr** Dl – **I** Nc, Tco – **US** R

Op. 14a [vgl. op. 8 und op. 15a]. Three sonatas [C, F, D] for the piano forte, with accompaniments for a violin and violoncello . . . opera 14. – *London, J. Dale.* – St.   [G 5432
D-brd Mbs – **D-ddr** Bds – **GB** Cu, Gu, Lbm, Ob – **US** BE

Op. 14b. Deux sonates [B, d] pour le clavecin ou forte-piano avec accompagnement d'un violon et violoncelle . . . œuvre 14. – *Wien, Artaria & Co., No. 640.* – St.   [G 5433
A Wgm (2 Ex.), Wst (2¦ Ex.) – **CS** Pk – **D-brd** Mmb, Rp – **D-ddr** Dl

Op. 15a [vgl. op. 8 und op. 14a]. Trois sonates [C, F, D] pour le clavecin, ou piano-forte, avec violon et violoncelle obligés . . . œuvre 15me. – *Offenbach, Johann André, No. 654.* – St.   [G 5434
CH SAf – **D-brd** Bu, F, Rp, SPlb – **D-ddr** SWl

— Trois sonates pour piano forte avec violon & violoncelle obligés . . . œuvre 15, seconde édition. – *ib., Johann André, No. 1732.*   [G 5435
CS Pnm – **D-brd** Es (pf)

Op. 15b. Deux sonates [G, Es] pour le clavecin ou forte-piano avec accompagnement d'un violon ou flûte et violoncelle . . . œuvre XV, No. 1 und 2. – *Wien, Johann Cappi, No. 652.* – St.   [G 5436
A Wgm

Op. 17. Trois sonates [D, g, C] pour le clavecin ou piano-forte, avec accompagnement de flûte, ou violon et basse ad libitum . . . œuvre 17me. – *Offenbach, Johann André, No. 689.* – St.   [G 5437
D-brd LÜh (pf), Mmb, OF, Rp, Sl (vl, vlc) – **D-ddr** SWl – **S** Skma (vl) – **US** R

— Trois sonates pour le piano-forte avec accompagnement de flûte ou violon et basse . . . œuvre 17, seconde édition. – *ib., Johann André, No. 2182.*   [G 5438
CS Bm – **D-brd** Mbs, OF

Op. 18 [vgl. op. 22 und op. 28a]. Trois sonates [G, B, Es] pour le clavecin ou forte-piano avec un violon et violoncello . . . œuvre 18. – *Wien, Artaria & Co., No. 690.* – St.   [G 5439
A Wgm, Wn, Wst – **B** Bc – **CH** Bchristen, Bu – **CS** Pk, Pnm – **D-ddr** Dl – **I** Nc

— *Mannheim, J. M. Götz, No. 683.*   [G 5440
A Ssp, Wn – **D-brd** SPlb

— Trois sonates pour le piano forte avec l'accompagnement d'un violon & violoncelle . . . œuv. 18. – *Augsburg, Gombart & Co., No. 138.*   [G 5441
D-brd Mbs (unvollständig) – **D-ddr** LEm – **US** Wc

— Three sonatas for the grand & small piano forte . . . with accompaniments for a violin & violoncello. – *London, Longman & Broderip.*   [G 5442
GB Cu, Gu, Lbm, Ob – **US** CHH

Op. 19 [vgl. op. 21b und op. 31a]. Notturno [D] per il clavicembalo o pianoforte con un violino e violoncello . . . op. 19. – *Wien, Artaria & Co., No. 703.* – St.   [G 5443
A Wn – **D-brd** DS – **I** Nc

— Notturno pour le piano forte avec l'accompagnement d'un violon & violoncelle . . . œuv. [(handschriftlich:) 19]. – *Augsburg, Gombart & Co., No. 145.*   [G 5444

D-brd LCH, Mmb, Mbs – **D-ddr** WRh – **DK** Dschoenbaum – **I** Tmc – **NL** Uim

— Notturno pour forte-piano avec accompagnement de violon et violoncelle obligé. – *Wien, T. Mollo, No. 1262.*   [G 5445
A Wn – **D-brd** Bu – **I** Mc

Op. 20 [vgl. op. 12, op. 24a und op. 62]. Three grand sonatas [A, F, Es] for the piano forte with an accompaniment for a violin or flute and violoncello . . . op. 20. – *London, F. Linley.* – St.   [G 5446
GB Cu, Gu, Lbm, Ob

Op. 21a. Deux grandes sonates [B, G] pour le piano-forte avec flûte ou violon et violoncelle . . . œuvre 21me. – *Offenbach, Johann André, No. 861.* – St.
          [G 5447
D-brd BNu – **D-ddr** WRgs – **NL** DHa – **PL** Wu – **S** Skma

— Deux grandes sonates . . . œuvre 21, 2e édition. – *ib., Johann André, No. 2567.*   [G 5448
CS Bm – **D-brd** Mbs, OF

Op. 21b [vgl. op. 19 und op. 31a]. A Notturno [D] for the piano forte with accompaniments for the violin & violoncello . . . op. 21. – *London, Longman & Broderip.* – St.   [G 5449
GB Cu, Lbm, Ob

Op. 22 [vgl. op. 18 und op. 28a]. Three sonatas [G, B, Es] for the piano forte with accompanyments for the violin & violoncello . . . op. 22. – *London, Longman & Broderip.* – St.   [G 5450
GB Cu, Gu, Lbm, Ob – **US** Wc

Op. 23 [vgl. op. 35a]. Trois sonates [Es, C, D] pour le piano forte avec l'accompagnement d'un violon & violoncello . . . œuvre XXIII. – *Augsburg, Gombart & Co., No. 240.* – St.   [G 5451
B Bc – **CH** BEsu – **CS** Pu – **D-brd** Mbs – **I** Vc – **NL** At – **PL** Wu

— Three sonatas [D, C, Es] for the piano forte, with an accompaniment for a violin and violoncello . . . op. 23. – *London, Longman, Clementi & Co.*   [G 5452
GB Cu, Gu, Lbm, Ob – **S** Ssr (pf)

— Trois sonates [C, Es, D] pour forte-piano avec accompagnement de violon et violoncelle . . . op. 23. – *Wien, T. Mollo, No. 1058.*   [G 5453
A Sca (pf), Wgm (2 Ex.) – **CS** Mms (fehlt vlc) – **I** Nc

Op. 24a [vgl. op. 12, op. 20 und op. 62]. Trois sonates [A, F, c] pour le clavecin, ou piano-forte, avec accompagnement de flûte ou violon et violoncelle . . . œuvre 24me. – *Offenbach, Johann André, No. 907.* – St.   [G 5454
B Bc – **D-ddr** EIb

— Trois sonates pour clavecin ou forte piano avec accompagnement de flûte ou violon et violoncelle . . . œuvre 24. – *Paris, H. Naderman, No. 428.*   [G 5455
A Wgm – **I** Tn

Op. 24b. Notturno [D] pour le piano forte avec l'accompagnement d'un violon & violoncelle . . . œuvre [(handschriftlich:) 24]. – *Augsburg, Gombart & Co., No. 250.* – St.   [G 5456
A Wn – **D-brd** BNba (pf), DO, Mmb – **NL** Uim

— Notturno pour le forte-piano avec accompagnement de violon et violoncelle obligé . . . op. 24. – *Wien, T. Mollo & Co., No. 103.*   [G 5457
A Wgm, Wn

— *ib., T. Mollo, No. 1062.*   [G 5458
A Wgm – **CS** Pk – **I** Mc

Op. 24c [vgl. op. 30 und op. 31b]. Notturno [F] pour forte-piano avec accompagnement de violon et violoncelle obligé . . . op. 24. – *Wien, T. Mollo, No. 1082.* – St.
          [G 5459
CS Pk – **I** Mc

Op. 24d [vgl. op. 41b und op. 61]. IXme Notturno [G] pour forte-piano avec accompagnement d'un violon ou flûte et violoncelle obligé . . . op. 24. – *Wien, T. Mollo & Co., No. 1266.* – St.   [G 5460
A Wgm – **I** Mc

— IXme Notturno pour forte piano avec accompagnement d'un violon ou flûte et violoncelle. – *Wien, T. Mollo & Co., No. 1622.*   [G 5461
A Wgm, Wn – **CS** Pnm – **I** Bc

Op. 24e. [(handschriftlich:) XIme] Notturno [B] pour forte-piano avec accompagnement d'un violon ou flûte et violoncelle. – *Wien, T. Mollo & Co., No. 1450*. – St. [G 5462
A Wgm – CS Mms, Pk, Pnm – I Mc (mit abweichender Widmung!)

Op. 25a [vgl. op. 28b, op. 29 und op. 41a]. Three sonatas [B, G, D] for the piano forte with an accompaniment for a violin & violoncello . . . op. 25. – *London, Clementi, Banger, Hyde, Collard & Davis*. – St. [G 5463
US CHH, LAu (pf)

Op. 25b [vgl. op. 27]. Divertimento per il clavicembalo o piano-forte con un violino e violoncello . . . [(handschriftlich:) op. 25]. – *Wien, Artaria & Co., No. 784*. [G 5464
A Wgm – I Nc

— III. Notturno ossia Divertimento [G] per il clavicembalo o piano-forte con un violino e violoncello . . . op. 25. – *ib., Artaria & Co., No. 1263*. – St. [G 5465
A Wgm – CS Mms

Op. 26a. Trois sonates [B, G, d] pour piano forte avec accompagnement de flûte et violoncelle . . . œuvre 26. – *Paris, Pleyel, No. 116*. – St. [G 5466
E Ma (pf) – P Ln – S Skma, Uu (vl)

Op. 26b. A divertimento notturno [B] for the piano forte with an accompaniment for a violin or flute & violoncello . . . op. 26. – *London, Clementi, Banger, Hyde, Collard & Davis*. – St. [G 5467
NL DHgm (pf)

Op. 27 [vgl. op. 25b]. Notturno [G] pour forte-piano avec accomp^t de violon et violoncelle obligé . . . op. 27. – *Wien, T. Mollo, No. 1263*. – St. [G 5468
A Wn – CS Pk – I Mc

— Notturno pour le piano forte avec l'accompagnement d'un violon & violoncelle . . . œuvre 27. – *Augsburg, Gombart & Co., No. 259*. [G 5469
A Wst – CS Bm (pf) – D-brd As, Mmb – NL Uim

Op. 28a [vgl. op. 18 und op. 22]. Trois sonates [G, B, Es] pour le pianoforte avec l'accompagnement d'un violon et violoncelle . . . œuvre 28me. – *Offenbach, Johann André, No. 1031*. – St. [G 5470
CS Bm – H KE (vl, vlc)

Op. 28b [vgl. op. 25a, op. 29 und op. 41a]. Trois sonates [B, G, D] pour le clavecin ou piano-forte avec accompagnement d'un violon et violoncelle . . . œuvre 28, No. 1–3. – *Wien, Johann Cappi, No. 832*. – St. [G 5471
A Wgm, Wn – CS Pk (2 Ex.) – D-brd BNba – I Nc, Tmc

— Trois sonates pour le clavecin ou pianoforte avec accompagnement d'un violon et violoncelle. – *ib., Artaria & Co., No. 832*. [G 5472
A Wn – I Mc, Tn

Op. 29 [vgl. op. 25a, op. 28b, op. 33 und op. 41a]. Trois sonates [B, G, D] pour forte piano avec l'accompagnement d'un violon et violoncelle . . . œuvre 29. – *Augsburg, Gombart & Co., No. 283*. – St. [G 5473
D-brd Mbs, Mmb – S SK

Op. 30 [vgl. op. 24c und op. 31b]. IVme Notturno [F] pour forte-piano avec accompagnement de violon et violoncelle . . . op. 30. – *Wien, T. Mollo & Co., No. 126*. – St. [G 5474
A Wgm (No. 126 verändert in 926), Wn (pf)

— Notturno pour forte-piano avec accompagnement d'un violon ou flûte et violoncelle. – *ib., T. Mollo, No. 1082*. [G 5475
A Wn

Op. 31a [vgl. op. 19 und op. 21b]. Notturno pour le piano-forte avec accompagnement de violon et violoncelle . . . œuvre 31. – *Offenbach, Johann André, No. 1090*. – St. [G 5476
D-brd LB (pf, vlc)

— Notturno pour le piano-forte avec accompagnement de violon et violoncelle . . . œuvre 31, seconde édition. – *ib., Johann André, No. 2230*. [G 5477
D-brd DO, Mbs (2 Ex.), OF, WE

Op. 31b [vgl. op. 24c und op. 30]. Notturno [F] pour le piano-forte avec l'accompagnement d'un violon & violoncelle

... œuvre 31. – *Augsburg, Gombart & Co.,*
No. 302. – St.   [G 5478
A Wst – **CS** Pnm – **D-brd** As, WE

Notturno pour le piano-forte avec l'ac-
compagnement d'un violon & violoncelle.
– *Worms, G. Kreitner, No. 27.*   [G 5479
D-brd Gs (Etikett: B. Schott, Mainz)

Op. 31c [vgl. op. 34b]. Notturno [B] pour
forte-piano avec accompagnement d'un
violon ou flûte et violoncelle ... œuvre
[(handschriftlich:) 31]. – *Wien, T. Mollo,*
No. 942. – St.   [G 5480
A Wn – **CS** Pnm – **I** Nc

— ... [(zusätzlich:) op. 32]. – *ib., T. Mollo,*
No. 1096.   [G 5481
A Wgm, Wn – **CS** Pk – **I** Mc

Op. 32 [vgl. op. 35b]. VIme Notturno [Es]
pour forte-piano avec accompagnement
d'un violon ou flûte et violoncelle ...
œuvre 32. – *Wien, T. Mollo & Co., No.*
149. – St.   [G 5482
A Wn – **I** Nc, Ppapafava

— Notturno pour forte-piano avec accompagnement de violon et violoncelle obligé.
– *ib., T. Mollo, No. 1103.*   [G 5483
A Wgm – **CS** Pk – **I** Mc

Op. 33. La chasse. Sonate [D (= op. 29,
Nr. 3)] pour le piano forte accompagnée
de violon & violoncelle ... œuvre 33. –
Berlin, Johann Julius Hummel; Amster-
dam, grand magazin de musique, No. 1083.
– St.   [G 5484
NL At – **US** Wc

Op. 34a. Trois sonates [d, A, C] pour le
forte-piano avec violon ou flûte et violoncelle ... œuvre 34. – *Wien, T. Mollo &*
Co., No. 164. – St.   [G 5485
A Wgm – **CH** Bchristen – **D-brd** Mbs – **I** Nc

— Trois sonates pour le forte piano avec
violon & violoncelle obligés. – *Berlin, Jo-*
hann Julius Hummel; Amsterdam, grand
magazin de musique, No. 1343. [G 5486
NL At

Op. 34b [vgl. op. 31c]. Notturno [B] pour
le piano forte avec l'accompagnement
d'un violon et violoncelle ... œuvre

[(handschriftlich:) 34]. – *Augsburg, Gom-*
bart & Co., No. 327. – St.   [G 5487
D-brd BNba

Op. 35a [vgl. op. 23]. Trois sonates [Es,
C, D] pour le forté-piano avec accompagnement de violon et violoncelle ... œuvre
35. – *Paris, Sieber fils, No. 42.* – St.
                                         [G 5488
D-brd F – **DK** Kk

Op. 35b [vgl. op. 32]. Notturno [Es] pour
le piano forte avec l'accompagnement
d'un violon & violoncelle ... œuvre 35. –
Augsburg, Gombart & Co., No. 317. – St.
                                         [G 5489
A Wn – **D-brd** Tmi

— Notturno [Es] pour le piano forte avec
accompagnement d'un violon et violoncelle ... œuv. 35. – *Mainz, Bernhard Schott,*
No. 382.   [G 5490
D-brd MZsch

Op. 35c. VIIme Notturno [A] pour forte-
piano avec accompagnement d'un violon
ou flûte et violoncelle ... œuvre 35. –
Wien, T. Mollo & Co., No. 201. – St.
                                         [G 5491
CS Pnm – **I** Nc

— *ib., T. Mollo, No. 1060.*   [G 5492
A Wgm, Wn – **CS** Pk (2 Ex.) – **I** Mc

Op. 36a. Notturno [C] pour forte-piano
avec accompagnement d'un violon ou
flûte et violoncelle ... œuvre 36. – *Wien,*
T. Mollo, No. 217. – St.   [G 5493
CS Pnm

— *ib., T. Mollo, No. 1265.*   [G 5494
CS Pk – **I** Mc

— *ib., T. Mollo, No. 1524.*   [G 5495
A Wgm, Wn

Op. 36b. Divertissement [G] pour le piano
forte avec violon & violoncelle ... œuvre
36me. – *Offenbach, Johann André, No.*
1235. – St.   [G 5496
D-brd DO, Mbs

Op. 37. Trois sonates [F, C, A] pour piano
forte avec accompagnement d'un violon ou
flûte et violoncelle ... œuvre 37. – *Augs-*

burg, Gombart & Co., No. 331. – St.
[G 5497
CS Bm – **D-brd** As

— *Paris, Gunther, No. 331.*   [G 5498
F Pn

Op. 40a [vgl. op. 10c und op. 55]. Trois sonates [D, G, F] pour le pianoforte avec accompagnement de violon et violoncelle ... œuvre 40, No. 1(–3). – *Wien, bureau des arts et d'industrie, No. 97 (172, 186).* – St.   [G 5499
A Wgm, Wn (No. 3) – **CS** Bu (No.1), Pnm (No. 2, 3 [pf, vl]) – **D-brd** Bu (No. 1)

— Trois sonates [G, F, D] pour le piano forte avec l'accompagnement d'un violon ou flûte et violoncelle ... opera 40. – *Augsburg, Gombart & Co., No. 399.*
[G 5500
I Vc (pf)

— *Paris, Imbault, No. 266.*   [G 5501
F Pn

Op. 40b. Trois trios [G, C, G] pour flûte, violon et violoncelle ... op. 40, livre 1. – *Rotterdam, N. Barth, No. 106.* – St. [G 5502
H SFm

Op. 40c. Divertissement [D] pour le pianoforte avec violon & violoncelle ... œuvre 40me. – *Offenbach, Johann André, No. 1371.* – St.   [G 5503
D-brd OF
vgl. [G 5401

Op. 41a [vgl. op. 25a, op. 28b und op. 29]. Trois sonates [B, G, D] pour le piano-forte avec violon & violoncelle ... œuvre 41me. – *Offenbach, Johann André, No. 1380.* – St.   [G 5504
D-brd AD, OF, Rp – **D-ddr** BAUd – **DK** Dschoenbaum – **US** Wc

Op. 41b [vgl. op. 24d und op. 61]. Notturno [G] pour le piano-forte avec l'accompagnement d'un violon ou flûte & violoncelle ... œuv.: 41. – *Augsburg, Gombart & Co., No. 400.* – St.   [G 5505
CS Pu – **D-brd** Gs, Mmb

Op. 43a. Grand trio [Es] pour le pianoforte, clarinette ou violon et violoncelle concertants ... op. 43. – *Wien, bureau des arts et d'industrie, No. 397.* – St. [G 5506

A Wgm, Wn (pf, vlc) – **B** Bc – **CH** E – **CS** Pk, Pnm – **D-brd** Bu

Op. 43b. Divertissement [F] pour le pianoforte avec violon & violoncelle ... œuvre 43. – *Offenbach, Johann André, No. 1449.* – St.   [G 5507
D-brd OF – **I** Tn

Op. 45. Notturno [F] pour forte-piano avec accompagnement d'un violon ou flûte et violoncelle. – *Wien, T. Mollo, No. 1413.* – St.   [G 5508
A Wgm – **CS** Pk – **I** Mc

— Notturno pour piano-forte avec l'accompagnement d'un violon et violoncelle ... œuvre 45. – *Augsburg, Gombart & Co., No. 433.*   [G 5509
CS Bu (Mikrofilm)

Op. 46. Divertissement [B] pour le pianoforte avec violon & violoncelle ... œuvre 46. – *Offenbach, Johann André, No. 1536.* – St.   [G 5510
CS Bu (Mikrofilm)

Op. 50. Divertissement [A] pour le pianoforte avec violon ou flûte & violoncelle ... œuvre 50. – *Offenbach, Johann André, No. 1627.* – St.   [G 5511
D-brd LÜh – **D-ddr** SWl – **NL** At

Op. 54. Divertissement [C] pour le pianoforte avec violon & violoncelle ... œuvre 54. – *Offenbach, Johann André, No. 1646.* – St.   [G 5512
A SF – **D-ddr** GOl

Op. 55 [vgl. op. 10c und op. 40a]. Trois sonates [D, G, F] pour piano-forte avec accompagnement de violon ou flûte et violoncelle ... œuvre 55. – *Offenbach, Johann André, No. 1828.* – St.   [G 5513
D-ddr Elb – **H** Gm – **S** Skma – **US** R

Op. 57. Divertissement [B] pour pianoforte avec violon ou flûte et violoncello ... œuvre 57. – *Offenbach, Johann André, No. 2312.* – St.   [G 5514
D-brd Mbs, OF

Op. 58. Divertissement pour le piano forte, violon et violoncelle ... œuvre 58. – *Offenbach, Johann André, No. 2935.* – St.
[G 5515
CS Pk – **PL** Wu

Op. 60. Trois sonates [F, A, D] pour le piano forte avec accompagnement d'un violon et violoncelle . . . œuvre 60, No. 1(–3). – *Wien, Chemische Druckerei, No. 2142(–2144).* – St.   [G 5516
A Wgm, Wn – **D-brd** Bu

— Drey Sonaten für Piano-Forte, Violin und Violoncello . . . 60tes Werk, No. 1(–3). – *Wien, S. A. Steiner & Co., No. 2142 (–2144).*   [G 5517
CS Pk (No. 3) – **D-brd** Bu (No. 2, 3) – **I** Nc (No. 2), PAc

Op. 61 [vgl. op. 24d und op. 41b]. IXme Notturno [G] pour forte-piano avec accompagnement d'un violon ou flûte et violoncelle . . . op. 61. – *Wien, T. Mollo & Co., No. 1622.* – St.   [G 5518
CS Pk

Op. 62 [vgl. op. 12, op. 20 und op. 24a]. Trois sonates [A, F, c] pour le clavecin ou forte-piano avec un violino ou flauto et violoncello . . . œuvre 62. – *Wien, Artaria & Co., No. 604.* – St.   [G 5519
A Wst (2 Ex.)

ohne Opuszahl:

[Xme] Notturno pour forte-piano avec accompagnement d'un violon ou flûte et violoncelle. – *Wien, T. Mollo, No. 1413.* – St.   [G 5520
A Wn

XIIme Notturno [Es] pour le piano-forte avec accompagnement d'un violon et violoncelle. – *Wien, Thadé Weigl, No. 839.* – St.   [G 5521
A Wgm – **D-brd** Bu – **I** Tn

— Notturno pour forte piano avec accompagnement de violon et violoncello obligé. – *ib., T. Mollo, No. 1678.*   [G 5522
CS Bu (Mikrofilm), Pk

Notturno [G] pour le piano-forte avec accompagnement d'un violon et violoncelle. – *Wien, Johann Cappi, No. 1533.* – St.   [G 5523
A Wgm – **D-brd** Bu

Divertissement pour piano forte avec violon ou flûte et violoncelle. – *Offenbach, Johann André, No. 1807.* – St.   [G 5524
D-brd ERms

Trois quatuors [C, G, B] de . . . arrangés pour le clavecin ou piano-forte avec accompagnement de violon et violoncelle par Monsieur Schmutz (Etrennes pour les dames, livre 11me). – *Offenbach, Johann André, No. 345.* – St.   [G 5525
CS Pu – **D-brd** OF

Duos

Deux grandes sonates [Es, F] pour le piano-forte avec flûte ou violon . . . œuvre 22me. – *Offenbach, Johann André, No. 862.* – St.   [G 5526
CS Bm (fehlt clav) – **F** Pc

Trois grands duos [F, G, C] dialogués et concertants pour deux violons . . . œuvre 35. – *Wien, T. Mollo & Co., No. 175 (176).* – St.   [G 5527
I Vc

— Trois grands duos dialogués et concertants pour deux violons . . . 1er livre. – *Paris, P. Porro, No. 43.*   [G 5528
CH Bu (mit Etikett: B. Viguerie)

— Trois duos concertants pour deux violons . . . œuvre 53. – *Offenbach, Johann André, No. 1632.*   [G 5529
CH Bu – **CS** Bu, Pu – **D-brd** OF

Trois grands duos [B, G, D] dialogués et concertants pour deux violons . . . œuvre 36. – *Wien, T. Mollo, No. 1126 (1127).* – St.   [G 5530
I Vc

— Trois duos concertants pour deux violons . . . œuvre 52. – *Offenbach, Johann André, No. 1630.*   [G 5531
[mit Etikett: Frankfurt, Gayl . . . :] **CS** Bu – **D-brd** F, OF

Sonate für das Piano-Forte [D] mit Begleitung einer Violine oder Flöte . . . 61tes Werk. – *Wien, S. A. Steiner, No. 2301.* – St.   [G 5532
A Wgm, Wn – **D-brd** Mmb

6 Sonatines pour le piano-forte avec violon ad libitum . . . let. A, let. B, let. C. – *Offenbach, Johann André, No. 2261 (–2263).* – St.   [G 5533
A Wn (A, B) – **CH** Bchristen (fehlt vl) – **D-brd** OF

Petits airs & rondos à l'usage des commençans, tirés des compositions de Mr A. Gyrowetz & arrangés pour le piano-forte avec violon ad libitum par Jean André, livre 1. – *Offenbach, Johann André, No. 1320.* – St.   [G 5534
S Skma

— *ib., No. 2261.*   [G 5535
D-brd OF

Petits airs & rondos . . . livre 4(–6). – *Offenbach, Johann André, No. 2263(–2265).* – St.   [G 5536
D-brd OF (pf, fehlt vl)

XII Allemandes nouvelles pour la grande Salle des Redoutes Imp: Roy: à Vienne composées et arrangées pour deux flûtes . . . liv. 1. – *Heilbronn, Johann Amon & Co., No. 166.* – St.   [G 5537
D-ddr SWl (fl II, fehlt fl I)

Dans[es] allemandes pour deux flûtes . . . livre III. – *Augsburg, Gombart & Co., No. 273.*   [G 5538
YU Zha

KLAVIERWERKE

Sonate [D] à deux pianofortes. – *Wien, Joseph Riedl, No. 740.* – St.   [G 5539
A Wst – **I** PAc

Sonate [As] pour le piano-forte . . . œuvre 62. – *Wien, S. A. Steiner & Co., No. 2319.*   [G 5540
A Wgm, Sca – **CS** K – **D-ddr** WRtl

Sonate [B] für das Piano-Forte . . . 63tes Werk. – *Wien, S. A. Steiner & Co., No. 2763.*   [G 5541
A Wgm – **CH** E – **CS** K

XIII Allemandes nouvelles pour la grande Salle des Redoutes Imp: Roy: à Vienne composées et arrangées pour le pianoforte . . . œuvre 29, livre 1. – *Offenbach, Johann André, No. 1072.*   [G 5542
S V

— XIII Allemandes nouvelles . . . livre I (II, III). – *Augsburg, Gombart & Co., No. 141 (146, 272).*   [G 5543
A Wn (1, 2) – **CS** Pnm (3), Pu – **D-brd** As (2), Rp (1)

XII Redout-Tänze für das Piano-Forte. – *Wien, Chemische Druckerei, No. 2194.*   [G 5544
A Wgm

XII Menuets nouveaux pour la grande Salle des Redoutes Imp: Roy: à Vienne composés et arrangés pour le piano-forte. – *Augsburg, Gombart & Co., No. 142.*   [G 5545
A Sca

— *Wien, bureau des arts et d'industrie.*   [G 5546
I Bc

12 Menuetten mit Trios für das Piano-Forte aufgeführt im k.k. Redouten-Saal in der Redout für die Pensions-Gesellschaft bildender Künstler im Jahre 1811. – *Wien, Pietro Mechetti qdm. Carlo, No. 49.*   [G 5547
A Wgm

Neue Menuetten für das Piano-Forte. – *Wien, Tobias Haslinger, No. 8320.* [G 5548
A Wgm, Wn, Wst

Douze Ecossaises pour le piano forte. – *Wien, Thadé Weigl, No. 1454.*   [G 5549
CS Pk

— *Bonn, N. Simrock, No. 649.*   [G 5550
D-brd Bu

— *Offenbach, Johann André, No. 2802.*   [G 5551
D-brd OF

XII Deutsche Tänze für das Pianoforte . . . No. 5. – *Wien-Pesth, bureau des arts et d'industrie, No. 657.*   [G 5552
A Wgm

XII Walzes pour le pianoforte . . . – *Wien, bureau des arts et d'industrie; Pesth, Schreyvogel & Co., No. 575.*   [G 5553
A Wgm

XII Walzes idéales pour le piano-forte. – *Wien, Pietro Mechetti qdm. Carlo, No. 41.*   [G 5554
A Wgm

Six préludes faciles [C, G, A, F, D, B] pour le pianoforte. – *Wien, bureau des arts et d'industrie, No. 474.*   [G 5555
A Wgm, Wn (2 Ex.) – **CS** Pu – **D-ddr** Dl

— *Hamburg, Johann August Böhme.*
[G 5556
S Skma

— *Offenbach, Johann André, No. 2360.*
[G 5557
D-brd OF

Sei canzonette italiane e tedesche per il cembalo . . . op. XVII. – *Augsburg, Gombart & Co., No. 137.* [G 5558
S Skma

Variations faciles [G] sur la marche de l'opéra Raoul Barbe-Bleue. – *Wien, bureau des arts et d'industrie, No. 500.*
[G 5559
A Wn, Z – D-brd Mmb – I PAc

Sieges- und Friedens-Fest der verbündeten Monarchen gefeyert im Prater und dessen Umgebungen am 18ten October 1814 . . . Eine charakteristische Fantasie für das Piano-Forte. – *Wien, Thadé Weigl, No. 1441.* [G 5560
A Wn – CS Pu

WERKE FÜR VIOLINE

XII Variations [G] pour le violon. – *Wien-Pesth, bureau des arts et d'industrie, No. 625.* [G 5561
CS Pu – D-brd Bhm

— *Bonn, N. Simrock, No. 713.* [G 5562
CH N

Theodora Straková